Europe
Europa

ATLAS ROUTIER et TOURISTIQUE
TOURIST and MOTORING ATLAS
STRASSEN- und REISEATLAS
TOERISTISCHE WEGENATLAS
ATLANTE STRADALE e TURISTICO
ATLAS DE CARRETERAS y TURÍSTICO
ATLAS RODOVIÁRIO e TURÍSTICO

Sommaire

Contents / Inhaltsübersicht / Inhoud / Sommario / Sumario / Sumário

II - VII

IV - VII Légende / Key to maps / Zeichenerklärung / Verklaring van detekens / Legenda / Signos conventionales

VIII Plaques d'immatriculation par pays
International vehicle registration plates / Internationale Autokennzeichen / Nationaliteitssticker van de auto's / Sigle automobilistiche internazionali / Matrículas automóvilisticas por país / Chapas de matrícula por país

1 - 19

Europe / Europa 1:3 700 000

20 - 205

Europe / Europa 1:1 000 000

20 - 21 Tableau d'assemblage / Key to road map / Seitennübersicht / Overzichtskaarten / Quadro d'insieme / Mapa índice / Tabela de montagem

22 - 37 Irlande / Ireland / Irland / Ierland / Irlanda
Royaume-Uni / United Kingdom / Vereinigtes Königreich / Verenigd Koninkrijk / Regno Unito / Reino Unido

38 - 55 France / Frankreich / Francia / França
Monaco / Mónaco

56 - 75 Espagne / Spain / Spanien / Spanje / Spagna / España / Espanha
Portugal / Portogallo
Andorre / Andorra

76 - 79 Pays-Bas / Netherlands / Niederlande / Nederland / Paesi Bassi / Países Bajos / Países Baixos
Belgique / Belgium / Belgien / België / Belgio / Bélgica
Luxembourg / Luxemburg / Lussemburgo / Luxemburgo

80 - 99 Allemagne / Germany / Deutschland / Duitsland / Germania / Alemania / Alemanha
Tchéquie / Czechia / Tschechien / Tsjechië / Cechia / Chequia / Chéquia
Autriche / Austria / Österreich / Oostenrijk / Áustria
Liechtenstein / Listenstaine
Suisse / Switzerland / Schweiz / Zwitserland / Svizzera / Suiza / Suiça

100 - 115 Italie / Italy / Italien / Italië / Italia / Itália
Saint-Marin / San Marino / São Marinho
Vatican / Vatikan / Vaticaan / Vaticano
Malte (1:500 000) / Malta

116 - 133 Pologne / Poland / Polen / Polonia / Polónia
Hongrie / Hungary / Ungarn / Hongarije / Ungheria / Hungría / Hungria
Slovaquie / Slovakia / Slowakei / Slowakije / Slovacchia / Eslovaquia

Eslovénia / Eslovenia / Slovenië / Slowenien / Slovenia / Slovénie 134 - 139
Croácia / Croacia / Croazia / Croatië / Kroatien / Croatia / Croatie
Bosnien und Herzegowina / Bosnia and Herzegovina / Bosnie-Herzégovine
Bósnia e Herzegovina / Bosnia y Herzegovina / Bosnia-Erzegovina / Bosnië en Herzegovina
Montenegro / Monténégro

Sérvia / Servië / Serbien / Serbia / Serbie 140 - 145
Republiek Macedonië / Republik Mazedonien / Republic of Macedonia / République de Macédoine
República da Macedónia / República de Macedonia / Repubblica di Macedonia
Albânia / Albanië / Albanien / Albania / Albanie

Roménia / Rumanía / Roemenië / Rumänien / Romania / Roumanie 146 - 173
Bulgária / Bulgaria / Bulgaria / Bulgarije / Bulgarien / Bulgaria / Bulgarie
Grécia / Grecia / Griekenland / Griechenland / Greece / Grèce

Chipre / Cipro / Zypern / Cyprus / Chypre (1:700 000) 174 - 175

Noruega / Norvegia / Noorwegen / Norwegen / Norway / Norvège (1:1 500 000) 176 - 199
Islândia / Islandia / Islanda / IJsland / Island / Iceland / Islande (1: 2 800 000)
Suécia / Suecia / Svezia / Zweden / Schweden / Sweden / Suède (1:1 500 000)
Finlândia / Finlandia / Finnland / Finland / Finlande (1:1 500 000)
Dinamarca / Danimarca / Denemarken / Dänemark / Denmark / Danemark (1:1 500 000)

Estónia / Estland / Estonia / Estonie 200 - 205
Letónia / Letonia / Lettonia / Letland / Lettland / Latvia / Lettonie
Lituânia / Lituania / Litouwen / Litauen / Lithuania / Lituanie

206 - 264

Índice / Indice / Register / Index

265 - 345

Pianta di città / Stadsplattegronden / Stadtpläne / Town plans / Plans de ville
Planos de ciudades / Plantas de Cidade

346 - 351

Conduire en Europe 346- 348
Conducir en Europa / Guidare in Europa / Autorijden in Europa / Autofahren in Europa / Driving in Europe /
Conduzir na Europa

Automóvel clube / Club del Automóvil / Automobielclub / Automobil Club / Automobile Club 349

Tableau des distances 350- 351
Quadro de distâncias / Cuadro de distancias / Tabella delle distanze / Afstandstabel / Entfernungstabelle / Distances

Europe des 28 352- 355
Europa dos 28 / Europa de los 28 / Europa dei 28 / Het Europa van de 28 / Europa der 28 / 28 EU Member States

Back of the guide: key to map pages / En fin d'atlas : tableau d'assemblage
Achter in het boek: overzichtskaart / Am Ende des Buches: Übersich
No final do volume : tabela de montagem / Al final del volumen : mapa índice / Alla fine del volume: quadro d'insieme

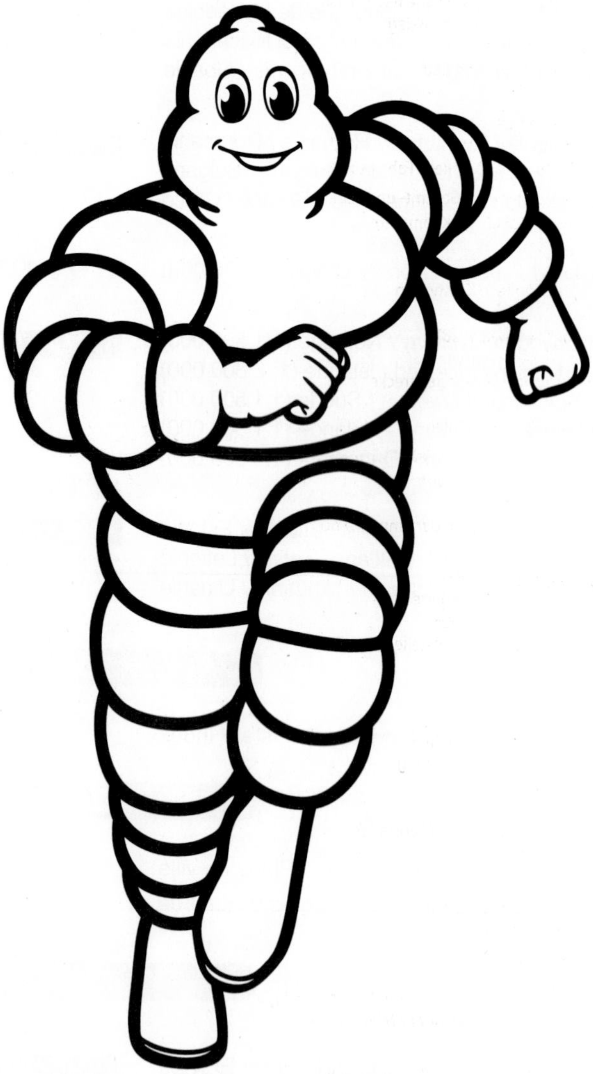

Légende

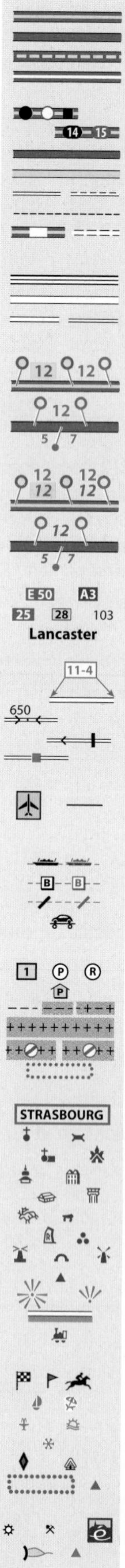

Routes
Autoroute
Route-auto
Autoroute et assimilée
Double chaussée de type autoroutier
Échangeurs :
complet, partiels, sans précision
Numéros d'échangeurs
Itinéraire principal recommandé par MICHELIN
Itinéraire régional ou de dégagement recommandé par MICHELIN
Route revêtue - non revêtue
Sentier
Autoroute - Route en construction

Largeur des routes
Chaussées séparées
2 voies larges
2 voies - 2 voies étroites

Distances (totalisées et partielles)
Sur autoroute en kilomètres
Section à péage - Section libre

Sur route en kilomètres

Sur autoroute (GB)
en miles - en kilomètres
Section à péage - Section libre

Sur route en miles

Numérotation - Signalisation
Route européenne - Autoroute
Autres routes
Localités jalonnant les itinéraires principaux

Alertes Sécurité
Enneigement :
période probable de fermeture
Col et sa cote d'altitude
Forte déclivité - Barrière de péage
Gué

Transports
Aéroport - Voie ferrée
Transports des autos :
permanente - saisonnière
par bateau
par bac
Bac pour piétons et cycles
Auto/Train

Administration
Capitale de division administrative
Parador / Pousada
Limites administratives
Frontière
Douane principale - Douane avec restriction
Zone interdite aux étrangers / Zone militaire

Lieux touristiques
Sites classés 2 et 3 étoiles par le Guide Vert MICHELIN
Édifice religieux - Château
Monastère - Église en bois debout
Église en bois - Ville classée
Musée de plein air - Site antique
Gravure rupestre - Monument mégalithique
Pierre runique - Ruines
Phare - Grotte - Moulin à vent
Autres curiosités
Panorama - Point de vue
Parcours pittoresque
Train touristique

Sports - Loisirs
Circuit automobile - Golf - Hippodrome
Centre de voile - Plage
Station thermale - Station balnéaire
Station de sports d'hiver
Parc de loisirs - Refuge de montagne
Parc national - Parc naturel

Signes divers
Usine - Mine - Village étape
Barrage - Cascade

Key / Zeichenerklärung

Key	Symbol	Zeichenerklärung
Roads		**Straßen**
Motorway		Autobahn
Motorway: single carriageway		Autostraße
Motorway (unclassified)		Autobahn oder Schnellstraße
Dual carriageway with motorway characteristics		Schnellstraße mit getrennten Fahrbahnen
Interchanges: complete, limited, not specified		Anschlussstellen: Voll - bzw. Teilanschluss, ohne Angabe
Interchange numbers	14 15	Interchange numbers / Anschlussstellennummern
Recommended MICHELIN main itinerary		Von MICHELIN empfohlene Hauptverkehrsstraße
Recommended MICHELIN regional itinerary		Von MICHELIN empfohlene Regionalstraße
Road surfaced - unsurfaced		Straße mit Belag - ohne Belag
Footpath		Pfad
Motorway/Road under construction		Autobahn/Straße im Bau
Road widths		**Straßenbreiten**
Dual carriageway		Getrennte Fahrbahnen
2 wide lanes		2 breite Fahrspuren
2 lanes - 2 narrow lanes		2 Fahrspuren - 2 schmale Fahrspuren
Distances (total and intermediate)		**Entfernungen** (Gesamt- und Teilentfernungen)
On motorway in kilometers	12 12	Auf der Autobahn in Kilometern
Toll roads - Toll-free section		Mautstrecke - Mautfreie Strecke
On road in kilometers	12 5 7	Auf der Straße in Kilometern
On motorway (GB) in miles - in kilometers	12 12 12 12	Auf der Autobahn (GB) in Meilen - in Kilometern
Toll roads - Toll-free section		Mautstrecke - Mautfreie Strecke
On road in miles	12 5 7	Auf der Straße in Meilen
Numbering - Signs		**Nummerierung - Wegweisung**
European route - Motorway	E 50 A3	Europastraße - Autobahn
Other roads	25 28 103	Sonstige Straßen
Destination on primary route network	Lancaster	Richtungshinweis auf der empfohlenen Fernverkehrsstraße
Safety Warnings		**Sicherheitsalerts**
Snowbound, impassable road during the period shown	11-4	Eingeschneite Straße: voraussichtl. Wintersperre
Pass and its height above sea level	650	Pass mit Höhenangabe
Steep hill - Toll barrier		Starke Steigung - Mautstelle
Ford		Furt
Transportation		**Verkehrsmittel**
Airport - Railway		Flughafen - Bahnlinie
Transportation of vehicles: year-round - seasonal		Autotransport: ganzjährig saisonbedingte Verbindung
by boat		per Schiff
by ferry	B B	per Fähre
Ferry (passengers and cycles only)		Fähre für Personen und Fahrräder
Motorail		Autoreisezug
Administration		**Verwaltung**
Administrative district seat	1 P R	Verwaltungshauptstadt
Parador / Pousada	P	Parador / Pousada
Administrative boundaries		Verwaltungsgrenzen
National boundary		Staatsgrenze
Principal customs post - Secondary customs post		Hauptzollamt - Zollstation mit Einschränkungen
Restricted area for foreigners / Military property		Sperrgebiet für Ausländer / Militärgebiet
Sights		**Sehenswürdigkeiten**
2- and 3-star MICHELIN Green Guide sites	STRASBOURG	Sehenswürdigkeiten mit 2 und 3 Sternen im Grünen Reiseführer MICHELIN
Religious building - Historic house, castle		Sakral-Bau - Schloss, Burg
Monastery - Stave church		Kloster - Stabkirche
Wooden church - Listed historic town		Holzkirche - denkmalgeschützter Stadtteil
Open air museum - Antiquities		Freilichtmuseum - Antike Fundstätte
Rock carving - Prehistoric monument		Felsbilder - Vorgeschichtliches Steindenkmal
Rune stone - Ruins		Runenstein - Ruine
Lighthouse - Cave - Windmill		Leuchtturm - Höhle - Windmühle
Other places of interest		Sonstige Sehenswürdigkeit
Panoramic view - Viewpoint		Rundblick - Aussichtspunkt
Scenic route		Landschaftlich schöne Strecke
Tourist train		Museumseisenbahn-Linie
Sport & Recreation Facilities		**Sport - Freizeit**
Racing circuit - Golf course - Horse racetrack		Rennstrecke - Golfplatz - Pferderennbahn
Sailing - Beach		Yachthafen - Badestrand
Spa - Seaside resort		Thermalbad - Seebad
Ski resort		Skigebiet
Recreation ground - Mountain refuge hut		Erholungspark - Schutzhütte
National park - Nature park		Nationalpark - Naturpark
Other signs		**Sonstige Zeichen**
Factory - Mine - Stopover village/ Overnight stop		Fabrik - Bergwerk - Übernachtungsmöglichkeit/ Übernachtungsort
Dam - Waterfall		Staudamm - Wasserfall

Verklaring van de tekens / Legenda

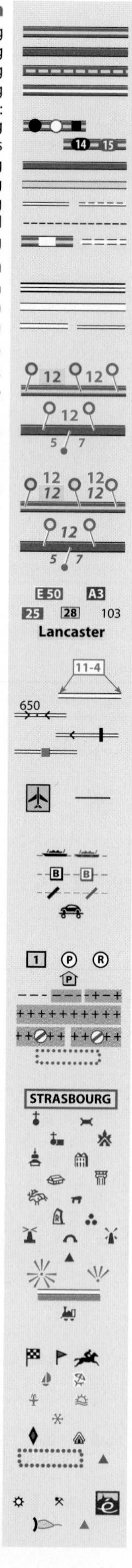

Verklaring van de tekens	Legenda
Wegen	**Strade**
Autosnelweg	Autostrada
Autoweg	Strada-auto
Autosnelweg of gelijksoortige weg	Autostrada, strada di tipo autostradale
Gescheiden rijbanen van het type autosnelweg	Doppia carreggiata di tipo autostradale
Aansluitingen: volledig, gedeeltelijk, zonder aanduiding	Svincoli: completo, parziale, imprecisato
Afritnummers	Svincoli numerati
Hoofdweg	Itinerario principale raccomandato da MICHELIN
Regionale weg	Itinerario regionale raccomandato da MICHELIN
Verharde weg - onverharde weg	Strada rivestita - non rivestita
Pad	Sentiero
Autosnelweg - Weg in aanleg	Autostrada - Strada in costruzione
Breedte van de wegen	**Larghezza delle strade**
Gescheiden rijbanen	Carreggiate separate
2 brede rijstroken	2 corsie larghe
2 rijstroken - 2 smalle rijstroken	2 corsie - 2 corsie strette
Afstanden (totaal en gedeeltelijk)	**Distanze** (totali e parziali)
Op autosnelwegen in kilometers	Su autostrada in chilometri
Gedeelte met tol - Tolvrij gedeelte	Tratto a pedaggio - Tratto esente da pedaggio
Op andere wegen in kilometers	Su strada in chilometri
Op autosnelwegen (GB)	Su autostrada (GB)
in mijlen - in kilometers	in miglia - in chilometri
Gedeelte met tol - Tolvrij gedeelte	Tratto a pedaggio - Tratto esente da pedaggio
Op andere wegen in mijlen	Su strada in miglia
Wegnummers - Bewegwijzering	**Numerazione - Segnaletica**
Europaweg - Autosnelweg	Strada europea - Autostrada
Andere wegen	Altre strade
Plaatsen langs een hoofdweg met bewegwijzering	Località delimitante gli itinerari principali
Veiligheidswaarschuwingen	**Segnalazioni stradali**
Sneeuw: vermoedelijke sluitingsperiode	Innevamento: probabile periodo di chiusura
Bergpas en hoogte boven de zeespiegel	Passo ed altitudine
Steile helling - Tol	Forte pendenza - Casello
Wad	Guado
Vervoer	**Trasporti**
Luchthaven - Spoorweg	Aeroporto - Ferrovia
Vervoer van auto's: het hele jaar - tijdens het seizoen	Trasporto auto: tutto l'anno - stagionale
per boot	su traghetto
per veerpont	su chiatta
Veerpont voor voetgangers en fietsers	Traghetto per pedoni e biciclette
Autotrein	Auto/treno
Administratie	**Amministrazione**
Hoofdplaats van administratief gebied	Capoluogo amministrativo
Parador / Pousada	Parador / Pousada
Administratieve grenzen	Confini amministrativi
Staatsgrens	Frontiera
Hoofddouanekantoor - Douanekantoor met beperkte bevoegdheden	Dogana principale - Dogana con limitazioni
Terrein verboden voor buitenlanders / Militair gebied	Zona vietata agli stranieri / Zona militare
Bezienswaardigheden	**Mete e luoghi d'interesse**
Locaties met 2 en 3 sterren volgens de Groene Gids van MICHELIN	Siti segnalati con 2 e 3 stelle dalla Guida Verde MICHELIN
Kerkelijk gebouw - Kasteel	Edificio religioso - Castello
Klooster - Stavkirke (houten kerk)	Monastero - Chiesa in legno di testa
Houten kerk - Onder monumentenzorg geplaatste stad	Chiesa in legno - Citta' classificata
Openluchtmuseum - Overblijfsel uit de Oudheid	Museo all'aperto - Sito antico
Rotstekening - Megaliet	Incisione rupestre - Monumento megalitico
Runensteen - Ruïne	Pietra runica - Rovine
Vuurtoren - Grot - Molen	Faro - Grotta - Mulino a vento
Andere bezienswaardigheden	Altri luoghi d'interesse
Panorama - Uitzichtpunt	Panorama - Vista
Schilderachtig traject	Percorso pittoresco
Toeristentreintje	Trenino turistico
Sport - Recreatie	**Sport - Divertimento**
Autocircuit - Golfterrein - Renbaan	Circuito automobilistico - Golf - Ippodromo
Jachthaven - Strand	Centro velico - Spiaggia
Kuuroord - Badplaats	Stazione termale - Stazione balneare
Wintersportplaats	Sport invernali
Recreatiepark - Berghut	Parco divertimenti - Rifugio
Nationaal park / Natuurpark	Parco nazionale / Parco naturale
Diverse tekens	**Simboli vari**
Fabriek - Mijn - Stopplaats voor overnachting	Fabbrica - Miniera - Paese tappa
Stuwdam - Waterval	Diga - Cascata

Signos convencionales		*Legenda*
Carreteras		**Estradas**
Autopista		Auto-estrada
Carretera		Rota-automovilística
Autopista, Autovía		Auto-estrada ou similar
Autovía		Estrada com 2 faixas de rodagem do tipo auto-estrada
Accesos: completo, parcial, sin precisar		Nós: completo - parciais - sem precisão
Números de los accesos	14 15	Número de nós
Itinerario principal recomendado por MICHELIN		Itinerário principal recomendado pela MICHELIN
Itinerario regional recomendado por MICHELIN		Itinerário regional recomendado pela MICHELIN
Carretera asfaltada - sin asfaltar		Estrada asfaltada - não asfaltada
Sendero		Atalho
Autopista - Carretera en construcción		Auto-estrada - Estrada em construção
Ancho de las carreteras		**Largura das estradas**
Calzadas separadas		Faixas de rodagem separadas
Dos carriles anchos		Com 2 vias largas
Dos carriles - Dos carriles estrechos		Com 2 vias - Com 2 vias estreitas
Distancias (totales y parciales)		**Distâncias** (totais e parciais)
En autopista en kilómetros	12 12	Em auto-estrada em quilómetros
Tramo de peaje - Tramo libre		Em secção com portagem - sem portagem
En carretera en kilómetros	12 5 7	Em estrada em quilómetros
En autopista (GB) en millas - en kilómetros	12 12 12 12	Em auto-estrada (GB) em milhas - em quilómetros
Tramo de peaje - Tramo libre		Em secção com portagem - sem portagem
En carretera en millas	12 5 7	Em estrada em milhas
Numeración - Señalización		**Numeração - Sinalização**
Carretera europea - Autopista	E 50 A3	Estrada Europeia - Auto-estrada
Otras carreteras	25 28 103	Outras estradas
Localidades situadas nos principais itinerários	Lancaster	Localidades situadas nos principais itinerários
Alertas Seguridad		**Obstáculos**
Nevada: Período probable de cierre	11-4	Nevadas: período provável de encerramento
Puerto y su altitud	650	Passagem de montanha - Altitude
Pendiente Pronunciada - Barrera de peaje		Forte declive - Portagem
Vado		Vau
Transportes		**Transportes**
Aeropuerto - Línea férrea / Aeroporto - Via férrea		Aeroporto - Via férrea
Transporte de coches: todo el año - de temporada		Transporte de automóveis: permanente - temporal
por barco		por barco
por barcaza	B B	por barcaça
Barcaza para el paso de peatones y vehículos dos ruedas		Barcaça para peões e ciclos
Auto-tren		Auto/trem
Administración		**Administração**
Capital de división administrativa	1 P R	Capital de divisão administrativa
Parador / Pousada	P	Parador / Pousada
Limites administrativos		Limites administrativos
Frontera		Fronteira
Aduana principal - Aduana con restricciones		Alfândega principal - Alfândega com restrições
Zona prohibida a los extranjeros / Propiedad militar		Zona proibida aos estrangeiros / Zona militar
Curiosidades		**Curiosidades**
Lugares clasificados con 2 y 3 estrellas por la Guía Verde MICHELIN	STRASBOURG	Lugares classificados com 2 e 3 estrelas pelo Guia Verde MICHELIN
Edificio religioso - Castillo		Edifício religioso - Castelo
Monasterio - Iglesia de madera		Mosteiro - Antiga igreja de madeira
Iglesia de madera - Ciudad clasificada		Igreja de madeira - cidade classificada
Museo al aire libre - Zona de vestigios antiguos		Museu ao ar livre - Zona de vestígios antigos
Grabado rupestre - Monumento megalítico		Gravura rupestre - Monumento megalítico
Piedra rúnica - Ruinas	R	Pedra rúnica - Ruínas
Faro - Cueva - Molino de viento		Farol - Gruta - Moínho de Vento
Otras curiosidades		Outras curiosidades
Vista panorámica - Vista parcial		Panorama - Vista
Recorrido pintoresco		Percuso pitoresco
Tren turístico		Caminho de ferro turístico
Deportes - Ocio		**Desportos - Ocio**
Circuito automovilístico - Golf - Hipódromo		Circuito automobilístico - Golfe - Hipódromo
Vela - Playa		Centro de Vela - Praia
Estación termal - Aguas termales		Termas - Águas termais
Área de esquí		Estação de esqui
Zona recreativa - Refugio de montaña		Parque de recreio - Refúgio de montanha
Parque nacional - Parque natural		Parque nacional - Parque natural
Signos diversos		**Signos diversos**
Fábrica - Mina - Población-etapa		Fábrica - Mina - Povoação-etapa
Presa - Cascada		Barragem - Cascada

Pays

Countries - Ländern - Landen - Paesi - Países

(FIN) Plaques d'immatriculation par pays

International vehicle registration plates / Internationale Autokennzeichen / Nationaliteitssticker van de auto's / Sigle automobilistiche internazionali / Matrículas automóvilisticas por país / Chapas de matrícula por país.

(A) **Österreich**
Autriche / Austria / Oostenrijk / Áustria

(AL) **Shqipëria**
Albanie / Albania / Albanien
Albanië / Albânia

(AND) **Andorra**
Andorre

(B) **Belgique, België, Belgien**
Belgium / Belgio / Bélgica

(BG) **Bălgarija, България**
Bulgarie / Bulgaria / Bulgarien
Bulgarije / Bulgária

(BIH) **Bosna i Hercegovina**
Bosnie-Herzégovine
Bosnia and Herzegovina
Bosnien und Herzegowina
Bosnië en Herzegovina
Bosnia-Erzegovina
Bosnia y Herzegovina
Bósnia-Herzegovina

(BY) **Bielaruś, Biełaruś, Беларусь**
Biélorussie / Bielorussia / Weißrussland
Belarus / Bielorrusia / Bielorrússia

(CH) **Schweiz, Suisse, Svizzera**
Switzerland / Zwitserland
Suiza / Suiça

(CY) **Kýpros, Κύπρος, Kıbrıs**
Chypre / Cyprus / Zypern / Cipro / Chipre

(CZ) **Česko**
Tchéquie / Czechia / Tschechien
Tsjechië / Cechia / Chequia

(D) **Deutschland**
Allemagne / Germany / Duitsland
Germania / Alemania / Alemanha

(DK) **Danmark**
Danemark / Denmark / Dänemark
Denemarken / Danimarca / Dinamarca

(E) **España**
Espagne / Spain / Spanien / Spanje
Spagna / Espanha

(EST) **Eesti**
Estonie / Estonia / Estland / Estónia

(F) **France**
Frankreich / Francia / França

(FIN) **Suomi, Finland**
Finlande / Finnland / Finlandia / Finlândia

(FL) **Liechtenstein**
Listenstaine

(GB) **United Kingdom**
Royaume-Uni
Vereinigtes Königreich
Verenigd Koninkrijk
Regno Unito
Reino Unido

(GR) **Elláda, Ελλάδα**
Grèce / Greece / Griechenland
Griekenland / Grecia / Grécia

(H) **Magyarország**
Hongrie / Hungary / Ungarn / Hongarije
Ungheria / Hungría / Hungria

(HR) **Hrvatska**
Croatie / Croatia / Kroatien / Kroatië
Croazia / Croacia / Croácia

(I) **Italia**
Italie / Italy / Italien / Italië / Itália

(IRL) **Ireland, Éire**
Irlande
Irland
Ierland
Irlanda

(IS) **Ísland**
Islande / Iceland / Island / IJsland
Islanda / Islandia / Islândia

(L) **Luxembourg, Luxemburg, Lëtzebuerg**
Lëtzebuerg / Lussemburgo / Luxemburgo

(LT) **Lietuva**
Lituanie / Lithuania / Litauen / Litouwen
Lituania / Lituânia

(LV) **Latvija**
Lettonie / Latvia / Lettland / Letland
Lettonia / Letonia / Letónia

(M) **Malta**
Malte

(MC) **Monaco**
Mónaco

(MD) **Moldova**
Moldavie / Moldawien / Moldavië /

(MK) **Makedonija, Македонија**
République de Macédoine / Republic of Macedonia / Republik Mazedonien / Republiek Macedonië / Repubblica di Macedonia / República de Macedonia / República da Macedónia

(MNE) **Crna Gora, Црна Гора**
Monténégro
Montenegro

(N) **Norge**
Norvège / Norway / Norwegen
Noorwegen / Norvegia / Noruega

(NL) **Nederland**
Pays-Bas
Netherlands
Niederlande
Paesi Bassi
Países Bajos
Países Baixos

(P) **Portugal**
Portogallo

(PL) **Polska**
Pologne / Poland / Polen / Polonia
Polónia

(RO) **România**
Roumanie / Romania / Rumänien
Roemenië / Rumanía / Roménia

(RSM) **San Marino**
Saint-Marin / São-Marinho

(RUS) **Rossija, Россия**
Russie / Russia / Russland / Rusland Rusia / Rússia

(S) **Sverige**
Suède / Sweden / Schweden / Zweden
Svezia / Suecia / Suécia

(SK) **Slovensko**
Slovaquie
Slovakia
Slowakei
Slowakije
Slovacchia
Eslovaquia

(SLO) **Slovenija**
Slovénie
Slovenia
Slowenien
Slovenië
Eslovenia
Eslovénia

(SRB) **Srbija, Србија**
Serbie / Serbia / Serbien / Servië / Sérvia

(TR) **Türkiye**
Turquie / Turkey / Türkei / Turkije
Turchia / Turquía / Turquia

(UA) **Ukraïna, Україна**
Ukraine
Oekraïne
Ucraina
Ucrania
Ucrânia

(V) **Vaticano**
Vatican / Vatikan / Vaticaan

EUROPE

1: 3 700 000

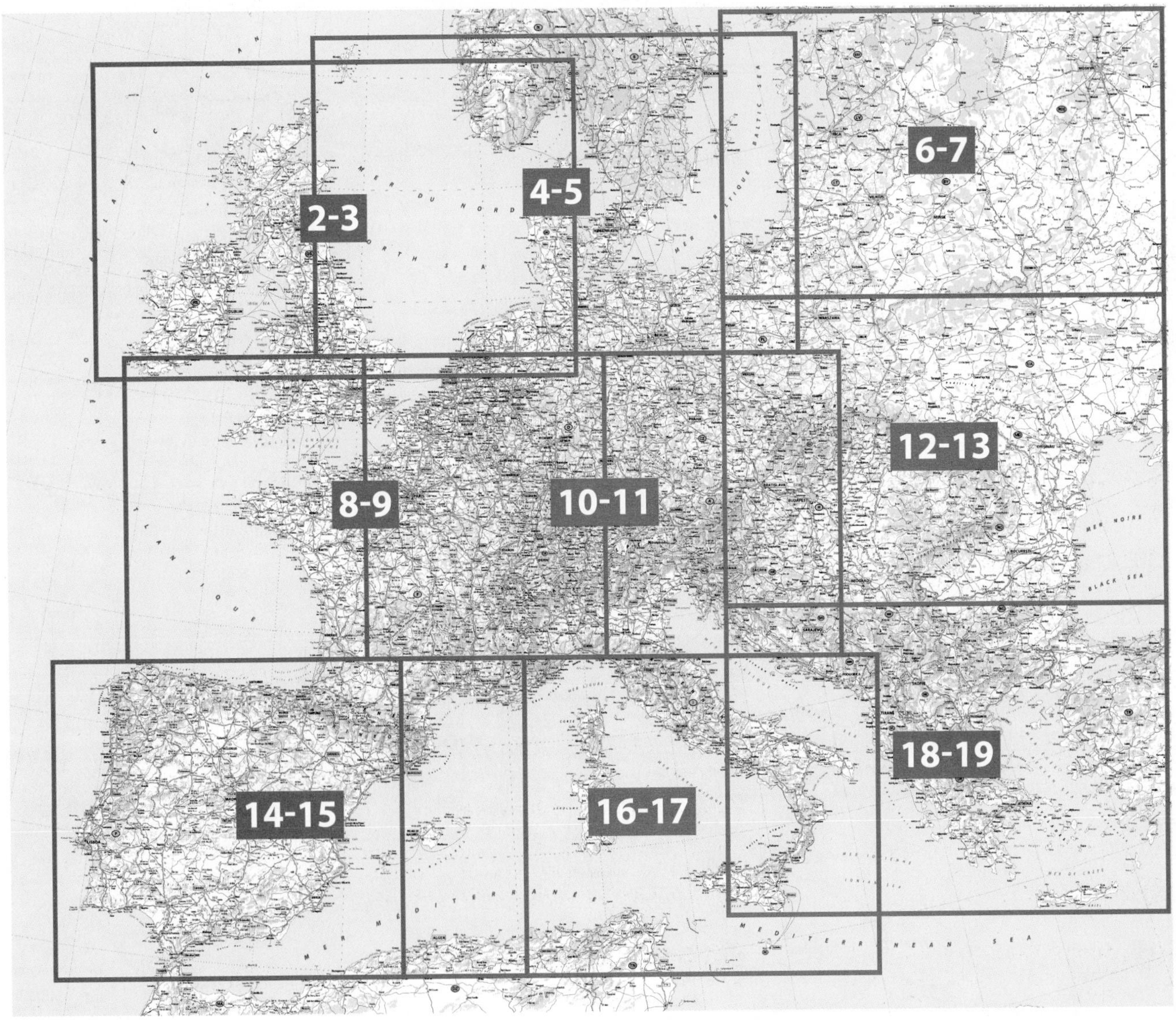

A T L A N T I C O C E A N
Rockall (GB)
St. Kilda
Orkney
Westray
Rousay
Sanday
Stronsay
Mainland
Kirkwall
Stromness
Hoy
Pentland Firth
Dunnet Head
Thurso
Tongue
Wick
Lewis
Stornoway
The Minch
Lochinver
Tarbert
Harris
Lairg
Brora
Dornoch
Ullapool
North Uist
Lochmaddy
Moray Firth
Uig
Little Minch
Dingwall
Nairn
Elgin
Banff
Portree
Dunvegan
Kyle of Lochalsh
Inverness
Keith
South Uist
Lochboisdale
Skye
Grantown-on-Spey
R. Spey
Loch Ness
105
Barra
Castlebay
Sea of the Hebrides
Mallaig
Aviemore
Newtonmore
Rhum
Braemar
Aberdeen
H E B R I D E S
H I G H L A N D S
Coll
Tiree
Tobermory
Fort William
Ben Nevis
1344
112
Grampian Mountains
Stonehaven
Mull
Fionnphort
Craignure
Oban
Loch Linnhe
Pitlochry
90
Forfar
Montrose
Dundee
Arbroath
S C O T L A N D
Colonsay
Crianlarich
Crieff
Perth
St Andrews
Firth of Lorn
59
Lochgilphead
Loch Fyne
Stirling
Kinross
Firth of Forth
Islay
Port Askaig
Jura
Greenock
Dumbarton
41
Kirkcaldy
North Berwick
Dunoon
Glasgow
EDINBURGH
Haddington
Rothesay
Port Ellen
Kintyre
Ardrossan
Hamilton
47
Lanark
Berwick-upon-Tweed
Brodick
Peebles
Galashiels
Malin Head
Campbeltown
Arran
Kilmarnock
Firth of Clyde
Coldstream
Buncrana
Portrush
Giant's Causeway
Ayr
212
Moffat
Hawick
Jedburgh
119
Letterkenny
Lough Foyle
Coleraine
Ballycastle
Londonderry
Antrim Glens
North Channel
138
Strabane
71
R. Bann
Donegal
NORTHERN IRELAND
Ballymena
Cairnryan
Dumfries
Larne
Stranraer
Hadrian's Wall
Newcastle upon Tyne
Bundoran
Omagh
Lough Neagh
Bangor
Kirkcudbright
Solway Firth
Carlisle
Gateshead
Belmullet
Enniskillen
Lisburn
BELFAST
Workington
Penrith
Achill
Ballina
Sligo
Lough Erne
Armagh
Whitehaven
Keswick
Durham
Darlington
The Pennines
137
53
Ramsey
Windermere
Westport
Castlebar
Boyle
Carrick-on-Shannon
Monaghan
Newry
Newcastle
Man
Peel
Knock
Cavan
154
Dundalk
Douglas
Kendal
Y O R K S
Barrow-in-Furness
232
215
Ardee
Fountains Abbey
Clifden
Connemara
Lough Mask
Lough Corrib
Longford
Heysham
Lancaster
Skipton
Roscommon
Lough Ree
Navan
Drogheda
IRISH SEA
Galway
Mullingar
R. Boyne
91
Blackpool
Bradford
Aran
Ballinasloe
Athlone
Kinnegad
Preston
Burnley
Halifax
190
DUBLIN
Southport
58
Tullamore
Bolton
Huddersfield
Cliffs of Moher
Loughrea
Shannon
Anglesey
LIVERPOOL
MANCHESTER
Ennistimon
Birr
Naas
Dún Laoghaire
Llandudno
Stockport
95
Lough Derg
Portlaoise
Bray
Holyhead
Bangor
Birkenhead
Warrington
Ennis
Roscrea
180
Glendalough
Colwyn Bay
Chester
Macclesfield
Chatsworth
Kilrush
Limerick
Nenagh
926
Wicklow
Caernarfon
Snowdon
1085
Crewe
IRL
250
Carlow
Stoke-on-Trent
Matlock
Listowel
Kilkenny
140
Arklow
Wrexham
Cambrian Mountains
Derby
Tralee
Tipperary
Cashel
R. Barrow
Dolgellau
Oswestry
74
Burton-upon-Trent
Dingle
Caher
Carrick-on-Suir
Enniscorthy
Cardigan Bay
Welshpool
Stafford
Lakes of Killarney
Killarney
Mallow
Clonmel
New Ross
Shrewsbury
Cahersiveen
1041
R. Blackwater
Fermoy
177
Wexford
Newtown
Wolverhampton
Walsall
Kenmare
Waterford
Rosslare
St. George's Channel
Aberystwyth
W A L E S
BIRMINGHAM
Coventry
Ring of Kerry
Cork
Dungarvan
Carnsore Point
Ludlow
Kidderminster
Rugby
Glengarriff
Lee
Cobh
Youghal
Leominster
Warwick
Bantry
Fishguard
Cardigan
Llandrindod Wells
Hereford
Worcester
84
Stratford-upon-Avon
St David's
Brecon
Skibbereen
Haverfordwest
Carmarthen
Ross-on-Wye
Banbury
0 75 km
Milford Haven
Pembroke Dock
Llanelli
Merthyr Tydfil
Abergavenny
Gloucester
Cheltenham
Swansea
146
Cardiff
Newport
Cirencester
Swindon
R. Thames
Bristol Channel
Bristol
Chippenham
118
Weston-super-Mare
A
B
C
D
1
2
3
4
5
8

Europe
3
E
F
G
H
5
2
9
Shetland
Yell
Lerwick
Bergen
Voss
Dale
Osterøy
Hardangerjøkulen
1862
Geilo
Nesbyen
Hallingdal
Hardangerfjorden
Folgefonna
Hardangervidda
Uvdal
Nore og Uvdal
Numedal
Tysnesøy
Stord
Rosendal
Odda
Svortland
Bømlo
Sauda
Ølen
Sand
Haugesund
Karmøy
Skudeneshavn
Boknafjorden
Hjelmelandsvågen
Haukeligrend
Hovden
Åmot
Rjukan
Gausta
1883
Heddal
Notodden
Brunkeberg
Kongsberg
Drammen
OSLO
Tyrifjorden
Klofta
Horten
Moss
Mysen
Sarpsborg
Halden
Fredrikstad
Tønsberg
Sandefjord
Oslofjorden
Skien
Porsgrunn
Larvik
Strømstad
Norsjø
TELEMARK
ROGALAND
N
Stavanger
Sandnes
Svartevatn
Setesdal
Åmli
Kragerø
Tonstad
Evje
Arendal
Grimstad
Egersund
Flekkefjord
Kristiansand
Farsund
Lindesnes
Mandal
Skagerrak
Lysekil
Stenun
Skagen
Hirtshals
Frederikshavn
Hjørring
Sæby
Læs
Aalborg
Hanstholm
Thisted
Limfjorden
Mors
Nykøbing Mors
Hobro
Kattegat
Struer
Skive
Viborg
Randers
Holstebro
DK
Gudenå
Silkeborg
Aarhus
Ringkøbing
Herning
Skanderborg
Samsø
Skjern
Horsens
Kalundborg
Omme Å
Vejle
Fredericia
Varde
Kolding
Blåvands Huk
Esbjerg
Odense
Ribe
Assens
Nyborg
Haderslev
Fyn
Faaborg
Rømø
Lille Bælt
Aabenraa
Als
Sylt
Sønderborg
Rudkøbing
Tønder
Westerland
Ærø
Bagenkop
Föhr
Niebüll
Flensburg
Nordfriesische Inseln
Husum
Schleswig
Sankt Peter-Ording
Rendsburg
Kiel
Heide
Eider
Plön
Helgoland
Neumünster
Deutsche Bucht
Bad Segeberg
Itzehoe
Lübeck
Cuxhaven
Elmshorn
Ostfriesische Inseln
Stade
HAMBURG
Norden
Wilhelmshaven
Bremerhaven
Aurich
Nordenham
Bremervörde
Emden
Delfzijl
Waddeneilanden
Leeuwarden
Groningen
Leer
Oldenburg
D
BREMEN
Rotenburg
Soltau
Texel
Harlingen
Afsluitdijk
Sneek
Assen
Papenburg
Zwischenahn
Delmenhorst
Den Helder
NL
Heerenveen
Emmen
Cloppenburg
Weser
Verden
Usselmeer
Enkhuizen
Emmeloord
Meppel
NIEDERSACHSEN
Nienburg
Celle
Alkmaar
Hoorn
Lelystad
Kampen
Zwolle
Diepholz
IJmuiden
Flevoland
Nordhorn
Lingen
HANNOVER
Haarlem
AMSTERDAM
Harderwijk
Het Loo
Almelo
Osnabrück
Minden
Hildesheim
Salzgitter
Zandvoort
Keukenhof
Leiden
Hilversum
Deventer
Apeldoorn
Hengelo
Enschede
Rheine
Herford
Hameln
Scheveningen
DEN HAAG
Amersfoort
Bielefeld
Gouda
Utrecht
Arnhem
Winterswijk
Münster
Detmold
Einbeck
Hoek van Holland
Europoort
ROTTERDAM
Dordrecht
Nijmegen
Bocholt
Gütersloh
Rheda-Wiedenbrück
Lippstadt
Paderborn
Höxter
Zierikzee
Roosendaal
Breda
's-Hertogenbosch
Kleve
Wesel
Ruhrgebiet
Hamm
Soest
Warburg
Göttingen
Middelburg
Vlissingen
Bergen op Zoom
Tilburg
Helmond
Duisburg
Essen
Dortmund
Kassel
Shields
Sunderland
Hartlepool
Middlesbrough
Whitby
Scarborough
Bridlington
York
Kingston-upon Hull
Scunthorpe
Grimsby
Humber River
GB
Louth
Lincoln
Skegness
Boston
The Wash
Grantham
King's Lynn
Cromer
Leicester
Stamford
Wisbech
NORFOLK
Great Yarmouth
Peterborough
Norwich
Kettering
Thetford
Lowestoft
Huntingdon
Ely
Northampton
Bury St Edmunds
Bedford
Cambridge
Ipswich
Felixstowe
ENGLAND
Aylesbury
Luton
Colchester
Harwich
St Albans
Chelmsford
Little Clacton
LONDON
Southend-on-Sea
Sheerness
MER DU NORD
NORTH SEA

MER DU NORD
NORTH SEA
Shetland
Lerwick
Aberdeen
Newcastle upon Tyne
Sunderland
Middlesbrough
Leeds
Bradford
Kingston-upon Hull
Sheffield
Manchester
Nottingham
Leicester
Norwich
Cambridge
GB
Bergen
Stavanger
Kristiansand
Hardangervidda
Telemark
N
Esbjerg
Ribe
DK
Groningen
Amsterdam
Leeuwarden
Zwolle
NL
Bremerhaven
Oldenburg
Ostfriesische Inseln
Waddeneilanden
75 km

SVEALAND
GÖTALAND
SMÅLAND
SKÅNE
MER BALTIQUE
BALTIC SEA
OSLO
STOCKHOLM
KØBENHAVN
BERLIN
SZCZECIN
GDAŃSK
HAMBURG
MAGDEBURG
POZNAŃ
ŁÓDŹ
Uppsala
Västerås
Örebro
Karlstad
Linköping
Norrköping
Jönköping
Göteborg
Växjö
Kalmar
Visby
Gotland (S)
Öland
Malmö
Lund
Helsingborg
Aarhus
Odense
Roskilde
Hillerød
Kronborg
Kattegat
Bornholm (DK)
Rügen
Rostock
Stralsund
Lübeck
Schwerin
Potsdam
Gorzów Wielkopolski
Bydgoszcz
Toruń
Malbork
Olsztyn
Kaliningrad
Klaipėda
Liepāja
Ventspils
Riga
Gdynia
Koszalin
Słupsk
Frankfurt an der Oder
Cottbus
Saaremaa
Hiiumaa
Kuressaare
Drottningholm
Gripsholm
Skokloster
Vadstena
Vendel
Åland (FIN)
S
D
PL

74
B
C
D
1
2
3
4
5
12
A
B
C
D
0
75 km
BALTIC SEA
BALTIQUE
Pori
Lahti
Kouvola
Hämeenlinna
Hamina
Karhula
Kotka
Primorsk
Zelenogorsk
SANKT-PETERBURG
Kronštadt
Lomonosov
Petrodvorec
Kolpino
Puškin
Tosno
Kirovsk
Volchov
Kiriši
Rauma
Forssa
Riihimäki
Hyvinkää
Loviisa
Järvenpää
Porvoo
Kerava
Karkkila
Loimaa
Mynämäki
Uusikaupunki
FIN
HELSINKI
Espoo
Lohja
Salo
Naantali
Turku
Pargas
Åland (FIN)
Eckerö
Mariehamn
Kapellskär
Ekenäs
Hanko
Sosnovyj Bor
Gatčina
Čudovo
Malaja Višera
Kingisepp
Narva
Jõhvi
Slancy
Luga
Veliki Novgorod
Ozero Il'men
TALLINN
Rakvere
Tapa
Paldiski
EST
Mustvee
Gdov
Čudskoje Ozero
Pl'ussa
Sol'cy
Rapla
Paide
Jõgeva
Türi
Põltsamaa
Tartu
Dno
Kärdla
Haapsalu
Vormsi
Hiiumaa
Muhu
Orissaare
Virtsu
Saaremaa
Viljandi
Võrtsjärv
Pskovskoje Ozero
Pskov
Porchov
Põlva
Pärnu
Kilingi-Nõmme
Võru
Valga
Rūjiena
Kuressaare
Ostrov
Novoržev
Salacgrīva
Valmiera
Smiltene
Gulbene
Lokn'a
Kolkasrags
Kolka
Cēsis
Opočka
Kārsava
Rīgas Jūras Līcis
Sigulda
LV
Madona
Pustoška
Fårö
Fårösund
Slite
Visby
Ljugarn
Gotland (S)
Burgsvik
Ventspils
Talsi
Jūrmala
RĪGA
Ogre
Rēzekne
Sebež
Nevel
Tukums
Jēkabpils
Aizkraukle
Daugava
Kuldīga
Jelgava
Saldus
Dobele
Bauska
Krāslava
Verchnjadzvinsk
Polack
Biržai
Daugavpils
Braslaŭ
Rokiškis
Liepāja
Joniškis
Skuodas
Mažeikiai
Kuršėnai
Šiauliai
Telšiai
Panevėžys
Utena
Hlybokaje
Lepiel
Radviliškis
Pastavy
Plungė
Palanga
LT
Kėdainiai
Ukmergė
Mjadzel
Klaipėda
Raseiniai
VILNIUS
Šilutė
Tauragė
Jurbarkas
KAUNAS
Trakai
Vilejka
Smarhon
Maładečna
Barysaŭ
Smaljavičy
Sovetsk
Neman
Nemunas
Kuršskij Zaliv
RUS
(ROSSIJA)
Vilkaviškis
Marijampolė
Prienai
Alytus
Eišiškės
Valožyn
MINSK
Červień
Marjna Horka
Svetlogorsk
Polessk
Čern'achovsk
Gusev
Dzjaržynsk
Kaliningrad
Gvardejsk
Baltijsk
Lida
Asipovičy
Władysławowo
Pravdinsk
Druskininkai
Navahrudak
Łeba
Mamonovo
Bagrationovsk
Węgorzewo
Suwałki
Stoŭbcy
Wejherowo
Gdynia
Sopot
Zatoka Gdańska
Braniewo
Lidzbark Warmiński
Kętrzyn
Giżycko
Augustów
Hrodna
Ščučyn
Njasviž
Słuck
Lębork
GDAŃSK
Elbląg
Ełk
Masty
BY
Słupsk
Kartuzy
Tczew
Mrągowo
Mazury
Grajewo
Slonim
Baranavičy
Salihorsk
Kościerzyna
Starogard Gdański
Malbork
Olsztyn
Vaŭkavysk
Bytów
Ostróda
Szczytno
Białystok
Kwidzyn
Czersk
Iława
PL
Ivacevičy
Chojnice
Grudziądz
Ostrołęka
Łomża
Puszcza
Bielsk Podlaski
Hajnówka
Bjaroza
Pružany
Łuniniec
Žytkavičy
Człuchów
Świecie
Mława
Przasnysz
Białowieska
Brodnica
Chełmno
Ciechanów
Ostrów Mazowiecka
Pinsk
Stolin
Jastrowie
Kobryn
Sierpc
Pułtusk
Brest
Piła
Bydgoszcz
Ciechocinek
Płońsk
Włocławek
Inowrocław
Biała Podlaska
Terespol
Siedlce
Mińsk Mazowiecki
Wągrowiec
Płock
Sarny

MOSKVA
RUS
UA
Kostroma
Rybinsk
Jarosl
Ivanovo
Dzeržinsk
Vladimir
Tver
Sergijev Posad
Rostov Veliki
Noginsk
Mytišči
Podol'sk
Kolomna
R'azan'
Kaluga
Tula
Smolensk
Vicebsk
Orša
Mahilëŭ
Homiel
Bryansk
Br'ansk
Or'ol
Lipeck
Voronež
Kursk
Belgorod
KHARKIV
Sumy
ČERNIHIV
Poltava
KYÏV
Babrujsk
Mazyr
Murom
Kovrov
Obninsk
Serpuchov
Kirov
Rybinskoje Vodochranilišče
Valdajskaja Vozvyšennost'
Volga
Dnepr
Desna
Oka

A B C D
1 2 3 4 5
ATLANTIQUE
ENGLISH CHANNEL
LA MANCHE
St. George's Channel
Cardigan Bay
Bristol Channel
WALES
CORNWALL
IRL
GB
Ring of Kerry
Listowel
Tipperary
Cashel
Kilkenny
Arklow
Cahir
Carrick-
New Ross
Enniscorthy
Wexford
Rosslare
Waterford
Carnsore Point
Kenmare
Cork
Cobh
Youghal
Dungarvan
Glengarriff
Bantry
Skibbereen
Dolgellau
Oswestry
Welshpool
Shrewsbury
Newtown
Aberystwyth
Cambrian Mountains
Wolverhampton
Walsall
BIRMINGHAM
Coventry
Derby
Nottingham
Grantham
Burton-upon-Trent
Loughborough
Leicester
Stamford
Peterborough
Kettering
Huntingdon
Northampton
Bedford
Luton
St Albans
Rugby
Warwick
Stratford-upon-Avon
Banbury
Blenheim Palace
Aylesbury
Oxford
Kidderminster
Worcester
Leominster
Hereford
Ross-on-Wye
Cheltenham
Gloucester
Cirencester
Swindon
Reading
Windsor
LONDON
Fishguard
Cardigan
St David's
Haverfordwest
Milford Haven
Pembroke Dock
Carmarthen
Llanelli
Swansea
Llandrindod Wells
Brecon
Merthyr Tydfil
Abergavenny
Newport
Cardiff
Bristol
Bath
Chippenham
Newbury
Stonehenge
Weston-super-Mare
Minehead
Wells
Ilfracombe
Exmoor
Barnstaple
Taunton
Warminster
Salisbury
Winchester
Guildford
Crawley
Southampton
Portsmouth
Worthing
Brighton
Chichester
Bude
Yeovil
Launceston
Exeter
Honiton
Dorchester
Poole
Bournemouth
Newport
Wight
Sidmouth
Exmouth
Weymouth
Dartmoor
Newquay
Bodmin
Torquay
Paignton
St Ives
Penzance
Truro
Falmouth
Plymouth
Isles of Scilly
Land's End
Lizard Point
Alderney
Cap de la Hague
Pointe de Barfleur
Guernsey
Sark
Cherbourg-en-Cotentin
Valognes
Omaha Beach
Le Havre
Fécamp
Étretat
Channel Islands (GB)
Barneville-Carteret
Carentan
Arromanches
Trouville
Deauville
Cabourg
Bayeux
CAEN
Lisieux
Jersey
St-Lô
Coutances
Granville
Villedieu-les-Poêles
Vire
Falaise
Argentan
Flers
Perros-Guirec
Tréguier
Paimpol
Roscoff
St-Pol-de-Léon
Morlaix
Lannion
Guingamp
St-Quay-Portrieux
St-Cast-le-Guildo
St-Malo
Le Mont-St-Michel
Avranches
Mortain-Bocage
Bagnoles-de-l'Orne-Normandie
Ouessant
Brest
Landerneau
Dinard
Dol-de-Bretagne
Domfront-en-Poiraie
Pointe de St-Mathieu
St-Brieuc
Lamballe
Dinan
Fougères
Alençon
Morgat
Douarnenez
Châteaulin
Carhaix-Plouguer
Loudéac
RENNES
Mayenne
Pointe du Raz
Audierne
Quimper
Pontivy
Vitré
Laval
Pont-l'Abbé
Concarneau
Quimperlé
Josselin
Ploërmel
Hennebont
Lorient
Auray
Vannes
Redon
Château-Gontier
La Flèche
Carnac
Quiberon
Nozay
Châteaubriant
Belle Île
La Baule
St-Nazaire
Ancenis
Angers
Saumur
Azay-le-Rideau
Pornic
NANTES
Noirmoutier-en-l'Île
Cholet
Thouars
Loudun
Challans
La Roche-sur-Yon
Bressuire
Parthenay
St-Jean-de-Monts
Les Sables-d'Olonne
Fontenay-le-Comte
St-Maixent-l'École
Luçon
Ré
Niort
La Rochelle
Ruffec
Oléron
Rochefort
St-Jean-d'Angély
Marennes
Saintes
Cognac
Angoulême
Royan
Soulac-sur-Mer
Gironde
Lesparre-Médoc
Barbezieux
Chalais
Blaye
Lacanau-Océan
BORDEAUX
Libourne
St-Émilion
Dordogne
Cap-Ferret
Arcachon
Garonne
Langon
Marmande
Parentis-en-Born
Casteljaloux
Roquefort
Nérac
Mont-de-Marsan
Condom
Hossegor
Dax
Aire-sur-l'Adour
Golfe de Gascogne
Golfo de Vizcaya
Cabo Ortegal
Costa Verde
Ferrol
Viveiro
A Coruña
Ribadeo
Luarca
Mondoñedo
Betanzos
Vilalba
Ordes
Avilés
Gijón
Villaviciosa
Ribadesella
Llanes
Tineo
OVIEDO
SANTANDER
0 75 km

3
E
F
G
Europe
9
1
2
3
4
5
10
15
H
NL
B
D
F
CH
I
AMSTERDAM
DEN HAAG
ROTTERDAM
Haarlem
Utrecht
ANTWERPEN
Brugge
Gent
BRUXELLES/ BRUSSEL
NAMUR
LUXEMBOURG
Aachen
KÖLN
DÜSSELDORF
Essen
Dortmund
Duisburg
Wuppertal
Münster
Bielefeld
HANNOVER
Braunschweig
Kassel
ERFURT
Bonn
Koblenz
WIESBADEN
MAINZ
FRANKFURT AM MAIN
Würzburg
Mannheim
Heidelberg
NÜRNBERG
Karlsruhe
STUTTGART
Ulm
Augsburg
SAARBRÜCKEN
METZ
Nancy
STRASBOURG
Colmar
Freiburg i. B.
Mulhouse
Basel
Zürich
Luzern
BERN
Lausanne
GENÈVE
Evian
LIECHTENSTEIN
LILLE
Amiens
ROUEN
Beauvais
Compiègne
Reims
PARIS
Versailles
Chartres
Fontainebleau
Troyes
ORLÉANS
Blois
Chenonceau
Bourges
Vézelay
DIJON
Beaune
Tournus
Autun
LYON
Grenoble
CLERMONT-FERRAND
LIMOGES
Le Puy-en-Velay
Rocamadour
Conques
Albi
Moissac
Avignon
Nîmes
Monaco
TORINO
MILANO
Bergamo
GENOVA
Parma
Pisa
Norwich
Canterbury
Strait of Dover
Pas de Calais
Europe

GB
NL
B
L
D
F
CH
AMSTERDAM
DEN HAAG
ROTTERDAM
Utrecht
ANTWERPEN
BRUXELLES/
BRUSSEL
Brugge
Gent
LILLE
LUXEMBOURG
PARIS
Reims
Metz
SAARBRÜCKEN
STRASBOURG
Nancy
DIJON
LYON
GENÈVE
Lausanne
BERN
Basel
Zürich
Luzern
TORINO
MILANO
GENOVA
CLERMONT-
FERRAND
LIMOGES
ORLÉANS
ROUEN
Amiens
Canterbury
Norwich
Cambridge
Ipswich
KÖLN
DÜSSELDORF
Essen
Dortmund
Duisburg
Münster
Bielefeld
HANNOVER
Kassel
FRANKFURT
AM MAIN
WIESBADEN
MAINZ
Mannheim
Heidelberg
Karlsruhe
STUTTGART
Würzburg
Freiburg i. B.
Aachen
Bonn
Koblenz
Avignon
Nîmes
Grenoble
Chambéry
Annecy
Besançon
Colmar
Mulhouse
Belfort
Strait of Dover
Pas de Calais
MASSIF CENTRAL
ALPES
VOSGES
Schwarzwald
Golfo di Genova
Riviera Ligure
0 75 km

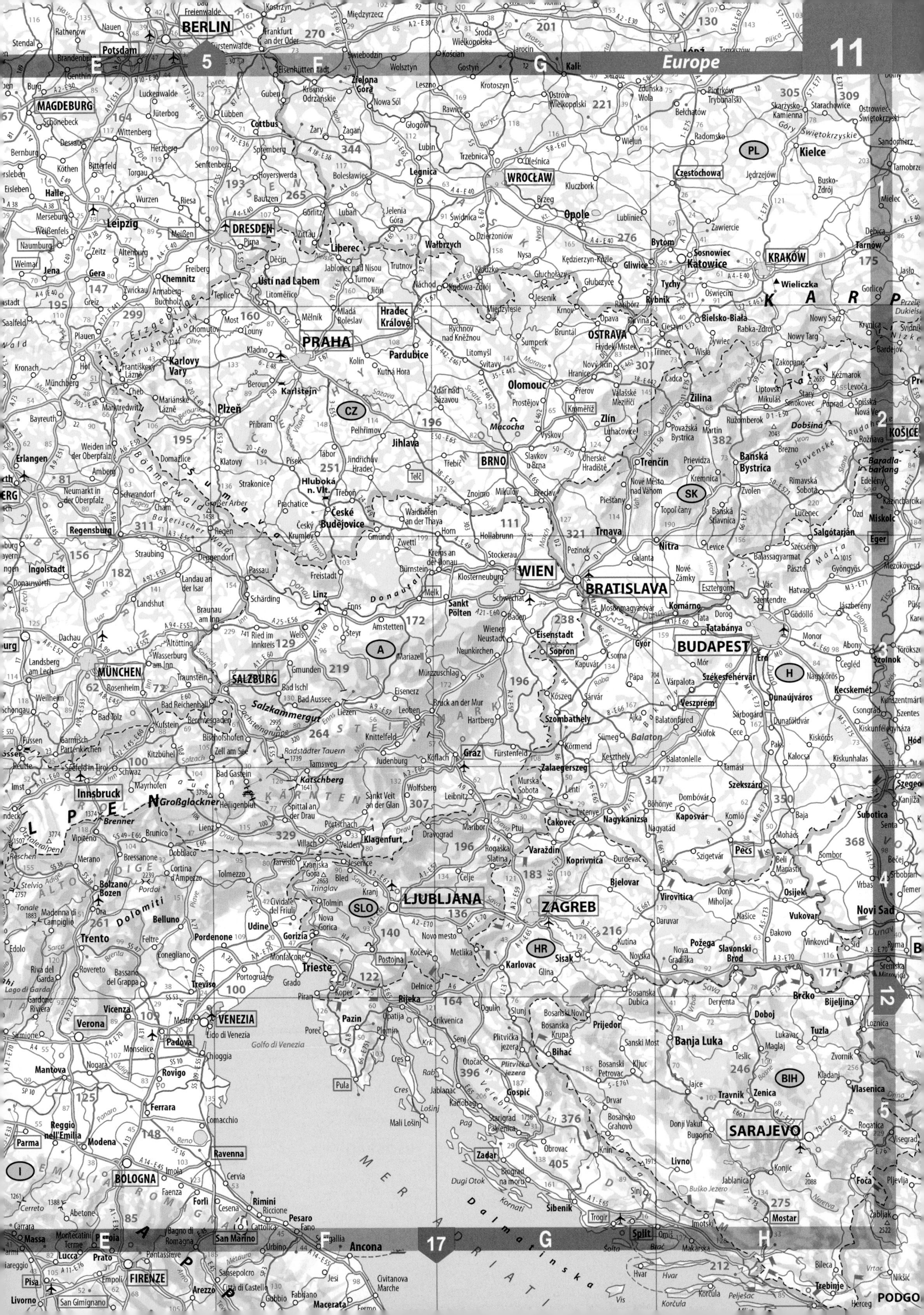
BERLIN
Potsdam
MAGDEBURG
Leipzig
DRESDEN
Chemnitz
Cottbus
Wrocław
Legnica
Opole
Częstochowa
Kielce
KRAKÓW
Katowice
Ostrava
PRAHA
Plzeň
Hradec Králové
Pardubice
Olomouc
BRNO
Jihlava
České Budějovice
Regensburg
Ingolstadt
MÜNCHEN
Innsbruck
SALZBURG
Linz
WIEN
BRATISLAVA
Graz
Klagenfurt
Győr
BUDAPEST
Kecskemét
Szeged
Pécs
LJUBLJANA
ZAGREB
Trieste
Rijeka
VENEZIA
Verona
Padova
BOLOGNA
Ravenna
FIRENZE
San Marino
Ancona
Zadar
Split
Mostar
SARAJEVO
Banja Luka
Osijek
Novi Sad
Košice
Žilina
Trenčín
Nitra
Miskolc
Eger
PL
CZ
SK
A
H
SLO
HR
BIH
I
Donau
Balaton
Mer Adriatique
Golfo di Venezia
Dalmatinska
12
17
5

WARSZAWA
POZNAŃ
WROCŁAW
ŁÓDŹ
KRAKÓW
Katowice
LUBLIN
Brest
L'VIV
OSTRAVA
BRNO
WIEN
BRATISLAVA
BUDAPEST
KOŠICE
Užhorod
Debrecen
Cluj-Napoca
Timişoara
Szeged
Novi Sad
BEOGRAD
ZAGREB
LJUBLJANA
Banja Luka
Miskolc
Pécs
Graz
Kraków
Rzeszów
Lviv
Mykolaïv
Ivano-Frankivs'k
Ternopil
Rivne
Luc'k
PL
BY
CZ
SK
A
H
RO
HR
SRB
BIH
K A R P A T Y
Balaton
Tatry
VOJVODINA
Maramureş
Portile de Fier
Dunav
Sava
Tisza
75 km
A
B
C
D
6
11
18

KYÏV
Žytomyr
Bila Cerkva
Čerkasy
Poltava
Kremenčuk
DNIPRO
Dniprodzeržyns'k
ZAPORIŽŽA
Kirovohrad
Kryvyj Rih
Nikopol'
Melitopol'
Vinnycja
Chmel'nyc'kyj
Uman'
Pervomajs'k
Mykolaïv
Cherson
ODESA
CHIŞINĂU
Tiraspol
Bălţi
Iaşi
Suceava
Botoşani
Piatra-Neamţ
Bacău
Vaslui
Galaţi
Brăila
Tulcea
Focşani
Buzău
Braşov
Sinaia
Ploieşti
BUCUREŞTI
Constanţa
Mangalia
Piteşti
Slatina
Giurgiu
Ruse
Silistra
Dobrič
Varna
Šumen
Razgrad
Pleven
Veliko Tărnovo
Nesebar
Burgas
Simferopol'
Sevastopol'
Jevpatorija
Džankoj
KRYM
UA
MD
BG
MER NOIRE
BLACK SEA
Delta Dunării
Nistru
Prut
Dunărea
Pivdennyj Buh
Kremenčuc'ke Vodoschovyšče
Kachovs'ke Vodoschovyšče
Kyïvs'ke Vodoschovyšče
C A R P A T I I
M O L D O V A
Podil's'ka Vysočyna
E
F
G
H
7
19
1
2
3
4
5

A
B
C
D
1
2
3
4
5
0 75 km
Cabo Ortegal
Costa Verde
A Coruña
Ferrol
Santiago de Compostela
Cabo Finisterre
Rías Gallegas
Lugo
Ourense
Pontevedra
Vigo
Oviedo
Gijón
Santander
Bilbao
Cordillera Cantábrica
Picos de Europa
León
Burgos
Palencia
Valladolid
Viana do Castelo
Braga
Porto
Bragança
Zamora
Salamanca
Segovia
Ávila
Aveiro
Viseu
Guarda
Coimbra
Serra da Estrela
Sierra de Gredos
Sierra de Guadarrama
Madrid
Guadalajara
Alcalá de Henares
El Escorial
Toledo
Leiria
Batalha
Fátima
Alcobaça
Tomar
Castelo Branco
Berlenga
Peniche
Santarém
Cabo de Roca
Lisboa
Setúbal
Évora
Badajoz
Mérida
Cáceres
Guadalupe
Montes de Toledo
Ciudad Real
La Mancha
Beja
Sierra Morena
Córdoba
Jaén
Sevilla
Huelva
Algarve
Cabo de S. Vicente
Sagres
Lagos
Faro
Golfo de Cádiz
Cádiz
Jerez de la Frontera
Ronda
Málaga
Granada
Sierra Nevada
Almería
Cabo de Gata
Costa del Sol
Algeciras
Gibraltar (GB)
Tarifa
Estrecho de Gibraltar
Cap Spartel
Ceuta (E)
Tanger
Tétouan
Asilah
Larache
Chefchaouen
Alborán (E)
Cap des Trois Fourches
Al Hoceima

PYRÉNÉES
PIRINEOS
MER MÉDITERRANÉE
ISLAS BALEARES
Golfe du Lion
Costa Brava
Golfo de Valencia
TOULOUSE
MONTPELLIER
MARSEILLE
Perpignan
Carcassonne
Nîmes
Avignon
Aix-en-Provence
Toulon
Albi
Montauban
Agen
Cahors
Rodez
Mende
Lourdes
Tarbes
Pau
Biarritz
Bayonne
Donostia-San Sebastián
PAMPLONA
Andorra la Vella
ZARAGOZA
Huesca
Lleida
Girona
BARCELONA
Sabadell
Terrassa
Tarragona
Reus
Teruel
Castelló de la Plana/ Castellón de la Plana
VALENCIA
Sagunto
Albacete
Alacant/ Alicante
Elche
MURCIA
Cartagena
Benidorm
PALMA DE MALLORCA
Mallorca
Menorca
Ibiza
Formentera
Maó/Mahón
Ciutadella de Menorca
ALGER
Blida
Médéa
Tizi-Ouzou
Bejaïa
Sétif
Jijel
Chlef
Oran
Mostaganem
Relizane
Grande Kabylie
DZ
F
AND
8
16
E
F
G
H
1
2
3
4
5

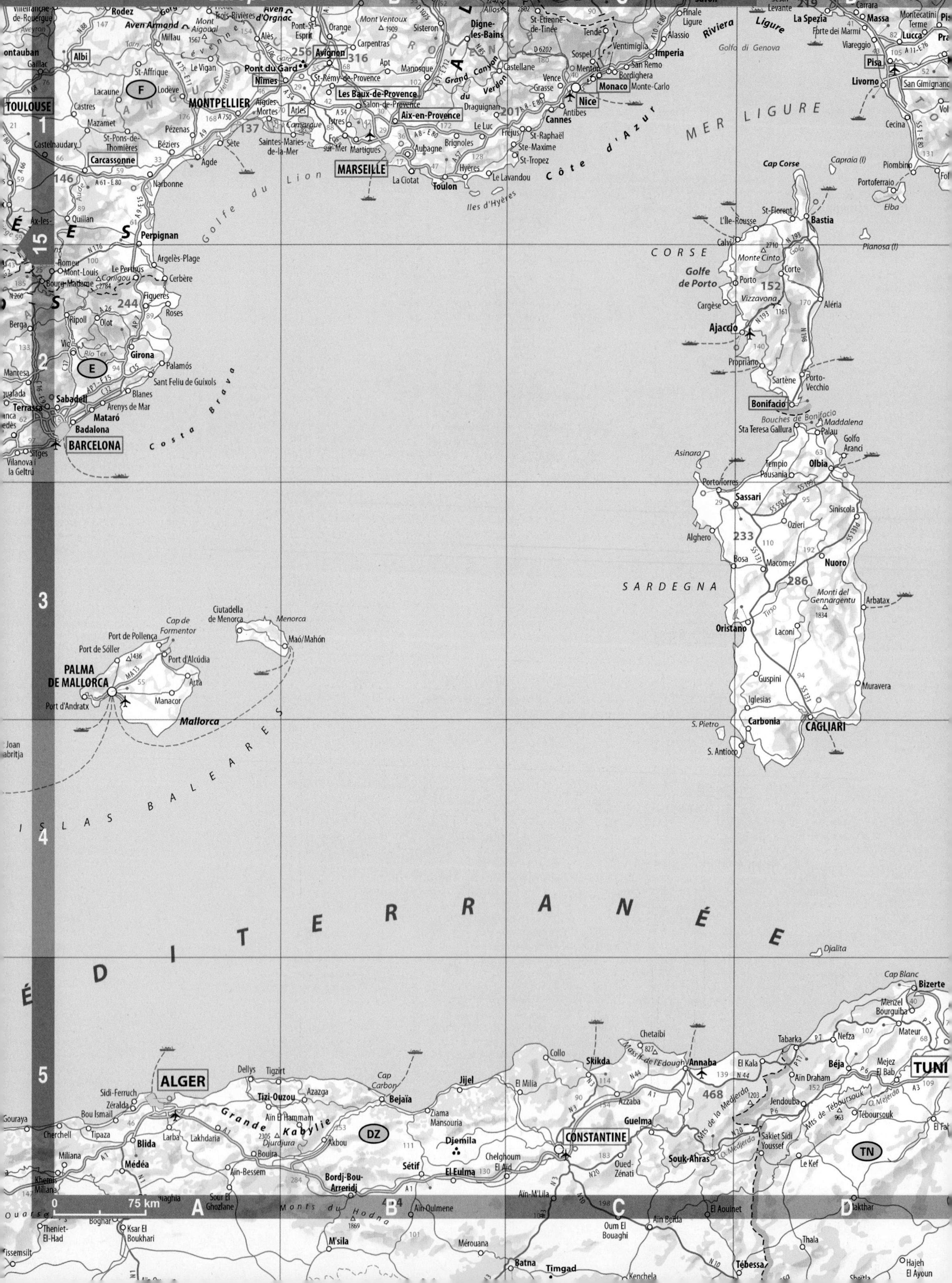
MER LIGURE
Golfe du Lion
Côte d'Azur
Riviera Ligure
Golfo di Genova
Costa Brava
ISLAS BALEARES
MÉDITERRANÉE
CORSE
SARDEGNA
GENOVA
Savona
La Spezia
Massa
Lucca
Pisa
Livorno
Cecina
Piombino
Portoferraio
Elba
Capraia (I)
Pianosa (I)
Cuneo
Mondovì
Alba
Saluzzo
Savigliano
Fossano
Imperia
Alassio
Finale Ligure
Sestri Levante
Carrara
Viareggio
Forte dei Marmi
Montecatini Terme
San Gimignano
Nice
Monaco
Monte-Carlo
Menton
San Remo
Bordighera
Ventimiglia
Sospel
Tende
Cannes
Antibes
Grasse
Vence
Fréjus
St-Raphaël
Ste-Maxime
St-Tropez
Le Lavandou
Hyères
Toulon
La Ciotat
MARSEILLE
Aubagne
Brignoles
Le Luc
Draguignan
Aix-en-Provence
Les Baux-de-Provence
Salon-de-Provence
St-Rémy-de-Provence
Arles
Nîmes
Pont du Gard
Avignon
Orange
Carpentras
Apt
Manosque
Sisteron
Digne-les-Bains
Castellane
Grand Canyon du Verdon
Gap
Guillestre
Barcelonnette
Allos
St-Étienne-de-Tinée
Montélimar
Privas
Crest
Die
Mont Ventoux
Martigues
Istres
Fos-sur-Mer
Camargue
Saintes-Maries-de-la-Mer
Aigues-Mortes
MONTPELLIER
Sète
Agde
Béziers
Pézenas
Lodève
Narbonne
Carcassonne
Castelnaudary
Mazamet
Castres
St-Pons-de-Thomières
TOULOUSE
Albi
Montauban
Gaillac
Rodez
Millau
Le Vigan
Alès
St-Affrique
Lacaune
Mende
Aubenas
Langogne
Espalion
Aven Armand
Aven d'Orgnac
Mont Aigoual
Quillan
Perpignan
Argelès-Plage
Cerbère
Le Perthus
Canigou
Mont-Louis
Bourg-Madame
Figueres
Roses
Ripoll
Olot
Berga
Vic
Girona
Palamós
Sant Feliu de Guíxols
Blanes
Arenys de Mar
Mataró
Badalona
Sabadell
Terrassa
Manresa
BARCELONA
Sitges
Vilanova i la Geltrú
Ciutadella de Menorca
Menorca
Maó/Mahón
Cap de Formentor
Port de Pollença
Port de Sóller
Port d'Alcúdia
PALMA DE MALLORCA
Port d'Andratx
Artà
Manacor
Mallorca
Cap Corse
Bastia
St-Florent
L'Île-Rousse
Calvi
Monte Cinto
Golfe de Porto
Porto
Corte
Cargèse
Vizzavona
Ajaccio
Aléria
Propriano
Sartène
Porto-Vecchio
Bonifacio
Bouches de Bonifacio
Maddalena
Sta Teresa Gallura
Palau
Golfo Aranci
Asinara
Olbia
Tempio Pausania
Porto Torres
Sassari
Siniscola
Ozieri
Alghero
Bosa
Macomer
Nuoro
Monti del Gennargentu
Arbatax
Oristano
Laconi
Guspini
Iglesias
Muravera
Carbonia
CAGLIARI
S. Pietro
S. Antioco
Djalita
Cap Blanc
Bizerte
Menzel Bourguiba
Mateur
Tabarka
Nefza
Béja
Mejez El Bab
TUNI
Aïn Draham
Jendouba
Téboursouk
El Kala
Annaba
Chetaibi
Skikda
Collo
Azzaba
Guelma
CONSTANTINE
Souk-Ahras
Sakiet Sidi Youssef
Le Kef
Oued-Zénati
Chelghoum El Aïd
El Eulma
Sétif
Djemila
Jijel
El Milia
Ziama Mansouria
Bejaïa
Cap Carbon
Akbou
Bordj-Bou-Arreridj
Tizi-Ouzou
Tigzirt
Dellys
Azazga
Grande Kabylie
Djurdjura
Aïn El Hammam
Bouira
Lakhdaria
ALGER
Sidi-Ferruch
Zéralda
Bou Ismail
Tipaza
Cherchell
Gouraya
Blida
Larba
Médéa
Miliana
Khemis Miliana
Aïn-Bessem
Sour El Ghozlane
Monts du Hodna
Aïn Oulmene
M'sila
Mérouana
Batna
Timgad
Aïn-M'Lila
Oum El Bouaghi
Aïn Beïda
El Aouinet
Tébessa
Thala
Dakhlar
Hajeb El Ayoun
Ksar El Boukhari
Boghar
Theniet-El-Had
Tissemsilt
DZ
TN
F
E
0 75 km

11
E
F
G
H
1
2
3
4
5
18
MER ADRIATIQUE
ADRIATIC SEA
Dalmatinska Obala
MER TYRRHÉNIENNE
TYRRHENIAN SEA
MER IONIENNE
IONIAN SEA
MEDITERRA
Eolie o Lipari
SICILIA
Golfo di Taranto
Golfe de Hammamet
BIH
MNE
AL
I
M
ROMA
Vaticano
NAPOLI
PALERMO
PODGORICA
FIRENZE
San Marino
Perugia
Assisi
Orvieto
Tivoli
Ostia
Ancona
Pescara
L'Aquila
Bari
Brindisi
Lecce
Taranto
Foggia
Potenza
Matera
Salerno
Caserta
Vesuvio
Pompei
Paestum
Capri
Ischia
Costiera Amalfitana
Abbazia di Montecassino
Cosenza
Catanzaro
Crotone
Reggio di Calabria
Messina
Catania
Siracusa
Taormina
Agrigento
Monreale
Segesta
Trapani
Monte Etna
Vulcano
Stromboli
Valletta
Malta
Gozo
Split
Trogir
Šibenik
Dubrovnik
Kotor
Shkodër
Durrës
Tunis
Sousse
Kairouan
El Jem
Mahdia
Cap Bon
Pantelleria (I)
Lampedusa (I)
Linosa (I)
C. Passero
C. Sta Maria di Leuca

BEOGRAD
Craiova
Sisak
Brod
Sremska Mitrovica
Smederevo
Požarevac
Dunav
Majdanpek
Negotin
Vidin
Calafat
Lom
Brčko
Bijeljina
Doboj
Tuzla
Loznica
Šabac
Obrenovac
Mladenovac
Bor
Zaječar
Prijedor
Banja Luka
Bihać
Senj
Otočac
Gospić
Zadar
Biograd na moru
Šibenik
Trogir
Split
Omiš
Makarska
Hvar
Vis
Korčula
Lastovo
Mljet
Dubrovnik
Cavtat
Kotor
Budva
Cetinje
Herceg Novi
Boka Kotorska
Travnik
Zenica
SARAJEVO
Mostar
Konjic
Jablanica
Livno
Knin
Sinj
Imotski
Trebinje
Bileca
Foča
Pljevlja
Višegrad
Rogatica
Vlasenica
Zvornik
Kladanj
Valjevo
Kragujevac
Jagodina
Ćuprija
Čačak
Kraljevo
Užice
Aleksinac
Niš
Prokuplje
Pirot
Sokobanja
Knjaževac
Belogradčik
Montana
Vraca
Berkovica
Dragoman
Dimitrovgrad
Bela Palanka
Leskovac
Vranje
Pernik
Kjustendil
Blagoevgrad
Kriva Palanka
Kumanovo
Delčevo
SKOPJE
Tetovo
Veles
Štip
Strumica
Prilep
Kičevo
Gevgelija
Bitola
Ohrid
Resen
Struga
Debar
Kosovska Mitrovica / Mitrovicë
Priština / Prishtinë
Gračanica
Gnjilane / Gjilan
Peć / Pejë
Dečani
Đakovica / Gjakovë
Prizren
KOSOVË
Novi Pazar
Kopaonik
Studenica
Ivanjica
Prijepolje
Bijelo Polje
Berane
Andrijevica
Žabljak
Nikšić
PODGORICA
Bar
Ulcinj
Shkodër
Skadarsko Jezero
Prokletije
Kukës
Pukë
Lezhë
Shëngjin
Peshkopi
Burrel
Zerqan
Krujë
TIRANË
Durrës
Shijak
Kavajë
Cërrik
Elbasan
Rrogozhinë
Lushnjë
Pogradec
Ohridsko Ezero
Prespansko Ezero
Berat
Korçë
Fier
Vlorë
Tepelenë
Përmet
Këlcyrë
Gjirokastër
Sarandë
Buthrotum
Kërkyra
Palaiokastritsa
Igoumenitsa
Parga
Paxoi
Ioannina
Métsovo
Kónitsa
Flórina
Ptolemaïda
Kastoriá
Kozáni
Grevená
Véroia
Náousa
Édessa
Giannitsá
Alexándreia
Kateríni
Olympos
Elassóna
Tírnavos
Meteóra
Kalampáka
Tríkala
Kardítsa
Árta
Préveza
Lefkáda
Vónitsa
Amfilochía
Agrínio
Náfpaktos
Mesolóngi
Itháki
Kefallonía
Argostóli
Sámi
Zákynthos
Káto Achaïa
Amaliáda
Pýrgos
Kyparissía
Dalmatinska Obala
ADRIATIQUE
ADRIATIC SEA
Ionia Nisia
MER IONIENNE
IONIAN SEA
Pescara
Chieti
Vasto
Termoli
Sulmona
Isernia
Campobasso
Cassino
Foggia
Lucera
San Severo
Manfredonia
Promontorio del Gargano
Vieste
Barletta
Trani
Molfetta
Bari
Andria
Bitonto
Cerignola
Canosa di Puglia
Melfi
Ariano Irpino
Benevento
Caserta
NAPOLI
Vesuvio
Pompei
Pozzuoli
Ischia
Capri
Sorrento
Amalfi
Costiera Amalfitana
Salerno
Battipaglia
Paestum
Avellino
Potenza
Matera
Altamura
Gioia del Colle
Martina Franca
Fasano
Brindisi
Taranto
Manduria
Lecce
Otranto
Gallipoli
C. Sta Maria di Leuca
Golfo di Taranto
Scanzano Jonico
Sapri
M. Pollino
Castrovillari
Sibari
Rossano
San Giovanni in Fiore
La Sila
Crotone
Paola
Cosenza
Nicastro
Catanzaro
Vibo Valentia
Gioia Tauro
Locri
Villa San Giovanni
Reggio di Calabria
Messina
Milazzo
Eolie o Lipari
Stromboli
Salina
Vulcano
PALERMO
Monreale
Termini Imerese
Cefalù
Nebrodi
Monte Etna
Taormina
Acireale
Catania
Adrano
Enna
Piazza Armerina
Caltanissetta
Lentini
Siracusa
Caltagirone
Agrigento
Licata
Gela
Ragusa
Noto
Modica
C. Passero
SICILIA
BIH
HR
SRB
MNE
MK
AL
GR
I
17
12
1
2
3
4
5
A
B
C
D
0
75 km

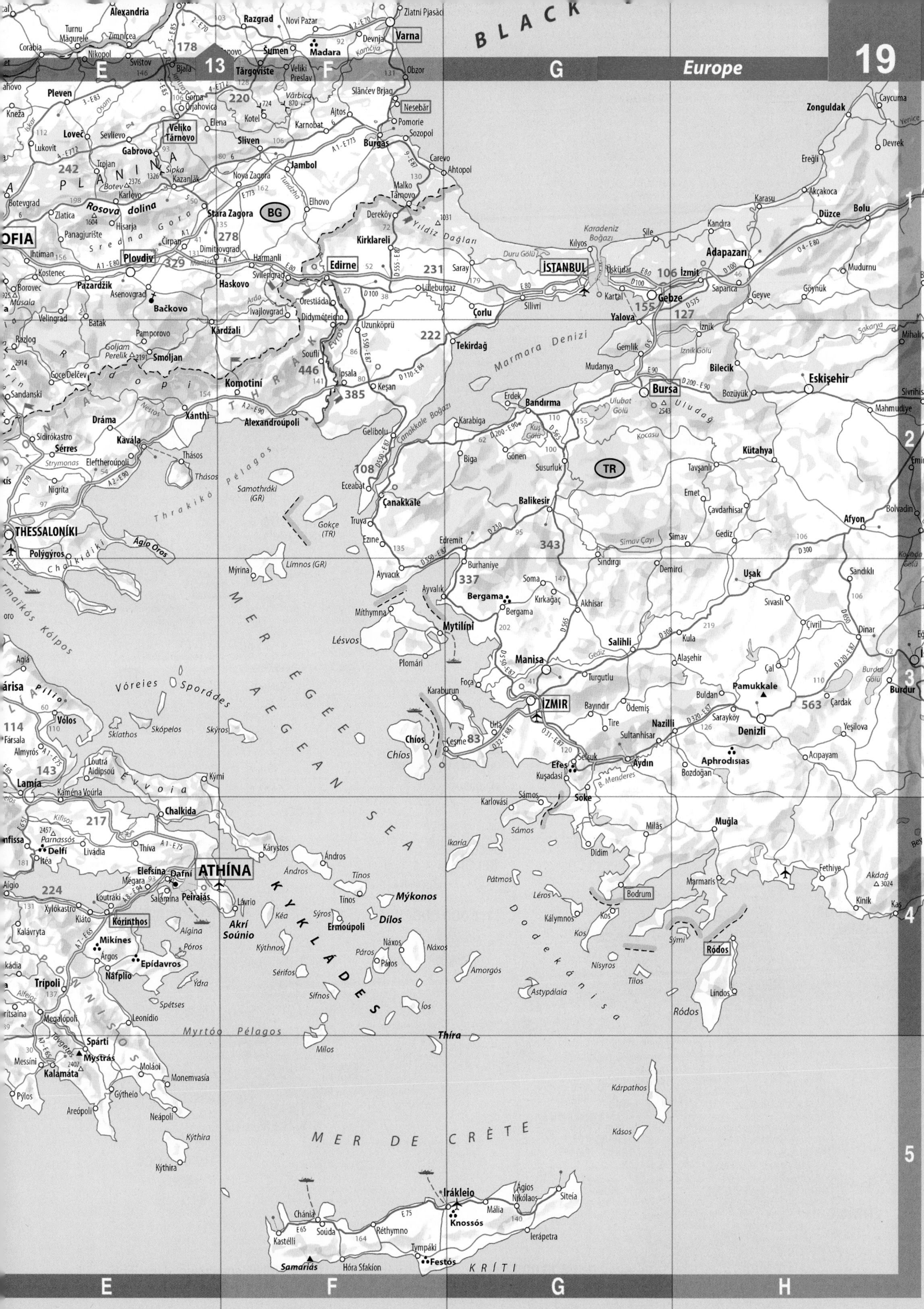
BLACK
E
F
G
H
13
1
2
3
4
5
Alexandria
Turnu Măgurele
Zimnicea
Corabia
Nikopol
Svištov
Bjala
Razgrad
Novi Pazar
Šumen
Madara
Târgovište
Veliki Preslav
Varna
Zlatni Pjasăci
Devnja
Obzor
Pleven
Gorna Orjahovica
Veliko Tărnovo
Lovеč
Sevlievo
Gabrovo
Lukovit
Elena
Kotel
Vărbica
Slănčev Brjag
Nesebăr
Ajtos
Karnobat
Pomorie
Sozopol
Burgas
Sliven
Jambol
Trojan
Šipka
Kazanlăk
Botev
Karlovo
Nova Zagora
Carevo
Ahtopol
Malko Tărnovo
Elhovo
Botevgrad
Zlatica
Rosova dolina
Stara Zagora
BG
Hisarja
Panagjurište
Sredna Gora
Čirpan
Dimitrovgrad
SOFIA
Ihtiman
Plovdiv
Harmanli
Kostenec
Pazardžik
Asenovgrad
Haskovo
Svilengrad
Edirne
Kirklareli
Dereköy
Yıldız Dağları
Borovec
Musala
Bačkovo
Velingrad
Batak
Ivajlovgrad
Orestiáda
Didymóteicho
Lüleburgaz
Çorlu
Saray
İSTANBUL
Kilyos
Karadeniz Boğazı
Şile
Üsküdar
Kartal
Gebze
İzmit
Silivri
Yalova
Razlog
Pamporovo
Kărdžali
Goljam Perelik
Smoljan
Uzunköprü
Tekirdağ
Marmara Denizi
Soufli
Ipsala
Keşan
Goce Delčev
Sandanski
Komotiní
Xánthi
Alexandroúpoli
Gelibolu
Dráma
Kavála
Thásos
Sidirókastro
Sérres
Strymonas
Eleftheroúpoli
Nigríta
Samothráki (GR)
Thrakikó Pélagos
THESSALONÍKI
Polýgyros
Chalkidikí
Ágio Oros
Gokçe (TR)
Mýrina
Límnos (GR)
Eceabat
Çanakkale
Çanakkale Boğazı
Truva
Ezine
Ayvacık
Karabiga
Biga
Gönen
Bandırma
Erdek
Kuş Gölü
Susurluk
Balıkesir
Edremit
Burhaniye
Ayvalık
Bergama
Soma
Kırkağaç
Akhisar
Míthymna
Mytilíni
Lésvos
Plomári
MER ÉGÉE
AEGEAN SEA
Vóreies Sporádes
Skiathos
Skópelos
Skýros
Manisa
Foça
Karaburun
İZMİR
Chíos
Çeşme
Urla
Turgutlu
Salihli
Kula
Alaşehir
Bayındır
Ödemiş
Tire
Efes
Selçuk
Kuşadası
Aydın
Nazilli
Sultanhisar
Söke
Sámos
Karlovási
Ikaría
Pátmos
Léros
Kálymnos
Kos
Bodrum
Didim
Milâs
Muğla
Marmaris
Fethiye
Dodekánisa
Nísyros
Tílos
Sými
Ródos
Lindos
Kárpathos
Kásos
Gemlik
Mudanya
Bursa
Uludağ
Ulubat Gölü
İznik
İznik Gölü
Bilecik
Bozüyük
Eskişehir
Adapazarı
Sapanca
Geyve
Kandıra
Karasu
Akçakoca
Düzce
Bolu
Mudurnu
Göynük
Zonguldak
Çaycuma
Devrek
Ereğli
Beypazarı
Mihalıççık
Sivrihisar
Mahmudiye
Kütahya
Tavşanlı
Emet
Çavdarhisar
Gediz
Simav
Sındırgı
Demirci
TR
Emirdağ
Afyon
Bolvadin
Çay
Uşak
Sivaslı
Sandıklı
Çivril
Dinar
Eğirdir
Isparta
Burdur
Çal
Buldan
Pamukkale
Denizli
Sarayköy
Çardak
Yeşilova
Aphrodisias
Acıpayam
Bozdoğan
Kınık
Kaş
Akdağ
Finike
Pirgos
Lárisa
Pílio
Vólos
Fársala
Almyrós
Lamía
Loutrá Aidipsoú
Évvoia
Kými
Kaména Voúrla
Chalkída
Kifisos
Parnassós
Delfí
Itéa
Livádia
Thíva
Kárystos
Ándros
Tínos
Mýkonos
Dílos
Sýros
Ermoúpoli
Elefsína
Dafní
Mégara
ATHÍNA
Peiraiás
Salamína
Lávrio
Akrí Soúnio
Kéa
Aígina
Loutráki
Xylókastro
Kórinthos
Kiáto
Kalávryta
Mykínes
Árgos
Epídavros
Náfplio
Póros
Ýdra
Spétses
Trípoli
Leonídio
Megalópoli
Spárti
Mystrás
Kalamáta
Messíni
Pýlos
Moláoi
Monemvasía
Gýtheio
Areópoli
Neápoli
Kýthira
Kýthnos
Sérifos
Sífnos
Páros
Náxos
Amorgós
Astypálaia
Íos
Thíra
Mílos
Myrtóo Pélagos
KYKLÁDES
MER DE CRÈTE
Irákleio
Knossós
Mália
Ágios Nikólaos
Siteía
Ierápetra
Chánia
Soúda
Kastélli
Réthymno
Tympáki
Festós
Samariás
Hóra Sfakíon
KRÍTI

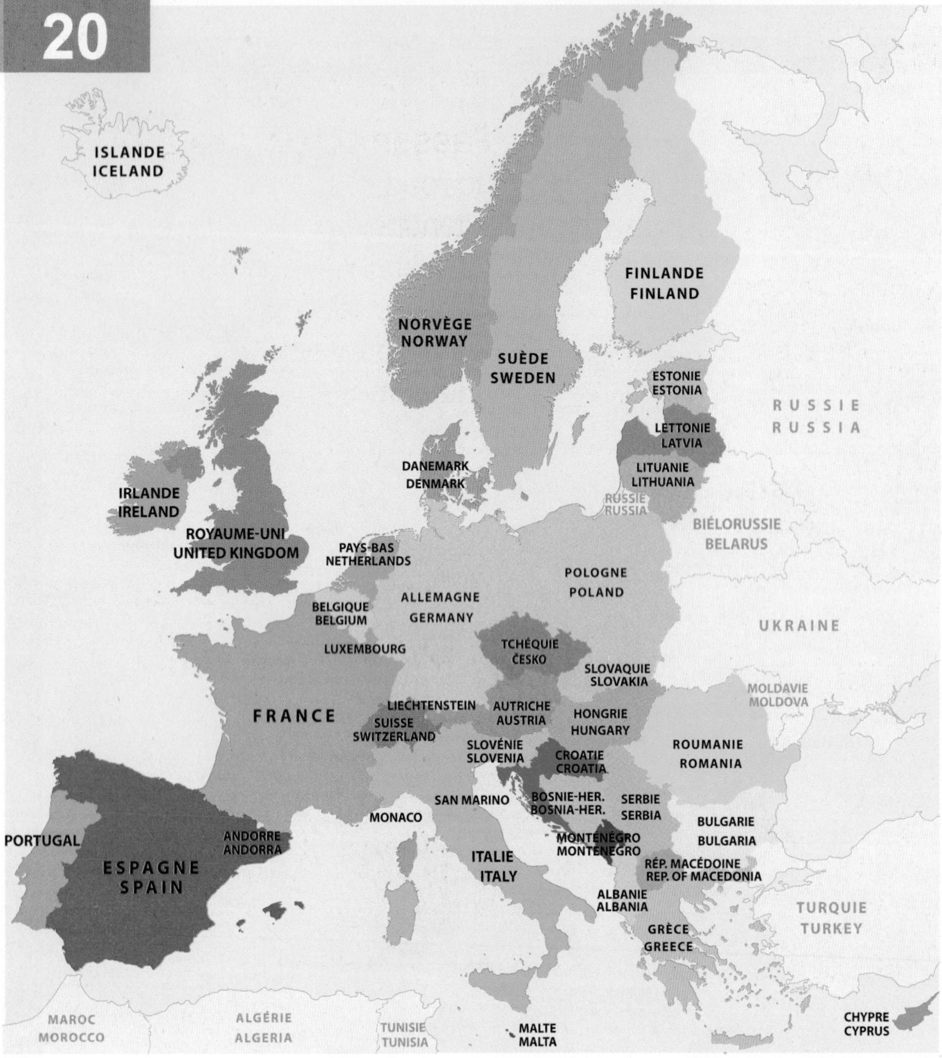

1:1 000 000

p.22

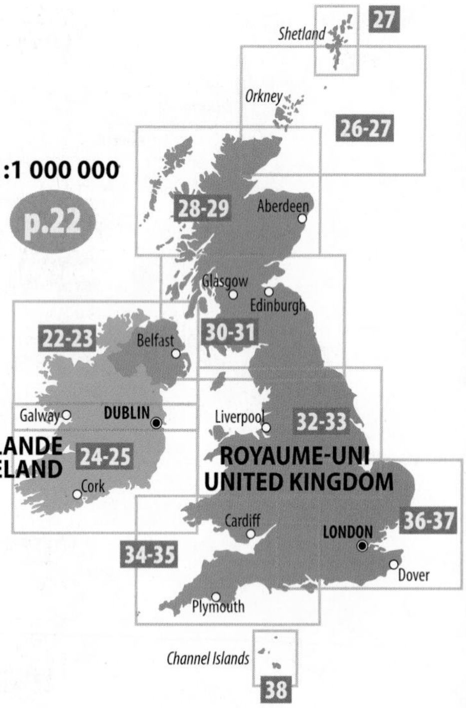

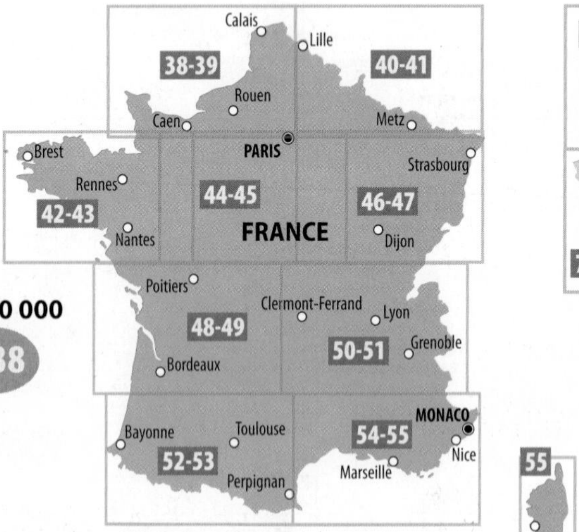

1:1 000 000

p.38

1:1 000 000

p.76

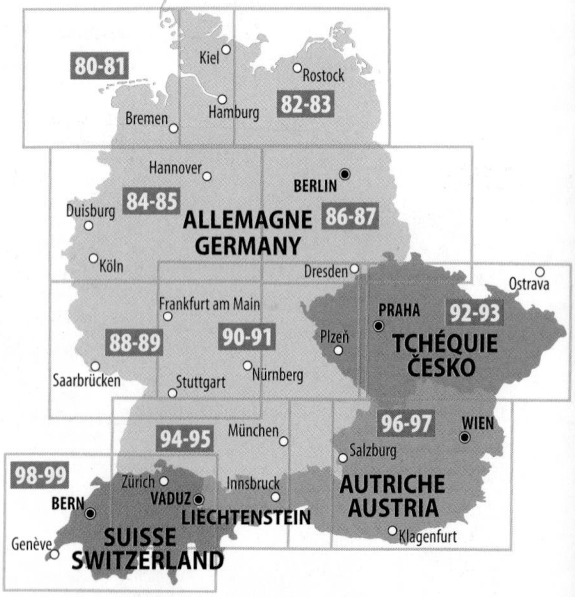

1:1 000 000

p.80

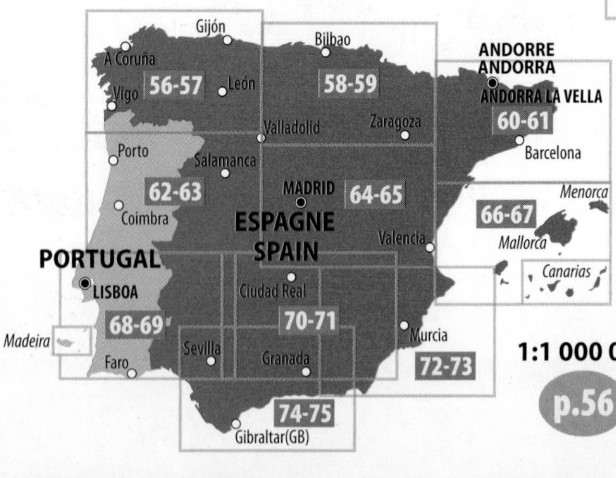

1:1 000 000

p.56

Végétation : data CORINE land cover - UE - IFEN

EUROPE / EUROPA

Tableaux d'assemblage détaillés

Detailed key to road map
Detaillierte Seitenübersicht
Gedetailleerde overzichtskaarten
Quadro d'insieme dettagliato
Mapa índice detallado
Tabela de montagem detalhado

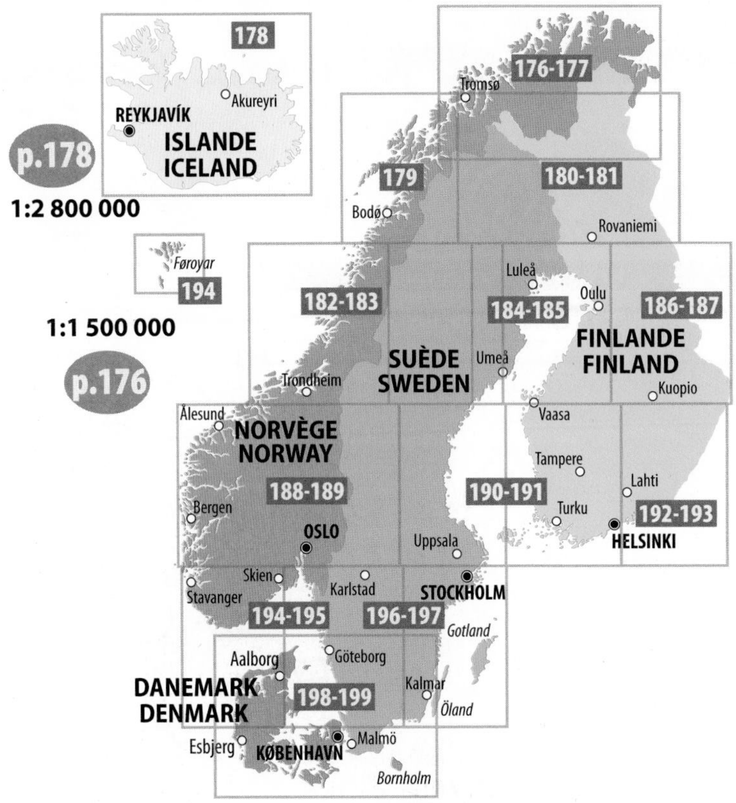

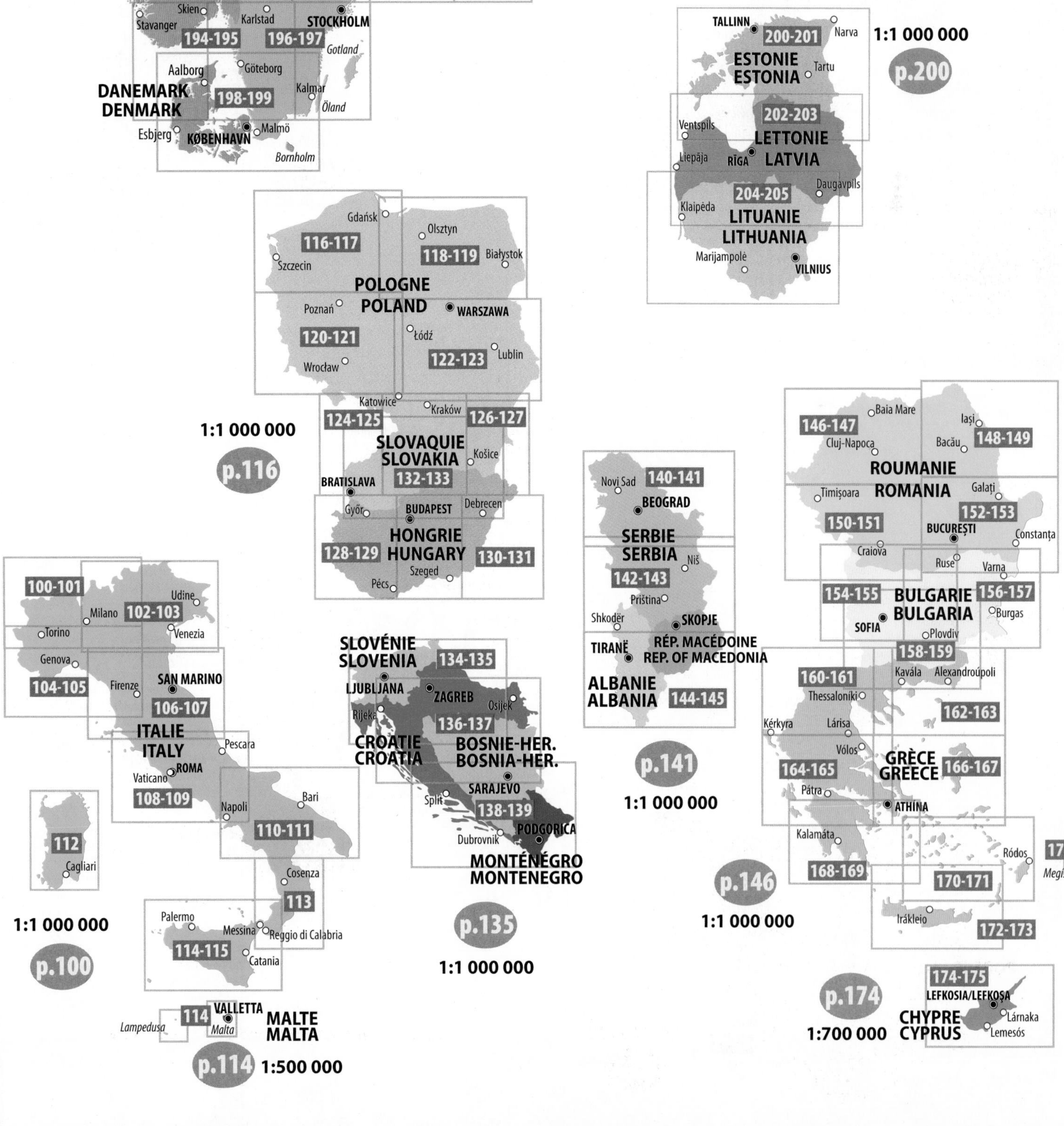

B
C
D
1
2
3
4
5
A
Key
Légende
Destination on primary route network
Lancaster
Localités jalonnant les itinéraires principaux
Shetland
27
Orkney
26-27
28-29
Aberdeen
Glasgow
Edinburgh
30-31
22-23
Belfast
Galway
DUBLIN
Liverpool
32-33
IRLANDE
IRELAND
24-25
Cork
ROYAUME-UNI
UNITED KINGDOM
Cardiff
LONDON
36-37
34-35
Dover
Plymouth
Channel Islands
38
Tory I.
Bloody Foreland Head
Aran Island
Crolly
Dungloe
Glenveagh National Park
Gweebarra Bay
Fintown
Glenties
Ardara
Glencolumbkille
Rossan Point
Killybegs
Bunglass Cliffs
Donegal Bay
Ballyshannon
Bundoran/
Bun Dobhráin
Belleek
Inishmurray
L. Melvin
Rosses Point
Sligo Bay
Strandhill
Sligo/
Sligeach
Manorhamilton
Ballysadare
Drumkeeran
Dowra
SLIGO
Ballymote
Keadew
Gorteen
Boyle
L. Key
L. Gara
Carrick-on-Shannon/
Cara Droma Rúisc
Frenchpark
Elphin
ROSCOMMON
Castlerea
Tulsk
Strokestown
Ballyhaunis
Ballymoe
Roscommon/
Ros Comáin
Lanesborough
Glennamaddy
Dunmore
Ballyforan
Mount Bellew
Athlone/
Baile Átha Luain
Ballinasloe/
Béal Átha na Sluaighe
Clonmacnoise
Clonfert
Banagher
Portumna
Loughrea
Erris Head
Broad Haven
Belmullet
Glenamoy
Ballycastle
Killala Bay
Easky
Inishcrone
Ox Mountains
Inishkea
MAYO
Bangor
Crossmolina
Ballina/
Béal an Átha
L. Conn
Blacksod Bay
Ballycroy
Nephin Beg Range
Nephin
Tubbercurry
Keel
Achill Island
Foxford
Charlestown
Swinford
Pontoon
Corraun
Mulrany
Newport
Castlebar/
Caisleán an Bharraigh
Kiltimagh
Ballaghaderreen
Clare Island
Clew Bay
Westport/
Cathair na Mart
Louisburgh
Croagh Patrick
Inishturk
Murrisk
Mweelrea Mts
Ballintubber
Claremorris
Inishbofin
Inishshark
Killary Harbour
Partry Mountains
Lough Mask
Ballinrobe
Kilmaine
RinvylePt.
Letterfrack
Leenane
The Twelve Pins
Maumturk Mts
Clonbur
Cong
Lough Corrib
Clifden
Connemara
Tuam/Tuaim
Headford
Slyne Head
Maam Cross
Roundstone
Oughterard
Carna
Gortmore
GALWAY
Galway/
Gaillimh
Athenry
Kilkieran Bay
Lettermullan
Gorumna Island
Spiddal
Barna
Oranmore
Galway Bay
Inishmore
Kilronan
Dún Aonghasa
Inishmaan
Inisheer
Aran Islands
Black Head
Craughwell
Ardrahan
Kinvarra
Ballyvaughan
Gort
Lisdoonvarna
Cliffs of Moher
0
20 km
24

NORTHERN IRELAND
DISTRICT COUNCILS
1 Antrim and Newtownabbey
2 Ards and North Down
3 Armagh, Banbridge and Craigavon
4 Belfast
5 Causeway Coast and Glens
6 Derry and Strabane
7 Fermanagh and Omagh
8 Lisburn and Castlereagh
9 Mid and East Antrim
10 Mid Ulster
11 Newry, Mourne and Down
BELFAST
DUBLIN/BAILE ÁTHA CLIATH
Londonderry/Derry
Lisburn
Craigavon
Portadown
Armagh
Newry
Dundalk/Dún Dealgan
Drogheda/Droichead Átha
Navan/An Uaimh
Mullingar/An Muileann gCearr
Cavan/An Cabhán
Monaghan/Muineachán
Enniskillen
Omagh
Coleraine
Ballymena
Larne
Bangor
Newtownards
Downpatrick
Newcastle
Dún Laoghaire
Swords
Malahide/Mullach Íde
Naas/An Nás
Newbridge/An Droichead Nua
Tullamore/Tulach Mhór
Longford/An Longfort
Portlaoise/Port Laoise
MONAGHAN
CAVAN
LOUTH
MEATH
FINGAL
KILDARE
S. DUBLIN
OFFALY
WEST MEATH
LONGFORD
LEITRIM
DONEGAL
Inishowen
Sperrin Mountains
Antrim Mountains
Mourne Mts.
Lough Neagh
Lough Foyle
Lough Swilly
Carlingford Lough
Strangford Lough
Belfast Lough
NORTH CHANNEL
ISLE OF MAN
ARRAN
Mull of Kintyre
Mull of Oa
Mull of Galloway
Malin Head
Fanad Head
Inishtrahull
Rathlin Island
Giant's Causeway
Carrick-a-Rede Rope Bridge
Mount Stewart Gardens
Murlough National Nature Reserve
Marble Arch Caves
Florence Court
Glenariff or Waterfoot
Stranraer
Campbeltown
Girvan
Holyhead/Caergybi
Holy Island
Isle of Anglesey
E
F
G
H
1
2
3
4
5
25
30
32

GALWAY
CLARE
LIMERICK
KERRY
CORK
NORTH TIPPERARY
Galway/Gaillimh
Ennis/Inis
Limerick/Luimneach
Killarney/Cill Airne
CORK/CORCAIGH
Tralee/Trá Li
Dingle/Daingean Uí Chúis
Clifden
Kilronan
Ballyvaughan
Kilmurry
Holycross
Cashel/Caiseal
Cahir
Kenmare
Lauragh
Glengarriff
Blarney
Kinsale
Tuam/Tuaim
Athlone/Baile Átha Luain
Ballinasloe/Béal Átha na Sluaighe
Roscommon/Ros Comáin
Nenagh/An tAonach
Tipperary/Tiobraid Árann
Mallow/Mala
Cobh/An Cóbh
Bantry/Beanntrai
Connemara
The Twelve Pins
Aran Islands
Inishmore
Inishmaan
Inisheer
Galway Bay
Cliffs of Moher
Loop Head
Mouth of the Shannon
River Shannon
Dingle Bay
Kerry Head
Brandon Head
Brandon Mountain
Slea Head
Great Blasket I.
Valentia Island
Skellig
Derrynane National Historic Park
Killarney National Park
Muckross House
Macgillycuddy's Reeks
Carrantuohill
Derrynasaggart Mts.
Galty Mountains
Knockmealdown Mts.
Bantry Bay
Dunmanus Bay
Roaringwater Bay
Mizen Head
Sheeps's Head
Dursey Island
Clear Island
Toe Head
Galley Head
Old Head of Kinsale
Skibbereen
Clonakilty
Bandon
Macroom
Fermoy
Mitchelstown
Charleville
Kanturk
Listowel
Abbeyfeale
Tarbert
Kilrush
Kilkee
Lisdoonvarna
Lahinch
Ennistimon
Bunratty
Shannon
Adare
Newcastle West
Gort
Loughrea
Portumna
Athenry
Oughterard
Roundstone
Youghal
Midleton
Lismore
Tallow
Clonfert
Clonmacnoise
0 20 km
A B C D
1 2 3 4 5

Longford/An Longford
Granard
Oldcastle
Kells
Monasterboice
Old Mellifont
Slane
Clogherhead
Drogheda/Droichead Átha
Newgrange
Navan/An Uaimh
Duleek
Balbriggan
Skerries
Delvin
Athboy
MEATH
Trim
Mullingar/An Muileann gCearr
Ballymore
WESTMEATH
Kinnegad
Dunshaughlin
FINGAL
Ashbourne
Rush
Lusk
Swords
Malahide/Mullach Íde
Portmarnock
Moate
Kilbeggan
Innfield
Kilcock
Maynooth
Lucan
Howth/Binn Éadair
Clara
Grand Canal
Edenderry
Castletown House
Clondalkin
DUBLIN/BAILE ÁTHA CLIATH
Tullamore/Tulach Mhór
KILDARE
S. DUBLIN
Dún Laoghaire
Dalkey
OFFALY
Newbridge/An Droichead Nua
Naas/An Nás
Enniskerry
Portarlington
Kildare
Kippure
Bray/Bré
Kilcormac
Monasterevin
Powerscourt
Greystones
Mountmellick
Emo Court
Kilcullen
Russborough House
Slieve Bloom Mts.
Portlaoise/Port Laoise
Hollywood
Mountrath
WICKLOW
Wicklow Mountains National Park
Laragh
Athy
Glendalough
Rathnew
LAOIS
Abbeyleix
Baltinglass
Lugnaquillia Mountain
Wicklow Head
Wicklow/Cill Mhantáin
Rathdowney
Rathdrum
Castledermot
Carlow/Ceatharlach
Aughrim
Durrow
Tinahely
Castlecomer
Tullow
Arklow/An tInbhear Mór
Freshford
Urlingford
KILKENNY
CARLOW
Bagenalstown
Carnew
Gorey
Kilkenny/Cill Chainnigh
Borris
Bunclody
Courtown
Ballingarry
Callan
Killenaule
Blackstairs Mts.
Kiltealy
Thomastown
Graiguenamanagh
Enniscorthy/Inis Córthaidh
Cahore Point
Fethard
Jerpoint
Slievenamon
Blackwater
New Ross
Clonmel/Cluain Meala
Carrick-on-Suir
Wexford/Loch Garman
WEXFORD
Comeragh Mts.
Waterford/Port Láirge
Rosslare
Wellington Bridge
Arthurstown
Rosslare Harbour/Calafort Ros Láir
Tramore
Dunmore East
Kilmore Quay
Carnsore Point
Bunmahon
Dungarvan Harbour
Dungarvan
Hook Head
Saltee Islands
Waterford Harbour
Helvick Head
ST. GEORGE'S CHANNEL
Holyhead/Caergybi
Aberdaron
Cardigan
Strumble Head
Newport
Pembrokeshire Coast National Park
Fishguard/Abergwaun
St. David's Head
St. David's
Haverfordwest/Hwlffordd
St. Bride's Bay
Milford Haven/Aberdaugleddau
Neyland
Pembroke Dock
Pembroke
St. Govan's Head
E
F
G
H
23
32
34

SCOTLAND

UNITARY AUTHORITIES

1. Aberdeen City
2. Aberdeenshire
3. Angus
4. Argyll and Bute
5. Clackmannanshire
City of Edinburgh
City of Glasgow
8. Dumfries and Galloway
9. Dundee City
10. East Ayrshire
11. East Dunbartonshire
12. East Lothian
13. East Renfrewshire
14. Falkirk
15. Fife
16. Highland
17. Inverclyde
18. Midlothian
19. Moray
20. North Ayrshire
21. North Lanarkshire
22. Orkney Islands
23. Perth and Kinross
24. Renfrewshire
25. Scottish Borders
26. Shetland Islands
27. South Ayrshire
28. South Lanarkshire
29. Stirling
30. West Dunbartonshire
31. West Lothian
32. Na H-Eileanan Siar (Western Isles)

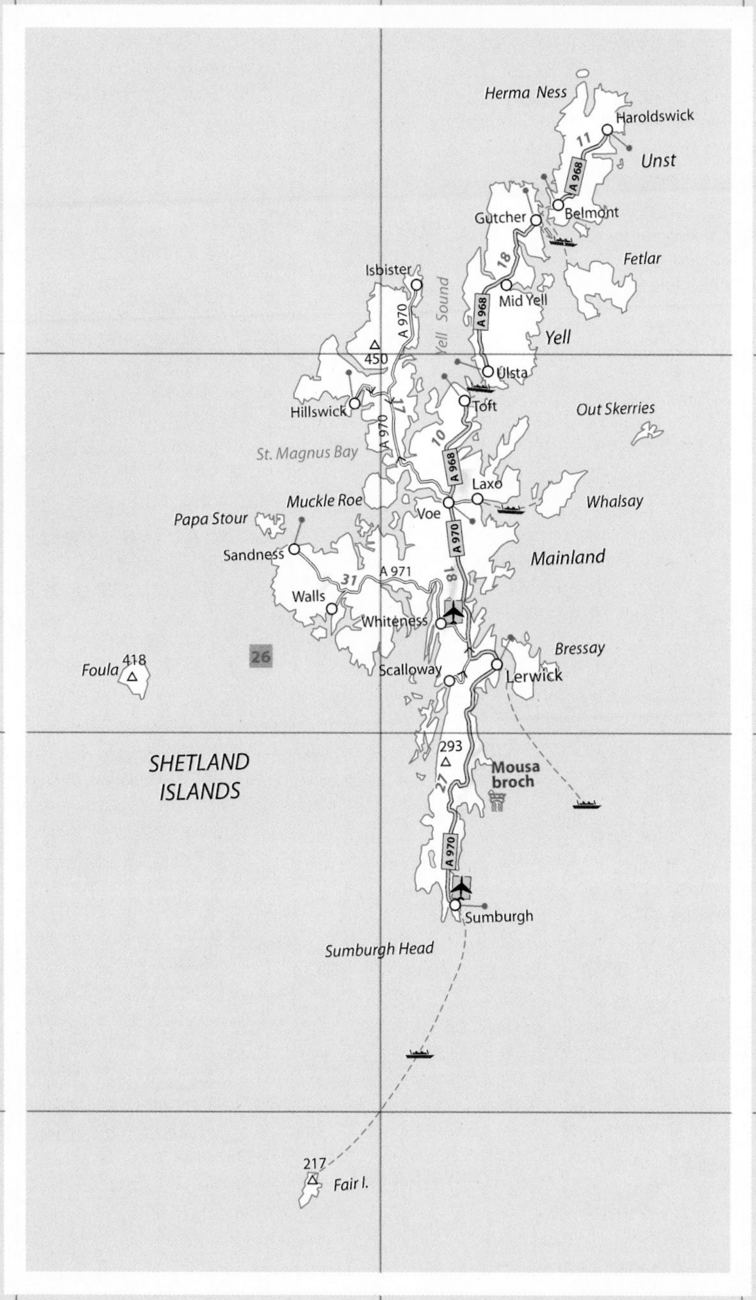
Herma Ness
Haroldswick
Unst
A 968
11
Gutcher
Belmont
Fetlar
18
Mid Yell
Isbister
Yell Sound
A 970
450
Yell
Ulsta
Toft
Hillswick
17
Out Skerries
10
St. Magnus Bay
A 968
Laxo
Whalsay
Muckle Roe
Voe
Papa Stour
A 970
Mainland
Sandness
A 971
31
18
Walls
Whiteness
Bressay
26
Foula
418
Scalloway
Lerwick
SHETLAND
ISLANDS
293
Mousa
broch
27
A 970
Sumburgh
Sumburgh Head
217
Fair I.

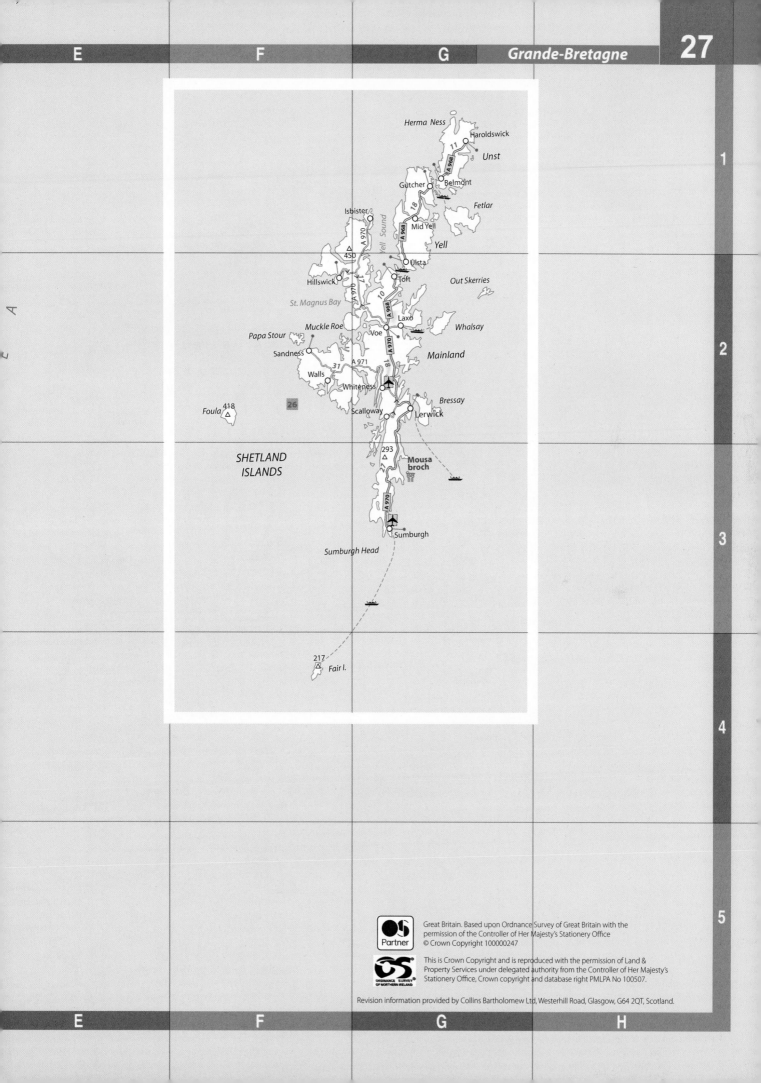

B
C
D
1
2
3
4
5
A
30
0
20 km
Butt of Lewis
Port of Ness
A 857
Barvas
LEWIS
Flannan I.
Carloway
292
Stornoway
Broad Bay
Portnaguran
Tiumpan Head
Callanish Standing Stones
Garynahine
A 858
A 866
Eye Peninsula
THE MINCH
574
A 859
Hushinish
B 887
Clisham
799
572
Kebock Head
West Loch Tarbert
Tarbert
NA H-EILEANAN SIAR (WESTERN ISLES)
32
St. Kilda
Toe Head
Harris
Leverburgh
Rodel
Renish Point
Rubha Réidh
Sound of Harris
North Uist
Otternish
Tigharry
A 865
B 893
A 867
Lochmaddy
Sound of Monach
347
Balivanich
Benbecula
Creagorry
The Little Minch
Waternish Point
Dunvegan Head
Trotternish Peninsula
Staffin
Uig
Loch Snizort
The Storr
719
A 87
A 855
Dunvegan
A 850
Portree
Raasay
Sound of Raasay
Inner Sound
Rona
Bracadale
444
84
52
Idrigill Point
A 863
Loch Bracadale
South Uist
620
SEA OF THE HEBRIDES
Sconser
Scalpay
Sligachan
SKYE
The Cuillin
993
B 8083
Elgol
Broadford
Kyle of Lochalsh
Kyleakin
Kylerhea
Dornie
Eilean Donan Castle
Glenelg
Shiel Bridge
Isleornsay
A 851
Ardvasar
Sound of Sleat
Cuillin Sound
Daliburgh
Lochboisdale
Canna
Sound of Barra
Barra
383
Bayhirivagh
A 888
Castlebay
Rhum
812
Sound of Rhum
Eigg
Mallaig
Loch Nevis
Arisaig
A 830
Sound of Arisaig
Loch Morar
76
46
Glenfinnan
Loch Arkaig
Muck
Mingulay
Barra Head
OUTER HEBRIDES
Sanna Beach
Kilchoan
528
B 8007
Salen
A 861
882
Loch Shiel
888
Strontian
Corran
Inchree
Onich
Kentallen
Loch Sunart
A 884
Coll
Arinagour
Tobermory
A 848
Dervaig
B 8073
Sound of Mull
Lochaline
Loch Linnhe
Portnacroish
Achnacroish
Tiree
Scarinish
L. Tuath
Salen
MULL
A 849
L. na Keal
B 8035
966
Ben More
Craignure
Lismore
Ulva
Staffa
Connel
Oban
Taynuilt
Iona
Fionnphort
Bunessan
Kerrera
Firth of Lorn
Kilninver
B 844
Seil
Luing
Arduaine
A 819
Ben Cruachan
1126
Loch Etive
A 85
46
74
A 828
Scourie
Eddrachillis Bay
A 837
Lochinver
Rubha Còigeach
Coigach
743
Loch Broom
Gruinard Bay
Laide
Dundonnell
1062
Inverewe Gardens
A 832
Gairloch
Loch Maree
980
Wester Ross
Kinlochewe
Liathach
1054
A 896
Torridon
Loch Torridon
Shieldaig
896
Glen Carron
Lochcarron
Stromeferry
A 890
Sgurr na Ciche
1040
Loch Quoich
50
80
A' Chr
112
Falls o
Sgurr
Kinloch

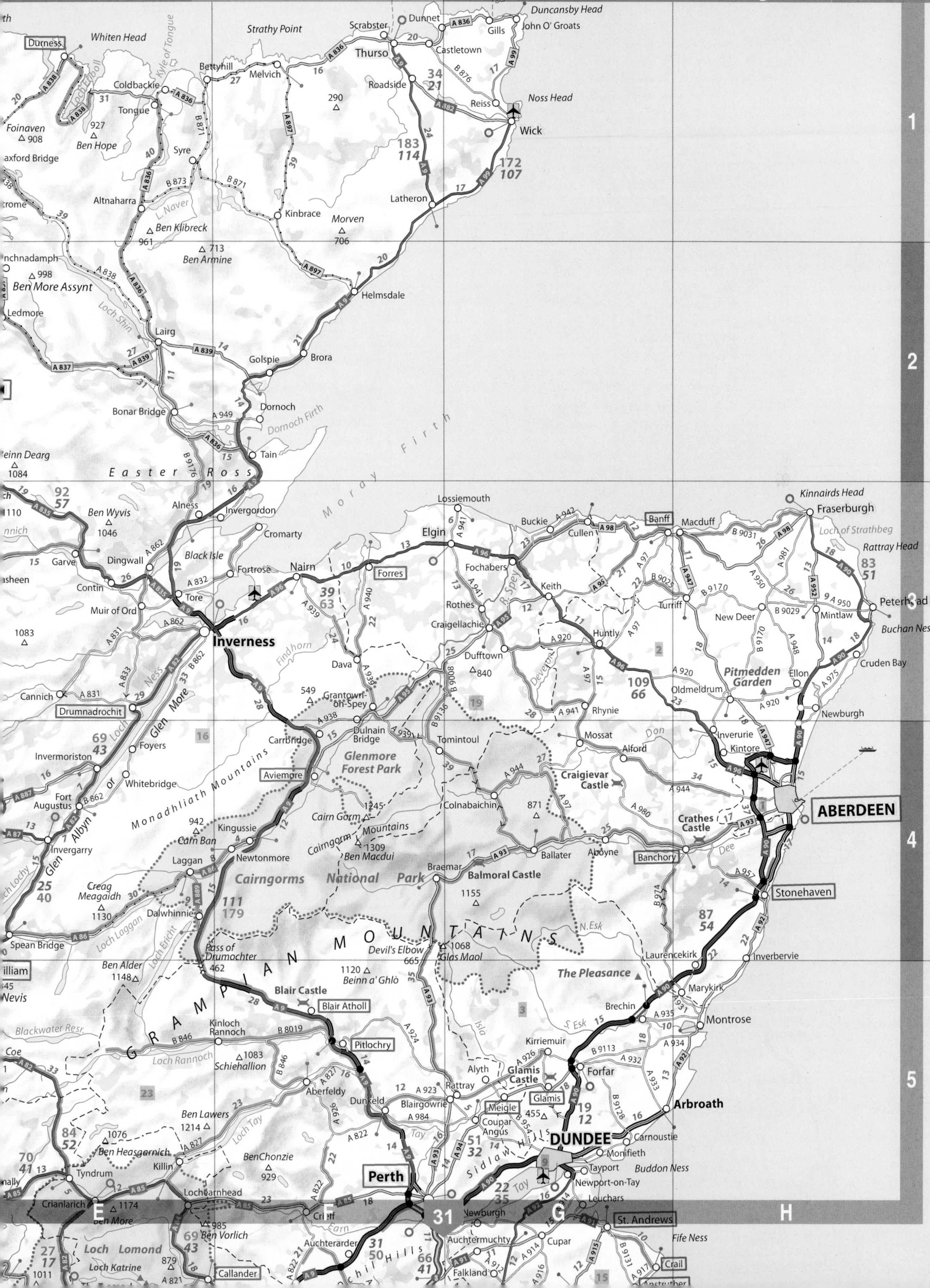
Hoy
South Ronaldsay
Burwick
Pentland Firth
Dunnet Head
Duncansby Head
John O' Groats
Gills
Dunnet
Scrabster
Thurso
Castletown
Strathy Point
Whiten Head
Durness
Bettyhill
Melvich
Coldbackie
Tongue
Foinaven
Ben Hope
Roadside
Reiss
Noss Head
Wick
Syre
Altnaharra
L. Naver
Kinbrace
Latheron
Morven
Ben Klibreck
Ben Armine
Ben More Assynt
Loch Shin
Ledmore
Lairg
Helmsdale
Brora
Golspie
Bonar Bridge
Dornoch
Dornoch Firth
Tain
Easter Ross
Moray Firth
Alness
Invergordon
Cromarty
Ben Wyvis
Black Isle
Dingwall
Garve
Contin
Fortrose
Nairn
Tore
Muir of Ord
Inverness
Forres
Elgin
Lossiemouth
Buckie
Cullen
Banff
Macduff
Fraserburgh
Kinnairds Head
Loch of Strathbeg
Rattray Head
Fochabers
Keith
Rothes
Craigellachie
Dufftown
Turriff
New Deer
Mintlaw
Peterhead
Buchan Ness
Huntly
Pitmedden Garden
Ellon
Cruden Bay
Oldmeldrum
Newburgh
Inverurie
Kintore
Rhynie
Mossat
Alford
Dava
Grantown-on-Spey
Dulnain Bridge
Tomintoul
Carrbridge
Glenmore Forest Park
Aviemore
Cannich
Drumnadrochit
Glen More
Loch Ness
Foyers
Invermoriston
Fort Augustus
Whitebridge
Monadhliath Mountains
Cairn Gorm
Cairngorm Mountains
Ben Macdui
Colnabaichin
Craigievar Castle
Crathes Castle
ABERDEEN
Kingussie
Newtonmore
Carn Ban
Laggan
Invergarry
Glen Albyn
Ballater
Aboyne
Banchory
Braemar
Balmoral Castle
Cairngorms National Park
Creag Meagaidh
Dalwhinnie
Loch Laggan
Loch Ericht
Spean Bridge
Stonehaven
GRAMPIAN MOUNTAINS
Pass of Drumochter
Devil's Elbow
Glas Maol
Beinn a' Ghlò
Ben Alder
Laurencekirk
Inverbervie
The Pleasance
Marykirk
Blair Castle
Blair Atholl
Brechin
Montrose
Kinloch Rannoch
Blackwater Resr.
Loch Rannoch
Schiehallion
Pitlochry
Kirriemuir
Forfar
Glamis Castle
Glamis
Alyth
Rattray
Blairgowrie
Aberfeldy
Dunkeld
Meigle
Coupar Angus
Arbroath
Carnoustie
DUNDEE
Monifieth
Buddon Ness
Tayport
Newport-on-Tay
Leuchars
Ben Lawers
Loch Tay
Ben Heasgarnich
Killin
Tyndrum
Crianlarich
Ben More
Lochearnhead
Ben Vorlich
BenChonzie
Perth
Crieff
Newburgh
Auchtermuchty
St. Andrews
Cupar
Fife Ness
Auchterarder
Loch Lomond
Loch Katrine
Callander
Falkland
Crail
Anstruther
Sidlaw Hills

Mull
Salen
Ulva
Staffa
Iona
Fionnphort
Bunessan
Achnacroish
Craignure
Lismore
Connel
Oban
Kerrera
Taynuilt
Ben Cruachan 1126
Dalmally
Tyndrum
Ben Heasgarnich 1076
Killin
BenChonzie 929
Perth
Crianlarich
Ben More 1174
Earnhead
Crieff
Ben Vorlich 985
Auchterarder
Kilninver
Seil
Luing
Toberonochy
Scarba
Arduaine
Argyll
Inveraray
Loch Lomond
Loch Katrine
The Trossachs
Ben Lomond 974
Tarbet
Arrochar
Aberfoyle
Callander
Doune
Dunblane
Bridge of Allan
Dollar
Alloa
Alva
Dunfermline
Stirling
Kincardine
Culross
Loch Lomond and The Trossachs National Park
Furnace
Kilmartin
Crinan
Colonsay
Scalasaig
Ardlussa
Jura
Lochgilphead
Ardentinny
Helensburgh
Drymen
Kilcreggan
Alexandria
Dumbarton
Kilsyth
Denny
Grangemouth
Falkirk
Kirkintilloch
Linlithgow
Ardrishaig
Otter Ferry
Dunoon
Port Glasgow
Erskine Bridge
Rubha a'Mhail
Beinn an Oir 784
Port Askaig
Feolin Ferry
Craighouse
Islay
Knapdale
Tarbert
Colintraive
Tighnabruaich
Portavadie
Innellan
Gourock
Greenock
Wemyss Bay
Paisley
Clydebank
Cumbernauld
Bathgate
Armadale
Airdrie
Whitburn
Coatbridge
Motherwell
Glasgow
Johnstone
Barrhead
Kennacraig
Rothesay
Largs
Bute
Millport
Port Charlotte
Bridgend
Beinn Bheigeir 491
Portnahaven
Rinns Point
Ardberg
Port Ellen
Mull of Oa
Claonaig
Lochranza
Kintyre
Tayinloan
Gigha I.
Goat Fell 874
Arran
Kilbrannan Sound
Carradale
Brodick
Lamlash
Blackwaterfoot
Kilbirnie
Beith
Dalry
West Kilbride
Stewarton
East Kilbride
Hamilton
Wishaw
Carluke
Strathaven
Lanark
Kilwinning
Ardrossan
Saltcoats
Irvine
Kilmarnock
Galston
Troon
Prestwick
Ayr
Mauchline
Muirkirk
Douglas
Abington
Firth of Clyde
Machrihanish
Campbeltown
Southend
Cumnock
New Cumnock
Sanquhar
Elvanfoot
Mull of Kintyre
Ailsa Craig
Turnberry
Maybole
Dalmellington
Girvan
Drumlanrig castle
Thornhill
Antrim Coast
Rathlin Island
Giant's Causeway
Carrick-a-Rede Rope Bridge
Fair Head
Portrush
Ballycastle
Murlough Bay
Portstewart
Castlerock
Dunluce
Bushmills
Coleraine
Cushendun
Cushendall
Red Bay
Ballymoney
Trostan 550
Glenariff or Waterfoot
Antrim Mountains
Carnlough
Cloughmills
Garvagh
Kilrea
Glenarm
Antrim Coast
North Channel
Merrick 843
Barrhill
Ballantrae
New Galloway
Dumfries
Southern Uplands
Kirkcolm
Cairnryan
Stranraer
Newton Stewart
Castle Douglas
New Abbey
Dalbeattie
Portglenone
Broughshane
Ballymena
Maghera
Tobermore
Castledawson
Larne
Islandmagee
Portpatrick
Glenluce
Wigtown
Gatehouse of Fleet
Ringford
Kirkcudbright
Auchencairn
Magherafelt
Randalstown
Ballyclare
Carrickfergus
Whitehead
Belfast Lough
Luce Bay
Wigtown Bay
Port William
Whithorn
Isle of Whithorn
Solway Firth
Moneymore
Antrim
Newtownabbey
Bangor
Drummore
Burrow Head
Cookstown
Lough Neagh
Crumlin
Holywood
Donaghadee
Belfast
Newtownards
Mull of Galloway
Workington
Lisburn
Comber
Mount Stewart Gardens
Whitehaven
St. Bees Head
Egremont
Grey Abbey
Strangford Lough
Ards Peninsula
Portadown
Lurgan
Craigavon
Dromore
Saintfield
Killyleagh
Portavogie
Armagh
Gilford
Ballynahinch
Portaferry
Strangford
Tandragee
Banbridge
Downpatrick
Point of Ayre
Ramsey
Ballaugh
Snaefell 621
Keady
Markethill
Rathfriland
Castlewellan
Ardglass
St.John's Point
Isle of Man
Newtownhamilton
Murlough National Nature Reserve
Dundrum Bay
Peel
Laxey wheel
Newry
Slieve Donard 850
Newcastle
Mourne Mts.
Douglas
Castleblayney
Warrenpoint
Rostrevor
Kilkeel
Carlingford
Port Erin
Port St Mary
Castletown
Carrickmacross
Dundalk/Dún Dealgan
Dundalk Bay
0 20 km
A B C D
28
23
32

DUNDEE
Carnoustie
Monifieth
Tayport
Newburgh
Auchtermuchty
Cupar
St. Andrews
Fife Ness
Crail
Anstruther
Pittenween
Saint Monans
Falkland
Glenrothes
Kinross
Leven
Methil
Elie
Buckhaven
Lochgelly
Kirkcaldy
Cowdenbeath
Burntisland
Firth of Forth
Inverkeithing
North Berwick
Aberlady
Prestonpans
East Linton
Dunbar
S. Queensferry
Leith
Musselburgh
Tranent
Haddington
Cockburnspath
St. Abb's Head
St Abb's Head National Nature Reserve
EDINBURGH
Dalkeith
Loanhead
Eyemouth
Lammermuir Hills
RosslynChapel
Penicuik
Moorfoot Hills
Duns
Berwick-upon-Tweed
Lauder
Greenlaw
Holy Island
Peebles
Earlston
Mellerstain
Coldstream
Galashiels
Melrose
Abbey Dryburgh
Kelso
Belford
Bamburgh Castle
Innerleithen
Newtown St Boswells
Wooler
Selkirk
The Cheviot
Broad Law
Jedburgh
Hawick
Alnwick
Northumberland National Park
Moffat
Carter Bar
The Cheviot Hills
Rothbury
Warkworth
Amble
Felton
Kielder Resr.
Otterburn
Ashington
Newbiggin-by-the-Sea
Langholm
Morpeth
Blyth
Lockerbie
Bedlington
Belsay
Seaton Delaval
Whitley Bay
Canonbie
NEWCASTLE UPON TYNE
Tynemouth
Chollerford
Hadrian's Wall
Longtown
Greenhead
Housesteads
Jarrow
South Shields
Annan
Gretna
Hexham
Prudhoe
Gateshead
SUNDERLAND
Bowness-on-Solway
Carlisle
Brampton
Corbridge
Stanley
Washington
Seaham
Silloth
Abbey Town
Consett
Chester-le-Street
Houghton-le-Spring
Wigton
Thursby
Alston
Lanchester
Durham
Horden
Aspatria
Peterlee
Hartlepool
Bothel
Cross Fell
Wolsingham
Crook
Spennymoor
Sedgefield
Cockermouth
Penrith
Middleton-in-Teesdale
Bishop Auckland
Redcar
Marske-by-the-Sea
Skiddaw
Billingham
Saltburn-by-the-Sea
Keswick
W. Auckland
Newton-Aycliffe
Stockton-on-Tees
Brotton
Appleby
Barnard Castle
Loftus
Guisborough
Frizington
Patterdale
Brough
Darlington
Eaglescliffe
MIDDLESBROUGH
Whitby
Buttermere
Rosthwaite
Shap
Bowes
Scafell Pikes
Orton
Kirkby Stephen
Lake District National Park
Grasmere
Ambleside
Tebay
Richmond
Cleveland Hills
North York Moors National Park
Windermere
Coniston
Reeth
Northallerton
Bowness-on-Windermere
Kendal
Sedbergh
Leyburn
Hawes
Scalby
Scarborough
Broughton-in-Furness
Bedale
Rievaulx Abbey
Helmsley
Pickering
Levens Hall
Thirsk
Greenodd
Whernside
Yorkshire Dales National Park
Kirkby Lonsdale
Grange-over-Sands
Millom
Ulverston
Ripon
Easingwold
Malton
Norton
Dalton-in-Furness
Carnforth
Ingleton
Clapham
Pateley Bridge
Boroughbridge
Morecambe
Settle
Threshfield
Lancaster
Heysham
Long Preston
Bolton Priory
Knaresborough
Harrogate
YORK
Wetwang
Driffield
Fleetwood
Gisburn
Skipton
Wetherby
Leven
THE PENNINES

ISLE OF MAN
Ballaugh
Ramsey
Snaefell
Laxey wheel
Peel
Douglas
Port Erin
Port St Mary
Castletown
Whitehaven
Frizington
St. Bees Head
Egremont
Buttermere
Rosthwaite
Scafell Pikes
Patterdale
Shap
Grasmere
Ambleside
Windermere
Gosforth
Lake District National Park
Coniston
Bowness-on-Windermere
Kendal
Broughton-in-Furness
Levens Hall
Sedbergh
Greenodd
Grange-over-Sands
Millom
Ulverston
Dalton-in-Furness
Barrow-in-Furness
Morecambe
Morecambe Bay
Carnforth
Heysham
Lancaster
Kirkby Lonsdale
Ingleton
Clapham
Settle
Long Preston
Threshfield
Bolton Priory
Orton
Tebay
Kirkby Stephen
Brough
Bowes
Reeth
Leyburn
Hawes
Whernside
Yorkshire Dales National Park
PENNINES
Fleetwood
Cleveleys
BLACKPOOL
Kirkham
Lytham St. Anne's
PRESTON
Gisburn
Skipton
Ilkley
Clitheroe
Colne
Keighley
Nelson
Padiham
Blackburn
Burnley
BRADFORD
Accrington
Rawtenstall
Todmorden
Halifax
Brighouse
Leyland
Chorley
Darwen
Southport
Bury
Rochdale
Ainsdale
Ormskirk
Bolton
Oldham
Formby
Skelmersdale
Wigan
Leigh
LIVERPOOL
MANCHESTER
Liverpool Bay
Bootle
St. Helens
Ashton-under-Lyne
Wallasey
Hoylake
Warrington
Altrincham
Hyde
Birkenhead
Widnes
Stockport
Peak District
Bebington
Runcorn
Ellesmere Port
Frodsham
Northwich
Knutsford
Wilmslow
Macclesfield
Holyhead/Caergybi
Amlwch
Llanerchymedd
Llangefni
Beaumaris
Holy Island
Rhosneigr
Isle of Anglesey
Menai Bridge
Plas Newydd
Bangor
Newborough
Caernarfon
Caernarfon Bay
Llanberis
Snowdon
Beddgelert
Great Ormes Head
Llandudno
Colwyn Bay/Bae Colwyn
Prestatyn
Rhyl
Conwy
Abergele
Penmaenmawr
Llanfairfechan
Bethesda
Carnedd Llewelyn
Llanrwst
Capel Curig
Betws-y-Coed
Pentrefoelas
Denbigh/Dinbych
St Asaph
Mostyn
Holywell
Flint
Queensferry
Mold/Yr Wyddgrug
Ruthin/Rhuthun
Chester
Winsford
Tarporley
Middlewich
Sandbach
Congleton
Crewe
Kidsgrove
Leek
Nantwich
Newcastle-under-Lyme
STOKE-ON-TRENT
Wrexham/Wrecsam
Ruabon
Cerrigydrudion
Corwen
Llangollen
Snowdonia National Park
Blaenau Ffestiniog
Llan Ffestiniog
Bala
Whitchurch
Audlem
Market Drayton
Stone
Ellesmere
Wem
Eccleshall
Stafford
Oswestry
Berwyn
Llynclys
Hodnet
Rugeley
Cannock
Nefyn
Porthmadog
Criccieth
Penrhyndeudraeth
Lleyn Peninsula
Pwllheli
Harlech
Abersoch
Aberdaron
Dolgellau
Cader Idris
Mallwyd
Llanfyllin
Shrewsbury
Newport
Crudgington
Weston Park
Gailey
Telford
Ironbridge
Brownhills
Walsall
Abermaw
Welshpool/Trallwng
Minsterley
WOLVERHAMPTON
Dudley
Tywyn
Machynlleth
Aberdovey
Montgomery
Church Stretton
Much Wenlock
Bridgnorth
BIRMINGHAM
Halesowen
Caersws
Newtown/Y Drenewydd
Bishop's Castle
Craven Arms
Stourbridge
Kidderminster
Solihull
Cardigan Bay
Aberystwyth
Llanidloes
Clun
Bewdley
Llangurig
Devil's Bridge
Knighton
Ludlow
Tenbury Wells
Stourport
Bromsgrove
Llanrhystud
Elan Valley
Rhayader
Presteigne
Droitwich
Aberaeron
Llandrindod Wells
Leominster
Worcester
New Quay
Tregaron
Kington
Bromyard
Synod Inn
Aberporth
Builth Wells
Pershore
Lampeter
Llanwrtyd Wells
Hay-on-Wye
Hereford
Great Malvern
Upton
Evesham
Newport
Newcastle Emlyn
Llandysul
Llandovery
Talgarth
Llanthony
Brecon
Ledbury
Tewkesbury
CAMBRIAN MOUNTAINS
SEA
0 20 km
A B C D
1 2 3 4 5
23 25 30 35

MIDDLESBROUGH
North York Moors National Park
Scarborough
Filey
Flamborough Head
Bridlington
Ripon
Thirsk
Helmsley
Pickering
Malton
Norton
Easingwold
Boroughbridge
Knaresborough
YORK
Driffield
Beeford
Hornsea
Wetwang
Market Weighton
Beverley
KINGSTON UPON HULL
Withernsea
Hedon
Patrington
Kilnsea
Spurn Head
LEEDS
Selby
Barlby
Howden
Goole
Castleford
Pontefract
Wakefield
Barnsley
Doncaster
Scunthorpe
Barton-upon-Humber
Immingham Dock
Immingham
Grimsby
Cleethorpes
Brigg
Caistor
Rotherham
SHEFFIELD
Worksop
Retford
Gainsborough
Market Rasen
Louth
Mablethorpe
Sutton-on-Sea
Alford
Wragby
Lincoln
Horncastle
Woodhall Spa
Spilsby
Skegness
Chesterfield
Mansfield
Newark-on-Trent
Sleaford
Boston
NOTTINGHAM
DERBY
Grantham
Holkham Hall
Wells-next-the-Sea
Blakeney
Sheringham
Hunstanton
The Wash
Sandringham House
Houghton Hall
Fakenham
Blickling Hall
Aylsham
King's Lynn
Spalding
East Dereham
Swaffham
Wymondham
Wisbech
Stamford
Oakham
Melton Mowbray
Loughborough
LEICESTER
PETERBOROUGH
March
Thetford
Diss
Ely
Huntingdon
Kettering
Corby
Wellingborough
NORTHAMPTON
COVENTRY
Rugby
Royal Leamington Spa
Nuneaton
Hinckley
Tamworth
Cambridge
Newmarket
Bury St Edmunds
Stowmarket
IPSWICH
Sudbury
Bedford
MILTON KEYNES
Stevenage
Braintree
Banbury
Stratford-upon-Avon
Warwick

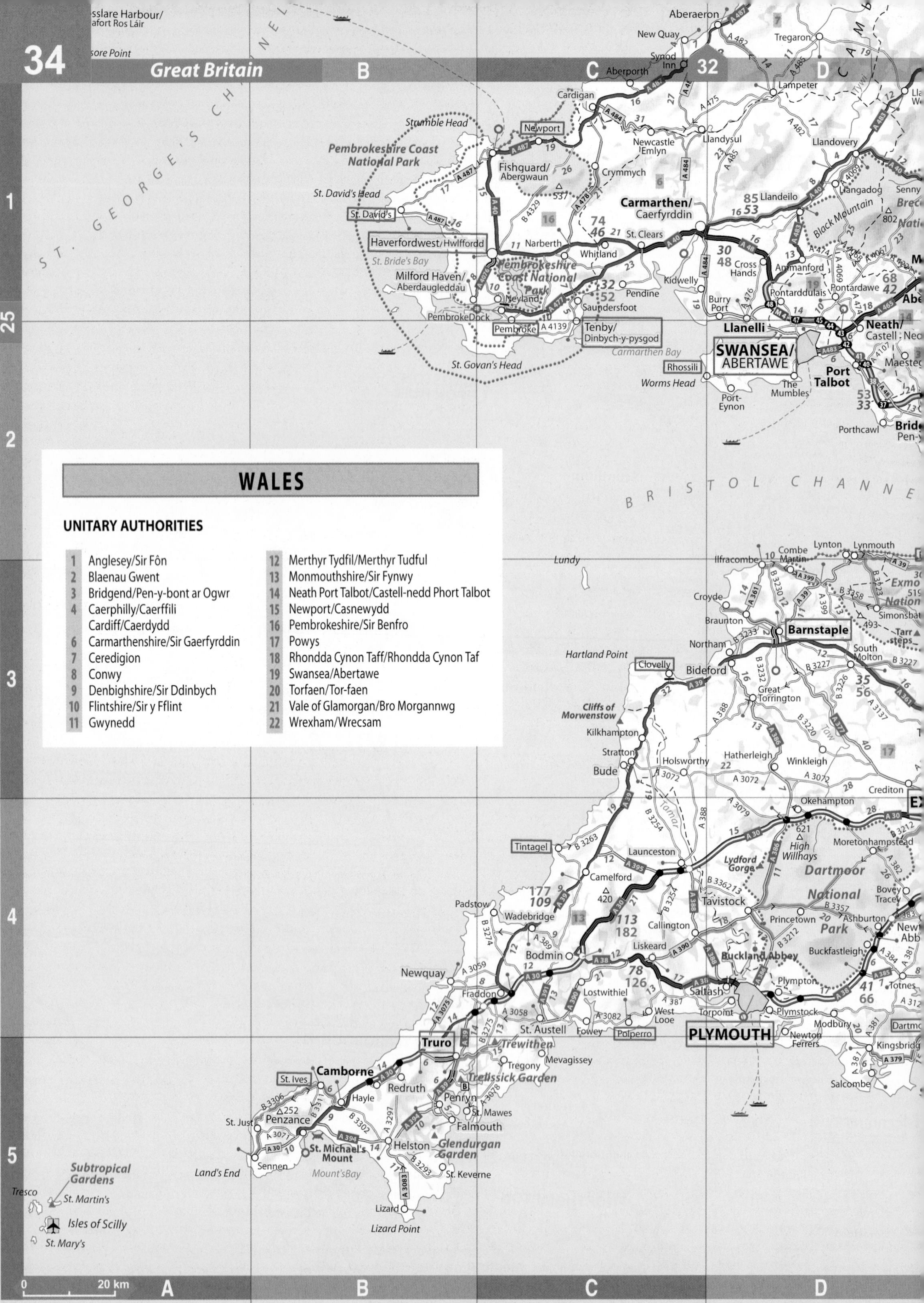

WALES

UNITARY AUTHORITIES

1	Anglesey/Sir Fôn
2	Blaenau Gwent
3	Bridgend/Pen-y-bont ar Ogwr
4	Caerphilly/Caerffili
	Cardiff/Caerdydd
6	Carmarthenshire/Sir Gaerfyrddin
7	Ceredigion
8	Conwy
9	Denbighshire/Sir Ddinbych
10	Flintshire/Sir y Fflint
11	Gwynedd
12	Merthyr Tydfil/Merthyr Tudful
13	Monmouthshire/Sir Fynwy
14	Neath Port Talbot/Castell-nedd Phort Talbot
15	Newport/Casnewydd
16	Pembrokeshire/Sir Benfro
17	Powys
18	Rhondda Cynon Taff/Rhondda Cynon Taf
19	Swansea/Abertawe
20	Torfaen/Tor-faen
21	Vale of Glamorgan/Bro Morgannwg
22	Wrexham/Wrecsam

Llandrindod Wells
Builth Wells
Leominster
Worcester
Droitwich
Alcester
Stratford-upon-Avon
Warwick
Southam
Hereford
Hay-on-Wye
Great Malvern
Evesham
Pershore
Banbury
Brackley
MILTON KEYNES
Bletchley
Buckingham
Wolverton
Stowe Gardens
Chipping Campden
Shipston-on-Stour
Ledbury
Tewkesbury
Moreton
Chastleton House
Llanthony Priory
Ross-on-Wye
Pontrilas
GLOUCESTER
Cheltenham
Winchcombe
Stow-on-the-Wold
Chipping Norton
Bicester
Waddesdon Manor
Dunstable
Leighton Buzzard
Linslade
Woburn
Beacons
Crickhowell
Abergavenny
Monmouth/ Trefynwy
Woodstock
Blenheim Palace
Burford
Witney
Kidlington
Aylesbury
Tring
Berkhamsted
Hemel Hempstead
Ebbw Vale/ Glyn Ebwy
Tydfil
Tredegar
Blaenavon
Abertillery
Raglan
Coleford
Newnham
Lydney
Painswick
Stroud
Northleach
Bibury
Fairford
Lechlade
OXFORD
Abingdon
Thame
Amersham
High Wycombe
Pontypool
Usk
Tintern Abbey
Berkeley
Nailsworth
Dursley
Cirencester
Cricklade
Faringdon
Wallingford
Marlow
Cwmbrân
Risca
Chepstow
SEVERN BRIDGE
Tetbury
Malmesbury
SWINDON
Wantage
Streatley
Henley-on-Thames
Maidenhead
Slough
Bedwas
Newport/ Casnewydd
Chipping Sodbury
Wroughton
Pangbourne
Windsor
Bracknell
CARDIFF/ CAERDYDD
Avonmouth
Portishead
Clifton Bridge
BRISTOL
Chippenham
Calne
Avebury
Marlborough
Hungerford
Newbury
READING
Wokingham
Camberley
Woking
Cowbridge
Penarth
Barry/ Barri
Clevedon
Congresbury
Keynsham
Corsham
Melksham
Bradford-on-Avon
Devizes
Pewsey
Basingstoke
Farnborough
Weston-super-Mare
Bath
Trowbridge
Radstock
Cheddar Gorge
Beckington
Westbury
Warminster
Upavon
Weyhill
Andover
Aldershot
Farnham
Guildford
Godalming
Burnham-on-Sea
Wells
Frome
Shrewton
Stonehenge
Amesbury
Alton
Milford
Minehead
Watchet
Williton
Glastonbury
Shepton Mallet
Longleat House
Stockbridge
Hindhead
Haslemere
Bridgwater
Street
Bruton
Wilton
Lopcombe Corner
Winchester
New Alresford
Othery
Wincanton
Mere
Salisbury
Harold Hillier Gardens
Petersfield
Midhurst
Taunton
Langport
Gillingham
Shaftesbury
Romsey
Eastleigh
South Downs
Bampton
Wellington
Ilchester
Montacute
Sherborne
Henstridge
Fordingbridge
Botley
National Park
Ilminster
Yeovil
Crewkerne
Sturminster Newton
Cranborne
Ringwood
SOUTHAMPTON
Lyndhurst
Fawley
Fareham
Havant
Chichester
Arundel
Cullompton
Chard
Blandford Forum
Wimborne Minster
New Forest N.P.
Beaulieu
Gosport
Cosham
PORTSMOUTH
Southsea
Honiton
Beaminster
Axminster
Lymington
Cowes
Osborne
Bognor Regis
Ottery St Mary
Lyme Regis
Bridport
Dorchester
Bere Regis
Christchurch
Yarmouth
Newport
Fishbourne
Ryde
Selsey
Selsey Bill
Foreland
Seaton
Sidmouth
Abbotsbury
Wareham
Poole
BOURNEMOUTH
Carisbrooke
Brading
Sandown
Shanklin
Budleigh Salterton
Lyme Bay
Corfe Castle
Old Harry Rocks
The Needles
Freshwater
Niton
Ventnor
Exmouth
Weymouth
Swanage
ISLE OF WIGHT
St. Catherine's Point
Dawlish
Isle of Portland
Fortuneswell
St. Alban's Head
Teignmouth
Bill of Portland
Torquay Torbay
Paignton
Brixham
ENGLISH CHANNEL
Alderney
Cap de la Hague
Baie d'Écalgrain
Cherbourg-en-Cotentin
Cap Levi
St-Pierre-Église
Pointe de Barfleur
Barfleur

Mansfield
Newark-on-Trent
NOTTINGHAM
DERBY
STOKE-ON-TRENT
Skegness
Boston
Sleaford
Grantham
Hunstanton
King's Lynn
Spalding
Wisbech
Stamford
Loughborough
Burton-upon-Trent
LEICESTER
PETERBOROUGH
Oakham
Corby
Kettering
Hinckley
Nuneaton
COVENTRY
Rugby
Solihull
Royal Leamington Spa
Warwick
Stratford-upon-Avon
NORTHAMPTON
Wellingborough
Huntingdon
Cambridge
Bury St Edmunds
Newmarket
Thetford
Ely
Bedford
MILTON KEYNES
Banbury
LUTON
Stevenage
Cheltenham
Aylesbury
OXFORD
Watford
St. Albans
Chelmsford
Harlow
Braintree
SWINDON
High Wycombe
LONDON
Slough
Basildon
READING
Bracknell
Croydon
Gillingham
Chatham
Maidstone
Basingstoke
Guildford
Aldershot
Andover
Crawley
Royal Tunbridge Wells
Salisbury
Winchester
Eastleigh
SOUTHAMPTON
PORTSMOUTH
Chichester
Worthing
Hove
BRIGHTON
Eastbourne
Hastings
Bexhill
Poole
BOURNEMOUTH
Bognor Regis
0 20 km
A B C D
33 32 35 38

ENGLAND

UNITARY AUTHORITIES

1 Bath and North East Somerset
Bedford
Blackburn with Darwen
Blackpool
Bracknell Forest
Brighton and Hove
7 Buckinghamshire
8 Cambridgeshire
9 Central Bedfordshire
10 Cheshire East
11 Cheshire West and Chester
City of Bristol
13 Cornwall
14 Cumbria
Derby
16 Derbyshire
17 Devon
18 Dorset
19 Durham
20 East Riding of Yorkshire
21 East Sussex
22 Essex
23 Gloucestershire
Greater London
Greater Manchester
26 Halton
27 Hampshire
Hartlepool
29 Herefordshire
30 Hertfordshire
31 Kent
Kingston-upon-Hull
33 Lancashire
Leicester
35 Leicestershire
36 Lincolnshire
Luton
38 Medway
39 Merseyside
Middlesbrough
41 Milton Keynes
42 Norfolk
43 North East Lincolnshire
44 North Lincolnshire
45 North Somerset
46 North Yorkshire
47 Northamptonshire
48 Northumberland
49 Nottinghamshire
Nottingham
51 Oxfordshire
Peterborough
Plymouth
Portsmouth
Reading
56 Redcar and Cleveland
57 Rutland
58 Shropshire
59 Somerset
60 South Gloucestershire
61 South Yorkshire
Southend-on-Sea
63 Staffordshire
Stockton-on-Tees
Stoke-on-Trent
66 Suffolk
67 Surrey
Swindon
69 Telford and Wrekin
70 Thurrock
Torbay
72 Tyne and Wear
Warrington
74 Warwickshire
75 West Berkshire
76 West Midlands
77 West Sussex
78 West Yorkshire
79 Wiltshire
Windsor and Maidenhead
Wokingham
82 Worcestershire
York

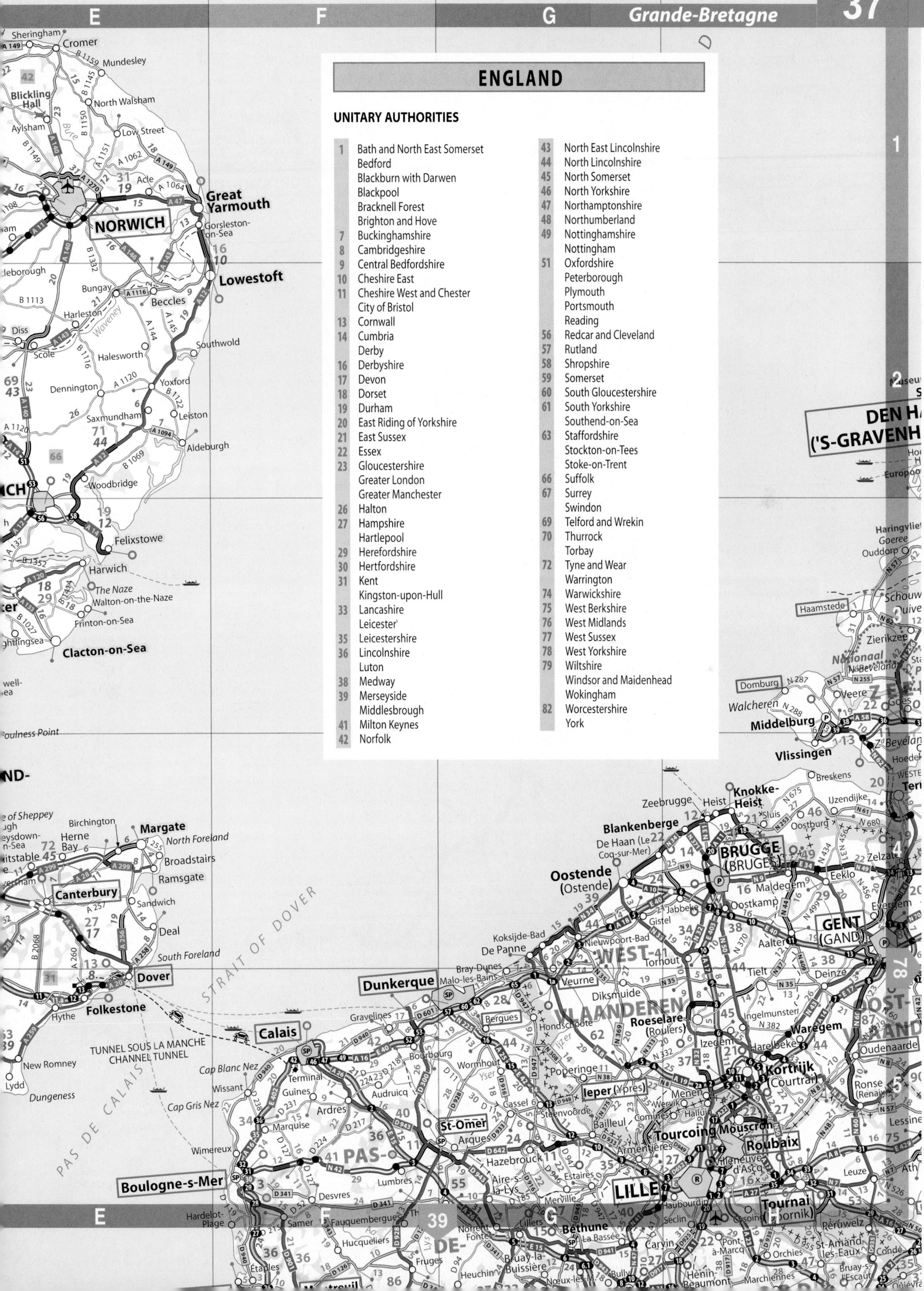

Key
Légende
2- and 3-star MICHELIN Green Guide sites
STRASBOURG
Sites classés 2 et 3 étoiles par le Guide Vert MICHELIN
E N G L I S H C H A
Salisbury
Winchester
Eastleigh
SOUTHAMPTON
Dorchester
Poole
BOURNEMOUTH
PORTSMOUTH
Chichester
Worthing
Littlehampton
Bognor Regis
Horsham
Crawley
Guildford
Aldershot
Yeovil
Weymouth
ISLE OF WIGHT
Newport
Cowes
Ryde
Sandown
Shanklin
Swanage
Bill of Portland
Isle of Portland
Lyme Bay
Alderney
Guernsey
St. Peter Port
Sark
Jersey
St. Helier
Cap de la Hague
Cherbourg-en-Cotentin
Barfleur
Valognes
Carentan
Bayeux
CAEN
St-Lô
Coutances
Granville
Avranches
Vire
Falaise
Deauville
Cabourg
Le Mont-St-Michel
St-Malo
Dinard
MANCHE
CALVADOS
Calais
Lille
Rouen
Caen
Metz
Brest
PARIS
Strasbourg
Rennes
Nantes
FRANCE
Dijon
Poitiers
Clermont-Ferrand
Lyon
Bordeaux
Grenoble
Bayonne
Toulouse
Nice
MONACO
Marseille
Perpignan
Ajaccio
38-39
40-41
42-43
44-45
46-47
48-49
50-51
52-53
54-55
55
34
35
43
0 20 km

Maidstone
Tonbridge
Royal Tunbridge Wells
Crowborough
Heathfield
Hailsham
E. SUSSEX
Bodiam
Rye
Winchelsea
Hastings
Bexhill
Eastbourne
Beachy Head
Battle
Hawkhurst
Tenterden
Biddenden
Hythe
Folkestone
Dover
Deal
Sandwich
South Foreland
New Romney
Lydd
Dungeness
STRAIT OF DOVER
PAS DE CALAIS
TUNNEL SOUS LA MANCHE
CHANNEL TUNNEL
Calais
Dunkerque
Gravelines
Bergues
Bray-Dunes
Malo-les-Bains
De Panne
Nieuwpoort-Bad
Veurne
Diksmuide
Poperinge
Ieper (Ypres)
WEST-VLAANDEREN
Roeselare
Cap Blanc Nez
Wissant
Cap Gris Nez
Guînes
Ardres
Marquise
Wimereux
Boulogne-s-Mer
Audruicq
Bourbourg
Wormhout
St-Omer
Arques
Hazebrouck
Cassel
Bailleul
Armentières
Lumbres
Desvres
Hardelot-Plage
Samer
Fauquembergues
Thérouanne
Aire-s-la-Lys
Estaires
LILLE
Béthune
Lens
Liévin
Bruay-la-Buissière
Houdain
Heuchin
Fruges
Hucqueliers
Étaples
Le Touquet-Paris-Plage
Montreuil
Berck-sur-Mer
Fort-Mahon-Plage
Campagne-lès-Hesdin
Valloires
Hesdin
St-Pol-s-T.
PAS-DE-CALAIS
Arras
Frévent
Avesnes-le-Comte
Crécy-en-Ponthieu
Rue
Le Crotoy
Nouvion-en-Ponthieu
Auxi-le-Château
Beaumetz-lès-Loges
Cayeux-s-Mer
St-Valery-s-Somme
St-Riquier
Bernaville
Doullens
Pas-en-Artois
Bapaume
Abbeville
Ailly-le-Haut-Clocher
Domart-en-Ponthieu
Acheux-en-Amiénois
Albert
Mers-les-Bains
Ault
Le Tréport
Criel-s-Mer
Eu
Moyenneville
Gamaches
Hallencourt
Flixecourt
Airaines
SOMME
Villers-Bocage
Corbie
Bray
Péronne
Dieppe
Varengeville-s-Mer
Arques-la-Bataille
Envermeu
Blangy-s-Bresle
Oisemont
Picquigny
Molliens-Dreuil
Hornoy-le-Bourg
AMIENS
Boves
Villers-Bretonneux
Rosières-en-Santerre
Chaulnes
Nesle
Veules-les-Roses
St-Valery-en-Caux
Veulettes-s-Mer
Offranville
St-Nicolas-d'Aliermont
Londinières
Cany-Barville
Fontaine-le-Dun
Bacqueville-en-Caux
Longueville-s-Scie
Neufchâtel-en-Bray
Aumale
Poix-de-Picardie
Conty
Ailly-s-Noye
Moreuil
Fécamp
Yport
Valmont
Étretat
Ourville-en-Caux
Doudeville
SEINE-MARITIME
Bellencombre
Tôtes
St-Saëns
Grandvilliers
Breteuil
Montdidier
Roye
Goderville
Fauville-en-Caux
Yerville
Yvetot
Forges-les-Eaux
Formerie
Crèvecœur-le-Gd
Bolbec
Caudebec-en-Caux
St-Wandrille-Rançon
Pavilly
Barentin
Clères
Buchy
Argueil
Songeons
Marseille-en-Beauvaisis
Froissy
Maignelay-Montigny
St-Just-en-Chaussée
Lassigny
St-Romain-de-Colbosc
Lillebonne
Quillebeuf-s-Seine
Duclair
Jumièges
ROUEN
Gournay-en-Bray
Beauvais
OISE
Estrées-St-Denis
Compiègne
Honfleur
Grand-Couronne
Boos
Fleury-s-Andelle
Lyons-la-Forêt
Bresles
Clermont
Pont-Audemer
Bourg-Achard
Montfort-s-R.
Bourgtheroulde
Elbeuf
Pont-de-l'Arche
Val-de-Reuil
Étrépagny
Auneuil
Noailles
Mouy
Pont-l'Évêque
Cormeilles
Le Bec-Hellouin
Blangy-le-Château
Lieurey
Brionne
Louviers
Château Gaillard
Les Andelys
Gisors
Chaumont-en-Vexin
Méru
Neuilly-en-T.
Creil
Pont-Ste-Maxence
Senlis
Lisieux
Thiberville
Champ-de-Bataille
Le Neubourg
Gaillon
Écos
Magny-en-Vexin
Marines
L'Isle-Adam
Chambly
Beaumont
Chantilly
Royaumont
Ermenonville
Parc Astérix
Nanteuil-le-Haudouin
Survilliers
La Rivière-Thibouville
EURE
Vernon
La Roche-Guyon
Bernay
Beaumont-le-Roger
Évreux
Bonnières-s-S.
Mantes-la-Jolie
Meulan
Pontoise
Cergy
Luzarches
Sarcelles
Écouen
Roissy
Dammartin-en-Goële
Meaux
Livarot
Pays-d'Auge
Orbec
Broglie
Beaumesnil
La Bonneville-s-Iton
Pacy-s-Eure
Chaufour-lès-B.
Conches-en-Ouche
Ivry-la-Bataille
Aubergenville
Poissy
St-Denis
Nanterre
Bobigny
Claye
La Neuve-Lyre
Damville
St-André-de-l'Eure
Anet
St-Germain-en-Laye
PARIS
Disneyland Resort Paris
Lagny
Torcy
Champs
La Ferté-Frênel
Gacé
Rugles
Breteuil-s-Iton
Nonancourt
Houdan
Montfort-l'Amaury
Versailles
Créteil
Crécy-la-Chapelle
Tournan-en-Brie
Exmes
L'Aigle
Verneuil-s-Avre
Tillières-s-Avre
Dreux
Chevreuse
Orsay
Palaiseau
Le Merlerault
Moulins-la-Marche
Brezolles
Brie-Comte-Robert
France

Brugge (Bruges)
Gent (Gand)
St-Niklaas
Lier
Mechelen (Malines)
Leuven (Louvain)
Hasselt
Genk
Maastricht
Kortrijk (Courtrai)
Ieper (Ypres)
Roeselare (Roulers)
Waregem
Ninove
Bruxelles
Brussel
Halle
Wavre (Waver)
Tournai (Doornik)
Tourcoing
Mouscron
Roubaix
Lille
Lens
Douai
Valenciennes
Mons (Bergen)
La Louvière
Charleroi
Namur (Namen)
Dinant
Maubeuge
Cambrai
Seraing
Liège
Avesnes-s-Helpe
Le Cateau-Cambrésis
Fourmies
Revin
Péronne
St-Quentin
Vervins
Charleville-Mézières
Sedan
Laon
Rethel
Compiègne
Soissons
Reims
Vouziers
Verdun
Ste-Menehould
Épernay
Château-Thierry
Meaux
Châlons-en-Champagne
Vitry-le-François
St-Dizier
Bar-le-Duc
Vlaams Brabant
Oost-Vlaanderen
West-Vlaanderen
Hainaut
Brabant Wallon
Limburg
Namur
Luxembourg
Nord
Aisne 02
Ardennes 08
Marne 51
Meuse 55
Seine-et-Marne

France
GLADBACH
Dormagen
Leverkusen
Gummersbach
Sittard
Heerlen
Kerkrade
Valkenburg
AACHEN
Stolberg
Düren
Bergheim
KÖLN
Troisdorf
Siegburg
BONN
Bad Godesberg
Hennef
Siegen
Marburg
Dillenburg
Herborn
Wetzlar
Euskirchen
Verviers
Eupen
Spa
Malmedy
Monschau
Neuwied
Koblenz
Limburg a.d. Lahn
Wiesbaden
Rüsselsheim
MAINZ
Bingen
Bad Kreuznach
Worms
Frankenthal
LUDWIGSHAFEN
Speyer
Neustadt a.d. Weinstraße
Kaiserslautern
Landau
Idar-Oberstein
Trier
Wittlich
Bitburg
Prüm
Daun
Cochem
Clervaux
Bastogne
Wiltz
Diekirch
Echternach
Arlon (Aarlen)
LUXEMBOURG
Esch-s-Alzette
Differdange
Thionville
METZ
Merzig
Saarlouis
Neunkirchen
Homburg
Zweibrücken
Pirmasens
SAARBRÜCKEN
Forbach
Sarreguemines
St-Avold
Wissembourg
Haguenau
Rastatt
Baden-Baden
Saverne
Sarrebourg
Lunéville
NANCY
Toul
Pont-à-Mousson
Château-Salins
STRASBOURG
Molsheim
RHEINLAND-PFALZ
SAARLAND
MOSELLE
MEURTHE-ET-MOSELLE
BAS-RHIN
79
47
90

B
C
D
1
2
3
4
5
0 20 km
A
B
C
D
Ploumanac'h
Trégastel
Perros-Guirec
Île de Bréhat
Pointe de l'Arcouest
Pleumeur-Bodou
Tréguier
Lézardrieux
Paimpol
Île de Batz
Roscoff
St-Pol-de-Léon
Primel-Trégastel
Plougasnou
Trébeurden
Lannion
La Roche-Derrien
Kerdalo
Brignogan-Plages
Plouescat
Locquirec
St-Michel-en-Grève
Pontrieux
Plouha
L'Aber-Wrac'h
Lannilis
Lesneven
Plouzévédé
Carantec
Taulé
Lanmeur
Plestin-les-Grèves
Bégard
Lanvollon
Étables-s-Mer
Binic
Ploudalmézeau
Île d'Ouessant
Lampaul
Le Folgoët
Landivisiau
Morlaix
Plouaret
Plouigneau
Plougonven
St-Thégonnec Loc-Eguiner
Belle-Isle-en-Terre
Guingamp
Châtelaudren
Plouagat
St-Brieuc
Île Molène
St-Renan
Plabennec
Guimiliau
Landerneau
Guipavas
Roc Trévezel
Le Conquet
Pte de St-Mathieu
BREST
Plougastel-Daoulas
Daoulas
Sizun
Elorn
Monts d'Arrée
Huelgoat
Brennilis
Bourbriac
Callac
CÔTES-D'ARMOR
Quintin
Ploeuc-s-Lié
Camaret-s-Mer
Crozon
Landévennec
Le Faou
Pointe de Penhir
Morgat
Ménez-Hom 330
FINISTÈRE
Pleyben
Carhaix-Plouguer
Maël-Carhaix
St-Nicolas-du-Pelem
Corlay
Uzel
Cap de la Chèvre
Châteaulin
Canal
Rostrenen
Gouarec
Mûr-de-Bretagne
Tréboul
Châteauneuf-du-Faou
Montagnes Noires
Lac de Guerlédan
Pointe du Van
Île de Sein
Pointe du Raz
Douarnenez
Locronan
Briec
Coray
Gourin
Cléguérec
Audierne
Pont-Croix
Guémené-s-Scorff
Pontivy
Quimper
Scaër
Le Faouët
Rohan
Kernascléden
Plonéour-Lanvern
Rosporden
Bannalec
Notre-Dame-de-Tronoën
Bénodet
Fouesnant
Quimperlé
Arzano
Bubry
MORBIHAN
St-Guénolé
Pont-l'Abbé
Beg-Meil
Plouay
Pointe de Penmarc'h
Loctudy
Guilvinec
Concarneau
Pont-Aven
Riec-s-B.
Pont-Scorff
Blavet
Baud
Locminé
Port-Manech
Moëlan-s-Mer
Hennebont
Le Pouldu
Pluvigner
Lorient
Îles de Glénan
Ploemeur
Larmor-Plage
Port-Louis
Ste-Anne-d'Auray
Grand-Champ
Belz
Étel
Auray
Vannes
Île de Groix
Groix
Mégalithes
Carnac
La Trinité
Locmariaquer
Gavrinis
St-Pierre-Quiberon
Port-Navalo
Sarzeau
St-Gildas-de-Rhuys
Quiberon
Pointe des Poulains
Sauzon
Houat
Le Palais
Aiguilles de Port-Coton
Belle-Île
Hœdic

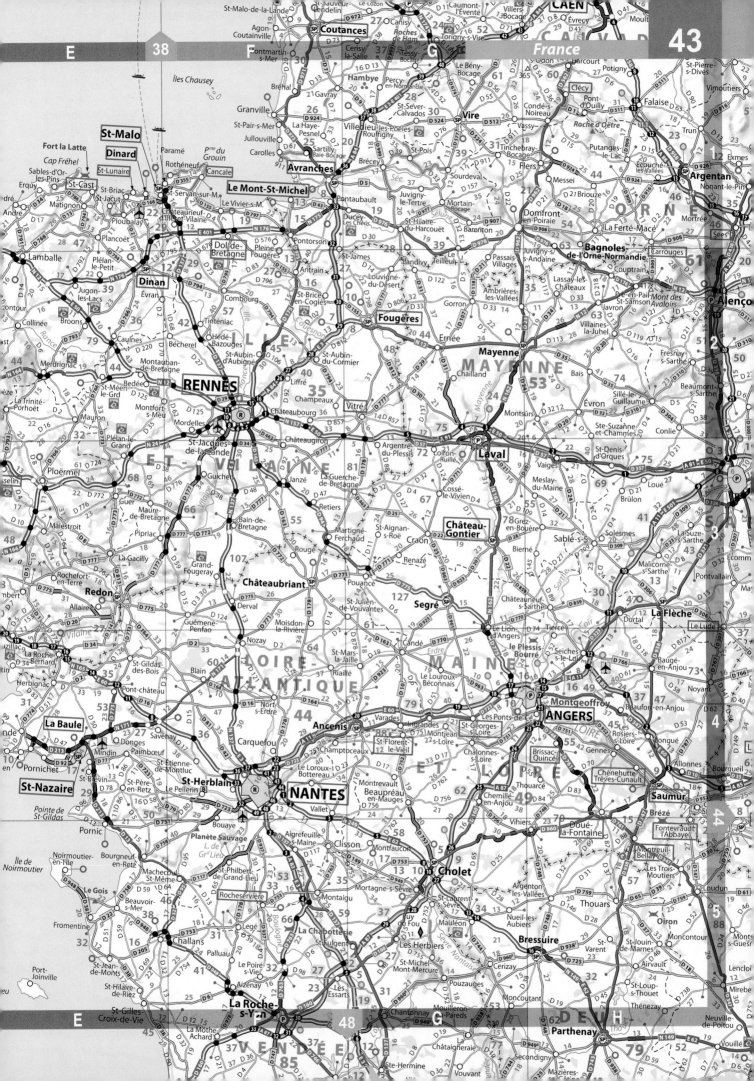

CAEN
Lisieux
Bernay
Vernon
Évreux
Vire
Falaise
Argentan
Dreux
Alençon
Mortagne-au-Perche
Chartres
Mayenne
Mamers
Nogent-le-Rotrou
Laval
LE MANS
Châteaudun
Château-Gontier
Vendôme
Segré
La Flèche
Blois
ANGERS
TOURS
Amboise
Saumur
Chinon
Loches
Cholet
Châtellerault
Bressuire
Parthenay
Poitiers
Le Blanc
ORNE
MAYENNE
SARTHE
EURE-ET-LOIR
LOIR-ET-CHER
MAINE-ET-LOIRE
INDRE-ET-LOIRE
CALVADOS
EURE
INDRE
0 20 km
39
43
48
49

PARIS
Pontoise
Cergy
Sarcelles
St-Denis
Nanterre
Bobigny
Versailles
Créteil
Torcy
Lagny
Meaux
Disneyland Resort Paris
Palaiseau
Évry
Corbeil-Essonnes
Melun
Fontainebleau
Étampes
Provins
Coulommiers
Château-Thierry
Châlons-en-Champagne
Vitry-le-François
Sézanne
Nogent-s-Seine
Romilly
Troyes
Sens
Nemours
Pithiviers
Montargis
ORLÉANS
Gien
Auxerre
Joigny
Tonnerre
Avallon
Montbard
Châtillon-s-Seine
Clamecy
Cosne-Cours-s-Loire
Vierzon
Bourges
Nevers
Château-Chinon
Autun
Le Creusot
Montceau-les-Mines
Moulins
St-Amand-Montrond
SEINE-ET-MARNE 77
MARNE 51
AUBE 10
LOIRET 45
YONNE 89
NIÈVRE 58
CHER 18
SAONE
France

Meaux
Château-Thierry
Épernay
Châlons-en-Champagne
Ste-Menehould
Bar-le-Duc
Provins
Vitry-le-François
St-Dizier
Melun
Fontainebleau
Nogent-s-Seine
Troyes
Sens
Montargis
Chaumont
Langres
Auxerre
Châtillon-s-Seine
Montbard
Avallon
Clamecy
Vézelay
DIJON
Beaune
Nevers
Autun
Château-Chinon
Le Creusot
Chalon-s-Saône
Montceau-les-Mines
Moulins
Tournus
Louhans-Châteaurenaud
Sancerre
Cosne-Cours-s-Loire
La Charité-s-Loire
MARNE
SEINE-ET-MARNE
AUBE
YONNE
CÔTE-D'OR
NIÈVRE
SAÔNE-ET-LOIRE
HAUTE-MARNE
0 20 km

MOSELLE
BAS-RHIN
MEURTHE-ET-MOSELLE
VOSGES
HAUT-RHIN
HAUTE-SAÔNE
DOUBS
JURA
FRIBOURG
VAUD
BERN
Faulquemont
Puttelange
Sarralbe
Lembach
Niederbronn-les-Bains
Soultz-s/s-Forêts
Hunspach
Seltz
Pont-à-Mousson
Château-Salins
Morhange
Albestroff
Sarre-Union
Drulingen
La Petite-Pierre
Ingwiller
Haguenau
Soufflenheim
Gaggenau
Baden-Baden
Bühl
Achern
Delme
Nomeny
Dieuze
Fénétrange
Phalsbourg
Saverne
Hochfelden
Bischwiller
Brumath
Drusenheim
Sarrebourg
Lutzelbourg
Marmoutier
Wasselonne
Truchtersheim
NANCY
Toul
Liverdun
Frouard
St-Nicolas-de-Port
Dombasle
Lunéville
Blâmont
Lorquin
Abreschviller
Dabo
Wangenbourg
Molsheim
Marlenheim
STRASBOURG
Kehl
Renchen
Appenweier
Oberkirch
Oppenau
Offenburg
Baiersbronn
Vaucouleurs
Neuves-Maisons
Pont-St-Vincent
Dameleivières
Blainville
Baccarat
Badonviller
Cirey-s-Vezouze
Col du Donon
Donon
Schirmeck
Rosheim
Obernai
Mt-Ste-Odile
Barr
Le Hohwald
Erstein
Benfeld
Lahr
Bad Peterstal
Colombey-les-Belles
Vézelise
Haroué
Bayon
Gerbéviller
Raon-l'Étape
Senones
Saales
Villé
Rhinau
Signal de Vaudémont
Charmes
Rambervillers
St-Dié-des-Vosges
Provenchères-et-Colroy
Sélestat
Europa-park
Haslach im Kinzigtal
Hausach
Vogtsbauernhof
Hornberg
Châtel-s-M.
Nomexy
Thaon
Mirecourt
Dompaire
Ste-Marie-aux-Mines
Koenigsbourg
Ribeauvillé
Illhaeusern
Marckolsheim
Kenzingen
Herbolzheim
Elzach
Neufchâteau
Châtenois
Bulgnéville
Vittel
Contrexéville
Épinal
Bruyères
Corcieux
C. du Bonhomme
Le Brézouard
Riquewihr
Kaysersberg-Vignoble
Colmar
Emmendingen
Waldkirch
Triberg
Riegel am Kaiserstuhl
Simonswald
Kandel
Furtwangen im Schwarzwald
Martigny-les-Bains
Darney
Granges-Aumontzey
Gérardmer
Schlucht
Lapoutroie
Orbey
Les Trois-Epis
Turckheim
Wintzenheim
Munster
Breisach am Rhein
FREIBURG
St. Märgen
Donaueschingen
Monthureux-s-Saône
Lamarche
Xertigny
Éloyes
St-Amé
Vagney
La Bresse
Grosse Pierre
Hohneck
Rouffach
Neuf-Brisach
Titisee-Neustadt
Bourbonne-les-Bains
Bains-les-Bains
Plombières-les-Bains
Remiremont
Saulxures-s-Moselotte
Cornimont
Murbach
Guebwiller
Bad Krozingen
Schauinsland
Feldberg
Lenzkirch
Varennes-s-Amance
Vauvillers
St-Loup-s-Semouse
Le Val-d'Ajol
Rupt-s-Moselle
Le Thillot
Bussang
Le Markstein
Gd Ballon
Soultz-Haut-Rhin
Ensisheim
Staufen
Münstertal
Todtnau
Schluchsee
Lafertè-s-Amance
Jussey
Luxeuil-les-Bains
Fougerolles
Faucogney-et-la-Mer
St-Amarin
Ballon d'Alsace
Cernay
Thann
Chalampé
Müllheim
Belchen
Badenweiler
Blauen
Schönau
St. Blasien
Vitrey-s-Mance
Amance
Faverney
Mélisey
Masevaux-Niederbruck
Giromagny
Rougemont-le-Château
MULHOUSE
Ottmarsheim
Habsheim
Kandern
Todtmoos
Waldshut
Combeaufontaine
Port-s-Saône
Scey-s-S.
Saulx
Lure
N.-D. du Haut
Ronchamp
Belfort
Fontaine
Dannemarie
Altkirch
Hirsingue
Sierentz
St-Louis
Schopfheim
Lörrach
Wehr
Bad Säckingen
Rheinfelden
Laufenburg
Champlitte
Vesoul
Villersexel
Héricourt
Sochaux
Delle
BASEL
Arlesheim
Liestal
Rheinfelden
Brugg
Aarau
Dampierre-s-Salon
Fresne-St-Mamès
Montbozon
Rougemont
Montbéliard
Audincourt
Valentigney
Porrentruy
Ferrette
Laufen
Goetheanum
Sissach
Olten
Gray
Rioz
L'Isle-s-le-Doubs
Clerval
Pont-de-Roide
Delémont
Passwang
Balsthal
Aarburg
Gy
Montagnes du Lomont
St-Hippolyte
Moutier
Weissenstein
Solothurn
Grenchen
Marchaux
Roulans
Baume-les-Dames
Goumois
Saignelégier
Tavannes
Marnay
Audeux
BESANÇON
Maîche
Charquemont
Langenthal
Huttwil
Pesmes
Montmirey-le-Chau
Vercel-Villedieu
Pierrefontaine-les-Varans
Le Russey
St-Imier
Biel/Bienne
Dampierre
Valdahon
La Chaux-de-Fonds
Chasseral
La Neuveville
Lyss
Burgdorf
LA COMTOISE
Rochefort-s-Nenon
Quingey
Ornans
Mouthier
Morteau
Saut du Doubs
Le Locle
Vue des Alpes
Aarberg
Sumiswald
Entlebuch
Dole
Saline Royale d'Arc et Senans
Amancey
Source de la Loue
Montbenoît
Villers-le-Lac
Col des Roches
Neuchâtel
Kerzers
BERN
Zollikofen
Langnau im Emmental
Sarnen
Mont-s-Vaudrey
Villers-Farlay
Mouchard
Source du Lison
Levier
Gorges de l'Areuse
Boudry
Worb
Salins
Arbois
Pontarlier
Cluse de Joux
Fleurier
le Chasseron
Creux du Van
Estavayer-le-Lac
Murten
Münsingen
Schwarzenburg
Flühli
Poligny
Censeau
Malbuisson
Ste-Croix
Grandson
Payerne
Fribourg
Abegg-Stiftung
Thun
Brienz
Sellières
Jougne
Yverdon-les-Bains
Stockhorn
Gunten
Spiez
Niederhorn
Interlaken
Meiringen
Champagnole
Voiteur
Cirque de Baume
Lac de Chalain
Mouthe
Vallorbe
Dent de Vaulion
Orbe
Romont
L. de Montsalvens
Schwarzsee
Schynige Platte
Grindelwald
Lons-le-Saunier
Conliège
Pic de l'Aigle
Les Planches-en-Montagne
Moudon
Bulle
Gruyères
Jaunpass
Frutigen
Kiental
Wengen
Lauterbrunnen
Trümmelbachfälle
Doucier
Cades du Hérisson
St-Laurent-en-Grandvaux
Vde de Joux
Cossonay
Echallens
Oron-la-Ville
Zweisimmen
Mürren
Sphinx
Jungfrau
Beaufort
Clairvaux-les-Lacs
C. de la Savine
Morez
Bois-d'Amont
LAUSANNE
Aubonne
Ouchy
Châtel-St-Denis
Château-d'Oex
Saanen
Gstaad
Adelboden
Kandersteg
LÖTSCHBERG-TUNNEL
Aletschhorn

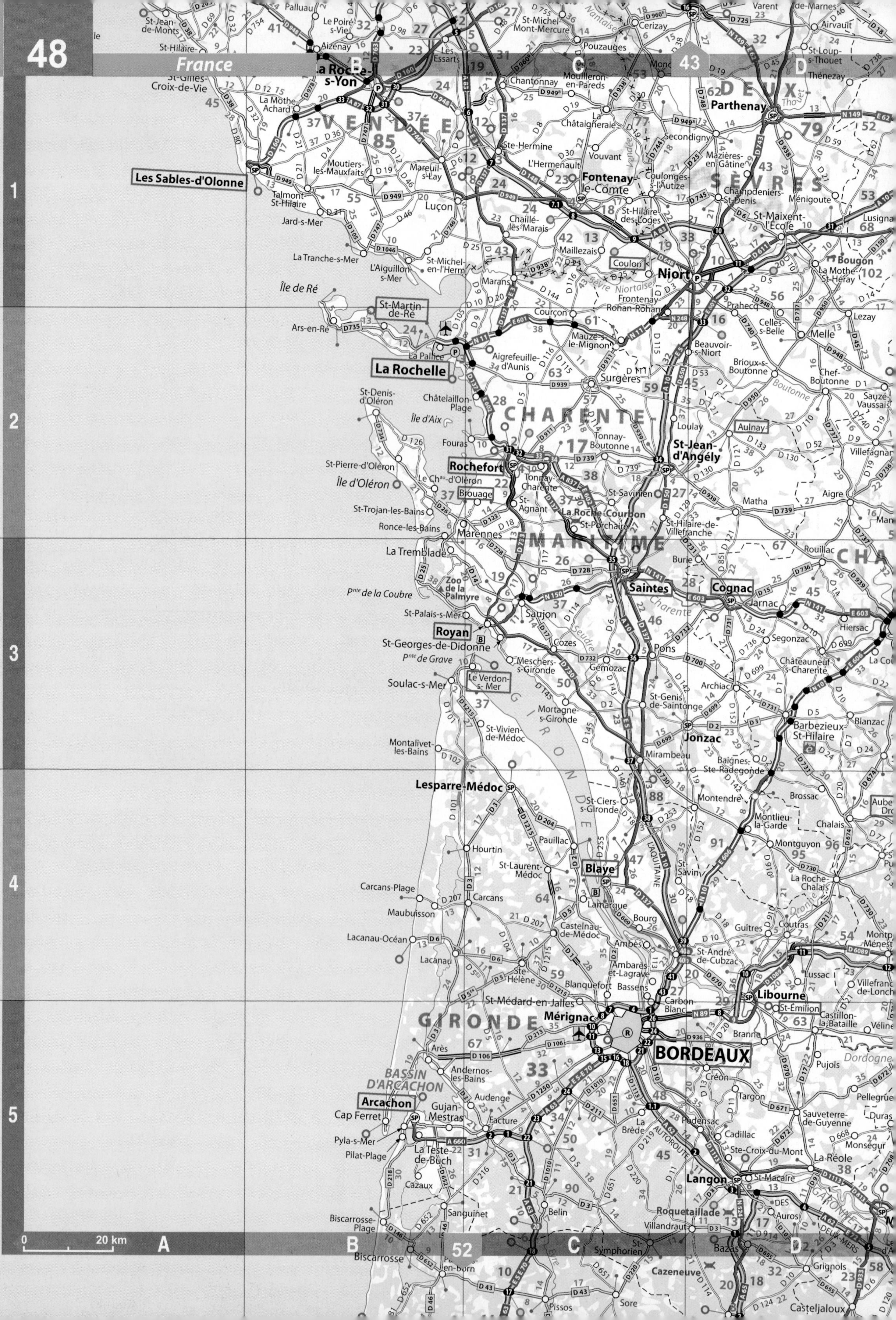
VENDÉE
DEUX-SÈVRES
CHARENTE-MARITIME
GIRONDE
St-Jean-de-Monts
St-Hilaire-
St-Gilles-Croix-de-Vie
Palluau
Le Poiré-s-Vie
Aizenay
La Roche-s-Yon
Les Essarts
La Mothe-Achard
Les Sables-d'Olonne
Talmont-St-Hilaire
Jard-s-Mer
La Tranche-s-Mer
Moutiers-les-Mauxfaits
Mareuil-s-Lay
Luçon
L'Aiguillon-s-Mer
St-Michel-en-l'Herm
St-Michel-Mont-Mercure
Chantonnay
Mouilleron-en-Pareds
Ste-Hermine
L'Hermenault
Pouzauges
Cerizay
La Châtaigneraie
Vouvant
Fontenay-le-Comte
Chaillé-les-Marais
Maillezais
Marans
Coulon
Niort
Coulonges-s-l'Autize
St-Hilaire-des-Loges
Secondigny
Parthenay
Mazières-en-Gâtine
Champdeniers-St-Denis
St-Maixent-l'École
Ménigoute
Airvault
St-Loup-s-Thouet
Thénezay
Lusignan
Bougon
La Mothe-St-Héray
Lezay
Melle
Celles-s-Belle
Prahecq
Frontenay-Rohan-Rohan
Beauvoir-s-Niort
Brioux-s-Boutonne
Chef-Boutonne
Sauzé-Vaussais
Villefagnan
Île de Ré
St-Martin-de-Ré
Ars-en-Ré
La Pallice
La Rochelle
Courçon
Mauzé-s-le-Mignon
Aigrefeuille-d'Aunis
Surgères
Châtelaillon-Plage
Île d'Aix
St-Denis-d'Oléron
Fouras
St-Pierre-d'Oléron
Île d'Oléron
Le Chau-d'Oléron
Rochefort
Tonnay-Boutonne
Tonnay-Charente
Loulay
St-Jean-d'Angély
Aulnay
Brouage
St-Agnant
St-Trojan-les-Bains
Ronce-les-Bains
Marennes
La Roche-Courbon
St-Porchaire
St-Savinien
St-Hilaire-de-Villefranche
Matha
Aigre
La Tremblade
Pnte de la Coubre
Zoo de la Palmyre
Saintes
Burie
Cognac
Jarnac
Rouillac
Hiersac
St-Palais-s-Mer
Saujon
Royan
St-Georges-de-Didonne
Pnte de Grave
Cozes
Meschers-s-Gironde
Gémozac
Pons
Segonzac
Châteauneuf-s-Charente
Le Verdon-s-Mer
Soulac-s-Mer
Archiac
St-Genis-de-Saintonge
Mortagne-s-Gironde
St-Vivien-de-Médoc
Jonzac
Barbezieux-St-Hilaire
Blanzac
Montalivet-les-Bains
Mirambeau
Baignes-Ste-Radegonde
Lesparre-Médoc
St-Ciers-s-Gironde
Montendre
Brossac
Montlieu-la-Garde
Chalais
Hourtin
Pauillac
St-Laurent-Médoc
Blaye
Montguyon
La Roche-Chalais
Carcans-Plage
Carcans
Maubuisson
Lamarque
Bourg
Castelnau-de-Médoc
Guîtres
Coutras
Lacanau-Océan
Lacanau
Ambès
St-André-de-Cubzac
Ste-Hélène
Ambarès-et-Lagrave
Bassens
Blanquefort
Libourne
Lussac
St-Médard-en-Jalles
Carbon-Blanc
St-Émilion
Castillon-la-Bataille
Mérignac
Branne
BORDEAUX
Arès
Andernos-les-Bains
BASSIN D'ARCACHON
Audenge
Arcachon
Cap Ferret
Gujan-Mestras
Facture
Pyla-s-Mer
Pilat-Plage
La Teste-de-Buch
Cazaux
Créon
Targon
Pujols
Podensac
La Brède
Cadillac
Sauveterre-de-Guyenne
Ste-Croix-du-Mont
La Réole
Monségur
Pellegrue
Langon
St-Macaire
Sanguinet
Belin
Roquetaillade
Villandraut
Auros
Biscarrosse-Plage
Biscarrosse
St-Symphorien
Bazas
Cazeneuve
Grignols
Sore
Pissos
Casteljaloux
Dordogne
Garonne
Gironde
Charente
Boutonne
Sèvre Niortaise
Dronne
20 km
A
B
C
D
1
2
3
4
5
43
52

Châtellerault
Châteauroux
Poitiers
Le Blanc
Argenton-s-Creuse
La Châtre
Montmorillon
Montluçon
Guéret
Bellac
Confolens
Aubusson
LIMOGES
Rochechouart
La Rochefoucauld
Ussel
Nontron
Tulle
Mauriac
Périgueux
Brive-la-Gaillarde
Aurillac
Bergerac
Sarlat-la-Canéda
Gourdon
Figeac
Villeneuve-s-Lot
Cahors
Villefranche-de-Rouergue
Rodez
INDRE
VIENNE
HAUTE-VIENNE
CREUSE
CORRÈZE
DORDOGNE
CANTAL
LOT
LOT-ET-GARONNE

SAÔNE-ET-LOIRE
ALLIER
RHÔNE
LOIRE
AIN
PUY-DE-DÔME
HAUTE-LOIRE
LOZÈRE
ARDÈCHE
Le Creusot
Chalon-s-Saône
Montceau-les-Mines
Moulins
Bourbon-Lancy
Digoin
Paray-le-Monial
Charolles
Tournus
Cluny
Louhans-Châteaurenaud
Mâcon
Bourg-en-Bresse
Vichy
Lapalisse
Cusset
Roanne
Villefranche-s-Saône
Thiers
Riom
CLERMONT-FERRAND
LYON
Montbrison
Ambert
Issoire
Le Mont-Dore
ST-ÉTIENNE
St-Chamond
Vienne
Brioude
Yssingeaux
Le Puy-en-Velay
St-Flour
Tournon-s-Rhône
Valence
Privas
Aubenas
Montélimar
Mende
Marvejols
Largentière
Pierrelatte
Vallon-Pont-d'Arc
0 20 km
46
49
54

JURA
VAUD
FRIBOURG
HAUTE-SAVOIE
SAVOIE
VALAIS
VALLE D'AOSTA
PIEMONTE
HAUTES ALPES
LAUSANNE
GENÈVE
Annemasse
Annecy
Chambéry
Aix-les-Bains
Albertville
GRENOBLE
Gap
Briançon
Barcelonnette
Montreux
Évian
Thonon
Chamonix-Mont-Blanc
Megève
Courmayeur
Aosta/ Aoste
Sion
Crans
Gstaad
Zermatt
Martigny
Verbier
Bonneville
St-Claude
Gex
Nantua
Oyonnax
Belley
Voiron
Moûtiers
Courchevel
Val-d'Isère
Tignes
St-Jean-de-Maurienne
Modane
Susa
Rivoli
TORINO
Moncalieri
Ivrea
Biella
Cuneo
Pinerolo
Saluzzo
Mondovì
Parc National de la Vanoise
Massif des Écrins
Parco Nazionale del Gran Paradiso
LAC LÉMAN
MONTE BIANCO
CERVINO MATTERHORN
MONTE ROSA
ALPES-DE-

GOLFE DE GASCOGNE
LANDES
PYRÉNÉES ATLANTIQUES
HAUTES PYRÉNÉES
GERS
COMUNIDAD FORAL DE NAVARRA
Langon
Marmande
Bazas
Roquetaillade
Villandraut
Belin
Sanguinet
Biscarrosse
Parentis-en-Born
Casteljaloux
Pissos
Sore
Captieux
Mimizan-Plage
Mimizan
Labouheyre
Sabres
Houeillès
Nérac
Lavardac
Labrit
Lit-et-Mixe
Onesse-Laharie
Morcenx
Roquefort
St-Girons-Plage
Étang de Léon
Léon
Castets
Mont-de-Marsan
Barbotan-les-Thermes
Gabarret
Vieux-Boucau-les-Bains
Soustons
Tartas
Villeneuve-de-Marsan
Eauze
Hossegor
Capbreton
Dax
Mugron
St-Sever
Grenade-s-l'Adour
Nogaro
Vic-Fezensac
St-Vincent-de-Tyrosse
Montfort-en-Chalosse
Eugénie-les-Bains
Aire-s-l'Adour
Riscle
Tarnos
Boucau
Peyrehorade
Amou
Hagetmau
Geaune
Castelnau-Rivière-Basse
Plaisance
Anglet
Bayonne
Biarritz
St-Jean-de-Luz
Hendaye
Hondarribia
Irun
Pasaia
Guéthary
Bidart
Bidache
Orthez
Salies-de-Béarn
La Bastide-Clairence
Hasparren
Ustaritz
St-Pée-s-Nivelle
Ascain
Espelette
Cambo-les-Bains
La Rhune
Ainhoa
Hernani
Andoain
Grottes d'Isturitz et d'Oxocelhaya
St-Palais
Sauveterre-de-Béarn
Navarrenx
Mourenx
Lacq
Monein
Lescar
Pau
Morlaàs
Thèze
Garlin
Lembeye
Maubourguet
Marciac
Mirande
Vic-en-Bigorre
Rabastens-de-Bigorre
Tarbes
Tournay
Lannemezan
Mauléon-Licharre
Oloron-Ste-Marie
St-Jean-Pied-de-Port
St-Étienne-de-Baigorry
Elizondo
Erratzu
Tardets-Sorholus
Aramits
Lurbe-St-Christau
Arudy
Nay
Lestelle-Bétharram
Lourdes
Bagnères-de-Bigorre
Capvern
Argelès-Gazost
St-Pé-de-Bigorre
Campan
Luzaide
Pic d'Orhy
Auritz/Burgete
Orreaga/Roncesvalles
Gorges de Kakuetta
Laruns
Accous
C. d'Aubisque
Eaux-Bonnes
Arrens
Cauterets
Pierrefitte-Nestalas
P. du Midi de Bigorre
Barèges
La Mongie
C. du Tourmalet
Col d'Aspin
Arreau
Luz-St-Sauveur
PAMPLONA
Irurtzun
Lekunberri
Oricain
Egüés
Ochagavía
Ezcároz
Isaba
Lescun
Urdos
Pic du Midi d'Ossau
Col du Somport
Parc National des Pyrénées
Vignemale
Gavarnie
Héas
St-Lary-Soulan
Pic de Néouvielle
Noáin
Campanas
Puente la Reina
Sta María de Eunate
Agoitz
Embalse de Itoiz
Hoz de Arbayún
Navascués
Burgi
Ansó
Hecho
Candanchú
Túnel de Somport
Canfranc-Estación
Sallent de Gállego
El Formigal
Balneario de Panticosa
Monte Perdido
Pico Posets
Bielsa
Lumbier
Leyre
Yesa
E. de Yesa
Artajona
Tafalla
Larraga
Sangüesa
Ujué
Olite
Sos del Rey Católico
Puente la Reina de Jaca
Jaca
Oroel
Sabiñánigo
Biescas
Torla
Broto
Parque Nacional de Ordesa y Monte Perdido
Sierra de la Peña
S. Juan de la Peña
Boltaña
Aínsa
Laguarta
Lerín
Falces
Andosilla
Peralta
Carcastillo
Uncastillo
Castillo de Loarre
Pto de Monrepós
Arguis
Sierra de Guara
Rodellar
Arcusa
Embalse de Mediano
Calahorra
Marcilla
Caparroso
Villafranca
Milagro
Valtierra
Arguedas
Castejón
Alfaro
Sádaba
Ayerbe
Ardisa
Luna
Ejea de los Caballeros
Esquedas
Valpalmas
Piedratajada
Huesca
Alquézar
Angüés
Abiego
El Grado
Graus
Tudela
Fitero
Murchante
Fustiñana
Cascante
Erla
Tormos
Almudévar
Gurrea de Gállego
Barbastro
Estadilla
Loma Negra
Valareña
Cintruénigo
0 20 km
A B C D
1 2 3 4 5
48 58 59

LOT
AVEYRON
TARN-ET-GARONNE
TARN
HAUTE-GARONNE
ARIÈGE
AUDE
PYRÉNÉES ORIENTALES
CATALUÑA
Figeac
Decazeville
Cahors
Villeneuve-s-Lot
Agen
Moissac
Castelsarrasin
Montauban
Villefranche-de-Rouergue
Rodez
Millau
Albi
Carmaux
Gaillac
Castres
Mazamet
TOULOUSE
Blagnac
Muret
St-Gaudens
St-Girons
Foix
Pamiers
Castelnaudary
Carcassonne
Limoux
Narbonne
Perpignan
Prades
Céret
Collioure
Font-Romeu-Odeillo-Via
Andorra la Vella
La Seu d'Urgell
Puigcerdà
Ripoll
Olot
Figueres
Berga
Montségur
Mirepoix
Revel
Lavaur
Villefranche-de-Lauragais
Rivesaltes
Sigean
Pic Carlit
Pic du Canigou
Pic d'Estats
Serra del Cadí
Montagne Noire
Monts de Lacaune
Parc Nacional d'Aigüestortes
Cordes-s-Ciel
Tarascon-s-Ariège
Arles-s-Tech
Le Mas-d'Azil
Pech Merle
St-Cirq-Lapopie
Conques-en-Rouergue
49
54
60

LOZÈRE
GARD
HÉRAULT
BOUCHES-DU-RHÔNE
VAUCLUSE
GOLFE DU LION
MONTPELLIER
NÎMES
MARSEILLE
PERPIGNAN
Avignon
Arles
Béziers
Narbonne
Sète
Agde
Alès
Millau
Lodève
Le Vigan
Florac
Orange
Carpentras
Nyons
Montélimar
Largentière
Uzès
Lunel
Aigues-Mortes
Stes-Maries-de-la-Mer
Martigues
Istres
Salon-de-P.
Cavaillon
Collioure
Banyuls-s-Mer
Argelès-s-Mer
Port-Vendres
Figueres
Cadaqués
Roses
Le Cap-d'Agde
Valras-Plage
Gruissan
Port-Leucate
Port-Barcarès
Canet-Plage
Palavas-les-Flots
La Gde-Motte
Le Grau-du-Roi
Frontignan
Pézenas
Beaucaire
Tarascon
Bagnols-s-Cèze
Pont-St-Esprit
Bollène
Vaison-la-Romaine
Pont du Gard
Gorges du Tarn
Cirque de Navacelles
Bassin de Thau
Étang de Vaccarès
A
B
C
D
0 20 km

E
F
G
H
51
104
112
1
2
3
4
5
ALPES-DE-HAUTE-PROVENCE
04
ALPES-MARITIMES
06
VAR
83
HAUTE-CORSE
2B
CORSE-DU-SUD
2A
Barcelonnette
Sisteron
Digne-les-Bains
Forcalquier
Manosque
Castellane
Grand Canyon du Verdon
Moustiers-Ste-Marie
Lac de Ste-Croix
Aups
Draguignan
Brignoles
Le Thoronet
Vidauban
Fréjus
St-Raphaël
Grasse
Cannes
Antibes
Cap d'Antibes
Juan-les-Pins
Golfe-Juan
NICE
Menton
Monte-Carlo-Monaco
Villefranche-s-Mer
St-Jean-Cap-Ferrat
Beaulieu
Roquebrune-Cap-Martin
Ventimiglia
Bordighera
S. Remo
Tende
Mercantour
Vallée des Merveilles
Sospel
Saorge
Breil-s-Roya
Mondovi
Boves
Limone Piemonte
Col de Larche
Colle della Maddalena
Col de la Bonette
Col d'Allos
Col de la Cayolle
Parc National
Isola 2000
St-Sauveur-s-Tinée
St-Martin-Vésubie
Le Boréon
Beuil
Valberg
Puget-Théniers
Entrevaux
Annot
Vence
St-Paul-de-V.
Cagnes-s-M.
Mougins
Mandelieu-la-Napoule
Théoule-s-Mer
Lérins
Esterel
Agay
Le Trayas
St-Aygulf
Les Issambres
Ste-Maxime
St-Tropez
Ramatuelle
Cap Camarat
Cogolin
Grimaud
La Garde-Freinet
Massif des Maures
Collobrières
Bormes-les-Mimosas
Le Lavandou
Cavalaire-s-Mer
Rayol-Canadel-s-Mer
Hyères
Giens
Porquerolles
Port-Cros
Île du Levant
P. N. de Port-Cros
Îles d'Hyères
TOULON
La Seyne-s-M.
Six-Fours-les-Plages
Sanary-s-Mer
Bandol
Ollioules
La Ciotat
Cap Sicié
Saint-Pilon
AIX-EN-PROVENCE
St-Maximin-la-Ste-Baume
Trets
Rians
Gréoux-les-Bains
Valensole
Riez
Oraison
Les Mées
Mézel
Barrême
Senez
Comps-s-Artuby
Fayence
Callas
Le Muy
Les Arcs
Lorgues
Salernes
Cotignac
Carcès
Barjols
Tavernes
Le Luc
La Provençale
Cap Corse
Rogliano
Luri
Pino
Erbalunga
Nonza
St-Florent
Bastia
Col de Teghime
Oletta
Murato
L'Île-Rousse
Calvi
Belgodère
Calenzana
Ponte Leccia
Morosaglia
Monte Cinto
Calacuccia
Scala di Santa Regina
Col de Vergio
Golfe de Porto
Porto
les Calanche
Piana
Évisa
Corte
Venaco
Monte Rotondo
Vizzavona
Col de Vizzavona
Bocognano
Vezzani
Ghisoni
Aléria
Étang d'Urbino
Ghisonaccia
Vescovato
Cervione
Piedicroce
La Porta
Cargèse
Vico
Sari-d'Orcino
Mte Renoso
Col de Verde
Bastelica
Ajaccio
Îles Sanguinaires
Zicavo
Mte Incudine
Sta-Maria Siché
Aiguilles de Bavella
Col de Bavella
Solenzara
Zonza
Levie
Aullène
Petreto Bicchisano
Olmeto
Filitosa
Propriano
Ste-Lucie-de-Tallano
Sartène
Porto-Vecchio
Bonifacio
Bouches de Bonifacio
Bocche di Bonifacio

B
C
D
1
2
3
4
5
A
0 20 km
PORTUGAL
LISBOA
ESPAGNE
SPAIN
MADRID
ANDORRE
ANDORRA
ANDORRA LA VELLA
56-57
58-59
60-61
62-63
64-65
66-67
68-69
70-71
72-73
74-75
A Coruña
Gijón
Bilbao
León
Vigo
Valladolid
Zaragoza
Porto
Salamanca
Coimbra
Barcelona
Menorca
Mallorca
Valencia
Canarias
Ciudad Real
Murcia
Madeira
Faro
Sevilla
Granada
Gibraltar(GB)
Cabo Ortegal
Punta de la Estaca de Bares
S. Andrés de Teixido
Cariño
Porto do Barqueiro
Cedeira
Ortigueira
Viveiro
Cervo
Cabo Prior
Gándara
Ferrol
Xubia
S. Sadurniño
Neda
Fene
As Pontes de García Rodríguez
Xistral
A CORUÑA
Oleiros
Sada
Betanzos
Cabo de S. Adrián
Malpica de Bergantiños
Caión
Arteixo
Cambre
Ponteceso
Laxe
A Laracha
Carballo
Pazo de Irixoa
Vilalba
Cabo Vilán
Camariñas
Muxía
Baio
Vimianzo
S. Roque
Carral
Campo da Feira
Mesón do Vento
Curtis
Teixeiro
Guitiriz
Baamonde
Cabo Touriñán
Dumbría
Sta Comba
Ordes
Sobrado dos Monxes
Outeiro de Rei
Rábade
Castroverde
Corcubión
Fisterra
Cabo Fisterra / Cabo Finisterre
Portomouro
Enfesta
Corredoiras
Friol
Lugo
Negreira
Bertamiráns
Arzúa
Melide
Nadela
O Corgo
Carnota
Serra de Outes
Lavacolla
Santiago de Compostela
Palas de Rei
Guntín de Pallares
Muros
Noia
Padrón
Infesta
Ramallosa
Vila de Cruces
Monterroso
Portomarín
Porto do Son
Catoira
Silleda
Agolada
GALICIA
Taboada
Boiro
La Curota
Rianxo
A Estrada
Lalín
Rodeiro
A Pobra do Caramiñal
Vilagarcía de Arousa
Cuntis
Embalse de Belesar
Bóveda
Sta Uxía de Ribeira
Vilanova de A.
Caldas de Reis
Forcarei
Chantada
I. de Arousa
Cambados
Mosteiro
Cachafeiro
Soutelo
Sta María la Real de Oseira
Escairón
Monforte de Lemos
O Grove
Cerdedo
A Barrela
I. de Sálvora
Pontevedra
Beariz
Cea
Sanxenxo
Portonovo
Combarro
Marín
Ponte Caldelas
Brués
Gargantas de Sil
Isla de Ons
Carballiño
Ribas de Sil
Mirador de Coto Redondo
Ourense
Luíntra
Bueu
Rial
Avión
Leiro
Amaro
Cangas
Moaña
Redondela
Alto del Couso
Isla Cíes
VIGO
Mondariz
Ribadavia
Baños de Molgas
Maceda
Outomuro
A Cañiza
Cortegada
Ponteareas
A Merca
Xunqueira de Ambía
Baiona
Porriño
Cabo Silleiro
Gondomar
Salvaterra de Miño
As Neves
Celanova
Allariz
Vilar de Barrio
São Gregório
A Ramallosa
Melgaço
Arrabal
Tui
Monção
Río Miño
Xinzo de Limia
O Seixo (Tomiño)
Valença do Minho
Castro Laboreiro
Bande
Alto de Estivadas
Vila Nova de Cerveira
São Pedro da Torre
Parque
Serra da Peneda
A Guarda
Paredes de Coura
Mugueimes
Alto de Fumaces
Verín
Citania de Sta Tegra
Caminha
Rubiães
Baltar
Modelo do Minho
Arcos de Valdevez
Fondevila
Larouco
Vila Praia de Âncora
Rio Lima
Lindoso
Nacional
Ponte da Barca
Montalegre
Serra do Gerês
Feces de Abaixo
Bravães
Viana do Castelo
Ponte de Lima
MINHO
Peneda-Gerês
Paradela
Vila Verde da Raia
Terras de Bouro
Gerês
Chaves
Darque
Vila Verde
Caldelas
Boticas
Amares
Vieira do Minho
Venda Nova
Salto
Vidago
BRAGA
Pinheiro
Serra da Cabreira
Esposende
Barcelos
Sameiro
Póvoa de Lanhoso
TRÁS
Bom Jesus
Cabeceiras de Basto
Ribeira de Pena
Pedras Salgadas
Carrazedo de Montenegro
Ofir
Vila Nova de Famalicão
Caldelas das Taipas
Guimarães
62
MONTES
Póvoa de Varzim
Rates
Fafe
Vila Pouca de Aguiar
Vila do Conde
Trofa
Celorico de Basto
Mondim de Basto
Murça

E
F
G
H
1
2
3
4
5
58
63
Costa Verde
Cabo de Peñas
Luanco
Candás
Avilés
GIJÓN
Cabo Vidio
S.Esteban
Salinas
Foz
Tapia de Casariego
Navia
Luarca
Cudillero
Ribadeo
Castropol
Coaña
Cadavedo
Soto de Luiña
Pravia
Soto del Barco
Tazones
Lastres
Colunga
Ribadesella
Villaviciosa
Llanes
S. Cosme
Vegadeo
Embalse de Arbón
Salas
Cornellana
Grado
Lugones
Noreña
Pola de Siero
Valdediós
Mirador del Fito
Nueva de Llanes
A Pontenova
Boal
La Espina
Embalse de Doiras
Tineo
Soto de los Infantes
Trubia
Nava
Arriondas
Cangas de Onís
Sierra de Cuera
Illano
Pto del Palo
Fuensanta
Infiesto
Covadonga
Carreña
Sta Eulalia de Oscos
Pesoz
Grandas de Salime
Pola de Allande
Belmonte
OVIEDO
Langreo
Sotrondio
Proaza
Mieres
ASTURIAS
Desfiladero del Teverga
Desfiladero de los Beyos
PICOS DE EUROPA
Las Arenas
A Fonsagrada
Corias
Cangas del Narcea
Pola de Lena
Pola de Laviana
Cabañaquinta
Campo de Caso
Soto de Sajambre
Sta Marina de Valdeón
Oseja de Sajambre
Camaleño
Embalse de Grandas de Salime
La Plaza
Marentes
San Antolín de Ibias
Campomanes
Puente de los Fierros
Pto de San Isidro
Pto de Tarna
Mirador de Llesba
O Cádabo (Baleira)
Venta Nueva
Pto de Somiedo
Pto Ventana
Pto de Leitariegos
Peña Ubiña
Pto de Pájares
Braña Caballo
Pto del Pontón
Portilla de la Reina
Mampodre
Navia de Suarna
Degaña
Villager de Laciana
Villablino
Piedrafita de Babia
S. Emiliano
Puebla de Lillo
Riaño
Espigüete
Rodiezmo
Cuevas de Valporquero
Matallana de Torío
Pto de Monteviejo
Besande
Miravalles
Palacios del Sil
Pto de la Magdalena
Murias de Paredes
La Pola de Gordón
La Robla
La Vecilla
Boñar
Sabero
Cistierna
Velilla del Río Carrión
Pto de Pedrafita do Cebreiro
Páramo del Sil
Catoute
Fabero
Vegarienza
La Magdalena
CASTILLA Y LEÓN
Vega de Espinareda
Toreno
Rioseco de Tapia
Garrafe de Torío
Ambasaguas
Vegas del Condado
Guardo
Pedrafita do Cebreiro
Vega de Valcarce
Villafranca del Bierzo
Boeza
Albares de la R.
Folgoso de la R.
Bembibre
Suero de Cepeda
Villaquilambre
S. Andrés del Rabanedo
LEÓN
Almanza
Villalba de Guardo
Piapaxaro
Cacabelos
Torre del Bierzo
Puerto del Manzanal
Carrizo de la R.
La Virgen del Camino
Gradefes
S. Miguel de la Escalada
Villamartín de Don Sancho
Carracedelo
Ponferrada
Sta Marina del Rey
Benavides
Villarente
Mansilla de las Mulas
Saldaña
Hospital de Órbigo
El Burgo Ranero
O Barco
Puente de Domingo Flórez
Montes de León
Astorga
Sta Colomba de Somoza
Veguellina de Órbigo
Valdevimbre
Santas Martas
Castrotierra de Valmadrigal
Sahagún
A Rúa
Freixido
O Bolo
Casaio
Teleno
Riego de la Vega
Sta María del Páramo
Villamañán
Valencia de Don Juan
Destriana
La Bañeza
Roperuelos del Páramo
Melgar de Abajo
Villada
Peña Trevinca
Encinedo
Truchas
A Veiga
Alto de Covelo
Viana do Bolo
Castrocontrigo
Cisneros
Castrocalbón
S. Martín de Castañeda
Sierra de la Cabrera
Lago de Sanabria
Ribadelago
Puebla de Sanabria
Justel
Villaquejida
Mayorga
Frechilla
Galende
Espadañedo
Palacios de Sanabria
Santibáñez de Vidriales
La Torre del Valle
Becilla de Valderaduey
Paredes de Nava
Padornelo
Alto do Canizo
Pedralba de la Pradería
Ungilde
Mombuey
Morales de Rey
S. Cristóbal de Entreviñas
Valderas
Villalón de Campos
Villarramiel
A Mezquita
E. de Cernadilla
Benavente
Fuentes de Ropel
Castroverde de Campos
Calabor
Camarzana de Tera
Sta María de Valverde
Villanueva del Campo
Moimenta
Corraes
Portelo
Sierra de la Culebra
Villardeciervos
Ferreras de Abajo
Pto de Sazadón
Puebla de Valverde
S. Esteban del Molar
Villamayor de Campos
Medina de Rioseco
Peña Mira
Figueruela de Arriba
S. Vicente de la Cabeza
Villafrechós
Montealegre de Campos
Vinhais
Bragança
Milhão
Tábara
Villafáfila
Villalpando
Villabrágima
Penhas Juntas
Quintanilha
Trabazos
S. Vitero
Villarrín de Campos
La Mudarra
Rebordelo
Serra de Nogueira
Alcañices
Carbajales de Alba
Embalse de Ricobayo
Castronuevo
S. Pedro de Latarce
Villardefrades
Castromonte
Torre de Dona Chama
Sta Comba de Rossas
Sta Luz
Fonfría
Montamarta
Vezdemarbán
Mota del Marqués
Villanubla
Zaratán
Vimioso
S. Pedro de la Nave
Torrelobatón
Simancas
Izeda
Macedo de Cavaleiros
Coreses
Toro
Morales de Toro
Tordesillas
Laguna de Duero
Mirandela
Morais
Miranda do Douro
Muelas del Pan
Zamora
Moraleja del Vino
Bornes
Mogadouro
DUERO
Pollos
Valdestillas
Serrada

Costa de Cantabria
B
C
D
SANTANDER
C. Mayor
C. de Ajo
Isla
Noja
Santoña
Ajo
Escalante
Laredo
Castro-Urdiales
Cabo Matxitxako
Machichaco
Costa Vasca
Ribadesella
Nueva de Llanes
Llanes
Sierra de Cuera
S. Vicente de la Barquera
Comillas
Santillana del Mar
Suances
Torrelavega
El Astillero
Colindres
Solares
Sarón
Liérganes
Getxo
Plentzia
Basigo de Bakio
Bermeo
Lekeitio
Santurtzi
Areeta
Mungia
Gautegiz-Arteaga
Portugalete
Barakaldo
BILBAO
Gernika-Lumo
Balcón de Bizkaia
Colombres
Unquera
Peñes
Cabezón de la Sal
El Soplao
Vargas
Puente Viesgo
Los Corrales
Las Caldas de Besayas
Arredondo
Ampuero
Puente
Ramales de la Victoria
Concha
Balmaseda
Zalla
Güeñes
Galdakao
Amorebieta
Carreña
Las Arenas
PICOS DE EUROPA
La Hermida
Puentenansa
Valle de Cabuérniga
Ontaneda
Villacarriedo
Pto de Braguila
Pto de la Sía
Sodupe
Laudio
Llodio
Arrigorriaga
Artea
Durango
Abadiño
Sta Marina de Valdeón
Camaleño
Peña Sagra
CANTABRIA
Alceda
Arenas de Iguña
Villasana de Mena
Artziniega
Amurrio
Pto de Urkiola
Arrasate
Mondragón
Espinama
Potes
Pto de Palombera
Puerto del Escudo
Pto de las Estacas de Trueba
Espinosa de los Monteros
Villasante
Pto de Barazar
Riaño
Portilla de la Reina
Pto de San Glorio
Peña Prieta
Pto de Piedrasluengas
Alto Campoo
Pico de Tres Mares
Espinilla
Fontibre
Corconte
E. del Ebro
Reinosa
Arija
Ziorraga
Gorbea
Orduña
Quincoces de Yuso
Legutio
Pto de Arlabán
Espigüete
S. Salvador de Cantamuda
Valdecebollas
Brañosera
Cervatos
Cilleruelo de Bezana
Soncillo
Villarcayo
Medina de Pomar
Pto de Orduña
Pto de Monteviejo
Besande
Barruelo de Santullán
Puerto Pozazal
Río Nela
Río Ebro
Berberana
Murguía
PAÍS VASCO
E. de Camporredondo
E. de Compuerto
Cervera de Pisuerga
Valdenoceda
Velilla del Río Carrión
Cantoral
Dehesa de Montejo
Escalada
Pto de la Mazorra
Trespaderne
Quintana Martín Galíndez
Subijana-Morillas
VITORIA
Guardo
Santibáñez de la Peña
Aguilar de Campoo
Hoz de Sobrón
Treviño
Villalba de Guardo
Congosto de Valdavia
Tubilla del Agua
Sedano
Oña
Frías
E. de Sobrón
Altotero
Amaya
Humada
Basconcillos del Tozo
Busto de Bureba
Miranda de Ebro
Zambrana
Almanza
Buenavista de Valdavia
Alar del Rey
Poza de la Sal
Pancorbo
Bastida
Pto de Herrera
Herrera de Pisuerga
Pto de Páramo de Masa
La Nuez de Arriba
Briviesca
Haro
Saldaña
Villadiego
Monasterio de Rodilla
Cerezo de Riotirón
Casalarreina
Laguardia
Cenicero
Fuenmayor
Castrillo de Villavega
Osorno la Mayor
Sotopalacios
Pto de la Brújula
Belorado
Sto Domingo de la Calzada
Villasarracino
Melgar de Fernamental
Villanueva de Argaño
Rubena
Villafranca Montes de Oca
Nájera
Navarrete
Villalcázar de Sirga
Carrión de los Condes
Villasandino
Arlanzón
Miraflores
Montes de Oca
Ezcaray
S. Millán de la Cogolla
Castrojeriz
BURGOS
Sarracín
E. de Uzquiza
Pradoluengo
Anguiano
Cervatos de la Cueza
Cisneros
Villoldo
Frómista
Arcos
Valdezcaray
Pineda de la Sierra
S. Millán
S. Lorenzo
Torrecilla en Cameros
Piña de Campos
Pampliega
Sierra de la Demanda
Frechilla
Amusco
Támara de C.
Astudillo
Ribas de C.
Sta María del Campo
Riocavado de la Sierra
Canales
Villanueva de Cameros
Paredes de Nava
Monzón de C.
Fuentes de Valdepero
Cuevas de S. Clemente
S. Millán de Lara
E. de Mansilla
Fuentes de Nava
Villamartín de Campos
Torquemada
Quintana del Puente
Villahoz
Covarrubias
Barbadillo del Mercado
Neila
Montenegro de Cameros
Pto de Sta Inés
Palencia
Espinosa de Cerrato
Lerma
Salas de los Infantes
Quintanar de la Sierra
Sierra de Urbión
Cebollera
Magaz de Pisuerga
Baltanás
Castrillo de la Reina
Palacios de la Sierra
Duruelo de la Sierra
Ampudia
Baños de Cerrato
Valdosa
Sto Domingo de Silos
Montealegre de Campos
Dueñas
Villafruela
Peñas de Cervera
Hontoria del Pinar
Navaleno
Vinuesa
E. de la Cuerda del Pozo
El Royo
Tórtoles de Esgueva
Río Esgueva
La Mudarra
Cevico de la Torre
Valoria la Buena
Gumiel de Izán
Huerta del Rey
Caleruega
S. Leonardo de Yagüe
Pto de Mojón Pardo
Abejar
Cidones
Mucientes
Esguevillas de Esgueva
Olmedillo de Roa
Fombellida
Sa de Cabrejas
Villanubla
Cabezón de Pisuerga
Villafuerte
Roa de Duero
La Horra
Aranda de Duero
Alcubilla de Avellaneda
Calatañazor
VALLADOLID
Zaratán
Simancas
Quintanilla de Onésimo
Río Duero
Peñaranda de Duero
Autovía en obras
Hinodejo
Quintana Redonda
Laguna de Duero
Boecillo
Tudela de Duero
Peñafiel
Fuentecén
Langa de Duero
El Burgo de Osma
S. Esteban de Gormaz
Fuentepinilla
Montemayor de Pililla
Cogeces del Monte
Fompedraza
Sacramenia
Honrubia de la Cuesta
E. de Linares del Arroyo
Valdestillas
Portillo
S. Miguel del Arroyo
Campaspero
Maderuelo
Recuerda
Hortezuela
Almazán
Serrada
Rueda
La Seca
Mojados
Olombrada
Fuentidueña
Rubio
Ayllón
Berlanga de Duero
Puerto de Villasayas
Pedrajas de S. Esteban
Cuéllar
Hontalbilla
Río Duratón
Boceguillas
Montejo de Tiermes
Retortillo de Soria
Medina del Campo
Samboal
Sepúlveda
Riaza
Baraona
Barcones
Coca
Navas de Oro
Navalmanzano
Aguilafuente
Cantalejo
Cerezo de Abajo
La Pinilla
Lobo
Sa de Ayllón
Somolinos
Atienza
Riba de Santiuste
Ataquines
Fuente el Sol
Nava de la Asunción
Turégano
Río Cega
Prádena
Río Sorbe
0
20 km
A
B
C
D
64
57
1
2
3
4
5

Espagne
52
65
E
F
G
H
Capbreton
Bayonne
Biarritz
St-Jean-de-Luz
Hendaye
Hondarribia
DONOSTIA-
SAN SEBASTIÁN
Irun
Pasaia
Zarautz
Zumaia
Hernani
Andoain
Tolosa
Azpeitia
Zumarraga
Beasain
Ordizia
Alsasua
Lekunberri
Leitza
Elizondo
St-Jean-Pied-de-Port
St-Étienne-de-Baigorry
Cambo-les-Bains
Hasparren
Ustaritz
La Bastide-Clairence
Bidache
Peyrehorade
Orthez
Salies-de-Béarn
Sauveterre-de-Béarn
Mourenx
Navarrenx
St-Palais
Mauléon-Licharre
Oloron-Ste-Marie
Pau
Lescar
Morlaàs
Tarbes
Lourdes
Bagnères-de-Bigorre
Argelès-Gazost
Cauterets
Luz-St-Sauveur
Barèges
Gavarnie
Monte Perdido
PYRÉNÉES-ATLANTIQUES
Grottes d'Isturitz et d'Oxocelhaya
Gorges de Kakuetta
Pic d'Orhy
Pto de Larrau
Pto Ibañeta
Orreaga/Roncesvalles
Auritz/Burguete
Luzaide
Pic du Midi d'Ossau
Col du Somport
Pto de Somport
Candanchú
TUNNEL DU SOMPORT
TÚNEL DE SOMPORT
Canfranc-Estación
Sallent de Gállego
Balneario de Panticosa
Parc National des Pyrénées
Parque Nacional de Ordesa y Monte Perdido
Cañón de Añisclo
Torla
Broto
Biescas
Jaca
Sabiñánigo
Puente la Reina de Jaca
Sierra de la Peña
S. Juan de la Peña
Oroel
Boltaña
Laguarta
Los Mallos de Riglos
Castillo de Loarre
Pto de Monrepós
Ayerbe
Huesca
Arguis
Sierra de Guara
Rodellar
Barbastro
Sariñena
Lanaja
Leciñena
Sa de Alcubierre
Castejón de Monegros
Bujaraloz
Pina de Ebro
Quinto
Gelsa
Sástago
Escatrón
Caspe
Alcañiz
Híjar
ZARAGOZA
Alfajarín
Villamayor de Gállego
Utebo
Alagón
Zuera
Tauste
Ejea de los Caballeros
Luna
Tardienta
Almudévar
Gurrea de Gállego
ARAGON
COMUNIDAD FORAL DE NAVARRA
PAMPLONA
Noáin
Puente la Reina
Sta María de Eunate
Estella
Tafalla
Olite
Ujué
Sangüesa
Yesa
Leyre
Lumbier
Hoz de Arbayún
Sos del Rey Católico
Uncastillo
Sádaba
Carcastillo
Caparroso
Marcilla
Peralta
Falces
Lerín
Lodosa
Los Arcos
Viana
LOGROÑO
Calahorra
Arnedo
Arnedillo
Alfaro
Castejón
Tudela
Arguedas
Valtierra
Cortes
Mallén
Borja
Veruela
Tarazona
Agreda
Sa del Moncayo
Olvega
Gómara
Almenar de Soria
Ciria
Calcena
Tabuenca
Épila
La Muela
Rueda de Jalón
Calatorao
La Almunia de Doña Godina
Ricla
Morata de Jalón
Brea de Aragón
Illueca
Calatayud
Ateca
Alhama de Aragón
Ariza
Monasterio de Piedra
Nuévalos
Daroca
Cariñena
Longares
Muel
Belchite
Azuara
Lécera
Fuendetodos
Alto de las Borderas
Fuentes de Ebro
Osera de Ebro
RÍO EBRO

53
59
66
ARIÈGE
09
CATALUÑA/
CATALUNYA
Foix
St-Girons
Montgaillard
Tarascon-s-Ariège
Grotte de Niaux
Aulus-les-Bains
Massat
Oust
Castillon-en-Couserans
Aspet
Col de Portet d'Aspet
Montréjeau
St-Bertrand-de-Comminges
Barbazan
Fos
Bagnères-de-Luchon
Lac d'Oô
C. de Peyresourde
Bordères-Louron
Arreau
Vielle-Aure
St-Lary-Soulan
Pic de Néouvielle
La Mongie
C. du Tourmalet
Barèges
Luz-St-Sauveur
Héas
Gavarnie
Monte Perdido
Torla
Broto
Parque Nacional de Ordesa y Monte Perdido
Cañon de Añisclo
Bielsa
Pico Posets
Pico de Aneto
MALADETA
Benasque
Cerler
Castejón de Sos
Val d'Aran
Salardú
Vielha
Bossòst
Les
Arties
Baquèira
Beret
Port de la Bonaigua
Esterri d'Àneu
Vall d'Àneu
Espot
Caldes de Boí
Parc Nacional d'Aigüestortes
Vilaller
S. Climent
Llessui
Llavorsí
Ribera de Cardós
Pic d'Estats
Guzet-Neige
Vicdessos
Les Cabannes
Ax-les-Thermes
El Serrat
TÚNEL D'ENVALIRA
Soldeu
Ordino
Encamp
Pas de la Casa
Andorra la Vella
Escaldes-Engordany
S. Julià de Lòria
La Seu d'Urgell
Sort
Adrall
El Segre
Martinet
Bellver de Cerdanya
Lles de Cerdanya
Puigcerdà
Bourg-Madame
Llívia
Font-Romeu-Odeillo-Via
C. de Puymorens
Pic Carlit
Col de la Quillane
Mont-Louis
Saillagouse
Olette
Puigmal
Vallter 2000
Núria
Queralbs
Collada de Toses
Ribes de Freser
Super Molina
La Molina
Alp
Coll de Merolla
Sant Joan les Abadesses
Ripoll
Gombrèn
La Pobla de Lillet
Bagà
Serra del Cadí
Garganta de Tresponts
Organyà
Guerri de la Sal
Boumort
Coll de Nargó
Alinyà
Coll de Jou
S. Llorenç de Morunys
P. de La Baells
Berga
Vilada
Les Llosses
S. Agustí de Lluçanès
S. Boi de Lluçanès
S. Hipòlit de Voltregà
Prats de Lluçanès
Olost
Vic
Gironella
L'Espunyola
Puig-reig
Navàs
Balsareny
Sallent
Súria
Cardona
Solsona
Oliana
P. d'Oliana
Pantà de Rialb
S. Salvador de Toló
Isona
Bóixols
Tremp
P. de S. Antoni
La Pobla de Segur
Puente de Montañana
Sopeira
El Pont de Suert
S. Gervàs
Sierra del Montsec
P. dels Tarradets
Àger
P. de Camarasa
Camarasa
P. de Sta Anna
Artesa de Segre
Ponts
Biosca
Torà
Agramunt
Guissona
S. Ramon
Calaf
Fonollosa
Manresa
Artés
Moià
Castellterçol
S. Quirze Safaja
Terrassa/Tarrasa
Sabadell
Castellar del Vallès
Monistrol
Sa de Montserrat
Olesa de Montserrat
Rubí
Martorell
Molins de Rei
Esparreguera
Capellades
Igualada
Castellolí
Rajadell
Cervera
Tàrrega
Anglesola
Bellpuig
Bellcaire d'Urgell
Linyola
Bell-lloc d'Urgell
Mollerussa
Balaguer
Almenar
Alfarràs
Tamarite de Litera
Altorricón
Binéfar
Binaced
Alcampell
Monzón
Fonz
Estadilla
Graus
Benabarre
P. de Canelles
E. de Barasona
Santaliestra y S. Quílez
Roda de Isábena
Campo
Boltaña
Ainsa
Laguarta
Embalse de Mediano
Arcusa
E. de Gradol
P.to del Eripol
Alquézar
El Grado
Abiego
Angüés
Barbastro
Laperdiguera
Pertusa
Berbegal
Ilche
Peralta de Alcofea
Pomar de Cinca
Lalueza
Sariñena
Alcolea de Cinca
Albalate de Cinca
Belver de Cinca
Sena
Ontiñena
Ballobar
Zaidín
Gimenells
Almacelles
LLEIDA
Torregrossa
Alcarràs
Fraga
Soses
Candasnos
Bujaraloz
Embalse de Mequinenza
Torrente de Cinca
Seròs
Mequinenza
Pantà de Riba-roja
Río Ebro
Fayón
Caspe
Fabara
Nonaspe
Alto del Portalé
Maella
E. de Caspe II
Batea
La Pobla de Massaluca
Flix
Ascó
Garcia
Móra la Nova
Móra d'Ebre
Gandesa
El Pinell de Brai
Calaceite
Alcañiz
Castelserás
Calanda
E. de Calanda
Valjunquera
Horta de Sant Joan
Prat de Comte
Arnes
L'Espina
Valderrobres
Beceite
Aguaviva
Monroyo
Mas de Barberans
Torre Miró
La Pobla de Benifassà
La Sénia
Rossell
Bel
Morella
Riu Cérvol
Ulldecona
Traiguera
Cinctorres
Forcall
Xert
Alcanar
Sta Bàrbara
Amposta
St Carles de la Ràpita
L'Aldea
Deltebre
Riumar
Cap de Tortosa
I. de Buda
Golf de S. Jordi
L'Ampolla
Tortosa
Xerta
Tivenys
El Perelló
L'Ametlla de Mar
L'Hospitalet de l'Infant
Vandellòs
Rasquera
Tivissa
Cambrils
Salou
Cap de Salou
Port Aventura
Vila-seca
TARRAGONA
Reus
Riudoms
Montbrió del Camp
Mont-roig del Camp
Falset
La Vilella Baixa
Sa del Montsant
La Bisbal de Falset
Albarca
Prades
Montblanc
Poblet
L'Espluga de Francolí
La Granadella
Mayals
Castelldans
Les Borges Blanques
Juneda
Arbeca
Belianes
Vallbona de Les Monges
Vinaixa
Sarral
Sta Coloma de Queralt
Esblada
El Pont d'Armentera
Santes Creus
Vila-rodona
Valls
Alcover
La Selva del Camp
El Vendrell
Torredembarra
Calafell
Coma-ruga
Vilafranca del Penedès
S. Sadurní d'Anoia
Els Monjos
Vilanova i la Geltrú
Sitges
Garraf
Castelldefels
Gavà
Begues
El Prat de Llobregat
Costa Dorada
Spain / Andorra
Aude
Chalabre
Couiza
Quillan
Lavelanet
Laroque-d'Olmes
Montségur
Belcaire
Axat
Col de Chioula
Quérigut
Molitg-les-Bains
20 km
A
B
C
D
1
2
3
4
5

54
E
F
G
H
1
2
3
4
5
67
Étang de Salses-Leucate
Port-Leucate
Tuchan
Salses-le-Château
Port-Barcarès
Rivesaltes
St-Laurent-de-la-Salanque
Latour-de-France
Estagel
Canet-Plage
Millas
PERPIGNAN
St-Cyprien-Plage
Ille-s-Têt
Thuir
Vinça
Elne
Argelès-s-Mer
Port-Vendres
Banyuls-s-Mer
Cerbère
Portbou
Collioure
Boulou
Céret
Arles-s-Tech
Amélie-les-Bains-Palalda
Le Perthus
La Jonquera
Roc de France
Capmany
Espolla
El Port de Llançà
El Port de la Selva
Llançà
S. Pere de Rodes
Garriguella
Castelló d'Empúries
Cadaqués
Roses
Golf de Roses
Figueres
Castellfollit de la Roca
Besalú
Olot
Bàscara
El Fluvià
Empúries
L'Escala
Viladamat
Torroella de Montgrí
L'Estartit
Banyoles/Bañolas
Girona
Parlavà
La Bisbal d'Empordà
Pals
Begur
Aiguablava
Palafrugell
Calella de Palafrugell
Amer
Anglès
Vilanova de Sau
Cassà de la Selva
Calonge
Palamós
S. Antoni de Calonge
Platja d'Aro
S'Agaró
S. Feliu de Guíxols
Tossa de Mar
Caldes de Malavella
Llagostera
Vidreres
S. Hilari Sacalm
Sta Coloma de Farners
Sils
Arbúcies
Breda
Hostalric
Montseny
Sant Celoni
Tordera
Lloret de Mar
Blanes
Sta Susanna
Malgrat de Mar
Pineda de Mar
Calella
S. Pol de Mar
Canet de Mar
Arenys de Mar
Sant Andreu de Llavaneres
Mataró
Premià de Mar
El Masnou
ADALONA
ARCELONA
Costa Brava
PYRÉNÉES-ORIENTALES

Em Portugal, um novo sistema de portagem foi instalado em algumas autoestradas, para o qual é necessário fazer um pré-registo do veículo ou comprar previamente um dispositivo electrónico. Para mais informações, queira consultar o site www.viamichelin.fr

Algunas autopistas portuguesas han adoptado un nuevo sistema de peaje que requiere la adhesión a un sistema de prepago o la adquisición previa de un dispositivo electrónico. Más información en www.viamichelin.es

Au Portugal, un nouveau système de péage a été mis en place sur certaines autoroutes, nécessitant le pré-enregistrement du véhicule ou l'achat d'un dispositif électronique au préalable. Pour plus d'information, veuillez consulter www.viamichelin.fr

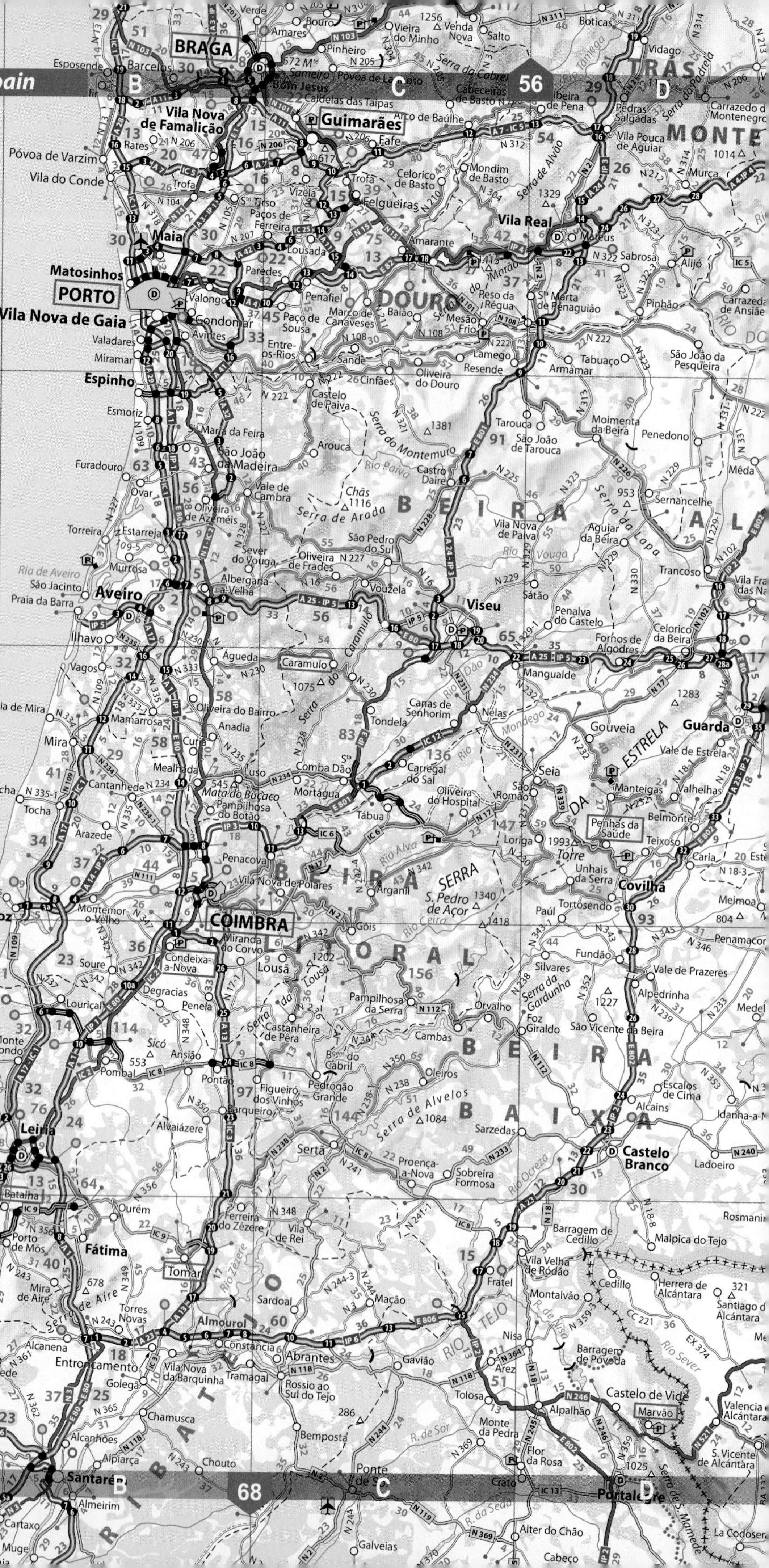

Alcañices
Zamora
Toro
Tordesillas
Laguna de Duero
Medina del Campo
Miranda do Douro
Mogadouro
Bermillo de Sayago
Fermoselle
Villarino de los Aires
Torre de Moncorvo
Freixo de Espada à Cinta
Vila Nova de Foz Côa
Barca de Alva
Vitigudino
Ledesma
SALAMANCA
Peñaranda de Bracamonte
Alba de Tormes
Arévalo
Madrigal de las Altas Torres
Cantalapiedra
Fuentesaúco
Figueira de Castelo Rodrigo
Lumbrales
Ciudad Rodrigo
Fuentes de Oñoro
Sabugal
Peña de Francia
La Alberca
Béjar
Guijuelo
Piedrahíta
Ávila
Sierra de Gredos
Pico Almanzor
Arenas de S. Pedro
Candeleda
Cuevas del Aguila
Jarandilla de la Vera
Yuste
Plasencia
Coria
Moraleja
Navalmoral de la Mata
Oropesa
Talavera de la Reina
Torrejón el Rubio
Alcántara
Garrovillas de Alconétar
Cáceres
Trujillo
Guadalupe
Logrosán
Valdefuentes
Montánchez
Alburquerque
Puebla de Obando
Río Tajo
Río Duero
Embalse de Alcántara
Embalse de Valdecañas

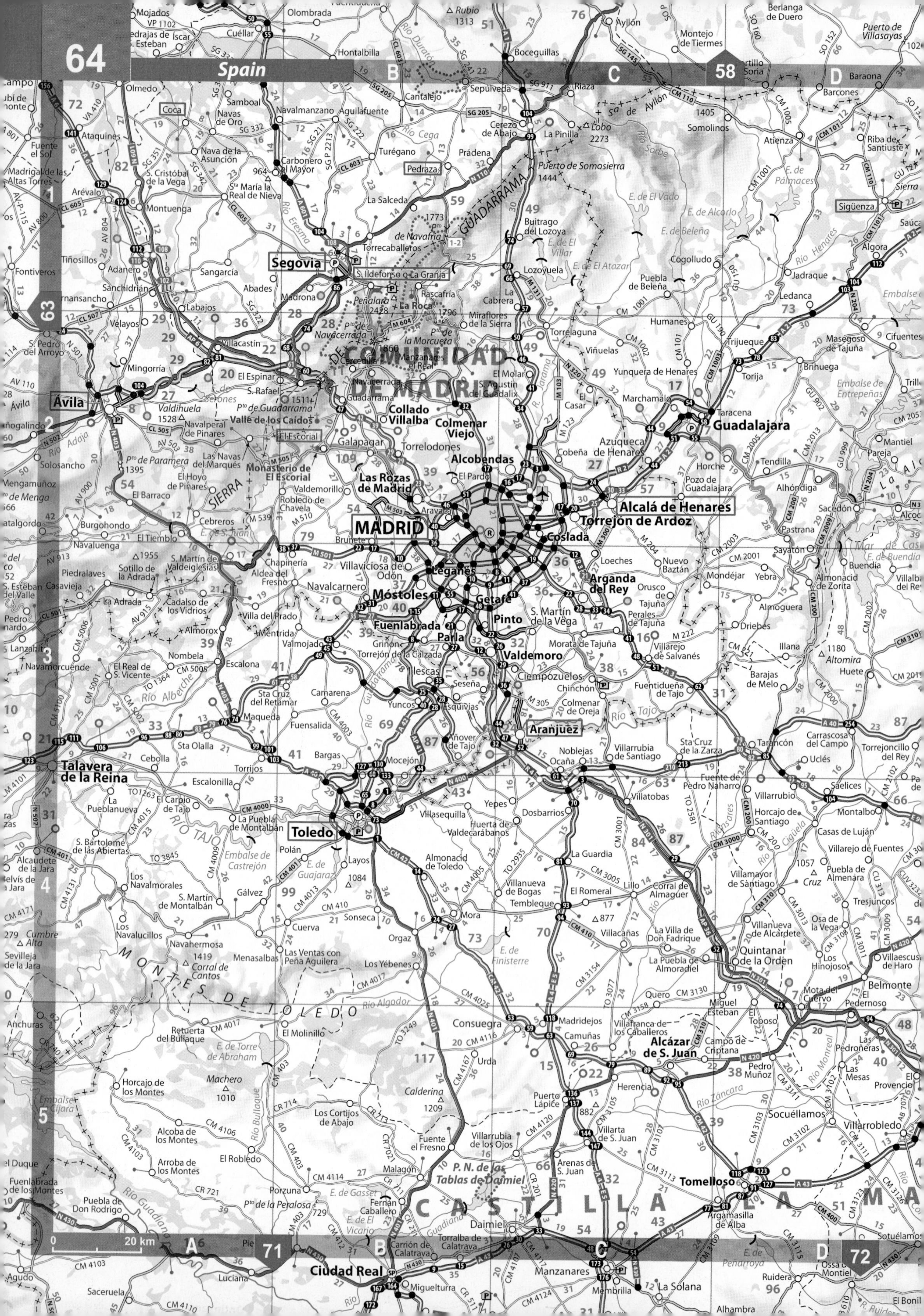
B
C
D
58
63
71
72
A
1
2
3
4
5
0 20 km
Segovia
Ávila
MADRID
Guadalajara
Alcalá de Henares
Torrejón de Ardoz
Coslada
Toledo
Talavera de la Reina
Aranjuez
Ciudad Real
Tomelloso
Alcázar de S. Juan
Sigüenza
Collado Villalba
Colmenar Viejo
Alcobendas
Las Rozas de Madrid
Leganés
Móstoles
Getafe
Fuenlabrada
Parla
Pinto
Valdemoro
Arganda del Rey
Villaviciosa de Odón
COMUNIDAD DE MADRID
CASTILLA LA MANCHA
MONTES DE TOLEDO
SIERRA DE GUADARRAMA
Valle de los Caídos
El Escorial
Monasterio de El Escorial
Pto de Guadarrama
Pto de Navacerrada
Pto de Somosierra
Puerto de Somosierra 1444
Peñalara 2428
Pedraza
Coca
S. Ildefonso o La Granja
Sa de Ayllón
Lobo 2273
P.N. de las Tablas de Daimiel
Río Tajo
Río Alberche
Río Guadiana
Río Henares
Embalse de Castrejón
Consuegra
Madridejos
Daimiel
Manzanares
Valdepeñas
Ocaña
Quintanar de la Orden
Villarrobledo
Socuéllamos
Belmonte
Tarancón
Chinchón
Illescas
Torrijos
Maqueda
Arévalo
Cuéllar
Sepúlveda
Ayllón
Atienza
Brihuega
Sacedón
Pastrana
Mora
Orgaz
Sonseca
Los Yébenes
Urda
Puerto Lápice
Herencia
Campo de Criptana
Pedro Muñoz
Malagón
Almagro
Miguelturra
La Solana
Membrilla
Argamasilla de Alba
Villacañas
Tembleque
La Guardia
Lillo
Corral de Almaguer
Villarrubia de Santiago
Fuente de Pedro Naharro
Horcajo de Santiago
Villamayor de Santiago
Mota del Cuervo
El Toboso
Miguel Esteban
Quero
Villafranca de los Caballeros
Camuñas
Navahermosa
Los Navalmorales
Puebla de Don Rodrigo
Fuenlabrada de los Montes
Horcajo de los Montes
Alcoba de los Montes
Arroba de los Montes
El Robledo
Porzuna
Fernán Caballero
Carrión de Calatrava
Torralba de Calatrava
Luciana
Piedrahita
Sotillo de la Adrada
La Adrada
Cadalso de los Vidrios
S. Martín de Valdeiglesias
Navalcarnero
Escalona
Almorox
Cebreros
El Tiemblo
Burgohondo
Las Navas del Marqués
Villacastín
El Espinar
Guadarrama
Navacerrada
Cercedilla
Manzanares el Real
Miraflores de la Sierra
Rascafría
Lozoyuela
Buitrago del Lozoya
Torrelaguna
El Molar
S. Agustín del Guadalix
El Casar
Azuqueca de Henares
Marchamalo
Yunquera de Henares
Humanes
Cogolludo
Jadraque
Trijueque
Torija
Horche
Pozo de Guadalajara
Loeches
Nuevo Baztán
Mondéjar
Orusco de Tajuña
Perales de Tajuña
Morata de Tajuña
Villarejo de Salvanés
Fuentidueña de Tajo
Colmenar de Oreja
Ciempozuelos
Seseña
Esquivias
Yuncos
Añover de Tajo
Mocejón
Bargas
Yepes
Noblejas
Villatobas
Dosbarrios
Huerta de Valdecarábanos
Almonacid de Toledo
Villasequilla
Polán
Gálvez
Cuerva
Menasalbas
Las Ventas con Peña Aguilera
La Puebla de Montalbán
Escalonilla
El Carpio de Tajo
Cebolla
Sta Olalla
Fuensalida
Camarena
Sta Cruz del Retamar
Nombela
El Real de S. Vicente
Navamorcuende
Pto de Menga
Solosancho
Adanero
Sanchidrián
Labajos
Sangarcía
Abades
Madrona
Turégano
Cantalejo
Carbonero el Mayor
Santa María la Real de Nieva
Navas de Oro
Nava de la Asunción
Ataquines
Madrigal de las Altas Torres
Fontiveros
Montuenga
Olmedo
Mojados
Olombrada
Hontalbilla
Boceguillas
Riaza
Montejo de Tiermes
Berlanga de Duero
Baraona
Barcones
Somolinos
Riba de Santiuste
Ledanca
Cifuentes
Masegoso de Tajuña
Trillo
Mantiel
Pareja
Alhóndiga
Tendilla
Sayatón
Almonacid de Zorita
Buendía
Driebes
Almoguera
Yebra
Illana
Barajas de Melo
Huete
Carrascosa del Campo
Torrejoncillo del Rey
Uclés
Saelices
Villarrubio
Montalbo
Casas de Luján
Villarejo de Fuentes
Puebla de Almenara
Osa de la Vega
Los Hinojosos
Villaescusa de Haro
Las Pedroñeras
Las Mesas
El Provencio
Tresjuncos
Villanueva de Alcardete
La Puebla de Almoradiel
La Villa de Don Fadrique
Villanueva de Bogas
El Romeral
Arenas de S. Juan
Villarta de S. Juan
Villarrubia de los Ojos
Fuente el Fresno
Los Cortijos de Abajo
Calderina 1209
Machero 1010
Corral de Cantos
El Molinillo
Retuerta del Bullaque
Anchuras
Sevilleja de la Jara
Alcaudete de la Jara
S. Bartolomé de las Abiertas
La Pueblanueva
Ossa de Montiel
Ruidera
Sotuélamos
Saceruela
Agudo
Alhambra

Calatayud
Ateca
Ariza
Cetina
Monteagudo de las Vicarías
Embid de Ariza
Paracuellos de Jiloca
Maluenda
Codos
Cariñena
Villanueva de Huerva
Fuendetodos
Belchite
Codo
Azaila
Sástago
Azuara
Pto de Paniza
Miedes de Aragón
Mainar
Herrera de los Navarros
Moyuela
Lécera
La Puebla de Híjar
Samper de Calanda
Híjar
Caspe
Alto del Portell
Sta María de Huerta
Arcos de Jalón
Jaraba
Nuévalos
Monasterio de Piedra
Campillo de Aragón
Puerto de Villafeliche
Daroca
Badules
Herrera
Albalate del Arzobispo
Alcañiz
Esteras de Medinaceli
Maranchón
Pto de Maranchón
Mazarete
Milmarcos
Cubel
Sta Cruz
Ferreruela de Huerva
Muniesa
Ariño
Oliete
Castelserás
Turmiel
Embid
Cillas
Burbáguena
Laguna de Gallocanta
Fonfría
Retuerta
Sierra de Cucalón
Segura de los Baños
Cortes de Aragón
Alloza
Andorra
Calanda
Riba de Saelices
Rillo de Gallo
Bello
Calamocha
Barrachina
Puerto Mínguez
Vivel del Río Martín
Obón
Alcorisa
Mas de las Matas
Aguaviva
Montalbán
Molinos
Castellar de la Muela
Baños
Caminreal
Utrillas
Ejulve
Castellote
Huertahernando
Corduente
Molina de Aragón
Monreal del Campo
Portalrubio
Sierra de S. Just
Mezquita de Jarque
Zaorejas
El Pobo de Dueñas
Ojos Negros
Rillo
Aliaga
Forcall
Olocau del Rey
Villanueva de Alcorón
Terzaga
Poveda de la Sierra
Tordesilos
Argente
Perales del Alfambra
Camarillas
Cañada de Benatanduz
Morella
Hoz de Beteta
Alustante
Ródenas
Torrelacárcel
Aguilar del Alfambra
Cantavieja
Cinctorres
Peralejos de las Truchas
Orihuela del Tremedal
Sta Eulalia
Palomera
Villarroya de los Pinares
Beteta
Orea
Pozondón
Alfambra
Escorihuela
Pto de Las Cabrillas
La Iglesuela del Cid
Mole d'Aro
Bronchales
Sta Alta
Villarquemado
Allepuz
Pto de Villarroya
Tarayuela
Priego
La Frontera
Noguera
Cella
Sierra de Gúdar
Cedrillas
Alcalá de la Selva
Valdelinares
Mosqueruela
Vilafranca
Benasal
S. Felipe
Montes Universales
Serranía de Cuenca
Albarracín
El Castellar
Peñarroya
Vistabella del Maestrazgo
Albalate de las Nogueras
Tragacete
Guadalaviar
Frías de Albarracín
Teruel
Puerto de Escandón
Linares de Mora
Cañaveras
Mogorrita
Terriente
Bezas
Mora de Rubielos
Penyagolosa
Atzeneta del Maestrat
Gargantas
Villalba de la Sierra
Huélamo
Valdemeca
Javalón
Villel
La Puebla de Valverde
Villar de Domingo García
Ciudad Encantada
Collado Bajo
El Cañigral
Rubielos de Mora
Port del Remolcador
Lucena del Cid
Les Useres
Sarrión
Vilafamés
Javalambre
Zucaina
Ludiente
L'Alcora
Borriol
Valdecabras
Cuenca
Torrebaja
Salvacañete
Ademuz
Manzanera
Montanejos
Fuentes de Ayódar
Puerto de Cabrejas
Cañete
Huérguina
Sierra de Javalambre
Torrijas
Barracas
Onda
El Cubillo
Sta Cruz de Moya
Abejuela
Caudiel
Vila-real/Villarreal
Landete
Aras de los Olmos
La Yesa
Cerro
Jérica
Serra d'Espadà
Altura
Segorbe
La Vall d'Uixó/Vall de Uxó
Nules
Carboneras de Guadazaón
Titaguas
Algar de Palancia
Entredichos
S. Lorenzo de la Parrilla
Valeria
Talayuelas
Garaballa
Alcublas
Villar del Arzobispo
Almenara
Aliaguilla
Sinarcas
Chelva
Sagunt/Sagunto
Olivares de Júcar
Almodóvar del Pinar
Cardenete
Mira
Casinos
Serra
Port de Sagunt
Valverde de Júcar
Buenache de Alarcón
Embalse de Alarcón
Enguídanos
La Pobla de Vallbona
Bétera
Puçol/Puzol
La Almarcha
Honrubia
Camporrobles
Pedralba
Llíria/Liria
Benaguasil
Massamagrell
Chera
E. de Contreras
Hierbas
Villargordo del Cabriel
Utiel
Vilamarxant
Burjassot/Burjasot
Sta María del Campo Rus
Campillo de Altobuey
Minglanilla
Cheste
Manises
VALENCIA
Motilla del Palancar
Alarcón
Requena
Chiva
El Grau de Valencia
La Alberca de Záncara
Villalpardo
Torrent
Buñol
Turís
El Saler
El Picazo
Iniesta
Picassent
Silla
Villanueva de la Jara
Sisante
Casas de Fernando Alonso
Casasimarro
Ledaña
Serra Martés
Montserrat
Sollana
Benifaió
El Perelló
Quintanar del Rey
Villatoya
Cofrentes
Villagarcía del Llano
Navas de Jorquera
Casas Ibáñez
Alborea
COMUNITAT VALENCIANA
Alginet
Sueca
Carlet
Algemesí
Cullera
Tarazona de la Mancha
Minaya
Millares
L'Alcúdia
Guadassuar
Alzira/Alcira
La Roda
Mahora
Alcalá del Júcar
Jarafuel
Carcaixent/Carcagente
Favara
Valdeganga
Casas de Juan Núñez
Caroch
Navarrés
Alberic
La Pobla Llarga
Tavernes de la Valldigna
La Gineta
Alatoz
Ayora
Xàtiva
Xeresa
Gandia
Barrax
Munera
Cueva de la Vieja
Molatón
Enguera
L'Alcúdia de Crespins
Quatretonda
ALBACETE
Chinchilla de Monte Aragón
Higueruela
Alpera
Canals
L'Olleria
Los Barreros
Lezuza
Balazote
Sta Ana
Mogente
Ontinyent
Albaida
Castelló de Rugat
Villalonga
Espagne
59
73
99

60
65
73
A
B
C
D
1
2
3
4
5
Beceite
Mas de Barberans
L'Aldea
Cap de Tortosa
Riumar
Deltebre
I. de Buda
Amposta
Benifassà
La Sénia
S. Carles de la Ràpita
Forcall
Morella
Riu Cérvol
Bel
Rossell
Ulldecona
Cinctorres
Xert
Traiguera
Alcanar
La Jana
El Maestrat
Mole d'Ares
1318
Sant Mateu
Càlig
Vinaròs
La Iglesuela del Cid
Tírig
Benicarló
Vilafranca
Benasal
Sta Magdalena de Pulpis
Peníscola/
Peñíscola
Albocàsser
La Torre d'En Besora
Les Coves de Vinromà
Alcalà de Xivert
Vistabella del Maestrazgo
Alcossebre
Vilanova d'Alcolea
Torreblanca
Atzeneta del Maestrat
Les Useres
Cabanes
Lucena del Cid
Vall d'Alba
Vilafamés
La Pobla Tornesa
Oropesa del Mar
L'Alcora
Borriol
Benicàssim
CASTELLÓ DE LA PLANA/
CASTELLÓN DE LA PLANA
El Grau de Castelló
Onda
Vila-real/
Villarreal
Almassora/
Almazora
els Columbrets
Serra d'Espadà
Borriana
La Vall d'Uixó/
Vall de Uxó
Nules
Moncofa
Algar de Palancia
Almenara
Sagunt/Sagunto
El Port de Sagunt
Puçol/Puzol
Massamagrell
Burjassot/Burjasot
VALENCIA
El Grau de Valencia
El Saler
Silla
L'Albufera
Sollana
El Perelló
Sueca
Cullera
Alzira/
Alcira
Favara
Tavernes de la Valldigna
Platja i Grau de Gandia
841
Xeresa
Daimús
Gandia
Piles
Oliva
Villalonga
Dénia/
Denia
El Montgó
752
Xàbia/Jávea
Cap de S. Antoni
Pego
Orba
Gata de Gorgos
Cap de la Nau
Muro de Alcoy
El Castell de Guadalest
Benissa
Moraira
Punta de Moraira
Penyal d'Ifac
1557
Aitana
Callosa d'En Sarrià
Calp
Altea
L'Alfàs del Pi/
Alfaz del Pi
Benidorm
La Vila Joiosa
El Campello
Sant Joan d'Alacant/
San Juan de Alicante
20 km
GOLF
DE
VALENCIA
Costa del Azahar
Costa Blanca
IBIZA
Cala de Portinatx
Sant Joan de Labritja
S. Miquel
Furnás
412
Sant Antoni de Portmany/
San Antonio Abad
Sta Eulalia del Río
Sant Josep de sa Talaia/San José
487
Talaiassa
Eivissa/Ibiza
I. Vedrà
Formentera
Sant Francesc de Formentera
es Caló
192

E
61
F
G
H
1
2
3
4
5
ILLES BALEARS
MALLORCA
MENORCA
Cap de Cavalleria
Fornells
Ciutadella de Menorca
es Mercadal
Monte Toro
358
Ferreries
Alaior
Maó/Mahón
Pta Esperó
Tamarinda
Cap d'Artrutx
Cala Sta Galdana
Cala en Porter
S. Lluís
Alcalfar
Illa de l'Aire
Cap de Formentor
Pollença
Port de Pollença
Alcúdia
Port d'Alcúdia
Sa Calobra
Puig Major
1445
Port de Sóller
Sóller
Deià
Valldemossa
Banyalbufar
Esporles
Inca
Sa Pobla
Sta Margalida
Artà
Cala Rajada
Coves d'Artà
315
Son Servera
Sencelles
Sineu
Petra
Manacor
Porto Cristo
Coves del Drach
Illa sa Dragonera
Andratx
Bellver
Port d'Andratx
Peguera
StaPonça
PALMA DE MALLORCA
Algaida
Montuïri
Llucmajor
Felanitx
Sant Salvador
510
S'Arenal
Campos
Calad'Or
Portopetro
Santanyí
Sa Ràpita
Colònia de S. Jordi
Cap Blanc
Cap de ses Salines
Illa de Cabrera
172
ISLAS CANARIAS
OCÉANO ATLÁNTICO
LANZAROTE
Haría
Teguise
Parque Nacional de Timanfaya
Arrecife
Playa Blanca
Corralejo
La Oliva
FUERTEVENTURA
Puerto del Rosario
Betancuria
Pájara
Tuineje
Gran Tarajal
807
Morro Jable
Pino de la Virgen
Barlovento
Los Sauces
Parque Nacional de la Caldera de Taburiente
Los Llanos de Aridane
Sta Cruz de la Palma
LA PALMA
Fuencaliente de la Palma
TENERIFE
La Orotava
La Laguna
Puerto de la Cruz
STA CRUZ DE TENERIFE
Icod de los Vinos
3718
Pico del Teide
Parque Nacional del Teide
Güímar
Guía de Isora
Los Cristianos
Granadilla de Abona
Vallehermoso
Hermigua
Garajonay
S. Sebastián de la Gomera
LA GOMERA
EL HIERRO
Valverde
Sabinosa
Puerto de la Estaca
1503
Arucas
Gáldar
Agaete
LAS PALMAS DE GRAN CANARIA
La Aldea de San Nicolás
1450
Cruz de Tejeda
Telde
GRAN CANARIA
Maspalomas
0
100 km
1/2 750 000

ESTREMADURA
RIBATEJO
ALENTEJO
ALGARVE
Atouguia da Baleia
Óbidos
Bombarral
Rio Maior
Golegã
Chamusca
Alcanhões
Alpiarça
Santarém
Almeirim
Cartaxo
Aveiras de Cima
Azambuja
Muge
Salvaterra de Magos
Benavente
Coruche
Couço
Rossio ao Sul do Tejo
Bemposta
Ponte de Sor
Galveias
Montargil
Mora
Tolosa
Alpalhão
Monte da Pedra
Flor da Rosa
Crato
Alter do Chão
Cabeço de Vide
Fronteira
Avis
Barragem do Maranhão
Casa Branca
Sousel
Pavia
Vimieiro
Estremoz
Évoramonte
Arraiolos
Barragem do Divor
Azaruja
Évora
São Miguel de Machede
Redondo
Montoito
Reguengos de Monsaraz
Monsaraz
Cadaval
Praia de Santa Cruz
Torres Vedras
Aldeia Gavinha
Alenquer
Carregado
Sobral de Monte Agraço
Sapataria
Arruda dos Vinhos
Vila Franca de Xira
Porto Alto
Alverca do Ribatejo
Ericeira
Mafra
Malveira
Lousa
Bucelas
Loures
Sintra
Colares
Cabo da Roca
Amadora
LISBOA
Sacavém
Malveira
Cascais
Estoril
Oeiras
Queluz
Almada
Trafaria
Costa da Caparica
Barreiro
Seixal
Moita
Montijo
Alcochete
Pinhal Novo
Coina
Palmela
Vila Fresca de Azeitão
Setúbal
Serra da Arrábida
Santana
Sesimbra
Cabo Espichel
Portinho
Peninsula de Tróia
Rio Sado
Canha
Taipadas
Cruzamento de Pegões
Vendas Novas
Montemor-o-Novo
Marateca
Santiago do Escoural
São Cristóvão
Bgem de Pago do Altar
Alcáçovas
Aguiar
Viana do Alentejo
São Manços
Portel
São Marcos do Campo
Alqueva
Bgem d'Alqueva
Comporta
Alcácer do Sal
Casa Branca
Torrão
Bgem do Alvito
Alvito
Melides
Costa de Sto André
Grândola
Sta Margarida do Sadão
Bgem de Odivelas
Odivelas
Cuba
Vidigueira
Moura
Pedrógão
São Matias
Vila Nova de Sto André
Azinheira dos Barros
Santiago do Cacém
Ferreira do Alentejo
Beringel
Beja
Baleizão
Brinches
Pias
Serpa
Vila Nova de São Bento
Cabo de Sines
Sines
Abela
Ermidas-Aldeia
Ervidel
Alvalade
São Domingos
Barragem do Roxo
Aljustrel
Albernoa
Vale de Açor
Tanganheira
Bgem de Campilhas
Cercal
Vila Nova de Milfontes
Sta Luzia
Garvão
Bgem de Monte da Rocha
Castro Verde
Alcaria Ruiva
Mértola
Mina de São Domingos
São Martinho das Amoreiras
Ourique
São João dos Caldeireiros
Odemira
São Teotónio
Bgem de Sta Clara
Sabóia
Santana da Serra
Almodôvar
RIO GUADIANA
Embalse del Chanza
Alcoutim
Sanlúcar de Guadiana
Odeceixe
Nave Redonda
São Marcos da Serra
Martim Longo
Serra do Caldeirão
Mú
Ameixial
Aljezur
Monchique
Serra de Monchique
Alfambra
Cachopo
Odeleite
Peralva
São Bartolomeu de Messines
Carrapateira
Porto de Lagos
Silves
Barranco Velho
Alcaria do Cume
Castro Marim
Ayamonte
Vila do Bispo
Lagos
Alvor
Praia da Rocha
Portimão
Carvoeiro
Algar Seco
Lagoa
Algoz
Alcantarilha
Armação de Pêra
Albufeira
Ferreiras
Paderne
Boliqueime
Loulé
S. Brás de Alportel
Sta Catarina
Vila Real de Sto António
Cacela Velha
Tavira
Moncarapacho
Estoi
Almancil
Quarteira
São Lourenço
Olhão
Fuseta
Faro
Cabo de Sta. Maria
Cabo de São Vicente
Sagres
Ponta de Sagres
MADEIRA
ILHA DO PORTO SANTO
Vila Baleia
OCÉANO ATLÁNTICO
Porto Moniz
Santana
Ribeira Brava
Funchal
ARQUIPÉLAGO DA MADEIRA
ILHA DA MADEIRA
Desertas
0 50 km
1/2 750 000
0 20 km
A
B
C
D
1
2
3
4
5
62

EXTREMADURA
BADAJOZ
Mérida
Almendralejo
Zafra
Don Benito
Villanueva de la Serena
Medellín
Montijo
Elvas
Olivenza
Alburquerque
Jerez de los Caballeros
Fregenal de la Sierra
Llerena
Azuaga
Fuente Obejuna
Aracena
Cortegana
Valverde del Camino
HUELVA
SEVILLA
La Rinconada
Carmona
Alcalá de Guadaíra
Dos Hermanas
Utrera
Écija
Marchena
Osuna
Lora del Río
Palma del Río
Constantina
Cazalla de la Sierra
Almonte
Moguer
Lepe
Cartaya
Punta Umbría
Mazagón
Matalascañas
Las Marismas del Odiel
Parque nacional
GOLFO DE
Sierra de Aracena
Sierra Norte de Sevilla
Sierra de Hornachuelos
Río Guadiana
GUADALQUIVIR
E
F
G
63
74
70

63
64
69
74
TOLEDO
EXTREMADURA
CASTILLA
ANDALUCÍA
Guadalupe
Berzocana
Garciaz
Alía
Anchuras
Retuerta del Bullaque
El Molinillo
Consuegra
Urda
Logrosán
Castilblanco
Horcajo de los Montes
Machero
Calderina
Sta Cruz de la Sierra
Zorita
Valdecaballeros
Embalse de Cíjara
Alcoba de los Montes
El Robledo
Los Cortijos de Abajo
Fuente el Fresno
Villarrubia de los Ojos
Escurial
Miajadas
Madrigalejo
Navalvillar de Pela
Herrera del Duque
Fuenlabrada de los Montes
Arroba de los Montes
Malagón
P. N. de las Tablas de Daimiel
Puebla de Don Rodrigo
Porzuna
Fernán Caballero
Daimiel
Casas de Don Pedro
Orellana de la Sierra
Talarrubias
Pto de los Carneros
Pto de la Peralosa
Piedrabuena
Carrión de Calatrava
Torralba de Calatrava
Villanueva de la Serena
Orellana la Vieja
Embalse de Orellana
Puebla de Alcocer
Siruela
Agudo
Luciana
Ciudad Real
Miguelturra
Don Benito
La Coronada
Saceruela
Magacela
Campanario
Embalse de la Serena
Abenójar
Caracuel de Calatrava
Pozuelo de Calatrava
Almagro
Almadén
Quintana
Castuera
Benquerencia de la Serena
Valle de la Serena
Cabeza del Buey
Alamillo
Almadenejos
Argamasilla de Calatrava
Almodóvar del Campo
Puertollano
Aldea del Rey
Calzada de Calatrava
Convento de Calatrava
Higuera de la Serena
Zalamea de la Serena
Helechal
Brazatortas
Monterrubio de la Serena
Belalcázar
Sta Eufemia
Judío
Villanueva de S. Carlos
Atalaya de la Calzada
Mestanza
Pto de Niefla
Campillo de Llerena
Peraleda del Zaucejo
Hinojosa del Duque
El Viso
Torrecampo
Pto de Valderrepisa
Solana del Pino
Viso del Marqués
S. Lorenzo de Calatrava
La Granjuela
Villanueva del Duque
Alcaracejos
Pozoblanco
Conquista
Fuencaliente
Bañuela
Sa Madrona
Estrella
El Centenillo
Granja de Torrehermosa
Peñarroya-Pueblonuevo
Villanueva de Córdoba
Azuel
La Carolina
Berlanga
Azuaga
Fuente Obejuna
Bélmez
E. de Sierra Boyera
Cardeña
E. del Jándula
Ojuelos
Villanueva del Rey
Espiel
Chimorra
Villaharta
Sa de Cardeña y Montoro
Virgen de la Cabeza
Baños de la Encina
Guarromán
Erillas
Obejo
Las Viñas
Bailén
Alanís
Villaviciosa de Córdoba
E. del Guadalmellato
Adamuz
Montoro
Marmolejo
Andújar
Espelúy
S. Nicolás del Puerto
Embalse de Bembézar
E. de S. Rafael de Navallana
Alcolea
Pedro Abad
Villa del Río
Lopera
Villanueva de la Reina
Lahiguera
Mengíbar
Las Navas de la Concepción
Sa de Hornachuelos
Medina Azahara
CÓRDOBA
El Carpio
Bujalance
Arjona
Constantina
El Pedroso
Hornachuelos
Almodóvar del Río
Posadas
Cañete de las Torres
Porcuna
Fuerte del Rey
La Puebla de los Infantes
Villanueva del Río y Minas
Peñaflor
Fuente Palmera
Fernán Núñez
Espejo
Castro del Río
Torredonjimeno
Torre del Campo
Jaén
Martos
La Guardia de Jaén
Los Villares
Lora del Río
Palma del Río
Aldea Quintana
La Carlota
Montemayor
Nueva Carteya
Baena
E. de Vadomojón
Fuensanta de Martos
Tocina
Alcolea del Río
La Rambla
Alcaudete
Valdepeñas de Jaén
Brenes
La Campana
La Luisiana
Écija
Santaella
Montilla
Doña Mencía
Luque
Castillo de Locubín
Campillo de Arenas
Carmona
Fuentes de Andalucía
Aguilar
Cabra
Priego de Córdoba
Alcalá la Real
Pto del Castillo
Frailes
Benalúa de las Villas
El Viso del Alcor
Mairena del Alcor
Lantejuela
El Rubio
Puente Genil
Lucena
Carcabuey
Almedinilla
Colomera
Moclín
Alcalá de Guadaira
Dos Hermanas
Marchena
Paradas
Arahal
Herrera
E. de Cordobilla
Badolatosa
Rute
Algarinejo
Montefrío
Parapanda
Pinos Puente
Illora
Osuna
Estepa
Casariche
Benamejí
Iznájar
Embalse de Iznájar
Utrera
La Puebla de Cazalla
Aguadulce
Pedrera
La Roda de Andalucía
Cuevas de S. Marcos
Huétor Tájar
Loja
Alameda
Villanueva de Algaidas
Moraleda de Zafayona
Sta Fe
Armilla
Morón de la Frontera
Puerto de la Encina
Sierra de Yeguas
Fuente de Piedra
Mollina
Estación de Salinas
Salar
Ventas de Huelma
Pto del Suspiro del Moro
El Saucejo
Martín de la Jara
Campillos
Archidona
Antequera
Villanueva del Trabuco
Alhama de Granada
Montellano
Pruna
Almargen
20 km

Alcázar de S. Juan
Campo de Criptana
El Toboso
Villafranca de los Caballeros
Camuñas
Herencia
Villarta de S. Juan
Pedroñeras
Las Mesas
S. Clemente
El Provencio
Casas de Fernando Alonso
Sisante
El Picazo
Iniesta
Villanueva de la Jara
Quintanar del Rey
Villagarcía del Llano
Tarazona de la Mancha
Navas de Jorquera
Casas Ibáñez
Alborea
Alcalá del Júcar
Mahora
Socuéllamos
Villarrobledo
Minaya
La Roda
Tomelloso
Argamasilla de Alba
MANCHA
Sotuélamos
Munera
Barrax
La Gineta
Valdeganga
Casas de Juan Núñez
Alatoz
Cueva de la Vieja
Molatón
ALBACETE
Chinchilla de Monte Aragón
Higueruela
Alpera
Membrilla
La Solana
Ruidera
Ossa de Montiel
Los Barreros
El Bonillo
Lezuza
Balazote
Sta Ana
El Salobral
Pozo Cañada
Pétrola
Bonete
Montealegre del Castillo
Villanueva de Franco
S. Carlos del Valle
Alhambra
Valdepeñas
Villahermosa
Villanueva de los Infantes
Montiel
Viveros
Robledo
S. Pedro
Pozuelo
Peñas de S. Pedro
Pozohondo
Fuente Álamo
Villanueva de la Fuente
Alcaraz
Peñascosa
Alcadozo
Tobarra
Ontur
Albatana
Jumilla
Torrenueva
Albaladejo
Torre de Juan Abad
Almenaras
Fábricas de Riópar
Bogarra
Ayna
Liétor
Hellín
Villamanrique
Castellar de Santiago
Almuradiel
Sierra de Alcaraz
Molinicos
Elche de la Sierra
Cancarix
Casas del Puerto
Yeste
Letur
Socovos
Las Minas
Siles
Puente de Génave
Orcera
La Puerta de Segura
Arguellite
Segura de la Sierra
Arroyo del Ojanco
Castellar de Santisteban
Santisteban del Puerto
Beas de Segura
Cortijos Nuevos
Yelmo
Hornos
Calasparra
Cieza
Moratalla
Blanca
Arquillos
Navas de S. Juan
Villanueva del Arzobispo
Casicas del Río Segura
Nerpio
REGIÓN DE MURCIA
Caravaca de la Cruz
Cehegín
Archena
Villacarrillo
Pontones
Santiago de la Espada
Sierra de Taibilla
Revolcadores
Barranda
Bullas
Mula
Molina de Segura
Sabiote
Mogón
Torreperogil
Úbeda
Sierra de Cazorla
Blanquilla
Sierra de Segura
El Moral
Pliego
Alcantarilla
La Losa
Puebla de Don Fadrique
Peal de Becerro
Cazorla
Quesada
Pto de las Palomas
Sierra de Castril
Sierra de la Sagra
Zarcilla de Ramos
La Paca
Alhama de Murcia
Librilla
Cabañas
Pto de Tiscar
Bedmar
Jódar
Huesa
Castril
Huéscar
Casas Nuevas
Aledo
Totana
Cabra del Sto Cristo
Hinojares
Pozo Alcón
Castilléjar
Galera
Orce
María
Vélez Blanco
Baños de la Fuensanta
Lorca
Fuente Álamo de Murcia
Mazarrón
Sierra de la Almenara
Sierra Mágina
Huelma
Cuevas del Campo
Cortes de Baza
Benamaurel
Cúllar Baza
Vélez Rubio
Chirivel
Puerto Lumbreras
Alicún de Ortega
Guadahortuna
Villanueva de las Torres
Zújar
Las Vertientes
Mencal
Baza
Caniles
Lúcar
Oria
Sta María de Nieva
Pozo Higuera
Cope
Cabo Cope
Águilas
Golfo de Mazarrón
Moreda
Huélago
Benalúa de Guadix
Gor
Sta Bárbara
Purchena
Albox
Huércal Overa
Pulpí
S. Juan de los Terreros
Diezma
Purullena
Guadix
Serón
Tíjola
Olula del Río
Cantoria
Macael
Albánchez
Cuevas del Almanzora
Los Lobos
Vera
Antas
Villaricos
Alcudia de Guadix
Huétor Santillán
GRANADA
Tetica
Sierra de los Filabres
Calar Alto
Tahal
Lubrín
Los Gallardos
Garrucha
Escullar
La Calahorra
Fiñana
Uleila del Campo
Turre
Mojácar
Horcajo de Trevélez
Puerto de la Ragua
Abla
Doña María Ocaña
Sorbas
Lucainena de las Torres
Pico Veleta
Mulhacén
SIERRA NEVADA
Laroles
Ohanes
Alboloduy
Tabernas
Sierra Alhamilla
Carboneras
Láujar de Andarax
Canjáyar
Trevélez
Ugíjar
Illar
Gádor
Dúrcal

LA MANCHA
Tomelloso
Manzanares
Membrilla
La Solana
Villanueva de Franco
Moral de Calatrava
Valdepeñas
Sta Cruz Mudela
Torrenueva
Almuradiel
Sta Elena
Ruidera
Ossa de Montiel
Alhambra
S. Carlos del Valle
Villahermosa
Villanueva de los Infantes
Montiel
Villanueva de la Fuente
Albaladejo
Torre de Juan Abad
Castellar de Santiago
Villamanrique
Sotuélamos
Munera
Los Barreros
El Bonillo
Lezuza
Barrax
La Gineta
ALBACETE
Chinchilla de Monte Aragón
Valdeganga
Casas de Juan Núñez
Alatoz
Molatón
Higueruela
Alpera
Balazote
Sta Ana
El Salobral
Pozo Cañada
Bonete
Pétrola
Montealegre del Castillo
S. Pedro
Pozuelo
Robledo
Viveros
Roble
Peñas de S. Pedro
Pozohondo
Alcadozo
Peñascosa
Alcaraz
Sierra de Alcaraz
Bogarra
Ayna
Liétor
Tobarra
Albatana
Ontur
Fuente Álamo
Hellín
Jumilla
Sierra de Almenaras
Fábricas de Riópar
Molinicos
Elche de la Sierra
E. de Talave
Cancarix
Casas del Puerto
Yeste
Letur
Socovos
Las Minas
E. del Cenajo
E. de Camarillas
Cieza
Calasparra
Blanca
Archena
Moratalla
Caravaca de la Cruz
Cehegín
REGIÓN DE MURCIA
Bullas
Mula
Pliego
Molina de Segura
Alcantarilla
Alhama de Murcia
Librilla
Totana
Aledo
Lorca
Mazarrón
Puerto de Mazarrón
Águilas
Cope
Cabo Cope
Puerto Lumbreras
Pozo Higuera
Pulpí
Huércal Overa
Nerpio
Sierra de Taibilla
Revolcadores
Barranda
El Moral
Puebla de Don Fadrique
Huéscar
Sierra de la Sagra
La Losa
Castril
Sierra de Castril
Castilléjar
Galera
Orce
María
Vélez Blanco
Vélez Rubio
Baños de la Fuensanta
Chirivel
Cúllar Baza
Las Vertientes
Benamaurel
Zújar
Baza
Caniles
Sta Bárbara
Serón
Tíjola
Purchena
Olula del Río
Macael
Cantoria
Albox
Oria
Lúcar
Sierra de los Filabres
Tahal
Calar Alto
Siles
Orcera
La Puerta de Segura
Segura de la Sierra
Puente de Génave
Arroyo del Ojanco
Beas de Segura
Cortijos Nuevos
Hornos
Yelmo
Casicas del Río Segura
Santiago de la Espada
Pontones
Sierra de Segura
Sierra de Cazorla
Villacarrillo
Villanueva del Arzobispo
Castellar de Santisteban
Santisteban del Puerto
Navas de S. Juan
Arquillos
Vilches
Sabiote
Torreperogil
Úbeda
Baeza
Mogón
Sto Tomé
Peal de Becerro
Cazorla
Quesada
Pto de Tíscar
Cabañas
Huesa
Pozo Alcón
Hinojares
Cuevas del Campo
Bedmar
Jódar
Jimena
Sierra Mágina
Cabra del Sto Cristo
Huelma
Cambil
Alicún de Ortega
Guadahortuna
Villanueva de las Torres
Mencal
Moreda
Huélago
Iznalloz
Diezma
Benalúa de Guadix
Gor
Guadix
Purullena
Puerto de la Mora
Alcudia de Guadix
Huétor Santillán
GRANADA
La Calahorra
Fiñana
Abla
Doña María Ocaña
Gérgal
Puerto de la Ragua
Horcajo de Trevélez
Mulhacén
Pico Veleta
SIERRA NEVADA
Laroles
Láujar de Andarax
Ohanes
Alboloduy
Canjáyar
Ugíjar
Trevélez
Capileira
Cádiar
Dúrcal
Lanjarón
Órgiva
Las Alpujarras
Alhama de Almería
Benahadux
Gádor
Berja
Sierra de Gádor
Dalías
El Ejido
Aguadulce
Roquetas de Mar
Almerimar
Balerma
Adra
La Rábita
Albuñol
Castell de Ferro
Calahonda
Motril
Cabo Sacratif
Tabernas
Sierra Alhamilla
Lucainena de las Torres
Sorbas
Níjar
S. Isidro
Las Negras
Punta de la Polacra
Carboneras
La Mesa Roldán
Mojácar
Turre
Garrucha
Los Gallardos
Vera
Antas
Villaricos
Cuevas del Almanzora
Los Lobos
S. Juan de los Terreros
Lubrín
Uleila del Campo
Albánchez
Cabo de Gata
S. José
Punta del Sabinal
ALMERÍA
0 20 km

Jaraiuel
Caroch
Navarres
Alberic
Carcaixent/
Carcagente
La Pobla
Llarga
Tavernes de la Valldigna
Platja i Grau de Gandia
Xàtiva
Gandia
Xeresa
Daimús
Piles
Oliva
Enguera
Quatretonda
L'Alcúdia
de Crespins
Canals
L'Olleria
Villalonga
Mogente
Albaida
Castelló
de Rugat
Pego
Ondara
Dénia/
Denia
El Montgó
Xàbia/Jávea
Cap de S. Antoni
Ontinyent/
Onteniente
Puerto
d'Albaida
Muro de Alcoy
Orba
Gata de
Gorgos
Cap de la Nau
La Font de
la Figuera
Bocairent
Cocentaina
El Castell de
Guadalest
Benissa
Moraira
Punta de Moraira
Banyeres
de Mariola
Caudete
Río Vinalopó
Alcoi/Alcoy
Aitana
Penyal d'Ilfac
Calp
Callosa d'En Sarrià
Villena
Biar
Ibi
Port de la
Carrasqueta
Altea
L'Alfàs del Pi/
Alfaz del Pi
Castalla
Xixona
Coves dels
Canelobres
Benidorm
Sax
S. Vicente
del Raspeig
La Vila
Joiosa
Elda
Petrer/
Petrel
Monóvar
Agost
El Campello/
Campello
Sant Joan d'Alacant/
San Juan de Alicante
El Pinós
Novelda
Aspe/Asp
ALACANT/ALICANTE
El Fondó
de les Neus
Torrellano
Crevillent/
Crevillente
ELX/ELCHE
Abanilla
Sta Pola
Albatera
Catral
Illa de Tabarca
Dolores
Callosa
de Segura
Guardamar
del Segura
Almoradí
Rojales/Rojals
Orihuela/
Oriola
Costa Blanca
S. Miguel
de Salinas
Torrevieja
MURCIA
Cresta del
Gallo
Sucina
S. Pedro del Pinatar
Balsicas
S. Javier
Santiago de la Ribera
Los Alcázares
Torre-
Pacheco
Albujón
Mar
Menor
La Manga
del Mar Menor
El Algar
La Manga del Mar Menor
Cabo de Palos
Los Dolores
La Unión
Portman
CARTAGENA
Escombreras
La Azohía
Cabo Tiñoso
I. Vedrà
E
F
G
H
1
2
3
4
5
66
99

SEVILLA
CÓRDO
JEREZ DE LA FRONTERA
CÁDIZ
El Puerto de Sta María
S.Fernando
Chiclana de la Frontera
Sanlúcar de Barrameda
Chipiona
Rota
Dos Hermanas
Alcalá de Guadaíra
Utrera
Carmona
Écija
Osuna
Marchena
Morón de la Frontera
Arcos de la Frontera
Ronda
Antequera
MARBELLA
Estepona
Mijas
Algeciras
Gibraltar
La Línea de la Concepción
Tarifa
Medina-Sidonia
Vejer de la Frontera
Conil de la Frontera
Barbate
Zahara de los Atunes
Cabo de Trafalgar
Matalascañas
Almonte
Moguer
Parque nacional de Doñana
ESTRECHO DE GIBRALTAR
TANGER
Ceuta
TÉTOUAN
Port Tanger Med
Cabo Spartel
Cotta
COSTA
Costa de la Luz
GOLFO DE CÁDIZ
0 20 km
A B C D
1 2 3 4 5

Montoro
Marmolejo
Villanueva de la Reina
Mengíbar
Baeza
Úbeda
Torreperogil
Pedro Abad
Villa del Río
Lopera
Bujalance
Cañete de las Torres
Porcuna
Fuerte del Rey
Bedmar
Jimena
Jódar
Peal de Becerro
Cazorla
Quesada
Pto de Tiscar
1185
Cabañas
2028
Huéscar
Castril
ANDALUCÍA
Torredonjimeno
Torre del Campo
Jaén
La Guardia de Jaén
Mancha Real
Pegalajar
Sierra Mágina
2167
Cabra del Sto Cristo
Huesa
Hinojares
Pozo Alcón
Castilléjar
Galera
Orce
Castro del Río
Martos
E. de Vadomojon
Los Villares
Fuensanta de Martos
Cambil
Cortes de Baza
Cuevas del Campo
E. del Negratín
Benamaurel
Cúllar Baza
Las Vertientes
Nueva Carteya
Baena
Alcaudete
Valdepeñas de Jaén
1872
Huelma
Alicún de Ortega
Doña Mencía
Luque
Campillo de Arenas
Montejícar
Guadahortuna
Villanueva de las Torres
Zújar
Mencal
1447
Castillo de Locubín
Pto del Castillo
940
Cabra
Priego de Córdoba
Alcalá la Real
Frailes
Benalúa de las Villas
Moreda
Baza
Caniles
Lúcar
1722
Carcabuey
Almedinilla
Huélago
Benalúa de Guadix
Purchena
Lucena
Colomera
Moclín
Iznalloz
Diezma
S. Bárbara
2217
Gor
Sierra de Baza
Serón
Tíjola
Olula del Río
Macael
1570
Rute
Algarinejo
Montefrío
Parapanda
1601
Illora
Pinos Puente
Puerto de la Mora
1390
Purullena
Guadix
Alcudia de Guadix
Tetica
2080
Sierra de los Filabres
Cuevas de S. Marcos
Iznájar
Embalse de Iznájar
Huétor Tájar
Albolote
Huétor Santillán
GRANADA
La Calahorra
Calar Alto
2168
Escullar
Fiñana
Villanueva de Algaidas
Loja
Sta Fe
Moraleda de Zafayona
Armilla
Río Genil
Horcajo de Trevélez
3182
Puerto de la Ragua
1993
2609
Abla
Doña María Ocaña
Gérgal
Estación de Salinas
Salar
Sierra Nevada (Pradollano)
Archidona
Ventas de Huelma
Pto del Suspiro del Moro
865
Pico Veleta
3394
Mulhacén
3482
SIERRA NEVADA
Ohanes
Alboloduy
Lucainena de las Torres
Tabernas
Padul
Laroles
Laujar de Andarax
Villanueva del Trabuco
Alhama de Granada
E. Bermejales
Dúrcal
Trevélez
Canjáyar
Río Andarax
Illar
Sierra Alhamilla
1387
Níjar
Pto de las Pedrizas
Zafarraya
Capileira
4132
Ugíjar
Gádor
Riogordo
Lanjarón
Cádiar
Alhama de Almería
Benahadux
Periana
Colmenar
Sa de Tejeda
2065
Sierra de Almijara
1832
Bézmar
Órgiva
Las Alpujarras
Benínar
Morrón
2236
Sierra de Gádor
Berja
Vélez de Benaudalla
Benamargosa
Vélez-Málaga
Cómpeta
Navachica
1280
Sierra de la Contraviesa
Dalías
Pto del León
960
Almáchar
Algarrobo
Torrox
Frigiliana
Otívar
Pto Haza del Lino
Albuñol
El Ejido
Aguadulce
ALMERÍA
Punta del Río
El Alquián
Cabo de Gata
Rincón de la Victoria
Motril
Torre del Mar
Nerja
La Herradura
Almuñécar
Salobreña
Castell de Ferro
La Rábita
Adra
Balanegra
Balerma
Los Baños de Guardias Viejas
Almerimar
Roquetas de Mar
MÁLAGA
Cabo Sacratif
Calahonda
Torremolinos
Benalmádena
Benalmádena-Costa
COSTA DEL SOL
Isla del Alborán
E
F
G
H
1
2
3
4
5
70
72

B
C
D
1
2
3
4
5
37
76-77
PAYS-BAS
NETHERLANDS
AMSTERDAM
Rotterdam
BRUXELLES/BRUSSEL
BELGIQUE
BELGIUM
LUXEMBOURG
78-79
M E R D U N O R D
Nationaal Park Duinen Van Texel
De Koog
Den Burg
Den Helder
Schagen
Bergen
Bergen aan Zee
Egmond aan Zee
Alkmaar
Purmerend
Beverwijk
IJmuiden
Bloemendaal
Zaanstad
Wormerveer
HAARLEM
Zandvoort
Heemstede
Amstelveen
Hillegom
Keukenhof
Noordwijk aan Zee
Lisse
Sassenheim
Aalsmeer
Uithoorn
Katwijk aan Zee
Wassenaar
Museum Beelden aan Zee
Scheveningen
Leiden
Alphen a/d Rijn
UTRECH
DEN HAAG ('S-GRAVENHAGE)
Voorschoten
Zoetermeer
Bodegraven
Woerden
Boskoop
Hoek van Holland
Europoort
Delft
Gouda
Schoonhoven
Schiedam
Maassluis
Brielle
Krimpen
ROTTERDAM
Kinderdijk
Haringvlietdam
Goeree
Ouddorp
Vlaardingen
Spijkenisse
Hellevoetsluis
Beijerland
Zwijndrecht
Dordrecht
Sliedrecht
Gorinche
Haamstede
Schouwen Duiveland
Middelharnis
Overflakkee
's-Gravendeel
Willemstad
Biesbosch
Geertruidenberg
Zierikzee
Oosterhout
Dongen
Domburg
Walcheren
Nationaal Park
Stavenisse
Steenbergen
Oudenbosch
Etten-Leur
Middelburg
Goes
Oosterschelde
Tholen
Breda
Vlissingen
Zd Beveland
Halsteren
Bergen op Zoom
Roosendaal
Zundert
Gilze
Goirle
Zeebrugge
Kruiningen
0
20 km
A
78

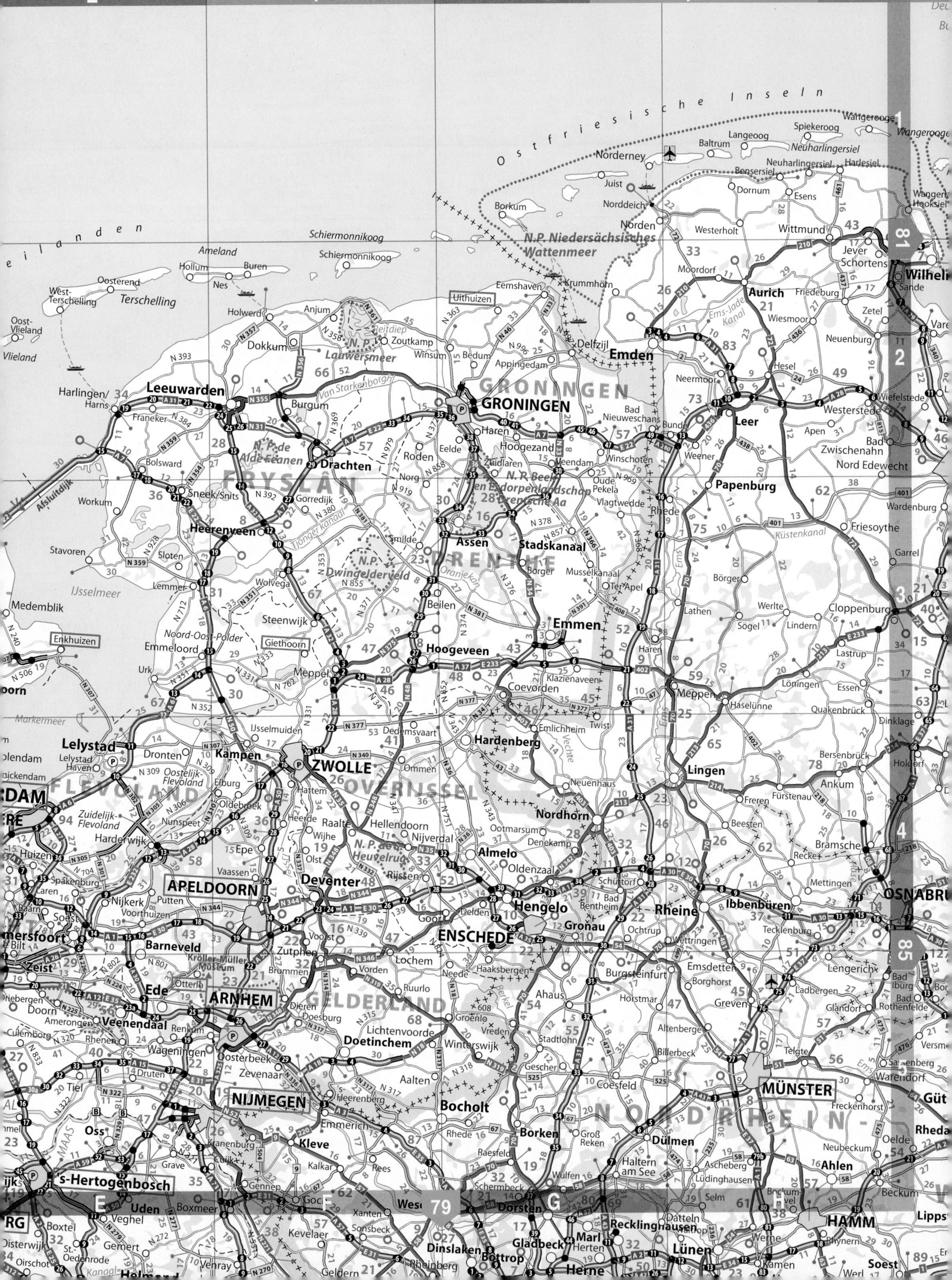
Ostfriesische Inseln
Waddeneilanden
Vlieland
Terschelling
Ameland
Schiermonnikoog
Borkum
Juist
Norderney
Baltrum
Langeoog
Spiekeroog
Wangerooge
N.P. Niedersächsisches Wattenmeer
IJsselmeer
Markermeer
Afsluitdijk
FRYSLÂN
GRONINGEN
DRENTHE
OVERIJSSEL
FLEVOLAND
GELDERLAND
NORDRHEIN-
Leeuwarden
Harlingen/Harns
Franeker
Dokkum
Drachten
Sneek/Snits
Heerenveen
Bolsward
Workum
Stavoren
Lemmer
Wolvega
Medemblik
Enkhuizen
Urk
Emmeloord
Lelystad
Dronten
Kampen
ZWOLLE
Meppel
Steenwijk
Giethoorn
Hoogeveen
Assen
Smilde
Beilen
Emmen
Stadskanaal
Veendam
Hoogezand
Haren
GRONINGEN
Delfzijl
Appingedam
Eemshaven
Uithuizen
Winsum
Zoutkamp
Lauwersmeer
Roden
Gorredijk
Coevorden
Hardenberg
Ommen
Raalte
Hellendoorn
Nijverdal
Almelo
Oldenzaal
Hengelo
ENSCHEDE
Deventer
APELDOORN
Harderwijk
Nijkerk
Amersfoort
Barneveld
Ede
ARNHEM
Veenendaal
Wageningen
Zutphen
Lochem
Doetinchem
Winterswijk
NIJMEGEN
Tiel
Oss
's-Hertogenbosch
Uden
Veghel
Boxmeer
Kleve
Emmerich
Bocholt
Borken
Dülmen
Coesfeld
Ahaus
Gronau
Rheine
Ibbenbüren
Nordhorn
Lingen
Meppen
Papenburg
Leer
Emden
Aurich
Norden
Wittmund
Jever
Wilhelmshaven
Cloppenburg
OSNABRÜCK
MÜNSTER
HAMM
Recklinghausen
Dorsten
Bottrop
Dinslaken
Wesel
Lünen
Herne
Soest
Ahlen
Emsdetten
Greven
Telgte
Warendorf
Lengerich
Tecklenburg
Bramsche
Quakenbrück
Löningen
Haselünne
Friesoythe
Westerstede
Nord Edewecht
Bad Zwischenahn
Küstenkanal

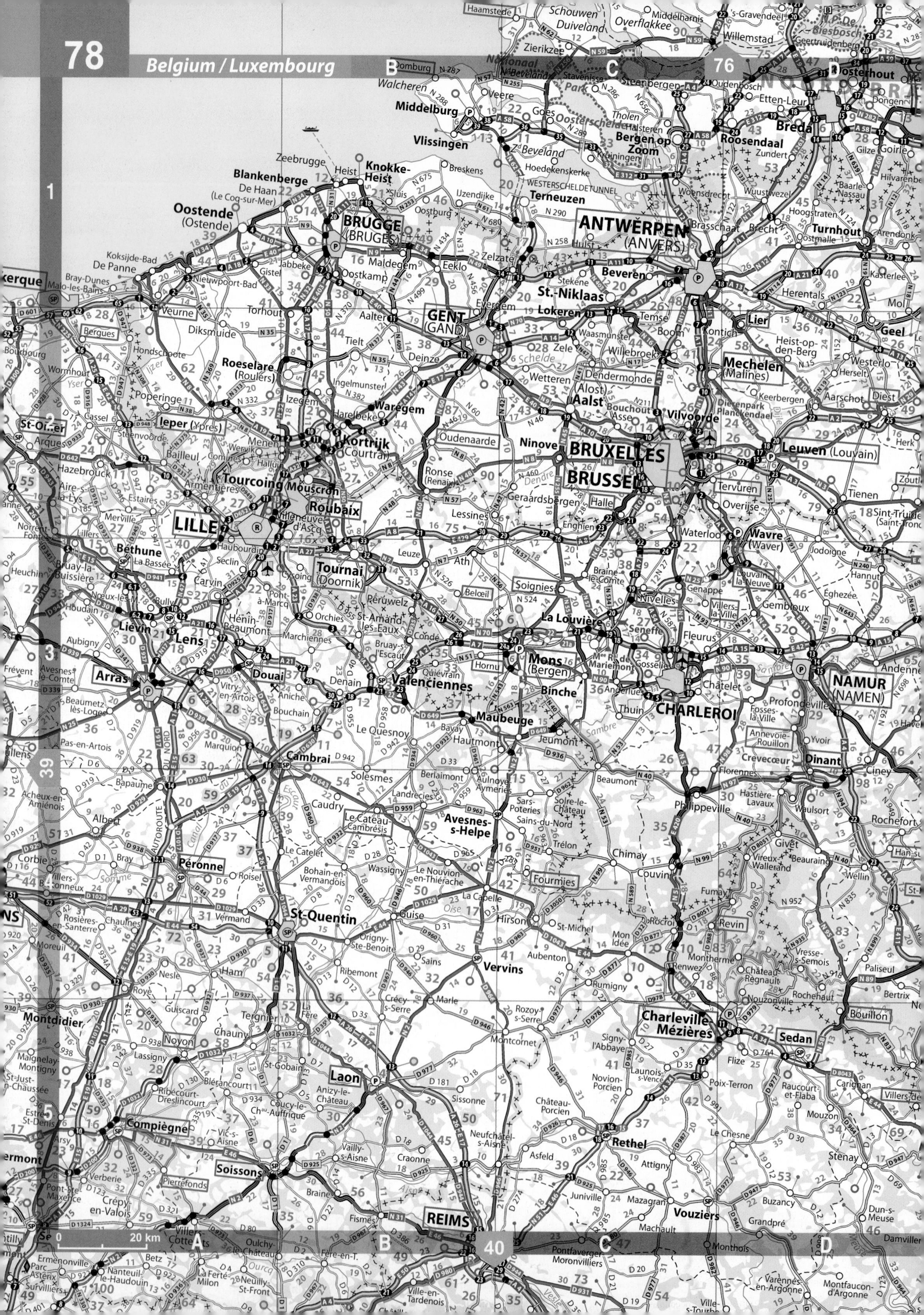

Oostende (Ostende)
Brugge (Bruges)
Blankenberge
Knokke-Heist
Zeebrugge
Middelburg
Vlissingen
Terneuzen
Antwerpen (Anvers)
Breda
Roosendaal
Bergen op Zoom
Turnhout
Gent (Gand)
St.-Niklaas
Lokeren
Mechelen (Malines)
Lier
Aalst (Alost)
Vilvoorde
Bruxelles Brussel
Leuven (Louvain)
Roeselare (Roulers)
Ieper (Ypres)
Kortrijk (Courtrai)
Waregem
Oudenaarde
Ninove
Tourcoing
Mouscron
Roubaix
Lille
Tournai (Doornik)
Valenciennes
Mons (Bergen)
La Louvière
Charleroi
Namur (Namen)
Wavre (Waver)
Dinant
Maubeuge
Avesnes-s-Helpe
Cambrai
Arras
Lens
Douai
Béthune
St-Omer
Péronne
St-Quentin
Laon
Vervins
Charleville Mézières
Sedan
Bouillon
Rethel
Soissons
Reims
Compiègne
Noyon
Montdidier
Vouziers
0 20 km

's-Hertogenbosch
Eindhoven
Helmond
Venlo
Roermond
Sittard
Heerlen
Maastricht
Hasselt
Genk
Liège (Luik)
Verviers
Spa
Aachen
Mönchengladbach
Krefeld
Duisburg
Essen
Bochum
Dortmund
Hamm
Wuppertal
Hagen
Düsseldorf
Neuss
Solingen
Remscheid
Leverkusen
Köln
Bonn
Siegen
Koblenz
Trier
Luxembourg
Arlon (Aarlen)
Bastogne (Bastenaken)
Mainz
Bad Kreuznach
Kaiserslautern
Ludwigshafen
Saarlouis
Neunkirchen
Homburg
Thionville
Rheinland-Pfalz
Saarland
Nordrhein-Westfalen

B
C
D
1
2
3
4
5
80-81
82-83
84-85
86-87
88-89
90-91
92-93
94-95
96-97
98-99
Kiel
Rostock
Hamburg
Bremen
Hannover
BERLIN
Duisburg
Köln
ALLEMAGNE
GERMANY
Dresden
Frankfurt am Main
PRAHA
Plzeň
TCHÉQUIE
ČESKO
Ostrava
Saarbrücken
Stuttgart
Nürnberg
München
Salzburg
WIEN
AUTRICHE
AUSTRIA
Zürich
VADUZ
Innsbruck
BERN
LIECHTENSTEIN
SUISSE
SWITZERLAND
Genève
Klagenfurt
N O O R D Z E E
W a d d e n e i l a n d e n
O s t f r i e s i
Norderne
Juist
Borkum
Norddeic
Schiermonnikoog
Ameland
Hollum
Buren
Nes
Oosterend
West-Terschelling
Terschelling
Oost-Vlieland
Vlieland
N.P. Niedersächsisch
Wattenmeer
Eemshaven
Krummhörn
Uithuizen
Delfzijl
Emde
Holwerd
Anjum
Dokkum
N.P. Lauwersmeer
Zoutkamp
Winsum
Bedum
Appingedam
Nationaal Park Duinen Van Texel
De Koog
Texel
Den Burg
Den Helder
Harlingen/ Harns
Leeuwarden
Burgum
Van Starkenborgh
GRONINGEN
Franeker
N.P. de Alde Feanen
Drachten
Roden
Eelde
Haren
Hoogezand
Veendam
Bad Nieuwesc
Winschot
Bolsward
Afsluitdijk
Sneek/Snits
FRYSLÂN
Norg
Zuidlaren
Oude Pekela
Vlagtwedde
Workum
Gorredijk
Heerenveen
Tjonger Kanaal
Smilde
Assen
Stadskanaal
Den Oever
Stavoren
Sloten
N.P. Dwingelderveld
DRENTHE
Borger
Musselkanaal
Ter Apel
Lemmer
IJsselmeer
Wolvega
Beilen
Oranjekan
NOORD-HOLLAND
Schagen
Medemblik
Steenwijk
Emmen
Bergen
Bergen aan Zee
Enkhuizen
Noord-Oost-Polder
Emmeloord
Giethoorn
Hoogeveen
Urk
Meppel
Alkmaar
Hoorn
Coevorden
Dalenaveen
Markermeer
IJsselmuiden
Emlichheim
Twist
Beverwijk
Purmerend
Edam
Lelystad
Dedemsvaart
Hardenberg
0 20 km
A
B
C
D
77

Sylt
Westerland
Kampen
List
Havneby
Skærbæk
Tøftlund
Løgumkloster
Aabenraa
Tønder
Højer
Bylderup-Bov
Tinglev
Gråsten
Hardeshøj
Augustenborg
Sønderborg
Mommark
Fynshav
Als
Sylt-Ost
NATIONALPARK
Nordfriesische Inseln
Hörnum
Klanxbüll
Neukirchen
Niebüll
Klixbüll
Leck
Padborg
Kruså
Glücksburg
Broager
Sønderby
Flensburg
Flensborg Fjord
Gelting
Ærø
Föhr
Oldsum
Dagebüll-Kirche
Wyk auf Föhr
Amrum
Nebel
Wittdün
Langeneß
Halligen
Risum
Wanderup
Tarp
Satrup
Sterup
Kappeln
Kopperby
Süderbrarup
Bredstedt
SCHLESWIG-
Hooge
Nordstrand
Pellworm
Husum
Treia
Schleswig
HOLSTEINISCHES
Eckernförde
Dörpstedt
Kropp
Gettorf
Altenholz
Friedrichsort
Kiel
Kieler Bucht
Friedrichstadt
WATTENMEER
Garding
St Peter-Ording
Tönning
Lunden
Erfde
Büdelsdorf
Rendsburg
Fockbek
Jevenstedt
Helgoland
Wesselburen
Heide
Tellingstedt
Hamdorf
Nortorf
Preetz
Bordesholm
Ascheberg
Albersdorf
Hanerau-Hademarschen
Hohenwestedt
Legan
Neumünster
Büsum
Meldorf
Trischen
Schenefeld
Bornhöved
Deutsche Bucht
Friedrichskoog
St-Michaelisdonn
Hohenlockstedt
Kellinghusen
Rickling
Wahlstedt
Bad Segeberg
Scharhörn
Marne
Itzehoe
Bad Bramstedt
Wilster
Brunsbüttel
St. Margarethen
Lentföhrden
Kaltenkirchen
Brande-Hörnerkirchen
Cuxhaven
Altenwalde
Otterndorf
Neuhaus
Glückstadt
Freiburg
Wischhafen
Elmshorn
Barmstedt
Quickborn
Henstedt-Ulzburg
Nahe
Bargteheide
Norderstedt
Ahrensburg
Ostfriesische Inseln
Wangerooge
Spiekeroog
Langeoog
Baltrum
Neuharlingersiel
Harlesiel
Bensersiel
Dornum
Esens
Mellum
Wangerland-Hooksiel
Wanna
Cadenberge
Dorum
Hemmoor
Drochtersen
Uetersen
Pinneberg
Rahlstedt
Butjadingen-Burhave
Langen
Bad Bederkesa
Lamstedt
Stade
Wedel
Schenefeld
HAMBURG
Westerholt
Wittmund
Jever
Schortens
Wilhelmshaven
Sande
Blexen
BREMERHAVEN
Nordenham
Horneburg
Reinbek
Bergedorf
Moordorf
Aurich
Friedeburg
Zetel
Bremervörde
Harsefeld
Buxtehude
Harburg
Seevetal-Maschen
Ems-Jade-Kanal
Wiesmoor
Varel
Beverstedt
Stotel
Hollenstedt
Winsen
Neuenburg
Jade
Brake
Hagen im Bremischen
Rhade
Neermoor
Hesel
Lehmden
Zeven
Tostedt
Buchholz in der Nordheide
Leer
Westerstede
Wiefelstede
Rastede
Elsfleth
Sittensen
Hanstedt
Garlstorf
Lüneburg
Apen
Bad Zwischenahn
Schwanewede
Osterholz-Scharmbeck
Tarmstedt
Sick
Scheeßel
Wilseder Berg
Egestorf
Salzhausen
Weener
Nord Edewecht
OLDENBURG
Berne
BREMEN
Papenburg
Hude
Delmenhorst
Oyten
Sottrum
Ottersberg
Rotenburg
Schneverdingen
Evendorf
Amelinghausen
Wardenburg
Friesoythe
Küstenkanal
Ganderkesee
Achim
Neuenkirchen
Visselhövede
Soltau
Bispingen
Ebstorf
Garrel
Großenkneten
Stuhr
Munster
Börger
Ahlhorn
Harpstedt
Syke
Verden
Weser
Bad Fallingbostel
Dorfmark
Werlte
Lathen
Cloppenburg
Wildeshausen
Walsrode
Sögel
Lindern
Bassum
Hoya
Hermannsburg
Goldenstedt
Twistringen
Rethem
Bergen
Lastrup
Weyhausen
Westenholz
Löningen
Essen
Vechta
Hodenhagen
Eschede
Meppen
Haselünne
Lohne
Barnstorf
Sulingen
NIEDERSACHSEN
Quakenbrück
Dinklage
Winsen
Schwarmstedt
Rehden
Nienburg
Celle
Böhme
Leine
Hunte
198
85
82
E
F
G
H
1
2
3
4
5

198
86
81
HAMBURG
KIEL
LÜBECK
BREMEN
Schwerin
Flensburg
Sønderborg
Svendborg
Rendsburg
Neumünster
Itzehoe
Elmshorn
Pinneberg
Stade
Buxtehude
Harburg
Norderstedt
Lüneburg
Uelzen
Celle
Soltau
Rotenburg
Verden
Nienburg
Wismar
Ludwigslust
Parchim
Perleberg
Wittenberge
Salzwedel
Stendal
Nykøbing Falster
Vordingborg
Nakskov
Maribo
Rødby
Schleswig
Eckernförde
Heide
Husum
Bad Segeberg
Bad Oldesloe
Ratzeburg
Mölln
Geesthacht
Winsen
Buchholz in der Nordheide
Bad Bevensen
Dannenberg
Kieler Bucht
Mecklenburger Bucht
Lübecker Bucht
Fehmarn
Lolland
Langeland
Ærø
SCHLESWIG-HOLSTEIN
20 km

Faxe Bugt
Rønne
Aakirkeby
199
E
F
G
H
Møn
Møns Klint
Stege
S T E R S J Ö N
O S T S E E
Kap Arkona
Wittow
Putgarten
Dranske
Altenkirchen
Wiek
Stubbenkammer
Nationalpark
Boddenlandschaft
Vorpommersche
Vitte
Hiddensee
Insel Hiddensee
Schaprode
R Ü G E N
Sagard
Saßnitz
Gingst
Bergen auf Rügen
Binz
Sellin
Göhren
Prerow
Zingst
Darß
Born am Darß
Barth
Kubitzer Bodden
Samtens
Putbus
Garz
Thiessow
Wustrow
Saaler Bodden
Stralsund
Ribnitz-Damgarten
Löbnitz
Zudar
Greifswalder Bodden
Pommersche Bucht
Zatoka Pomorska
M O R Z E
Richtenberg
Reinberg
Peenemünde
Lubmin
Greifswald
Marlow
ROSTOCK
Grimmen
Tribsees
Bad Sülze
Sanitz
Tessin
Griebenow
Zinnowitz
Koserow
Wolgast
Usedom
Karlsburg
Bansin
Heringsdorf
Ahlbeck
Świnoujście
Woliński Park Narodowy
Międzyzdroje
Wolin
Kołczewo
Kamień Pomorski
Dziwnów
Dziwnówek
Pobierowo
Rewal
Niechorze
Mrzeżyno
Trzebiatów
Gryfice
Cerkwica
Świerzno
Golczewo
Płoty
MECKLENBURG-
VORPOMMERN
Gnoien
Loitz
Jarmen
Demmin
Gützkow
Peene
Anklam
Lassan
Zirchow
Warszów
Laage
Dargun
Neukalen
Kummerower See
Tollense
Stettiner Haff
Zalew Szczeciński
Mönkebude
Ueckermünde
Nowe Warpno
Przybiernów
Nowogard
Teterow
Malchiner See
Malchin
Stavenhagen Reuterstadt
Altentreptow
Ducherow
Friedland
Eggesin
Trzebież
Stepnica
Goleniów
Ferdinandshof
Torgelow
Hintersee
Dobieszczyn
Police
Jezioro Dąbie
Maszewo
Mecklenburgische Seen Platte
Neubrandenburg
Helpter Berge 211
Strasburg
Pasewalk
Löcknitz
Lubieszyn
SZCZECIN
Dąbie
Stargard Szczeciński
Karow
Malchow
Waren
Penzlin
Burg Stargard
Woldegk
Linken
Brüssow
Plau am See
Plauer See
Müritz
Fürstenwerder
Pomellen
Kołbaskowo
Kobylanka
Kołbacz
Neustrelitz
Röbel
Prenzlau
Schmölln
Penkun
Gryfino
Stare Czarnowo
Jezioro Miedwie
Suchań
Feldberg
Wesenberg
Mescherin
Tywa
Pniewo
Gartz
Freyenstein
Mirow
Boitzenburg
Gramzow
Gerswalde
Ravensbrück
Lychen
Fürstenberg
Pyrzyce
Banie
Pritzwalk
Wittstock
Templin
Milmersdorf
Hohen-Landin
Vierraden
Schwedt
Krajnik Dolny
Lipiany
Barlinek
Herzsprung
Rheinsberg
Greiffenberg
Angermünde
ODER
Chojna
Trzcińsko-Zdrój
Myślibórz
Kyritz
Alt Ruppin
Lindow
Gransee
Zehdenick
Joachimsthal
Werbellinsee
Parsteiner See
Groß Schönebeck
Wusterhausen
Bückwitz
Neuruppin
Ruppiner See
Löwenberg
Liebenwalde
Kloster Chorin
Oderberg
Cedynia
Moryń
Gorzów Wlkp.
Neustadt
Fehrbellin
Finow
Eberswalde
Bad Freienwalde
Oderbruch
Mieszkowice
Gozdowice
Dębno
Boleszkowice
Witnica
Bogdaniec
Rhinow
Friesack
Rhinkanal
Kremmen
Oranienburg
Biesenthal
Wandlitz
Bernau bei Berlin
Wriezen
Tiefensee
Letschin
Sarbinowo
Ujście Warty Park Narodowy
Kostrzyn nad Odrą
Krzeszyce
Rathenow
Börnicke
Velten
Birkenwerder
Hennigsdorf
Pankow
Werneuchen
Blumberg
Altlandsberg
Prötzel
Neuhardenberg
Manschnow
Kietz
Buckow
Strausberg
Nauen
Alte Oder
Ruppiner Kanal
87
116
1
2
3
4
5

Germany
AMSTERDAM
ALMERE
Hilversum
UTRECHT
Amersfoort
Lelystad
Zwolle
Kampen
Meppel
Hoogeveen
Emmen
Coevorden
Hardenberg
Nordhorn
Lingen
Meppen
APELDOORN
Deventer
Almelo
Hengelo
ENSCHEDE
Rheine
Ibbenbüren
Ede
ARNHEM
NIJMEGEN
Doetinchem
Bocholt
Borken
MÜNSTER
's-Hertogenbosch
TILBURG
EINDHOVEN
Helmond
Venlo
KREFELD
DUISBURG
ESSEN
BOCHUM
DORTMUND
Gelsenkirchen
Recklinghausen
Hagen
WUPPERTAL
DÜSSELDORF
MÖNCHENGLADBACH
Neuss
Solingen
Remscheid
Leverkusen
KÖLN
Roermond
Sittard
Heerlen
Hasselt
Genk
Maastricht
AACHEN
Düren
BONN
LIEGE (LUIK)
Verviers
Spa
Koblenz
Neuwied
FLEVOLAND
OVERIJSSEL
GELDERLAND
NORDRHEIN-
0 20 km
76
77
88

NIEDERSACHSEN
WESTFALEN
HESSEN
THÜRINGEN
HANNOVER
BRAUNSCHWEIG
BIELEFELD
PADERBORN
KASSEL
ERFURT
SNABRÜCK
Wildeshausen
Vechta
Lohne
Diepholz
Nienburg
Celle
Gifhorn
Wolfsburg
Minden
Neustadt am Rübenberge
Langenhagen
Burgdorf
Lehrte
Peine
Wolfenbüttel
Salzgitter-Lebenstedt
Hildesheim
Hameln
Herford
Bad Oeynhsn.
Bad Salzuflen
Lemgo
Detmold
Gütersloh
Rheda
Wiedenbrück
Lippstadt
Goslar
Wernigerode
Halberstadt
Einbeck
Northeim
Osterode
Göttingen
Nordhausen
Hann-Münden
Mühlhausen
Eisenach
Gotha
Friedrichroda
Marburg
Gießen
Wetzlar
Bad Hersfeld
Fulda
Suhl
Bad Nauheim
Brocken
Nationalpark Harz
Nationalpark Hainich
Sauerland
Vogelsberg
Wasser-Kuppe
E
F
G
H
81
89
98
Bad Frankenh

SACHSEN-ANHALT
BERLIN
POTSDAM
MAGDEBURG
LEIPZIG
HALLE
Halle-Neustadt
CHEMNITZ
ERFURT
Weimar
Jena
Gera
Zwickau
Plauen
Dessau
Wittenberg
Brandenburg
Stendal
Halberstadt
Nordhausen
Wolfsburg
Merseburg
Naumburg
Altenburg
Freiberg
Meißen
Riesa
Torgau
Chomutov
Most
0 20 km

GORZÓW WLKP.
Puszcza Notecka
Warta
Wronki
Obrzycko
Cedynia
Moryń
Mieszkowice
Gozdowice
Wriezen
Bogdaniec
Witnica
Lipki Wielkie
Wiejce
Skwierzyna
Międzychód
Ostroróg
Szamotuły
Rokietnica
POZNAŃ
Tarnowo Podgórne
Pniewy
Gorzyń
Letschin
Sarbinowo
Ujście Warty Park Narodowy
Kostrzyn nad Odrą
Krzeszyce
Neuhardenberg
Manschnow
Kietz
Buckow
Seelow
Lubniewice
Pszczew
Lwówek
Duszniki
Ośno Lubuskie
Sulęcin
Templewo
Międzyrzecz
Trzciel
Nowy Tomyśl
Buk
Dopiewo
Komorniki
Wielkopolski Park Narodowy
Lebus
Frankfurt (Oder)
Słubice
Rzepin
Torzym
Łagów
Świebodzin
Zbąszynek
Zbąszyń
Opalenica
Stęszew
Puszczykowo
Mosina
Grodzisk Wielkopolski
Bad Saarow
Świecko
Müllrose
Oder-Spree Kanal
J. Niesłysz
Babimost
Siedlec
Rakoniewice
Wielichowo
Czempiń
Śrem
Kościan
Wolsztyn
LUBUSKIE
Cybinka
Pohlitz
Beeskow
Eisenhüttenstadt
Krosno Odrzańskie
Sulechów
Kargowa
Czacz
Śmigiel
Przemęt
Krzywiń
Maszewo
Treppeln
ODRA
Bojadła
Zabór
Wijewo
Włoszakowice
Osieczna
Leszno
Lieberose
Pinnow
Guben
Gubin
Zielona Góra
Świdnica
Sława
Rydzyna
Poniec
Straupitz
Peitz
Nowa Sól
Wschowa
Bojanowo
Lübbenau
Boblitz
Vetschau
Cottbus
Brody
Lubsko
Nowogród Bobrzański
Kożuchów
Bytom Odrzański
Szlichtyngowa
Góra
Forst
Zasieki
Jasień
Głogów
Rawicz
Roggosen
Drebkau
Altdöbern
Trzebiel
Żary
Żagań
Radwanice
Wąsosz
Döbern
Niwica
Małomice
Szprotawa
Przemków
Polkowice
Rudna
Großräschen
Welzow
Spremberg
Bad Muskau
Łęknica
Iłowa
Rudawica
Chocianów
Wińsko
Senftenberg
Weißwasser
Ścinawa
Wołów
Oborniki Śląskie
Hoyerswerda
Lauta
Gozdnica
Lubin
Wittichenau
Klitten
Rothenburg
Osiecznica
Prochowice
Brzeg Dolny
Bernsdorf
Lohsa
SACHSEN
Chojnów
Głoska
Malczyce
Środa Śląska
WROCŁAW
Kamenz
Niesky
Pieńsk
Węgliniec
Bolesławiec
Legnica
Königsbrück
Nowogrodziec
Lwówek Śląski
Złotoryja
Budziszów Wielki
Kostomłoty
Kąty Wrocławskie
Pulsnitz
Ohorn
Burkau
Bautzen
Weißenberg
Görlitz
Zgorzelec
Reichenbach
Lubań
Jawor
Bischofswerda
Löbau
Olszyna
Gryfów Śląski
Świerzawa
Strzegom
Żarów
Neukirch
Oppach
Ostritz
Zawidów
Leśna
DOLNOŚLĄSKIE
Wojcieszów
Jaworzyna Śląska
Sobótka
DRESDEN
Stolpen
Ebersbach
Herrnhut
Habartice
Mirsk
Stara Kamienica
Bolków
Świebodzice
Świdnica
Pirna
Stadt Wehlen
Neustadt in S.
Dol. Poustevna
Rumburk
Neugersdorf
Seifhennersdorf
Bogatynia
Świeradów-Zdrój
Jelenia Góra
Königstein
Sebnitz
Krásná Lípa
České Švýcarsko
Schmilka
Bad Schandau
Varnsdorf
Großschönau
Zittau
Frýdlant
Cieplice
Piechowice
Mysłakowice
Szczawno-Zdrój
WAŁBRZYCH
Dzierżoniów
Berggießhübel
Rosenthal-Bielatal
Hřensko
Česká Kamenice
Hrádek nad Nisou
Oybin
Sieniawka
Jakuszyce
Sobieszów
Szklarska Poręba
Kowary
Kamienna Góra
Boguszów Gorce
Pieszyce
Piława Górna
Děčín
Cvikov
Liberec
Harrachov
Tanvald
Karpacz
Śnieżka
Ogorzelec
Mieroszów
Jedlina-Zdrój
Głuszyca
Walim
Wlk. Sowa
Bielawa
Benešov nad Ploučnicí
Nový Bor
Jablonné v Podještědí
Jablonec nad Nisou
Špindlerův Mlýn
Pec pod Sněžkou
Královec
Krkonoše
LIBERECKÝ
Česká Lípa
Mladé Buky
Vrchlabí
Nowa Ruda
Krupka
Ústí nad Labem
Mimoň
Semily
Jilemnice
Trutnov
Broumov
Litoměřice
Doksy
Turnov
Hostinné
Radków
Park Nar. Gór Stołowych
Kłodzko
Lovosice
Mnichovo Hradiště
Lomnice nad Popelkou
Nová Paka
Dvůr Králové nad Labem
Úpice
Hronov
Kaplica Czaszek
Kudowa-Zdrój
Červený Kostelec
Terezín
Sobotka
Jičín
Česká Skalice
Náchod
Duszniki-Zdrój
Polanica-Zdrój
Libochovice
Roudnice nad Labem
Mšeno
Mladá Boleslav
Hořice
Jaroměř
Nové Město nad Metují
Deštné v Orlických horách
Bystrzyca Kłodzka
Budyně nad Ohří
Dobruška
Orlické Hory
Louny
Mělník
Kopidlno
Nový Bydžov
KRÁLOVÉHRADECKÝ
Rychnov nad Kněžnou
Międzylesie
Nelahozeves
Neratovice
Hradec Králové

84
78
47
A
B
C
D
1
2
3
4
5
0 20 km
RHEINLAND-PFALZ
SAARLAND
Koblenz
Neuwied
Bendorf
Montabaur
Lahnstein
Bad Ems
Boppard
St. Goar
Oberwesel
Bacharach
Bingen
Rüdesheim
Bad Kreuznach
Idar-Oberstein
Kaiserslautern
Landstuhl
Homburg
Zweibrücken
Pirmasens
Neunkirchen
St. Ingbert
SAARBRÜCKEN
Saarlouis
Völklingen
Dillingen
Merzig
St. Wendel
Trier
Schweich
Bernkastel-Kues
Traben-Trarbach
Wittlich
Cochem
Mayen
Daun
Prüm
Bitburg
Adenau
Nürburg
Gerolstein
Malmedy
Spa
Monschau
Vielsalm
Bastogne (Bastenaken)
Marche-en-Famenne
Rochefort
Neufchâteau
Arlon (Aarlen)
Clervaux
Wiltz
Diekirch
Ettelbruck
Vianden
Echternach
LUXEMBOURG
Esch-s-Alzette
Differdange
Longwy
Dudelange
Mondorf
Remich
Grevenmacher
Thionville
Hayange
Briey
Verdun
METZ
Boulay-Moselle
Forbach
Sarreguemines
St-Avold
Bitche
Wissembourg
Haguenau
Saverne
Sarrebourg
Château-Salins
Pont-à-Mousson
NANCY
Toul
Commercy
Lunéville
St-Nicolas-de-Port
Vaucouleurs
Neufchâteau
Mirecourt
Vittel
Contrexéville
Épinal
St-Dié-des-Vosges
Raon-l'Étape
Baccarat
Charmes
Rambervillers
Molsheim
Obernai
STRASBOURG
Kehl
Offenburg
Lahr
Sélestat
Ribeauvillé
Colmar
Kaysersberg-Vignoble
Emmendingen
FREIBURG
Landau
Neustadt a. d. Weinstraße
Dahn
Remiremont
Plombières-les-Bains

85
E
F
G
Gießen
Wetzlar
Braunfels
Weilburg
Grünberg
Herbstein
Bad Salzschlirf
Fulda
Hilders
Melpers
Fladungen
Meiningen
Rohr
Schotten
Vogelsberg
Wasserkuppe
Butzbach
Münzenberg
Gedern
Gersfeld
Ostheim vor der Rhön
Mellrichstadt
Bischofsheim a. d. Rhön
Eußenhausen
Hildburghausen
Römhild
Eisfeld
Rottenbach
Bad Nauheim
Friedberg
Altweilnau
Bad Camberg
Usingen
Selters
Bad Soden
Schlüchtern
Steinau a. d. Straße
Bad Neustadt a. d. Saale
Bad Königshofen im Grabfeld
Linden
Bad Rodach
Neustadt
Gr. Feldberg
Esch
Idstein
Bad Homburg
Nidderau
Wächtersbach
Büdingen
Salmünster
Bad Brückenau
Trappstadt
Heldburg
Coburg
Königstein
Oberursel
Bad Vilbel
FRANKFURT A.M.
Bad Orb
Burgjoß
Münnerstadt
Obereßfeld
Bad Kissingen
Gelnhausen
Burgsinn
Hammelburg
Hofheim in Unterfranken
Lichtenfels
WIESBADEN
Hanau
Offenbach
Alzenau in Unterfranken
Gemünden am Main
Poppenhausen
Ebern
Bad Staffelstein
Neu-Isenburg
Seligenstadt
Hösbach
Frammersbach
Schweinfurt
Haßfurt
Rüsselsheim
Langen
Dietzenbach
Lohr a. M.
Arnstein
Werneck
Breitengüßbach
Eltmann
Hallstadt
Nierstein
Groß-Gerau
DARMSTADT
Babenhausen
Dieburg
Aschaffenburg
Weibersbrunn
Mespelbrunn
Rohrbrunn
Karlstadt
Gerolzhofen
Bamberg
Köngernheim
Oppenheim
Roßdorf
Groß-Umstadt
Obernburg a. M.
Volkach
Marktheidenfeld
WÜRZBURG
Dettelbach
Ebrach
Pfungstadt
Reinheim
Höchst
Wörth a. M.
Wiesentheid
Schlüsselfeld
Pommersfelden
Westhofen
Gernsheim
Seeheim
Fürstenlager
Bad König
Wertheim
Helmstadt
Höchberg
Biebelried
Kitzingen
Großheubach
Freudenberg
Iphofen
Bensheim
Michelstadt
Miltenberg
Külsheim
Ochsenfurt
Worms
Bürstadt
Lampertheim
Heppenheim
Erbach
Amorbach
Tauberbischofsheim
Marktbreit
Scheinfeld
Höchstadt a. d. Aisch
Neustadt a. d. Aisch
Erlangen
Viernheim
Wald-Michelbach
Walldürn
Hardheim
Herzogenaurach
Frankenthal
LUDWIGSHAFEN
MANNHEIM
Weinheim
Beerfelden
Mudau
Aub
Uffenheim
Bad Windsheim
Emskirchen
Kailbach
Buchen
Bad Mergentheim
Creglingen
Langenzenn
Fürth
HEIDELBERG
Eberbach
Osterburken
Weikersheim
Markt Erlbach
Zirndorf
NÜRNBERG
Mutterstadt
Schifferstadt
Neckarsteinach
Neckargemünd
Adelsheim
Niederstetten
Rothenburg ob der Tauber
Burgbernheim
Stein
Großhabersdorf
Heilsbronn
Schwabach
Speyer
Schwetzingen
Walldorf
Wiesloch
Mosbach
Neckarelz
Möckmühl
Krautheim
Dörzbach
Schrozberg
Blaufelden
Lehrberg
Leutershausen
Ansbach
Hockenheim
Sinsheim
Bad Wimpfen
Gundelsheim
Jagsthausen
Künzelsau
Langenburg
Germersheim
Bad Rappenau
Bad Friedrichshall
Neuenstadt a. K.
Kupferzell
Gerabronn
Windsbach
Roth
Herrieden
Abenberg
Graben
Bad Schönborn
Neckarsulm
Öhringen
Merkendorf
Schwaigern
Heilbronn
Weinsberg
Schwäbisch Hall
Crailsheim
Feuchtwangen
Bechhofen
Altmühlsee
Brombachsee
Pleinfeld
Bruchsal
Eppingen
Brackenheim
Ilsfeld
Gunzenhausen
Wörth am Rhein
KARLSRUHE
Güglingen
Lauffen
Kirchheim
Obersontheim
Dinkelsbühl
Ellingen
Weißenburg in Bayern
Bretten
Maulbronn
Besigheim
Sulzbach a. d. Murr
Durlach
Bietigheim-Bissingen
Murrhardt
Gaildorf
Wassertrüdingen
Mühlacker
Illingen
Marbach
Backnang
Ellwangen
Oettingen in Bayern
Treuchtlingen
Ettlingen
Vaihingen
Asperg
Ludwigsburg
Wallerstein
Pappenheim
Rastatt
Markgröningen
Kornwestheim
Neuenbürg
Pforzheim
Ditzingen
Waiblingen
Winnenden
Welzheim
Wasseralfingen
Bopfingen
Wemding
Gaggenau
Dobel
Tiefenbronn
Leonberg
Fellbach
Schwäbisch Gmünd
Lorch
Aalen
Nördlingen
Monheim
Bad Herrenalb
Calmbach
Bad Liebenzell
Weil der Stadt
Schorndorf
Heubach
Oberkochen
Harburg
Kaisheim
Gernsbach
Bad Wildbad
STUTTGART
Plochingen
Uhingen
Göppingen
Eislingen
Steinheim am Albuch
Neresheim
Donauwörth
Baden-Baden
Sindelfingen
Calw
Esslingen
Enzklösterle
Böblingen
Kirchheim u. Teck
Süßen
Böhmenkirch
Heidenheim a. d. Brenz
Gerstetten
Hornisgrinde 1164
Schönmünzach
Altensteig
Herrenberg
Waldenbuch
Nürtingen
Weilheim
Geislingen
Herbrechtingen
Giengen
Höchstädt an der Donau
Baiersbronn
Pfalzgrafenweiler
Tübingen
Neuffen
Reußenstein
Wiesensteig
Lauingen
Dillingen
Wertingen
Meitingen
Nagold
Metzingen
Langenau
Gundelfingen an der Donau
Niederstotzingen
Bad Rippoldsau
Dornstetten
Horb a. Neckar
Reutlingen
Bad Urach
Laichingen
Merklingen
Leipheim
Freudenstadt
Rottenburg am Neckar
Pfullingen
Blaustein
Günzburg
Burgau
Gersthofen
Loßburg
Sulz am Neckar
Haigerloch
Mössingen
Münsingen
Blaubeuren
ULM
Neu Ulm
Alpirsbach
Engstingen
Zusmarshausen
Friedberg
Hechingen
Oberndorf am Neckar
Hohenzollern
Weißenhorn
Göggingen
AUGSBURG
Schiltach
Albstadt-Tailfingen
Ehingen
Senden
Haunstetten
Mering
Schramberg
Balingen
Gammertingen
Laupheim
Vöhringen
Thannhausen
Bobingen
Königsbrunn
Albstadt-Ebingen
Zwiefalten
Illertissen
Krumbach
Hornberg
Meßstetten
Obermarchtal
Dietenheim
Altenstadt
Schwabmünchen
St. Georgen
Königsfeld
Rottweil
1015
Riedlingen
94
Schwendi
Babenhausen
Fürstenfeldbruck
H
WÜRTTEMBERG
BADEN
Biberach a. d. Riß
Heimertingen
Vöhrenbach
Villingen
Spaichingen
Sigmaringen
Beuron
Donau
Bad Buchau
Ochsenhausen
Mindelheim
Türkheim
Buchloe
Landsberg
Schwenningen
Steinhausen
Herbertingen
Main
Neckar
Rhein
Jagst
Kocher
Tauber
Wörnitz
Altmühl
Lech
Wertach
Nidda
Lahn
91
95
2
3
4

HESSEN
THÜRINGEN
Nationalpark Hainich
Siegen
Marburg
Gießen
Wetzlar
Limburg a.d. Lahn
Bad Homburg
FRANKFURT A.M.
WIESBADEN
MAINZ
Hanau
Offenbach
Rüsselsheim
DARMSTADT
Aschaffenburg
Worms
LUDWIGSHAFEN
MANNHEIM
HEIDELBERG
Speyer
KARLSRUHE
Rastatt
Baden-Baden
Pforzheim
Ludwigsburg
Waiblingen
STUTTGART
Esslingen
Böblingen
Sindelfingen
Heilbronn
Schwäbisch Hall
Schwäbisch Gmünd
Aalen
Heidenheim a. d. Brenz
Nördlingen
Ansbach
NÜRNBERG
WÜRZBURG
Schweinfurt
Bamberg
Bad Kissingen
Fulda
Bad Hersfeld
Eisenach
Gotha
ERFURT
Suhl
Meiningen
Coburg
Rothenburg ob der Tauber
Vogelsberg
Wasser-Kuppe
Bad Wimpfen
Maulbronn
Friedrichroda
20 km
A
B
C
D
85
94
79
41
1
2
3
4
5

Weimar
Jena
Gera
Altenburg
Zwickau
CHEMNITZ
Freiberg
Freital
Teplice
Most
Chomutov
ÚSTECKÝ
Plauen
Hof
KARLOVARSKÝ
Karlovy Vary
Cheb
Mariánské Lázně
Bayreuth
Kulmbach
Kronach
Marktredwitz
Weiden
PLZEŇ
PLZEŇSKÝ
Erlangen
Amberg
Neumarkt in der Oberpfalz
Cham
REGENSBURG
Straubing
Deggendorf
Passau
Ingolstadt
Eichstätt
Kelheim
BAYERN
Bayerischer Wald
Klatovy
Domažlice
Rakovník
Žatec
Louny
86
92
95

PRAHA
Liberec
Ústí nad Labem
Děčín
Teplice
Kladno
Mladá Boleslav
Jablonec nad Nisou
Turnov
Jičín
Hradec Králové
Pardubice
Kolín
Kutná Hora
Chrudim
Náchod
Trutnov
Jihlava
Havlíčkův Brod
Humpolec
Pelhřimov
Tábor
Benešov
Příbram
Písek
Strakonice
České Budějovice
Český Krumlov
Jindřichův Hradec
Třeboň
Telč
Třebíč
Znojmo
Žďár nad Sázavou
Svitavy
Litomyšl
Česká Třebová
Jelenia Góra
Wałbrzych
Świdnica
Zittau
Gmünd
Zwettl
Horn
Hollabrunn
LIBERECKÝ
KRÁLOVÉHRADECKÝ
PARDUBICKÝ
STŘEDOČESKÝ
VYSOČINA
JIHOČESKÝ
DOLNOŚLĄSKIE
NIEDERÖSTERREICH
0 20 km
A
B
C
D
87
91
97

OPOLSKIE
OPOLE
Oława
Brzeg
Strzelin
Ząbkowice Śląskie
Nysa
Otmuchów
Grodków
Niemodlin
Krapkowice
Strzelce Opolskie
Kędzierzyn-Koźle
Głogówek
Prudnik
Głuchołazy
Lubliniec
Tarnowskie Góry
Bytom
Będzin
Dąbrowa Górnicza
Zawiercie
Myszków
GLIWICE
Zabrze
Ruda Śl.
Chorzów
Sosnowiec
Mysłowice
Jaworzno
KATOWICE
Knurów
RYBNIK
TYCHY
Racibórz
Wodzisław Śląski
Jastrzębie Zdrój
Żory
Pszczyna
Oświęcim
Chrzanów
Czechowice-Dziedzice
BIELSKO-BIAŁA
Cieszyn
Český Těšín
Karviná
Havířov
Bohumín
OSTRAVA
Opava
Krnov
Bruntál
Šumperk
Jeseník
MORAVSKOSLEZSKÝ
Frýdek-Místek
Třinec
Nový Jičín
OLOMOUCKÝ
Olomouc
Prostějov
Přerov
Hranice
Valašské Meziříčí
Vsetín
ZLÍNSKÝ
Zlín
Kroměříž
Uherské Hradiště
BRNO
Vyškov
Blansko
Hodonín
Břeclav
Mikulov
Lednice
TRENČIANSKY KRAJ
Trenčín
Považská Bystrica
Žilina
Martin
ŽILINSKÝ KRAJ
Ružomberok
Čadca
Prievidza
Banská Bystrica
Zvolen
Nitra
TRNAVSKÝ KRAJ
Piešťany
Nové Mesto nad Váhom
Senica
Partizánske
Bánovce nad Bebravou
Topoľčany
Hlohovec
Malá Fatra
Veľká Fatra
Beskydy
Hrubý Jeseník
Moravskoslezské Beskydy
Biele Karpaty
Malé Karpaty
Javorníky
121
126
132

STRASBOURG
Baden-Baden
Pforzheim
Sindelfingen
Esslingen
Böblingen
Göppingen
Waiblingen
Schwäbisch Gmünd
Tübingen
Reutlingen
Nürtingen
Offenburg
Molsheim
Obernai
Sélestat
Colmar
Lahr
FREIBURG
Villingen
Schwenningen
Rottweil
Balingen
Albstadt-Ebingen
Tuttlingen
Donaueschingen
Sigmaringen
Biberach a. d. Riß
ULM
WÜRTTEMBERG
SCHWARZWALD
MULHOUSE
BASEL
Lörrach
Rheinfelden
Schaffhausen
Singen
Konstanz
Friedrichshafen
Ravensburg
Lindau
Bregenz
Dornbirn
Winterthur
St. Gallen
Frauenfeld
Herisau
Appenzell
ZÜRICH
Zug
Luzern
Schwyz
Aarau
Olten
Solothurn
Delémont
Liestal
BERN
Thun
Interlaken
Grindelwald
Altdorf
Glarus
GLARUS
Vaduz
Feldkirch
Bludenz
VORARLBERG
Chur/Coira
Davos
St. Moritz
GRAUBÜNDEN
SANKT GALLEN
LUZERN
BERN
Andermatt
Gstaad
Brig
Sierre
Crans
Montana
Jungfrau
Finsteraarhorn
Bad Ragaz
A
B
C
D
1
2
3
4
5
47
90
99
0 20 km

Aalen
Nördlingen
Ingolstadt
Neuburg a. d. Donau
Heidenheim a. d. Brenz
Donauwörth
Dillingen
Landshut
Ulm
Augsburg
Freising
Dachau
Erding
München
Memmingen
Kaufbeuren
Kempten
Landsberg am Lech
Starnberg
Rosenheim
Garmisch-Partenkirchen
Innsbruck
Kufstein
Kitzbühel
Zell am See
Lienz
St. Anton am Arlberg
Merano/Meran
Bolzano/Bozen
Cortina d'Ampezzo
Bressanone/Brixen
Vipiteno/Sterzing
Dingolfing
Mühldorf
Wasserburg am Inn
Traunstein
Füssen
Neuschwanstein
Linderhof
Oberammergau
Seefeld in Tirol
Mayrhofen
Imst
Landeck
Brunico/Bruneck
Dobbiaco/Toblach
Ortisei/Sankt Ulrich
Val Gardena
TRENTINO-
TIROL
HOHE TAUERN
Großglockner
Großvenediger
FELBERTAUERNTUNNEL
Ötztaler Alpen
Karwendelgebirge
Kaisergebirge
DEUTSCHE ALPENSTRASSE
ROMANTISCHE STRASSE
Passo di Resia
Brenner
Fernpaß
Achenpaß
Paß Thurn
FRIULI-VEN

Deggendorf
Passau
Landshut
Freising
MÜNCHEN
Rosenheim
SALZBURG
LINZ
Wels
Gmunden
Bad Ischl
Kufstein
Kitzbühel
Zell am See
Bad Gastein
Lienz
Villach
Spittal a. d. Drau
Cortina d'Ampezzo
Dingolfing
Vilshofen
Braunau
Burghausen
Altötting
Mühldorf
Traunstein
Bad Reichenhall
Berchtesgaden
Hallein
Bischofshofen
Radstadt
Schladming
Millstatt
Feldkirchen
Mayrhofen
Wörgl
Schwaz
OBERÖSTERREICH
SALZBURG
HOHE TAUERN
KÄRNTEN
FRIULI-VENEZIA
Großglockner
Großvenediger
Nationalpark Hohe Tauern
Nationalpark Berchtesgaden
Dachsteingruppe
Niedere Tauern
Kaisergebirge
Totes Gebirge
Triglavski Narodni Park
A
B
C
D
1
2
3
4
5
20 km

91
95
103

NIEDERÖSTERREICH
BRATISLAVSKÝ KRAJ
BURGENLAND
GYŐR-MOSON
VAS
ZALA
STEIERMARK
WIEN
BRATISLAVA
Sopron
GRAZ
Maribor
Bruck an der Mur
Leoben
St. Pölten
Krems
Melk
Mariazell
Eisenerz
Szombathely
Zalaegerszeg
Varaždin
Celje
Velenje
Eisenstadt
Wiener Neustadt
Baden
Mödling
Traiskirchen
Schwechat
Klosterneuburg
Tulln
Korneuburg
Stockerau
Hollabrunn
Mistelbach
Zwettl
Gmünd
Horn
Amstetten
Ybbs
Wieselburg
Scheibbs
Lilienfeld
Hainfeld
Berndorf
Neunkirchen
Ternitz
Gloggnitz
Semmering-Kurort
Mürzzuschlag
Kindberg
Kapfenberg
Knittelfeld
Judenburg
Köflach
Voitsberg
Gleisdorf
Fürstenfeld
Hartberg
Oberwart
Pinkafeld
Güssing
Feldbach
Leibnitz
Deutschlandsberg
Wolfsberg
Neusiedl am See
Mattersburg
Körmend
Murska Sobota
Ptuj
Čakovec
Koprivnica
Neusiedler See (Fertő)
Wienerwald
Wachau
Donau
Mur
Drava
Semmering
Schneeberg
Hochschwab
Eisenerzer Alpen
Koralpe
Pohorje
Wechsel
92
128
134
E
F
G
H

88
47
51
100
FREIBURG
MULHOUSE
BASEL
Belfort
Vesoul
Lure
Montbéliard
BESANÇON
Dole
Pontarlier
La Chaux-de-Fonds
Neuchâtel
BERN
Solothurn
Biel/Bienne
Delémont
Liestal
Aarau
Olten
Thun
Interlaken
Fribourg
Yverdon-les-Bains
LAUSANNE
Montreux
Vevey
Évian
Thonon
GENÈVE
Annemasse
Annecy
Chambéry
Aix-les-Bains
Albertville
Chamonix-Mont-Blanc
Courmayeur
Aosta/Aoste
Martigny
Sion
Sierre
Brig
Zermatt
Gstaad
Grindelwald
Champagnole
Lons-le-Saunier
St-Claude
Oyonnax
Nantua
Bellegarde-s-V.
Megève
St-Gervais-les-B.
Bonneville
Thann
Guebwiller
Lörrach
Rheinfelden
JURA
VAUD
FRIBOURG
BERN
VALAIS
VALLE D'AOSTA
LÉMAN
0 20 km

Villingen
Schwenningen
Donaueschingen
Tuttlingen
Schaffhausen
Singen
Konstanz
Überlingen
Ravensburg
Friedrichshafen
Kempten
Kaufbeuren
Frauenfeld
Winterthur
St. Gallen
Lindau
Bregenz
Dornbirn
ZÜRICH
Herisau
Appenzell
Säntis
Zug
Vaduz
Feldkirch
Bludenz
VORARLBERG
SANKT GALLEN
St. Anton am Arlberg
Landeck
Schwyz
Glarus
GLARUS
Altdorf
Stans
Engelberg
Chur/Coira
Davos
Arosa
Klosters
Silvrettagruppe
GRAUBÜNDEN
Andermatt
Göschenen
Scuol/Schuls
St. Moritz
Pontresina
Zuoz
Piz Bernina
TICINO
Locarno
Bellinzona
Lugano
Como
Lecco
Bellagio
Varese
Verbania-Pallanza
Stresa
Sondrio
Bormio
Bergamo
LOMBARDIA
Brescia
Gallarate
Busto Arsizio
Legnano
Monza

100-101
102-103
104-105
106-107
108-109
110-111
112
113
114-115
114
ITALIE
ITALY
MALTE
MALTA
Milano
Torino
Udine
Venezia
Genova
Firenze
SAN MARINO
Pescara
ROMA
Vaticano
Napoli
Bari
Cagliari
Cosenza
Palermo
Messina
Reggio di Calabria
Catania
Lampedusa
VALLETTA
Malta
98
104
51
A
B
C
D
1
2
3
4
5
20 km
BERN
Neuchâtel
Pontarlier
Fribourg
Thun
Interlaken
Luzern
Sarnen
Stans
Engelberg
Meiringen
Grindelwald
Wengen
Mürren
Jungfrau
Gstaad
Adelboden
Kandersteg
LÖTSCHBERG-TUNNEL
Leukerbad
Crans
Montana
Sion
Sierre
Brig
Visp
Simplonpass
Zermatt
Saas-Fee
Zinal
Evolène
Verbier
Champex
VALAIS
Domodossola
Verbania-Pallanza
Stresa
Biella
Ivrea
Vercelli
Novara
GENÈVE
Annemasse
Bonneville
Chamonix-Mont-Blanc
Megève
St-Gervais-les-B.
Albertville
Courmayeur
Aosta/Aoste
Breuil Cervinia
CERVINO MATTERHORN
MONTE ROSA
VALLE D'AOSTA
Parco Nazionale del Gran Paradiso
Moûtiers
Courchevel
Val-d'Isère
Tignes
St-Jean-de-Maurienne
Modane
Susa
Briançon
Rivoli
TORINO
Moncalieri
Settimo Torinese
Chivasso
Pinerolo
Asti
Alessandria
Casale Monferrato
Carmagnola
Alba
PIEMONTE
SAVOIE
HAUTE-SAVOIE
Champagnole
Gex
Nyon
Annecy
Embrun
Guillestre
Savines-le-Lac
M. Viso

Vaduz
Bludenz
St. Anton am Arlberg
Glarus
Bad Ragaz
Chur/Coira
Davos
Arosa
Klosters
Landquart
Ischgl
Kaunertal
Gurgeltal
Ötztaler Alpen
Silvrettagruppe
Piz Buin 3312
Scuol/Schuls
Zernez
Reschenpaß
Passo di Resia
Malles Venosta/ Mals
Merano/Meran
Bolzano/Bozen
GRAUBÜNDEN
Thusis
Splügen
Savognin
St. Moritz
Pontresina
Silvaplana
Samedan
Zuoz
Livigno
Soglio
Piz Bernina
Passo del Bernina
Ofenpass/Pass dal Fuorn
Müstair
Trafoi
Passo d. Stelvio/Stilfserjoch
Parco Nazionale dello Stelvio
Bormio
TRENTINO-ALTO ADIGE
Malé
Madonna di Campiglio
Passo d. Tonale
Ponte di Legno
Tirano
Sondrio
Chiavenna
Bellinzona
Lugano
Locarno
Ascona
Menaggio
Varenna
Bellagio
Tremezzo
Morcote
Cernobbio
Como
Lecco
Val Camonica
Incisioni rupestri della Valcamonica
Alpi Orobie
Edolo
Aprica
Trento
Rovereto
Riva del Garda
Arco
Malcesine
Lago di Garda
Sirmione
Salò
Desenzano
Peschiera del Garda
LOMBARDIA
Bergamo
Monza
MILANO
BRESCIA
VERONA
Vicenza
Lodi
Crema
Pavia
Certosa di Pavia
Cremona
Piacenza
Mantova
Sabbioneta
Soragna
Fidenza
Salsomaggiore Terme
PARMA
REGGIO NELL'EMILIA
MODENA
Carpi
Correggio
Voghera
Tortona
Vigevano
Legnano
Rho
Magenta
Treviglio
Montichiari
Villafranca di Verona
Valeggio sul Mincio
Legnago
Ostiglia
Mirandola
Suzzara
Guastalla
E F G H
99 105 102

GRAUBÜNDEN
GLARUS
LOMBARDIA
TRENTINO
ALTO ADIGE
Vaduz
Bludenz
St. Anton am Arlberg
Landeck
St. Leonhard im Pitztal
Neustift im Stubaital
Bad Ragaz
Chur/Coira
Davos
Arosa
Ischgl
Zuoz
St. Moritz
Pontresina
Soglio
Splügen
Bellinzona
Lugano
Menaggio
Tremezzo
Varenna
Bellagio
Cernobbio
Como
Lecco
Sondrio
Bergamo
Monza
Legnano
MILANO
Pavia
Lodi
Crema
Cremona
Piacenza
Voghera
Tortona
BRESCIA
Sirmione
Desenzano
Madonna di Campiglio
Merano/Meran
Bolzano/Bozen
Trento
Rovereto
Riva del Garda
Arco
VERONA
Mantova
Sabbioneta
Soragna
Salsomaggiore Terme
PARMA
REGGIO NELL'EMILIA
Carpi
MODENA
Passo di Resia
Passo dello Stelvio
Parco Nazionale dello Stelvio
Valcamonica
Alpi Orobie
Piz Bernina
Ötztaler Alpen
Lago di Garda
94
101
105
106
A
B
C
D
1
2
3
4
5
0
20 km

95
96
134
107
E
F
G
H
1
2
3
4
5
SALZBURG
HOHE TAUERN
FRIULI-VENEZIA GIULIA
GOLFO DI VENEZIA
Golfo di Trieste
Lienz
Villach
Spittal a. d. Drau
Cortina d'Ampezzo
Belluno
Udine
Pordenone
Treviso
Mestre
VENEZIA
PADOVA
Rovigo
FERRARA
Chioggia
Gorizia
Nova Gorica
TRIESTE
Koper/Capodistria
Pazin/Pisino
Pula/Pola
Monfalcone
Lido di Venezia
Castelfranco Veneto
S. Donà di Piave
Jesolo
Caorle
Bibione
Lignano Sabbiadoro
Grado
Palmanova
Cividale d. Friuli
Tolmezzo
Großglockner
Heiligenblut
Ortisei/Sankt Ulrich
Bled
Kranjska Gora
Tarvisio

Courchevel
Pralognan-la-V.
Les Menuires
Locana
Pont Canavese
Ivrea
Bonneval-s-Arc
Groscavallo
Cuorgnè
Castellamonte
S. Giorgio Canavese
Caluso
Cigliano
Vercelli
Novara
St-Michel-de-M.
C. du Mont Cenis
Balme
Ala di Stura
Lanzo Torinese
Cantoira
Ceres
Rivarolo Canavese
Col de la Croix de Fer
Valloire
Modane
Ussèglio
Viù
Ciriè
Volpiano
Rondissone
Livorno Ferraris
Santhià
Alpe-d'Huez
Mont Thabor
Bardonecchia
Borgone Susa
Susa
Almese
Caselle Torinese
Leinì
Chivasso
Saluggia
Trino
Crescentino
Oratoire du Chazelet
La Grave
C. du Galibier
Névache
Col du Lautaret
Alpignano
Venaria Reale
Gassino Torinese
Brusasco
Casale Monferrato
La Meije
Le Monêtier
Oulx
Cesana Torinese
Sauze d'Oulx
Fenestrelle
Sacra di S. Michele
Avigliana
Rivoli
Settimo Torinese
TORINO
Cocconato
Montgenèvre
Sestriere
Giaveno
Orbassano
Moncalieri
Moncalvo
Massif des Écrins
Les Écrins
Chantemerle
Serre Chevalier
Mt Pelvoux
Ailefroide
Vallouise
Col de Montgenèvre
Perosa Argentina
Cumiana
Stupinigi
Chieri
Gallareto
Valenza
Briançon
Perrero
Prali
Pinerolo
Airasca
None
Carignano
Montemagno
Montemagno
Asti
Alessandria
HAUTES-ALPES
Col d'Izoard
Château-Queyras
L'Argentière-la-Bessée
Abriès
Bòbbio Pellice
Torre Pellice
Vigone
Pancalieri
Poirino
S. Damiano d'Asti
Vieux Chaillol
Aiguilles
Cavour
Villafranca Piemonte
Carmagnola
Nizza Monferrato
Costigliole d'Asti
Écrins
Orcières
Mont-Dauphin
Guillestre
St-Véran
Le Pain de Sucre
Crissolo
Paesana
Racconigi
PIEMONTE
La Bâtie-Neuve
Embrun
Vars
M. Viso
Savigliano
Marene
Bra
Alba
Canelli
Acqui-Terme
Col de Vars
Chorges
Savines-le-Lac
Casteldelfino
Sampeyre
Saluzzo
Verzuolo
Ovada
St-Paul-s-Ubaye
Acceglio
Busca
Fossano
Cortemilia
Bge de Serre-Ponçon
Le Lauzet-Ubaye
Barcelonnette
Jausiers
Larche
Col de Larche
Colle della Maddalena
Dronero
Carrù
Dogliani
Bossolasco
Sassello
Campo Ligure
Seyne
PraLoup
Le Sauze
Col de la Bonette
Cuneo
Mondovì
Dego
Pontinvrea
Urbe
Arenzano
Col de Maure
Col d'Allos
Vinadio
Borgo S. Dalmazzo
Ceva
Millesimo
Cairo Montenotte
Carcare
Varazze
Voltri
Col du Labouret
Mont Pelat
Allos
St-Étienne-de-Tinée
Boves
Chiusa di Pesio
Valdieri
Lurisia
Frabosa Soprana
CelleLigure
Albissola Marina
Savona
La Javie
Colmars
Col de la Cayolle
C. di Lombarda
C. de la Lombarde
Auron
Isola2000
Argentera
C. di Melogno
Calizzano
Vado Ligure
Spotorno
PROVENCE
Digne-les-Bains
Val d'Entraunes
Valberg
Beuil
St-Sauveur-s-Tinée
TUNNEL DE TENDE
Limone Piemonte
Garessio
Bardineto
Noli
FinaleLigure
PietraLigure
Loano
Borghetto Sto Spirito
Guillaumes
Le Boréon
St-Martin-Vésubie
Vallée des Merveilles
Tende
Colle di Nava
Mercantour
St-André-les-Alpes
Annot
Puget-Théniers
Roquebillière
N-D-des-Fontaines
Monesi di Triora
Pieve di Teco
Barrême
Senez
Bge de Castillon
Entrevaux
Lantosque
Saorge
Triora
Albenga
Alassio
Col de Toutes Aures
Utelle
Peïra Cava
Col de Brouis
Breil-s-Roya
Pigna
Laigueglia
Castellane
St-Auban
Roquesteron
Mte Bignone
Arma di Taggia
Taggia
ALPES-MMES
Gorges de la Vésubie
Levens
Sospel
Ventimiglia
DianoMarina
Oneglia
GOLFO
Grand Canyon du Verdon
Coursegoules
L'Escarène
La Turbie
Imperia (Porto Maurizio)
Gorges du Loup
Vence
S. Remo
Ospedaletti
Comps-s-Artuby
Menton
Bordighera
St-Vallier-de-Thiey
Le Bar-s-Loup
St-Paul-de-V.
Cagnes-s-M.
Èze
Roquebrune-Cap-Martin
Beaulieu
Monte-Carlo-Monaco
VAR
Fayence
Grasse
St-Jean-Cap-Ferrat
Villefranche-s-Mer
Callas
Mougins
NICE
Mandelieu-la-Napoule
Antibes
Draguignan
Cap d'Antibes
Juan-les-Pins
Golfe-Juan
Lorgues
Le Muy
La Napoule
Théoule-s-Mer
Lérins
Cannes
Miramar
Esterel
Le Trayas
Agay
Fréjus
St-Raphaël
Maures
La Garde-Freinet
St-Aygulf
Les Issambres
Ste-Maxime
MARE LI
Grimaud
Cogolin
St-Tropez
La Croix-Valmer
Ramatuelle
Cap Camarat
Cavalaire-s-Mer
Rayol-Canadel-s-Mer
Cavalière
Le Lavandou
Port-Cros
Île du Levant
0
20 km
A
B
C
D

MILANO
Lodi
Pavia
Piacenza
Cremona
Mantova
Voghera
Fidenza
Salsomaggiore Terme
PARMA
REGGIO NELL'EMILIA
MODENA
Carpi
BOL
EMILIA
ROMAGNA
Rapallo
Chiavari
Sestri Levante
La Spezia
Carrara
Massa
Viareggio
Lucca
Pistoia
PRATO
FIRENZE
Pisa
Empoli
LIVORNO
Siena
Cecina
Poggibonsi
Rosignano Marittimo
Massa Marittima
Sirmione
Bussolengo
Villafranca di Verona
Legnago
S. Giovanni Lupatoto
Sassuolo
Pontremoli
Portofino
Camogli
Vernazza
Manarola
Portovenere
S. Gimignano
Volterra
Monteriggioni
Abbazia di San Galgano
I. di Gorgona
I. di Capraia
Cap Corse
Alpi Apuane
Colline Metallifere
101
106
103

105
PARMA
REGGIO NELL'EMILIA
MODENA
BOLOGNA
EMILIA - ROMAGNA
Salsomaggiore Terme
Fidenza
Carpi
Sassuolo
Rapallo
Chiavari
Sestri Levante
La Spezia
Portovenere
Vernazza
Manarola
Riomaggiore
Carrara
Massa
Viareggio
Lucca
Pistoia
PRATO
FIRENZE
Pisa
LIVORNO
Empoli
S. Gimignano
Volterra
Monteriggioni
Siena
Cecina
Piombino
Follonica
Grosseto
Orbetello
Bastia
St-Florent
Cap Corse
Portoferraio
Isola d'Elba
I. di Capraia
I. di Gorgona
I. Pianosa
Arcipelago Toscano
Alpi Apuane
GENOVA
TOSCANA
Abbazia di San Galgano
Abbazia di Monte Olive to Maggiore
Antiquarium di Poggio Civitate
Giardini della Villa Reale
Palazzo Pretorio
A
B
C
D
1
2
3
4
5
55
108
20 km

103
109
136
138
E
F
G
H
1
2
3
4
5
CRES
Susak
Unije
Premantura
Medulin
Rt Kamenjak
Brioni
Fažana
Ariano nel Polesine
Codigoro
Pomposa
Scardovari
Massa Fiscaglia
Migliarino
Lido delle Nazioni
Portomaggiore
Comacchio
Valli di Comacchio
PortoGaribaldi
Lido d. Estensi
Lido di Spina
Argenta
Reno
Alfonsine
Fusignano
Marina di Ravenna
Lugo
Bagnacavallo
RAVENNA
Russi
Lido di Classe
Lido di Savio
Milano Marittima
Cervia
Cesenatico
Bellaria
FORLÌ
Forlimpopoli
Castrocaro Terme
Bertinoro
Meldola
Predappio
Cesena
Savignano sul Rubicone
Santarcangelo di Rom.
Viserba
RIMINI
Miramare
Riccione
Cattolica
GabicceMare
Borello
Rocca S. Casciano
Galeata
Sta Sofia
Mercato Saraceno
Sarsina
Sogliano al Rubicone
Verucchio
S.Marino
Pesaro
Gradara
Novafeltria
San Leo
Mercatino Conca
Morciano di Romagna
Montecchio
Fano
Pso. d. Carnaio
Bagno di Romagna
Macerata Feltria
MARCHE
Mercatale
Urbino
Carpegna
Sestino
Belforte all'Isauro
Badia Tedalda
Fossombrone
Marotta
Senigallia
Mondolfo
Mondavio
Corinaldo
Ostra
Falconara Marittima
ANCONA
Chiaravalle
Pieve Sto Stefano
Bibbiena
Sant' Angelo in Vado
Urbania
Acqualagna
Piobbico
Cagli
Pergola
S. Marcello
Jesi
Moie
Sirolo
Numana
Subbiano
Sansepolcro
Bocca Trabaria
Apecchio
S. Giustino
Anghiari
Arezzo
Città di Castello
M. Catria
Sassoferrato
Montecarotto
Arcevia
Cupramontana
Osimo
Filottrano
Castelfidardo
Loreto
Recanati
Porto Recanati
UMBRIA
Palazzo del Pero
Pietralunga
Scheggia
Grotte di Frasassi
Cingoli
Fabriano
Potenza Picena
Civitanova Marche
Castiglion Fiorentino
Cortona
Gubbio
Umbertide
Osteria del Gatto
Borgo Tufico
Treia
Villa Potenza
Macerata
Porto Sant' Elpidio
Foiano d. Chiana
Camucia
Mercatale
Tuoro sul Trasimeno
Mengara
Gualdo Tadino
Matelica
S. Severino Marche
Sforzacosta
Tolentino
Corridonia
Montegranaro
Sant'Elpidio a Mare
Campodonico
Castelraimondo
Fermo
Porto S. Giorgio
Bettolle
Passignano s. T.
Lago Trasimeno
Castiglione d. Lago
Magione
PERUGIA
Bosco
Valfabbrica
Nocera Umbra
Camerino
Caldarola
S. Ginesio
Montegiorgio
Pedaso
Montepulciano
Assisi
Mucca
Servigliano
Monterubbiano
Monterfiore dell'Aso
Chiusi
Sta Maria d. Angeli
Colfiorito
Fiastra
Sarnano
Montalto d. Marche
Ripatransone
Grottammare
S. Benedetto del Tronto
Tavernelle
Città d. Pieve
Deruta
Spello
Foligno
Bevagna
Parco Nazionale dei Monti Sibillini
Visso
Amandola
Comunanza
Offida
Marsciano
Trevi
Montefalco
M. Vettore
Montegallo
Ascoli Piceno
Alba Adriatica
Fabro
Triponzo
Castelluccio
Norcia
Arquata del Tronto
Acquasanta Terme
Nereto
Civitella del Tronto
Giulianova
Orvieto
Prato
Todi
Massa Martana
Spoleto
Monteluco
Cascia
Parco Nazionale del Gran Sasso
Valle Castellana
Campli
Teramo
Roseto d. Abruzzi
Bolsena
L. di Bolsena
Baschi
Acquasparta
Monteleone di Spoleto
Ceppo
Amatrice
Pineto
Bagnoregio
Castiglione in Teverina
Lugnano in Teverina
S. Gemini
TERNI
Cittareale
Leonessa
Montorio al Vomano
Villa Vomano
Silvi Marina
Montesilvano
Marta
Montefiascone
Amelia
Attigliano
Piediluco
Posta
Montereale
Prati di Tivo
Isola del Gr. Sasso d'It.
Atri
Città S. Angelo
Cappelle sul Tavo
Piansano
Narni
Orte
Greccio
M. Terminillo
Terminillo
Borbona
Valico b. Capannelle
Antrodoco
Gran Sasso d'Italia
Campo Imperatore
Penne
Loreto Aprutino
Farindola
Pianella
Viterbo
Soriano

Piombino
Follonica
Portoferraio
Rio Marina
Monte Capanne
1018
Marina di Campo
Porto Azzurro
Isola d'Elba
I. Pianosa
PuntaAla
Castiglione della Pescaia
Grosseto
Marina di Grosseto
Ribolla
Paganico
Cinigiano
Abbadia S. Salvatore
1738
M. Amiata
Arcidosso
Piancastagnaio
Sta Fiora
Roccalbegna
Semproniano
Scansano
Acquapendente
S. Lorenzo Nuovo
Orvieto
Pitigliano
Manciano
Magliano in Toscana
Albinia
Orbetello
Porto Sto Stefano
Porto Ercole
Promontorio dell'Argentario
I. d. Giglio
Giglio Porto
I. di Giannutri
I. di Montecristo
Capalbio
Ansedonia
Valentano
Farnese
Bolsena
L. di Bolsena
Bagnoregio
Montefiascone
Marta
Piansano
Canino
Tuscania
Viterbo
Montalto di Castro
Tarquinia
Vetralla
Soriano nel Cimino
Vignanello
Ronciglione
Sutri
Civita Castellana
Tolfa
Trevignano Romano
Manziana
L. di Bracciano
Bracciano
Civitavecchia
Sta Marinella
Sta Severa
Cerveteri
Ladispoli
Palidoro
ROMA
Fregene
Fiumicino
Ostia Antica
Lido di Ostia
Pomezia
Castiglione in Teverina
Lugnano in Teverina
Amelia
Attigliano
Orte
Baschi
Todi
Acquasparta
Prato
Fabro
Città d. Pieve
Tavernelle
Marsciano
Sarteano
Rignano Flaminio
Castelnuovo di Porto
Settebagni
M A R E T I R R E N O
0 20 km
A B C D
1 2 3 4 5

Foligno
Ascoli Piceno
S. Benedetto del Tronto
Giulianova
Roseto d. Abruzzi
Teramo
Parco Nazionale del Gran Sasso
Monti Sibillini
Montesilvano Marina
PESCARA
Francavilla al Mare
Chieti
Ortona
Lanciano
Vasto
Termoli
Rieti
L'Aquila
Gran Sasso d'Italia
Campo Imperatore
Sulmona
Avezzano
ABRUZZO
Parco Nazionale Della Maiella
Parco Nazionale d'Abruzzo
Tivoli
Velletri
Aprilia
LATINA
Frosinone
Sora
Abbazia di Casamari
LAZIO
Isernia
MOLISE
Campobasso
Cassino
Terracina
Gaeta
Formia
Golfo di Gaeta
Parco Nazionale del Circeo
Benevento
Caserta
CAMPANIA
Aversa
Casoria
NAPOLI
Pozzuoli
VESUVIO
Torre d. Greco
Castellammare di Stabia
Sorrento
Positano
Amalfi
Ravello
Avellino
SALERNO
Battipaglia
Paestum
I. d'Ischia
I. di Capri
I. Ponziane
I. di Ponza
I. Ventotene
Golfo di Napoli
Golfo di Salerno
E
F
G
H
1
2
3
4
5
107
110

B
C
109
D
1
2
3
4
5
A
B
113
C
D
0
20 km
I. Pianosa (it.)
I. Tremiti
S. Vito Chietino
Fossacesia
Guardiagrele
Caramanico Terme
la Maiella
Porto di Vasto
Vasto
Casalbordino
Casoli
Cupello
Atessa
Gissi
Lama dei Peligni
Campo di Giove
Palena
S. Salvo
Furci
Termoli
Campomarino
Parco Nazionale Della Maiella
Villa Sta Maria
Montenero di Bisaccia
Palata
Valico d. Forchetta
Pescocostanzo
Rivisondoli
Roccaraso
Montefalcone nel Sannio
Castiglione Messer Marino
Capracotta
Guglionesi
Castel di Sangro
Agnone
Castelmauro
Ururi
Larino
Serracapriola
Trivento
Lucito
Casacalenda
Bonefro
Forlì del Sannio
Alfedena
Pescolanciano
Bagnoli del Trigno
Sta Croce di Magliano
Torremaggiore
Torella d. Sannio
Colli a Volturno
Carpinone
Frosolone
Isernia
Campobasso
S. Elia a Pianisi
L. di Occhito
Castelnuovo d. Daunia
MOLISE
Monti del Matese
Venafro
Vinchiaturo
Bojano
Jelsi
Volturara Appula
Lucera
Capriati a Volturno
Miletto
Campitello M.
Riccia
S. Bartolomeo in Galdo
Letino
Pratella
Sepino
Colle Sannita
Troia
Piedimonte Matese
Cusano Mutri
Morcone
Cerreto Sannita
Montefalcone di Val Fortore
Faeto
Alife
Dragoni
Guardia Sanframondi
Pontelandolfo
S. Marco dei Cavoti
Castelfranco in Miscano
Buonalbergo
Savignano Irpino
Deliceto
Teano
CAMPANIA
Telese
Caiazzo
Benevento
Ariano Irpino
Anzano di Puglia
Sant' Agata di Puglia
Capua
S. Agata de' Goti
Castello del Lago
Grottaminarda
Caserta
Montesarchio
Sta Maria Capua Vetere
Maddaloni
S. Giorgio del Sannio
Marcianise
Cervinara
Aversa
S. Felice a Cancello
Cicciano
Paternopoli
Gesualdo
Vallata
Sant' Angelo dei Lombardi
Andretta
Casoria
Acerra
Baiano
Nola
Pomigliano d'A.
Avellino
Lioni
Napoli
Cuma
Ottaviano
Montella
M. Cervialto
VESUVIO
Sarno
Mercato S. Severino
Solofra
Portici
Pozzuoli
Bacoli
Procida
Ischia
Ercolano
Torre d. Greco
Torre Annunziata
Pompei
Scafati
Nocera Inferiore
Cava de' Tirreni
Montecorvino Rovella
Acerno
Castellammare di Stabia
Gragnano
Angri
SALERNO
Campagna
Golfo di Napoli
Vico Equense
Ravello
Maiori
Vietri sul Mare
Eboli
Sorrento
Positano
Amalfi
Grotta dello smeraldo
Pontecagnano
Battipaglia
Grotta Azzurra
Monte Solaro
I. di Capri
Capri
Golfo di Salerno
Paestum
Capaccio
Agropoli
Ogliastro Cilento
Castellabate
Acciaroli
Pisciotta
Palinuro
Marina di Camerota
Parco Nazionale del Cilento
Vallo della Lucania
M. Cervati
Sanza
Buonabitacolo
Caselle in Pittari
Torre Orsaia
Policastro Bussentino
Sapri
S. Giovanni a Piro
Golfo di Policastro
Maratea
Praia a Mare
Scalea
Papasidero
Mormanno
Morano Calabro
Castrovillari
Lido di Torre Mileto
L. di Lesina
Lesina
L. di Varano
Rodi Garganico
Peschici
Manacore
Vico del Gargano
Vieste
Poggio Imperiale
Apricena
Sannicandro Garganico
Cagnano Varano
Promontorio del Gargano
Monte Sant'Angelo
Mattinata
San Severo
S. Marco in Lamis
S. Giovanni Rotondo
Manfredonia
Golfo di Manfredonia
FOGGIA
Candelaro
Cervaro
Zapponeta
Margherita di Savoia
Barletta
Trinitapoli
Orta Nova
S. Ferdinando di Puglia
Cerignola
Ascoli Satriano
Canosa di Puglia
Andria
Corato
Minervino Murge
Candela
Ofanto
Rocchetta Sant' Antonio
Lacedonia
Bisaccia
Lavello
Melfi
Rapolla
Venosa
Spinazzola
M. Vulture
Rionero in Vulture
Palazzo S. Gervasio
Atella
Calitri
Forenza
Genzano di Lucania
Gravina in Puglia
Pescopagano
Laviano
Muro Lucano
Avigliano
Oppido Lucano
Irsina
Contursi Terme
Picerno
Potenza
Tolve
Tricarico
Grassano
Vietri di Potenza
Tito
Albano di Lucania
Auletta
Sicignano d. Alburni
M. Alburno
Petina
Polla
Brienza
Pso Croce d. Scrivano
Accettura
S. Mauro Forte
Marsico Nuovo
Laurenzana
Stigliano
Roccadaspide
Castel S. Lorenzo
S. Rufo
Sala Consilina
M. Volturino
Corleto Perticara
Viggiano
Teggiano
Montesano sulla Marcellana
Moliterno
BASILICATA
M. Sirino
Lagonegro
Latronico
Francavilla in Sinni
Lauria
Rotonda
Terranova di Pollino
Parco Nazionale del Pollino
M. Pollino
Senise

138
E
F
G
H
1
2
3
4
5
144
Molfetta
Giovinazzo
BARI
Terlizzi
Bitonto
Modugno
Palo del Colle
Bitetto
Sannicandro di Bari
Capurso
Mola di Bari
Adelfia
Rutigliano
Casamassima
Conversano
Polignano a Mare
Monopoli
Turi
Sammichele di Bari
Castellana Grotte
Torre Canne
Cassano delle Murge
Acquaviva delle Fonti
Putignano
Noci
Fasano
Altamura
Gioia del Colle
Alberobello
Locorotondo
Cisternino
Carovigno
Ostuni
Santeramo in Colle
Martina Franca
S. Vito dei Normanni
Brindisi
Ceglie Messapica
Matera
Mottola
VIA APPIA
Laterza
Castellaneta
Massafra
Francavilla Fontana
Latiano
Mesagne
Tuturano
Torchiarolo
Miglionico
Ginosa
Palagiano
Grottaglie
S. Pietro Vernotico
Montescaglioso
Oria
S. Donaci
Squinzano
Trepuzzi
Surbo
S. Cataldo
Bradano
TARANTO
S. Giorgio Ionico
Sava
Manduria
Avetrana
S. Pancrazio Salentino
Campi Salentina
Monteroni di Lecce
Lecce
Bernalda
Pisticci
Lido di Metaponto
PUGLIA
Lido Silvana
Leverano
Melendugno
Copertino
PortoCesareo
Alimini Grande
Alimini Piccolo
Scanzano Jonico
Tursi
Policoro
Galatina
Martano
Nardò
Galatone
Otranto
Maglie
Rotondella
Nova Siri Marina
Gallipoli
Parabita
Casarano
Sta Cesarea Terme
GOLFO DI TARANTO
Oriolo
Tricase
Ugento
Gagliano del Capo
Marina di Leuca
Capo S. a di Leuca
Trebisacce

B
55
C
D
A
1
2
3
4
5
0 20 km
Bouches de Bonifacio
Bocche di Bonifacio
Arcipelago della Maddalena
I. Maddalena
La Maddalena
Parco Nazionale dell'Arcipelago della Maddalena
Santa Teresa Gallura
Palau
I. Caprera
Baia Sardinia
Porto Cervo
Arzachena
Costa Smeralda
Porto Rotondo
Golfo Aranci
Olbia
I. Tavolara
Capo Coda Cavallo
Isola Asinara
C. del Falcone
La Pelosa
Stintino
Golfo dell' Asinara
Castelsardo
Porto Torres
Platamona Lido
Palmadula
Sorso
Sennori
Osilo
SASSARI
Trinità d'Agultu
Luogosanto
Sant' Antonio di Gallura
Aggius
Tempio Pausania
Calangianus
Sedini
Nulvi
Martis
Santa Maria Maddalena
Lago del Coghinas
Pta Balistreri
1359
Telti
Loiri
Monti
Padru
S. Teodoro
971
M. Nieddu
Oschiri
Ploaghe
Sant'Antioco di Bisarcio
Olmedo
Uri
Ittiri
Tramariglio
Grotta di Nettuno
Fertilia
Promontorio di Capo Caccia
Alghero
Villanova Monteleone
Thiesi
Mores
Ozieri
Pattada
Alà dei Sardi
Buddusò
825
Lodè
Posada
La Caletta
Siniscola
Romana
San Pietro di Sorres
Reggia di Santu Antine
Bultei
Pozzomaggiore
Bonorva
Foresta di Burgos
1259
Bono
Bitti
Pta Catirina
1127
Orune
SARDEGNA
Montresta
Necropoli di Sant'Andrea Priu
Bolotana
Galtellì
Orosei
Cedrino
Bosa
Suni
Macomer
Nuoro
Oliena
Dorgali
Cala Gonone
Orani
Orgosolo
Cala Luna
Golfo di Orosei
Cuglieri
M. Ferru
1050
Santu Lussurgiu
Nuraghelosa
Sedilo
Ottana
Sarule
Gavoi
Abbasanta
Ghilarza
Lago Omodeo
Sta Caterina di Pittinuri
Narbolia
Milis
Fonni
Pso di Caraval
1118
Genna Cruxi
906
Parco Nazionale del Golfo Orosei e del Gennargentu
Tramatza
Riola Sardo
Sorgono
Tonara
Monti del
1829
Desulo
1834
Gennargentu
Aritzo
Punta is Arutas
Cabras
Fordongianus
Samugheo
Tirso
Marina di Torre Grande
Oristano
S. Giovanni di Sinis
Simaxis
Sta Giusta
Golfo di Oristano
Laconi
Seulo
Seui
Tortolì
Arbatax
Lanusei
Ulassai
Jerzu
Arborea
Ales
Nurallao
Terralba
Uras
Barumini
Isili
Sardara
Mandas
San Pietro
L. di Mulargia
Costa Verde
Guspini
S. Gavino Monreale
Sanluri
Furtei
Parco Archeologico di Pranu Muttedu
Senorbì
Ballao
Arbus
Gonnosfanadiga
M. Linas
1236
Fluminimaggiore
Villacidro
Sant' Andrea Frius
S. Nicolò Gerrei
Villasalto
Flumendosa
Serramanna
S. Vito
Muravera
Monastir
Dolianova
P. Serpeddi
1087
Iglesias
Domusnovas
Villasor
S. Sperate
Siliqua
Sestu
Assemini
Gonnesa
Villamassargia
Elmas
Selargius
Portoscuso
Quartu S. Elena
Castiadas
I. di S. Pietro
Carbonia
Carloforte
S. Giovanni Suergiu
Narcao
M. is Caravius
1116
CAGLIARI
Calasetta
Giba
Golfo di Cagliari
Villasimius
Sant'Antioco
I. di S. Antioco
Sarroch
Pula
Capo Sperone
Porto Pino
Teulada
Sta Margherita
Capo Spartivento

CALABRIA
Cosenza
Catanzaro
Crotone
Nicastro
Vibo Valentia
REGGIO DI CALABRIA
MESSINA
Taormina
Parco Nazionale del Pollino
Parco Nazionale della Calabria
Parco Nazionale dell'Aspromonte
Aspromonte
S I L A
Golfo di Policastro
Golfo di S. Eufemia
Golfo di Squillace
MARE IONIO
Lipari
I. Stromboli
I. Panarea
Maratea
Tropea
Palmi
Scilla
Gerace
Praia a Mare
Scalea
Diamante
Belvedere Marittimo
Cetraro
Paola
Amantea
Castrovillari
Sibari
Rossano
Corigliano Calabro
Cariati
Cirò Marina
Strongoli
Isola di Capo Rizzuto
S. Giovanni in Fiore
Rende
Lamezia
Pizzo
Soverato
Rosarno
Gioia Tauro
Siderno
Locri
Bovalino Marina
Melito di Porto Salvo
Capo Spartivento
Milazzo
Barcellona Pozzo di Gotto
Giardini-Naxos
Giarre
Trebisacce
Monasterace Marina
Roccella Ionica
A
B
C
D
1
2
3
4
5

110
115

B
C
D
1
2
3
4
5
A
I. di Ustica
M A R E T I R
SICILIA
Capo Gallo
Sferracavallo
Mondello
M. Pellegrino
PALERMO
Solunto
Bagheria
Golfo di Castellammare
San Vito lo Capo
Torre dell'Impiso
Cinisi
Carini
Capaci
Monreale
Castellammare del Golfo
Erice
Trapani
Paceco
Isole Egadi
I. Levanzo
I. Maréttimo
I. Favignana
Fulgatore
Segesta
Calatafimi
Alcamo
Partinico
Piana degli Albanesi
Misilmeri
Casteldaccia
Altavilla Milicia
Trabia
Caccamo
Marineo
S. Cipirello
Villafrati
Rca Busambra
1613
Montemaggiore Belsito
Roccapalumba
Corleone
Lercara Friddi
Prizzi
Lago Garcia
Marsala
Salemi
Sta Ninfa
Partanna
Sta Margherita di Belice
Sambuca di Sicilia
Chiusa Sclafani
Castelvetrano
Mazara del Vallo
Campobello di Mazara
Selinunte
Marinella
Menfi
Caltabellotta
Sciacca
Ribera
S. Stefano Quisquina
Alessandria della Rocca
Casteltermini
S. Biagio Platani
Platani
Aragona
Raffadali
Spiaggia Capo Bianco
Agrigento
Porto Empedocle
Palma di Montechiaro
I. di Linosa
Isole Pelagie
Lampedusa
I. di Lampedusa
Pantelleria
Montana Grande
836
Tracino
Isola di Pantelleria
MALTA
BAHAR MEDITERRAN
Ras San Dimitri
Zebbug
Marsalforn
Ta' Pinu
Ramla Bay
Gharb
Xaghra
San Blas Bay
Dwejra Point
Ggantija
Nadur
Victoria/Rabat
Qala
Ras ti-Qala
Xlendi
Xewkija
Mgarr
North Comino Channel
Comino (Kemmuna)
GOZO
Armier Bay
Cirkewwa
Mellieha Bay
St Paul's Bay
Mellieha
Bugibba
MALTA
Golden Bay
Zebbiegh
Naxxar
Sliema
VALLETTA
Mgarr
Ta Hagrat
Mosta
Bahrija
Mtarfa
Attard
Vittoriosa / Birgu
Rabat
Mdina
Sta Venera
Zabbar
Verdala Palace
Tarxien
Marsaskala
Ras id Dawwara
Dingli
Siggiewi
St Thomas Bay
Zejtun
Dingli Cliffs
Zurrieq
Ghar Dalam
Marsaxlokk
Birzebbuga
Hagar Qim
Blue Grotto
Marsaxlokk Bay
Filfla
0 5 10 km
0 5 miles
0 20 km

I. Stromboli
924
I s o l e E o l i e o L i p a r i
I. Panarea
I. Salina
Spiaggia di Pollara
962
I. Filicudi
I. Alicudi
I. Lipari
Lipari
I. Vulcano
E N O
Tropea
Pizzo
Vibo Valentia
Mileto
Nicotera
Rosarno
Laureana di Borrello
Gioia Tauro
Polistena
Taurianova
Cittanova
Palmi
Seminara
Bagnara Calabra
Oppido Mamertina
Scilla
Sinopoli
Delianuova
Torre Faro
Villa S. Giovanni
Aspromonte
1955
Gambarie
Reggio di Calabria
Parco Nazionale dell'Aspromonte
Bianco
Montebello Ionico
Melito di Porto Salvo
Bova Marina
Capo S
Villafranca Tirrena
Milazzo
MESSINA
Tremestieri
Sta Lucia del Mela
Castroreale Terme
Tyndaris
Patti
Falcone
Castroreale
Barcellona Pozzo di Gotto
M. Peloritani
Capo d'Orlando
Brolo
Naso
Sant' Agata di Militello
Tortorici
Novara di Sicilia
Pzo di Verna
1286
Alì Terme
Roccalumera
Sta Teresa di Riva
Cefalù
Sto Stefano di Camastra
S. Fratello
N e b r o d i
M. Soro
1847
Portella Femmina Morta Miraglia
1524
1264
1125
Francavilla di Sicilia
Taormina
Mazzarò
Giardini-Naxos
Linguaglossa
Randazzo
Mistretta
Collesano
Castelbuono
Pzo Carbonara
1979
M a d o n i e
C. de Contrasto
1107
Cesarò
Petralia Sottana
Gangi
Caltavuturo
Troina
Bronte
M. ETNA
3340
Nicosia
Lago Pozzillo
Salso
Adrano
Biancavilla
Giarre
Acireale
Trecastagni
Nicolosi
Resuttano
Leonforte
Agira
Regalbuto
Catenanuova
Centuripe
Paternò
Aci Trezza
Aci Castello
Misterbianco
Motta Sant' Anastasia
CATANIA
Sta Caterina Villarmosa
Enna
Caltanissetta
S. Cataldo
Valguarnera
Dittaino
Serradifalco
Pietraperzia
Aidone
Piazza Armerina
Ramacca
Simeto
L. di Lentini
Golfo di Catania
Delia
Sommatino
Barrafranca
Mazzarino
Mirabella Imbaccari
Militello in Val di Catania
Palagonia
Scordia
Lentini
Riesi
Ravanusa
Campobello di Licata
Caltagirone
Grammichele
Francofonte
Augusta
Melilli
Butera
Niscemi
Vizzini
Buccheri
Sortino
Licata
Gela
Palazzolo Acreide
986
Floridia
Canicattini Bagni
SIRACUSA
Giarratana
Chiaramonte Gulfi
Vittoria
Comiso
Ragusa
Noto
Avola
Modica
Rosolini
Marina di Ragusa
Scicli
Ispica
Pozzallo
Pachino
Capo Passero
2
3
4
5

POLOGNE
POLAND
SLOVAQUIE
SLOVAKIA
HONGRIE
HUNGARY
116-117
118-119
120-121
122-123
124-125
126-127
132-133
128-129
130-131
Gdańsk
Olsztyn
Białystok
Szczecin
Poznań
WARSZAWA
Łódź
Lublin
Wrocław
Katowice
Kraków
Košice
BRATISLAVA
Győr
BUDAPEST
Debrecen
Szeged
Pécs
RÜGEN
Kap Arkona
Stralsund
Greifswald
Neubrandenburg
Anklam
Wolgast
Świnoujście
Woliński Park Narodowy
Stettiner Haff
Zalew Szczeciński
Kołobrzeg
Koszalin
Trzebiatów
Gryfice
Nowogard
Goleniów
Police
SZCZECIN
Stargard Szczeciński
Gryfino
Pyrzyce
Schwedt
Prenzlau
Pasewalk
Eberswalde
Oranienburg
Bernau bei Berlin
BERLIN
Kostrzyn nad Odrą
Ujście Warty Park Narodowy
GORZÓW WLKP.
Myślibórz
Choszczno
Drawieński Park Narodowy
Strzelce Krajeńskie
Międzychód
Międzyrzecz
Frankfurt
Fürstenwalde
Seelow
POMMERN
ZACHODNI
POMORSK
20 km
120
199

E
F
G
H
1
2
3
4
5
Słowiński Park Narodowy
Łeba
J. Łebsko
J. Gardno
Kluki
Rowy
Ustka
Objazda
Gardna Wielka
Główczyce
Wicko
Żelazna
Białogóra
Karwia
Jastrzębia Góra
Lisi Jar
Władysławowo
Mierzeja Helska
Jastarnia
Jurata
Hel
Puck
Zatoka Pucka
Rewa
Reda
Wejherowo
Rumia
Lębork
GDYNIA
Sopot
Oliwa
GDAŃSK
Zatoka Gdańska
Mierzeja Wiślana
Zalew Wiślany
Sobieszewo
Stegna
Nowy Dwór Gdański
Elbląg
Jarosławiec
J. Kopań
J. Wicko
Słupsk
Darłowo
Sławno
Malechowo
Dębnica Kaszubska
Darżyno
Czarna Dąbrówka
Sierakowice
Kartuzy
Żukowo
Pruszcz Gdański
Suchorze
J. Łętowskie
Kępice
Kołczygłowy
Unichowo
J. Jasień
J. Raduńskie Dln
Wieżyca
Egiertowo
Kłukowa Huta
J. Mausz
Bytów
Sianów
Polanów
Mostowo
Radew
Tuchomie
Studzienice
Kościerzyna
Nowa Karczma
Godziszewo
Skarszewy
Tczew
Malbork
Nowy Staw
Stare Pole
POMORSKIE
Miastko
Bobolice
Lipnica
J. Kruszyńskie
J. Wdzydze
Starogard Gdański
Biały Bór
Brusy
Karsin
Zblewo
Pelplin
Sztum
Dzierzgoń
Stary Dzierzgoń
J. Wierzchowo
Bory Tucholskie Park Narodowy
Przechlewo
Czarna Woda
Wda
Skórcz
Gniew
Brachlewo
Prabuty
Barwice
J. Wielimie
J. Szczytno
Charzykowskie
Czersk
Bory Tucholskie
Kwidzyn
Licze
Susz
Szczecinek
Chojnice
Człuchów
Silnowo
Tuchola
Nowe
Jaromierz
Kisielice
J. Pile
Okonek
Debrzno
Kamień Krajeński
Osie
J. Żur
Warlubie
Gardeja
Machliny
Lniano
Grudziądz
Łasin
Jeżewo
Gruta
Sępólno Krajeńskie
Jastrowie
Gwda
Świecie
Radzyń Chełmiński
Jabłonowo Pomorskie
J. Koronowskie
KUJAWSKO-POMORSKIE
Złotów
Więcbork
Koronowo
Pruszcz
Chełmno
Stolno
Lisewo
Wąbrzeźno
Wałcz
Krajenka
J. Sławianowskie
Trzeciewiec
Łobżenica
Mrocza
Unisław
Chełmża
Gostomia
Piła
Wysoka
Sicienko
BYDGOSZCZ
Fordon
Wyrzysk
Nakło nad Notecią
Białe Błota
Zławieś Wielka
Łysomice
Kowalewo Pomorskie
Golub-Dobrzyń
Lipnica
Brodnica
Drwęca
Trzcianka
Ujście
Noteć
Chodzież
Szamocin
Szubin
Solec Kujawski
TORUŃ
Lubicz Dolny
Zbójno
Czarnków
Margonin
Kcynia
Łabiszyn
Nowa Wieś Wielka
Obrowo
Gołańcz
Wapno
Złotniki Kujawskie
Gniewkowo
Aleksandrów Kujawski
Ciechocinek
Kikół
Lubasz
Budzyń
Żnin
Barcin
Pakość
Nieszawa
Lipno
WIELKOPOLSKIE
Wągrowiec
Biskupin Park Archeologiczny
Inowrocław
Zakrzewo
Fabianki
Janowiec Wielkopolski
Rogowo
Janikowo
J. Pakoskie
Kan. Bachorze
Wronki
Obrzycko
Rogoźno
Mogilno
Kruszwica
Osięciny
Włocławek
Brześć Kujawski
Dobrzyń nad Wisłą
Oborniki
Skoki
Kłecko
Strzelno
J. Gopło
Radziejów
Ostroróg
Szamotuły
Kiszkowo
Murowana Goślina
Gębice
Piotrków Kujawski
Lubraniec
Kowal
Rokietnica
Tarnowo Podgórne
POZNAŃ
Lednogóra
Gniezno
Orchowo
J. Skorzęcińskie
Pobiedziska
Izbica
Gostynin
Duszniki
121
118

Poland
A
B
C
D
204
117
122
1
2
3
4
5
KALININGRAD
(КАЛИНИНГРАД)
Baltijsk
Балтийскк
GDYNIA
Sopot
GDAŃSK
Wejherowo
Rumia
Reda
Puck
Jastarnia
Jurata
Hel
Mierzeja Helska
Zatoka Pucka
Zatoka Gdańska
Mierzeja Wiślana
Baltijskaja Kosa
Kaliningradskij Zaliv
Zalew Wiślany
Krynica Morska
Frombork
Braniewo
Mamonovo
Laduškin
Primorsk
Jantarnyj
Bagrationovsk
Kornevo
Ozerki
Pravdinsk
Sierakowice
Kartuzy
Żukowo
Pruszcz Gdański
Kościerzyna
Tczew
Malbork
Starogard Gdański
Elbląg
Nowy Dwór Gdański
Stegna
Sobieszewo
Pasłęk
Orneta
Pieniężno
Bartoszyce
Lidzbark Warmiński
Dobre Miasto
Morąg
Miłakowo
Sztum
Kwidzyn
Prabuty
Gniew
Pelplin
Czersk
Bory Tucholskie
Tuchola
Grudziądz
Świecie
Chełmno
Iława
Ostróda
Olsztyn
OLSZTYN
Olsztynek
Dywity
Barczewo
Lubawa
Nowe Miasto Lubawskie
Nidzica
Działdowo
Lidzbark
Brodnica
Wąbrzeźno
Chełmża
Golub-Dobrzyń
Rypin
Żuromin
Mława
BYDGOSZCZ
Fordon
TORUŃ
Solec Kujawski
Ciechocinek
Aleksandrów Kujawski
Inowrocław
Strzelno
Kruszwica
Radziejów
Włocławek
Lipno
Sierpc
Płońsk
Ciechanów
PŁOCK
Drobin
Bielsk
Gostynin
Gąbin
Wyszogród
Nowy Dwór Mazowiecki
Kampinoski
WARMIŃS
JAWSKO
POMORSKIE
MAZO
0
20 km

Bolshakovo
Ul'yanovo
Kudirkos Naumiestis
Kazlų Rūda
Skriaudžiai
Maayskoye
Dobro
Vilkaviškis
Sasnava
Prienai
Jieznas
Talpaki
Čern'achovsk
(Черняховск)
Nesterov
Chernyshevskoye
Kybartai
Jgliškeliai
Balbieriškis
Znamensk
Gusev
(Гусев)
Marijampolė
Liudvinavas
MARIJAMPOLĖ
Gražiškiai
Krokialaukis
Alytus
Daugai
Vištytis
Kalvarija
Krosna
Simnas
Ozersk
Wiżajny
Metelių ež.
Obelijos ež.
Dusios ež.
Meteliai
Železnodorožnyj
Krylovo
Żytkiejmy
Rutka-Tartak
Rudamina
Gołdap
Szypliszki
Lazdijai
Seirijai
Dzūkijos
Merkinė
Banie Mazurskie
Szeskie Wzgórza
Węgorzewo
Filipów
Korsze
Suwałki
Wigierski
Krasnopol
Sejny
Klasztor Kamedułów
Park
Narodowy
J. Wigry
Giby
Leipalingis
Kapčiamiestis
Druskininkai
Grūto Parkas
Kętrzyn
Giżycko
Olecko
Raczki
Reszel
Święta Lipka
Wydminy
Macharce
Ryn
Rospuda
Augustów
Puszcza
Augustowska
Sapockin
Hoża
Parečča
Kalinowo
Ełk
Mrągowo
Orzysz
Mikołajki
Halynka
HRODNA
ГРОДНА
Lipsk
Lipszczany
Piecki
Rajgród
Śluza
Kopiec
Sztabin
Dąbrowa Białostocka
Prostki
Grajewo
Drygały
Ruciane-Nida
Pisz
Biała Piska
Biebrzański
Park
Narodowy
Suchowola
Puszcza
Piska
Szczuczyn
Indura
Białaszewo
Biebrzańska
Goniądz
Osowiec
Turośl
Rozogi
Korycin
Sokółka
Lunna
Kotlina
Zalas
Kolno
Stawiski
Mońki
Myszyniec
Łyse
Przytuły
Knyszyn
Czarna Białostocka
Puszcza
Knyszyńska
Jedwabne
Krynki
Supraśl
PODLASKIE
Vjalikaja Berastavica
Brodowe Łąki
Kadzidło
Nowogród
Piątnica Poduchowna
Tykocin
Dobrzyniewo Duże
Wasilków
BIAŁYSTOK
Bobrowniki
Pahraničny
Łomża
Stare Jeżewo
Lelis
Narwiański
Park
Narodowy
Waliły-Stacja
Świsłač
Ostrołęka
Rutki-Kossaki
Michałowo
Jałówka
Krasnosielc
Śniadowo
Zambrów
Sokoły
Łapy
Juchnowiec Kościelny
Zabłudów
Narew
Różan
Goworowo
Czerwin
Wysokie Mazowieckie
Szepietowo-Stacja
Topczewo
Bielsk Podlaski
Białowieski
Puszcza
Park
Narodowy
Ostrów Mazowiecka
Czyżew-Osada
Hajnówka
Długosiodło
Brańsk
Białowieża
Belavežskaja
Pułtusk
Rząśnik
Brok
Małkinia Górna
Treblinka
Nur
Ciechanowiec
Bialowieska
Puszcza Biała
Pušča
Wyszków
Brańszczyk
Kosów Lacki
Dziadkowice
Kleszczele
Kamjanjuki
Milejczyce
Łochów
Serock
Sokołów Podlaski
Drohiczyn
Siemiatycze
Vysokae
Kamjaneć
Radzymin
Klembów
Tłuszcz
Strachówka
Węgrów
Liw
Repki
Koterka
Wołomin
Marki
Sarnaki
Przesmyki
Mal'ija Ščit'niki
Pologne
205
123
E
F
G
H

Poland
116
86
92
0 20 km
BRANDENBURG
LUBUSKIE
SACHSEN
DOLNOŚLĄSKIE
LIBERECKÝ
ÚSTECKÝ
KRÁLOVÉHRADECKÝ
Frankfurt (Oder)
Słubice
Eisenhüttenstadt
Cottbus
Zielona Góra
Nowa Sól
Głogów
Lubin
Legnica
Bolesławiec
Hoyerswerda
Bautzen
Görlitz
Zgorzelec
DRESDEN
Freital
Pirna
Děčín
Ústí nad Labem
Teplice
Most
Chomutov
Liberec
Jablonec nad Nisou
Jelenia Góra
Zittau
Česká Lípa
Mladá Boleslav
Hradec Králové
Náchod
Trutnov
Jičín
Turnov
Lubań
Żary
Żagań
Świebodzin
Międzyrzecz
Sulechów
Krosno Odrzańskie
Guben
Gubin
Forst
Spremberg
Weißwasser
Senftenberg
Lübben
Lübbenau
Fürstenwalde
Königs Wusterhausen
Meißen
Radebeul
Kostrzyn nad Odrą
Ujście Warty Park Narodowy
Międzychód
Wolsztyn
Kargowa
Szprotawa
Polkowice
Chojnów
Złotoryja
Jawor
Strzegom
Świebodzice
Kamienna Góra
Litoměřice
Terezín
Mělník
Nymburk
Poděbrady
Kralupy nad Vltavou
Rakovník
Žatec
Louny
Slaný
Vrchlabí
Śnieżka
Szklarska Poręba
Karpacz
Kowary
Lwówek Śląski
Gryfów Śląski
Świeradów-Zdrój
Bogatynia
Frýdlant
Nový Bor
Rumburk
Varnsdorf
Sebnitz
Bad Schandau
Königstein
Finsterwalde
Elsterwerda
Großenhain
Radeberg
Kamenz
Niesky
Rothenburg
Löbau
Neugersdorf
Herrnhut
Ostritz
Oybin
Hrádek nad Nisou
Jilemnice
Semily
Hořice
Dvůr Králové nad Labem
Jaroměř
Nové Město nad Metují
Dobruška
Kudowa-Zdrój
Kłodzko
Mieroszów
Boguszów Gorce
Jedlina-Zdrój
Głuszyca
Wałbrzych
Broumov
Hronov
Police nad Metují
Lubsko
Jasień
Brody
Nowogród Bobrzański
Kożuchów
Bytom Odrzański
Wschowa
Sława
Zbąszyń
Zbąszynek
Babimost
Trzciel
Nowy Tomyśl
Lwówek
Sulęcin
Torzym
Rzepin
Ośno Lubuskie
Lubniewice
Gorzyń
Sieraków
Skwierzyna
Bad Muskau
Łęknica
Iłowa
Gozdnica
Osiecznica
Węgliniec
Pieńsk
Nowogrodziec
Olszyna
Leśna
Mirsk
Stara Kamienica
Piechowice
Szklarska Poręba
Harrachov
Tanvald
Špindlerův Mlýn
Pec pod Sněžkou
Mladé Buky
Chlumec nad Cidlinou
Lysá nad Labem
Stará Boleslav
Neratovice
Nelahozeves
Roudnice nad Labem
Budyně nad Ohří
Libochovice
Lovosice
Bílina
Krupka
Dubí
Altenberg
Dippoldiswalde
Heidenau
Stolpen
Neustadt in S.
Bischofswerda
Großröhrsdorf
Pulsnitz
Königsbrück
Moritzburg
Coswig
Wilsdruff
Tharandt
Ruhland
Lauchhammer
Schwarzheide
Großräschen
Calau
Vetschau
Lieberose
Peitz
Beeskow
Storkow
Bad Saarow
Müllrose
Strausberg
Erkner
Seelow
Lebus
Rüdersdorf
Zossen
Baruth
Luckau
Dahme
Golßen
Doberlug-Kirchhain
Sonnewalde
Herzberg
Schlieben
Falkenberg
Bad Liebenwerda
Gröditz
Riesa
Praha
Rychnov nad Kněžnou

117
124
122
E
F
G
H
POZNAŃ
WROCŁAW
OPOLE
CZĘSTOCHOWA
KATOWICE
GLIWICE
Włocławek
Gniezno
Września
Konin
Koło
Kutno
Zgierz
Pabianice
Łódzkie
ŁÓDZKIE
OPOLSKIE
Kalisz
Ostrów Wielkopolski
Jarocin
Pleszew
Krotoszyn
Leszno
Gostyń
Rawicz
Kościan
Śrem
Środa Wielkopolska
Swarzędz
Tarnowo Podgórne
Oborniki
Szamotuły
Mogilno
Strzelno
Kruszwica
Trzemeszno
Słupca
Turek
Uniejów
Łęczyca
Ozorków
Aleksandrów Łódzki
Konstantynów Łódzki
Sieradz
Zduńska Wola
Łask
Bełchatów
Wieluń
Wieruszów
Kępno
Syców
Ostrzeszów
Oleśnica
Milicz
Trzebnica
Oława
Brzeg
Namysłów
Kluczbork
Olesno
Lubliniec
Tarnowskie Góry
Bytom
Będzin
Dąbrowa Górnicza
Sosnowiec
Mysłowice
Zabrze
Ruda Śl.
Chorzów
Knurów
Kędzierzyn-Koźle
Strzelce Opolskie
Krapkowice
Nysa
Prudnik
Głuchołazy
Kłodzko
Świdnica
Bielawa
Dzierżoniów
Ząbkowice Śląskie
Strzelin
Sobótka
Kąty Wrocławskie
Środa Śląska
Wołów
Wąsosz
Żmigród
Góra
Bojanowo
Krobia
Kobylin
Zduny
Odolanów
Antonin
Mikstat
Grabów nad Prosną
Byczyna
Praszka
Gorzów Śląski
Wołczyn
Pajęczno
Działoszyn
Krzepice
Kłobuck
Blachownia
Dobrodzień
Ozimek
Kolonowskie
Zawadzkie
Pyskowice
Toszek
Gogolin
Zdzieszowice
Głogówek
Biała
Korfantów
Niemodlin
Grodków
Lewin Brzeski
Popielów
Pokój
Bierutów
Głuszyca
Otmuchów
Paczków
Javornik
Vidnava
Jeseník
Zlaté Hory
Osoblaha
Głubczyce
Baborów
Racibórz
Czerwionka-Leszczyny
Jaworzno
Orzesze
Międzygórze
Śnieżnik
Stronie Śląskie
Lądek-Zdrój
Bystrzyca Kłodzka
Polanica-Zdrój
Złoty Stok
Bardo
Kamieniec Ząbkowicki
Ziębice
Niemcza
Piława Górna
Wiązów
Minkowice Oławskie
Twardogóra
Sulmierzyce
Koźmin Wielkopolski
Raszków
Gołuchów
Nowe Skalmierzyce
Stawiszyn
Rychwał
Tuliszków
Dobra
Dąbie
Kłodawa
Krośniewice
Kowal
Lubraniec
Izbica Kujawska
Chodecz
Lubień Kujawski
Przedecz
Sompolno
Ślesin
Kleczew
Golina
Zagórów
Pyzdry
Lądek
Miłosław
Nowe Miasto nad Wartą
Żerków
Gizałki
Chocz
Książ Wielkopolski
Dolsk
Krzywiń
Osieczna
Rydzyna
Poniec
Miejska Górka
Jutrosin
Sarnówka
Borek Wielkopolski
Pogorzela
Czempiń
Mosina
Kórnik
Puszczykowo
Stęszew
Buk
Opalenica
Dopiewo
Kostrzyn
Pobiedziska
Murowana Goślina
Kiszkowo
Kłecko
Skoki
Rogoźno
Obrzycko
Wronki
Rokietnica
Czerniejewo
Witkowo
Orchowo
Lednogóra
Chłapowo
Wielkopolski Park Narodowy
Warta
Odra
Prosna
Barycz
Widawa
Liswarta
Mała Panew
Nysa Kłodzka
J. Nyskie
J. Otmuchowskie
J. Turawskie
J. Jeziorsko
J. Gopło
J. Powidzkie
J. Pakoskie
J. Skórzęcińskie
Jas. Niedźwiedzia
Sudety
Góry Sowie
Kamieńsk
Szczerców
Zelów
Widawa
Złoczew
Błaszki
Warta
Szadek
Poddębice
Porczyny
Stary Gostków
Wręczyca Wielka
Bodzanowice
Woźniki
Kalety
Miasteczko Śląskie
Siewierz
Zendek
Koziegłowy
Poręba
Mierzęcice
Strzyżowice

PŁOCK
WARSZAWA
Nowy Dwór Mazowiecki
Legionowo
Kampinoski Park Narodowy
Sochaczew
Ożarów Mazowiecki
Pruszków
Grodzisk Mazowiecki
Żyrardów
Piaseczno
Konstancin-Jeziorna
Łowicz
Skierniewice
Kutno
Łęczyca
Koło
Konin
Turek
Ozorków
Zgierz
ŁÓDŹ
Aleksandrów Łódzki
Konstantynów Łódzki
Pabianice
Zduńska Wola
Sieradz
Łask
Brzeziny
Koluszki
Rawa Mazowiecka
Grójec
Białobrzegi
Tomaszów Mazowiecki
Bełchatów
Piotrków Trybunalski
Sulejów
Opoczno
Przysucha
Końskie
Skarżysko-Kamienna
Starachowice
ŁÓDZKIE
Wieluń
Radomsko
CZĘSTOCHOWA
Kłobuck
Lubliniec
Olesno
Myszków
Zawiercie
Tarnowskie Góry
Bytom
Będzin
Dąbrowa Górnicza
GLIWICE
Zabrze
Ruda Śl.
Chorzów
Sosnowiec
Mysłowice
KATOWICE
Jaworzno
Olkusz
Chrzanów
TYCHY
RYBNIK
KRAKÓW
Jędrzejów
Włoszczowa
KIELCE
Świętokrzyski Park Narodowy
ŚWIĘTOKRZYSKIE
Pińczów
Busko-Zdrój
Miechów
Kazimierza Wielka
Proszowice
Ojcowski Park Narodowy
Pieskowa Skała
Tarnów
0
20 km
121
118
126

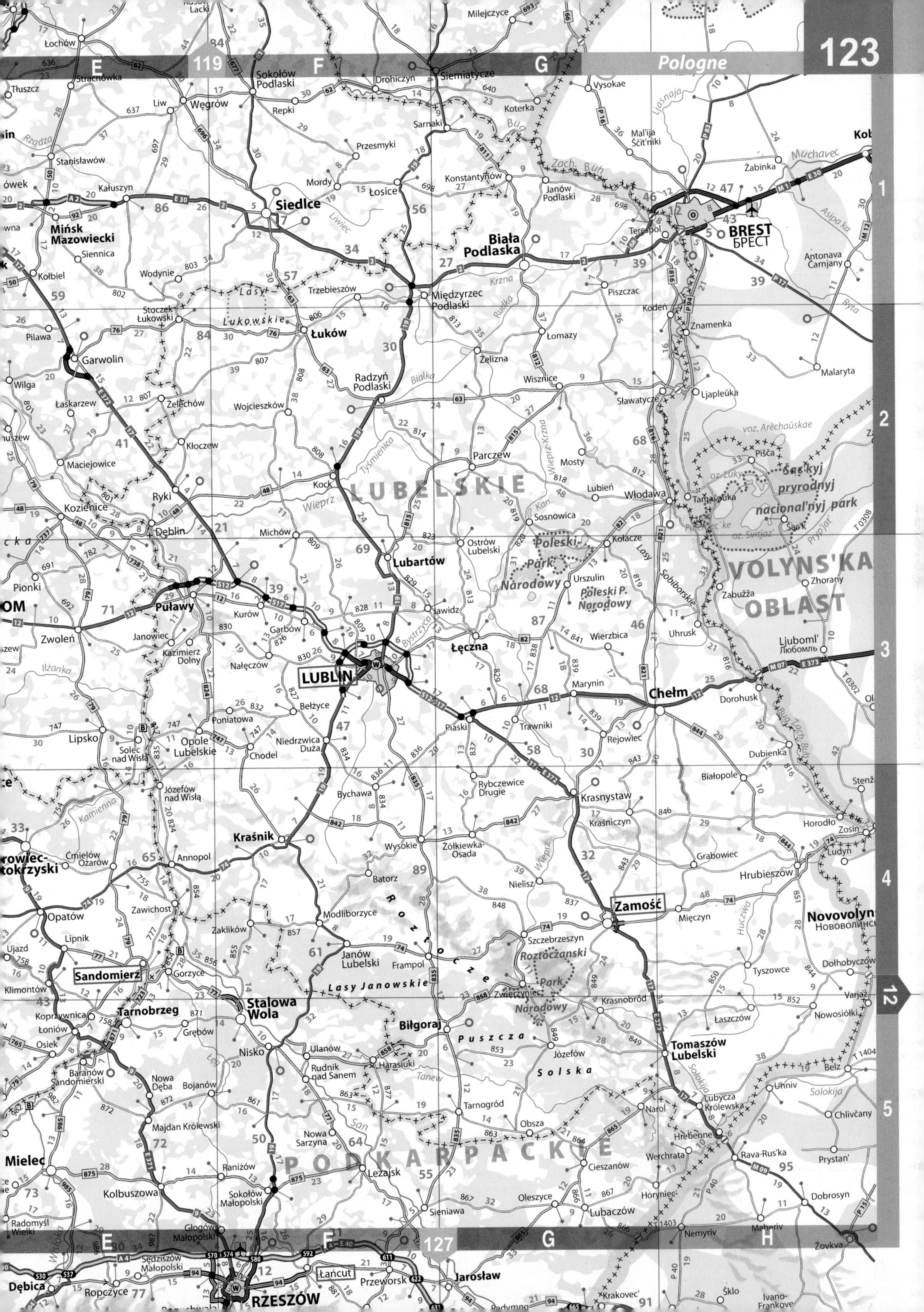
E
F
G
H
119
127
1
2
3
4
5
12
Łochów
Sokołów Podlaski
Drohiczyn
Siemiatycze
Milejczyce
Vysokae
Strachówka
Tłuszcz
Liw
Węgrów
Repki
Koterka
Sarnaki
Przesmyki
Mal'ija Ščit'niki
Stanisławów
Żabinka
Muchavec
Zach. Buh
Konstantynów
Janów Podlaski
Kałuszyn
Mordy
Łosice
Siedlce
Mińsk Mazowiecki
Siennica
Biała Podlaska
Terespol
BREST
БРЕСТ
Wodynie
Kołbiel
Antonava Čarnjany
Trzebieszów
Międzyrzec Podlaski
Piszczac
Stoczek Łukowski
Lasy Łukowskie
Łuków
Koden
Znamenka
Pilawa
Garwolin
Łomazy
Żelizna
Malaryta
Radzyń Podlaski
Wisznice
Wilga
Łaskarzew
Żelechów
Wojcieszków
Sławatycze
Ljapleŭka
Kłoczew
voz. Arèchaŭskae
Maciejowice
Parczew
Mosty
Pišča
Šac'kyj pryrodnyj nacional'nyj park
Ryki
Kock
LUBELSKIE
Lubień
Włodawa
Tamašuka
Kozienice
Dęblin
Wieprz
Sosnowica
Šac'k
Michów
Ostrów Lubelski
Poleski Park Narodowy
Kołacze
VOLYNS'KA OBLAST
Pionki
Lubartów
Urszulin
Zabužža
Zhorany
Puławy
Kurów
Jawidz
Uhrusk
OM
Zwoleń
Janowiec
Garbów
Łęczna
Wierzbica
Ljuboml'
Любомль
Kazimierz Dolny
Nałęczów
LUBLIN
Marynin
Chełm
Dorohusk
Bełżyce
Poniatowa
Piaski
Trawniki
Rejowiec
Lipsko
Solec nad Wisłą
Opole Lubelskie
Chodel
Niedrzwica Duża
Dubienka
Józefów nad Wisłą
Bychawa
Rybczewice Drugie
Krasnystaw
Białopole
Kraśniczyn
Horodło
Zosin
Kraśnik
Wysokie
Żółkiewka-Osada
Ludyn
Ćmielów
Ożarów
Annopol
Batorz
Grabowiec
Hrubieszów
Nielisz
Opatów
Zawichost
Modliborzyce
Roztocze
Zamość
Mięczyn
Novovolyns'k
Нововолинськ
Lipnik
Zaklików
Szczebrzeszyn
Ujazd
Janów Lubelski
Frampol
Roztoczański Park Narodowy
Dołhobyczów
Sandomierz
Gorzyce
Tyszowce
Klimontów
Lasy Janowskie
Zwierzyniec
Krasnobród
Varjaž
Koprzywnica
Tarnobrzeg
Stalowa Wola
Nowosiółki
Łoniów
Osiek
Grębów
Biłgoraj
Łaszczów
Puszcza Solska
Nisko
Ulanów
Józefów
Tomaszów Lubelski
Baranów Sandomierski
Harasiuki
Belz
Rudnik nad Sanem
Nowa Dęba
Bojanów
Uhniv
Tarnogród
Narol
Lubycza Królewska
Chlivčany
Majdan Królewski
Nowa Sarzyna
Obsza
Hrebenne
Rava-Rus'ka
Prystan'
Mielec
Raniżów
PODKARPACKIE
Cieszanów
Werchrata
Kolbuszowa
Leżajsk
Sokołów Małopolski
Horyniec
Dobrosyn
Oleszyce
Lubaczów
Radomyśl Wielki
Sieniawa
Maheriv
Nemyriv
Žovkva
Głogów Małopolski
Sędziszów Małopolski
Łańcut
Przeworsk
Jarosław
Dębica
Ropczyce
RZESZÓW
Krakovec'
Šklo
Ivano-Frankove

Poland
121
92
97
128
KRÁLOVÉHRADECKÝ
PARDUBICKÝ
VYSOČINA
JIHOMORAVSKÝ
OLOMOUCKÝ
MORAVSKOSLEZSKÝ
ZLÍNSKÝ
TRENČIANSKÝ KRAJ
TRNAVSKÝ KRAJ
BRATISLAVSKÝ KRAJ
NITRIANSKÝ
ÖSTERREICH
Hradec Králové
Pardubice
Chrudim
Náchod
Jaroměř
Nové Město nad Metují
Duszniki-Zdrój
Polanica-Zdrój
Bystrzyca Kłodzka
Lądek-Zdrój
Stronie Śląskie
Javorník
Vidnava
Głuchołazy
Prudnik
Biała
Głogówek
Kędzierzyn-Koźle
Chlumec nad Cidlinou
Lázně Bohdaneč
Přelouč
Heřmanův Městec
Holice
Kostelec nad Orlicí
Rychnov nad Kněžnou
Vamberk
Międzylesie
Boboszów
Dolní Lipka
Červená Voda
Choceň
Ústí nad Orlicí
Vysoké Mýto
Česká Třebová
Lanškroun
Litomyšl
Skuteč
Chrást
Hlinsko
Polička
Svitavy
Moravská Třebová
Mohelnice
Zábřeh
Šumperk
Hanušovice
Jeseník
Lipová-Lázně
Bělá pod Pradědem
Zlaté Hory
Vrbno pod Pradědem
Karlova Studánka
Praděd 1491
Hrubý Jeseník
Město Albrechtice
Osoblaha
Głubczyce
Baborów
Krnov
Kietrz
Branice
Bruntál
Rýmařov
Horní Benešov
Opava
Kravaře
Hořejší Kunčice
Moravský Beroun
Uničov
Šternberk
Litovel
Olomouc
Hlubočky
Velká Bystřice
Vítkov
Bílovec
Fulnek
Studénka
Odry
Nový Jičín
Příbor
Štramberk
Poruba
Hranice
Lipník nad Bečvou
Přerov
Valašské Meziříčí
Rožnov pod Radhoštěm
Bystřice pod Hostýnem
Vsetín
Karolinka
Holešov
Fryšták
Hulín
Kroměříž
Zlín
Vizovice
Otrokovice
Horní Lideč
Luhačovice
Slavičín
Brumov
Bojkovice
Uherský Brod
Uherské Hradiště
Buchlovice
Hluk
Chotěboř
Ždírec nad Doubravou
Havlíčkův Brod
Žďár nad Sázavou
Nové Město na Moravě
Bystřice nad Pernštejnem
Jevíčko
Konice
Boskovice
Prostějov
Sloup
Blansko
Moravský Kras
Tišnov
Kuřim
Křižanov
Velké Meziříčí
Velká Bíteš
Jihlava
Třešť
Telč
Třebíč
Namest nad Oslavou
Rosice
BRNO
Šlapanice
Slavkov u Brna
Bučovice
Vyškov
Kojetín
Jaroměřice nad Rokytnou
Dačice
Moravské Budějovice
Jemnice
Ivančice
Moravský Krumlov
Židlochovice
Pohořelice
Hustopeče
Čejč
Kyjov
Veselí nad Moravou
Dubňany
Strážnice
Hodonín
Velká nad Veličkou
Jevišovice
Znojmo
Raabs
Drosendorf Stadt
Hardegg
Geras
Šatov
Hatě
Retz
Hrušovany nad Jevišovkou
Drnholec
Vn. Nové Mlýny
Mikulov
Lednice
Břeclav
Hrádek
Drasenhofen
Hevlín
Laa a. d. Thaya
Kleinhaugsdorf
Pulkau
Jetzelsdorf
Horn
Eggenburg
Stift Altenburg
Maissau
Hollabrunn
Poysdorf
Bernhardsthal
Hohenau a. d. March
Wilfersdorf
Mistelbach
Ernstbrunn
Ziersdorf
Langenlois
Hadersdorf
Kirchberg am Wagram
Göllersdorf
Zistersdorf
Dürnkrut
Stockerau
Dürnstein
Traismauer
Tulln
Korneuburg
Wolkersdorf im Weinviertel
Gänserndorf
Angern a. d. March
Malacky
Herzogenburg
Judenau
Klosterneuburg
WIEN
Deutsch Wagram
Marchegg
St. Pölten
Neulengbach
Purkersdorf
Pressbaum
Groß-Enzersdorf
Leopoldsdorf im Marchfelde
Orth a. d. Donau
St. Christophen
Schwechat
Bad Deutsch-Altenburg
Hainburg a. d. Donau
Wilhelmsburg
Altlengbach
Wienerwald
Fischamend Markt
Mödling
Alland
Mayerling
Traiskirchen
Wiener Neudorf
Lilienfeld
Traisen
Hainfeld
Baden
Bad Vöslau
Mannersdorf am Leithagebirge
Bruck a. d. Leitha
Parndorf
Kittsee
Berg
BRATISLAVA
Hohenberg
Berndorf
Pernitz
Leobersdorf
Wöllersdorf
Rohrer Sattel
Gutenstein
St. Aegyd
Sollenau
Ebenfurth
Ebreichsdorf
Neusiedl am See
Purbach am Neusiedler See
Neusiedler See (Fertő)
Eisenstadt
Nickelsdorf
Hegyeshalom
Albertkázmérpuszta
Wiener
Kúty
Borský Mikuláš
Senica
Myjava
Skalica
Holíč
Stará Turá
Nové Mesto nad Váhom
Horná Streda
Brezová pod Bradlom
Vrbové
Piešťany
Jablonica
Trstín
Smolenice
Malé Karpaty
Rohožník
Pernek
Modra
Pezinok
Stupava
Svätý Jur
Senec
Ivanka pri Dunaji
Zlaté Klasy
Sládkovičovo
Vel'ké Úľany
Galanta
Sereď
Trnava
Hlohovec
Drahovce
Vel'ké Ripňany
Radošina
Topoľčany
Nitra
Sládečkovce
Sopornа
Šaľa
Milanovce
Tvrdošovce
Šurany
Vlčany
Nové Zámky
Kolárovo
Gabčíkovo
Dunajská Streda
Šamorín
Malý Dunaj
Vel'ký Meder
Trenčín
Strání
Bielé Karpaty
Lysá Hora
Śnieżnik 1423
Międzygórze
Jas. Niedźwiedzia
Orlické Hory
Złoty Stok
J. Nyskie
Odra
Dunaj
Donau
Dyje
Morava
March
Váh
Svratka
Sázava
Jihlava
Oslava
Vodní n. Dalešice
V. n. Vranov
Lednice
0 20 km
A
B
C
D
1
2
3
4
5

GLIWICE
Zabrze
Ruda Śl.
Chorzów
Bedzin
Dąbrowa Górnicza
Sosnowiec
Mysłowice
KATOWICE
Jaworzno
Knurów
Czerwionka-Leszczyny
RYBNIK
Orzesze
TYCHY
Bieruń
Oświęcim
Żory
Jastrzębie Zdrój
Pszczyna
Bohumín
Czechowice-Dziedzice
Orlová
Karviná
BIELSKO-BIAŁA
Havířov
Cieszyn
Český Těšín
Frýdek-Místek
Třinec
Wisła
Szczyrk
Klimczok
Skrzyczne
Żywiec
Pyskowice
Strzyżowice
Mierzęcice
Ogrodzieniec
Łazy
Wolbrom
Olkusz
Pieskowa skała
Ojcowski Park Narodowy
Skała
Słomniki
Bukowno
Trzebinia
Krzeszowice
Chrzanów
Alwernia
Zator
Skawina
Brzeszcze
Kęty
Wadowice
Andrychów
Kalwaria Zebrzydowska
Sułkowice
Myślenice
KRAKÓW
Nowa Huta
Niepołomice
Wieliczka
Bochnia
Gdów
Dobczyce
J. Dobczyckie
Miechów
Działoszyce
Proszowice
Luborzyca
Kazimierza Wielka
Wiślica
Dobiesławice
Koszyce
Szczurowa
Brzesko
Wojnicz
Nowy Wiśnicz
Tarnów
Tuchów
Ryglice
Dąbrowa Tarnowska
Radgoszcz
Bolesław
Żabno
Wesoła
Biskupice Radłowskie
Stare Żukowice
Zakliczyn
Gromnik
Czchów
Ciężkowice
MAŁOPOLSKIE
J. Rożnowskie
Nowy Sącz
Grybów
Gorlice
Stary Sącz
Łącko
Zabrzeż
Jazowsko
Krościenko nad Dunajcem
Piwniczna
Krynica
Jaworzyna
Żegiestów
Muszyna
Andrzejówka
Lubień
Mszana Dolna
Rabka-Zdrój
Gorczański Park Narodowy
Gorc
Nowy Targ
Dębno
J. Czorsztyńskie
Pieniny
Jordanów
Maków Podhalański
Sucha Beskidzka
Zawoja
Babiogórski Park Narodowy
Babia Góra
Zubrzyca Górna
Raba Wyżna
Jabłonka
Międzybrodzie Bialskie
Łękawica
Korbielów
Pilsko
Beskid Żywiecki
Węgierska Górka
Milówka
Istebna
Laliki
Zwardoń
Rajcza
Skalité
Beskydy
Oravské Beskydy
Vod. nádrž Orava
Rycerzowa Wlk.
Čadca
Turzovka
Jablunkov
Morávka
Frýdlant nad Ostravicí
Makov
Nová Bystrica
Oravská Lesná
Tvrdošín
Chochołów
Gubałówka
Zakopane
Ždiar
Habovka
TATRZAŃSKI PARK NARODOWY
TATRANSKÝ NÁRODNÝ PARK
Kasprowy Wierch
Kasprov vrch
Rysy
Gerlachovský štít
Starý Smokovec
Štrbské Pleso
TATRY
Vod. nádrž Liptovská Mara
Dolný Kubín
Terchová
Žilina
Vel'ký Kriváň
Malá Fatra
Martin
Rajecké Teplice
Rajec
Bytča
Považská Bystrica
Ružomberok
Liptovský Mikuláš
Liptovský Hrádok
Poprad
Kežmarok
Podolínec
Stará Ľubovňa
Ľubotín
Lipany
Sabinov
Drienica
Šarišské Michaľany
Levoča
Spišská Kapitula
Spišská Nová Ves
PREŠOV
ŽILINSKÝ KRAJ
Vlkolínec
Demänovská Dolina
Ďumbier
Národný Park Nízke Tatry
Nízke Tatry
Národný Park Slovenský Raj
Borišov
Veľká Fatra
Valaská Belá
Nitrianske Pravno
Prievidza
Handlová
Nováky
Partizánske
Banská Bystrica
Kremnica
Brusno
Podbrezová
Brezno
Muráň
Tisovec
BANSKOBYSTRICKÝ KRAJ
Slovenské rudohorie
Zlatý stôl
Mníšek n. Hnilcom
Zlatá Idka
Jasov
KOŠICE
Moldava n. Bodvou
Rožňava
Štítnik
Krásnohorské Podhradie
Slovenský kras
Jelšava
Hnúšťa
Plešivec
Žiar n. Hronom
Zvolen
Detva
Hriňová
Kriváň
Kokava nad Rimavicou
Poltár
Rimavská Sobota
Tornaľa
Aggtelek
Aggteleki Nemzeti Park
Gagyvendégi
Szendrő
Baktakék
Edelény
Žarnovica
Banská Štiavnica
Senohrad
Lučenec
Fiľakovo
Dolná Strehová
Vel'ký Krtiš
Litke
Hontianske Nemce
Levice
Tlmače
Dudince
Demandice
Šahy
Želiezovce
Slovenské Darmoty
Balassagyarmat
Szécsény
Salgótarján
Zabar
Ózd
Kazincbarcika
MISKOLC
Bálvány
Szilvásvárad
Bükki Nemzeti Park
Bükk
Szikszó
Megyaszó
Hernádnémeti
Tiszalúc
Tiszaújváros
Pétervására
Bátonyterenye
Parád
Kékes
Eger
Alsótold
Pásztó
Rétság
Vámosmikola
nad Žitavou
NÓGRÁD
122
129
126

GLIWICE
Zabrze
Chorzów
Sosnowiec
Bytom
Dąbrowa
Olkusz
Mysłowice
KATOWICE
Jaworzno
Knurów
Czerwionka-Leszczyny
RYBNIK
TYCHY
Chrzanów
Trzebinia
Krzeszowice
KRAKÓW
Miechów
Słomniki
Proszowice
Kazimierza Wielka
Skalbmierz
Wolbrom
Pieskowa skała
Ojcowski Park Narodowy
Skała
Wodzisław Śląski
Jastrzebie Zdrój
Żory
Pszczyna
Oświęcim
Bieruń
Wadowice
Skawina
Wieliczka
Niepołomice
Bochnia
Brzesko
Tarnów
Dąbrowa Tarnowska
Żabno
Radłowskie
Czechowice-Dziedzice
BIELSKO-BIAŁA
Kęty
Andrychów
Kalwaria Zebrzydowska
Myślenice
Dobczyce
Gdów
Nowy Wiśnicz
Havířov
Karviná
Bohumín
Orlová
Cieszyn
Český Těšín
Frýdek-Místek
Třinec
Wisła
Szczyrk
Skrzyczne
Żywiec
Sucha Beskidzka
Maków Podhalański
Zawoja
Babiogórski Park Narodowy
Babia Góra
MAŁOPOLSKIE
Mszana Dolna
Rabka-Zdrój
Jordanów
Limanowa
Nowy Sącz
Gorlice
Grybów
Stary Sącz
Łącko
Gorczański Park Narodowy
Nowy Targ
Krościenko nad Dunajcem
Piwniczna
Krynica
Muszyna
Jaworzyna
Čadca
Beskydy
Oravské Beskydy
Pilsko
Jabłonka
Zakopane
Chochołów
Gubałówka
Kasprowy Wierch
Tatrzański Park Narodowy
Tatranský Národný Park
Gerlachovský štít
Rysy
Štrbské Pleso
Starý Smokovec
Kežmarok
Poprad
Stará Ľubovňa
PREŠOV
Žilina
Terchová
Veľký Kriváň
Malá Fatra
Dolný Kubín
Tvrdošín
Oravská Lesná
Považská Bystrica
Rajecké Teplice
Martin
Ružomberok
Liptovský Mikuláš
Liptovský Hrádok
ŽILINSKÝ KRAJ
Veľká Fatra
Vlkolínec
Demänovská Dolina
Národný Park Nízke Tatry
Nízke Tatry
Ďumbier
Národný Park Slovenský Raj
Spišská Nová Ves
Levoča
Spišská Kapitula
Prievidza
Handlová
Banská Bystrica
BANSKOBYSTRICKÝ KRAJ
Brezno
Podbrezová
Kremnica
Zvolen
Detva
Tisovec
Hnúšťa
Rožňava
Slovenský kras
Aggteleki Nemzeti Park
Aggtelek
Rimavská Sobota
Tornaľa
Lučenec
Fiľakovo
Banská Štiavnica
Levice
Šahy
Balassagyarmat
Salgótarján
Ózd
Kazincbarcika
MISKOLC
Bükki Nemzeti Park
Eger
NÓGRÁD
Pétervására
Szilvásvárad
Edelény
Tiszaújváros
20 km

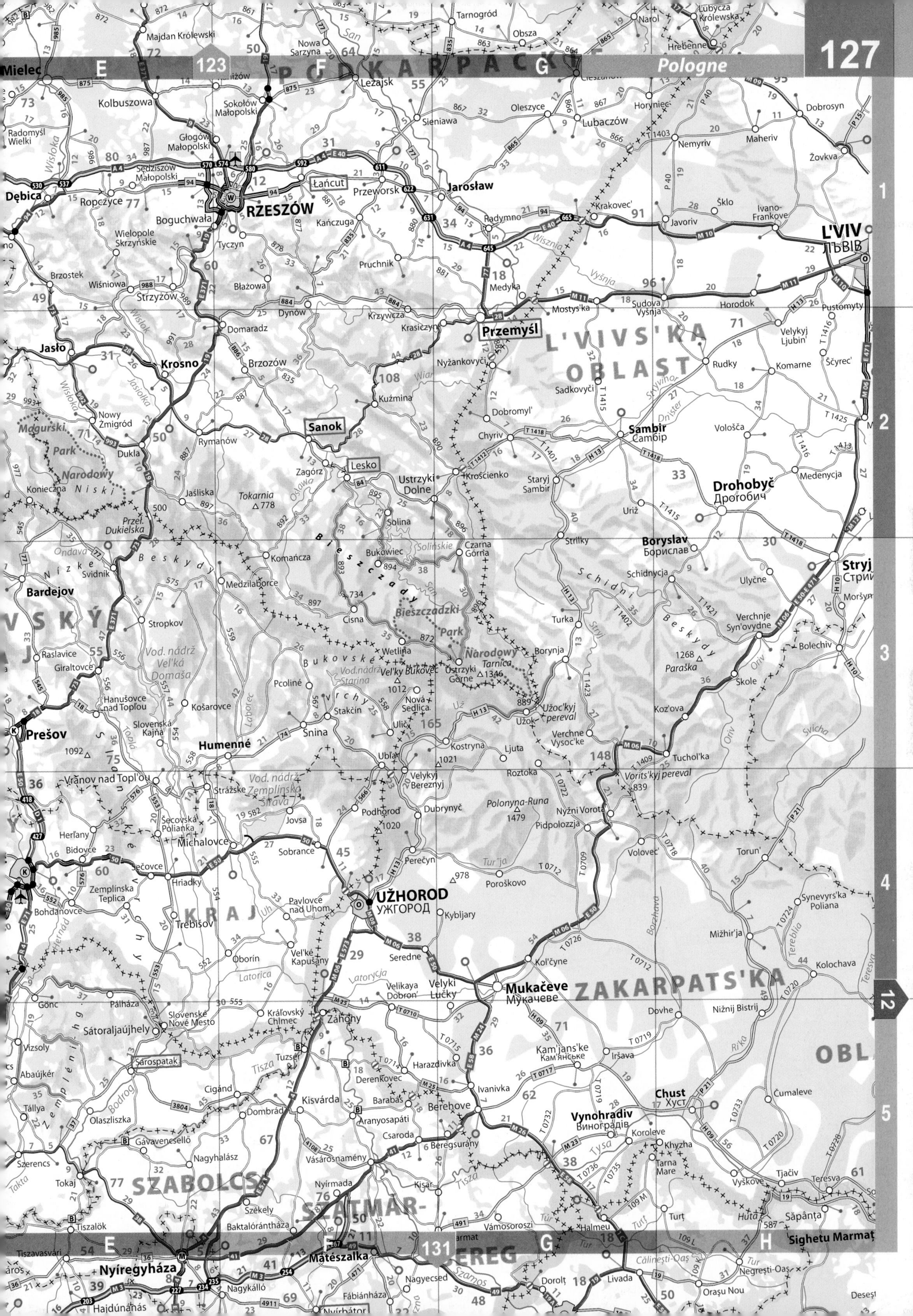
PODKARPACKIE
L'VIVS'KA OBLAST
ZAKARPATS'KA OBLAST
SZABOLCS-SZATMÁR-BEREG
Mielec
Kolbuszowa
Sokołów Małopolski
Głogów Małopolski
Leżajsk
Sieniawa
Oleszyce
Lubaczów
Tarnogród
Obsza
Narol
Lubycza Królewska
Hrebenne
Nowa Sarzyna
Majdan Królewski
Radomyśl Wielki
Dębica
Ropczyce
Sędziszów Małopolski
RZESZÓW
Boguchwała
Łańcut
Przeworsk
Jarosław
Radymno
Kańczuga
Wielopole Skrzyńskie
Tyczyn
Pruchnik
Medyka
Brzostek
Wiśniowa
Strzyżów
Błażowa
Dynów
Krzywcza
Krasiczyn
Przemyśl
Domaradz
Jasło
Krosno
Brzozów
Nyżankovyči
Kuźmina
Dobromyl'
Nowy Żmigród
Dukla
Rymanów
Sanok
Lesko
Zagórz
Ustrzyki Dolne
Krościenko
Chyriv
Magurski Park Narodowy
Konieczna
Jaśliska
Tokarnia
Przeł. Dukielska
Komańcza
Solina
Bukowiec
Czarna Górna
Bieszczady
Bieszczadzki Park Narodowy
Cisna
Wetlina
Ustrzyki Górne
Tarnica
Medzilaborce
Svidník
Bardejov
Stropkov
Raslavice
Giraltovce
Vod. nádrž Veľká Domaša
Hanušovce nad Topľou
Košarovce
Slovenská Kajňa
Prešov
Humenné
Pcoliné
Snina
Stakčín
Nová Sedlica
Ulič
Ubľa
Vel'ky Bukovec
Uzok
Užocʼkyj pereval
Vranov nad Topľou
Strážske
Vod. nádrž Zemplínska Šírava
Sečovská Polianka
Michalovce
Herľany
Bidovce
Sečovce
Hriadky
Sobrance
Jovsa
Zemplínska Teplica
Bohdanovce
Trebišov
Pavlovce nad Uhom
UŽHOROD
УЖГОРОД
Kybljary
Velykyj Bereznyj
Podhorod'
Dubrynyč
Perečyn
Poroškovo
Kostryna
Ljuta
Roztoka
Polonyna-Runa
Nyžni Vorota
Pidpolozzja
Volovec'
Verchne Vysoc'ke
Tuchol'ka
Vorits'kyj pereval
Krakovec'
Javoriv
Sklo
Ivano-Frankove
L'VIV
ЛЬВІВ
Mostys'ka
Sudova Vyšnja
Horodok
Pustomyty
Nemyriv
Maheriv
Horyniec
Dobrosyn
Žovkva
Rudky
Komarne
Velykyj Ljubin'
Ščyrec'
Sadkovyči
Sambir
Самбір
Staryj Sambir
Vološča
Drohobyč
Дрогобич
Medenycja
Uriž
Boryslav
Борислав
Strilky
Schidnycja
Stryj
Стрий
Ulyčne
Turka
Boryni̇a
Skhidni Beskydy
Verchnje Syn'ovydne
Bolechiv
Paraška
Skole
Koz'ova
Moršyn
Torun'
Synevyrs'ka Poliana
Mižhir'ja
Kolochava
Kol'čyne
Mukačeve
Мукачеве
Seredne
Velyki Lučky
Velikaya Dobron'
Čop
Záhony
Kráľovský Chlmec
Slovenské Nové Mesto
Sátoraljaújhely
Gönc
Pálháza
Vizsoly
Abaújkér
Sárospatak
Tállya
Olaszliszka
Szerencs
Tokaj
Tiszalök
Tiszavasvári
Nyíregyháza
Cigánd
Dombrád
Kisvárda
Tuzsér
Gávavencsellő
Nagyhalász
Baktalórántháza
Székely
Mátészalka
Nyírmada
Vásárosnamény
Aranyosapáti
Barabás
Csaroda
Beregsurány
Berehove
Kisar
Vámosoroszi
Derenkovec
Harazdivka
Ivanivka
Kam'jans'ke
Каm'янське
Iršava
Dovhe
Nižnij Bistrij
Chust
Хуст
Vynohradiv
Виноградів
Koroleve
Khyzha
Tarna Mare
Turţ
Halmeu
Vyškove
Tjačiv
Teresva
Čumaleve
Săpânţa
Huta
Sighetu Marmaţiei
Negreşti-Oaş
Orașu Nou
Livada
Dorolţ
Nagyecsed
Fábiánháza
Nyírbátor
Nagykálló
Hajdúnánás
Deseşti
Călineşti-Oaş
Szamos
Tisza
San
Wisłoka
Dnister
Stryj
Tysa
Latorica
Ondava
Laborec
Topľa
Bodrog
Nízke Beskydy
Bukovské vrchy
Zemplínske vrchy
Beskydy
KRAJ
Solinskie
Tur
E F G H
123
131

BRATISLAVA
GYŐR
Komárno
Nové Zámky
Sopron
Eisenstadt
Wiener Neustadt
BURGENLAND
GYŐR-MOSON-SOPRON
Neusiedler See (Fertő)
Fertő Nemzeti Park
Neusiedler See Seewinkel Fertő-Hanság Nemzeti Park
Mosonmagyaróvár
Pápa
Szombathely
VAS
VESZPRÉM
Veszprém
Ajka
Várpalota
Balatonfüred
Siófok
Tihany
Tapolca
Balaton-felvidéki Nemzeti Park
Hévíz
Keszthely
Sümeg
Zalaegerszeg
ZALA
Nagykanizsa
SOMOGY
Kaposvár
Maribor
Murska Sobota
Čakovec
Varaždin
Koprivnica
Križevci
Bjelovar
ZAGREB
Velika Gorica
Virovitica
Harkány
DRAVA
BARAN
Mur
0 20 km
A
B
C
D
1
2
3
4
5
132
97
134
136

NÓGRÁD
HEVES
Mátra
PEST
JÁSZ-NAGYKUN-SZOLNOK
FEJÉR
BÉKÉS
BÁCS-KISKUN
VOJVODINA
TIMIȘ
BUDAPEST
Esztergom
Visegrád
Szentendre
Vác
Dunakeszi
Fót
Gödöllő
Érd
Budaörs
Székesfehérvár
Velence
Dunaújváros
Paks
Kalocsa
Szekszárd
Mohács
Baja
Gyöngyös
Eger
Hatvan
Jászberény
Cegléd
Nagykőrös
Kecskemét
Szolnok
Törökszentmiklós
Kiskunfélegyháza
Kiskunhalas
Szentes
Hódmezővásárhely
Orosháza
Szeged
Makó
Salgótarján
Balassagyarmat
Mezőkövesd
Subotica
Суботица
Sombor
Kikinda
Кикинда
Bačka Topola
Бачка Топола
Senta
Сента
Bečej
Бечеј
Kiskunsági Nemzeti Park
Bükki Nemzeti Park
Duna
Tisza
Mureș
Kékes 1014
133
140
130
E
F
G
H

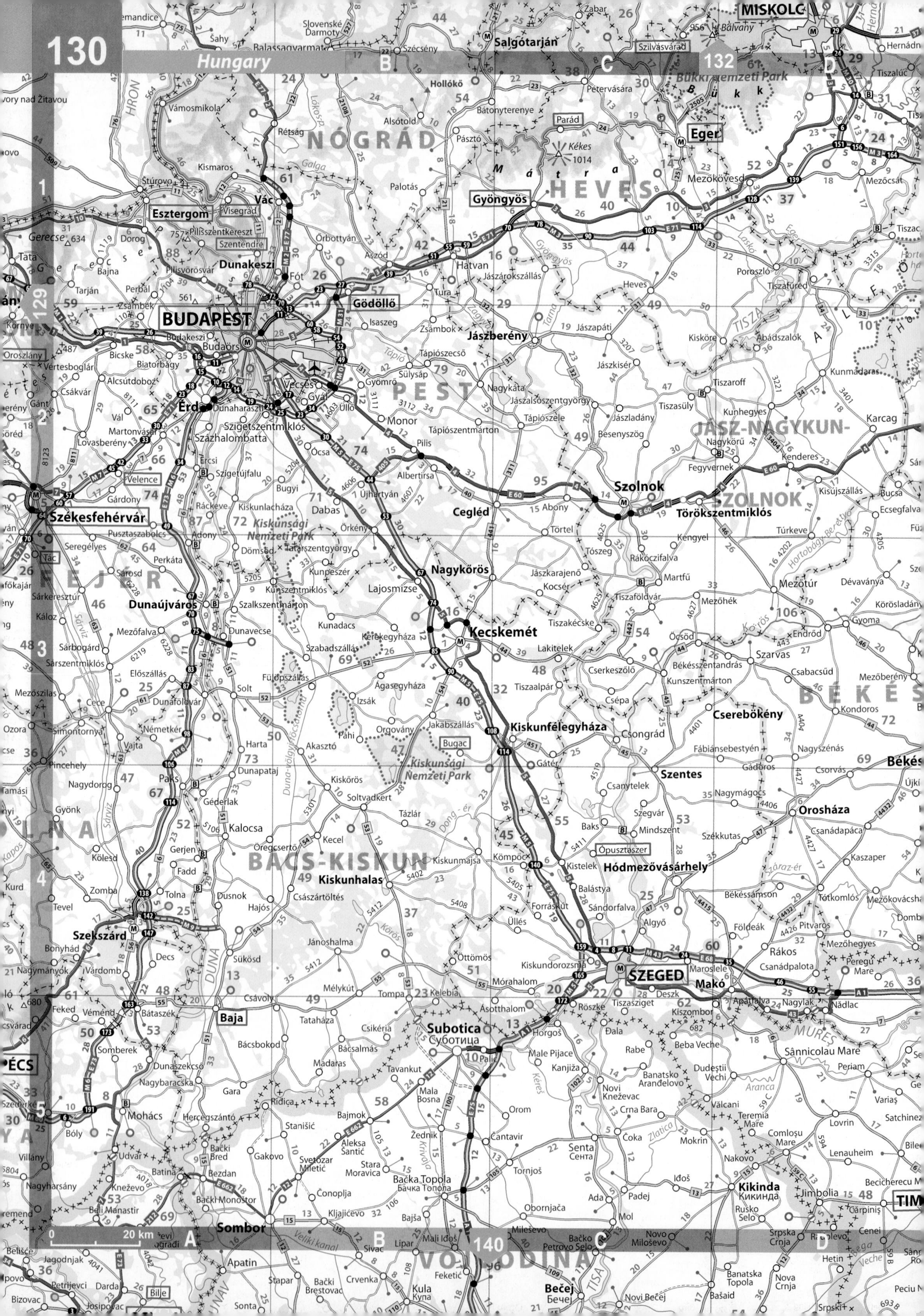
MISKOLC
Salgótarján
Balassagyarmat
Szécsény
Hollókő
Pétervására
Bükki Nemzeti Park
Bükk
Eger
Parád
Kékes 1014
Mátra
NÓGRÁD
HEVES
Gyöngyös
Mezőkövesd
Esztergom
Visegrád
Vác
Szentendre
Dunakeszi
Fót
Gödöllő
BUDAPEST
Budaörs
Érd
Hatvan
Jászberény
Vecsés
Gyál
Üllő
Monor
PEST
Szigetszentmiklós
Százhalombatta
Székesfehérvár
Velence
Dunaújváros
FEJÉR
Cegléd
Abony
Szolnok
Törökszentmiklós
SZOLNOK
JÁSZ-NAGYKUN-
Karcag
Kunhegyes
Tiszafüred
Heves
Nagykőrös
Kecskemét
Kiskunsági Nemzeti Park
Lajosmizse
Kiskunfélegyháza
Csongrád
Szentes
Mezőtúr
Szarvas
Gyoma
BÉKÉS
Orosháza
Hódmezővásárhely
Ópusztaszer
Kalocsa
Paks
Solt
BÁCS-KISKUN
Kiskunhalas
Kiskőrös
Szekszárd
Baja
Mohács
Tolna
PÉCS
SZEGED
Makó
Szeged
Mórahalom
Subotica
Суботица
Sombor
Bačka Topola
Бачка Топола
Kikinda
Кикинда
Senta
Сента
Kanjiža
Novi Kneževac
VOJVODINA
Bečej
Бечеј
Kula
Apatin
Sânnicolau Mare
Jimbolia
Nădlac
TIM
DUNA
TISZA
MUREȘ
Slovenské Darmoty
Šahy
Štúrovo
HRON
Tata
Oroszlány
0 20 km
132
129
140
A B C D
1 2 3 4 5

SZABOLCS
SZATMÁR-BEREG
Tokaj
Nyírmada
Kisar
Tjačiv
Vyškove
Tiszalök
Székely
Vámosoroszi
Sighetu Marmației
Tiszavasvári
Nyíregyháza
Mátészalka
Fehérgyarmat
Nagykálló
Nagyecsed
Fábiánháza
Nyírbátor
Dorolț
Livada
Călinești-Oaș
Negrești-Oaș
Orașu Nou
Hajdúnánás
Görbeháza
Hajdúdorog
Újfehértó
Nyírbogát
Balkány
Satu Mare
SATU MARE
Seini
Tăuții-Măgherăuș
Baia Sprie
Cavnic
Gutâi
Deseşti
Téglás
Hajdúhadház
Nyírlugos
Nyírbéltek
Urziceni
Carei
Moftinu Mic
Terebești
Ardud
Hajdúböszörmény
Nyíradony
Nyíracsád
Balmazújváros
Piscolt
Căuaș
Acâș
Gârdani
BAIA MARE
Satulung
Mireșu Mare
Șomcuta Mare
Copalnic-Mănăștur
Hajdúsámson
Vámospércs
DEBRECEN
Valea lui Mihai
Tășnad
Supuru de Jos
Cehu Silvaniei
Ulmeni
Târgu Lăpuș
Hajdúszoboszló
Nádudvar
Létavértes
Hosszúpályi
Sălacea
Bogdand
Kaba
Derecske
Săcueni
Marghita
Bobota
Camăr
Șimleu Silvaniei
Jibou
Băbeni
Rus
Gâlgău
Püspökladány
Bárand
Földes
HAJDÚ-BIHAR
Diosig
Pocsaj
Suplacu de Barcău
Castrul Porolissum
Zalău
Vârșolț
Nușfalău
Popești
Sălard
Berettyóújfalu
Nagykereki
Biharia
Brusturi
Românași
Dej
Nagyrábé
Ártánd
Borș
ORADEA
SĂLAJ
Recea-Cristur
Gherla
Furta
Biharkeresztes
Tileagd
Aleșd
Buciumi
Sâg
Sânmihaiu Almașului
Cornești
Iclod
Körösszegapáti
Oșorhei
BIHOR
Borod
Zimbor
Vultureni
Csökmő
Komádi
Újiráz
Băile 1 Mai
Băile Felix
Vârciorog
Ciucea
Aghireșu
Răscruci
CLUJ
Gepiu
Hidișelu de Sus
Drăgești
Huedin
CLUJ-NAPOCA
Apahida
Vésztő
Okány
Zsadány
Dobrești
Roșia
Mănăstireni
Gilău
Florești
Tarhos
Salonta
Holod
L. Drăgan
L. Tarnița
Sarkadkeresztúr
Doboz
Sarkad
Tinca
Stâna de Vale
Beliș
Mărișel
Batăr
Budureasa
Șoimi
Valea Ierii
Gyulavári
Gyula
Avram Iancu
Beiuș
Pietroasa
Peștera Urșilor
Băișoara
Iara
Mihai Viteazu
Șepreuș
Ștei
Vârtop
Elek
Chișineu-Criș
Craiva
Arieșeni
Rimetea
Grániceri
Socodor
Nadab
Cermei
Beliu
Moneasa
Vașcău
Nucet
Cucurbăta Mare
Albac
Lőkösháza
Șicula
Ineu
Bocsig
Baia de Arieș
Unirea
Aiud
Șimand
Zărand
Seleuș
Sebiș
Vidra
Câmpeni
Râmeț
Sântana
Buteni
Vârfurile
Abrud
Mogoș
Curtici
Pâncota
Târnova
Zimandu Nou
Gurahonț
Teiuș
CÂMPIA
APUSENI
ALBA
Șiria
Horia
ARAD
MUNȚII
Baia de Criș
Zlatna
Covăsânt
Vladimirescu
Vața de Jos
Brad
Alba Iulia
ARAD
Felnac
Păuliș
Conop
Bârzava
Lipova
Ususău
Petriș
Vorța
Certeju de Sus
Zăbrani
Săvârșin
Daia Română
Vinga
Bogda
Șiștarovăț
Ilia
Geoagiu-Băi
Geoagiu
Sebeș
Fibiș
Remetea Mică
Ohaba Lungă
Deva
Simeria
Orăștie
Cugir
Orțișoara
Pișchia
Făget
Tomești
HUNEDOARA
Jina
Balinț
Cerbăl
Hunedoara
Călan
Șugag
Recaș
Remetea Mare
Topolovățu Mare
Fârdea
Orăștioara de Sus
TIMIȘ
Lugoj
POIANA RUSCĂ
Lunca Cernii de Jos
Sarmizegetusa Regia
Șag
Sacoșu Turcesc
Buziaș
Hațeg
Sântămăria-Orlea
Rusca Montană
Jebel
Liebling
Oțelu Roșu
Pui
E
F
G
H
1
2
3
4
5
133
147
150

OSTRAVA
Havířov
Karviná
BIELSKO-BIAŁA
Frýdek-Místek
Český Těšín
Cieszyn
Třinec
Nový Jičín
Olomouc
OLOMOUCKÝ
Prostějov
Přerov
Hranice
Valašské Meziříčí
Rožnov pod Radhoštěm
Frenštát pod Radhoštěm
Žywiec
Kroměříž
Vyškov
Zlín
ZLÍNSKÝ
Vsetín
Uherské Hradiště
Uherský Brod
Hodonín
Bytča
Žilina
ŽILINSKÝ KRAJ
Martin
Ružomberok
Dolný Kubín
TATRANSKÝ NÁRODNÝ PARK
Považská Bystrica
Púchov
Trenčín
TRENČIANSKY KRAJ
Prievidza
Banská Bystrica
BANSKOBYSTRICKÝ
Zvolen
Piešťany
Nové Mesto nad Váhom
Senica
Trnava
TRNAVSKÝ KRAJ
BRATISLAVSKÝ KRAJ
BRATISLAVA
Nitra
NITRIANSKY KRAJ
Levice
Topoľčany
Nové Zámky
Komárno
Dunajská Streda
Győr
Mosonmagyaróvár
GYŐR-MOSON-SOPRON
Tatabánya
KOMÁROM-ESZTERGOM
Esztergom
Vác
NÓGRÁD
BUDAPEST
Gödöllő
Érd
Pápa
Štúrovo
Šahy
Balassagyarmat
Kremnica
Banská Štiavnica
Malá Fatra
Veľká Fatra
Biele Karpaty
Malé Karpaty
Javorníky
Moravskoslezské Beskydy
Oravské Beskydy
Dunaj
Váh
Hron
Ipeľ
Nitra
0 20 km
A
B
C
D
124
128
130

MAŁOPOLSKIE
PREŠOVSKÝ KRAJ
KOŠICKÝ KRAJ
SZABOLCS
SZATMÁR
HEVES
Nowy Sącz
Nowy Targ
Myślenice
Gorlice
Jasło
Krosno
Sanok
Lesko
Krynica
Zakopane
Poprad
Kežmarok
Levoča
Stará Ľubovňa
Bardejov
Svidník
Prešov
Humenné
Michalovce
Spišská Nová Ves
Rožňava
KOŠICE
Trebišov
Sobrance
UŽHOROD
УЖГОРОД
Sátoraljaújhely
Sárospatak
Tokaj
Kisvárda
Záhony
MISKOLC
Kazincbarcika
Ózd
Salgótarján
Eger
Gyöngyös
Mezőkövesd
Tiszaújváros
Nyíregyháza
Mátészalka
Nyírbátor
DEBRECEN
Hajdúböszörmény
Hortobágy
Jászberény
Rimavská Sobota
Gerlachovský štít
Rysy
Národný Park Nízke Tatry
Národný Park Slovenský Raj
Aggteleki Nemzeti Park
Bükki Nemzeti Park
Magurski Park Narodowy
Gorczański Park Narodowy
Pieniny
Bieszczady
Slovenský kras
E F G H
125 127 131

KÄRNTEN
Villach
Klagenfurt
Spittal a. d. Drau
Feldkirchen
St. Veit
Wolfsberg
Deutschlandsberg
Völkermarkt
Hermagor
Tarvisio
Udine
Cividale d. Friuli
Palmanova
Gorizia
Nova Gorica
Monfalcone
TRIESTE
Miramare
Golfo di Trieste
Koper/Capodistria
Izola/Isola
Piran/Pirano
Portorož/Portorose
Umag/Umago
Novigrad/Cittanova d'Istria
Poreč/Parenzo
Vrsar
Rovinj/Rovigno
Vodnjan/Dignano
Fažana
Brioni
Pula/Pola
Medulin
Rt Kamenjak
Pazin/Pisino
Motovun
Buzet/Pinguente
Labin/Albona
Opatija
RIJEKA
Kraljevica
Crikvenica
Novi Vinodolski
Senj
KRK
Krk
Baška
CRES
Cres
Lošinj
Mali Lošinj
Veli Lošinj
Susak
Rab
PAG
Novalja
Karlobag
Gospić
Otočac
Ogulin
Delnice
Karlovac
Slunj
Plitvička Jezera
Nacionalni park Plitvička jezera
Nacionalni park Sjeverni Velebit
Velika Kapela
Mala Kapela
Bled
Bohinjska Bistrica
Triglavski Narodni Park
Triglav 2864
Kranjska Gora
Jesenice
Radovljica
Tržič
Kranj
Škofja Loka
Kamnik
Domžale
LJUBLJANA
Vrhnika
Logatec
Idrija
Tolmin
Kobarid
Bovec
Ajdovščina
Postojna
Sežana
Divača
Škocjan
Cerknica
Ribnica
Kočevje
Grosuplje
Trebnje
Novo Mesto
Krško
Brežice
Sevnica
Trbovlje
Celje
Velenje
Slovenj Gradec
Dravograd
Slovenska Bistrica
Rogaška Slatina
Kumrovec
Samobor
Jastrebarsko
Metlika
Črnomelj
Karavanken
Pohorje
Gorjanci
Kočevski rog
Učka
Kvarner
Kvarnerić
0 20 km
A B C D
97 103 136
1 2 3 4 5

SLOVÉNIE
SLOVENIA
134-135
LJUBLJANA
ZAGREB
Rijeka
Osijek
136-137
CROATIE
CROATIA
BOSNIE-HER.
BOSNIA-HER.
SARAJEVO
Split
138-139
Dubrovnik
PODGORICA
MONTÉNÉGRO
MONTENEGRO
128
129
137
140
ZAGREB
Varaždin
Čakovec
Koprivnica
Križevci
Bjelovar
Velika Gorica
Sisak
Kutina
Virovitica
Daruvar
Slatina
Našice
Požega
Nova Gradiška
Slavonski Brod
Bosanski Novi/ Novi Grad
Prijedor
BANJA LUKA
Bosanska Gradiška/ Gradiška
Derventa
Doboj
Sanski Most
Cazin
Bihać
Bosanska Krupa
Zalaegerszeg
Keszthely
Nagykanizsa
PÉCS
Harkány
Sümeg
Hévíz
REPUBLIKA SRPSKA
ZALA
SOMOGY
BARANYA
DRAVA
Bilogora
Papuk
Psunj
Moslavačka gora
Kozara
Teslić
Tešanj
Maglaj
Gradačac
Gračanica
Modriča
Lukavac
Zavidovići
Ključ
Bosanski Petrovac

LJUBLJANA
ZAGREB
RIJEKA
Zadar
Šibenik
Karlovac
Velika Gorica
Sisak
Bihać
Cazin
Velika Kladuša
Prijedor
Bosanski Novi/
Novi Grad
Bosanska
Krupa
Gospić
Knin
Sinj
Novo
Mesto
Samobor
Opatija
Senj
Otočac
Ogulin
Petrinja
Drniš
Bosanski
Petrovac
Drvar
KRK
CRES
RAB
PAG
Kvarner
Kvarnerić
Velebit
Velebitski kanal
Velika Kapela
Mala kapela
Kočevski rog
Gorjanci
Dinara
Kornati
Dugi Otok
Nacionalni park
Sjeverni Velebit
Nacionalni
park Plitvička
jezera
Nac. park
Paklenica
Park prirode
Telašćica
Plitvička
Jezera
0
20 km
A
B
C
D
1
2
3
4
5
134
135
138

128
140
142
139
PÉCS
BARANYA
OSIJEK
Vukovar
Vinkovci
Sombor
Slavonski Brod
Bosanska Gradiška/ Gradiška
REPUBLIKA SRPSKA
BANJA LUKA
Doboj
Derventa
Brčko
Bijeljina
TUZLA
FEDERACIJA BOSNE I HERCEGOVINE
Zenica
Travnik
SARAJEVO
Zvornik
Srebrenica
Goražde
Konjic
Livno
Jajce
Bugojno
Virovitica
Daruvar
Slatina
Našice
Đakovo
Požega
Nova Gradiška
Teslić
Tešanj
Maglaj
Zavidovići
Kakanj
Visoko
Ilidža
Vlasenica
Rogatica
Višegrad
Prozor
Tomislavgrad
DRÁVA
DUNAV
Sava
Bosna

Šibenik
SPLIT
Trogir
Kaštel Stari
Solin
Klis
Omiš
Makarska
Sinj
Knin
Drniš
Vodice
Murter
Pirovac
Tisno
Primošten
Rogoznica
Marina
Seget Donji
Čiovo
Šolta
Maslinica
Rogač
Nečujam
Milna
Sutivan
Supetar
Postira
Pučišća
Škrip
Nerežišća
Povlja
Samostan Blaca
Dragonjina špilja
Zlatni Rat
Bol
BRAČ
Sumartin
Hvarski kanal
Vira
Stari Grad
Vrboska
Jelsa
Hvar
Poljica
Bogomolje
HVAR
Sućuraj
Šćedro
Viški kanal
Komiža
Vis
Svetac
Biševo
Jabuka
Korčulanski kanal
Vela Luka
Prigradica
Račišće
Korčula
Brna
KORČULA
Lumbarda
Badija
Orebić
Kućište
Lovište
Sv. Ilija
Trpanj
Neretvanski kanal
Ploče
Neretva Delta
Trstenik
Janjina
Žuljana
PELJEŠAC
Dubrava
Ston
Lastovski kanal
Lastovo
Ubli
Sušac
Mljet
Govedari
Polače
Sobra
Babino Polje
Korita
Mljetski kanal
Šipanska Luka
Šipan
Lopud
Palagruža (hr.)
I. Pianosa (it.)
Tučepi
Podgora
Igrane
Živogošće
Drvenik
Zaostrog
Gradac
Baška Voda
Brela
Zadvarje
Šestanovac
Imotski
Posušje
Grude
Široki Brijeg
Ljubuški
Čitluk
Medjugorje
Čapljina
Metković
Opuzen
Gabela
Neum
Mosta
Livno
Tomislavgrad
Kupres
Bugojno
Donji Vakuf
Gornji Vakuf
Travnik
Zenica
Novi Travnik
Vitez
Kaonik
Busovača
Fojnica
Prozor
Jablanica
Ostrožac
Glamoč
Šipovo
Bosansko Grahovo
Dinara
Kamenski
Trilj
Vrgorac
Tuđmanovo
Čvrsnica
Čabulja
Vran pl.
Vranica
Cincar
Ljubuša
Raduša
Svilaja
Mosor
Biokovo
Kozica
Rasno
Hamzići
Blagaj
Buna
Lido di Torre Mileto
Rodi Garganico
Peschici
Vieste
Vico del Gargano
Manacore
Cagnano Varano
Apricena
Promontorio del Gargano
Monte Sant'Angelo
0 20 km

137
E
F
G
HERCEGOVINE
Kakanj
Vareš
Olovo
Visoko
Breza
Ilijaš
Vogošća
SARAJEVO
Ilidža
Pale
Jahorina
Rogatica
Goražde
Foča
Višegrad
Srebrenica
Bratunac
Ljubovija
Milići
Vlasenica
Valjevo
Ваљево
Užice
Ужице
Čačak
Чачак
Požega
Arilje
Ivanjica
Priboj
Прибој
Prijepolje
Пријепоље
Nova Varoš
Sjenica
Pljevlja
Žabljak
Nac. park Durmitor
Plužine
Gacko
Nevesinje
Bileća
Trebinje
Nikšić
Šavnik
Kolašin
Mojkovac
Bijelo Polje
Berane
Rožaje
Plav
Gusinje
Peć/
Pejë
Đakovica/
PODGORICA
Cetinje
Kotor
Tivat
Herceg Novi
Budva
Petrovac
Bar
Ulcinj
Shkodër
Lezhë
KUKËS
SHKODËR
Kukës
Sutjeska nac. park
Trebević nac. park
Zvijezda nac. park
Nac. park Biogradsko
Nac. park Lovćen
Skadarsko jezero
Liqeni i Shkodrës
Boka Kotorska
Cavtat
Lastva
Bilećko jez.
Vilusi
Grahovo
Risan
Perast
Danilovgrad
Tuzi
Virpazar
Sveti Stefan
Sutomore
Shëngjin
Tara
Morača
Tarčin
Hadžići
Hrasnica
Bjelašnica
Treskavica
Zelengora
Durmitor
Sinjajevina
Komovi
Prokletije
Njegoš
Golija
Zlatibor
Tornik
Kremna
Mokra Gora
Čajetina
Rudo
Čajniče
Ustikolina
Miljevina
Kalinovnik
Avtovac
Berkovići
Ljubinje
Plana
Korita
Rubeži
Vidrovan
Presjeka
Lijeva Rijeka
Andrijevica
Murino
Vermosh
Bajina Bašta
Perućac
Kosjerić
Sevojno
Pranjani
Kaona
Mionica
Divčibare
Ražana
Guča
Lučani
Kotraža
Rožanstvo
Sopoćani
Tutin
Ribariće
Vitomirica
Barane
Dečani
Junik
Tropojë
Bajram Curri
Koplik
Shëngjin
Bushat
Pukë
Fushë-Arrëz
Rrëshen
Kurbnesh
142
144
E
F
G
H

BÁCS-KISKUN
VOJVODINA
SZEGED
Hódmezővásárhely
Kiskunhalas
Baja
Szekszárd
PÉCS
Mohács
Makó
Subotica
Суботица
Sombor
OSIJEK
Vukovar
Vinkovci
Kikinda
Кикинда
Zrenjanin
Зрењанин
NOVI SAD
НОВИ САД
Bečej
Бечеј
Sremska Mitrovica
Ruma
Рума
Šabac
Шабац
Bijeljina
Бијељина
Brčko
TUZLA
Zvornik
ZEMUN
ЗЕМУН
BEOGRAD
БЕОГРАД
Pančevo
Панчево
Valjevo
Ваљево
Loznica
Лозница
Srebrenica
Fruška gora
DUNAV
TISA
SAVA
Drina
137
130
142
0
20 km
A
B
C
D

SERBIE
SERBIA
Novi Sad
140-141
BEOGRAD
Niš
142-143
Priština
Shkodër
SKOPJE
TIRANË
RÉP. MACÉDOINE
REP. OF MACEDONIA
ALBANIE
ALBANIA
144-145
ARAD
TIMIŞ
CARAŞ-SEVERIN
MEHEDINŢI
VIDIN
MUNŢII POIANA RUSCĂ
PARCUL NAŢIONAL RETEZAT
Parcul Naţional Domogled-Valea Cernei
Parcul Naţional Semenic-Cheile Caraşului
Parcul Naţional Cheile Nerei-Beuşniţa
Munţii Semenic
Munţii Ţarcu
Munţii Almăjului
Homoljske planine
Veliki Krš
Beljanica
DUNĂREA
DUNAV
Đerdap (les Portes de Fer)
Alba Iulia
Arad
Şoara
Lugoj
Caransebeş
Reşiţa
Bocşa
Oraviţa
Anina
Orşova
Băile Herculane
Drobeta-Turnu Severin
Petroşani
Târgu Jiu
Vršac
Вршац
Smederevo
Смедерево
Požarevac
Пожаревац
Kragujevac
Крагујевац
Jagodina
Јагодина
Bor
Бор
Zaječar
Зајечар
Negotin
Неготин
Vidin
Видин
Calafat
Kladovo
Donji Milanovac
Golubac
Majdanpek
Brad
Deva
Sebeş
Hunedoara
Lupeni
Vulcan
Motru
Strehaia
Băileşti
Poiana Mare
Cetate
Plenita
Paraćin
Ćuprija
Svilajnac
Velika Plana
Plandište
Пландиште
Banatski Karlovac
Bela Crkva
Veliko Gradište
Kučevo
Petrovac
Žagubica
Knjaževac
Lipova
Făget
Buziaş
Jimbolia
Deta
Jebel
Moldova Nouă
Bozovici
Baia de Aramă
Sarmizegetusa
Poarta de Fier a Transilvaniei
Retezat 2482
Peleaga 2509
Mândra 2519
Semenic 1446
Prislop 1000
Svinecea 1226
Trajanova Tabla
146
143
151
E
F
G
H
1
2
3
4
5

SARAJEVO
Vogošća
Pale
Trebević nac. park
Olovo
Rogatica
Goražde
Foča
Višegrad
Srebrenica
Ljubovija
Bajina Bašta
Zvijezda nac. park
Valjevo
Ваљево
Užice
Ужице
Čačak
Чачак
Kraljevo
Краљево
Gornji Milanovac
Горњи Милановац
Požega
Arilje
Ivanjica
Priboj
Прибој
Prijepolje
Пријепоље
Nova Varoš
Sjenica
Novi Pazar
Нови Пазар
Pljevlja
Ужице
Žabljak
Nac. park Durmitor
Sutjeska nac. park
Nikšić
Kolašin
Mojkovac
Nac. park Biogradsko
Bijelo Polje
Berane
Rožaje
Peć/
Pejë
Kosovska Mitro
Kosovska Mit
Klina/
Klinë
Đakovica/
Gjakovë
PODGORICA
Cetinje
Kotor
Herceg Novi
Tivat
Budva
Nac. park Lovćen
Bar
Ulcinj
Skadarsko jezero
Liqeni i Shkodrës
Shkodër
SHKODËR
KUKËS
Kukës
LEZHË
Lezhë
Bileća
Gacko
Trebinje
Prokletije
Sinjajevina
Durmitor
Zlatibor
Javor
Tara
Drina
Lim
Ibar
Morača
Tara
Rep. of Macedonia / Serbia
139
140
144
A
B
C
D
1
2
3
4
5
0
20 km

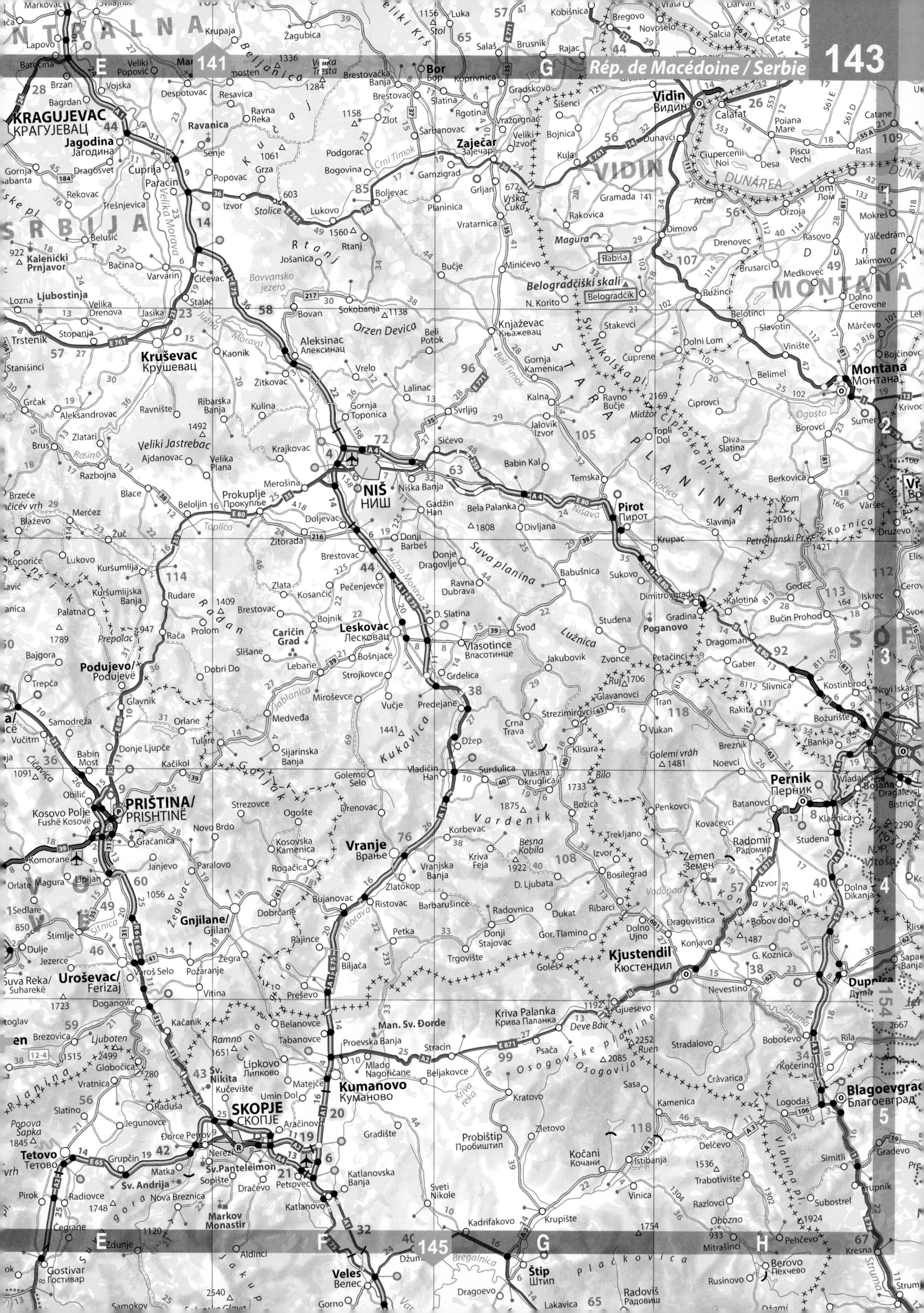
KRAGUJEVAC
КРАГУЈЕВАЦ
Jagodina
Ćuprija
Paraćin
Kruševac
Крушевац
Aleksinac
Алексинац
Bor
Zaječar
Зајечар
Vidin
Видин
Calafat
VIDIN
MONTANA
Montana
Монтана
Lom
Knjaževac
Књажевац
NIŠ
НИШ
Pirot
Пирот
Prokuplje
Прокупље
Leskovac
Лесковац
Vlasotince
Власотинце
Dimitrovgrad
Kjustendil
Кюстендил
Pernik
Перник
Radomir
Zemen
Dupnica
Blagoevgrad
Благоевград
Vranje
Врање
PRIŠTINA/
PRISHTINË
Podujevo/
Gnjilane/
Gjilan
Uroševac/
Ferizaj
Kumanovo
Куманово
SKOPJE
СКОПЈЕ
Tetovo
Тетово
Gostivar
Гостивар
Veles
Велес
Štip
Штип
Kočani
Кочани
Probištip
Пробиштип
Kriva Palanka
Крива Паланка
Sveti Nikole
Berovo
Пехчево
Radoviš
Радовиш
Stara Planina
Suva planina
Vardenik
Osogovske planine
Vlahina pl.
Kukavica
Radan
Veliki Jastrebac
Rtanj
Kom
Midžor
Belogradčiški skali
Dunărea
E
F
G
H
141
145
154
1
2
3
4
5

B
C
142
D
1
2
3
4
5
A
B
164
C
D
0
20 km
111
Pečurice
Krute
Sukobin
Muriqan
Vau i Dejës
Bushat
Krajan
Pulaj
Sveti Nikola
Rras
Blinisht
Zall Reç
Bicaj
Prizrenski
Restelica
Maj'e Zebë
Shëngjin
Lezhë
Gjiri i Drinit
LEZHË
Kurbnesh
Rrëshen
Mal Dejë
Ulëzë
Liq. i Ulzës
Fushë-Muhur
Peshkopi
Volkovija
Gjiri i Rodonit
Laç
Burrel
Lis
Selishtë
DIBËR
Sv. Jovan Bigorski
Mavrovo
Maqellarë
Jance
Galičnik
Lazar
M. Allaman
Debarska Banja
Banjišta
Shupenzë
Debar
Dolno Kosovrasti
Stogovo
Ishëm
Krujë
Qaf'e Shtamës
Klos
Zerqan
Mal i Lopes
Gjiri i Lalzit
Fushë-Krujë
DURRËS
Sukth
Vorë
Mal i Dajt
Shënmëri
Steblevë
Lukovo
Durrës
Shijak
TIRANË
Gjiri i Durrësit
Ndroq
Kavajë
TIRANË
Mal i Shebenik
Librazhd
Veleštа
Labinot-Fushë
Elbasan
Bradashesh
K. e Thanes
Rrogozhinë
Peqin
M. Poiis
Qukës
Cafasan
Prenjas
Lin
Struga
Ohrid
Gjiri i Karavastasë
Cërrik
Mal i Shpat
Divjakë
Laguna e Karavastasë
Belsh
Lushnjë
ELBASAN
Guri i Zi
Gramsh
Pogradec
Leshnicë
Myzeqe
Libofshë
Kodovjat
M. Valamare
FIER
Kuçovë
Poshnjë
Roskovec
Moglicë
Devoll
Fier
Berat
Çuka Partizane
Maliq
Patos
Mal i Tomorr
M. Shpirag
BERAT
KORÇ
Novoselë
Cakran
Ballsh
M. Ostrovice
Mallakastër
Selenicë
Çorovodë
M. Rungaje
Sazan
Vlorë
M. Lungarë
Çepan
Karaburun
Mavrove
Osum
Qesarat
M. Trebeshine
M. e Qelqës
Ersekë
S. Cataldo
Vajzë
Memaliaj
Këlcyrë
Orikum
Gjorm
M. e Bratajt
Mal i Gribë
Tepelenë
GJIROKASTËR
Gorgo
Lecce
Melendugno
Alimini Grande
Rreza e Kanalit
Q. e Llogarasë
Përmet
Zagori
Martano
Alimini Piccolo
M. e Çikës
Kurvelesh
Papingut
Leskov
Otranto
Dhermi
VLORË
M. Luce
Gjirokastër
M. Bureto
Kefalóvryso
S. Cesarea Terme
Borsh
Dropull
Pogoniani
Vissani
Lukovë
Delvinë
Delvináki
Kakaviá
Doliana
Muzine
Drino
Kalpáki
Tricase
Sarandë
Parakálamos
Vurg
Kouklioi
Gagliano del Capo
Livadhe
Tsamantás
Aetópetra
Sidári
Róda
Kassiópi
Liq. i Butrintit
Buthrotum
S. Maria di Leuca
Capo S. Maria di Leuca
Avliótes
Pantokrátor
Nisáki
Vrine
Ag. Nikólaos
Keramítsa
Pyrgí
Ýpsos
Konispol
Vrosína
Palaiokastrítsa/ Παλαιοκαστρίτσα
Gouviá
Sagiáda
Giannádes
Kérkyra/ Κέρκυρα
Filiátes/ Φιλιάτες
Parapótamos
Péleka
Pérama
Sinarades
Benítses
Igoumenítsa/ Ηγουμενίτσα
Ág. Górdios
Moraítika
Psáka
N. KÉRKYRA
N. ΚΕΡΚΥΡΑ
E 851
E 762
E 852
E 853
E 90
SH 1
SH 2
SH 3
SH 4
SH 6
SH 7
SH 8
A 1
A 2

143
E
F
G
H
165
161
Tetovo
Gostivar
Kičevo
Veles
Štip
Radoviš
Strumica
Prilep
Bitola
Gevgelija
Kilkís
Kastoriá/
Flórina
Édessa
Giannitsá
THESSALONÍKI/
ΘΕΣΣΑΛΟΝΙΚΗ
Véroia/
Náousa/
Kozáni/
Ptolemaïda/
Grevená/
Kateríni/
Elassóna/
Týrnavos/
LÁRISA/
Trikala/
Métsovo/
Kalampáka
Meteora
Korçë
Oros Ólympos
DYTIKÍ MAKEDONÍA
PINDOS
NÓTIA PINDOS
THESSALIA
KENTRIKI
Thermaïkós Kólpos
Óros Óssa
Zagória
Lefkádia
Vergina

ROUMANIE
ROMANIA
146-147
148-149
150-151
152-153
154-155
BULGARIE
BULGARIA
156-157
158-159
160-161
162-163
GRÈCE
GREECE
164-165
166-167
168-169
170-171
171
172-173
MISKOLC
Bükki Nemzeti Park
SZABOLCS-
SZATMÁR-
BEREG
Nyíregyháza
Tokaj
Kisvárda
Mátészalka
Nyírbátor
DEBRECEN
Hortobágy
HAJDÚ-
BIHAR
Berettyóújfalu
Carei
ORADEA
BIHOR
Marghita
Aleșd
Salonta
Beiuș
BÉKÉS
Békéscsaba
Gyula
Szarvas
Szentes
Orosháza
Hódmezővásárhely
SZEGED
Makó
ARAD
Lipova
CÂMPIA
MUNȚII
Sânnicolau Mare
Kikinda
Jimbolia
TIMIȘOARA
TIMIȘ
Lugoj
POIANA RUSCĂ
Hunedoara
130
127
150
20 km

OBLAST
MARAMUREŞ
SATU MARE
BISTRIŢA-NĂSĂUD
CLUJ
MUREŞ
ALBA
SIBIU
BRAŞOV
APUSENI
SALAJ
HARG
DOARA
Parcul Naţional Munţii Rodnei
Munţii Rodnei
Parcul Naţional Călimani
MUNŢII CĂLIMANI
Munţii Maramureş
Munţii Trascău
Chust
Хуст
Vynohradiv
Виноградів
Rachiv
Рахів
Vyžnycja
Вижниця
SATU MARE
BAIA MARE
Sighetu Marmaţiei
Zalău
Castrul Porolissum
Dej
Gherla
Bistriţa
CLUJ-NAPOCA
Turda
Câmpia Turzii
Reghin
TÂRGU MUREŞ
Sovata
Sighişoara
Mediaş
Biertan
Viscri
Alba Iulia
Sebeş
Orăştie
Simeria
Călan
Cugir
Făgăraş
SIBIU
Dumbrava Sibiului
Vatra Dornei
Odorheiu Secuiesc
Toplița
Borşa
Vişeu de Sus
Năsăud
Beclean
Huedin
Gilău
Floreşti
Apahida
Luduş
Iernut
Târnăveni
Blaj
Aiud
Ocna Mureş
Zlatna
Agnita
Rupea
Miercurea Sibiului
Ocna Sibiului
Vadu Izei
Bârsana
Săpânţa
Negreşti-Oaş
Seini
Tăuţii-Măgherăuş
Baia Sprie
Cavnic
Târgu Lăpuş
Şomcuta Mare
Jibou
Şimleu Silvaniei
Deda
Praid
Dumbrăveni
Copşa Mică
Farcău 1956
Pietrosul 2303
Pietrosu 2100
Prislop 1416
Tihuța 1200
Gutâi
Tisa
Someş
Mureş
Olt
Târnava Mare
Târnava Mică
Arieş
Crişul Repede

ČERNIVCI
ЧЕРНІВЦІ
Storožynec'
Сторожинець
Вижниця
Edineț
BOTOȘANI
Dorohoi
Botoșani
Rădăuți
Siret
Putna
Sucevița
Arbore
Dragomirna
SUCEAVA
Suceava
Câmpulung Moldovenesc
Voroneț
Rarău
Gura Humorului
Fălticeni
PODIȘUL SUCEVEI
CÂMPIA MOLDOVEI
Hârlău
Pașcani
IAȘI
Iași
Târgu Frumos
Podu Iloaiei
Cetățuia
Vatra Dornei
Parcul Național Călimani
MUNȚII CĂLIMANI
Munții Bistriței
Târgu Neamț
Neamț
Secu
Schitul Sihla
Văratec
Agapia
NEAMȚ
PIATRA-NEAMȚ
Roman
Parcul Național Ceahlău
Ceahlău
Ocolașul Mare
Bicaz
Cheile Bicazului
Parcul Național Cheile Bicazului - Hășmaș
Toplița
Gheorgheni
Sovata
HARGHITA
Miercurea Ciuc
Odorheiu Secuiesc
BACĂU
Bacău
Moinești
Comănești
Onești
Târgu Ocna
Slănic-Moldova
PODIȘUL BÂRLADULUI
Adjud
Tecuci
Viscri
Rupea
COVASNA
Sfântu Gheorghe
Târgu Secuiesc
Covasna
VRANCEA
Făgăraș
BRAȘOV
12
152
147
0 20 km

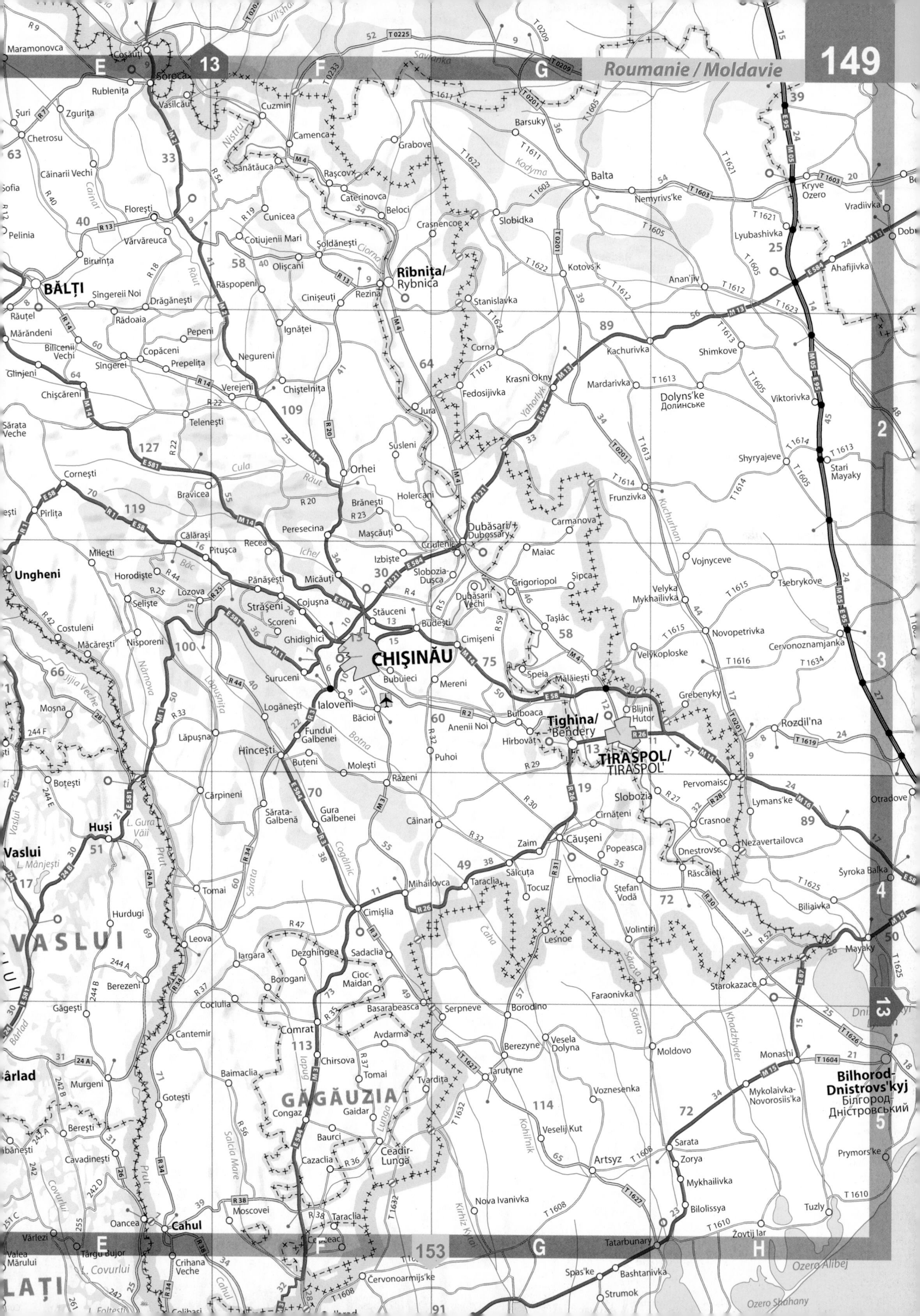
Maramonovca
Cosăuţi
Soroca
13
E
F
G
H
Rubleniţa
Vasilcău
Cuzmin
Şuri
Zgurița
Chetrosu
Camenca
Grabove
Barsuky
Sănătăuca
Raşcov
Caterinovca
Beloci
Balta
Kryve Ozero
Vradiivka
Sofia
Căinarii Vechi
Nemyrivs'ke
Floreşti
Pelinia
Vărvăreuca
Cunicea
Cotiujenii Mari
Crasnencoe
Slobidka
Lyubashivka
Ahafijivka
Şoldăneşti
Olişcani
Biruinţa
Răspopeni
Rîbniţa/
Rybnica
Kotovs'k
Anan'jiv
BĂLŢI
Sîngereii Noi
Drăgăneşti
Cinişeuţi
Rezina
Stanislavka
Răuţel
Rădoaia
Ignăţei
Mărăndeni
Pepeni
Kachurivka
Shimkove
Bilicenii Vechi
Copăceni
Sîngerei
Prepeliţa
Negureni
Corna
Glinjeni
Verejeni
Chiştelniţa
Krasni Okny
Mardarivka
Dolyns'ke
Долинське
Viktorivka
Chişcăreni
Fedosijivka
Jura
Teleneşti
Sărata Veche
Susleni
Shyryajeve
Stari Mayaky
Corneşti
Orhei
Frunzivka
Bravicea
Holercani
Pîrliţa
Brăneşti
Carmanova
Dubăsari/
Dubossary
Peresecina
Mașcăuţi
Călăraşi
Recea
Criuleni
Maiac
Mileşti
Pituşca
Izbişte
Vojnyceve
Ungheni
Horodişte
Pănăşeşti
Micăuţi
Slobozia-Duşca
Grigoriopol
Şipca
Tsebrykove
Seliştea
Lozova
Velyka Mykhailivka
Străşeni
Cojuşna
Dubăsarii Vechi
Costuleni
Scoreni
Stăuceni
Budeşti
Taşlâc
Novopetrivka
Măcăreşti
Nisporeni
Ghidighici
Cimişeni
Velykoploske
Cervonoznamjanka
CHIŞINĂU
Suruceni
Bubuieci
Speia
Mălăieşti
Mereni
Grebenyky
Moşna
Ialoveni
Băcioi
Bulboaca
Bljinii Hutor
Logăneşti
Tighina/
Bendery
Anenii Noi
Rozdil'na
Lăpuşna
Fundul Galbenei
Hîrbovăţ
Hînceşti
Buţeni
Puhoi
TIRASPOL/
TIRASPOL'
Moleşti
Răzeni
Pervomaisc
Lymans'ke
Otradove
Boţeşti
Slobozia
Cărpineni
Cirnăţeni
Crasnoe
Sărata-Galbenă
Gura Galbenei
Căinari
Huşi
Zaim
Căuşeni
Dnestrovsc
Nezavertailovca
Vaslui
Popeasca
Sălcuţa
Răscăieţi
Şyroka Balka
Tomai
Mihailovca
Taraclia
Ermoclia
Tocuz
Ştefan Vodă
Hurdugi
Cimişlia
Biliaivka
VASLUI
Leova
Leşnoe
Volintiri
Mayaky
Iargara
Dezghingea
Sadaclia
Berezeni
Borogani
Cioc-Maidan
Starokazace
Gâgeşti
Faraonivka
Coclulia
Basarabeasca
Serpneve
Borodino
Cantemir
Comrat
Avdarma
Berezyne
Vesela Dolyna
Moldovo
Monashi
Bilhorod-Dnistrovs'kyj
Білгород-Дністровський
Chirsova
Tomai
Bârlad
Baimaclia
Tarutyne
Murgeni
Tvardiţa
Mykolaivka-Novorosiis'ka
Goteşti
GĂGĂUZIA
Congaz
Gaidar
Voznesenka
Bereşti
Baurci
Veselij Kut
Sarata
Cavadineşti
Cazaclia
Ceadir-Lunga
Artsyz
Zorya
Prymors'ke
Mykhailivka
Nova Ivanivka
Moscovei
Bilolissya
Tuzly
Oancea
Cahul
Taraclia
Târgu Bujor
Vârlezi
Ceseac
Tatarbunary
Žovtij Iar
Valea Mărului
Crihana Veche
Spas'ke
Bashtanivka
Červonoarmijs'ke
Strumok
LAŢI
153
Ozero Alibej
Ozero Shahany
Nistru
Prut
Răut
Cula
Ichel
Bâc
Botna
Cogâlnic
Kodyma
Savranka
Yahorlyk
Kuchurhan
Sărata
Kohil'nik
Lunga
Ialpug
Salcia Mare
Covurlui
Bârlad
Kirhiz Kitai
Khadzhyder
Čaha
Jijia Veche
Nârnova
Lăpuşniţa
Ciorna
Cainar
L. Gura Văii
L. Mânjeşti
L. Covurlui

Romania
146
TIMIŞOARA
TIMIŞ
Lugoj
Hunedoara
MUNŢII POIANA RUSCĂ
Zrenjanin
Зрењанин
Caransebeş
Reşiţa
Vršac
Вршац
CARAŞ-SEVERIN
Parcul Naţional Semenic-Cheile Caraşului
Parcul Naţional Cheile Nerei-Beuşniţa
Parcul Naţional Domogled-Valea
Pančevo
Панчево
ZEMUN
ЗЕМУН
BEOGRAD
БЕОГРАД
DUNAV
DUNĂREA
Smederevo
Смедерево
Požarevac
Пожаревац
Drobeta-Turnu Severin
Orşova
Đerdap (les Portes de Fer)
Majdanpek
Homoljske planine
CENTRALNA
SRBIJA
KRAGUJEVAC
КРАГУЈЕВАЦ
Jagodina
Јагодина
Bor
Бор
Zaječar
Зајечар
Negotin
Неготин
Vidin
Видин
VIDIN
Kraljevo
Краљево
Kruševac
Крушевац
Aleksinac
Knjaževac
Књажевац
Belogradčik
Belogradčiški skali
Rtanj
Kučaj
Veliki Krš
Deliblatska peščara
Gledićske pl.
Rudnik
0 20 km
143
140

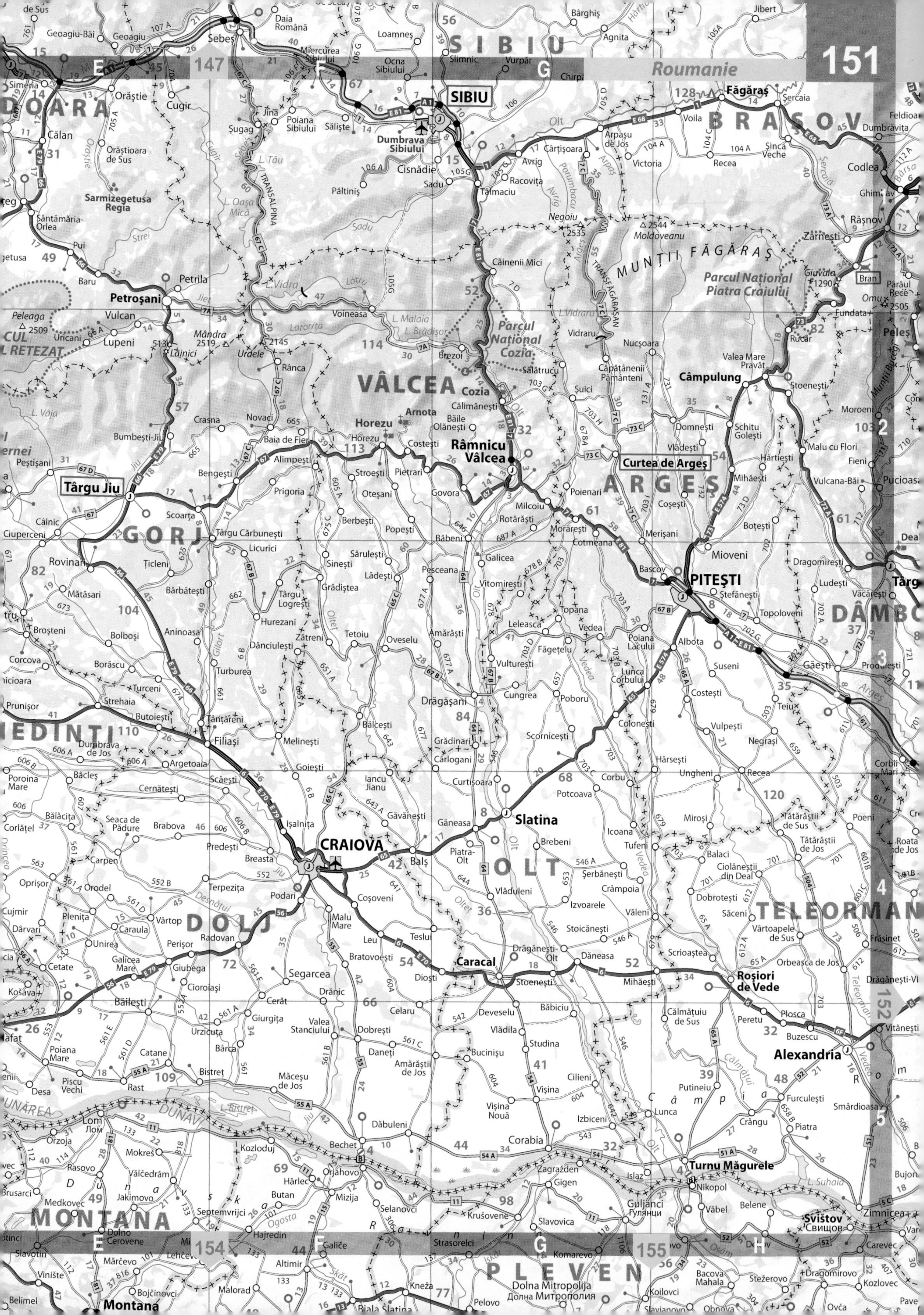
SIBIU
BRAȘOV
VÂLCEA
ARGEȘ
GORJ
DOLJ
OLT
TELEORMAN
MEDINȚI
MONTANA
PLEVEN
DÂMBO
Sibiu
Făgăraș
Sebeș
Orăștie
Cugir
Petroșani
Vulcan
Lupeni
Târgu Jiu
Râmnicu Vâlcea
Curtea de Argeș
Câmpulung
Pitești
Horezu
Drăgășani
Craiova
Slatina
Balș
Caracal
Filiași
Băilești
Calafat
Corabia
Turnu Măgurele
Roșiori de Vede
Alexandria
Zimnicea
Codlea
Râșnov
Zărnești
Bran
Rucăr
Cisnădie
Avrig
Tălmaciu
Cozia
Călimănești
Băile Olănești
Arnota
Mioveni
Ștefănești
Găești
Novaci
Motru
Rovinari
Segarcea
Bechet
Dăbuleni
Lom
Лом
Kozloduj
Orjahovo
Mizija
Nikopol
Svištov
Свищов
Belene
Gulјanci
Гулянци
Dolna Mitropolija
Долна Митрополия
Montana
Knežа
Munții Făgăraș
Moldoveanu 2544
Negoiu 2535
Parcul Național Cozia
Parcul Național Piatra Craiului
Transfăgărășan
Transalpina
Dunărea
Dunav
Olt
Jiu
Argeș
Vedea
Sarmizegetusa Regia
Dumbrava Sibiului
147
154
155
152
E F G H

BRAŞOV
COVASNA
VRANCEA
BUZĂU
PRAHOVA
DÂMBOVIŢA
IALOMIŢA
ILFOV
TELEORMAN
GIURGIU
CĂLĂRAŞI
SILISTRA
RAZGRAD
RUSE
Braşov
Sfântu Gheorghe
Făgăraş
Codlea
Râşnov
Săcele
Predeal
Sinaia
Buşteni
Azuga
Câmpina
Ploieşti
Târgovişte
Buzău
Focşani
Tecuci
Râmnicu Sărat
Mizil
Urziceni
Slobozia
Bucureşti
Otopeni
Voluntari
Pantelimon
Popeşti-Leordeni
Giurgiu
Ruse
Русе
Olteniţa
Călăraşi
Silistra
Силистра
Alexandria
Roşiori de Vede
Găeşti
Târgu Secuiesc
Covasna
Vălenii de Munte
Nehoiu
Pătârlagele
Lehliu-Gară
Fundulea
Tutrakan
Kubrat
Кубрат
Isperih
Исперих
Dunărea
Дунав
Munţii Vrancei
Subcarpaţii Buzăului
Munţii Bucegi
148
151
156
A
B
C
D
1
2
3
4
5
0 20 km

149
157
E
F
G
H
1
2
3
4
5
GALAȚI
BRĂILA
TULCEA
CONSTANȚA
DOBRIČ
Cahul
Oancea
Vârlezi
Târgu Bujor
Crihana Veche
Colibași
Vulcănești
Slobozia Mare
Giurgiulești
Reni
Bolhrad
Болград
Taraclia
Copceac
Červonoarmijs'ke
Bannivka
Vasylivka
Krynyčne
Kotlovina
Nova Ivanivka
Mykhailivka
Bilolissya
Tatarbunary
Spas'ke
Bashtanivka
Strumok
Kyrnyčky
Suvorove
Muravlika
Ševcenkove
Kilija
Кілія
Vylkove
Lyman
Ozero Alibej
Ozero Shahany
Ozero Sasyk
Ozero Kytaj
Ozero Katlabuch
Ozero Yalpuh
Ozero Kahul
Ozero Kuhurluj
Izmaïl
Ізмаїл
Orlivka
Luncavița
Isaccea
Măcin
Tulcea
Sulina
Brațul Chilia
L. Merhei
L. Matița
REZERVAȚIA
BIOSFEREI
DELTA DUNĂRII
Brațul Sulina
L. Fortuna
L. Gorgova
L. Uzlina
L. Iacob
L. Lumina
L. Puiu
L. Roșu
L. Murighiol
Murighiol
Brațul Sfântu Gheorghe
Valea Nucarilor
Insula Popina
Sarichioi
L. Dranov
L. Razim
Insula Sacalin
Portița
Jurilovca
Babadag
L. Babadag
Nalbant
Niculițel
Parcul Național Munții Măcinului
Greci
Cerna
Horia
Peceneaga
Ciucurova
Topolog
Casimcea
Beidaud
Baia
Mihai Viteazu
L. Sinoie
Histria
Saraiu
Hârșova
Cogealac
Crucea
Pantelimon
Săcele
Târgușor
L. Tașaul
Corbu
Mihail Kogălniceanu
Năvodari
Lumina
L. Siutghiol
Mamaia
Ovidiu
Cernavodă
Tortoman
Fetești
Borcea
Rasova
Medgidia
Murfatlar
Valu lui Traian
CONSTANȚA
Cumpăna
Eforie Nord
Techirghiol
L. Techirghiol
Topraisar
Amzacea
Costinești
Cobadin
Adamclisi
Ion Corvin
L. Oltina
Sf. Andrei
Băneasa
Podișul Dobrogei de Sud
Dumbrăveni
Negru Vodă
Mangalia
MAREA
NEAGRĂ
Kardam
General Toševo
Spasovo
Durankulak
Preselenci
Vasilevo
Belgun
Šabla
Dobrič
Добрич
Odrinci
Senokos
Vranino
Krasen
Krušari
Dobrin
Koriten
Rosica
Kapitan Dimitrovo
Leskovo
Dropla
Lacu Sărat
L. Blasova
Tufești
Giurgeni
Făcăeni
Ialomița
Dunărea
Brațul Borcea
Jegălia
Costache Negri
Pechea
L. Covurlui
L. Foltești
L. Jijilei
Prut
Cahul

150
143
141
B
C
D
A
Negotin
Vidin
Видин
Calafat
Zaječar
Зајечар
Bor
VIDIN
MONTANA
Montana
Монтана
Vraca
Враца
Belogradčik
Lom
Knjaževac
Књажевац
Aleksinac
Алексинац
Jagodina
Јагодина
Kruševac
Крушевац
NIŠ
НИШ
Prokuplje
Прокупље
Pirot
Пирот
Leskovac
Лесковац
Vlasotince
Власотинце
Vranje
Врање
Dimitrovgrad
SOFIA
SOFIA-GRAD
SOFIA
СОФИЯ
PERNIK
Pernik
Перник
Radomir
Радомир
Zemen
Земен
Kjustendil
Кюстендил
KJUSTENDIL
Dupnica
Дупница
Blagoevgrad
Благоевград
Kumanovo
Куманово
SKOPJE
СКОПЈЕ
Kriva Palanka
Крива Паланка
Probištip
Пробиштип
Kočani
Кочани
Samokov
Самоков
Elin Pelin
Елин Пелин
Gnjilane/
Gjilan
PRIŠTINA/
PRISHTINË
Caričin Grad
STARA PLANINA
Suva planina
Vardenik
Osogovske planine
Vitoša
Rila
Rilski manastir
Musala
2925
Narođen Park
Rtanj
Kom
2016
Midžor
2169
Ruj
1706
Golemi vrăh
1481
DUNĂREA
DUNAV
0
20 km

CRAIOVA
Slatina
Caracal
Roșiori de Vede
Alexandria
Giurgiu
RUSE
РУСЕ
Turnu Măgurele
Nikopol
Svištov
Свищов
Zimnicea
OLT
TELEORMAN
GIURGIU
PLEVEN
ПЛЕВЕН
RUSE
VELIKO TĂRNOVO
Veliko Tărnovo
Велико Търново
Gorna Orjahovica
Горна Оряховица
Loveč
Ловеч
LOVEČ
GABROVO
Gabrovo
Габрово
Sevlievo
Севлиево
Trojan
Троян
Karlovo
Карлово
Kazanlăk
Казанлък
STARA ZAGORA
СТАРА ЗАГОРА
STARA ZAGORA
PLOVDIV
ПЛОВДИВ
PLOVDIV
Pazardžik
Пазарджик
PAZARDŽIK
Asenovgrad
Асеновград
Dimitrovgrad
Димитровград
Velingrad
Велинград
Nova Zagora
Нова Загора
SLIVEN
СЛИВЕН
Koprivštica
Копривщица
Hisarja
Trjavna
Трявна
Dve Mogili
Ivanovo
Dolna Mitropolija
Долна Митрополия
Dolni Dăbnik
Долни Дъбник
Levski
Левски
Bjala Slatina
Бяла Слатина
Červen brjag
Червен бряг
Etropole
Етрополе
Popovo
Попово
Pavlikeni
Polski Trămbeš
Bulgarie
Naroden Park Central Balkan
Kaloferska Pl.
Zlatiško-Tetevenska Pl.
Sredna Gora
Rozova Dolina
Câmpia Română
Rajnina
DUNĂREA
151
158
159
156

TELEORMAN
152
GIURGIU
Caracal
Roşiori de Vede
Alexandria
Giurgiu
RUSE
РУСЕ
Oltenița
Turnu Măgurele
Nikopol
Zimnicea
Svištov
Свищов
155
PLEVEN
ПЛЕВЕН
Dolna Mitropolija
Долна Митрополия
Dolni Dăbnik
Долни Дъбник
RUSE
Razgrad
Разград
Car Kalojan
Цар Калоян
Kubrat
Кубрат
Popovo
Попово
Polski Trambeš
VELIKO TĂRNOVO
Veliko Tărnovo
Велико Търново
Gorna Orjahovica
Горна Оряховица
Tărgovište
Търговище
TĂRGOVIŠTE
Loveč
Ловеч
LOVEČ
Sevlievo
Севлиево
GABROVO
Gabrovo
Габрово
Trjavna
Трявна
Trojan
Троян
Karlovo
Карлово
Kazanlăk
Казанлък
SLIVEN
Sliven
Сливен
Nova Zagora
Нова Загора
STARA ZAGORA
СТАРА ЗАГОРА
Jambol
Ямбол
JAMBOL
PLOVDIV
ПЛОВДИВ
Pazardžik
Пазарджик
Asenovgrad
Асеновград
Dimitrovgrad
Димитровград
Čirpan
Чирпан
Părvomaj
Първомай
Radnevo
Раднево
Elhovo
Елхово
Topolovgrad
Тополовград
HASKOVO
ХАСКОВО
159
Harmanli
Харманли
Svilengrad
Свиленград
SMOLJAN
0 20 km

CĂLĂRAŞI
CONSTANŢA
Medgidia
Ovidiu
Murfatlar
Valu lui Traian
Călăraşi
Dorobanţu
Modelu
Jegălia
Rasova
DUNĂREA
L. Oltina
Ion Corvin
Adamclisi
Sf. Andrei
Cobadin
Cumpăna
Eforie Nord
Techirghiol
Topraisar
L. Techirghiol
Amzacea
Costineşti
Podişul Dobrogei de Sud
Dumbrăveni
Mangalia
Negru Vodă
Silistra
Силистра
Srebărna
Sitovo
Ostrov
L. Bugeac
Băneasa
Bogorovo
Kranovo
Kajnardža
Kapitan Dimitrovo
Koriten
Rosica
Alfatar
Bradvari
Središte
Dobrin
Krasen
Krušari
Pravda
Černolik
Jarebica
Dulovo
Čestimensko
Kardam
Durankulak
Spasovo
General Toševo
Leskovo
Tervel
Тервел
Nova Kamena
Kočmar
Okorš
Podajva
DOBRIČ
Preselenci
Vasilevo
Belgun
Karapelit
Todor Ikonomovo
Žarnevo
Kaolinovo
Dobrič
Добрич
Dropla
Šabla
Benkovski
Vekilski
Odrinci
Senokos
Vranino
Tăkač
Nikola Kozlevo
Venec
Červenci
Sini Vir
Metličina
Hrabrovo
Kavarna
Stožer
ŠUMEN
Kalojan
Bălgarevo
Balčik
Балчик
N. Kaliakra
Obročište
Văltčidol
VARNA
Albena
Vărbjane
Pliska
Novi Pazar
Нови пазар
Dobroplodno
Ljuben Karavelovo
Carev Brod
Suvorovo
Vetrino
Kičevo
Zlatni Pjasăci
Kaspičan
Madara
Aksakovo
Venčan
Devnja
Ilija Blăskovo
Markovo
VARNA
ВАРНА
Provadija
Провадия
Beloslav
Salmanovo
Zlatar
Ivanski
Drumevo
Blăskovo
Avren
Bozveliisko
Sindel
Bliznaci
Smjadovo
Dălgopol
Sadovo
Conev
Dolni Čiflik
Grozdjovo
Partizani
Komunari
Pčelnik
Staro Orjahovo
Škorpilovci
Dobromir
Jaz. Conevo
Solnik
Kamčija
Bulair
Bjala
Dvojnica
Eminska
Djulino
Ljuljakovo
Obzor
Обзор
Ruen
Руен
Prosenik
Jabalčevo
Banja
Ostrica
Lozarevo
Ajtoski Pr.
Orizare
Sveti Vlas
Bata
N. Emine
Karageorgievo
Ajtos
Айтос
Medovo
Karnobat
Карнобат
Karanovo
Kableškovo
Nesebăr
Несебър
Hisar
Vetren
Bălgarovo
Pomorie
Поморие
Ekzarh Antimovo
Trojanovo
Kameno
Kv. Sarafovo
Ravnec
BURGAS
БУРГАС
Zitosvjat
Rusokastro
Černomorec
O. Sv. Ivan
Sozopol
Созопол
Zagorci
Debelt
Jaz. Mandra
Rosen
Marinka
Prisad
Djuni
Medni Rid
Prochod
Sredec
Средец
N. Maslen
Veselie
Primorsko
Oman
Karatepe
Kruševec
Jasna Poljana
Kiten
Lozenec
Pismenovo
Bosna
Carevo
Fakija
Goljamo Kruševo
Bliznak
Kondolovo
Ahtopol
Zvezdec
Gorska Poljana
Haskijata
Veleka
Kosti
Strandža
Šarkovo
Rezovo
Rezovska R.
Malko Tărnovo
Kofçaz
Dereköy
Yesilce
Igneada
Kayaliköy Brj.
Koruköy
Dupnisa Magarasi
Demirköy
Yoguntas
Demirkapi
Kirklareli Brj.
Mahiya Dagi
Süleoglu
Kirklareli
Yenice
153
163
E F G H
1 2 3 4 5

SOFIA
SOFIA-GRAD
SOFIA
СОФИЯ
LOVEČ
PERNIK
KJUSTENDIL
PAZARDŽIK
SMOLJAN
BLAGOEVGRAD
ANATOLIKÍ
MAKE
KENTRI
MAKEDONIA
PLOV
Pirot
Пирот
Vraca
Враца
Loveč
Ловеч
Botevgrad
Ботевград
Etropole
Етрополе
Pernik
Перник
Radomir
Радомир
Zemen
Земен
Elin Pelin
Елин Пелин
Koprivštica
Копривщица
Kjustendil
Кюстендил
Samokov
Самоков
Dupnica
Дупница
Rilski manastir
Pazardžik
Пазарджик
PLOVDIV
ПЛОВДИВ
Blagoevgrad
Благоевград
Velingrad
Велинград
Bansko
Банско
Devin
Девин
Kočani
Кочани
Berovo
Пехчево
Radoviš
Радовиш
Sandanski
Сандански
Goce Delčev
Гоце Делчев
Kovacevica
Ковачевица
Smoljan
Смолян
Asenovgrad
Асеновград
Trojan
Троян
Strumica
Струмица
Petrič
Петрич
Gevgelija
Гевгелија
Kilkís
Κιλκίς
Sérres/
Σέρρες
Dráma/
Δράμα
Kavála/
Καβάλα
Nigrita/
Νιγρίτα
Eleftheroúpoli/
Ελευθερούπολη
Naroden Park Vitoša
Naroden Park Rila
Naroden Park Pirin
Naroden Park Central Balkan
Musala
2925
Vihren
2914
Stara Planina
Zlatiško-Tetevenska pl.
Trigradsko ždrelo
Golemi vrâh
Osogovija
Strumica
Struma
Mesta
Iskâr
Bulgaria
20 km
0
A
B
C
D
155
145
162
1
2
3
4
5

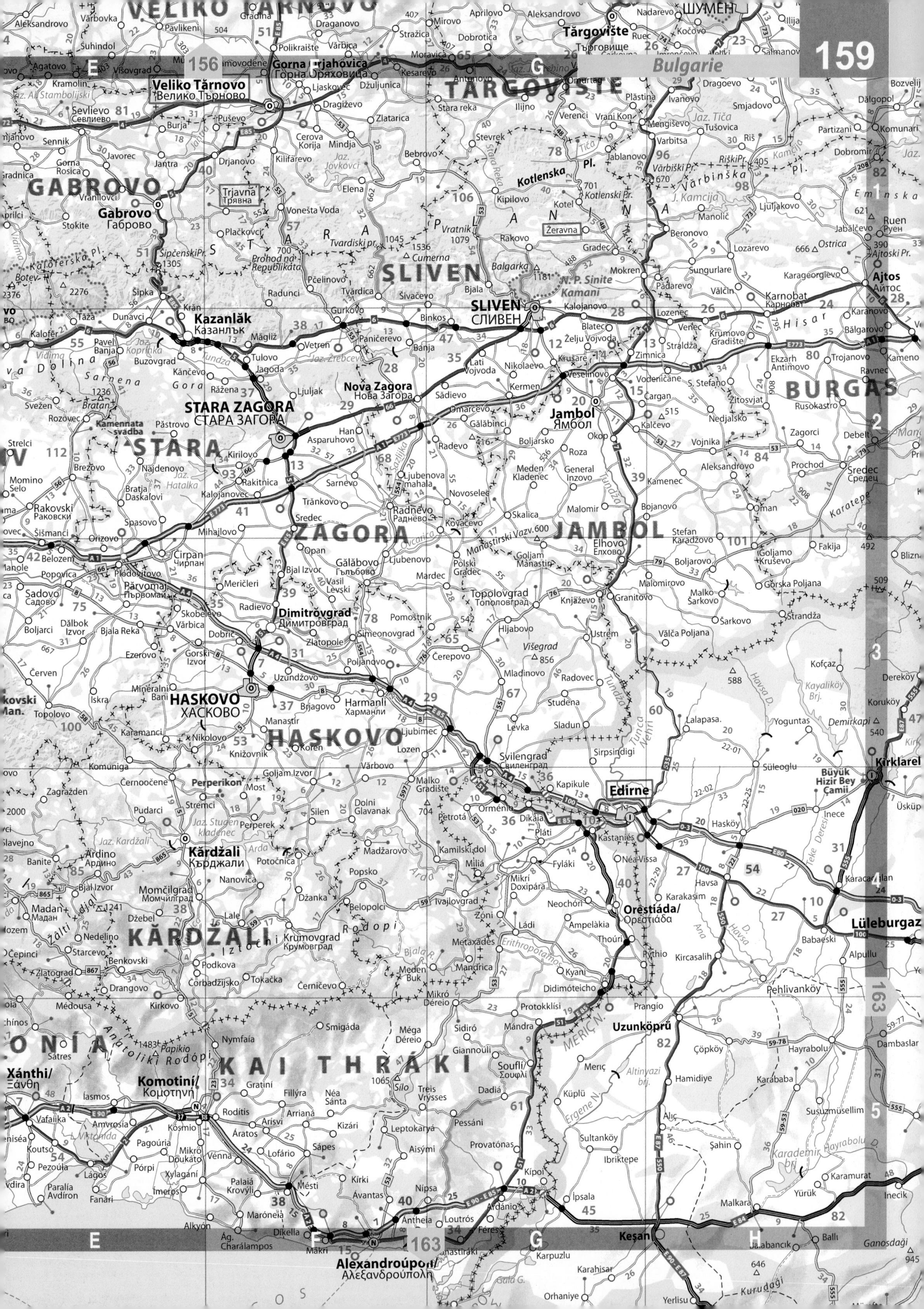
VELIKO TĂRNOVO
Veliko Tărnovo
Велико Търново
Gorna Orjahovica
Горна Оряховица
Tărgovište
Търговище
ШУМЕН
TĂRGOVIŠTE
GABROVO
Gabrovo
Габрово
Trjavna
Трявна
Sevlievo
Севлиево
Kotlenska Pl.
Kotel
Žeravna
SLIVEN
Sliven
СЛИВЕН
Kazanlăk
Казанлък
STARA ZAGORA
СТАРА ЗАГОРА
Nova Zagora
Нова Загора
Jambol
Ямбол
BURGAS
Ajtos
Айтос
Karnobat
Карнобат
STARA
ZAGORA
JAMBOL
Elhovo
Елхово
Dimitrovgrad
Димитровград
Gălăbovo
Гълъбово
Topolovgrad
Тополовград
HASKOVO
ХАСКОВО
Harmanli
Харманли
Svilengrad
Свиленград
Edirne
Kirklareli
Lüleburgaz
Uzunköprü
Orestiáda/
Ορεστιάδα
Kărdžali
Кърджали
KĂRDŽALI
Momčilgrad
Момчилград
Krumovgrad
Крумовград
KAI THRÁKI
Xánthi/
Ξάνθη
Komotiní/
Κομοτηνή
Soufli/
Σουφλί
Alexandroúpoli/
Αλεξανδρούπολη
Keşan
Rodopi
Tundža
Arda
E 85
E 773
A 1
A 4
E 90
A 2
E 80
E 87
E
F
G
H
156
163
1
2
3
4
5

LEZHË
DIBËR
TIRANË
ELBASAN
FIER
BERAT
KORÇË
GJIROKASTËR
VLORË
VOREIA PINDOS
ZAGÓRIA
Lezhë
Durrës
Tiranë
Elbasan
Fier
Vlorë
Berat
Korçë
Gjirokastër
Sarandë
Tetovo
Тетово
Gostivar
Гостивар
Kičevo
Кичево
Ohrid
Охрид
Struga
Bitola
Битола
Debar
Peshkopi
Kavajë
Lushnjë
Pogradec
Tepelenë
Përmet
Ersekë
Kastoriá/
Καστοριά
Flórina
Φλώρινα
Grevená/
Γρεβενά
Ioánnina/
Ιωάννινα
Métsovo/
Μέτσοβο
Kérkyra/
Κέρκυρα
Igoumenítsa/
Ηγουμενίτσα
Palaiokastrítsa/
Παλαιοκαστρίτσα
Sidári
Pélekas
Sinarades
Monodéndri
Kalampáka
Nac. park Mavrovo
Nac. park Galičica
Nac. park Pelister
Ethnikós Drymós Préspes
Liqeni i Ohrit
Ohridsko ezero
Prespansko ezero
Mal i Tomorr
Mallakastër
Myzeqe
Kurvelesh
Gjiri i Drinit
Gjiri i Rodonit
Gjiri i Lalzit
Gjiri i Durrësit
Gjiri i Karavastasë
Laguna e Karavastasë
Sazan
Karaburun
Buthrotum
Dodóni
N. KERKYRA
0 20 km
A
B
C
D
E
1
2
3
4
5
98
111
141
142
164

Grèce
143
165
162
E
F
G
H
BLAGOEVGRAD
KENTRIKÍ MAKEDONÍA
Blagoevgrad Благоевград
Sandanski Сандански
Petrič Петрич
Bansko Банско
Naroden Park Pirin
Vihren 2914
Goce Delčev Гоце Делчев
Melnik
Rožen
Kresna
Simitli
Razlog
Berovo Пехчево
Pehčevo
Strumica Струмица
Radoviš Радовиш
Štip Штип
Veles Велес
Kočani Кочани
Probištip Пробиштип
Prilep Прилеп
Kavadarci Кавадарци
Negotino
Stobi
Gradsko
Demir Kapija
Valandovo
Gevgelija Гевгелија
Dojran
L. Dojránis
Kilkís Κιλκίς
Sérres/ Σέρρες
Sidirókastro
Nigrita/ Νιγρίτα
Amfipoli
Édessa Έδεσσα
Giannitsá Γιαννιτσά
Véroia/ Βέροια
Náousa/ Νάουσα
Alexándreia/ Αλεξάνδρεια
THESSALONÍKI/ ΘΕΣΣΑΛΟΝΙΚΗ
Kozáni/ Κοζάνη
Kateríni/ Κατερίνη
Polýgyros/ Πολύγυρος
Lagkadás
L. Korónela
L. Vólvi
Stavrós
Ierissós/ Ιερισσός
Thermaïkós Kólpos
Kassándra
Sithonía
Néa Moudaniá
Kallithéa
Kassándreia
Paliouri
Órmos Panagías
Néos Marmarás
Sárti
Toróni
Óros Ólympos
Mýtikas 2917
Ethnikós Drymós Ólympos
Litóchoro/ Λιτόχωρο
Dío
Elassóna/ Ελασσόνα
Týrnavos/ Τύρναβος
LÁRISA/ ΛΑΡΙΣΑ
Óros Óssa
Óros Vóras
Kajmakčalan 2524 Kaimaktsalán
Óros Páïko
Vérmio
Vergina
Palatítsia
Lefkádia
Sérvia
Polýmylos
Alíakmonas
Strymonikós

BLAGOEVGRAD
SMOLJAN
KĂRDŽALI
ANATOLIKÍ
MAKEDONÍA
ÁGIO ÓROS
N. THÁSOS
N. ΘΑΣΟΣ
N. LIMNOS
N. ΛΗΜΝΟΣ
THRAKIKÓ PÉLAGOS
ΘΡΑΚΙΚΟ ΠΕΛΑΓΟΣ
Strymonikós Kólpos
Naroden Park Pirin
Velingrad
Asenovgrad
Асеновград
HASKOVO
ХАСКОВО
Sandanski
Сандански
Goce Delčev
Гоце Делчев
Petrič
Петрич
Smoljan
Смолян
Kărdžali
Кърджали
Ardino
Ардино
Madan
Мадан
Momčilgrad
Момчилград
Sérres/
Σέρρες
Dráma/
Δράμα
Xánthi/
Ξάνθη
Komotiní/
Κομοτηνή
Kavála/
Καβάλα
Eleftheroúpoli/
Ελευθερούπολη
Thásos/
Θάσος
Polýgyros/
Πολύγυρος
Ierissós/
Ιερισσός
Karyés/
Καρυές
Mýrina/
Μύρινα
Sithonía
Kassándra
Ágio Óros
Áthos 2033
Ouranópoli
Toróni
Kaspakas
158
161
166
A
B
C
D
1
2
3
4
5
0 20 km

Grèce
159
167
E
F
G
H
1
2
3
4
5
19
SKOVO
THRÁKI
Rodopi
Harmanli
Харманли
Ljubimec
Lozen
Svilengrad
Свиленград
Kapikule
Edirne
Kastaniés
Néa Víssa
Orestiáda/
Ορεστιάδα
Ampelákia
Thoúri
Pýthio
Kyani
Didimóteicho
Prangío
Protokklisi
Mándra
Soufli/
Σουφλί
Dadiá
Metaxádes
Mandrica
Ivajlovgrad
Fyláki
Mikrí Doxipára
Neochóri
Zóni
Ládi
Mikró Déreio
Méga Déreio
Sidiró
Giannoúli
Smigáda
Néa Sánta
Kizári
Leptokaryá
Treis Vrýsses
Pessáni
Provatónas
Sápes
Aisými
Kirki
Ávantas
Nípsa
Kípoi
Antheia
Loutrós
Féres
Ardánio
Mákri
Monastiráki
Alexandroúpoli/
Αλεξανδρούπολη
Enez
Abdurrahim
Kirklareli
Büyük Hizir Bey Camii
Demirkapi
Koruköy
Kofçaz
Yoguntas
Süleoglu
Lalapasa.
Sirpsindigi
Sladun
Studena
Levka
Radovec
Hljabovo
Ustrem
Vălča Poljana
Šarkovo
Strandža
Malko
Kosti
Igneada
Demirköy
Mahiya Dagi
Dupnisa Magarasi
Yenice
Sergen
Üsküp
Üsküpdere
Pinarhisar
Poyrali
Kömürköy
Kiyiköy
Yildiz Dağlari
Vize
Inece
Hasköy
Havsa
Karakasim
Karacaoğlan
Lüleburgaz
Babaeski
Alpullu
Kircasalih
Pehlivanköy
Uzunköprü
Çöpköy
Hayrabolu
Dambaslar
Hamidiye
Meriç
Küplü
Karababa
Susuzmüsellim
Banarli
Muratli
Büyük Karıştıran
Yenibedir
Ahmétbey
Beyazköy
Saray
Çerkezköy
ÇORLU
Seymen
Marmaraereğlisi
Tekirdağ
Barbaros
Alıç
Sultanköy
Ibriktepe
Şahin
Karamurat
Yürük
Inecik
Ipsala
Malkara
Keşan
Ballı
Balabancık
Ganosdaği
Karpuzlu
Karahisar
Orhaniye
Yerlisu
Kurudaği
Suluca
Kadıköy
Mürefte
Erikli
Mecidiye
Ibrice
Sarköy
Marmara Adasi
Marmara
Ilyasdaği
Ekinlik Ad.
MARMARA
Saros Körfezi
Karaburgaz
Bolayır
Fındıklı
Gelibolu
Tayfur
Bayırköy
Gelibolu Yarımadası
Beşyol
Bü. Kemikli Br.
Kokaçimen T.
Kemalyeri
Ariburnu
Eceabat
Kilitbahir
Çanakkale Boğazi
Lâpseki
Şahinli
Umurbey
Yapıldak
Balıklıçeşme
Beyçayırı
Gündoğdu
Bakacak
Balcılar
Biga
Gumuşçay
Karabiga
Ince Br.
Avşa Ad.
Türkeli
Paşalimanı
Paşalimanı Ad.
Ilhan
Kapıdağ
Erdek
Erdek Körfezi
Edincik
Bandı
Denizkent
Sinekçi
Sarıköy
Buğdaylı
Kuşcenneti
Kuş Gölü
Gönen
Şevketiye
Tütüncü
Manyas
Darica
Armutçuk Dağı
Sularya Dağı
Kaleköy
Kuzu Limanı
Çınarlı
Dereköy
Ayagalip
Kefalo Br.
GÖKÇE ADASI
Ilyas Br.
Dardonos
Abide
Çanakkale
Kumkale
Intepe
Truva
Tavşan Adaları
Çan
Kirazlı
Etili
Ortaoba
Yenice
Sakar Dağı
Deliçal Dağı
Danişment
Ilıca
Ömerköy
Şamli
Kayalar
Yeniköy
Hamdibey
Pazarköy
Kocakatran D.
Kalkım
Balya
Yiğitler
Küçük Menderes Ç.
Bayramiç
Evciler
Geyikli
Ezine
Bozcaada
Firanlı
Tavaklı
Kazdaği
Ayvacık
Altınoluk
Zeytinli
Edremit
Havran
Akçay
Ilıca
Ivrindi
Güngörmez
Ertuğrul
Balıkesir
Gökçeyazı
Çağiş

N. KÉRKYRA
N. ΚΕΡΚΥΡΑ
Kérkyra/
Igoumenítsa/
Ηγουμενίτσα
Ioánnina/
Ιωάννινα
Métsovo/
Μέτσοβο
Pérama
Dodóni
Párga/
Πάργα
N. Paxoí
N. Παξοί
Lákka
Paxoí
Árta/
Άρτα
Préveza/
Πρέβεζα
Lefkáda/
Λευκάδα
N. LEFKÁDA
N. ΛΕΥΚΑΔΑ
Meganísi
Amvrakikós Kólpos
Agrínio/
Αγρίνιο
Mesolóngi/
Μεσολόγγι
N. Itháki
N. Ιθάκη
Itháki/
Ιθάκη
N. KEFALLONIÁ
N.ΚΕΦΑΛΛΩΝΙΑ
Argostóli/
Αργοστόλι
Sámi
Lixoúri
Póros
Ethnikós Drymós Aínos
IÓNIOI NÍSOI
IÓNIA
ΙΟΝΙΑ
NISIÁ
ΝΗΣΙΑ
PELAGOS
ΠΕΛΑΓΟΣ
N. ZÁKYNTHOS
N. ΖΑΚΥΝΘΟΣ
Zákynthos/
Ζάκυνθος
Ethnikó Thalássio Párko Zakúnthou
Akr. Marathiá
Kyllíni
Chlemoútsi
Amaliáda/
Αμαλιάδα
Pýrgos/
Πύργος
Olympía
Kyparissía/
Kyparissiakós Kólpos
Patraikós Kólpos
Akr. Áraxos
Káto Achaïa
NÓTIA PÍNDOS
ΝΟΤΙΑ ΠΙΝΔΟΣ
IPEIROS
Kalampáka
0 20 km

160
168

THESSALIA
STEREÁ ELLÁDA
ATTIKÍ
N. ÉVVOIA
N. ΕΥΒΟΙΑ
Lárisa/Λάρισα
Týrnavos/Τύρναβος
Kardítsa/Καρδίτσα
Vólos/Βόλος
Fársala/Φάρσαλα
Néa Anchíalos/Νέα Αγχίαλος
Almyrós/Αλμυρός
Stylída/Στυλίδα
Lamía/Λαμία
Kaména Voúrla/Καμένα-Βούρλα
Loutrá Aidipsoú/Λουτρά Αιδηψού
Ámfissa/Άμφισσα
Itéa/Ιτέα
Delfoí
Leivadeiá/Λειβαδειά
Atalánti/Αταλάντη
Orchomenós/Ορχομενός
Thíva/Θήβα
Chalkída/Χαλκίδα
Aígio/Αίγιο
Kalávryta/Καλάβρυτα
Kórinthos/Κόρινθος
Elefsína/Ελευσίνα
Acharnés/Αχαρνές
Kifisiá/Κηφισιά
Peiraiás/Πειραιάς
Salamína/Σαλαμίνα
Athína/Αθήνα
Glyfáda/Γλυφάδα
Vouliagméni/Βουλιαγμένη
Árgos/Άργος
Náfplio/Ναύπλιο
Trípoli/Τρίπολη
Megalópoli/Μεγαλόπολη
Korinthiakós Kólpos
Pagasitikós Kólpos
Saronikós Kólpos
Óros Parnassós
Óros Óthrys
Óros Óssa
Óros Pílio
Óros Dírfys
Óros Párnitha
N. Skíathos
N. Alónnisos
N. Skópelos
Ethnikó Thalássio Párko Alonnísou Boreíon Sporád
N. Salamína
N. Aígina
N. Póros
Akr. Soúnio
Aktí Apóllona
E F G H
161 166 169

B
C
162
D
Mýrina/
Μύρινα
Kontiás
Skandáli
Ág. Efstrátios
N. Ág. Efstrátios
N. Άγ. Ευστράτιος
298
Ethnikó Thalássio Párko
Alonnísou Boreíon Sporádon
A I G A Í O
P É L A G O S
N. Skiathos
N. Σκίαθος
Skiáthos
Koukounariés
Loutráki
Skópelos
Agnóntas
N. Skópelos
N. Σκόπελος
N. Alónnisos
N. Αλόννησος
Alónnisos
Patitíri
VÓREIES SPORÁDES
ΒΟΡΕΙΕΣ ΣΠΟΡΑΔΕΣ
VÓREI
AIGAÍ
Meto
Platania
165
Agriovótano
Vasiliká
Pappádes
Paralía Kotsikiás
Kerasia
991
Xiró
Ág. Ánna
Strofyliá
Kymási
Roviés
Mantoúdi
Límni
Prokópi
Pílio
Sarakíniko
N. ÉVVOIA
N. ΕΥΒΟΙΑ
Atsítsa
Mólos
Skýros
Linariá
N. SKÝROS
N. ΣΚΥΡΟΣ
Kandíli
1246
LÁDA
Óros Dírfys
Ágios
605
Malesína
Nerotriviá
Áttali
Metóchi
Kými
Paralía Kýmis
Oxýlithos
Politiká
Psachná
Steni Dírfis
Kastélla
Pissónas
Kathenoí
Séta
Monódryo
Avlonári
Drosiá
NéaArtáki
Místros
Trachíli
Chalkída/Χαλκίδα
Loukísia
Vasilikó
Gymnó
Neochóri
Mouríki
Ritsóna
Lefkantí
Erétria
Alivéri
Lepoura
Ágioi Apóstoloi
Vathý
Dílesi
Amárynthos
Vélos
Tanágra
Skála Oropoú
Pórto Boúfalo
Zárakes
Thíva/Θήβα
Oinói
Markópoulo
Neochoráki
Asopía
Ág. Apóstoloi
Kálamos
Almyropótamos
Ág. Thomás
Avlóna
Kapandríti
Ág. Dimítrios
Polypótamos
Skoúrta
Stefáni
Óros Párnitha
Oinói
Vília
Ag. Triáda
Marathónas
Néa Stýra
Ag. Marína
Stýra
Varellaíoi
Kalérgo
Acharnés/
Αχαρνές
Ág.Sotíra
Varympómpi
Schiniás
Giannítsi
Ág. Dimítrios
Kapsoúri
Mándra
Diónysos
Néa Mákri/
Νέα Μάκρη
Óros Óchi
1398
Kómito
Aspropyrgos
Kifisiá/
Κηφισιά
Marmári
fsína/Ελευσίνα
égara
Pentéli
Rafína
Kárystos
Platanistós
PEIRAIÁS/
ΠΕΙΡΑΙΑΣ
Salamína/
Σαλαμίνα
Pérama/
Πέραμα
Paianía
Spáta
Loútsa
Vravóna
Kólpos Petalíon
Nísoi Petalioí
Kalyvári
N. ÁNDROS
N. ΑΝΔΡΟΣ
Stenó Kafiréa
Páchi
Aiánteio
ATHÍNA/
ΑΘΗΝΑ
Ymittós
Koropí
Pórto Ráfti
Gávrio
Batsí
994
Ándros
N. Salamína
N. Σαλαμίνα
Markópoulo
Saronikós
Diápora Nisiá
Glyfáda/
Γλυφάδα
Kalývia
Kakí Thálassa
Palaiópoli
Ormos Korthíou
Vouliagméni/
Βουλιαγμένη
Keratéa
Lagonísi
Anávyssos
Kórthio
Aígina
Soúvala
Thorikó
gkístri
Ag.Marína
Lávrio/
Λαύριο
Megalochóri
Pérdika
N. Aígina
N. Αίγινα
ATTIKÍ
Aktí Apóllona
Legrena
Soúnio
70
Stenó Kéas
Korissía
Kéa
N. Kéa
N. Κέα
N. TÍNOS
N. ΤΗΝΟΣ
Pánormos
Ág.Nikólaos
Chers. Methánon
Χερσ. Μεθάνων
Méthana/
Μέθανα
Akr. Soúnio
Ακρ. Σούνιο
Písses
450
N. Gyáros
Istérnia
Kómi
729
N. Póros
N. Πόρος
Póros/Πόρος
Galatás
Stenó Kýthnou
N. SÝROS
N. ΣΥΡΟΣ
Tínos
N. MÝKONO
N. ΜΥΚΟΝΟ
Ág. Stéfanos
20 km
A
B
170
C
D
Áno Sýros
Mýkonos/Μύκονος
Áno Merá
306
Kólpos Ýdras
Kýthnos
Foínikas
Ermoúpoli/
Ερμούπολη
N. Ríneia
Ornos
Platýs Gialós
Mérichas
Dryopída
Poseidonía
Dílos
N. Dílos
Ýdra/Ύδρα
Psará

E
F
G
H
163
171
19
1
2
3
4
5
Bozcaada
Geyikli
Ezine
Küçük Menderes Ç.
Bayramiç
Evciler
Kocakatran D.
Kalkım
Balya
Kazdağı
1767
Misvak
Tavaklı
Zeybek Dağı
Zeytinli
Edremit
Havran
Ivrindi
Güngörmez
Gökçeyazı
Ertuğrul
Ayvacık
Altınoluk
Akçay
Ilıca
Kayapa
Çağiş
Taşköy
Gülpınar
Küçükkuyu
Ören
Büyükdere
1002
Korucu
Konakpınar
Baba Br.
Behramkale
Assos
Burhaniye
Edremit Körfezi
Şapla Dağları
Boz Br.
95
Perema
Alibey Ad.
Alibey
1344
Madra Dağı
Sarıbeyler
Savaştepe
950
Míthymna
Sykaminiá
Gömeç
Mancınık Dağı
Pétra
Mantamádos
Ayvalık
Turanlı
Akr. Fourniá
Skoutáros
Skalochóri
Fília
Ág. Paraskeví
Kalloní
Çıplakada
Kozak
Göçbeyli
Gelembe
Ántissa
Sígri
Eresós
Ágra
Parákoila
Thermí
Pámfyla
Altınova
Geyikli Dağı
1051
Soma
Kırkağaç
Bakır Ç.
Skála Eresoú
Mesótopos
Lámpou Mýloi
Vasiliká
Skála
Kerameía
Mytilíni/
Μυτιλήνη
Neápoli
Dikili
Bergama
Kınık
Palamut
Süleymanlı
N. LÉSVOS
N. ΛΕΣΒΟΣ
Polichnítos/
Πολιχνίτος
Vrísa
Agiásos
968
Pappádos
Loutrá
Krátigos
Akr. Agriliá
Vaterá
Plomári/
Πλωμάρι
Bademli
Yeniköy
Zeytindağ
Yuntdağ
Sultandağı
1084
Erdelli
Akhisar
Çandarli
Mardalıç Ad.
Çandarlı Körfezi
Mecidiye
Aliağa
Pasaköy
Saruhanlı
Üçpinar
Osmancali
Beyoba
Selendi
Gölmarmara
Yenifoça
Tatilköyü
Dumanlidağ
1098
Halitpaşa
Kömür Br.
Foça
Bağarasi
Maltepe
Emiralem
Muradiye
Gediz N.
MANISA
Büyük Belen
Karaburun
Menemen
Yamanlar
Sabuncubeli
675
Karaoğlanli
Turgutlu
Ahmetli
Kampiá
Pelinaío
1297
Melaniós
Kéramos
Mármaro
Kardámyla
Oinoússes
Küçükbahçe
Ak Dağ
Mordoğan
1212
Sasallı
Çiğli
Bornova
Parpariá
Lagkáda
Uzun Ada
Çamaltı
3576
Volissós
İZMIR
Kemalpaşa
Armutlu
Bağyurdu
796
Vrontádos
Çeşmealti
İzmir Körfezi
Boz Dağları
1510
Kemalpaşa Dağı
1375
N. CHÍOS
N. ΧΙΟΣ
Anávatos
Chíos/
Χίος
Kara Adası
Ildırı
490
Balçova
Chalkeió
Çeşme
Şifne
Koca Dağ
Urla
Güzelbahçe
Gaziemir
Dağkizilca
Gölcü
Ödemi
Liménas
Véssa
Thólopotámi
Karfás
Kallimasiá
Alaçatı
Uzunkuyu
Manderes
Bayındır
Mestá
Armólia
Néníta
Kalamoti
Pyrgí
Kómi
Emporeiós
Akr. Másticho
Seferihisar
Torbali
Çirpi
Sığacik
Gökçen
Subaşı
Tire
Adagic
Değirmendere
Gümüldür
Doğanbey
Teke Br.
Boğaziçi
Cevizli Dağ
1603
Claros
Özdere
Selçuk
Pamucak
Efes
Kuşadası Körfezi
Çamlık
Ortakla
Erbeyli
Ikizdere
Kuşadasi
Germencik
Durmus Dağ
1020
Incirliova
N. SÁMOS
N. ΣΑΜΟΣ
Avlákia
Kalámi
Karlovási/
Καρλοβάσι
Kokkári
Sámos/
Σάμος
1153
Marathókampos
1433
Chóra
Davutlar
Söke
Koçarli
Bağarasi
Cakirbeyli
Gölhis
Pýrgos
Ag.Kyriakí
Pagóndas
Iraío
Pythagóreio
Samsun Dağı
Priene
Güllübahçe
N. IKARÍA
N. ΙΚΑΡΙΑ
1229
Büyük Menderes N.
Armenistís
Évdilos
1037
Athéras
Thérma
Karine
Atburgazi
Karakaya
Karpuziu
Fournoi
Thérma Lefkádas
N. Foúrnoi
N. Φούρνοι
Milet
Sarıkemer
Besparmak Dağ
1367
Balat
Bafa Gölü
Kapıkırı
1273
Akköy
Agathonísi
Αγαθονήσι
Megálo Chorió
Bafa
Ortaköy
İPinarcik
Akbük
Selimiye
Arkoí
Didim
Altınkum plajı
Laba Dağı
Skála
N. Leipsoí
Milâs

Ethnikós Drymós Aínos
Póros
Akr. Araxos
Áraxos
Lakkópetra
Kalogriá
Kamínia
Paralía
Dáfnes
Valimítika
Nikolaïka
Diakoftó
Paralía Akrátas
Kráthio
Akráta
Dervéni
Lykoporiá
Xylókastro
Kóto Achaïa
Chalandritsa
Ísoma
Dafnoúla
Vouraïkós
Káto Zachloroú
Kalávryta/
Καλάβρυτα
Evrostína
Lápas
Kagkádi
Várda
Káto Vlasía
Kérteзi
Kaléntzi
Michói
Santoméri
965 Skóllis
Kyllíni
Lechainá
Chlemoútsi
Kástro
Andravída
Kórithi
Anafonítria
Alykés
Plános
Katastári
ZÁKYNTHOS
ΖΑΚΥΝΘΟΣ
Zákynthos/
Ζάκυνθος
Ág. Léon
Machairádo
Lithakiá
Laganás
Vasilikós
Kerí
Ethnikó Thalássio Párko Zakúnthou
Akr. Marathiá
Diávlos Zakýnthou
Loutrá Kyllínis
Vartholomió
Gastoúni
Savália
Archaía Ílida
Borsio
Agrapidochóri
Chavári
Oinói
Simópoulo
Ág. Triáda
Stavrodrómi
Óros Erymanthos
Lámpeia
Kleitoría
Aroanía
Fília
Kalývia
Trikala
Gkoúra
Kastaniá
Láfka
Psári
Kartéri
Kalliánoi
Archaia Kórinthos
Neméa/
Νεμέα
Aidónia
Kryonéri
Sikyón
Amaliáda/
Αμαλιάδα
Kouroúta
Vidiáki
Dáfni
Chanákia
Magoúla
Folói 780
Lálas
Skafidiá
Toumpítsi
Trópaia
Lagkádia
Vytína
Kandíla
Lýrkeia
Stérna
Fíchtio
Pýrgos/
Πύργος
Katákolo
Olympía
Archaía Olympía
Loutrá
Dimitsána
1135
Karkaloú
Levídi
Nestáni
Kápsas
Árgos/
Άργος
Karyá
Artemísio 1771
Kyparissiakós Kólpos
Kréstena
Platiána
Kallithéa
Sékoulas
Kaïáfas
Aríni
Alfeiós
Stemnítsa
Daviá
Ellinikó
Trípoli
Τρίπολη
Karítaina
Chrysovítsi
Mýloi
Zacháro
Káto Figáleia
Fanári
Andrítsaina
1274
Kalogerikoú
Stenó
Ampelióna
Vassés
Nédas
Tholó
Káto Aséa
Palládio
Stádio
Ág. Sofía
Káto Doliana
Platánia
Megalópoli/
Μεγαλόπολη
Vlachokerasiá
Ástros/
Άστρος
Kaló Neró
Psári
Páparis
Kastrí
Dório
Diavolítsi
Leontári
Alepochóri
Kyparissía/
Κυπαρισσία
Paradeisiá
Petrína
Kollínes
Karyés
Ág. Pétros
Ág. Andreas
Kryonéri
Meligalás
PELOPONNISOS
Vamvakoú
Raptópoulo
Ithómi
Valýra
Allagí
Dyrráchi
Georgitsi
Vrésthena
Filiatrá/
Φιλιατρά
Christianí
Kefalóvryso
Mavrommáti
Sellasía
Vasarás
Óros Párnonas
Palaiochóri
Gargaliánoi/
Γαργαλιάνοι
Messíni/
Μεσσήνη
Artemisía
1350
Trýpi
Chrýsafa
Marathópoli
Aristoménis
Thouría
Lagkádas
Mystrás/
Μυστράς
Spárti/
Σπάρτη
Chóra
Vlachópoulo
Análipsi
Ág. Anárgyroi
Koryfási
Kalamáta/
Καλαμάτα
Káto Vérga
Gkoritsá
Soulinári
Kazárma
Almyró
Skoúra
Pýlos/
Πύλος
Petalídi
Mikrí Mantíneia
Óros Táygetos
Xirokámpi
Vrontamás
Kallithéa
Kámpos
Longá
Kardamýli
Chánia
Néa Koróni
Vlachiótis
Methóni/
Μεθώνη
Ág. Nikólaos
Skála
Charokopeió
Foinikountas
Koróni/
Κορώνη
Aigiés
Káto Glykóvrysi
N. Sapiéntza
Lagkáda
Gýtheio/
Γύθειο
N. Schíza
Akr. Akritas
Oítylo
Messiniakós Kólpos
Areópoli
Skoutári
Spílaia Diroú
Kótronas
Pýrgos Diroú
Máni
Lakonikós Kólpos
Kokkála
Gerolimenas
Álika
Vátheia
Pórto Kágio
Akr. Taínaro
0
20 km
A
B
C
D
1
2
3
4
5
164

165
E
F
G
H
170
172
1
2
3
4
5
ATTIKÍ
NÓTIO AIGAÍO
KYKLÁD
ΚΥΚΛΑΔΕ
MYRTÓO PÉLAGOS
ΜΥΡΤΩΟ ΠΕΛΑΓΟΣ
KRITIKÓ PÉLAG
(MER DE
ATHÍNA/
ΑΘΗΝΑ
PEIRAIÁS/
ΠΕΙΡΑΙΑΣ
Elefsína/Ελευσίνα
Acharnés/
Αχαρνές
Kifisiá/
Κηφισιά
Glyfáda/
Γλυφάδα
Vouliagméni/
Βουλιαγμένη
Salamína/
Σαλαμίνα
Pérama/
Πέραμα
Mégara
Μέγαρα
Aigósthena
Psátha
Alepochóri
Aigeiroúses
Perachóra
Loutráki
Kinéta
Páchi
Ág.Theódoroi
Isthmía
Dióryga Korínthou
Loutró Elénis
Káto Almyrí
Chiliomódi
Sofikó
Agionóri
Kórfos
Límnes
Néa Epídavros
Megalochóri
Óros Arachnaío
Ligourió
Palaiá Epídavros
Náfplio/
Ναύπλιο
Drépano
Arch. Epívrados
Tracheiá
Kántia
Toló
Fanári
Karnezaiíka
Iría
Salánti
Dídyma
Koiláda
Akr. Thynní
Kranídi
Iliókastro
Ermióni
Thermisía
Portochéli
Kósta
Spétses
N. Spétses
Ν. Σπέτσες
Paralía Tyroú
Sampatikí
Pláka
Peletá
Kremastí
Paralía
Kyparíssi
Ág.Dimítrios
Reichéa
Gérakas
Limáni Géraka
Ág.Ioánnis
Asopós
Veliés
Géfyra
Μonemvasía/
Μονεμβασία
Nómia
Neápoli
Akr. Maléas
Elafonísou
Karavás
Ág.Pelagía
Potamós
Diakófti
N. KÝTHIRA
Ν. ΚΥΘΗΡΑ
Kýthira
Kapsáli
N. Antikýthira
Ν.Αντικύθηρα
N. Salamína
Ν. Σαλαμίνα
Diápora Nisiá
Saronikós Kólpos
Aígina
Souvála
Ág.Marína
Pérdika
N. Aígina
Ν. Αίγινα
N. Agkístri
Ág.Nikólaos
Chers. Methánon
Χερσ. Μεθάνων
Méthana/
Μέθανα
Taktikoúpoli
N. Póros
Ν. Πόρος
Póros/Πόρος
Galatás
Plépi
Kólpos Ýdras
Ýdra/Ύδρα
Episkopí
N. Ýdra
Ν. Ύδρα
Aktí Apóllona
Domvraína
Ellopía
Melissochóri
Paralía Sarántí
Ág.Ioánnis
Ág.Vasíleios
Portó Germenó
Erythrés
Oinói
Skoúrta
Stefáni
Óros Párnitha
Ág. Triáda
Ág.Thomás
Avlóna
Kálamos
Apóstoloi
Kapandríti
Ág. Dimítrios
Marathónas
Schiniás
Ág.Sotíra
Mándra
Aspropýrgos
Salamína
Néa Mákri/
Νέα Μάκρη
Dióńysos
Pentéli
Rafína
Spáta
Loútsa
Vravóna
Koropí
Ymittós
Paianía
Pórto Ráfti
Markópoulo
Kakí Thálassa
Kalývia
Keratéa
Lagonísi
Anávyssos
Thorikó
Lávrio/
Λαύριο
Legrena
Soúnio
Akr. Soúnio
Ακρ. Σούνιο
Almyropótamos
Polypótamos
Néa Stýra
Marína
Stýra
Kalergo
Giannítsi
Kapsoúri
Ág. Dimítrios
Óros Óchi
Kómito
Marmári
Kárystos
Platanistós
Nísoi Petalioí
Kólpos Petalión
Stenó Kafiréa
Kalyvári
N. ÁNDROS
Ν. ΑΝΔΡΟΣ
Gávrio
Batsí
Ándros
Órmos Korthíou
Palaiópoli
Kórthio
Pánormos
Istérnia
N. Gyáros
Stenó Kéas
Korissía
Kéa
N. Kéa
Ν. Κέα
Písses
Stenó Kýthnou
Loutrá
Kýthnos
Mérichas
Dryopída
N. Kýthnos
Ν. Κύθνος
N. SÝROS
Ν. ΣΥΡΟΣ
Áno Sýros
Foínikas
Poseidonía
Ermoúpoli/
Ερμούπολη
N. Sérifos
Ν. Σέριφος
Livádi
Páros/Πá
N. PÁROS
Ν. ΠΑΡΟΣ
Antíparos
Kamáres
Artemónas
Apollonía
N. Sífnos
Ν. Σίφνος
Platýs Gialós
N. Antímilos
Kímolos
Pláka
Adámantas
Vouдia
Kánava
N. MÍLOS
Ν. ΜΗΛΟΣ
Stenó Polyaígou-Folegándrou
Folégandros
N. Folégandros
Síkin
N. Chri
Potamós

I. SÝROS
N. ΣΥΡΟΣ
N. MÝKONOS
N. ΜΥΚΟΝΟΣ
166
169
172
Kýthnou
Loutrá
Kýthnos
Mérichas
Dryopída
N. Kýthnos
N. Κύθνος
ÁnoSýros
Foínikas
Poseidonía
Ermoúpoli/
Ερμούπολη
Tínos
Ág. Stéfanos
Mýkonos/Μύκονος
Áno Merá
Ornos
Platys Gialós
N. Ríneia
Dílos
N. Dílos
N. Δήλος
NÓTIO AIGAÍO
K Y K L Á D E S
Κ Υ Κ Λ Α Δ Ε Σ
N. NÁXOS
N. ΝΑΞΟΣ
Apóllonas
N. Sérifos
N. Σέριφος
Livádi
Náousa
Náxos
Páros/Πάρος
Kóronos
N. Donoúsa
Lefkes
Galanádo
Moutsoúna
N. PÁROS
N. ΠΑΡΟΣ
Pounta
Apeiranthos
Antíparos
Márpissa
Áno Sagkrí
Náxos Días
Alykí
Dryós
Kastráki
Kamáres
Artemónas
Apollonía
N. Sífnos
N. Σίφνος
Platýs Gialós
N. AMORGÓS
N. ΑΜΟΡΓΟΣ
Aigiáli
N. Kéros
N. Irákleia
N. Schoinoússa
Amorgós
Katápola
N. Antímilos
Kímolos
Plaka
Voúdia
Adámantas
Kánava
N. Íos
N. Ίος
Íos
Pýrgos
Sténó Polyaígou-Folegándrou
Síkinos
N. Síkinos
N. MÍLOS
N. ΜΗΛΟΣ
Folégandros
N. Folégandros
N. THÍRA
N. ΘΗΡΑ
(N. SANTORÍNI)
Oia
Thíra/Θήρα
N. Kaméni
Kamári
Perissa
Akrotíri
Profítis Ilías
N. Anáfi
Anáfi
N. Christiani
K R I T I K Ó P É L A G O S Κ Ρ Η Τ Ι Κ Ο Π Ε Λ Α Γ Ο Σ
(M E R D E C R È T E)
Chanion
Stavrós
Chers. Akrotíri
Χερσ. Ακρωτήρι
Chaniá/
Χανιά
Ág. Marina
Kounoupidianá
Stérnes
Soúda/
Σούδα
Kalámi
Akr. Drápano
N. KRÍTI
N. ΚΡΗΤΗ
N. Día
Mournies
Fournés
Lákkoi
Omalós
Lefká Óri
Λευκά Όρη
Vrýses
Georgioúpoli
Réthymno/
Ρέθυμνο
Perivolia
Pánormos
Balí
Sísses
Ág. Pelagía
IRÁKLEIO/
ΗΡΑΚΛΕΙΟ
Néa Alikarnassós
Gournes
Limáni Chersonísou
Stalída
Mílatos
Akr. Ág. Ioánnis
Vrouchás
Kólpos Mirampéllou
Askýfou
Episkopí
Prinés
Arménoi
Prasiés
Pérama
Arkádi
Ammoúdara
Kartéros
Knosós
Goúves
Mália/
Μάλια
Neápoli
Fourní
Elounta
Ágios Nikólaos/
Άγιος Νικόλαος
Apóstoloi
Anógeia
Goniés
Ágios Antonios
Óros Ídi
Potamies
Kastélli
Tzermiádo
Ágies Paraskiés
Anópoli
Chóra Sfakion
Áno Rodákino
Plakiás
Spíli
Kíssou Kámpos
Gerakári
Fourfourás
Krousónas
KRÍTI
Apodoúlou
Kamáres
Zarós
Ág. Thomás
Méllampes
Arkalochóri
Psychró
Lasíthi
Ág. Geórgios
Kritsá
Mochlós
Sfáka
Kavoúsi
Skopí
0 20 km

167
173
E
F
G
H
1
2
3
4
5
TÜRKIYE
1800
400
Kas
Ródos
N. Pω
Megísti
Μεγίστη
N. Megísti (Kastelórizo)
N. Μεγίστη (Καστελλόρζο)
N. Στρογγυλή
Thérma Lefkádas
Foúrnoi
N. Foúrnoi
N. Φούρνοι
Milet
Balat
Akköy
Sarıkemer
1367 Beşparmak Dağ
Kapıkırı
1273
Akçaova
1412
Bafa Gölü
Bafa
Pinarcik
Akbük
Selimiye
Didim
Altınkum plajı
Laba Dağı
Milâs
Koru
Güllük
Akyol
Ikizköy
Alaçam
Karacahisar
Karaova
564
Söğüt Da.
Pinarlibelen
Ören
Ula
Gölcü
Kizilyaka
Akçapinar
Doğu
857
Agathonísi
Αγαθονήσι
Megálo Chorió
Arkoí
Skála
Pátmos
N. Pátmos
N. Πάτμος
N. Leipsoí
N. Λειψοί
Leipsoí
Farmakonísi
Mandalya Körfezi
Parthéni
Ag.Marína
Sykiá
Lakkí
N. Léros
N. Λέρος
Xirókampos
Yalikavak
Torba
Ortakent
608
Pazar Dağı
Gümüslük
Bodrum
Turgutreis
Kara Ad.
Emporeiós
Arginónta
N. Levítha
N. Λεβίθα
Vathýs
Myrtiés
Psérimos
N. Kálymnos
N. Κάλυμνος
Kálymnos/Κάλυμνος
Kos/Κως
Tigkáki
Asklipieio
Ag.Fokás
Mastichári
Pylio
846
Antimácheia
Kardámaina
N. KOS
N. ΚΩΣ
Kéfalos
Kerme Körfezi
Cetibeliçe
550
Balan Dağ
993
Marmaris
Içmeler
Adaköy
Bencik
Turunç
Dalyaca Yarımadası
Bayır
Bozburun
Körmen
Reşadiye
Emecik
Reşadiye Yarımadası
1162
Boz Dağ
Datça
Knidas
DODEKÁNISA
ΔΩΔΕΚΑΝΗΣΑ
Astypálaia
Vathý
Análipsi
Mandráki
Páloi
698
N. Nísyros
N. Νίσυρος
Sými
Emporeiós
N. Sými
N. Σύμη
Panormítis
Ródos/Ρόδος
Megálo Chorió
651
N. Tílos
N.Τήλος
Livádia
Kremastí
Ixiá
Filérimos
Kallithéa
Soroní
267
Psinthos
Faliráki
Kalavárda
Mandrikó
Prof. Ilias
798
Afántou
Apóllona
Eleousa
N. Alimiá
Alimiá
N. Chálki
Chálki
Kritinía
Émponas
1215
Attávyros
Archángelos
Láerma
Kálathos
Monólithos
Lárdos
Asklipieío
Líndos/Λίνδος
Apolakkiá
Mesanagrós
Gennádio
N. RÓDOS
N. ΡΟΔΟΣ
Kattavía
Chóchlakas
N. Sýrna
N. Σύρνα
N. Sariá
N. Σαριά
Sariá
Diafáni
Mesochóri
N. KÁRPATHOS
N. ΚΑΡΠΑΘΟΣ
Kalí Limni
1215
Pylés
Kárpathos
Menetés
Arkása
Fry
N. Kásos
N. Κάσος
Akr. Kastéllou
Akr. Síderos
Palaíkastro
Zákros

B
C
170
D
Ág.Pelagía
Diakófti
N. KÝTHIRA
N. ΚΥΘΗΡΑ
Kapsáli
N. Christiani
KRITIKÓ PÉLAGOS
(MER DE CR
169
Potamós
N. Antikýthira
N.Αντικύθηρα
Akr. Spánta
Kólpos Chanion
Balos
Rodopós
Kolymvári
Stavrós
Chers. Akrotíri
Χερσ. Ακρωτήρι
Chaniá/
Χανιά
Ág. Marina
Plataniás
Kounoupidianá
Kíssamos (Kastélli)/Κίσσαμος (Καστέλλι)
Tavronitis
Voukoliés
Mourniés
Stérnes
Soúda
Σούδα
Kalámi
Akr. Drápano
Plátanos
Topólia
Alikianós
Fournés
Kámpos
Néa Roúmata
Lákkoi
Élos
Strovlés
Kántanos
Omalós
Lefká Óri
Λευκά Όρη
Xylóskalo
Farángi Samariás
2453
Askýfou
Vrýses
Sklavopoúla
Rodováni
Akr. Kriós
Palaiochóra
Soúgia
Arádaina
Ág. Ioánnis
Anópoli
Chóra Sfakíon
Réthymno/
Ρέθυμνο
Georgioúpoli
Perivolia
Prinés
Episkopí
Arménoi
Prasiés
Pánormos
Balí
Sísés
Ág. Pelagía
IRÁKLEIO
ΗΡΑΚΛΕΙΟ
Pérama
Arkádi
Ásfendos
Así Gonía
Sellía
Agios Antonios
Spíli
Apóstoloi
Gerakári
Anógeia
2456
Fourfourás
Óros Ídi
Goniés
Ammoudára
Archánes/
Αρχάνες
Krousónas
Áno Rodákino
Plakiás
Kissoú Kámpos
Apodoúlou
Kamáres
Zarós
KRÍTI
Mélampes
Ág.Thomás
Ág.Varvára
Teféli
Ág.Galíni
Tympáki
Kalamáki
Moíres
Ágioi Déka
Gkagkáles
Ormos Mesarás
Phaestós
Plátanos
Kastelli
Mátala
Pómpia
Vagioniá
Pýrgos
Krotos
Akr. Lithino
Kaloí Liménes
Léntas
N. Gavdopoúla
N. Gávdos
1
2
3
4
5
0
20 km
A

N. THIRA
N. ΘΗΡΑ
(N. SANTORÍNI)
Oia
Kaméni
Kamári
Perissa
Akrotiri
Profitis Ilías
171
N. Anáfi
Anáfi
Astypálaia
N. Sýrna
N. Σύρνα
N. Νίσυρος
N. Ch
Ρ Η Τ Ι Κ Ο Π Ε Λ Α Γ Ο Σ
T E)
N. Sariá
N. Σαριά
Sariá
Diafáni
Mesochóri
N. KÁRPATHOS
N. ΚΑΡΠΑΘΟΣ
Kalí Límni
1215
Pylés
Kárpathos
Arkása
Menetés
Fry
N. Kásos
N. Κάσος
Akr. Kastéllou
N. KRÍTI
N. ΚΡΗΤΗ
Limáni Chersonísou
Stalída
Gouves
Mílatos
Vrouchás
Akr. Ág. Ioánnis
Kólpos Mirampéllou
Akr. Síderos
Potamiés
Mália/ Μάλια
Fourni
Elounta
Neápoli
Kastélli
Ágios Nikólaos/ Άγιος Νικόλαος
Tzermiádo
Psychró
Ag. Geórgios
Lasíthi
2148
Óros Díkti
Kritsá
Mochlos
Sfáka
Kavoúsi
Toplou
Siteía
Piskokéfalo
Palaíkastro
Skopí
Karýdi
Zákros
Áno Viánnos
Kaló Chorió
Pacheiá Ámmos
Stavrochóri
Lithínes
Chandrás
Zíros
Skiniás
Keratokampos
Anatolí
Ierápetra
Makrygialós
Koutsourás
Ág. Fotiá
Xerókampos
Mýrtos
Ammoudáres
Árvi
N. Koufonísi
N. Chrysí
E
F
G
H
1
2
3
4
5

B
C
D
A
1
2
3
4
5
0 15 km
174-175
LEFKOSIA/LEFKOŞA
CHYPRE
CYPRUS
Lárnaka
Lemesós
Cape Kormakitis
Livera
Kormakitis
Vasileia
Karavas
Agios Georgios
Kerýne
Girne
Lapithos
Karmi
Diorios
Myrtou
Larnakas Lapithou
Agios Ilerion
Pano Dikomo
Kato Dikomo
MORFOU BAY
Aloupos
Asomatos Keryneias
Kontemenos
Kalo Chorio
Kapouti
LEFKOŞA / LEFK
(NICOSIA)
Kyra
Skylloura
Agios Vasileios
Ovgos
Syrianochori
Morfou
Gerolakkos
Kato Zodeia
Argaki
Mammari
Agios Dometios
Egkomi
Prastio Lefkosias
Fyllia
Kato Pyrgos
Pentageia
Nikitas
Katokopia
Avlona
Pachyammos
Pomos
Soloi
Galini
Karavostasi
Pano Zodeia
Astromeritis
Kokkinotrimithia
Akaki
Kalo Chorio
Peristerona
Palaiometocho
Pano Lakatameia
Ampelikou
Petra
Orounta
Meniko
Kato Deftera
Lefka
Nikitari
Agios Ioannis
Pano Deftera
Psimolofou
Tseri
Cape Arnaoutis
Akamas
Chrysochou Bay
Gialia
Argaka
Agia Marina
Mitsero
Ergates
Pera
Evrychou
Panagia Forviotissa
Pera Chorio
Baths of Aphrodite
Polis
Makounta
Kampos
Korakou
Temvria
TROODOS
Klirou
Agia Varvara
Neo Chorio
Lysos
Peristerona
Kalopanagiotis
Galata
Kakopetria
Panagia tou Araka
Fikardou
Gourri
Lythrodontas
Kykkos
Moutoullas
Spilia
Lagoudera
Pedoulas
Agios Nikolaos tis Stegis
Chandria
Platanistasa
Machairas
AKAMAS
Drouseia
Kritou Tera
Ineia
Lemithou
Prodromos
Kyperounta
Alona
Palaichori
Pano Panagia
Kaminaria
Óros Ólimbos
Agros
Giolou
Pano Arodes
Kathikas
Troodítissa
Pelendri
Cape Drepano
Polemi
Statos-Agios Fotios
Foini
Agios Theodoros
Pano Lefkara
Pegeia
Agios Neofytos
Stroumpi
Mandria
Pano Platres
Agios Ioannis
Vasilikos
Coral Bay
Empa
Letymvou
Kallepeia
Omodos
Kalo Chorio
Choirokoitia
Kissonerga
Tala
Tsada
Amargeti
Salamiou
Arsos
Vasa
Koilani
Malia
Vouni
Agios Therapon
Asgata
Tochni
Chlorakas
Mesogi
Kelokedara
Episkopi
Agios Georgios
Dora
Kalavasos
Germasogeia Dam
Parekklisia
Pentakomo
Páfos
Paphos
Anarita
Pano Archimandrita
Pachna
Agios Athanasios
Pyrgos
Zygi
Geroskipou
Timi
Asprokremmos Dam
Kouris Dam
Alektora
Anogyra
Souni-Zanakia
Kato Polemidia
Mesa Geitonia
Germasogeia
Agios Georgios Alamanos
Mandria
Kouklia
Avdimou
Erimi
Ypsonas
Kolossi
Sanctuary of Apollon Ylatis
Pissouri
Petra tou Romiou
Episkopi
Kourion
LEMESÓS
LIMASSOL
Cape Aspro
Salt Lake
Episkopi Bay
Akrotiri Bay
Akrotiri
Cape Zevgari
Cape Gata

Cape Apostolos Andreas
Apostolos Andreas
Panagia Afendrika
Rizokarpaso
Panagia Eleosa
KARPASIA
Aigialousa
Agios Andronikos
Vothylakas
Leonarisso
Eptakomi
Koma tou Gialou
Davlos
Kantara
Komi
Akanthou
Patriki
Agios Theodoros
Kastros
Agios Amvrosios
Kalograia
Antifonitis
Charkeia
Cape Elaia
Kalamoullia
Lapathos
Trikomo
Lefkonoiko
Gypsou
Ammochostos Bay
Kythrea
Neo Chorio
Exo Metochi
Marathovounos
Milia
Peristerona
Genagra
Gerokolympos
Limnia
Agios Sergios
Salamis
Palaikythro
Angastina
Pediaios
Stylloi
Apostolos Varnavas
Afanteia
Prastio
Tuzla
AMMÓCHOSTOS / GAZIMAĞUSA
FAMAGUSTA
Askeia
Vatili
Tymvou
Lysi
Acheritou
Gialias
Kontea
Kalopsida
Deryneia
Tremetousia
Arsos
Makrasyka
Achna
Frenaros
Potamia
Athienou
Avgorou
Paralimni
Troulloi
Pyla
Xylotymvou
Liopetri
Sotira
Lympia
Ormideia
Voroklini
Xylofagou
Agia Napa
Aradippou
Cape Gkreko
Tremithos
Livadia
Larnaka Bay
Cape Pyla
Pyrga
Kalo Chorio
Stavrovouni
LÁRNAKA
Salt Lake
Dromolaxia
Hala Sultan Tekkesi
Anglisides
Kiti
Anafotida
Panagia Angeloktistos
Perivolia
Cape Kiti
Mazotos
MEDITERRANEAN SEA
Ligne de démarcation - Green Line
E F G H
1 2 3 4 5

B
C
D
1
2
3
4
5
178
REYKJAVÍK
Akureyri
ISLANDE
ICELAND
176-177
Tromsø
179
180-181
Bodø
Rovaniemi
Føroyar
194
182-183
184-185
186-187
Luleå
Oulu
SUÈDE
SWEDEN
FINLANDE
FINLAND
Umeå
Trondheim
Vaasa
Kuopio
Ålesund
NORVÈGE
NORWAY
Tampere
188-189
190-191
Lahti
192-193
Bergen
Turku
OSLO
Uppsala
HELSINKI
Skien
Karlstad
STOCKHOLM
Stavanger
194-195
196-197
Gotland
Aalborg
Göteborg
Kalmar
DANEMARK
DENMARK
198-199
Öland
Esbjerg
KØBENHAVN
Malmö
Bornholm
Rolvsø
Revesbot
Sørøya
Hamm
Rypefjord
Kvaløya
Sørvær
Breivikbotn
Seiland nasjonalpark
Kvalsund
Hasvik
Seilandsjøkelen
985
Seiland
Loppa
Stjernøya
Komagfjord
Øksfjord
Stjernsund
Nyvoll
Øksfjordjøkelen
1204
Storvik
Altafjorden
1064
Langfjordjøkelen
Leirbotn
Nordkvaløy
Vanna
Årviksand
Slettfjellet
1168
Langfjord
Vannavalen
Arnøy
Lauksundskaret
Kvænangen
Talvik
Alta
Rebbenesøy
Mikkelvik
Skåningsbukt
Skjervøy
Storsteinen
Burfjord
Hansnes
Karlsøy
Hurtigruten
Kågen
Altaelva
Ringvassøy
Reinøy
Nord-Lenangen
292
Grøtsundet
Ullsfjorden
Sørkjosen
620
Bæskades
Oldervik
Djupvik
Storslett
Nordreisa
Kvænangsbotn
TROMSØ
Lyngen
Sommarøy
Eidkjosen
Breivikeidet
Svensby
Hillesøy
Kvaløya
Bæccegæhal'di
1326
Mefjordvær
Larseng
Vikran
Fagernes
Lyngseidet
Bilto
100
Masi
Skaland
(Berg)
Mefjordbotn
Malangen
Jiekkevarre
1833
1375
Isfjellet
Mållejus
975
Gryllefjord
(Torsken)
Gibostad
Furuflaten
Skibotn
Raisduoddarhal'di
1365
Senja
Tennes
Balsfjorden
1328
Halti-Haldi
Reisa nasjonalpark
Finnsnes
(Lenvik)
Målsnes
Ånderdalen nasjonalpark
Storsteinnes
Oteren
Andfjorden
Tranøy
Moen
(Målselv)
Nordkjosbotn
Vangsvik
Sørreisa
Heia
Malla
Stonglandet
Solbergfjorden
Kilpisjärvi
Raittijärvi
Kautokeino
Brøstadbotn
Dyrøya
Andselv
Øverbygd
1024
Tierbmesvarri
660
Bas'tevarri
Lavvuoai'vi
632
110
179
Mikkelbostad
Målselvfossen
Istindan
1487
Målselva
Grytøya
Vågsfjorden
Sjøvegan
(Salangen)
148
TROMS
Kummavuopio
Konkämäeno
Andørja
Setermoen
(Bardu)
Harstad
Rolla
Sørvik
Ibestad
Kirkestinden
1681
Frihetsli
Rostojaure
Saarikoski
945
Ropi
Sørrollnes
Lavangen
Njunis
1713
Ropinsalmi
660
Urtivaara
Kilbotn
Astafjorden
Øvre Dividal nasjonalpark
Ishavsleden
Grovfjord
Innset
Fossbakken
Gratangen
Rohkunborri nasjonalpark
113
Evenskjær
(Skånland)
Bjerkvik
Lätäseno
Kaaresuvanto
Leppäjär
Vadvetjåkka nationalpark
Karesuando
Kuttanen
Liland
Bogen
Narvik
Riksgränsen
Björkliden
Torneträsk
Vuoskojaure
Ball
0
30 km
Beisfjord
Abisko
Laimo
180
713
Kuortovare
Palojoensuu
Abisko nationalpark
1901
170
Katkäsuvanto

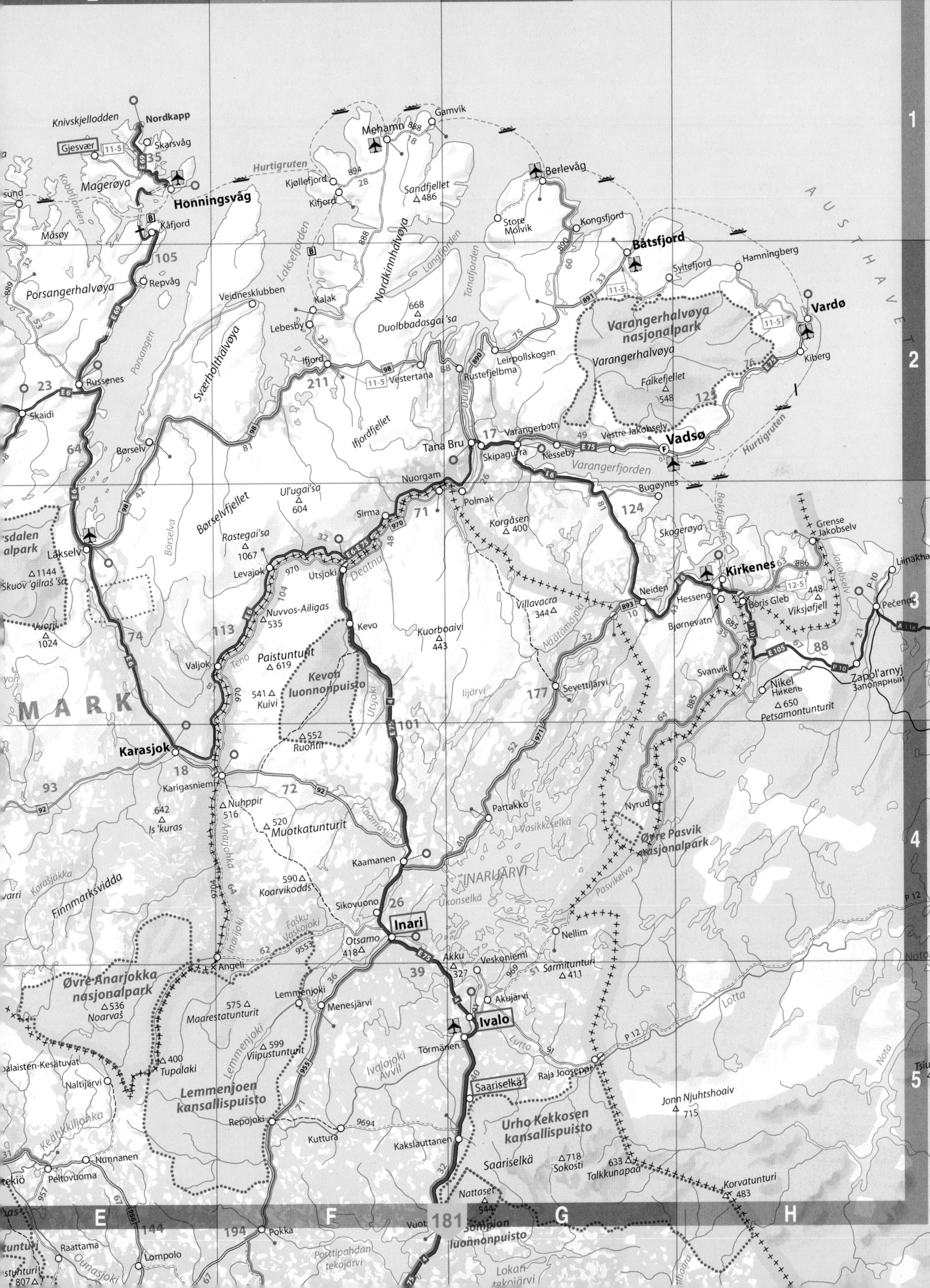
E
F
G
H
1
2
3
4
5
Knivskjellodden
Nordkapp
Gjesvær
Skarsvåg
Magerøya
Honningsvåg
Kåfjord
Måsøy
Porsangerhalvøya
Repvåg
Russenes
Skaidi
Børselv
Lakselv
Karasjok
Karigasniemi
Mehamn
Gamvik
Kjøllefjord
Kifjord
Sandfjellet
Nordkinnhalvøya
Lakselfjorden
Langfjorden
Tanafjorden
Veidnesklubben
Kalak
Lebesby
Ifjord
Duolbbadasgai'sa
Vestertana
Rustefjelbma
Leirpollskogen
Ifjordfjellet
Sværholthalvøya
Porsangen
Hurtigruten
Berlevåg
Store Molvik
Kongsfjord
Båtsfjord
Syltefjord
Hamningberg
Vardø
Kiberg
Varangerhalvøya nasjonalpark
Varangerhalvøya
Falkefjellet
Vadsø
Vestre Jakobselv
Nesseby
Varangerbotn
Skipagurra
Tana Bru
Varangerfjorden
Bugøynes
AUSTHAVET
Nuorgam
Polmak
Sirma
Utsjoki
Deatnu
Kevo
Kevon luonnonpuisto
Paistunturit
Kuivi
Ruohtir
Nuvvos-Ailigas
Levajok
Valjok
Teno
Børselvfjellet
Rastegai'sa
Ul'ugai'sa
Korgåsen
Kuorboaivi
Villavacra
Skogerøya
Neiden
Kirkenes
Hesseng
Bjørnevatn
Boris Gleb
Viksjøfjell
Grense Jakobselv
Jakobselv
Linahamari
Pečenga
Svanvik
Nikel
Никель
Petsamontunturit
Zapol'arnyj
Заполярный
Sevettijärvi
Näätämöjoki
Iijärvi
Nyrud
Øvre Pasvik nasjonalpark
Pasvikelva
Partakko
Vasikkaselkä
INARIJÄRVI
Ukonselkä
Kaamanen
Kaamasjoki
Muotkatunturit
Nuhppir
Is'kuras
Anarjohka
Koarvikodds
Finnmarksvidda
Karasjokka
Sikovuono
Inari
Otsamo
Angeli
Inarijoki
Øvre Anarjokka nasjonalpark
Noarvaš
Maarestatunturit
Lemmenjoki
Menesjärvi
Viipustunturit
Tupalaki
Lemmenjoen kansallispuisto
Naltijärvi
Akku
Veskoniemi
Sarmitunturi
Akujärvi
Nellim
Ivalo
Törmänen
Ivalojoki
Avvil
Lutto
Lotta
Raja Jooseppi
Saariselkä
Jonn Njuhtshoaiv
Urho Kekkosen kansallispuisto
Sokosti
Talkkunapää
Korvatunturi
Repojoki
Kuttura
Kakslauttanen
Nattaset
Sompion luonnonpuisto
Vuotso
Pokka
Raattama
Lompolo
Ounasjoki
Porttipahdan tekojärvi
Lokan tekojärvi
Nunnanen
Peltovuoma
Keähkkiljohka
Tsiulutaldi
Notozero
Nota
MARK
181

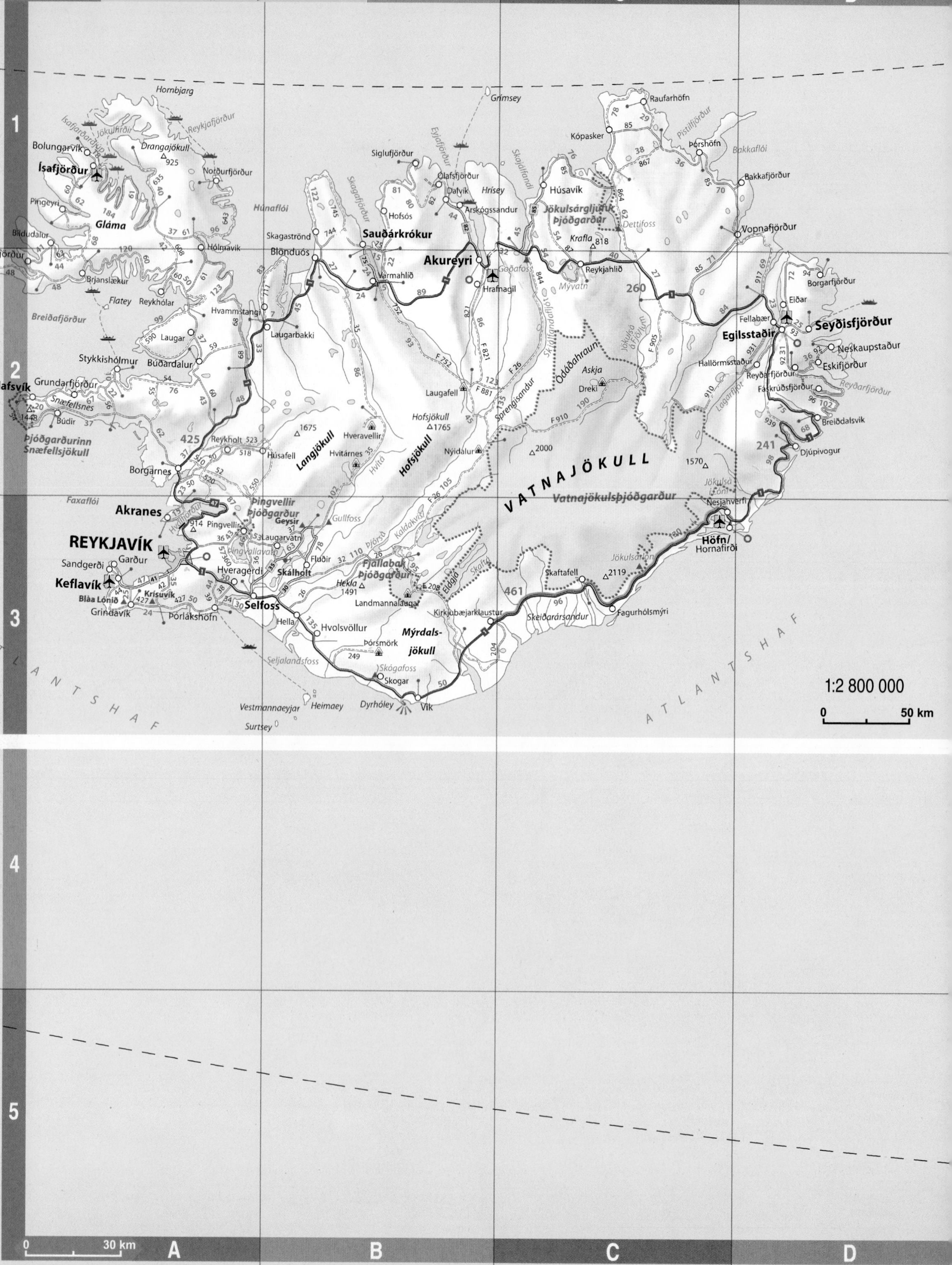
B
C
D
1
2
3
4
5
A
Hornbjarg
Grímsey
Raufarhöfn
Kópasker
Þórshöfn
Bakkaflói
Bakkafjörður
Vopnafjörður
Reykjafjörður
Bolungarvík
Ísafjörður
Drangajökull
925
Norðurfjörður
Þingeyri
Gláma
Húnaflói
Bíldudalur
Patreksfjörður
Hólmavík
Brjánslækur
Flatey
Reykhólar
Breiðafjörður
Siglufjörður
Ólafsfjörður
Dalvík
Hrísey
Árskógssandur
Hofsós
Húsavík
Jökulsárgljúfur Þjóðgarður
Dettifoss
Krafla
818
Skagaströnd
Sauðárkrókur
Blönduós
Varmahlíð
Akureyri
Goðafoss
Hrafnagil
Reykjahlíð
Mývatn
Borgarfjörður
Eiðar
Fellabær
Egilsstaðir
Seyðisfjörður
Neskaupstaður
Eskifjörður
Hallormsstaður
Reyðarfjörður
Fáskrúðsfjörður
Reyðarfjörður
Breiðdalsvík
Djúpivogur
Hvammstangi
Laugarbakki
Laugar
Stykkishólmur
Búðardalur
Ólafsvík
Grundarfjörður
Snæfellsnes
1446
Búðir
Þjóðgarðurinn Snæfellsjökull
Ódáðahraun
Askja
Dreki
Laugafell
Hofsjökull
1765
1675
Hveravellir
Hvítárnes
Langjökull
Hofsjökull
Sprengisandur
Nýidalur
2000
1570
VATNAJÖKULL
Vatnajökulsþjóðgarður
Reykholt
Húsafell
Borgarnes
Faxaflói
Akranes
Hvalfjörður
Þingvellir Þjóðgarður
Pingvellir
Geysir
Gullfoss
Laugarvatn
REYKJAVÍK
Garður
Sandgerði
Keflavík
Bláa Lónið
Krísuvík
Grindavík
Þorlákshöfn
Hveragerði
Skálholt
Flúðir
Selfoss
Fjallabak Þjóðgarður
Hekla
1491
Landmannalaugar
Eldgjá
Skaftafell
2119
Jökulsárlón
Nesjahverfi
Höfn/ Hornafirði
Fagurhólsmýri
Skeiðarársandur
Kirkjubæjarklaustur
Hella
Hvolsvöllur
Þórsmörk
Mýrdals-jökull
Seljalandsfoss
Skógafoss
Skogar
Vestmannaeyjar
Heimaey
Dyrhóley
Vík
Surtsey
ATLANTSHAF
ATLANTSHAF
1:2 800 000
0 50 km
0 30 km

TROMSØ
Sommarøy
Eidkjosen
Hillesøy
Kvaløya
Larseng
Vikran
Mefjordvær
Mefjordbotn
Skaland (Berg)
Gibostad
Andenes
Gryllefjord (Torsken)
Senja
Finnsnes (Lenvik)
Målsnes
Bleik
Ånderdalen nasjonalpark
Andøya
Tranøy
Moen (Målselv)
Vangsvik
Sørreisa
Dverberg
Skrolsvik
Stonglandet
Solbergfjorden
Brøstadbotn
Andselv
Nyksund
Åse
Dyrøya
Mikkelbostad
Risøyhamn
Bjarkøy
Istindan
Myre
Øksnes
Grytøya
Vågsfjorden
Sjøvegan (Salangen)
VESTERÅLEN
Langøya
Harstad
Andørja
Setermoen (Bardu)
Borkenes (Kvæfjord)
Rolla
Sørvik
Ibestad
Straumsjøen
Sortland
Sørrollnes
Lavangen
Flesnes
Kilbotn
Astafjorden
Bø
Sigerfjord
Refsnes
Grovfjord
Fossbakken
Eidsfjorden
Gratangen
Stokmarknes
Hinnöya
Evenskjær (Skånland)
Bjerkvik
Møysalen
Melbu
Kaljord
Ramsund
Hadselfjorden
Hanøy
Tjeldøya
Bogen
Liland
Fiskebøl
Austvågøy
Lødingen
Ofotfjorden
Narvik
Riksgränsen
Eggum
Eidet
Ballangen
Beisfjord
Svolvær
Digermulen
LOFOTEN
Vestvågøy
Leknes
Leiknes
Skarberget
Henningsvær
Gravdal
Bognes
Ramberg
Stamsund
Hurtigruten
Moskenesøya
Ballstad
Kjøpsvik
Hamarøy
Tysfjorden
Skutvik
Drag
Reine
Engeløya
Bjørntoppen
Sørvågen
Innhavet
Steigen
Sildasjávri
VESTFJORDEN
Sagfjorden
KUNGSLEDEN
Vistasvággi
Moskenstraumen
Kebnekaise
Hellemofjorden
Nordfold
Vaerøya
Sørland
Vaisaluokta
Kallaktjåkkå
Kårsatjåkka
Røstlandet
Røst
Folda
Bonnåsjøen
Akkajaure
Nieras
Kjerringøy
Padjelanta
Stora Sjöfallet nationalpark
Landego
Vietas
Sjunkhatten nasjonalpark
Røsvik
Festvåg
Rago nasjonalpark
Vastenjaure
Virihaure
BODØ
Løding
Arasluokta
Sarek nationalpark
Saltoluokta
Straumsnes
Straumen
Saltfjorden
Vågan
Fauske
Skjerstad
Blåmannsisen
Sørarnøy
Inndyr
Rognan
Misvær
Sulitjelma
Skjelvik
Beiarn
Storfjellet
Tarrekaise
Pieskehaure
Tjaktjajaure
Røkland
Kvikkjokk
Ørnes
Junkerdal nasjonalpark
Meløy
Lahko nasjonalpark
NORDLAND
Glomfjord
Skalka
Forøy
Ågskaret
Vågaholmen
Holandsfjorden
Snøtinden
Jektvik
Tjong
Lønsdal
Silver vägen
Saltfjellet-Svartisen nasjonalpark
CERCLE POLAIRE ARCTIQUE
Svartisen
Saltfjellet
Træna
Trænfjorden
Kilboghamn
Nordrana
POLARSIRKELEN
POLCIRKELN
Stenudden
Lovund
Lurøya
Dunderlandsdalen
Slenes
Stokkvågen
MO I RANA
Storforshei
183
Pieljekaise nationalpark
Jäkkvik
Norra Bergnäs
Tomma
Blå vegen
Hornavan
Hemnesberget
Junkeren
Adolfsström
Gittun
Glein
Nesna
Karats
Kebnekaise
Bjorkliden
Abisko nationalpark
Rohkunborri nasjonalpark
Vadvetjåkka nationalpark
Storsteinnes
180

FINNMARK
TROMS
NORRBOTTENS
LÄN
Reisa nasjonalpark
Øvre Anarjokka nasjonalpark
Øvre Dividal nasjonalpark
Rohkunborri nasjonalpark
Vadvetjåkka nationalpark
Abisko nationalpark
Muddus nationalpark
Ishavsleden
Kungsleden
Finnmarksvidda
Karasjok
Kautokeino
Masi
Skibotn
Kilpisjärvi
Saarikoski
Kaaresuvanto
Karesuando
Enontekiö
Palojoensuu
Muonio
Kolari
Pajala
Pello
Övertorneå
Ylitornio
Kittilä
Levi
Sirkka
Äkäslompolo
Ylläs
Kiruna
Jukkasjärvi
Vittangi
Svappavaara
Övre Soppero
Junosuando
Malmberget
Gällivare
Porjus
Harsprånget
Jokkmokk
Kebnekaise
Nikkaluokta
Abisko
Björkliden
Riksgränsen
Setermoen
Nordkjosbotn
Lyngseidet
Halti-Haldi
Tornionjoki
Torneälven
Kalixälven
Överkalix
Korpilombolo
Tärendö
Nattavaara
Hakkas
Murjek
Vuollerim
Gittun
Aavasaksa
Hedenäset
POLCIRKELN
0 30 km
176
179
186

177
E
F
G
Paistunturit
619
Kevon luonnonpuisto
Kuivi
552
Ruohtir
Kuorboaivi
443
Svanvik
88
Nikel
Никель
650
Petsamontunturit
Zapol'arnyj
141
Murmashi
Kola
Tuloma
Verchnetulomskij
Notozero
Lotta
Nota
Tsiulutaldi
907
Jelgoras
997
Jonn Njuhtshoaiv
715
Korvatunturi
483
Kovdor
Alakurtti
Tumtsa
Kovdozero
Koutajoki
Nuorunen
580
Pjaozero
Kesten'ga
Muotkatunturit
520
Koarvikodds
590
Kaamanen
Partakko
Vasikkaselkä
Nyrud
Øvre Pasvik nasjonalpark
Pasvikelva
INARIJÄRVI
Ukonselkä
Sikovuono
Inari
Otsamo
418
Nellim
Akku
327
Veskoniemi
Sarmitunturi
411
Lemmenjoki
Menesjärvi
Akujärvi
Ivalo
Törmänen
Ivalojoki
Avvil
599
Viipustunturit
Raja Jooseppi
Lutto
P 12
Saariselkä
Urho Kekkosen kansallispuisto
Kuttura
Kakslauttanen
Saariselkä
718
Sokosti
633
Talkkunapää
Nattaset
544
Sompion luonnonpuisto
Vuotso
Pokka
Porttipahdan tekojärvi
Lokan tekojärvi
Pomovaara
424
Pomokaira
Lokka
Tulppio
Värriötunturit
552
Kemihaara
408
Koitelainen
Vintilänkaira
Kitinen
LAPIN
Petkula
Tepsa
Jeesiö
Tanhua
Martti
Maltiotunturi
478
Hietaniemi
Kelujärvi
Luiro
Sodankylä
Vaalajärvi
Savukoski
Karhutunturi
519
Tenniöjoki
Aapajärvi
Kairala
Saija
Kierinki
Syväjärvi
Torvinen
Luosto
Kotala
Kuoloyarvi
Lehtovaara
Pelkosenniemi
Unari
Kultakero
Pyhätunturi
540
Ahvenselkä
657
Rohmoiva
LÄÄNI
Vuostimo
Salla
Pyhätunturi
477
Korvala
Kemijärvi
Kursu
Onkamo
Ruuhitunturi
472
Ristilampi
Yli Nampa
Hyypiö
Isokylä
Joutsijärvi
Hautajärvi
ARCTIC CIRCLE
Räisälä
Hirvasvaara
Oulanka kansallispuisto
Misi
Vikajärvi
Suomutunturi
408
Oulankajoki
Kiutaköngäs
Sinettä
Saarenkylä
Raajärvi
NAPAPIIRI
Luusua
Maaninkavaara
KARHUNKIERROS
Liikasenvaara
ROVANIEMI
Käylä
Juuma
Oikarainen
Jumisko
Mourujärvi
Vanttauskoski
KEMIJOKI
Pirttikoski
Riisitunturin kansallispuisto
Toiva
Kitka
Virkkula
Muurola
Kivitaipale
Autti
Ruka
Narkaus
Pohjaslahti
Suolijärvet
Perä-Posio
Posio
Vasarapera
Maattälänvaara
Heikkilä
Korouoma
187
H
Suolijoki
Kuusamo
Karpänkylä
Muojärvi
Kuusamojärvi
Portimo
Kortteenperä
Mäntyjärvi
Livojärvi
Mončegorsk
Мончегорск
Olenegorsk
Pulozero
1
2
3
4
5

B
C
D
1
2
3
4
5
N O R S K E H A V E T
Frohavet
Valøya
Vikr
Hurtigruten
Flatanger
Osen
Roan
Harsvik
Åfjord
Follafoss
Verran
Mosvik
Leksvik
Levang
Frøya
Sistranda
Titran
Flatval
Kjerringvåg
Ansnes
Fillan
Hitra
Sandstad
Stjørnfjorden
Ørlandet
Opphaug
Brekstad
Botngård
Valset
Rissa
Agdenes
Trondheimsfjorden
Frosta
Rørvik
Skatval
Stjørdal
Hegra
Smøla
Dyrnes
Nerdvika
Forsnes
Edøya
Korsvoll
Sunde
Selbekken
Snillfjord
Flakk
TRONDHEIM
Malvik
Hommelvik
Heimdal
Buvika
Klæbu
Melhus
Selbu
Kyrksæterøra
Orkanger
Skaun
Aure
Vinsternes
Kristiansund
Leira
Tustna
Aukan
Arasvika
Bremsnes
Tømmervåg
Hannset
Averøya
Frei
Halsa
Kanestraum
Kvernes
Svorkmo
Løkken
Rindal
Meldal
Støren
Gauldalen
Bud
Fræna
Harøysund
Steinshamn
Elnesvågen
Sandøya
Aukra
Hollingsholm
Solholmen
Eide
MØRE
Skei
Surnadalsøra
Tingvoll
Trollheimen
Kvanne
Molde
Eidsvåg
Todalsøra
Kårvatn
Rennebu
Haltdåler
Berkåk
Ålen
Blåhø 1672
Midsund
Moldefjorden
Rødven
Åfarnes
Brattvåg
Vestnes
Valderøya
Søvik
Tomra
Vatne
Ålesund
Skodje
Sjøholt
Tresfjord
Eresfjord
Isfjorden
Sunndalsøra
Runde
Langevåg
Spjelkavik
Hornet 1589
Blåøret 1605
Ulsberg
Hoemsbu
Grøa
188
0
30 km
A

CERCLE POLAIRE ARCTIQUE
POLARSIRKELEN
Svartisen nasjonalpark
Saltfjellet
179
E
F
G
H
Lurøya
MO I RANA
Storforshei
Blå vegen
Junkeren
Pieljekaise nationalpark
Jäkkvik
Adolfsström
Laisvall
Stokkvågen
Slenestet
Sjona
Tomma
Hemnesberget
Nordrana
Nesna
Finneidfjord
Leirvika
Låvong
Glein
Dønna
Leland
Seløy
Sandnessjøen
Silvalen
Alstahaug
Korgen
Umbukta
Björkfjället
Vindelälven
Ammarfjället
Okstindan
Överuman
Artfjället
Vindelfjällens naturreservat
Tärnasjön
Ammarnäs
KUNGSLEDEN
Mosjøen
Tjøtta
Vega
Klippen
Norra Storfjället
Hemavan
Översjuktan
Røssvatnet
Saga vegen
Gladstad
Rørøy
Forvik
Horn
Tärnaby
Vegafjorden
Anndalsvågen
Hattfjelldal
Storvindeln
Brønnøysund
Trofors
Vefsna
Lomsdal-Visten nasjonalpark
Ajaureforsen
Gardiken
Gardjönäs
VÄSTERB
Hommelstø
Berg
Sømna
Vik
Tosbotn
Børgefjellet
Umeälven
Storjuktan
Blattniksele
Saga vägen
Vennesund
Holm
Børgefjell nasjonalpark
Dikanäs
Stor-Uman
Leka
Sørgutvik
Terråk
Tosenfjorden
Foldereid
Fatmomakke
Marsfjällen
Kultsjön
Storuman
Klimpfjäll
Kolvereid
Namsskogan
Røyrvik
Saxnäs
Borgafjällen
Jengejetneme
Geisnes
Hofles
Salsbruket
Lund
Foldfjorden
Brekkvasselv
Stora Blåsjön
Borgafjäll
Vojmsjön
Namsen
Limingen
Uredakke
Høylandet
Skorovatn
Tunnsjøen
Jormlien
Bastunäsfjället
Risbäck
Saga vägen
Malgomaj
Latikberg
Otterøy
Overhalla
Havdalsfjellet
Sjoutnäset
Storsjouten
Vilhelmina
Namsos
Skage
Grong
Sanddøla
Nordli
Gäddede
Vägen sju älvar
Saga vägen
Sjøåsen
TRØNDELAG
Blåfjella-Skjækerfjella
Lierne nasjonalpark
Hartkjölen
Ströms vattudal
Munsfjället
Norråker
Ormsjö
Ormsjön
Ångermanälven
Snåsa
Snåsavatnet
Bøla
nasjonalpark
Blåfjellhatten
Hotagsfjällen
Gärdnäs
Alanäs
Tåsjö
Tåsjön
Dorotea
Åsele
Steinkjer
Gaulstad
Välsjöbyn
Flåsjön
Hoting
Hotagen
Torröjen
Oldfjällen
Lövberga
Stiklestad
Skäckerfjällen
Vera
Verdalsøra
Helgåa
Bakvattnet
Kolåsen
Strömsund
Rossön
Backe
Skärvången
Kallsjön
Föllinge
Rönnöfors
Lillholmsjön
Gåxsjö
Sikås
Hammerdal
Junsele
VÄSTERNOR
Meråker
Kall
Grundtjärn
Mycke
Åreskutan
Karolinerleden
Storlien
Ånn
Duved
Åre
Ånge
Järpen
Alsen
Haggenås
Borgvattnet
Ramsele
Edsele
Näsåker
Storskarven
Roltdalen nasjonalpark
Enafors
Landverk
Edsåsdalen
Undersåker
Mattmar
Mörsil
Krokom
Lit
Indalsälven
Fongen
Snasahögarna
Blåhammaren
Trillevallen
Ottsjö
Vallbo
Storsjön
Rödön
Frösön
Köttsjön
Ångermanälven
Tydal
Vålådalen
Marby
Sunne
ÖSTERSUND
Stugun
Långsele
Sollefteå
Nesjøen
Sylene
Härjångsfjällen
Höglekardalen
Hammarstrand
Myrvik
189
Brunflo
Karolinerleden
Ragunda
Kälarne
Bispgården
Bollstabruk
Helagsfjället
Ljungdalen
Tandsbyn
Hackås
Gällö
Hällesjö
Storsjö
Kramf
184

POLCIRKELN
Jokkmokk
Pieljekaise nationalpark
Jäkkvik
Norra Bergnäs
Hornavan
Adolfsström
Gittun
Kåbdalis
Laisvall
Arjeplog
Uddjaure
Silver vägen
Suddesjaur
Moskosel
Piteälven
Storforsen
Vindelfjällens naturreservat
Ammarfjället
Ammarnäs
Kungsleden
Björkfjället
Tärnasjön
Norra Storfjället
Klippen
Hemavan
Tärnaby
Blå vägen
Översjuktan
Storavan
Storvindeln
Slagnäs
Avaviken
Arvidsjaur
Sorsele
Ajaureforsen
Gardiken
Gardjönäs
VÄSTERBOTTENS
LÄN
Storjuktan
Blattniksele
Gargnäs
Adak
Abborrträsk
Långträsk
Glommersträsk
Saga vägen
Dikanäs
Storuman
Malå
Jörn
Kristineberg
Björksele
Gunnarn
Norrby
Norsjö
Skellefteälven
Fatmomakke
Marsfjällen
Klimpfjäll
Kultsjön
Saxnäs
Borgafjällen
Jengejetneme
Stora Blåsjön
Uredakke
Borgafjäll
Bastunäsfjället
Risbäck
Sjoutnäset
Storsjouten
Gäddede
Vojmsjön
Malgomaj
Vilhelmina
Latikberg
Lycksele
Rusksele
Bastuträsk
Kalvträsk
Amsele
Vägen sju älvar
Kroksjö
Ormsjö
Norråker
Ormsjön
Ströms
Munsfjället
Hotagsfjällen
Täsjön
Täsjö
Gärdnäs
Alanäs
Dorotea
Ångermanälven
Lillögda
Hällnäs
Granön
Vindeln
Vindelälven
Botsmark
Åsele
Hoting
Flåsjön
Valsjöbyn
Hotagen
Björnlandet nationalpark
Fredrika
Öreälven
Örträsk
Bjurholm
Vännäs
Sörfors
Lövberga
Rossön
Strömsund
Backe
Solberg
Rodvattnet
Trehörningsjö
Nyaker
Obbola
Föllinge
Gåxsjö
Sikås
Hammerdal
Junsele
VÄSTERNORRLANDS
LÄN
Hörnefors
Nordmaling
Rundvik
Ramsele
Grundtjärn
Myckelgensjö
Björna
Bredbyn
Mellansel
Gideå
Haggenäs
Krokom
Lit
Indalsälven
Borgvattnet
Edsele
Näsåker
Degerfjärden
Husum
Skorped
Sidensjö
Örnsköldsvik
Köttsjön
Överhörnäs
Frösön
Östersund
Stugun
Långsele
Sollefteå
Bjästa
Köpmanholmen
Sunne
Hammarstrand
Skuleskogens nationalpark
Ragunda
Docksta
Ullånger
Mjällom
Tandsbyn
Hackås
Kälarne
Bispgården
Hällesjö
Bollstabruk
Kramfors
Skog
Nordingrå
Gällö
Rana
Storforshei
Junkeren
Finneidfjord
Umbukta
Korgen
Okstindan
Överuman
Artfjället
Hattfjelldal
Saltfjellet
Stenudden
Vuolvojaure
Vuollerim
0 30 km

Murjek
Övertorneå
Ylitornio
Aavasaksa
Juoksenki
Meltosjärvi
Rovaniemi
Oikarainen
Kivitaipale
Petäjäskoski
Koivu
Peura
Suolijoki
Korouoma
Kortteenperä
Portimo
Saariharju
Ranua
Kelankylä
Asmunti
Hedenäset
Överkalix
Pålkem
Harads
Gunnarsbyn
Morjärv
Niemisel
Karungi
Karunki
Arpela
Tervola
Kivalo
Lappträsk
Ishavsleden
Tornio
Torneå
Vojakkala
Haparanda
Keminmaa
Maula
Yli-Kärppä
Töre
Kalix
Sangis
Kaakamo
Röyttä
Kemi
Maksniemi
Simo
Ajos
Perämeren kansallispuisto
Råneå
Boden
Luleälven
Älvsbyn
Klöverträsk
Gammelstaden
LULEÅ
Harafjärden
Gunnärsfjärden
Haparanda Skärgård nationalpark
Bergnäset
Antnäs
Kuivaniemi
Olhava
Yli-Olhava
Tannila
Siurua
Yli-li
Överijo
Pudasjärvi
Kurenalus
Kipinä
Hetekylä
Ii
Ijo
Iijoki
Martinniemi
Haukipudas
Joloskylä
Kiiminki
Kiiminge
Kiiminginjoki
Pateniemi
OULU
ULEÅBORG
Ylikiiminki
Överkiminge
Juorkuna
Marjaniemi
Ojakylä
Hailuoto
Karlö
Oulunsalo
Uleåsalo
Kempele
Luodonselkä
Oulujoki
Muhos
Lumijoki
Liminka
Limingo
Siikajoki
Tyrnävä
Utajärvi
Vaala
Rosvik
Öjebyn
Piteå
Bergsviken
Jävre
Tåme
Byske
Kåge
Skellefteå
Skelleftehamn
Bureå
BOTTENVIKEN
PERÄMERI
Pattijoki
Raahe
Brahestad
Revonlahti
Ruukki
Paavola
Temmes
Rokuan kansallispuisto
Kylmälä
Rantsila
Frantsila
Vihanti
Alpua
Veneheitto
Pyhäjoki
Vorna
Kestilä
Yppäri
Maakalla
Merijärvi
Oulainen
Karhukangas
Pulkkila
Vuolijoki
Lövånger
Kalajoki
Alavieska
Haapavesi
Piippola
Pyhäntä
Tynkä
Ylivieska
Mieluskylä
Raudaskylä
Rautio
Himanka
Lohtaja
Kärsämäki
Maliskylä
Sievi
Nivala
Nuttupera
Remeskylä
Ånäset
Bygdeå
Marinkainen
Kannus
Karvoskylä
Kokkola
Karleby
Kälviä
Haapajärvi
Toholampi
Kiiskilä
Pyhäsalmi
Pyhäjärvi
Kiuruvesi
Holmön
Larsmo
Oja
Kronoby
Kruunupyy
Nedervetil
Ullava
Jakobstad
Pietarsaari
Sykäräinen
Reisjärvi
Haapamäki
Esse
Kållby
Pedersöre
Kaustinen
Lestijärvi
Muurasjärvi
Norra Kvarken
Merenkurkku
Nykarleby
Uusikaarlepyy
Terjärv
Veteli
Halsua
Pihtipudas
Kärväskylä
Suopelto
Lappfors
Lillby
Munsala
Jeppo
Kinnula
Kolima
Pielavesi
Norra Gloppet
Östra Gloppet
Evijärvi
Räyrinki
Salamajärvi
Salamajärven kansallispuisto
Keitele
Björköby
Replotfjärden
Monå fjärd
Oravais
Oravainen
Kortesjärvi
Lappajärvi
Sääksjärvi
Perho
Kivijärvi
Replot
Maxmo
Maksamaa
Alahärmä
Vimpeli
Ruuponsaari
Viitasaari
Vallgrund
Kvevlax
Vöyri
Vörå
Ylihärmä
Karvala
Pyhävuori
Kyyjärvi
Gloppet
VAASA
VASA
Korsholm
Mustasaari
Vanha Vaasa
Kauhava
Kauhajärvi
Sininen tie
Kannonkoski
Vesanto
Sundom
Vähäkyrö
Isokyrö
Lapua
Alajärvi
Soini
Karstula
Pyhä-Häkki
Bergö
Solf
Ylistaro
Malax
Maalahti
Laihia
Kylänpää
Tiistenjoki
Lehtimäki
Kukko
Häkkilä
Konginkangas
Seinäjoki
Nurmo
Kuortane
Saarijärvi
Sumiainen

180
184
192
A
B
C
D
1
2
3
4
5
0 30 km
ROVANIEMI
Övertorneå
Aavasaksa
Ylitornio
Överkalix
Pälkem
Vuollerim
Kåbdalis
Harads
Gunnarsbyn
Morjärv
Niemisel
Töre
Råneå
Kalix
Sangis
Haparanda
Tornio
Tornea
Keminmaa
Kemi
Simo
Maksniemi
Kuivaniemi
Perämeren kansallispuisto
Haparanda Skärgård nationalpark
Gunnärsfjärden
Harafjärden
Boden
Älvsbyn
Vistheden
Vidsel
Storforsen
LULEÅ
Gammelstaden
Klöverträsk
Antnäs
Bergnäset
Rosvik
Långträsk
Öjebyn
Piteå
Bergsviken
Glommersträsk
Jävre
Fällfors
Silvervägen
Jörn
Tåme
Byske
Boliden
Kåge
Skellefteå
Skelleftehamn
Bureå
Burträsk
Lövånger
Bygdsiljum
Ånäset
Hällnäs
Botsmark
Vindeln
Robertsfors
Sjulsmark
Bygdeå
Sävar
Vännäs
Sörfors
UMEÅ
Holmön
Holmsund
Obbola
Hörnefors
Nordmaling
Norra Kvarken
Merenkurkku
BOTTENVIKEN
PERÄMERI
Tervola
Karunki
Karungi
Hedenäset
Lappträsk
Ishavsleden
Vojakkala
Kaakamo
Röyttä
Ajos
Arpela
Petäjäskoski
Muurola
Koivu
Peura
Suolijoki
Kivitaipale
Narkaus
Oikarainen
Portimo
Yli-Kärppä
Oijärvi
Yli-Olhava
Olhava
Tannila
Yli-Ii
Överijo
Ii
Ijo
Martinniemi
Haukipudas
OULU
ULEÅBORG
Kiiminki
Kiminge
Marjaniemi
Hailuoto
Karlö
Ojakylä
Oulunsalo
Uleåsalo
Kempele
Lumijoki
Liminka
Limingo
Siikajoki
Tyrnävä
Temmes
Pattijoki
Raahe
Brahestad
Revonlahti
Ruukki
Paavola
Vihanti
Rantsila
Frantsila
Alpua
Pyhäjoki
Yppäri
Maakalla
Merijärvi
Oulainen
Karhukangas
Pulkkila
Kalajoki
Alavieska
Mieluskylä
Haapavesi
Tynkä
Rautio
Ylivieska
Raudaskylä
Himanka
Lohtaja
Sievi
Marinkainen
Kannus
Nivala
Maliskylä
Kokkola
Karleby
Kälviä
Karvoskylä
Haapajärvi
Kiiskilä
Toholampi
Larsmo
Kronoby
Kruunupyy
Nedervetil
Ullava
Jakobstad
Pietarsaari
Sykäräinen
Reisjärvi
Muurasjärvi
Lestijärvi
Kållby
Esse
Kaustinen
Nykarleby
Uusikaarlepyy
Pedersöre
Lappfors
Terjärv
Veteli
Halsua
Pihtipudas
Kinnula
Munsala
Jeppo
Lillby
Evijärvi
Räyrinki
Salamajärvi
Salamajärven kansallispuisto
Björköby
Norra Gloppet
Östra Gloppet
Replotfjärden
Oravais
Oravainen
Kortesjärvi
Lappajärvi
Sääksjärvi
Perho
Kivijärvi
Replot
Maxmo
Maksamaa
Alahärmä
Vimpeli
Karvala
Pyhävuori
Vallgrund
Kvevlax
Vöyri
Vörå
Ylihärmä
Kyyjärvi
VAASA
VASA
Korsholm
Mustasaari
Vanha Vaasa
Kauhava
Kauhajärvi
Sininen tie
Sundom
Vähäkyrö
Isokyrö
Ylistaro
Lapua
Alajärvi
Soini
Karstula
Bergö
Malax
Maalahti
Solf
Laihia
Kylänpää
Tiistenjoki
Lehtimäki
Petalax
Seinäjoki
Nurmo
Kuortane
Kukko

181
193
E
F
G
H
1
2
3
4
5
OULUN
LÄÄNI
ITÄ-SUOMEN
Kuusamo
Taivalkoski
Pudasjärvi
Kurenalus
Suomussalmi
Puolanka
Hyrynsalmi
Paltamo
Kajaani
Sotkamo
Kuhmo
Vaala
Oulujärvi
Nurmes
Iisalmi
Lieksa
Juuka
Pielinen
Kuopio
Siilinjärvi
Outokumpu
Joensuu
Ilomantsi
Pielavesi
Viitasaari
Tervo
Karttula
Vesanto
Kaavi
Juankoski
Nilsiä
Valtimo
Rautavaara
Sukeva
Vieremä
Kiuruvesi
Koli
Kolin kansallispuisto
Patvinsuon kansallispuisto
Koivusuon luonnonpuisto
Petkeljärven kansallispuisto
Hiidenportin kansallispuisto
Tiilikkajärven kansallispuisto
Syötteen kansallispuisto
Riisitunturin kansallispuisto
Rokuan kansallispuisto
Sininentie
Kostomukša
Костомукша
Kalevala
Voknavolok
Vartius
Lentiira
Kalliojoki
Viiksimo
Kiekinkoski
Reboly
Lendery
Лендеры
Topozero
Nuorunen
Tulos
Tulivaara
Luvozero
Njukozero
Oz. Kamennoje
Oz. Leksozero
Oz. Verh. Kujto
Oz. Sr. Kujto
A 134
A 135
A 136
A 137
Hossa
Juuma
Kitka
Posio
Pintamo
Jurmu
Livo
Siurua
Puhos
Näljänkä
Vääkiö
Juntusranta
Piispajärvi
Peranka
Ämmänsaari
Raate
Ala-Vuokki
Kuivajärvi
Jumaliskylä
Moisiovaara
Kuumu
Ristijärvi
Pyhäntä
Jokikylä
Kontiomäki
Vuokatti
Lehtovaara
Tipasoja
Maanselkä
Otanmäki
Vuolijoki
Sonkajärvi
Lapinlahti
Varpaisjärvi
Alapitkä
Maaninka
Keitele
Muuruvesi
Riistavesi
Polvijärvi
Kontiolahti
Uimaharju
Eno
Ukkola
Kovero
Heinävaara
Ylämylly
Pyhäselkä
Kiihtelysvaara
Tuupovaara
Vehmersalmi
Tuusniemi
Kuusjärvi
Pellesmäki
Räsälä
Rautalampi
Hattuvaara
Naarva
Pankakoski
Nurmijärvi
Höljäkkä

B
C
D
182
194
1
2
3
4
5
A
0
30 km
Ålesund
Andalsnes
Geiranger
Nordfjordeid
Florø
SOGN OG FJORDANE
Førde
Sogndal
Hermansverk
Voss
BERGEN
HORDALAND
Odda
HARDANGERVIDDA
NASJONALPARK
TELEMARK
Haugesund
STAVANGER
ROGALAND
Sauda
Rjukan
Notodden
Kongsberg
Seljord
Geilo
Gol
Hemsedal
Lom
Jostedalsbreen
Jotunheimen nasjonalpark
Reinheimen
Breheimen
Hardangerfjorden
Sognefjorden
Nordfjorden
Folgefonna nasjonalpark
Hallingskarvet nasjonalpark
Ørsta
Volda
Stryn
Lærdal
Borgund
Urnes
Undredal
Flåm
Aurland
Gudvangen
Eidfjord
Ulvik
Granvin
Norheimsund
Kinsarvik
Lofthus
Røldal
Haukelifjell
Setesdal
Valle
Bykle
Dalen
Eidsborg
Åmot
Edland
Preikestolen
Lysefjorden
Molde
Trollstigveien
Ørneveien
Romsdalen
Dalsnibba
Valdres
Filefjell
Fagernes
Hurtigruten

183
E
F
G
156
195
190
Trollheimen
Støren
Gauldalen
Rindal
Løkken
Meldal
Tydal
Fongen
Snasahögarna
Blåhammaren
Ottsjö
Trillevallen
Vallbo
Vålådalen
Sylene
1766
Haltdålen
Rennebu
Berkåk
Kårvatn
Blåhø
1672
Hornet
1589
Blåøret
1605
Ulsberg
Forollhogna nasjonalpark
Ålen
Hessdalen
1288
Kjølifjell
Helagsfjället
1796
Ljungdalen
Storsjö
Myrviken
Hackås
Berg
Svenstavik
Oppdal
Kvikne
Røros
Os
Tolga
Vingelen
Brekken
Fjällnäs
Bruksvallarna
Ramundberget
Messlingen
Särvfjället
1170
Sarvsjö
Börtnan
Åsarna
Tänndalen
Funäsdalen
JÄMTLANDS LÄN
Tännäs
Vemdalsskalet
Klövsjö
Vemdalen
Rätan
Hede
Hedeviken
Snøhetta
2286
Hjerkinn
Dovre nasjonalpark
Fokstumo
Dovre
Dovreskogen
Høvringen
Rondane nasjonalpark
Rondeslottet
2178
Vågåmo
Lalm
Otta
Mysusæter
Kvam
Vinstra
Hundorp
Folldal
Grimsbu
Alvdal
Tynset
Kopperveien
Sålekinna
1591
Femundsmarka nasjonalpark
Rogen naturreservat
Sånfjället nationalpark
Vemhån
Elgå
Töfsingdalen nationalpark
Grövelsjön
Långfjället
Gutulia nasjonalpark
Sörvattnet
Hovärken
1125
Lofsdalen
Linsell
Sveg
Fjätervålen
Vedungfjället
1019
Nipfjället naturreservat
Flötningen
Idre
Lillhärdal
Koppar leden
Särna
Engerdal
Otnes
Akrestrømmen
Østerdalen
Friis veien
Vinjeveien
Skåbu
Ringebu
Fåvang
Gudbrandsdalen
Espedal
Peer Gyntveien
Langsua nasjonalpark
Koppang
Messelt
Birkebeiner veien
Tretten
Øyer
Svingvoll
Follebu
Fåberg
Nordseter
Sjusjøen
BIRKEBEINER-LØYPA
Jørstadmoen
Vingrom
Lillehammer
Brøttum
HEDMARK
Storsjøen
Opphus
Rena
Gördalen
Fulufjället nationalpark
Fulufjellet nasjonalpark
Tandsjöborg
Ulvsjö
Sörsjön
Innbygda
Grundforsen
945
Nybergsund
Østby
Tandådalen
Sälen
Transtrands-fjällen
Transtrand
Älvdalen
Evertsberg
VASALOPPET
Våmhus
Orsa
OPPLAND
Leira
Aurdal
Biri
Stein
Moelv
Redalen
Brumunddal
Ringsaker
Hamar
Elverum
Løten
Gjøvik
Stavsjø
Raufoss
Kapp
Stange
Dokka
Bagn
Reinli
Begna
Höljes
DALARNAS LÄN
Lima
Venjan
Mora
Solleron
Siljan
Tällberg
Öje
Malungsfors
Malung
Yttermalung
Vansbro
Äppelbo
Järna
Siljansnäs
Leksand
Gagnef
Floda
Nås
Braskereidfoss
Våler
Flisa
Sysslebäck
Likenäs
Klarälven
Hedal
Nes
Holmen
Skreia
Espa
Brandbu
Jaren
Hurdal
Gran
Eidsvollsbygningen
Eidsvoll
Kirkenær
Sand
Storsjøen
Stöllet
Vitsand
Östmark
Sokna
Roa
Jevnaker
Nannestad
Gardermoen
Jessheim
Kongsvinger
Skarnes
Roverud
Hønefoss
Bønsnes
Noresund
Prestfoss
Tyristrand
Tyrifjorden
OSLO
Nittedal
Ask
Kløfta
Frogner
Lillestrøm
Årnes
Torsby
Ekshärad
Grangärde
Sunnansjö
Ludvika
Fredriksberg
Vikersund
Åmot
Sylling
Fetsund
Bjørkelangen
Skotterud
Magnor
Charlottenberg
Lysvik
Uddheden
Norra Råda
Hagfors
Lesjöfors
Drammen
Hokksund
Mjøndalen
Nesoddtangen
AKERSHUS
Ås
Ski
Løken
Hemnes
Åmotfors
Gunnarskog
Rottneros
Sunne
Mårbacka
Munkfors
Sunnemo
Nordmark
Kopparberg
Hällefors
Grythyttan
Eidsfoss
Sande
Svelvik
Drøbak
Vestby
Askim
Skjønhaug
Arvika
VÄRMLANDS LÄN
Filipstad
Storå
Skrim
871
Hvittingfoss
Holmestrand
Tofte
Kirkebygden
Mysen
Edane
Deje
Svarstad
Horten
Moss
Glava
Klässbol
Kil
Molkom
Forshaga
ÖREBRO
VESTFOLD
Andebu
Rygge
ØSTFOLD
Rakkestad
Ørje
Årjäng
Skåre
Storfors
Nora

Örnsköldsvik
Husum
Sidensjö
Överhörnäs
Bjästa
Köpmanholmen
Långsele
Sollefteå
Ångermanälven
LÄN
Ramsele
Stugun
Östersund
Brunflo
Karolinerleden
Tandsbyn
Hackås
Gällö
Ragunda
Kälarne
Bispgården
Hällesjö
Västenbäck
Albacken
Bräcke
Gillhov
Svenstavik
Berg
Ullånger
Docksta
Mjällom
Skuleskogens nationalpark
Bollstabruk
Kramfors
Skog
Herrskog
Nordingrå
Ramvik
Viksjö
Liden
Indalsälven
Holm
Indal
Härnösand
Ånge
Borgsjö
Alby
Ljungan
Torpshammar
Timrå
Söråker
Haggdånger
Alnö
Rätan
Holmsjön
Haverö
Stöde
Matfors
SUNDSVALL
Sundsvallsbukten
Naggen
Njurundabommen
Ramsjö
Ytterhogdal
Älvros
Hassela
Norrfjärden
Kårböle
Ljusnan
Gnarp
Bergsjö
Harmånger
Strömsbruk
N. Dellen
S. Dellen
Ljusdal
Färila
Los
Hamra nationalpark
Tandsjöborg
Malsta
Forsa
Delsbo
Hälsingtuna
Järvsö
Hudiksvall
GÄVLEBORGS LÄN
Hamra
Iggesund
Öjung
Mattsmyra
HÄLSINGELEDEN
Enånger
Enhammarsfjärden
Vallsta
Arbrå
Voxnan
Edsbyn
Ovanåker
Tronö
Bollnäs
Alfta
Söderhamn
SILJANSLEDEN
Skattungbyn
Kilafors
Sandarne
Ljusne
Orsa
Furudal
Ore
Amungen
Skog
Lingbo
Boda
Bingsjö
Åmot
Bergby
Norrsundet
Mora
Sollerön
Siljan
Rättvik
Tällberg
Kopparleden
Ockelbo
Enviken
Siljansnäs
Bjursås
Svärdsjö
Gävlebukten
Leksand
Gryksbo
Lumsheden
Järbo
Valbo
Gävle
Skutskär
Falun
Carl Larsson
Sandviken
Storvik
Lövstabukten
Gagnef
Djurås
Älvkarleby
Floda
Borlänge
Vika
Hofors
Runn
Storsjön
Årsunda
Skarplinge
Öregrundsgrepen
Stora Skedvi
Långshyttan
Lövstabruk
Forsmarks bruk
Mehedeby
Säter
Garpenberg
Österfärnebo
Söderfors
Tierp
UPPSALA LÄN
Grangärde
Sunnansjö
Hedemora
Horndal
Gysinge
Öregrund
Färnebofjärden nationalpark
Dalälven
Månkarbo
Östhammar
Österbybruk
Ludvika
Smedjebacken
Vendel
Gimo
Singö
Avesta
Östervåla
Viksta
Grängesberg
Söderbärke
Norberg
Salsta
Tensta
Grisslehamn
Hallstavik
Fagersta
Björklinge
Vattholma
Rasbo
Bälinge
Väddö
Kopparberg
Virsbo
Heby
Salbohed
Sala
UPPSALA
Gåvsta
Edsbro
Skinnskatteberg
Storå
Grythyttan
VÄSTMANLANDS LÄN
Fjärdhundra
Örsundsbro
Knivsta
Rimbo
Norrtälje
Surahammar
Skultuna
Tillberg
Skokloster
Märsta
Kapellskär
Ängsö nationalpark
Lindesberg
Hallstahammar
Kolsva
Enköping
Sigtuna
Wira bruk
Nora
Kolbäck
Köping
Tidö
VÄSTERÅS
Bålsta
Bro
Vallentuna
STOCKHOLMS
ÖREBRO
BOTTENHAVET
BOTTNISKA VIKEN
POHJANLAHTI
(GOLFE DE BOTNIE)
SELKÄMERI
ÅLANDS LÄN
Geta
Saltvik
Finström
Hammarland
Godby
Storby
Eckerö
Jomala
Mariehamn
0
30 km
A
B
C
D
1
2
3
4
5
184
189
197

VAASA
VASA
Seinäjoki
Lapua
Kristiinankaupunki
Kristinestad
LÄNSI-SUOMEN
LÄÄNI
JYVÄSKYLÄ
Mänttä
Virrat
Parkano
Kankaanpää
PORI
BJÖRNEBORG
Rauma
Nokia
TAMPERE
Valkeakoski
Hämeenlinna
Hattula
LAHTI
Uusikaupunki
Laitila
Mynämäki
Loimaa
Forssa
Riihimäki
Hyvinkää
Järvenpää
Nurmijärvi
Vantaa
Vanda
Porvoo
Borgå
ESPOO
ESBO
HELSINKI
HELSINGFORS
Kirkkonummi
Kyrkslätt
Lohja
Lojo
Salo
TURKU
ÅBO
Naantali
Kaarina
Parainen
Pargas
Tammisaari (Raasepori)
Ekenäs
Hangö
Hanko
TALLINN
Selkämeren kansallispuisto
Lauhanvuoren kansallispuisto
Seitsemisen kansallispuisto
Helvetinjärven k.
Leivonmäen kansallispuisto
Isojärven kansallispuisto
Päijänteen kansallispuisto
Liesjärven kansallispuisto
Tammisaaren saariston kansallispuisto
Skärgårdshavet Saaristomeri
Sininen tie
E
F
G
H
185
193
201
1
2
3
4
5

186
190
202
A
B
C
D
1
2
3
4
5
0 30 km
Seinäjoki
Lapua
Kauhava
Alajärvi
Alavus
Kurikka
Jurva
Ähtäri
LÄNSI-SUOMEN LÄÄNI
Kristiinankaupunki Kristinestad
Kaskinen Kaskö
Närpes
Virrat
Parkano
Kankaanpää
Mänttä
Nokia
TAMPERE
PORI BJÖRNEBORG
Ulvila
Vammala
Huittinen
Valkeakoski
Rauma
Hämeenlinna
Forssa
Loimaa
Laitila
Uusikaupunki
Mynämäki
Nousiainen
Naantali
TURKU ÅBO
Kaarina
Salo
Parainen Pargas
Lohja Lojo
ESPOO ESBO
Kirkkonummi Kyrkslätt
Tammisaari (Raasepori) Ekenäs
Hangö Hanko
Järvenpää
Hyvinkää
Riihimäki
Nurmijärvi
Mariehamn
ÅLANDS LÄN
Selkämeren kansallispuisto
Lauhanvuoren kansallispuisto
Seitsemisen kansallispuisto
Liesjärven kansallispuisto
Tammisaaren saariston kansallispuisto
Skärgårdshavet Saaristomeri
SELKÄMERI
POHJANLAHTI
GOLFE DE BOTNIE
MER BALTIQUE
TALLINN
Naissaar

KUOPIO
ITÄ-SUOMEN LÄÄNI
Suonenjoki
Varkaus
Pieksämäki
Savonlinna
Mikkeli
Imatra
Lappeenranta
Kouvola
Anjalankoski
Karhula
Kotka
Hamina
Porvoo
Borgå
LAHTI
Heinola
HELSINKI
HELSINGFORS
Ilomantsi
Outokumpu
Sortavala
Сортавала
Priozërsk
Приозерск
Svetogorsk
Светогорск
Vyborg
Выборг
Primorsk
Приморск
Zelenogorsk
Зеленогорск
SANKT-PETERBURG
САНКТ-ПЕТЕРБУРГ
Sosnovyj Bor
Сосновый Бор
Petrodvorec
Krasnoye Selo
Gatčina
Гатчина
Kingisepp
Кингисепп
Narva
Rakvere
Kohtla-Järve
LADOŽSKOE OZERO
SUOMENLAHTI
FINSKIJ ZALIV
Itäisen Suomenlahden kansallispuisto
Kolovedenkansallispuisto
Linnansaaren kansallispuisto
Repoveden kansallispuisto
Etelä-Konneveden kansallispuisto
Leivonmäen kansallispuisto
Petkeljärven kansallispuisto
Lahemaa rahvuspark
Punkaharju
Saimaa
E
F
G
H
187
203
1
2
3
4
5

ROGALAND
STAVANGER
Sandnes
Sola
Randaberg
Kvitsøy
Rennesøy
Karmøy
Åkrehamn
Kopervik
Tysvær
Nedstrand
Ryfylke
Jelsa
Vindsvik
Tøtlandsvik
Hjelmeland
Judaberg
Mortavika
Vikevåg
Tau
Jørpeland
Preikestolen
Lysefjorden
Hommersåk
Oanes
Forsand
Lauvvik
Oltedal
Kleppe
Bryne
Ålgård
Dirdal
Jæren
Nærbø
Varhaug
Vikeså
Bjerkreim
Brusand
Sirevåg
Hellvik
Egersund
Dalane
Moi
Hauge
Åna Sira
Sira
Flekkefjord
Kvinesdal
Feda
Listafjorden
Vestbygda
Farsund
Lyngdal
Alleen
Konsmo
Vigeland
Høllen
Lindesnes
Mandal
Søgne
Nodeland
Kristiansand
Skålevik
Mosby
Vennesla
Hamre
Lillesand
Birkeland
Grimstad
Arendal
Rykene
Blakstad
Tvedestrand
Eydehavn
Risør
Øysang
Søndeled
Kragerø
Vegårshei
Åmli
Dølemo
Byglandsfjord
Grendi
Bygland
Evje
Hornnes
Iveland
Hægeland
Åseral
Eiken
Hægebostad
Tonstad
Risnes
Svartevatn
Sirdalen
Setesdalsheiene
Setesdal
Lyseheiene
Bykleheiene
Bykle
Rygnestad
Valle
Rysstad
Helle
Otra
Svartevatn
Rosskreppfjorden
Vrådal
Fyresdal
Fyresvatn
Nisser
Treungen
Drangedal
Kviteseid
Seljord
Dalen
Eidsborg
Åmot
Lifjell
Bø
Lunde
Ulefoss
Gvarv
Porsgrunn
VEST-AGDER
AUST-AGDER
SKAGERRAK
NORDSJØEN
Hirtshals
Hjørring
Løkken
Brønderslev
Jammerbugten
Blokhus
Pandrup
Aabybro
Hanstholm
Nationalpark Thy
Frøstrup
Fjerritslev
Brovst
AALBORG
Nørre Vorupør
Thy
Thisted
Limfjorden
Løgstør
Nibe
Støvring
Nykøbing Mors
Mors
Hurup
Thyborøn
Hvidbjerg
Nissum Bredning
Breum
Sallingsund
Salling
Aars
Farsø
Aalestrup
Hvalpsund
Himmerland
Rødding
Lemvig
Skive
Struer
Møldrup
Hobro
Vinderup
Viborg
Torsminde
Holstebro
Bjerringbro
Ulfborg
Aulum
Karup
Kjellerup
Hadsten
Hammel
Ringkøbing
Herning
Ikast
Silkeborg
Låsby
Galten
Videbæk
Kibæk
Hvide Sande
Ringkøbing Fjord
Holmslands Klit
Skjern
Tarm
Sønder Felding
Brande
Nørre Snede
Hørning
Skanderborg
Tørring
Give
Ølgod
Nørre Nebel
Horsens
JYLLAND
MIDTJYLLAND
NORDJYLLAND
FØROYAR FÆRØERNE (DK)
NORÐOYAR
Vidareidi
Viðoy
Kunoy
Svinoy
Gjov
Eiði
Tjørnuvik
Oyntdartfjørdur
Borðoy
Klaksvik
Streymoy
Eysturoy
Hvalvik
Leirvik
Vestmanna
Mykines
Vágar
Sørvagur
Toftir
Tórshavn
Hestfjørdur
Kirkjubøur
Skopun
Sandoy
Sandur
Skalavik
Suðuroyarfjørdur
Hvalba
Tvøroyri
Suðuroy
Famjin
Vagur
Sumba
0 30 km
A
B
C
D
1
2
3
4
5
188
198

VÄRMLANDS LÄN
ÖREBRO LÄN
VESTFOLD
ØSTFOLD
VÄSTRA GÖTALANDS LÄN
JÖNKÖPINGS LÄN
HALLANDS LÄN
KRONOBERGS LÄN
BLEKINGE
SKÅNE LÄN
KATTEGAT
Aalborg Bugt
Laholmsbukten
Skälderviken
VÄNERN
Vättern
Holmestrand
Horten
Moss
Tønsberg
Sarpsborg
Fredrikstad
Larvik
Sandefjord
Halden
Askim
Arvika
Karlstad
Kristinehamn
Karlskoga
Säffle
Åmål
Strömstad
Kosterhavets nationalpark
Tresticklans nationalpark
Djurö nationalpark
Tiveden nationalpark
Garphyttan nationalpark
Tanumshede
Fjällbacka
Lysekil
Uddevalla
Vänersborg
Trollhättan
Mellerud
Lidköping
Mariestad
Skövde
Motala
Mjölby
Vadstena
Falköping
Alingsås
Kungälv
Lerum
GÖTEBORG
Borås
JÖNKÖPING
Huskvarna
Nässjö
Tranås
Kungsbacka
Varberg
Falkenberg
Halmstad
Ljungby
Värnamo
Växjö
Vetlanda
Gislaved
Ängelholm
Höganäs
Helsingborg
Hässleholm
Kristianstad
Karlshamn
Ronneby
Skagen
Frederikshavn
Læsø
Anholt
Grenaa
Nationalpark Mols Bjerge
Ebeltoft
ARHUS
Helsingør
Store Mosse nationalpark
189
196
199

VÄRMLANDS LÄN
ÖREBRO LÄN
VESTFOLD
ØSTFOLD
VÄSTRA GÖTALANDS LÄN
JÖNKÖPINGS LÄN
HALLANDS LÄN
KRONOBERGS LÄN
BLEKINGE
SKÅNE LÄN
Arvika
Karlstad
Kristinehamn
Karlskoga
Filipstad
Grythyttan
Holmestrand
Horten
Moss
Tønsberg
Sarpsborg
Fredrikstad
Larvik
Sandefjord
Halden
Strömstad
Säffle
Åmål
Bengtsfors
Kosterhavets nationalpark
Tresticklans nationalpark
Djurö nationalpark
Tiveden nationalpark
Garphyttan nationalpark
Vänern
Dalbosjön
Mariestad
Lidköping
Mellerud
Uddevalla
Vänersborg
Trollhättan
Skövde
Falköping
Motala
Mjölby
Vadstena
Kungälv
Alingsås
Lerum
Borås
JÖNKÖPING
GÖTEBORG
Kungsbacka
Frederikshavn
Skagen
Læsø
Varberg
Falkenberg
KATTEGAT
Anholt
Halmstad
Värnamo
Ljungby
Växjö
Nässjö
Gislaved
Store Mosse nationalpark
Ängelholm
Höganäs
Helsingborg
Hässleholm
Kristianstad
Karlshamn
Ronneby
Grenaa
Nationalpark Mols Bjerge
AARHUS
0 30 km
A B C D
189
195
198
199

UPPSALA
VÄSTERÅS
STOCKHOLM
STOCKHOLMS LÄN
SÖDERMANLANDS LÄN
VÄSTMANLANDS LÄN
ÖSTERGÖTLANDS LÄN
KALMAR LÄN
GOTLANDS LÄN
GOTLAND
ÖLAND
NORRKÖPING
LINKÖPING
Nyköping
Oxelösund
Södertälje
Eskilstuna
Enköping
Köping
Katrineholm
Vingåker
Finspång
Västervik
Oskarshamn
Kalmar
Nybro
Karlskrona
Visby
Borgholm
Färjestaden
Mörbylånga
Emmaboda
Orrefors
Vimmerby
Åtvidaberg
Valdemarsvik
Gamleby
Kisa
Mönsterås
Köpingsvik
Gärdslösa
Böda
Löttorp
Nynäshamn
Västerhaninge
Tumba
Lidingö
Täby
Åkersberga
Märsta
Sigtuna
Knivsta
Strängnäs
Mariefred
Gnesta
Trosa
Vagnhärad
Gotska Sandön
Fårö
Fårösund
Bungemuseet
Slite
Hemse
Burgsvik
Vamlingbo
Ljugarn
Klintehamn
Tyresta nationalpark naturum
Ängsö nationalpark
Blå Jungfrun nationalpark
Norra Kvill nationalpark
Kappelshamnsviken
MER BALTIQUE (ITÄMERI)
E F G H
1 2 3 4 5
208

B
C
D
195
1
2
3
4
5
A
82
Hjørring
Frederikshavn
Brønderslev
Vendsyssel
Sæby
Vesterø Havn
Østerby Havn
Læsø
Hanstholm
Nationalpark Thy
Thisted
Fjerritslev
Brovst
Aabybro
Pandrup
Blokhus
Jammerbugten
Dronninglund
AALBORG
Hals
Aalborg Bugt
Limfjorden
Nykøbing Mors
Mors
Løgstør
Nibe
Støvring
NORDJYLLAND
KATTE
Aars
Farsø
Himmerland
Hurup
Thyborøn
Hvidbjerg
Salling
Breum
Aalestrup
Hvalpsund
Hobro
Hadsund
Als
Nissum Bredning
Rødding
Lemvig
Struer
Skive
Møldrup
Udbyhøj
Anholt
Torsminde
Holstebro
Vinderup
Viborg
Randers
Fjellerup
Auning
Bjerringbro
Djursland
Grenaa
MIDTJYLLAND
Ulfborg
Aulum
Karup
Hadsten
Hammel
Ringkøbing
Herning
Silkeborg
Kjellerup
Låsby
Galten
Løgten
Rønde
Tirstrup
Nationalpark Mols Bjerge
Ebeltoft
Hvide Sande
Videbæk
Ikast
Kibæk
Ringkøbing Fjord
Holmslands Klit
Skjern
Ry
Hørning
AARHUS
Skanderborg
Aarhus Bugt
Sønder Felding
Brande
Nørre Snede
Odder
Tarm
Nørre Nebel
Ølgod
Grindsted
Give
Tørring
Hov
Nordby
Samsø
Odden Færgehavn
Horsens
Sælvig
Tranebjerg
Sjællands Odde
Lumsås
Oksbøl
Varde
Billund
Jelling
Vejle
Endelave
Sejerø
Sejerø Bugt
Kolby Kås
Fårevejle
Janderup
Oksby
Agerbæk
Egtved
Juelsminde
Røsnæs
Kalundborg
Esbjerg
Fredericia
Middelfart
Bogense
Tuse
Nordby
Fanø
Tjæreborg
Bramming
Holsted-Vejen
Kolding
Otterup
Hindsholm
Martofte
Jyderup
Tølløse
Nationalpark
Ribe
Rødding
Christiansfeld
Søndersø
Munkebo
Kerteminde
Storebælt
Stenlille
Nørre Aaby
Fanø Bugt
SYDDANMARK
Gram
Vojens
Vissenbjerg
ODENSE
Slagelse
Sorø
Vadehavet
Brøns
Assens
Glamsbjerg
Langeskov
Trelleborg
Rømø
Toftlund
Haderslev
FYN
Nyborg
Halsskov
Korsør
Glumsø
Skærbæk
Haarby
Ringe
Ørbæk
Fuglebjerg
Skælskør
Næstved
Havneby
Løgumkloster
Egeskov
Kværndrup
Lohals
Sylt
Kampen
List
Højer
Rødekro
Aabenraa
Nordborg
Als
Bøjden
Faaborg
Westerland
Tønder
Bylderup-Bov
Hardeshøj
Fynshav
Svendborg
Smålandsfarvandet
Køng
Sylt-Ost
Tinglev
Gråsten
Augustenborg
Tåsinge
Langeland
Vording
Klanxbüll
Neukirchen
Søby
Rudkøbing
Spodsbjerg
Fejø
Kragenæs
Storstrøm
Hörnum
Padborg
Broager
Mommark
Nordfriesische Inseln
Oldsum
Niebüll
Klixbüll
Kruså
Glücksburg
Sønderborg
Ærøskøbing
Tårs
Nørre Alslev
Föhr
Amrum
Leck
Flensburg
Ærø
Marstal
Nakskov
Sakskøbing
Nebel
Risum
Dagebüll-Kirche
Flensborg Fjord
Sterup
Gelting
Wyk auf Föhr
Wanderup
Wittdün
Bagenkop
Langelandsbælt
Søllested
Lolland
Rødby
Maribo
Nationalpark
Tarp
Satrup
Kappeln
Bredstedt
Süderbrarup
Nordstrand
Rødbyhavn
Nysted
Schleswig
Kieler Bucht
Husum
Eckernförde
Fehmarnbelt
Femer Bælt
Gedser
Tönning
Altenholz
Gettorf
Puttgarden
Fehmarn
Sankt Peter-Ording
Holsteinisches
Helgoland
Rendsburg
KIEL
Heikendorf
Heiligenhafen
Fehmarnsund
Burg auf Fehmarn
Eider
Erfde
Hohwachter Bucht
Heide
Preetz
Lütjenburg
Oldenburg
Büsum
Albersdorf
Wattenmeer
Nortorf
Plön
Malente
Lensahn
Mecklenburger Bucht
Trischen
Meldorf
Hanerau-Hademarschen
Hohenwestedt
Bordesholm
Eutin
Deutsche Bucht
Scharhörn
Grömitz
Friedrichskoog
Großer Plöner See
Kühlungsborn
Inseln
Sankt Michaelisdonn
Hohenlockstedt
Neumünster
Bornhöved
Neustadt
Rerik
Bad Doberan
Kellinghusen
Ahrensbök
Lübecker Bucht
Kröpelin
Cuxhaven
Marne
Langeoog
Wangerooge
Brunsbüttel
Wahlstedt
Timmendorfer Strand
Neubukow
Itzehoe
Travemünde
Sankt Margarethen
Bad Bramstedt
Bad Schwartau
Poel
Satow
Otterndorf
Wismar
Kaltenkirchen
Dassow
Klütz
Grevesmühlen
0
30 km
Dornum
Mellum
Dorum
Freiburg
Glückstadt
Segeberg
Esens
Wittmund
Aurich
Wilhelmshaven
Jever
Hemmoor
Drochtersen
Elmshorn
Henstedt-Ulzburg
Bargteheide
Selmsdorf
Rehna
Neukloster
Bad Bederkesa
Uetersen
Stade
Ahrensburg
Bad Oldesloe
LÜBECK
Brüel

JÖNKÖPINGS LÄN
KALMAR LÄN
HALLANDS LÄN
KRONOBERGS LÄN
BLEKINGE LÄN
SKÅNE LÄN
Jönköping
Nässjö
Vetlanda
Värnamo
Växjö
Ljungby
Halmstad
Varberg
Falkenberg
Kalmar
Oskarshamn
Karlskrona
Karlshamn
Kristianstad
Helsingborg
Malmö
Lund
Ystad
Trelleborg
KØBENHAVN
Hillerød
Rønne
BORNHOLM (DK)
RÜGEN
Stralsund
Greifswald
ROSTOCK
Kołobrzeg
Koszalin
ÖSTERSJÖN
OSTSEE
Hanöbukten
Pommersche Bucht
Zatoka Pomorska

TALLINN
Narva
200-201
ESTONIE
ESTONIA
Tartu
202-203
LETTONIE
LATVIA
Ventspils
Liepāja
RĪGA
Daugavpils
204-205
LITUANIE
LITHUANIA
Klaipėda
Marijampolė
VILNIUS
SOOME
LÄÄNEMERI
Naissaar
Tallinna Laht
TALLINN
Tabasalu
Pakri neem
Lahepere Laht
Väike-Pakri
Paldiski
Laagri
Saue
Suur-Pakri
Keila
Saku
Osmussaar
Põõsaspea neem
Nõva
Rummu
Kohila
Vihterpalu
Variku
Riisipere
Telise neem
Vormsi
Turba
Kärdla
Hari Kurk
Linnamäe
Risti
Ristna neem
Sviby
Haapsalu Laht
Luidja
Taebla
Palivere
HIIU
Vohilaid
Rohuküla
Haapsalu
Koluvere
Märjamaa
RAPL
Heltermaa
Mardihansu Laht
Käina
LÄÄNE
Heinlaid
Väinameri
Järvakand
Luguse
Matsalu
Laiküla
Kassari Laht
Matsalu Laht
Kasari
rahvuspark
Sõru
Emmaste
Muhu
Suur Väin
Lihula
Velise
Soela Väin
Kõinastu Laid
Vigala
Enge
Koguva
Kesselaid
Triigi
Pärnu-Jaagupi
Tootsi
Panga
Orissaare
Kuivastu
Virtsu
Väike Väin
Kalli
PÄRNU
Vilsandi
SAARE
Kõrkvere
rahvuspark
Sauga
Valjala
Laimjala
Audru
Sindi
Loonalaid
Kihelkonna
Pärnu
Kärla
Vaiste
Karma
Lümanda
Liu
Pootsi
Kuressaare
Pärnu Laht
Sutu Laht
Suur Katel
Väike-Tulpe
Manilaid
Kihnu Väin
Läätsa
Abruka
Kihnu
Massiaru
LIIVI
LAHT
Sääre
Kura Kurk
Ainaži
Staicele
Ruhnu
Irbes Jūras Šaurums
Kolkasrags
Kolka
Slīteres nacionālais parks
Salacgrīva
Irbe
Lonaste
Dundaga
Roja
Tūja
Limbaži
Ventspils
Rīgas
Valdemārpils
Upesgrīva
Mērsrags
Engures Ezers
Ugāle
Talsi
Spāre
Jūras
Līcis
Saulkrasti
Užava
Baltijas
Venta
Usmas Ezers
Stende
Carnikava
Ragana
Vangaži
0
20 km
A
B
C
D
1
2
3
4
5
202

E
F
G
H
1
2
3
4
5
Väike-Tütarsaar
Lahemaa rahvuspark
Käsmu
Loksa
Võsu
Vainupea
Kunda Laht
Letipea neem
Kunda
Narva Laht
Narva-Jõesuu
Kurgolovo
Ust'-Luga
Maardu
Kolga Laht
Pedassaar
Valkla
Palmse
Haljala
Viru-Nigula
Aseri
Kohtla-Järve
Jõhvi
Sillamäe
Narva
Ivangorod
Kingisepp
Кингисепп
Kuusalu
Loo
Sõmeru
Rakvere
Kiviõli
Raasiku
Aruküla
Kehra
HARJU
Kadrina
Vinni
Levala
Narvskoe vdchr.
Tugany
Slantsy
Сланцы
Vaida
Aegviidu
Tapa
LÄÄNE-VIRU
IDA-VIRU
Kose-Uuemõisa
Alavere
Kose
Kärevete
Tamsalu
Tudu
Iisaku
Zamoshye
Aravete
Väike-Maarja
Ardu
Tudulinna
Vasknarva
Järva-Jaani
Rakke
Kõveriku
Rannapungerja
JÄRVA
Koeru
Paide
Vägeva
Mustvee
Lelle
Türi
PEIPSI JÄRV
Gdov
Jõgeva
JÕGEVA
Vanassaare
Kallaste
Vändra
Võhma
Põltsamaa
Tupitsino
Pärnu
Tabivere
Kolga-Jaani
Suure-Jaani
Koosa
Spitsino
Soomaa rahvuspark
Leie
TARTU
Kavastu
Viljandi
Viiratsi
Valma
Puhja
Haage
Suur-Emajõgi
Tipu
Ülenurme
Chernaya Rechka
Kõpu
VILJANDI
Väike-Rakke
Võrtsjärv
Nõo
Mehikoorma
Pnevo
Mustla
Elva
Seredka
Abja-Paluoja
Rõngu
PÕLVA
Räpina
Mõisaküla
Karksi-Nuia
Põlva
Otepää
Tõrva
VALGA
Sangaste
Rūjiena
Mazsalaca
Antsla
Võru
Pechory
PSKOV
ПСКОВ
Aloja
Valka
Valga
VÕRU
Rõuge
Haanja
Suur Munamägi
Izborsk
Burtnieks
Karula rahvuspark
Matīši
Mõniste
Strenči
Vijciems
Ape
Palkino
Dulovka
Valmiera
Gauja
Alūksnes Ezers
Zaiceva
Novo-Nikolskoe
Smiltene
Vireši
Alūksne
Gaujas
Zeltiņi
Liepna
Ostrov
Остров
Stalbe
Cēsis
nacionālais parks
Drabeši
Bērzkrogs
VIDZEME
Velena
Turaida
Gulbene
Litene
Viļaka
Jaunpiebalga
Taurene
Balvi
Novgorodka
203

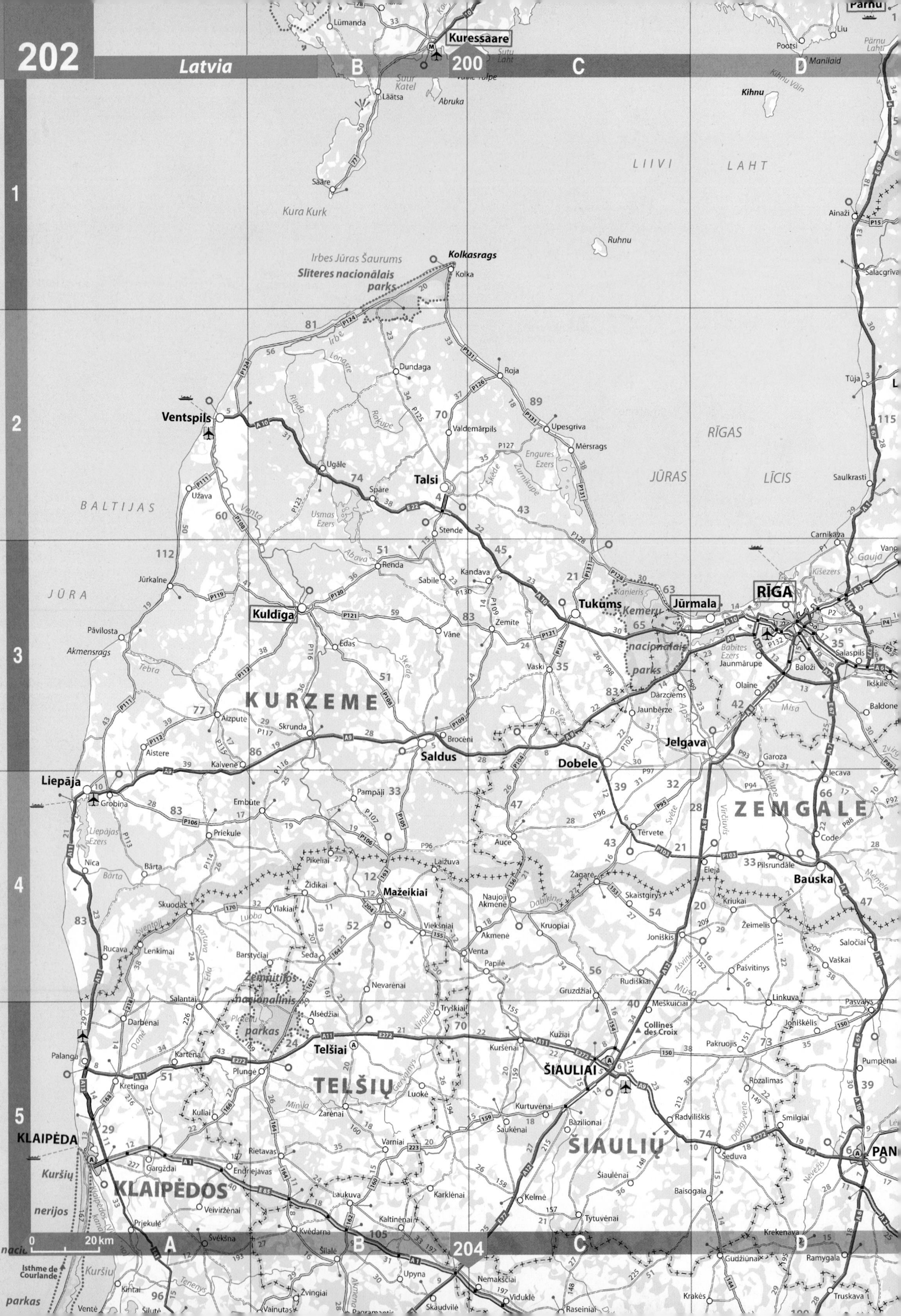
Kuressaare
Lümanda
Läätsa
Abruka
Sääre
Kura Kurk
Pootsi
Liu
Manilaid
Kihnu
LIIVI
LAHT
Ruhnu
Ainaži
Salacgrīva
Irbes Jūras Šaurums
Kolkasrags
Kolka
Slīteres nacionālais parks
Dundaga
Roja
Ventspils
Valdemārpils
Upesgriva
Mērsrags
Engures Ezers
RĪGAS
JŪRAS
LĪCIS
Tūja
Saulkrasti
Ugāle
Talsi
Spāre
Užava
BALTIJAS
Usmas Ezers
Stende
Carnikava
Renda
Kandava
Sabile
Jūrkalne
JŪRA
Kuldīga
Tukums
Jūrmala
RĪGA
Ķemeru nacionālais parks
Zemīte
Vāne
Pāvilosta
Akmensrags
Ēdas
Vaski
Jaunmārupe
Salaspils
Baloži
Olaine
Ikšķile
Baldone
KURZEME
Aizpute
Skrunda
Brocēni
Saldus
Jaunbērze
Jelgava
Dobele
Aistere
Kalvene
Liepāja
Grobiņa
Embūte
Pampāļi
Garoza
Iecava
ZEMGALE
Priekule
Liepājas Ezers
Tērvete
Auce
Code
Nica
Bārta
Pikeliai
Laižuva
Eleja
Pilsrundāle
Bauska
Žagarė
Mažeikiai
Naujoji Akmenė
Skaistgirys
Skuodas
Ylakiai
Židikai
Kriukai
Viekšniai
Akmenė
Kruopiai
Joniškis
Žeimelis
Rucava
Lenkimai
Barstyčiai
Seda
Venta
Papilė
Saločiai
Vaškai
Žemaitijos nacionalinis parkas
Nevarėnai
Gruzdžiai
Rudiškiai
Pašvitinys
Linkuva
Salantai
Darbėnai
Alsėdžiai
Tryškiai
Meškuičiai
Collines des Croix
Pasvalys
Joniškėlis
Palanga
Kartena
Telšiai
Kuršėnai
Kužiai
ŠIAULIAI
Pakruojis
Plungė
Kretinga
TELŠIŲ
Luokė
Pumpėnai
Rozalimas
Kulių
Žarėnai
Kurtuvėnai
Bazilionai
Šaukėnai
Radviliškis
Smilgiai
KLAIPĖDA
Rietavas
Varniai
ŠIAULIŲ
Šeduva
PAN
Gargždai
Endriejavas
Kuršių nerijos
KLAIPĖDOS
Laukuva
Karklėnai
Šiaulėnai
Baisogala
Veiviržėnai
Kaltinėnai
Kelmė
Tytuvėnai
Priekulė
Švėkšna
Kvėdarna
Šilalė
Krekenava
Ramygala
Isthme de Courlande
Kuršių parkas
Upyna
Nemakščiai
Viduklė
Gudžiūnai
Kintai
Žvingiai
Krakės
Truskava
Ventė
Šilutė
Vainutas
Skaudvilė
Raseiniai
0 20 km
A
B
C
D
200
204
1
2
3
4
5

VILJANDI
PÕLVA
VALGA
VÕRU
VIDZEME
LATGALE
PANEVĖŽIO
UTENOS
Lettonie
201
205
E
F
G
H
1
2
3
4
5
Viljandi
Kõpu
Mustla
Elva
Nõo
Ülenurme
Mehikoorma
Pnevo
Rõngu
Räpina
Põlva
Otepää
Tõrva
Sangaste
Abja-Paluoja
Mõisaküla
Karksi-Nuia
Kilingi-Nõmme
Rūjiena
Mazsalaca
Aloja
Matīši
Valka
Valga
Antsla
Võru
Rõuge
Haanja
Suur Munamägi
Karula rahvuspark
Mõniste
Strenči
Vijciems
Ape
Valmiera
Smiltene
Vireši
Alūksne
Zeltiņi
Liepna
Zaiceva
Pechory
Izborsk
PSKOV
ПСКОВ
Palkino
Dulovka
Ostrov
Остров
Stalbe
Cēsis
Gaujas nacionālais parks
Drabeši
Bērzkrogs
Turaida
Sigulda
Velēna
Gulbene
Litene
Balvi
Viļaka
Egļuciems
Pytalovo
Vyshgorodok
Jaunpiebalga
Taurene
Skujene
Nītaure
Vecpiebalga
Cesvaine
Lubāna
Bērzpils (Bierzpiļs)
Gavri
Krasnogorodskoie
Suntaži
Ķeipene
Ērgļi
Madona
Bērzaune
Kārsava
Ogre
Ķegums
Lielvārde
Krape (Lobe)
Vecbebri
Lubāns
Gaigalava (Bikova)
Varakļāni
Ludza
Aizkraukle
Jaunjelgava
Pļaviņas
Atašiene
Viļāni
Rēzekne
Jēkabpils
Daudzese
Zilupe
Nemunėlio Radviliškis
Ērberģe
Līvāni
Malta
Rāznas nacionālais parks
Spirkutova
Viesīte
Preiļi
Lipuški
Ezernieki (Bukmuiža)
Šķaune
Biržai
Nereta
Suvainiškis
Liepas (Mežamuiža)
Nīcgale (Neicgals)
Aglona
Dagda
Papilys
Panemunis
Juodupė
Aknīste
Rubeņi
Špoģi (Špogi)
Asūne
Asveya
Subate
Ilūkste
Krāslava
Alizava
Rokiškis
Obeliai
Skapiškis
DAUGAVPILS
Kupiškis
Kamajai
Palevenė
Jūžintai
Subačius
Zarasai
Lupandi
Barovka
Viešintos
Svėdasai
Surdegis
Andrioniškis
Salakas
Visaginas
Miory
Disna
Daugailiai
Anykščiai
Utena
Dūkštas
Traupis
Leliūnai
Aukštaitijos nacionalinis
Tauragnai
Skiemonys
Taujėnai
Sharkovshchina
Vitriai

Liepāja
Grobiņa
Aistere
Kalvene
Saldus
Dobele
Pampāļi
Embūte
Priekule
Nīca
Bārta
Auce
Pikeliai
Laižuva
Židikai
Mažeikiai
Skuodas
Ylakiai
Naujoji Akmenė
Viekšniai
Akmenė
Kruopiai
Rucava
Lenkimai
Barstyčiai
Seda
Venta
Papilė
Žemaitijos nacionalinis parkas
Nevarėnai
Salantai
Alsėdžiai
Tryškiai
Darbėnai
Telšiai
Kuršėnai
Kužiai
Palanga
Kartena
Plungė
ŠIAULIAI
Kretinga
TELŠIŲ
Luokė
Kulių
Žarėnai
Kurtuvėnai
Šaukėnai
KLAIPĖDA
BALTIJOS JŪRA
Varniai
Gargždai
Rietavas
Endriejavas
Kuršių nerijos nacionalinis parkas
KLAIPĖDOS
Laukuva
Karklėnai
Kelmė
Veiviržėnai
Priekulė
Kvėdarna
Kaltinėnai
Švėkšna
Šilalė
Isthme de Courlande
Upyna
Nemakščiai
Kintai
Žvingiai
Viduklė
Ventė
Šilutė
Vainutas
Pagramantis
Skaudvilė
Raseiniai
Nida
Rusnė
Žygaičiai
Начиональная парка
Katyčiai
Gaurė
Eržvilkas
Girkalnis
Tauragė
TAURAGĖS
Rybachiy
Куршкая коса
Yasnoye
Prichaly
Pagėgiai
Vilkyškiai
Timiryazevo
Sovetsk
Совецк
Viešvilė
Jurbarkas
Raudonė
Куршкий Залив
Slavsk
Neman
Неман
Matrosovo
Donskoye
Pionerskiy
Zelenogradsk
Krasnoznamensk
Šakiai
Jantarnyj
Bolshakovo
Polessk
Sintautai
Ul'yanovo
Kudirkos Naumiestis
Primorsk
KALININGRAD
(КАЛИНИНГРАД)
Baltijsk
Балтийскк
Dobrovolsk
Maayskoye
Talpaki
Černʹachovsk
(Черняховск)
Nesterov
Kybartai
Vilkaviškis
MARIJAMPOLĖS
Laduškin
Gvardejsk
Znamensk
Ozerki
Chernyshevskoye
Gusev
(Гусев)
Baltijskaja Kosa
Kaliningradskij Zaliv
Mamonovo
Kornevo
Pravdinsk
Gražiškiai
Vištytis
Braniewo
Frombork
Głębock
Bagrationovsk
Ozersk
Železnodorožnyj
Krylovo
Toprzyny
Górowo Iławeckie
Szczurkowo
Michałkowo
Żytkiejmy
Wiżajny
Pieniężno
Bartoszyce
Gołdap
Rutka-Tartak
Młynary
Nowica
Banie Mazurskie
Szypliszki
Sątoczno
Korsze
Węgorzewo
Szeskie Wzgórza
Babiak
Orneta
Lidzbark Warmiński
Bisztynek
Reszel
Kętrzyn
Filipów
Suwałki
Krasnopol
Wigierski Park Narodowy
Miłakowo
Dobre Miasto
Święta Lipka
Giżycko
Olecko
Raczki
Małdyty
Morąg
Jeziorany
Ryn
Wydminy
WARMIŃSKO-MAZURSKIE
Zalewo
Dywity
Biskupiec
Mrągowo
Kalinowo
Augustów
Gutkowo
Mikołajki
Orzysz
Ełk
OLSZTYN
Ostróda
Podlejki
Piecki
Dźwierzuty
Kałęczyn
Ruciane-Nida
Prostki
Rajgród
Sztabin
Kopiec
0 20 km
A B C D
1 2 3 4 5
202
118

Lituanie
ZEMGALE
PANEVĖŽIO
UTENOS
VILNIAUS
KAUNO
ALYTAUS
LATG
Jēkabpils
Aizkraukle
Bauska
Preiļi
DAUGAVPILS
PANEVĖŽYS
Kėdainiai
Ukmergė
Utena
Visaginas
Jonava
KAUNAS
VILNIUS
Marijampolė
Alytus
Daugai
Lida
Лида
HRODNA
ГРОДНА
Smarhoń
(Smorgon')
Maladeč
Молодечно
Vilejka
Вилейка
Pastavy
Паставы
Joniškis
Radviliškis
Biržai
Rokiškis
Anykščiai
Molėtai
Ignalina
Švenčionys
Zarasai
Trakai
Prienai
Lazdijai
Druskininkai
Varėna
Šalčininkai
Eišiškės
Ashmyany
Aukštaitijos nacionalinis parkas
Trakų istorinis nacionalinis parkas
Dzūkijos Nacionalinis Parkas
Musée en plein air de Rumšiškės
Collines des Croix
Grūto Parkas
Kenavė
E
F
G
H
203
119
1
2
3
4
5

Index / Register / Indice / Índice

Numéro de page / Page number / Seitenzahl / Paginanummer
Numero di pagina / Numéro de página / Número da página

Localité / Place / Ort / Plaatsen
Località / Localidad / Localidade → Aachen (D) .... 84 B 5 ← **Coordonnées de carroyage / Grid coordinates Koordinatenangabe / Verwijstekens ruitsysteem Coordinate riferite alla quadrettatura / Coordenadas en los mapas / Referência da quadrícula**

Pays / Country / Land / Paesi / País

A	Österreich, Austria	*CZ*	Česko	*GR*	Elláda/Ελλάς	*M*	Malta	*RO*	România
AL	Shqipëria, Albania	*D*	Deutschland	*H*	Magyarország, Hungary	*MC*	Monaco	*RSM*	San Marino
AND	Andorra	*DK*	Danmark	*HR*	Hrvatska, Croatia	*MD*	Moldova	*RUS*	Rossija/Россия
B	Belgique, België	*E*	España	*I*	Italia	*MK*	Makedonija/Македонија	*S*	Sverige
BG	Balgarija/България	*EST*	Eesti	*IRL*	Ireland, Éire	*MNE*	Crna Gora, Montenegro	*SK*	Slovensko
BIH	Bosna i Hercegovina	*F*	France	*IS*	Ísland	*N*	Norge	*SLO*	Slovenija
BY	Belarus'/Беларусь	*FIN*	Suomi, Finland	*L*	Luxembourg, Lëtzebuerg	*NL*	Nederland	*SRB*	Srbija/Србија
CH	Schweiz, Suisse, Svizzera	*FL*	Liechtenstein	*LT*	Lietuva	*P*	Portugal	*TR*	Türkiye
CY	Kýpros, Kıbrıs	*GB*	United Kingdom	*LV*	Latvija	*PL*	Polska	*UA*	Ukraïna/Україна

1 Decembrie (RO) 152 B4

A

A Barrela (E) 56 D3
A Cambra (E) 56 C2
A Cañiza (E) 56 C4
A Coruña (E) 56 C1
A Estrada (E) 56 C3
A Fonsagrada (E) 57 E2
A Guarda (E) 56 B5
A Gudiña (E) 57 E4
A Laracha (E) 56 B2
A Merca (E) 56 C4
A Mezquita (E) 57 E5
A Pobra de Trives (E) 57 E4
A Pobra do Caramiñal (E) 56 B3
A Pontenova (E) 57 E2
A Ramallosa (E) 56 B4
A Rúa (E) 57 E4
A Veiga (E) 57 E4
Aabenraa (DK) 198 B4
Aabybro (DK) 194 D4
Aachen (D) 84 B5
Aakirkeby (DK) 199 G4
Aalborg (DK) 194 D4
Aalen (D) 89 G4
Aalestrup (DK) 194 D5
Aalsmeer (NL) 76 D4
Aalst (Alost) (B) 78 C2
Aalten (NL) 77 F5
Aalter (B) 78 B2
Äänekoski (FIN) 191 H1
Aapajärvi (FIN) 181 F4
Aarau (CH) 98 D2
Aarberg (CH) 98 C2
Aarburg (CH) 98 D2
Aarhus (DK) 194 D5
Aars (DK) 194 D4
Aarschot (B) 78 D2
Aavasaksa (FIN) 185 F1
Abades (E) 64 A1
Abadiño (E) 58 D1
Abádszalók (H) 129 H2
Abaliget (H) 128 D5
Abanilla (E) 73 E2
Abano Terme (I) 103 E4
Abaújkér (H) 127 E5
Abbadia San Salvatore (I) 106 D5
Abbasanta (I) 112 B3
Abbeville (F) 39 G3
Abbey Town (GB) 31 E4
Abbeyfeale (IRL) 24 B3
Abbeyleix (IRL) 25 E2
Abbiategrasso (I) 101 E4
Abborrträsk (S) 184 D2
Abbots Bromley (GB) 32 D4
Abbotsbury (GB) 38 A1
Abcoude (NL) 76 D4
Abejar (E) 58 D4
Abejuela (E) 65 G4
Abela (P) 68 B3
Abelvær (N) 183 E3
Abenberg (D) 90 D4
Abenójar (E) 70 C2
Abensberg (D) 91 F5
Aberaeron (GB) 32 A5
Aberdar / Aberdare (GB) 35 E1
Aberdare / Aberdar (GB) 35 E1
Aberdaron (GB) 32 A4
Aberdaugleddau / Milford Haven (GB) 25 H5
Aberdeen (GB) 29 H4
Aberdovey (GB) 32 B5
Aberfeldy (GB) 29 F5
Aberfoyle (GB) 30 C1
Abergavenny (GB) 35 E1
Abergele (GB) 32 B3
Abergwaun / Fishguard (GB) 25 H4
Aberlady (GB) 31 E1
Abermaw (GB) 32 B4
Aberporth (GB) 34 C1
Abersoch (GB) 32 A4
Abertawe / Swansea (GB) 34 D2
Abertillery (GB) 35 E1
Aberystwyth (GB) 32 A5
Abetone (I) 105 G3
Abiego (E) 59 H4
Abingdon (GB) 35 H1
Abington (GB) 30 D3
Abisko (S) 180 A3
Abja-Paluoja (EST) 201 E4
Abla (E) 71 F5
Ablis (F) 45 E2
Åbo / Turku (FIN) 191 F4
Abondance (F) 51 G1
Abony (H) 129 G2
Aboyne (GB) 29 G4
Abrantes (P) 62 C5
Abreschviller (F) 47 G1
Abriès (F) 51 G5
Abrud (RO) 147 E5
Abtenau (A) 96 C3
Åby (S) 197 E2
Acâş (RO) 147 E2
Acăţari (RO) 147 G4
Acceglio (I) 104 B2
Accettura (I) 110 D4
Acciaroli (I) 110 B5
Accous (F) 52 C4
Accrington (GB) 32 D2
Acebo (E) 63 E4
Acedo (E) 59 E2
Acehúche (E) 63 E4
Acerno (I) 110 B4
Acerra (I) 109 H5
Aceuchal (E) 69 F2
Acharnés / Αχαρνές (GR) 165 H4
Achenkirch (A) 95 G3
Acheritou (CY) 175 F3
Achern (D) 88 D5
Acheux-en-Amiénois (F) 39 H3
Achílleio (GR) 165 F1
Achim (D) 81 G5
Achna (CY) 175 E3
Achnacroish (GB) 28 D5
Achnasheen (GB) 28 D3
Aci Castello (I) 115 G3
Aci Trezza (I) 115 G3
Acireale (I) 115 G3
Acle (GB) 37 E1
Acqualagna (I) 107 F3
Acquapendente (I) 107 E5
Acquasanta Terme (I) 107 G5
Acquasparta (I) 107 F5
Acquaviva delle Fonti (I) 111 E3
Acqui-Terme (I) 104 D2
Acri (I) 113 G2
Ács (H) 128 D1
Ada (SRB) 140 C2
Adak (S) 184 C2
Adámantas (GR) 169 H4
Adamclisi (RO) 153 E5
Adamuz (E) 70 C4
Adâncata (RO) 148 B2
Adanero (E) 64 A1
Adapazarı (TR) 19 H1
Adare (IRL) 24 C3
Adaševci (SRB) 137 H3
Adelboden (CH) 98 C4
Adelfia (I) 111 E3
Adelsheim (D) 89 F3
Ademuz (E) 65 G3
Adenau (D) 88 C1
Adjud (RO) 148 D5
Admont (A) 97 E3
Adolfsström (S) 183 H1
Adony (H) 129 E3
Adorf (D) 91 F2
Adra (E) 75 G3
Adradas (E) 59 E5
Adrall (E) 60 C2
Adrano (I) 115 F3
Adria (I) 103 E5
Adunaţii-Copăceni (RO) 152 B4
Adutiškis (LT) 205 H3
Aegviidu (EST) 201 E2
Ænes (N) 188 B4
Aerinó (GR) 165 F1
Ærøskøbing (DK) 198 C4
Aetópetra (GR) 160 C5
Aetós (Floriná) (GR) 160 D3
Aetós (Itháki) (GR) 164 C3
Aetós (Etolia-Arkanía) (GR) 164 C3
Äetsä (FIN) 191 F3
Afanteia (CY) 175 E3
Afántou (GR) 171 H3
Affi (I) 101 H4
Afjord (N) 182 D4
Aflenz Kurort (A) 97 F3
Afumaţi (RO) 152 B4
Áfyssos (GR) 165 G1
Áfytos (GR) 161 H5
Agaete (E) 67 G5
Agăş (RO) 148 B4
Ágasegyháza (H) 129 F3
Agatovo (BG) 159 E1
Agay (F) 55 G3
Agazzano (I) 101 F5
Agde (F) 54 A3
Agen (F) 53 E1
Àger (E) 60 B3
Agerbæk (DK) 198 B3
Aggius (I) 112 C1
Aggsbach (A) 97 F1
Aggsbach-Dorf (A) 97 F1
Aggtelek (H) 126 D5
Aghia (GR) 164 B1
Aghireşu (RO) 147 E3
Agiá (GR) 161 F5
Agía Ánna (Évvioa) (GR) 165 H2
Agía Ánna (Voiotía) (GR) 165 G4
Agía Efthymía (GR) 165 F3
Agía Evthyimía (GR) 164 C3
Agía Fotiá (GR) 173 F4
Agía Galíni (GR) 172 C4
Agía Kyriakí (Dytikí Makedonía) (GR) 160 D4
Agía Kyriakí (Magnesia) (GR) 165 G2
Agía Kyriakí (Sámos) (GR) 167 F5
Agía Marina (CY) 174 D3
Agía Marína (Aígina) (GR) 165 H5
Agía Marína (Attikí-Peiraiás) (GR) 166 B4
Agía Marína (Nótio Aigaío) (GR) 171 F1
Agía Marína (Stereá Elláda) (GR) 165 F2
Agía Marína (Kríti) (GR) 172 B3
Agia Napa (CY) 175 F3
Agía Paraskeví (Anatolikí Makedonía kai Thráki) (GR) 162 B3
Agía Paraskeví (Ípeiros) (GR) 160 C4
Agía Paraskeví (Kentrikí Makedonía) (GR) 161 G2
Agía Paraskeví (Vóreio Aigaío) (GR) 167 F2
Agía Pelagía (Attikí) (GR) 169 E5
Agía Pelagía (Kríti) (GR) 170 B5
Agía Sofía (GR) 168 D2
Agía Sotíra (GR) 165 H4
Agía Triáda (Attikí) (GR) 165 H4
Agía Triáda (Dytikí Elláda) (GR) 164 D5
Agía Triáda (Kentrikí Makedonía) (GR) 161 G4
Agia Varvara (CY) 174 D4
Agía Varvára (GR) 172 D3
Agíasma (GR) 162 C3
Agiásos (GR) 167 F2
Ágies Paraskiés (GR) 172 D3
Ágio Pnévma (GR) 161 H2
Agiófyllo (GR) 160 D5
Ágioi Anárgyroi (GR) 168 D3
Ágioi Apóstoloi (Attikí) (GR) 165 H4
Ágioi Apóstoloi (Stereá Elláda) (GR) 166 B3
Ágioi Theódoroi (Dytikí Makedonía) (GR) 160 D5
Ágioi Theódoroi (Pelopónnisos) (GR) 165 G4
Ágioi Theódoroi (Thessalía) (GR) 165 G2
Agiókampos (Stereá Elláda) (GR) 165 G2
Agiókampos (Thessalía) (GR) 161 G5
Agionóri (GR) 165 G5
Agiopigí (GR) 165 E1
Agios Amvrosios (CY) 175 E2
Ágios Andréas (GR) 168 D2
Agios Andronikos (CY) 175 F2
Agios Athanasios (CY) 174 D4
Ágios Athanásios (Pélla) (GR) 161 E3
Ágios Athanásios (Thessaloníki) (GR) 161 F3
Ágios Charálampos (GR) 162 D3
Ágios Dimítrios (Attikí) (GR) 166 B4
Ágios Dimítrios (Dytikí Elláda) (GR) 165 E3
Ágios Dimítrios (Pelopónnisos) (GR) 169 E3
Ágios Dimítrios (Stereá Elláda) (GR) 166 B4
Agios Dometios (CY) 174 D3
Ágios Efstrátios (GR) 166 C1
Agios Epiktitos (CY) 174 D2
Ágios Fokás (GR) 171 G2
Ágios Geórgios (Iónia Nisiá) (GR) 165 G2
Agios Georgios (Keryneia) (CY) 174 D2
Ágios Geórgios (Kríti) (GR) 173 E3
Agios Georgios (Páfos) (CY) 174 B4
Ágios Geórgios (Stereá Elláda) (GR) 165 E2
Ágios Germanós (GR) 160 D3
Ágios Górdios (GR) 164 A1
Ágios Ioánnis (Kríti) (GR) 172 B3

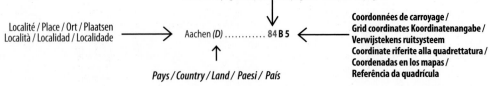

Agios Ioannis (Lefkoşa) (CY) 174 D3
Ágios Ioánnis (Magnisía) (GR) 165 G1
Agios Ioannis (Óros Ólimbos) (CY) 174 C4
Ágios Ioánnis (Pelopónnisos) (GR) 169 E4
Ágios Ioánnis (Voiotía) (GR) 165 G4
Ágios Konstantínos (GR) 165 G3
Ágios Kosmás (Anatolikí Makedonía kai Thráki) (GR) 162 C2
Ágios Kosmás (Dytikí Makedonía) (GR) 160 D4
Ágios Léon (GR) 164 C5
Ágios Márkos (GR) 161 G2
Ágios Nikítas (GR) 164 C2
Ágios Nikólaos / Άγιος Νικόλαος (Kríti) (GR) 173 E3
Ágios Nikólaos (Attikí) (GR) 165 G5
Ágios Nikólaos (Dytikí Elláda) (GR) 164 C2
Ágios Nikólaos (Ípeiros) (GR) 160 B5
Ágios Nikólaos (Kentrikí Makedonía) (GR) 161 H4
Ágios Nikólaos (Lakonía) (GR) 168 D3
Ágios Nikólaos (Messinía) (GR) 168 D3
Ágios Nikólaos (Stereá Elláda) (GR) 165 E3
Ágios Panteleímonas (GR) 161 E3
Ágios Pétros (GR) 168 D2
Ágios Pródromos (GR) 161 H4
Agios Sergios (CY) 175 F3
Ágios Stéfanos (Attikí) (GR) 165 H4
Ágios Stéfanos (Nótio Aigaío) (GR) 170 C1
Agios Theodoros (Karpasia) (CY) 175 F2
Agios Theodoros (Larnaka) (CY) 174 D4
Agios Theodoros (Óros Ólimbos) (CY) 174 D4
Agios Therapon (CY) 174 C4
Ágios Thomás (Kríti) (GR) 172 D3
Ágios Thomás (Stereá Elláda) (GR) 165 H4
Agios Vasileios (CY) 174 D3
Ágios Vasíleios (Thessaloníki) (GR) 161 G3
Ágios Vasíleios (Voiotía) (GR) 165 G4
Ágioi Déka (GR) 172 D4
Agira (I) 115 F3
Aglangia (Aglantzia) (CY) 174 D3
Aglen (BG) 155 F3
Aglona (LV) 203 G4
Agnita (RO) 147 G5
Agnone (I) 109 G3
Agnóntas (GR) 165 H2
Agoitz (E) 59 F2
Agolada (E) 56 C3
Agon-Coutainville (F) 38 B5
Agordo (I) 103 E2
Agost (E) 73 F2
Ágra (GR) 167 E2
Agramunt (E) 60 B3
Agrapidochóri (GR) 164 D4
Agrate Brianza (I) 101 E4
Ágreda (E) 59 E4
Agreliá (GR) 161 E5
Agriá (GR) 165 G1
Agrigento (I) 114 D4
Agriliá (GR) 164 D3
Agrínio / Αγρίνιο (GR) 164 D3
Agriovótano (GR) 165 G2
Agropoli (I) 110 B5
Agros (CY) 174 C4
Aguadulce (E) 70 B5
Aguadulce (E) 75 H3
Aguaviva (E) 65 H1
Agudo (E) 70 B1
Águeda (P) 62 B3
Aguiar (P) 68 C3
Aguiar da Beira (P) 62 D2
Aguilafuente (E) 64 B1
Aguilar (E) 70 C5
Aguilar de Campóo (E) 58 B2
Aguilar del Alfambra (E) 65 G2
Águilas (E) 71 H5
Agurain / Salvatierra (E) 59 E2
Ahaus (D) 84 C2
Åheim (N) 188 B1
Ahigal (E) 63 F4
Ahjärvi (FIN) 193 G2
Ahlainen (FIN) 191 E3
Ahlbeck (D) 83 G3
Ahlen (D) 84 D3
Ahlhorn (D) 81 F5
Ahrensbök (D) 82 B3
Ahrensburg (D) 82 B4
Ahrweiler (D) 84 C5
Ähtäri (FIN) 191 G1
Ahtopol (BG) 157 F5
Ahun (F) 49 G2
Åhus (S) 199 G3
Ahvenselkä (FIN) 181 F4
Aianí (GR) 161 E4
Aiánteio (GR) 165 H4
Aichach (D) 95 F1
Aidenbach (D) 96 B1
Aidone (I) 115 E4
Aïdónia (GR) 165 F5
Aigeiroúses (GR) 165 G4
Aigen im Mühlkreis (A) 96 D1
Aigiáli (GR) 170 D2
Aigialousa (CY) 175 G2
Aigiés (GR) 168 D4
Aígina (GR) 165 H5
Aigínio (GR) 161 F4
Aígio / Αίγιο (GR) 165 E4
Aigle (CH) 98 C4
Aignan (F) 52 D2
Aignay-le-Duc (F) 46 C3
Aigre (F) 48 D2
Aigrefeuille-d'Aunis (F) 48 C2
Aigrefeuille-sur-Maine (F) 43 F5
Aiguablava (E) 61 F2
Aiguebelette-le-Lac (F) 51 E3
Aiguebelle (F) 51 F3
Aigueperse (F) 50 A2
Aigues-Mortes (F) 54 B2
Aiguilles (F) 51 G5
Aiguillon (F) 52 D1
Aigurande (F) 49 G1
Ailefroide (F) 51 F4
Aillant-sur-Tholon (F) 45 G3
Ailly-le-Haut-Clocher (F) 39 G3
Ailly-sur-Noye (F) 39 H4
Aimargues (F) 54 C2
Aime-la-Plagne (F) 51 G3
Ainaži (LV) 202 D1
Ainhoa (F) 52 A3
Ainola (FIN) 191 H4
Ainsa (E) 60 A2
Ainsdale (GB) 32 C2
Ainzón (E) 59 F4
Airaines (F) 39 G3
Airasca (I) 100 B5
Airdrie (GB) 30 D2
Aire-sur-la-Lys (F) 39 H2
Aire-sur-l'Adour (F) 52 C2
Airisto (FIN) 191 F5
Airolo (CH) 99 E4
Airvault (F) 43 H5
Aistere (LV) 202 A3
Aisými (GR) 163 E3
Aiterhofen (D) 91 G5
Aitolikó (GR) 164 D3
Aitrach (D) 95 E2
Aiud (RO) 147 F5
Aix-en-Othe (F) 45 G2
Aix-en-Provence (F) 55 E2
Aix-les-Bains (F) 51 E3
Aixe-sur-Vienne (F) 49 F3
Aizenay (F) 43 F5
Aizkraukle (LV) 203 E4
Aizpute (LV) 202 A3
Ajaccio (F) 55 G5
Ajaureforsen (S) 183 H2
Ajdanovac (SRB) 143 E2
Ajdovščina (SLO) 134 B3
Ajka (H) 128 C3
Ajo (E) 58 C1
Ajos (FIN) 185 G2
Ajtos / Айтос (BG) 159 H1
Akademija (LT) 205 E4
Akaki (CY) 174 D3
Akanthou (CY) 175 E2
Äkäsjokisuu (FIN) 180 D4
Äkäslompolo (FIN) 180 D4
Akasztó (H) 129 F3
Aken (D) 86 B3
Åkers Styckebruk (S) 197 F1
Åkersberga (S) 197 G1
Akhisar (TR) 19 G3
Akkerhaugen (N) 194 D1
Akmenė (LT) 204 D1
Aknīste (LV) 203 F4
Akraífnio (GR) 165 G3
Akranes (IS) 178 A3
Akráta (GR) 165 F4
Åkrehamn (N) 188 A5
Akrestrømmen (N) 189 F2
Akriní (GR) 161 E4
Akrogiáli (GR) 161 H3
Akropótamos (GR) 162 B3
Akrotiri (CY) 174 C5
Akrotíri (GR) 170 C3
Aksakovo (BG) 157 F2
Akujärvi (FIN) 177 G5
Akureyri (IS) 178 C2
Ål (N) 188 D4
Ala (I) 101 H3
Alà dei Sardi (I) 112 C2
Ala di Stura (I) 100 B4
Ala-Honkajoki (FIN) 191 F2
Ala-Vuokki (FIN) 187 G3
Alacant / Alicante (E) 73 F2
Alaejos (E) 63 H1
Alagna Valsesia (I) 100 C3
Alagón (E) 59 G4
Alahärmä (FIN) 185 F5
Alaior (E) 67 H2
Alajärvi (FIN) 191 G1
Alakylä (FIN) 180 D4
Alalkomenés (GR) 165 G3
Alameda (E) 70 C5
Alamillo (E) 70 B2
Alaminos (CY) 175 E4
Alampra (CY) 174 D4
Alanäs (S) 183 G4
Alandroal (P) 69 E2
Alange (E) 69 G2
Alanís (E) 69 G3
Alanta (LT) 205 G3
Alapitkä (FIN) 187 F5
Alar del Rey (E) 58 A3
Alaraz (E) 63 H2
Alarcón (E) 65 E4
Alaşehir (TR) 19 H3
Alassio (I) 104 C3
Alastaro (FIN) 191 F4
Alatoz (E) 65 G5
Alatri (I) 109 F3
Alavere (EST) 201 E2
Alavieska (FIN) 185 G4
Alavus (FIN) 191 G1
Alba (I) 104 C2
Alba Adriatica (I) 107 H5
Alba de Tormes (E) 63 G2
Alba Iulia (RO) 147 F5
Albac (RO) 147 E4
Albacete (E) 71 H1
Albacken (S) 190 B1
Ålbæk (DK) 195 E3
Albaida (E) 73 F1
Albaladejo (E) 71 F2
Albalate de Cinca (E) 60 A3
Albalate de las Nogueras (E) 65 E3
Albalate del Arzobispo (E) 65 H1
Alban (F) 53 H2
Albánchez (E) 71 G5
Albano di Lucania (I) 110 D4
Albano Laziale (I) 109 E3
Albarca (E) 60 B4
Albares de la Ribera (E) 57 F3
Albarracín (E) 65 F2
Albatana (E) 71 H2
Albatera (E) 73 E2
Albena (BG) 157 G2
Albenga (I) 104 C3
Albens (F) 51 E2
Alberga (S) 197 E1
Albergaria-a-Velha (P) 62 B2
Alberic (E) 65 H5
Albernoa (P) 68 C4
Alberobello (I) 111 F3
Albersdorf (D) 81 G3
Albert (F) 39 H3
Albertirsa (H) 129 F2
Albertkázmérpuszta (H) 128 C1
Albertville (F) 51 F3
Albeşti-Paleologu (RO) 152 B3
Albestroff (F) 41 F5
Albi (F) 53 G2
Albiano (I) 100 C4
Albinia (I) 108 B1
Albino (I) 101 F3
Albissola Marina (I) 104 D3
Albocàsser (E) 66 A1
Alboloduy (E) 72 B5
Albolote (E) 70 D5
Albona / Labin (HR) 134 B4
Alborea (E) 65 G5
Albota (RO) 151 H3
Albox (E) 71 G5
Albstadt-Ebingen (D) 94 C2
Albstadt-Tailfingen (D) 89 F5
Albufeira (P) 68 C5
Albujón (E) 73 E3
Albuñol (E) 75 G3
Alburquerque (E) 69 E1
Alby (S) 190 A1
Alby-sur-Chéran (F) 51 F2
Alcácer do Sal (P) 68 B2
Alcáçovas (P) 68 C2
Alcadozo (E) 71 G2
Alcafozes (P) 63 E4
Alcains (P) 62 D4
Alcalá de Guadaíra (E) 69 G5
Alcalá de Henares (E) 64 C2
Alcalá de la Selva (E) 65 H2
Alcalá de los Gazules (E) 74 B4
Alcalà de Xivert (E) 66 A1
Alcalá del Júcar (E) 65 F5
Alcalá del Río (E) 69 G5
Alcalá la Real (E) 70 D5
Alcalfar (E) 67 H2
Alcamo (I) 114 C3
Alcampell (E) 60 A3
Alcanar (E) 66 B1
Alcanede (P) 62 A5
Alcanena (P) 62 B5
Alcanhões (P) 62 B5
Alcañices (E) 57 F5
Alcañiz (E) 60 A5
Alcántara (E) 63 E5
Alcantarilha (P) 68 C5
Alcantarilla (E) 73 E3
Alcaracejos (E) 70 B3
Alcaraz (E) 71 F2
Alcaria Ruiva (P) 68 D4
Alcarràs (E) 60 B4
Alcaudete (E) 70 D5
Alcaudete de la Jara (E) 63 H5
Alcázar de San Juan (E) 64 C5
Alceda (E) 58 B1
Alcester (GB) 32 D5
Alcira / Alzira (E) 65 H5
Alcoba de los Montes (E) 64 A5
Alcobaça (P) 62 A5
Alcobendas (E) 64 C2
Alcocer (E) 64 D2
Alcochete (P) 68 B2
Alcoi / Alcoy (E) 73 F1
Alcolea (E) 70 C4
Alcolea de Cinca (E) 60 A3
Alcolea del Pinar (E) 65 E1
Alcolea del Río (E) 69 G4
Alconchel (E) 69 E2
Alcorisa (E) 65 H1
Alcossebre (E) 66 A2
Alcoutim (P) 68 D5
Alcover (E) 60 C4
Alcoy / Alcoi (E) 73 F1
Alcsútdoboz (H) 129 E2
Alcubierre (E) 59 H4
Alcubilla de Avellaneda (E) 58 C5
Alcublas (E) 65 H4
Alcúdia (E) 67 F2
Alcudia de Guadix (E) 71 E5
Alcuéscar (E) 69 G1
Aldea del Cano (E) 69 F1
Aldea del Fresno (E) 64 B3
Aldea del Rey (E) 70 D2
Aldea Quintana (E) 70 B4
Aldeacentenera (E) 63 G5
Aldeanueva de Ebro (E) 59 E3
Aldeanueva de la Vera (E) 63 G4
Aldeanueva del Camino (E) 63 G3
Aldeburgh (GB) 37 E2
Aldeia da Ponte (P) 63 E3
Aldeia Gavinha (P) 68 B1
Aldershot (GB) 35 H2
Aldinci (MK) 145 F1
Aledo (E) 71 H4
Aleksa Šantić (SRB) 137 H1
Aleksandrov (RUS) 7 G1
Aleksandrovac (Kruševac) (SRB) 143 E2
Aleksandrovac (Požerevac) (SRB) 141 E5
Aleksandrovo (Jambol) (BG) 159 H2
Aleksandrovo (Loveč) (BG) 156 A3
Aleksandrovo (Tărgovište) (BG) 156 D3
Aleksandrów Kujawski (PL) 117 H5
Aleksandrów Łódzki (PL) 122 B2
Aleksin (RUS) 7 G3
Aleksinac / Алексинац (SRB) 143 F2
Alektora (CY) 174 C5
Ålen (N) 189 F1
Alençon (F) 44 B2
Alenquer (P) 68 B1
Alepochóri (Attikí) (GR) 165 G4
Alepochóri (Pelopónnisos) (GR) 168 D2
Aléria (F) 55 H4
Alès (F) 54 B1
Ales (I) 112 B4
Aleşd (RO) 146 D3
Alessandria (I) 100 D5
Alessandria della Rocca (I) 114 D3
Ålesund (N) 188 C1
Alexándreia / Αλεξάνδρεια (GR) 161 F3
Alexandria (GB) 30 C1
Alexandria (RO) 151 H5
Alexandroúpoli / Αλεξανδρούπολη (GR) 163 E3
Alexandru Vlahuţă (RO) 148 D4
Alf (D) 88 C1
Alfajarín (E) 59 G5
Alfambra (E) 65 G2
Alfambra (P) 68 B5
Alfândega da Fé (P) 63 E1
Alfaro (E) 59 F4
Alfarràs (E) 60 B3
Alfatar (BG) 152 D5
Alfaz del Pi / L'Alfàs del Pi (E) 66 A5
Alfedena (I) 109 G3
Alfeizerão (P) 62 A5
Alfeld (Hildesheim) (D) 85 G2
Alfeld (Nürnberger Land) (D) 91 E4
Alfonsine (I) 107 E1
Alford (Aberdeen) (GB) 29 G4
Alford (Lincoln) (GB) 33 G3
Alfreton (GB) 33 E3
Alfta (S) 190 A3
Algaida (E) 67 F3
Algar (E) 74 B3
Algar de Palancia (E) 65 H4
Ålgård (N) 194 B1
Algarinejo (E) 70 C5
Algarrobo (E) 75 E3
Algatocín (E) 74 C4
Algeciras (E) 74 C5
Algemesí (E) 65 H5
Alghero (I) 112 B2
Alginet (E) 65 H5
Algodonales (E) 74 C3
Algora (E) 64 D1
Algoz (P) 68 C5
Algyő (H) 129 G4
Alhama de Almería (E) 72 B5
Alhama de Aragón (E) 59 E5
Alhama de Granada (E) 75 F3
Alhama de Murcia (E) 71 H4
Alhambra (E) 71 E2
Alhaurín el Grande (E) 74 D3
Alhóndiga (E) 64 D2
Alì Terme (I) 115 G2
Alía (E) 63 H5
Alia (I) 114 D3
Aliaga (E) 65 H2
Aliaguilla (E) 65 G4
Alíartos / Αλίαρτος (GR) 165 G3
Alibunar (SRB) 141 E3
Alicante / Alacant (E) 73 F2
Alicún de Ortega (E) 71 E4
Alife (I) 109 G4
Alijó (P) 62 D1
Álika (GR) 168 D4
Alikianós (GR) 172 B3
Alimiá (GR) 171 G3
Alimpeşti (RO) 151 F2
Alingsås (S) 195 G3
Alinyà (E) 60 C2
Alise-Ste-Reine (F) 46 C4
Aliseda (E) 63 E5
Alistráti (GR) 162 B2
Alivéri (GR) 166 B3
Alizava (LT) 205 F1
Aljezur (P) 68 B5
Aljucén (E) 69 F1
Aljustrel (P) 68 C4
Alkmaar (NL) 76 D3
Alkyón (GR) 162 D3
Allagí (GR) 168 C2
Allaire (F) 43 E3
Allanche (F) 50 A4
Alland (A) 97 G2
Allariz (E) 56 D4
Alleen (N) 194 B2
Alleghe (I) 103 E2
Allègre (F) 50 B4
Allensbach (D) 94 C3
Allentsteig (A) 92 C5
Allepuz (E) 65 H2
Allersberg (D) 91 E4
Allershausen (D) 95 G1
Allevard (F) 51 F3
Allinge (DK) 199 G4
Allo (E) 59 E3
Alloa (GB) 30 D1
Allonnes (F) 43 H4
Allos (F) 55 F1
Alloza (E) 65 H1
Allstedt (D) 86 A4
Almacelles (E) 60 A3
Almáchar (E) 75 E3
Almada (P) 68 A2

A B C D E F G H I J K L M N O P Q R S T U V W X Y Z

Almadén (E) 70 B2
Almadén de la Plata (E) 69 G4
Almadenejos (E) 70 B2
Almagro (E) 70 D2
Almajano (E) 59 E4
Almancil (P) 68 C5
Almansa (E) 73 E1
Almanza (E) 57 H3
Almaraz (E) 63 G4
Almargen (E) 74 D3
Almarza (E) 58 D4
Almassora / Almazora (E) 66 A2
Almazán (E) 58 D5
Almazora / Almassora (E) 66 A2
Almedinilla (E) 70 D5
Almeida (P) 63 E2
Almeida de Sayago (E) 63 F1
Almeirim (P) 68 B1
Almelo (NL) 77 G4
Almenar (E) 60 B3
Almenar de Soria (E) 59 E5
Almenara (E) 66 A3
Almendral (E) 69 E2
Almendralejo (E) 69 F2
Almere-Stad (NL) 77 E4
Almería (E) 72 B5
Almerimar (E) 75 H3
Almese (I) 100 B5
Älmhult (S) 195 H5
Almodôvar (P) 68 C4
Almodóvar del Campo (E) 70 C2
Almodóvar del Pinar (E) 65 F4
Almodóvar del Río (E) 70 B4
Almogía (E) 74 D3
Almoguera (E) 64 D3
Almoharín (E) 69 G1
Almonacid de la Sierra 59 F5
Almonacid de Toledo (E) 64 B4
Almonacid de Zorita (E) 64 D3
Almonaster la Real (E) 69 E4
Almonte (E) 69 F5
Almoradí (E) 73 E3
Almorox (E) 64 A3
Almudévar (E) 59 H4
Almuñécar (E) 75 F3
Almuradiel (E) 71 E2
Almyró (GR) 168 C3
Almyropótamos (GR) 166 B4
Almyrós / Αλμυρός (GR) 165 F2
Alness (GB) 29 E3
Alnö (S) 190 B2
Alnwick (GB) 31 G3
Aloja (LV) 203 E1
Alona (CY) 174 D4
Alónia (GR) 161 F4
Alónnisos (GR) 165 H2
Álora (E) 74 D3
Alosno (E) 69 E4
Alozaina (E) 74 D3
Alp (E) 60 D2
Alpalhão (P) 62 D5
Alpbach (A) 95 G3
Alpe-d'Huez (F) 51 F4
Alpedrinha (P) 62 D4
Alpera (E) 72 D1
Alphen aan den Rijn (NL) 76 D4
Alpiarça (P) 68 B1
Alpignano (I) 100 C5
Alpirsbach (D) 89 E5
Alpua (FIN) 185 H3
Alqueva (P) 68 D3
Als (DK) 195 E5
Alsasua / Altsasu (E) 59 E2
Alsdorf (D) 84 B5
Alsėdžiai (LT) 204 C1
Alsen (S) 183 F5
Alsfeld (D) 85 F5
Alsleben (D) 86 B3
Alsóörs (H) 128 D3
Alsótold (H) 129 F1
Alstahaug (N) 183 F1
Alston (GB) 31 F4
Alt Ruppin (D) 83 E5
Alta (N) 176 D3
Altamura (I) 111 E3
Altastenberg (D) 85 E4
Altaussee (A) 96 C3
Altavilla Milicia (I) 114 D2
Altdöbern (D) 87 E3
Altdorf (CH) 99 E3
Altdorf bei Nürnberg (D) 91 E4
Altea (E) 66 A5
Altedo (I) 106 D1
Altena (D) 84 D4
Altenahr (D) 84 C5
Altenau (D) 85 H3
Altenberg (D) 86 D5
Altenberge (D) 84 D2
Altenburg (D) 86 C4
Altenholz (D) 81 H2
Altenhundem (D) 85 E4
Altenkirchen (D) 83 F1
Altenkirchen in Westerwald (D) 84 D5
Altenmarkt an der Alz (D) 95 H2
Altenmarkt bei Sankt Gallen (A) 97 E3
Altenmarkt im Pongau (A) 96 C3
Altenstadt (D) 95 E2
Altensteig (D) 89 E5
Altentreptow (D) 83 F3
Altenwalde (D) 81 F3
Alter do Chão (P) 68 D1
Altglashütten (D) 94 B2
Altheim (A) 96 C2
Althofen (A) 97 E4
Altimir (BG) 155 E2
Altkirch (F) 47 G3
Altlandsberg (D) 86 D1
Altlengbach (A) 97 G2
Altmünster (A) 96 C2
Altnaharra (GB) 26 A5
Alto Campoo (E) 58 A2
Alton (GB) 35 H3
Altopascio (I) 105 G4
Altorricón (E) 60 A3
Altötting (D) 95 H2
Altrincham (GB) 32 D3
Altsasu / Alsasua (E) 59 E2
Altshausen (D) 94 D2
Altstätten (CH) 99 G2
Altura (E) 65 H4
Altweilnau (D) 89 E1
Altzola (E) 59 E1
Alūksne (LV) 203 G2
Aluniş (RO) 147 H3
Alustante (E) 65 F2
Alva (GB) 30 D1
Alvaiázere (P) 62 B4
Alvalade (P) 68 C3
Alvdal (N) 189 F2
Älvdalen (S) 189 H3
Alverca do Ribatejo (P) 68 B1
Alvesta (S) 195 H5
Alvignac (F) 49 G5
Ålvik (N) 188 B4
Alvito (P) 68 C3
Älvkarleby (S) 190 B4
Alvor (P) 68 B5
Älvros (S) 190 A2
Älvsbyn (S) 185 E2
Alwernia (PL) 125 F1
Alykés (GR) 164 C4
Alykí (GR) 170 C2
Alyth (GB) 29 F5
Alytus (LT) 205 E5
Alzenau in Unterfranken (D) 89 F1
Alzey (D) 88 D2
Alzira / Alcira (E) 65 H5
Alzon (F) 54 A2
Alzonne (F) 53 G3
Amadora (P) 68 A2
Åmål (S) 195 G1
Amalfi (I) 109 H5
Amaliáda / Αμαλιάδα (GR) 164 D5
Amaliápoli (GR) 165 G2
Amance (F) 47 E3
Amancey (F) 47 E5
Amandola (I) 107 G5
Amantea (I) 113 B3
Amara (RO) 152 D3
Amarante (P) 62 C1
Amárantos (GR) 160 C4
Amărăşti (RO) 151 G3
Amărăştii de Jos (RO) 151 G5
Amareleja (P) 69 E3
Amares (P) 56 C5
Amargeti (CY) 174 B4
Amárynthos (GR) 165 H3
Amatrice (I) 107 G5
Amay (B) 79 E3
Ambarès-et-Lagrave (F) 48 C4
Ambasaguas (E) 57 H3
Ambazac (F) 49 F2
Amberg (D) 91 F4
Ambérieu-en-Bugey (F) 51 E2
Ambert (F) 50 B3
Ambès (F) 48 C4
Ambierle (F) 50 B2
Amble (GB) 31 G3
Ambleside (GB) 31 E5
Amboise (F) 44 C4
Ambra (I) 106 D4
Ambrières-les-Vallées (F) 43 H2
Ameixial (P) 68 C5
Amelia (I) 108 D1
Amélie-les-Bains-Palalda (F) 53 H5
Amelinghausen (D) 81 H5
Amer (E) 61 E2
Amerongen (NL) 77 E5
Amersfoort (NL) 77 E4
Amersham (GB) 36 B4
Amesbury (GB) 35 G3
Amfíkleia (GR) 165 F3
Amfilochía (GR) 164 D2
Amfípoli (GR) 161 H3
Ámfissa / Άμφισσα (GR) 165 F3
Amiens (F) 39 H3
Amilly (F) 45 F3
Åmli (N) 194 D1
Amlwch (GB) 32 A3
Ammanford (GB) 34 D1
Ämmänsaari (FIN) 187 F2
Ammarnäs (S) 183 H1
Ammochóri (GR) 160 D3
Ammóchostos / Gazimağusa (Famagusta) (CY) 175 F3
Ammótopos (GR) 164 C1
Ammoudára (GR) 170 B5
Ammoudáres (GR) 173 E4
Ammouliani (GR) 162 B4
Amorbach (D) 89 F2
Amorebieta (E) 58 D1
Amorgós (GR) 170 D2
Åmot (N) 188 C5
Åmot (N) 189 E5
Åmot (S) 190 B4
Åmotfors (S) 189 G5
Amou (F) 52 B2
Ampelákia (GR) 161 F5
Ampeleía (GR) 165 F1
Ampelikou (CY) 174 C3
Ampelióna (GR) 168 C2
Ampelónas (GR) 161 F5
Ampezzo (I) 103 G2
Ampfing (D) 95 H2
Amphion (F) 51 F1
Amplepuis (F) 50 C2
Amposta (E) 60 B5
Ampthill (GB) 36 C3
Ampudia (E) 58 A4
Ampuero (E) 58 C1
Amriswil (CH) 99 F1
Amsele (S) 184 D3
Amstelveen (NL) 76 D4
Amsterdam (NL) 76 D4
Amstetten (A) 97 E2
Amurrio (E) 58 D2
Amusco (E) 58 A4
Amvrosía (GR) 162 D2
Amygdaleónas (GR) 162 B3
Amýntaio (GR) 161 E3
Amzacea (RO) 153 F5
An Cabhán / Cavan (IRL) 23 E4
An Cóbh / Cobh (IRL) 24 D4
An Droichead Nua / Newbridge (IRL) 25 F2
An Longfort / Longford (IRL) 23 E4
An Muileann gCearr / Mullingar (IRL) 23 E5
An Nás / Naas (IRL) 25 F1
An tAonach / Nenagh (IRL) 24 D2
An Uaimh / Navan (IRL) 23 F5
Åna Sira (N) 194 B2
Anadia (P) 62 B3
Anáfi (GR) 170 D3
Anafonítria (GR) 164 C4
Anafotida (CY) 175 E4
Anagni (I) 109 E3
Análipsi (Nótio Aigaío) (GR) 171 E3
Análipsi (Pelopónnisos) (GR) 168 C3
Anan'ïv (UA) 13 F2
Anárgyroi (GR) 161 E3
Anarita (CY) 174 B4
Anascaul (IRL) 24 A4
Ånäset (S) 185 E4
Anatolí (GR) 173 E4
Anávatos (GR) 167 E3
Anávra (Kardítsa) (GR) 165 E2
Anávra (Magnisía) (GR) 165 F2
Anávyssos (GR) 165 H5
Ancenis (F) 43 G4
Ancerville (F) 46 D1
Anchuras (E) 63 H5
Ancona (I) 107 G3
Ancy-le-Franc (F) 45 H3
Anda (N) 188 C2
Andalo (I) 101 H3
Åndalsnes (N) 188 D1
Andebu (N) 195 E1
Andelot (F) 46 D2
Andenes (N) 179 G1
Andenne (B) 78 D3
Anderlues (B) 78 C3
Andermatt (CH) 99 E3
Andernach (D) 88 D1
Andernos-les-Bains (F) 48 B5
Anderstorp (S) 195 G4
Andoain (E) 59 E1
Andocs (H) 128 D4
Andorno Micca (I) 100 C4
Andorra (E) 65 H1
Andorra la Vella (AND) 60 C1
Andosilla (E) 59 E3
Andover (GB) 35 G2
Andrăşeşti (RO) 152 D3
Andratx (E) 67 E3
Andravída (GR) 164 D4
Andrespol (PL) 122 B2
Andretta (I) 110 C3
Andrézieux-Bouthéon (F) 50 C3
Andria (I) 110 D3
Andrijevica (MNE) 139 H4
Andrioniškis (LT) 205 F2
Andrítsaina (GR) 165 E5
Ándros (GR) 166 C5
Andrychów (PL) 125 F2
Andrzejówka (PL) 125 H3
Andselv (N) 176 B4
Andújar (E) 70 D3
Anduze (F) 54 B1
Aneby (S) 195 H3
Anet (F) 39 G5
Angastina (CY) 175 E3
Ånge (S) 183 F5
Ånge (S) 190 A1
Ängelholm (S) 195 G5
Angeli (FIN) 177 F5
Angelochóri (GR) 161 F3
Angelókastro (GR) 164 D3
Anger (A) 97 F3
Angera (I) 100 D3
Angermünde (D) 83 G5
Angern an der March (A) 97 H1
Angers (F) 43 H4
Angerville (F) 45 E2
Anghiari (I) 107 E3
Angísta (GR) 162 B3
Anglès (E) 61 E2
Anglès (F) 53 H3
Angles-sur-l'Anglin (F) 49 F1
Anglesola (E) 60 B3
Anglet (F) 52 A3
Anglisides (CY) 175 E4
Anglure (F) 45 G1
Angoulême (F) 48 D3
Angri (I) 109 H5
Angüés (E) 59 H4
Anguiano (E) 58 D3
Anguillara Veneta (I) 103 E5
Aniane (F) 54 B2
Aniche (F) 40 A2
Anina (RO) 150 C2
Aninoasa (RO) 151 E3
Anizy-le-Château (F) 40 A4
Anjalankoski (FIN) 193 F4
Anjum (NL) 77 F2
Ankaran (SLO) 134 A3
Ankarsrum (S) 197 E3
Anklam (D) 83 G3
Ankum (D) 84 D1
Ånn (S) 183 E5
Annaberg (A) 97 F2
Annaberg-Buchholz (D) 86 C5
Annaburg (D) 86 C3
Annan (GB) 31 E4
Anndalsvågen (N) 183 E2
Annecy (F) 51 F2
Annemasse (F) 51 F2
Annevoie-Rouillon (B) 78 D3
Annonay (F) 50 D4
Annone Veneto (I) 103 F3
Annopol (PL) 123 E4
Annot (F) 55 F1
Annweiler am Trifels (D) 88 D3
Áno Ágios Vlásios (GR) 164 D2
Áno Kalentíni (GR) 164 D1
Áno Kalliníki (GR) 160 D3
Áno Kómi (GR) 161 E4
Áno Merá (GR) 170 C1
Áno Polydéndri (GR) 165 G1
Áno Poróia (GR) 161 G2
Áno Rodákino (GR) 172 C3
Áno Sagkrí (GR) 170 C2
Áno Sýros (GR) 169 H2
Áno Viánnos (GR) 173 E4
Áno Vrontoú (GR) 161 H2
Anógeia (GR) 170 B5
Anogyra (CY) 174 C4
Anoixi (GR) 160 D5
Anópoli (GR) 172 B3
Añover de Tajo (E) 64 B3
Ansbach (D) 89 H3
Anse (F) 50 D2
Ansedonia (I) 108 B2
Ansião (P) 62 B4
Ansnes (N) 182 C4
Ansó (E) 59 G2
Anstruther (GB) 31 E1
Antartikó (GR) 160 D3
Antas (E) 71 H5
Antegnate (I) 101 F4
Antequera (E) 74 D3
Anterselva di Mezzo / Antholz Mittertal (I) 103 E1
Ántheia (GR) 163 E3
Anthí (GR) 161 H3
Anthíli (GR) 165 F2
Antholz Mittertal / Anterselva di Mezzo 103 E1
Anthótopos (GR) 165 F2
Anthochóri (GR) 162 B2
Antibes (F) 55 G2
Antikýra (GR) 165 F3
Antimácheia (GR) 171 F2
AntInbhear Mór / Arklow (IRL) 25 G2
Antíparos (GR) 170 B2
Antírrio (GR) 165 E3
Ántissa (GR) 167 E2
Antnäs (S) 185 E2
Anton (BG) 158 D1
Antonin (PL) 121 G3
Antonovo (BG) 156 C3
Antraigues (F) 50 C5
Antrain (F) 43 F2
Antrim (GB) 23 G2
Antrodoco (I) 109 E2
Antsla (EST) 201 F4
Anttola (FIN) 193 F2
Antwerpen (Anvers) (B) 78 C1
Anykščiai (LT) 205 F2
Anzano di Puglia (I) 110 C3
Anzio (I) 109 E4
Anzola d'Ossola (I) 100 D3
Anzy-le-Duc (F) 50 B1
Aosta / Aoste (I) 100 B3
Aoste / Aosta 100 B3
Apahida (RO) 147 F3
Apátfalva (H) 129 H5
Apatin (SRB) 137 H1
Apatovac (HR) 135 F2
Ape (LV) 203 G2
Apecchio (I) 107 F3
Apeíranthos (GR) 170 C1
Apeldoorn (NL) 77 F4
Apen (D) 81 E5
Apidiá (GR) 168 D3
Apodoúlou (GR) 172 D3
Apolakkiá (GR) 171 G4
Apold (RO) 147 H5
Apolda (D) 86 A4
Apóllona (GR) 171 H3
Apóllonas (GR) 170 C1
Apollonía (GR) 169 H3
Apollonía (GR) 161 H3
Apostolache (RO) 152 B2
Apóstoloi (GR) 172 C3
Apostolove (UA) 13 H2
Äppelbo (S) 189 H4
Appenweier (D) 88 D5
Appenzell (CH) 99 F2
Appiano / Eppan (I) 101 H2
Appingedam (NL) 77 G2
Appleby (GB) 31 F4
Aprica (I) 101 G3
Apricena (I) 110 C1
Aprilci (Loveč) (BG) 159 E1
Aprilci (Pazardžik) (BG) 158 D2
Aprilia (I) 109 E3
Aprilovo (BG) 156 D3
Ápsalos (GR) 161 E3
Apt (F) 54 D2
Apta (N) 194 B2
Aquileia (I) 103 G3
Arabba (I) 103 E2
Aracena (E) 69 F4
Aráchova (Dytikí Elláda) (GR) 165 E3
Aráchova (Stereá Elláda) (GR) 165 F3
Araci (RO) 152 A1
Aračinovo (MK) 143 F5
Arad (RO) 146 B5
Arádaina (GR) 172 B3
Aradippou (CY) 175 E4
Aragona (I) 114 D4
Arahal (E) 69 H5
Aramits (F) 52 B3
Aranda de Duero (E) 58 B5
Aranđelovac / Аранђеловац (SRB) 140 D5
Aranjuez (E) 64 C3
Arantzazu (E) 59 E2
Aranyosapáti (H) 127 F5
Aras de los Olmos (E) 65 G3
Arasluokta (S) 179 H4
Arasvika (N) 182 C5

Áratos (GR) 162 D2
Aravaca (E) 64 B2
Aravete (EST) 201 E2
Aravissós (GR) 161 F3
Áraxos (GR) 164 D4
Arazede (P) 62 B3
Arbatax (I) 112 D3
Arbeca (E) 60 B4
Arbesbach (A) 97 E1
Arboga (S) 197 E1
Arbois (F) 47 E5
Arbon (CH) 99 F2
Arbore (RO) 148 B2
Arborea (I) 112 B4
Arborio (I) 100 D4
Arbrå (S) 190 B3
Arbroath (GB) 29 G5
Arbúcies (E) 61 E3
Arbus (I) 112 B4
Arc-en-Barrois (F) 46 D3
Arcachon (F) 48 B5
Arčar (BG) 151 E5
Arce (I) 109 F3
Arcen (NL) 79 F1
Arcevia (I) 107 F3
Archaía Ílida (GR) 164 D4
Archaía Neméa (GR) 165 F5
Archaíes Kleonés (GR) 165 F5
Archánes / Αρχάνες (GR) 172 D3
Archángelos (Ípeiros) (GR) 164 C2
Archángelos (Nótio Aigaío) (GR) 171 H3
Archena (E) 72 D3
Archiac (F) 48 D3
Archidona (E) 75 E2
Arcidosso (I) 106 D5
Arcis-sur-Aube (F) 45 H2
Arco (I) 101 H3
Arco de Baúlhe (P) 62 C1
Arcos (E) 58 B3
Arcos de Jalón (E) 65 E1
Arcos de la Frontera (E) 74 B3
Arcos de Valdevez (P) 56 C5
Arcusa (E) 60 A2
Arcyz (UA) 13 F3
Ardales (E) 74 D3
Årdalstangen (N) 188 D3
Ardánio (GR) 163 E3
Ardara (IRL) 22 D2
Ardberg (GB) 30 A2
Ardee (IRL) 23 F4
Ardentes (F) 49 G1
Ardentinny (GB) 30 C1
Ardes (F) 50 A3
Ardez (CH) 99 H3
Ardglass (GB) 23 H3
Ardino / Ардино (BG) 162 D1
Ardisa (E) 59 G3
Ardlussa (GB) 30 B1
Ardmore (IRL) 25 E4
Ardrahan (IRL) 24 C1
Ardres (F) 39 G1
Ardrishaig (GB) 30 B1
Ardrossan (GB) 30 C2
Ardu (EST) 201 E2
Arduaine (GB) 30 B1
Ardud (RO) 147 E2
Ardvasar (GB) 28 C4
Åre (S) 183 F5
Areeta (E) 58 D1
Arenas de Iguña (E) 58 B1
Arenas de San Juan (E) 64 C5
Arenas de San Pedro (E) 63 H4
Arendal (N) 194 D2
Arendonk (B) 78 D1
Arendsee (D) 82 D5
Arenys de Mar (E) 61 E3
Arenzano (I) 104 D3
Areópoli (GR) 168 D4
Ares (E) 56 C1
Arès (F) 48 B5
Ares (N) 194 A1
Aréthousa (GR) 161 H3
Arévalo (E) 64 A1
Arez (P) 62 C5
Arezzo (I) 107 E4
Argaka (CY) 174 B2
Argaki (CY) 174 C3
Argamasilla de Alba (E) 64 D5
Argamasilla de Calatrava (E) 70 D2
Arganda del Rey (E) 64 C3
Arganil (P) 62 C3
Argelès-Gazost (F) 52 D4
Argelès-sur-Mer (F) 54 A5
Argent-sur-Sauldre (F) 45 E4
Argenta (I) 107 E1
Argentan (F) 43 H1
Argentat (F) 49 G4
Argente (E) 65 G2
Argentière (F) 51 G2
Argenton-les-Vallées (F) 43 H5
Argenton-sur-Creuse (F) 49 G1
Argentona (E) 61 E3
Argentré-du-Plessis (F) 43 G3
Argetoaia (RO) 151 E3
Arginónta (GR) 171 F2
Argithéa (GR) 164 D1
Árgos / Άργος (GR) 165 F5
Árgos Orestikó (GR) 160 D4
Argostóli / Αργοστόλι (GR) 164 B4
Arguedas (E) 59 F4
Argueil (F) 39 G4
Arguellite (E) 71 G3
Arguis (E) 59 H3
Argyrádes (GR) 164 B1
Ariano Irpino (I) 110 B3
Ariano nel Polesine (I) 103 E5
Aribe (E) 59 F2
Aridaía (GR) 161 E3
Arieșeni (RO) 146 D4
Arija (E) 58 B2
Arild (S) 195 F5
Arilje (SRB) 139 H1
Arinagour (GB) 28 C5
Aríni (GR) 164 D5
Ariño (E) 65 H1
Arinthod (F) 51 E1
Ariogala (LT) 205 E3
Arisaig (GB) 28 D4
Arísti (GR) 160 C5
Aristoménis (GR) 168 C3
Arísvi (GR) 162 D2
Aritzo (I) 112 C3
Ariza (E) 59 E5
Årjäng (S) 195 F1
Arjeplog (S) 184 C1
Arjona (E) 70 D4
Arkalochóri (GR) 173 E3
Arkása (GR) 171 F5
Arkítsa (GR) 165 G3
Arklow / An tInbhear Mór (IRL) 25 G2
Arkoí (GR) 171 E1
Arlanc (F) 50 B3
Arlanzón (E) 58 C3
Arlempdes (F) 50 B5
Arles (F) 54 C2
Arles-sur-Tech (F) 53 H5
Arlesheim (CH) 98 D1
Arlon (Aarlen) (B) 79 E5
Arma di Taggia (I) 104 C4
Armação de Pêra (P) 68 C5
Armadale (GB) 30 D2
Armagh (GB) 23 F3
Armamar (P) 62 D1
Armenistís (GR) 167 E5
Arménoi (GR) 170 A5
Armentières (F) 40 A1
Armilla (E) 75 F2
Armólia (GR) 167 E4
Arnac-Pompadour (F) 49 F3
Arnaía (GR) 161 H4
Arnay-le-Duc (F) 46 C5
Arnedillo (E) 59 E3
Arnedo (E) 59 E3
Arnes (E) 60 A5
Årnes (N) 189 F5
Arnhem (NL) 77 F5
Arni (I) 105 G4
Árnissa (GR) 161 E3
Arnoldstein (A) 96 D5
Arnsberg (D) 85 E4
Arnstadt (D) 86 A5
Arnstein (D) 89 G2
Aroanía (GR) 165 E5
Aroche (E) 69 E4
Arona (I) 100 D3
Aroniádika (GR) 169 E5
Aronkylä (FIN) 191 F1
Åros (N) 189 E5
Arosa (CH) 99 G3
Arouca (P) 62 C2
Årøysund (N) 195 E1
Arpajon (F) 45 E1
Arpașu de Jos (RO) 151 G1
Arpela (FIN) 185 G1
Arquata del Tronto (I) 107 G5
Arques (F) 39 H1
Arques-la-Bataille (F) 39 F3
Arquillos (E) 71 E3
Arrabal (E) 56 B4
Arracourt (F) 47 F1
Arraiolos (P) 68 C2
Arras (F) 39 H2
Arrasate / Mondragon (E) 58 D2
Arreau (F) 52 D4
Arrecife (E) 67 H4
Arredondo (E) 58 C1
Arrens (F) 52 C4
Arrianá (GR) 163 E2
Arrigorriaga (E) 58 D1
Arriondas (E) 57 H2
Arroba de los Montes (E) 64 A5
Arrochar (GB) 30 C1
Arromanches (F) 38 D4
Arronches (P) 69 E1
Arroyo de la Luz (E) 63 E5
Arroyo de San Serván (E) 69 F2
Arroyo del Ojanco (E) 71 F3
Arroyomolinos de León (E) 69 F3
Arroyomolinos de Montánchez (E) 69 G1
Arruda dos Vinhos (P) 68 B1
Ars (F) 41 E5
Ars-en-Ré (F) 48 B2
Arsié (I) 103 E3
Arsiero (I) 102 D3
Arskógssandur (IS) 178 C1
Arsos (Lemesos) (CY) 174 C4
Arsos (Lysi) (CY) 175 E3
Årsunda (S) 190 B4
Arsy (F) 39 H4
Artà (E) 67 G2
Árta / Άρτα (GR) 164 C2
Arta Terme (I) 103 G2
Artajona (E) 59 F3
Ártánd (H) 131 E2
Artea (E) 58 D1
Arteixo (E) 56 C2
Artemisía (GR) 168 C3
Artemónas (GR) 169 H3
Artena (I) 109 E3
Artenay (F) 45 E3
Artern (D) 86 A4
Artés (E) 60 D3
Artesa de Segre (E) 60 B3
Arth (CH) 99 E2
Arth (D) 95 G1
Arthurstown (IRL) 25 F4
Arties (E) 60 B1
Artjärvi (FIN) 193 E4
Artotína (GR) 165 E3
Artziniega (E) 58 C1
Arucas (E) 67 G5
Arudy (F) 52 C3
Aruküla (EST) 201 E2
Arundel (GB) 38 D1
Árvi (GR) 173 E4
Arvidsjaur (S) 184 D2
Arvika (S) 189 G5
Årviksand (N) 176 C3
Arzachena (I) 112 C1
Arzacq-Arraziguet (F) 52 C3
Arzano (F) 42 C3
Aržano (HR) 138 C2
Arzberg (D) 91 F3
Arzignano (I) 102 D4
Arzúa (E) 56 C2
As (B) 79 E2
Aš (CZ) 91 F2
As Neves (E) 56 C4
As Pontes de García Rodríguez (E) 56 D1
Åsa (S) 195 F4
Asamati (MK) 145 E2
Åsarna (S) 189 H1
Åsarp (S) 195 G3
Ascain (F) 52 A3
Ascha (D) 91 G5
Aschach an der Donau (A) 96 D1
Aschaffenburg (D) 89 F2
Aschau im Chiemgau (D) 95 H3
Aschbach-Markt (A) 97 E2
Ascheberg (Coesfeld) (D) 84 D3
Ascheberg (Plön) (D) 82 B3
Aschersleben (D) 86 A3
Asciano (I) 106 D4
Ascó (E) 60 B4
Ascoli Piceno (I) 107 H5
Ascoli Satriano (I) 110 C3
Ascona (CH) 99 E4
Åse (N) 179 G2
Åseda (S) 197 E4
Åsele (S) 184 B4
Åsen (N) 182 D5
Asenovgrad / Асеновград (BG) 159 E3
Åseral (N) 194 C2
Aseri (EST) 201 F1
Asfeld (F) 40 B4
Ásfendos (GR) 172 C3
Åsgårdstrand (N) 195 E1
Asgata (CY) 174 D4
Ashbourne (GB) 33 E4
Ashbourne (IRL) 23 F5
Ashburton (GB) 34 D4
Ashby de la Zouch (GB) 33 E4
Ashford (GB) 37 E5
Ashington (GB) 31 G3
Ashton-under-Lyne (GB) 32 D3
Así Gonía (GR) 172 C3
Asiago (I) 103 E3
Asikkala (FIN) 191 H3
Asín (E) 59 G3
Asipovičy (BY) 7 E4
Ask (N) 189 F5
Askainen (FIN) 191 F4
Askeaton (IRL) 24 C3
Askeia (CY) 175 E3
Askersund (S) 196 D2
Askim (N) 195 F1
Asklipieío (GR) 171 H4
Askola (FIN) 191 H4
Askós (GR) 161 H3
Askvoll (N) 188 B2
Askýfou (GR) 170 A5
Asmunti (FIN) 185 H1
Asola (I) 101 G5
Asolo (I) 103 E3
Asomatos Keryneias (CY) 174 D3
Asopía (GR) 165 H4
Asopós (GR) 169 E4
Ásos / Άσος (GR) 164 B3
Ásotthalom (H) 129 G5
Aspang-Markt (A) 97 G3
Aspatria (GB) 31 E4
Aspe / Asp (E) 73 E2
Asperg (D) 89 F4
Aspet (F) 53 E4
Áspra Spítia / Άσπρα Σπίτια (GR) 165 F3
Aspres-sur-Buëch (F) 51 E5
Áspro (GR) 161 F3
AspróRpyrgos (GR) 165 H4
Asproválta (GR) 161 H3
Asse (B) 78 C2
Assemini (I) 112 C5
Assen (NL) 77 G3
Assens (DK) 198 C4
Assergi (I) 109 F2
Assisi (I) 107 F4
Assmannshausen (D) 88 D2
Ássos (GR) 164 C1
Astaffort (F) 53 E1
Astakós (GR) 164 C3
Asten (A) 96 D2
Asti (I) 100 D5
Astorga (E) 57 G4
Åstorp (S) 199 E3
Astromeritis (CY) 174 D3
Ástros / Άστρος (GR) 168 D2
Astudillo (E) 58 A4
Astypálaia (GR) 171 E3
Asūne (LV) 203 H5
Asvestochóri (GR) 160 C5
Aszód (H) 129 F1
Aszófő (H) 128 D3
Atalánti / Αταλάντη (GR) 165 G3
Ataquines (E) 64 A1
Atašiene (LV) 203 F4
Ateca (E) 59 F5
Atella (I) 110 C3
Atessa (I) 109 H2
Ath (Aat) (B) 78 B3
Atháni (GR) 164 C3
Athboy (IRL) 23 F5
Athenry (IRL) 22 C5
Atherstone (GB) 33 E5
Athienou (CY) 175 E3
Athína / Αθήνα (GR) 165 H4
Athlone / Baile Átha Luain (IRL) 22 D5
Athy (IRL) 25 F2
Atid (RO) 147 H4
Atienza (E) 64 D1
Atina (I) 109 G3
Atios (E) 56 C1
Atouguia da Baleia (P) 62 A5
Åtran (S) 195 G4
Atri (I) 107 H5
Atsikí (GR) 162 D5
Atsítsa (GR) 166 B2
Áttali (GR) 165 H3
Attard (M) 114 C5
Attendorn (D) 84 D4
Attersee (A) 96 C2
Attigliano (I) 108 D1
Attigny (F) 40 C4
Attleborough (GB) 33 H4
Attnang (A) 96 C2
Åtvidaberg (S) 197 E3
Atzeneta del Maestrat (E) 66 A2
Au in der Hallertau (D) 95 G1
Aua (D) 85 G5
Aub (D) 89 G3
Aubagne (F) 55 E3
Aubange (B) 79 E5
Aubenas (F) 50 C5
Aubenton (F) 40 B3
Aubergenville (F) 39 G5
Auberive (F) 46 D3
Aubeterre-sur-Dronne (F) 48 D4
Aubigny (F) 39 H2
Aubigny-sur-Nère (F) 45 E4
Aubin (F) 49 H5
Aubonne (CH) 98 B4
Aubrac (F) 50 A5
Aubusson (F) 49 H2
Auce (LV) 202 C4
Auch (F) 53 E2
Auchencairn (GB) 30 D4
Auchterarder (GB) 30 D1
Auchtermuchty (GB) 31 E1
Audenge (F) 48 C5
Audeux (F) 47 E4
Audierne (F) 42 B2
Audincourt (F) 47 G4
Audlem (GB) 32 D4
Audru (EST) 200 D3
Audruicq (F) 39 G1
Audun-le-Roman (F) 41 E4
Audun-le-Tiche (F) 41 E4
Aue (D) 86 C5
Auer / Ora (I) 101 H2
Auerbach (D) 86 C5
Auerbach in der Oberpfalz (D) 91 E3
Auffach (A) 95 H3
Aughnacloy (GB) 23 F3
Aughrim (IRL) 25 F2
Augsburg (D) 89 H5
Augusta (I) 115 G4
Augustenborg (DK) 198 C4
Augustów (PL) 119 G2
Augustusburg (D) 86 D5
Aukan (N) 182 B5
Aukra (N) 182 A5
Aukštadvaris (LT) 205 F4
Auletta (I) 110 C4
Aulla (I) 105 F3
Aullène (F) 55 H5
Aulnay (F) 48 D2
Aulnoye-Aymeries (F) 40 B3
Ault (F) 39 G3
Aulus-les-Bains (F) 53 F4
Auma (D) 86 B5
Aumale (F) 39 G3
Aumetz (F) 41 E4
Aumont-Aubrac (F) 50 A5
Aunay-sur-Odon (F) 38 C5
Auneau (F) 44 D2
Auneuil (F) 39 G4
Auning (DK) 195 E5
Aups (F) 55 F2
Aura (FIN) 191 F4
Auray (F) 42 D3
Aurdal (N) 189 E3
Aure (N) 182 C5
Aurec-sur-Loire (F) 50 C4
Aurich (D) 81 E4
Aurignac (F) 53 E3
Aurillac (F) 49 H5
Auritz / Burgete (E) 59 F2
Aurland (N) 188 C3
Auron (F) 55 G1
Auronzo di Cadore (I) 103 F2
Auros (F) 48 D5
Ausonia (I) 109 F4
Aussa-Corno (I) 103 G4
Außernbrünst (D) 96 C1
Austbygd (N) 188 D5
Auterive (F) 53 F3
Authon-du-Perche (F) 44 C2
Autol (E) 59 E3
Autrans (F) 51 E4
Autrey-lès-Gray (F) 47 E4
Autti (FIN) 181 F5
Auttoinen (FIN) 191 H3
Autun (F) 45 H5
Auvillar (F) 53 E1
Auxerre (F) 45 G3
Auxi-le-Château (F) 39 G2
Auxonne (F) 46 D4
Auzances (F) 49 H2
Auzon (F) 50 A3
Availles-Limouzine (F) 49 E2
Avaldsnes (N) 188 A5
Avallon (F) 45 H4
Ávantas (GR) 163 E3
Avaviken (S) 184 C2
Avdimou (CY) 174 C5
Ávdira (GR) 162 C3
Avebury (GB) 35 G2
Aveiras de Cima (P) 68 B1
Aveiro (P) 62 B2
Avellino (I) 109 H5
Aversa (I) 109 G5
Avesnes-le-Comte (F) 39 H2
Avesnes-sur-Helpe (F) 40 B3
Avesta (S) 190 B5
Avetrana (I) 111 G4

A B C D E F G H I J K L M N O P Q R S T U V W X Y Z

Avezzano (I) 109 F2
Avgerinós (GR) 160 D4
Avgorou (CY) 175 F3
Aviano (I) 103 F3
Aviemore (GB) 29 F4
Avigliana (I) 100 B5
Avigliano (I) 110 C4
Avignon (F) 54 C2
Ávila (E) 64 A2
Avilés (E) 57 G1
Avintes (P) 62 B1
Avión (E) 56 C4
Avioth (F) 40 D4
Avis (P) 68 D1
Avize (F) 40 B5
Avlákia (GR) 167 G5
Avlés (GR) 161 E4
Avlí (GR) 162 B3
Avliótes (GR) 160 A5
Avlona (CY) 174 D3
Avlóna (GR) 165 H4
Avlonári (GR) 166 B3
Avlum (DK) 194 C5
Avola (I) 115 G5
Avonmouth (GB) 35 F2
Avord (F) 45 F5
Avoriaz (F) 51 G2
Avram Iancu (RO) 146 C4
Avranches (F) 43 F1
Avren (BG) 157 F3
Avrig (RO) 151 G1
Avtovac (BIH) 139 F3
Ax-les-Thermes (F) 53 G4
Axams (A) 95 F4
Axat (F) 53 G4
Axintele (RO) 152 C3
Axiochóri (GR) 161 F3
Axioúpoli (GR) 161 F3
Axminster (GB) 35 E3
Ay (F) 40 B5
Ayamonte (E) 68 D5
Aydın (TR) 19 G3
Ayerbe (E) 59 G3
Aylesbury (GB) 35 H1
Ayllón (E) 58 C5
Aylsham (GB) 37 E1
Ayna (E) 71 G2
Ayora (E) 65 G5
Ayr (GB) 30 C3
Ayvalık (TR) 19 G3
Aywaille (B) 79 E3
Azaila (E) 59 H5
Azambuja (P) 68 B1
Azanja (SRB) 140 D5
Azaruja (P) 68 D2
Azay-le-Ferron (F) 44 C5
Azay-le-Rideau (F) 44 B4
Azinheira dos Barros (P) 68 C3
Azkoitia (E) 59 E1
Aznalcázar (E) 69 F5
Aznalcóllar (E) 69 F5
Azpeitia (E) 59 E1
Azuaga (E) 69 G3
Azuara (E) 65 G1
Azuel (E) 70 C3
Azuga (RO) 152 A2
Azuqueca de Henares (E) 64 C2
Azzano Decimo (I) 103 F3

B

Baad (A) 95 E4
Baal (D) 84 B4
Baamonde (E) 56 D2
Baarle-Nassau (NL) 78 D1
Baarn (NL) 77 E4
Babadag (RO) 153 F3
Babelsberg (D) 86 C1
Babenhausen (Darmstadt-Dieburg) (D) 89 F2
Babenhausen (Unterallgäu) (D) 95 E2
Băbeni (Râmnicu Vâlcea) (RO) 151 G3
Băbeni (Zalău) (RO) 147 E2
Babiak (PL) 118 D2
Băbiciu (RO) 151 G5
Babimost (PL) 120 D1
Babin Kal (SRB) 143 G2
Babin Most (SRB) 143 E4
Babin Potok (HR) 134 D5
Babina Greda (HR) 137 G2
Babino Polje (HR) 138 D4
Babljak (MNE) 139 G3
Babno Polje (SLO) 134 C3
Babócsa (H) 128 C5
Baborów (PL) 124 D1
Baboszewo (PL) 118 D5
Babrujsk (BY) 7 E4
Babušnica (SRB) 143 G3
Bač (SRB) 137 H2
Bacău (RO) 148 C4
Baccarat (F) 47 F2
Baceno (I) 100 D2
Băcești (RO) 148 D4
Bacharach (D) 88 D1
Bachmač (UA) 7 F5
Bačina (SRB) 143 E1
Bačka Palanka (SRB) 140 B3
Bačka Topola / Бачка Топола (SRB) 140 B2
Backe (S) 183 H4
Bäckebo (S) 197 E5
Bäckefors (S) 195 F2
Bački Bred (SRB) 137 H1
Bački Brestovac (SRB) 137 H1
Bački Monoštor (SRB) 137 H1
Bački Petrovac (SRB) 140 B3
Backnang (D) 89 F4
Bačko Gradište (SRB) 140 C2
Bačko Novo Selo (SRB) 137 H2
Bačko Petrovo Selo (SRB) 140 C2
Bačkovo (BG) 151 E5
Băcleș (RO) 151 E4
Bacoli (I) 109 G5
Bacova Mahala (BG) 156 B2
Bacqueville-en-Caux (F) 39 F3
Bácsalmás (H) 129 F5
Bácsbokod (H) 129 F5
Bad Aibling (D) 95 G2
Bad Arolsen (D) 85 F4
Bad Aussee (A) 96 D3
Bad Bederkesa (D) 81 G4
Bad Bentheim (D) 84 C1
Bad Bergzabern (D) 88 D4
Bad Berka (D) 86 A5
Bad Berleburg (D) 85 E4
Bad Berneck im Fichtelgebirge (D) 91 E3
Bad Bertrich (D) 88 C1
Bad Bevensen (D) 82 B5
Bad Bibra (D) 86 A4
Bad Blankenburg (D) 86 A5
Bad Bodenteich (D) 82 C5
Bad Brambach (D) 91 F2
Bad Bramstedt (D) 81 H3
Bad Brückenau (D) 89 G1
Bad Buchau (D) 94 D2
Bad Camberg (D) 89 E1
Bad Deutsch-Altenburg (A) 97 H1
Bad Doberan (D) 82 D3
Bad Driburg (D) 85 F3
Bad Düben (D) 86 C3
Bad Dürkheim (D) 89 E3
Bad Dürrenberg (D) 86 B4
Bad Dürrheim (D) 94 B2
Bad Eisenkappel (A) 97 E5
Bad Elster (D) 91 F2
Bad Ems (D) 88 D1
Bad Endorf (D) 95 H2
Bad Essen (D) 85 E2
Bad Fallingbostel (D) 81 H5
Bad Frankenhausen (D) 86 A4
Bad Freienwalde (D) 83 G5
Bad Friedrichshall (D) 89 F3
Bad Gandersheim (D) 85 G3
Bad Gastein (A) 96 C4
Bad Gleichenberg (A) 97 G4
Bad Godesberg (D) 84 C5
Bad Gottleuba (D) 87 E5
Bad Griesbach im Rottal (D) 96 C1
Bad Grönenbach (D) 95 E2
Bad Grund (D) 85 H3
Bad Hall (A) 96 D2
Bad Harzburg (D) 85 H3
Bad Herrenalb (D) 89 E4
Bad Hersfeld (D) 85 G5
Bad Hindelang (D) 95 E3
Bad Hofgastein (A) 96 C4
Bad Homburg vor der Höhe (D) 89 E1
Bad Honnef (D) 84 C5
Bad Hönningen (D) 84 C5
Bad Iburg (D) 85 E2
Bad Ischl (A) 96 C3
Bad Karlshafen (D) 85 F3
Bad Kissingen (D) 89 G1
Bad Kleinen (D) 82 D3
Bad König (D) 89 F2
Bad Königshofen im Grabfeld (D) 89 H1
Bad Kösen (D) 86 B4
Bad Kötzting (D) 91 G5
Bad Kreuznach (D) 88 D2
Bad Krozingen (D) 94 A2
Bad Laasphe (D) 85 E5
Bad Langensalza (D) 85 H4
Bad Lauchstädt (D) 86 B4
Bad Lausick (D) 86 C4
Bad Lauterberg (D) 85 H3
Bad Leonfelden (A) 96 D1
Bad Liebenstein (D) 85 H5
Bad Liebenwerda (D) 86 D3
Bad Liebenzell (D) 89 E4
Bad Lippspringe (D) 85 F3
Bad Meinberg (D) 85 F2
Bad Mergentheim (D) 89 G3
Bad Mitterndorf (A) 96 D3
Bad Münder am Deister (D) 85 F2
Bad Münster am Stein (D) 88 D2
Bad Münstereifel (D) 84 C5
Bad Muskau (D) 87 F3
Bad Nauheim (D) 89 E1
Bad Nieuweschans (NL) 77 G2
Bad Nenndorf (D) 85 F2
Bad Neuenahr (D) 84 C5
Bad Neustadt an der Saale (D) 89 G1
Bad Oeynhausen (D) 85 F2
Bad Oldesloe (D) 82 B3
Bad Orb (D) 89 F1
Bad Peterstal (D) 89 E5
Bad Pyrmont (D) 85 F2
Bad Radkersburg (A) 97 G5
Bad Ragaz (CH) 99 F3
Bad Rappenau (D) 89 F3
Bad Reichenhall (D) 96 B3
Bad Rippoldsau (D) 89 E5
Bad Rodach (D) 89 H1
Bad Rothenfelde (D) 85 E2
Bad Saarow (D) 87 E1
Bad Sachsa (D) 85 H3
Bad Säckingen (D) 94 A3
Bad Salzdetfurth (D) 85 G2
Bad Salzschlirf (D) 85 F5
Bad Salzuflen (D) 85 E2
Bad Salzungen (D) 85 H5
Bad Sankt Leonhard im Lavanttal (A) 97 E4
Bad Saulgau (D) 94 D2
Bad Schallerbach (A) 96 D2
Bad Schandau (D) 87 E4
Bad Schmiedeberg (D) 86 C3
Bad Schönborn (D) 89 E3
Bad Schussenried (D) 94 D2
Bad Schwalbach (D) 88 D1
Bad Schwartau (D) 82 C3
Bad Segeberg (D) 82 B3
Bad Soden (D) 89 F1
Bad Soden am Taunus (D) 89 E1
Bad Sooden-Allendorf (D) 85 G4
Bad Staffelstein (D) 91 E3
Bad Sulza (D) 86 A4
Bad Sülze (D) 83 E3
Bad Tatzmannsdorf (A) 97 G3
Bad Tennstedt (D) 85 H4
Bad Tölz (D) 95 G3
Bad Urach (D) 89 F5
Bad Vilbel (D) 89 E1
Bad Vöslau (A) 97 G2
Bad Waldsee (D) 94 D2
Bad Wiessee (D) 95 G3
Bad Wildungen (D) 85 F4
Bad Wilsnack (D) 82 D5
Bad Wimpfen (D) 89 F3
Bad Windsheim (D) 89 H3
Bad Wörishofen (D) 95 E2
Bad Wünnenberg (D) 85 E3
Bad Wurzach (D) 94 D2
Bad Zurzach (CH) 99 E1
Bad Zwischenahn (D) 81 F5
Badacsonytomaj (H) 128 C3
Badajoz (E) 69 E2
Badalona (E) 60 D4
Baden (A) 97 G2
Baden (CH) 99 E2
Baden-Baden (D) 89 E4
Badenweiler (D) 94 A3
Baderna (HR) 134 A4
Badia Polesine (I) 102 D5
Badia Tedalda (I) 107 E3
Badljevina (HR) 135 G4
Badolato (I) 113 C4
Badolatosa (E) 70 C5
Badonviller (F) 47 G1
Badovinci (SRB) 140 B4
Badules (E) 65 G1
Bae Colwyn / Colwyn Bay (GB) 32 B3
Baena (E) 70 C4
Baeza (E) 71 E4
Bagà (E) 60 D2
Bâgé-le-Châtel (F) 50 D1
Bagenalstown (IRL) 25 F3
Bagenkop (DK) 198 C4
Bagheria (I) 114 D2
Bagn (N) 189 E4
Bagnacavallo (I) 107 E1
Bagnara Calabra (I) 115 H2
Bagnères-de-Bigorre (F) 52 D4
Bagnères-de-Luchon (F) 53 E4
Bagni del Masino (I) 101 F2
Bagni di Lucca (I) 105 G4
Bagno a Ripoli (I) 105 H4
Bagno di Romagna (I) 107 E3
Bagnoles-de-l'Orne (F) 43 H2
Bagnoli del Trigno (I) 109 H3
Bagnolo Mella (I) 101 G4
Bagnols-les-Bains (F) 50 B5
Bagnols-sur-Cèze (F) 54 C1
Bagnoregio (I) 107 E5
Bagod (H) 128 B3
Bagolino (I) 101 G3
Bagrationovsk (RUS) 5 H4
Bagrdan (SRB) 141 E5
Bahrija (M) 114 B5
Baia (Suceava) (RO) 148 B2
Baia (Tulcea) (RO) 153 F3
Baia de Aramă (RO) 150 D2
Baia de Arieș (RO) 147 E4
Baia de Criș (RO) 146 D5
Baia de Fier (RO) 151 F2
Baia Mare (RO) 147 F2
Baia Sardinia (I) 112 D1
Baia Sprie (RO) 147 F2
Baiano (I) 109 H5
Baião (P) 62 C1
Băicoi (RO) 152 B3
Baiersbronn (D) 89 E5
Baignes-Sainte-Radegonde (F) 48 D3
Baigneux-les-Juifs (F) 46 C4
Băile 1 Mai (RO) 146 C3
Baile Átha Cliath / Dublin (IRL) 23 G5
Baile Átha Luain / Athlone (IRL) 22 D5
Băile Felix (RO) 146 C3
Băile Herculane (RO) 150 D3
Băile Olănești (RO) 151 G2
Băile Tușnad (RO) 148 B5
Bailén (E) 70 D3
Băilești (RO) 151 E5
Bailieborough (IRL) 23 F4
Bailleul (F) 39 H1
Bain-de-Bretagne (F) 43 F3
Bains-les-Bains (F) 47 F3
Baio (E) 56 B2
Baiona (E) 56 B4
Bais (F) 43 H2
Băișoara (RO) 147 E4
Baisogala (LT) 205 E2
Baja (H) 129 E5
Bajánsenye (H) 128 B3
Bajgora (SRB) 143 E3
Bajina Bašta (SRB) 139 G1
Bajlovo (BG) 158 C2
Bajmok (SRB) 140 B1
Bajna (H) 129 E1
Bajram Curri (AL) 142 C4
Bajša (SRB) 140 B2
Bajzë (AL) 142 B5
Bak (H) 128 B3
Bakar (HR) 134 B4
Bakarac (HR) 134 C4
Bakewell (GB) 33 E3
Bakkafjörður (IS) 178 D1
Bakonybél (H) 128 D2
Bakonycsernye (H) 128 D2
Bakonygyepes (H) 128 C2
Bakonykoppány (H) 128 D2
Bakonysárkány (H) 128 D2
Bakonyszombathely (H) 128 D2
Baks (H) 129 G4
Baktakék (H) 126 D5
Baktalórántháza (H) 131 F1
Bakvattnet (S) 183 F4
Bala (GB) 32 B4
Bala (RO) 150 D3
Bălăbănești (RO) 149 E5
Bălăceanu (RO) 152 D2
Balaci (RO) 151 H4
Bălăcița (RO) 151 E4
Balaguer (E) 60 B3
Bălan (RO) 148 B4
Balanegra (E) 75 G3
Balaruc-les-Bains (F) 54 B3
Balassagyarmat (H) 126 B5
Balástya (H) 129 G4
Balatonakali (H) 128 D3
Balatonalmádi (H) 128 D3
Balatonboglár (H) 128 C3
Balatonederics (H) 128 C3
Balatonfőkajár (H) 128 D3
Balatonföldvár (H) 128 D3
Balatonfüred (H) 128 D3
Balatonfűzfő (H) 128 D3
Balatonkenese (H) 128 D3
Balatonkeresztúr (H) 128 C3
Balatonlelle (H) 128 D3
Balatonszemes (H) 128 D3
Balatonvilágos (H) 128 D3
Bălăușeri (RO) 147 G4
Balazote (E) 71 G2
Balbieriškis (LT) 205 E4
Balbigny (F) 50 C3
Balbriggan (IRL) 23 G5
Balcani (RO) 148 C4
Bălcești (RO) 151 F3
Balčik / Балчик (BG) 157 G2
Balderschwang (D) 95 E3
Baldock (GB) 36 C3
Baldone (LV) 202 D3
Bale (HR) 134 A4
Baleal (P) 62 A5
Baleizão (P) 68 D3
Balerma (E) 75 H3
Balestrand (N) 188 C3
Bălgarevo (BG) 157 G2
Bălgarevo (BG) 157 E4
Bălgarski Izvor (BG) 158 D1
Balí (GR) 170 B5
Balıkesir (TR) 19 G2
Bälinge (S) 190 C5
Balingen (D) 89 E5
Balinț (RO) 150 C1
Balivanich (GB) 28 B3
Balkány (H) 131 F1
Ballachulish (GB) 28 D5
Ballaghaderreen (IRL) 22 D4
Ballangen (N) 179 H3
Ballantrae (GB) 23 H1
Ballao (I) 112 C4
Ballater (GB) 29 G4
Ballaugh (GB) 30 C5
Ballenstedt (D) 86 A3
Balleroy (F) 38 C5
Ballerup (DK) 199 E3
Ballina / Béal an Átha (IRL) 22 C3
Ballinamore (IRL) 23 E4
Ballinasloe / Béal Átha na Sluaighe (IRL) 22 D5
Ballingarry (IRL) 25 E3
Ballinrobe (IRL) 22 C4
Ballintubber (IRL) 22 C4
Ballobar (E) 60 A3
Ballon-Saint Mar (F) 44 B2
Ballsh (AL) 144 C3
Ballstad (N) 179 F3
Ballybay (IRL) 23 F4
Ballybofey (IRL) 23 E2
Ballybunnion (IRL) 24 B3
Ballycastle (GB) 23 G1
Ballycastle (IRL) 22 C3
Ballyclare (GB) 23 G2
Ballyconnell (IRL) 23 E4
Ballycotton (IRL) 24 D4
Ballycroy (IRL) 22 B4
Ballyduff (IRL) 24 B3
Ballyforan (IRL) 22 D5
Ballygawley (GB) 23 F3
Ballyhaunis (IRL) 22 C4
Ballyheige (IRL) 24 B3
Ballyjamesduff (IRL) 23 E4
Ballymahon (IRL) 23 E5
Ballymena (GB) 23 G2
Ballymoe (IRL) 22 D4
Ballymoney (GB) 23 F1
Ballymore (IRL) 23 E5
Ballymote (IRL) 22 D4
Ballynahinch (GB) 23 G3
Ballysadare (IRL) 22 D3
Ballyshannon (IRL) 22 D3
Ballyvaughan (IRL) 24 C2
Balmaseda (E) 58 C1
Balmazújváros (H) 131 E1
Balme (I) 100 B4
Balneario de Panticosa (E) 59 H2
Balninkai (LT) 205 G3
Balotești (RO) 152 B3
Baloži (LV) 202 D3
Balș (RO) 151 F4
Balsareny (E) 60 D3
Balsicas (E) 73 E3
Balsorano Nuovo (I) 109 F3
Bålsta (S) 197 F1
Balsthal (CH) 98 D2
Balta (RO) 150 D3
Balta (UA) 13 F2
Balta Albă (RO) 152 D2
Baltanás (E) 58 B4
Baltar (E) 56 D5
Bălți (MD) 13 E3
Baltijsk (RUS) 5 H4
Baltinglass (IRL) 25 F2
Baltoji Vokė (LT) 205 G4
Baltrum (D) 81 E3
Bălvănești (RO) 150 D3
Balvi (LV) 203 G2
Bamberg (D) 89 H2
Bamburgh Castle (GB) 31 G2
Bampalió (GR) 164 D2
Bampíni (GR) 164 D3

Bampton (GB) 35 E3
Bana (H) 128 D1
Banagher (IRL) 24 D1
Banatska Palanka (SRB) 141 E4
Banatska Topola (SRB) 140 D2
Banatski Brestovac (SRB) 140 D4
Banatski Dvor (SRB) 140 D2
Banatski Karlovac (SRB) 141 E3
Banatsko Aranđelovo (SRB) 140 C1
Banatsko Karađorđevo (SRB) 140 D2
Banatsko Novo Selo (SRB) 140 D3
Banbridge (GB) 23 G3
Banbury (GB) 35 H1
Banchory (GB) 29 H4
Band (RO) 147 G4
Bande (E) 56 C4
Bandırma (TR) 19 G2
Bandol (F) 55 E3
Bandon (IRL) 24 C5
Băneasa (RO) 153 E5
Banff (GB) 29 G3
Bangor (IRL) 22 B3
Bangor (Gwynedd) (GB) 32 A3
Bangor (North Down) (GB) 23 G2
Bangsund (N) 183 E3
Banica (BG) 154 D3
Banie (PL) 116 B4
Banie Mazurskie (PL) 119 F2
Baniska (BG) 156 C2
Banite (BG) 162 C1
Banja (SRB) 139 G2
Banja (SRB) 140 D5
Banja (Burgas) (BG) 157 F4
Banja (Plovdiv) (BG) 159 E2
Banja (Sliven) (BG) 159 F2
Banja Koviljača (SRB) 137 H4
Banja Luka (BIH) 135 G5
Banja Vrućica (BIH) 137 F4
Banjani (SRB) 140 C4
Banjska (SRB) 142 D3
Bankeryd (S) 195 H3
Bankja (BG) 158 B1
Bannalec (F) 42 C3
Bañolas / Banyoles (E) 61 E2
Bañón (E) 65 G1
Banon (F) 55 E1
Baños de Cerrato (E) 58 A4
Baños de la Encina (E) 70 D3
Baños de la Fuensanta (E) 71 G4
Baños de Molgas (E) 56 D4
Baños de Montemayor (E) 63 G3
Banova Jaruga (HR) 135 F4
Bánovce nad Bebravou (SK) 132 B3
Banovići (BIH) 137 G4
Bansin (D) 83 G3
Banská Bystrica (SK) 132 D3
Banská Štiavnica (SK) 132 C3
Bansko (MK) 145 H1
Bansko / Банско (BG) 161 H1
Bantry / Beanntrai (IRL) 24 B5
Banyalbufar (E) 67 E2
Banyeres de Mariola (E) 73 E1
Banyoles / Bañolas (E) 61 E2
Banyuls-sur-Mer (F) 54 A5
Bapaume (F) 40 A3
Baquèira (E) 60 B1
Bar (MNE) 139 F5
Bar (UA) 13 E2
Bar-le-Duc (F) 46 D1
Bar-sur-Aube (F) 46 C2
Bar-sur-Seine (F) 45 H2
Barabás (H) 127 F5
Baraći (BIH) 137 E4
Bărăganul (RO) 152 D3
Barajas de Melo (E) 64 D3
Barajevo (SRB) 140 D4
Barakaldo (E) 58 D1
Baralla (E) 57 E3
Baranavičy (BY) 6 D5
Báránd (H) 131 E2
Barane (SRB) 142 D4
Baranów Sandomierski (PL) 123 E5
Baraolt (RO) 148 A5
Baraona (E) 64 D1
Baraque de Fraiture (B) 79 E4
Baraque Michel (B) 79 F3
Baraqueville (F) 53 H1
Barbadillo del Mercado (E) 58 C4
Barban (HR) 134 B4
Barbarano Vicentino (I) 103 E4
Barbarušince (SRB) 143 G4
Barbastro (E) 60 A3
Barbat na Rabu (HR) 134 C5
Barbate (E) 74 B4
Bărbătești (RO) 151 F3
Barbazan (F) 53 E4
Barberino di Mugello (I) 105 H4
Barbezieux-Saint-Hilaire (F) 48 D3
Barbizon (F) 45 F2
Barbotan-les-Thermes (F) 52 D2
Barby (D) 86 B2
Bârca (RO) 151 F5
Barca de Alva (P) 63 E2
Barcarrota (E) 69 E2
Barcellona Pozzo di Gotto (I) 115 G2
Barcelona (E) 60 D4
Barcelonnette (F) 51 G5
Barcelos (P) 56 B5
Barchfeld (D) 85 H5
Barcin (PL) 117 G5
Barcis (I) 103 F3
Barcones (E) 64 D1
Barcs (H) 128 C5
Barczewo (PL) 118 D3
Bardejov (SK) 133 G2
Bardi (I) 105 F2
Bardineto (I) 104 C3
Bardo (PL) 121 E5
Bardolino (I) 101 H4
Bardonecchia (I) 100 A5
Bare (SRB) 139 H3
Barèges (F) 52 D4
Barentin (F) 39 F4
Barenton (F) 43 G1
Barfleur (F) 38 C4
Bargas (E) 64 B4
Bârghiș (RO) 147 G5
Bargoed (GB) 35 E2
Bargteheide (D) 82 B3
Bari (I) 111 E3
Barić Draga (HR) 136 B4
Barisciano (I) 109 F2
Barjac (F) 54 C1
Barjols (F) 55 E2
Bărkač (BG) 156 A2
Bârlad (RO) 149 E5
Barlby (GB) 33 E2
Barletta (I) 110 D2
Barlinek (PL) 116 C5
Barlovento (E) 67 E4
Barmstedt (D) 81 H3
Barna (IRL) 22 C5
Barnard Castle (GB) 31 G5
Bärnau (D) 91 G3
Barneveld (NL) 77 E5
Barneville-Carteret (F) 38 B4
Barnsley (GB) 33 E2
Barnstaple (GB) 34 D3
Barnstorf (D) 85 E1
Barntrup (D) 85 F2
Barovo (MK) 145 G2
Barqueiro (P) 62 B4
Barr (F) 47 G2
Barracas (E) 65 H3
Barrachina (E) 65 G1
Barrafranca (I) 115 E4
Barranco Velho (P) 68 C5
Barrancos (P) 69 E3
Barranda (E) 71 G3
Barrax (E) 71 G1
Barre-des-Cévennes (F) 54 B1
Barrea (I) 109 G3
Barreiro (P) 68 A2
Barrême (F) 55 F1
Barrhead (GB) 30 C2
Barrhill (GB) 30 C3
Barri / Barry (GB) 35 E2
Barrow-in-Furness (GB) 32 C1
Barruecopardo (E) 63 E2
Barruelo de Santullán (E) 58 A2
Barry / Barri (GB) 35 E2
Bârsana (RO) 147 F1
Barsinghausen (D) 85 F2
Barstyčiai (LT) 204 C1
Bārta (LV) 202 A4
Barth (D) 83 E2
Barton-upon-Humber (GB) 33 F2
Bartoszyce (PL) 118 D2
Baru (RO) 151 E1
Barumini (I) 112 C4
Baruth (D) 86 D2
Barutin (BG) 162 B1
Barvas (GB) 28 B1
Barwice (PL) 117 E3
Barysaŭ (BY) 6 D4
Bârzava (RO) 146 C5
Barzio (I) 101 F3
Bas-en-Basset (F) 50 C4
Bašaid (SRB) 140 D2
Bàscara (E) 61 E2
Baschi (I) 107 E5
Basconcillos del Tozo (E) 58 B2
Bascov (RO) 151 H3
Basel (CH) 98 D1
Baselga di Pinè (I) 101 H3
Basigo de Bakio (E) 58 D1
Basildon (GB) 36 D4
Basingstoke (GB) 35 H2
Baška (HR) 134 C5
Baška Voda (HR) 138 C2
Baške Oštarije (HR) 136 B4
Baslow (GB) 33 E3
Basovizza (I) 103 H4
Bassano del Grappa (I) 103 E3
Bassens (F) 48 C5
Bassum (D) 81 F5
Båstad (S) 195 G5
Bastasi (BIH) 136 D4
Bastelica (F) 55 H4
Bastia (F) 55 H3
Bastida (E) 58 D3
Bastogne (Bastenaken) (B) 79 E4
Bastuträsk (S) 184 D3
Băta (BG) 158 C2
Bata (BG) 157 F4
Batajnica (SRB) 140 C4
Batak (BG) 162 B1
Batalha (P) 62 B5
Batanovci (BG) 158 A2
Batăr (RO) 146 C4
Bátaszék (H) 129 E5
Baté (H) 128 D4
Batea (E) 60 A5
Bath (GB) 35 F2
Bathgate (GB) 30 D2
Batin (BG) 156 C2
Batina (HR) 137 H1
Batočina (SRB) 141 E5
Bátonyterenye (H) 129 G1
Batorz (PL) 123 F4
Båtsfjord (N) 177 G2
Batsí (GR) 166 C5
Battaglia Terme (I) 103 E5
Battenberg (D) 85 E4
Battice (B) 79 E3
Battipaglia (I) 110 B4
Battle (GB) 36 D5
Battonya (H) 130 D4
Batz-sur-Mer (F) 43 E4
Baud (F) 42 D3
Baugé-en-Anjou (F) 43 H4
Baugy (F) 45 F5
Baume-les-Dames (F) 47 F4
Baumholder (D) 88 C2
Bauska (LV) 202 D4
Bautzen (D) 87 E4
Bavanište (SRB) 140 D4
Bavay (F) 40 B2
Baveno (I) 100 D3
Bawtry (GB) 33 F3
Bayerisch Eisenstein (D) 91 H5
Bayeux (F) 38 C5
Bayhirivagh (GB) 28 B4
Bayındır (TR) 19 G3
Bayon (F) 47 F2
Bayonne (F) 52 A3
Bayreuth (D) 91 E3
Bayrischzell (D) 95 G3
Baza (E) 71 F5
Bazas (F) 52 C1
Bazilionai (LT) 204 D2
Bazoches-sur-Hoëne (F) 44 C2
Bazzano (I) 105 H3
Bcie / Buje (HR) 134 A4
Beaconsfield (GB) 36 B4
Béal an Átha / Ballina (IRL) 22 C3
Béal Átha na Sluaighe / Ballinasloe (IRL) 22 D5
Beaminster (GB) 38 A1
Beanntrai / Bantry (IRL) 24 B5
Beariz (E) 56 C3
Beas (E) 69 E5
Beas de Segura (E) 71 F3
Beasain (E) 59 E2
Beattock (GB) 31 E3
Beaucaire (F) 54 C2
Beaufort (F) 51 E1
Beaufort (F) 51 F3
Beaufort-en-Vallée (F) 43 H4
Beaugency (F) 44 D3
Beaujeu (F) 50 C2
Beaulieu (F) 55 H2
Beaulieu (GB) 38 C1
Beaulieu-sur-Dordogne (F) 49 G4
Beaumaris (GB) 32 A3
Beaumesnil (F) 39 E5
Beaumetz-lès-Loges (F) 39 H2
Beaumont (B) 78 C4
Beaumont (F) 39 H5
Beaumont-de-Lomagne (F) 53 E2
Beaumont-du-Périgord (F) 49 E5
Beaumont-Hague (F) 38 B4
Beaumont-le-Roger (F) 39 F5
Beaumont-sur-Sarthe (F) 44 B2
Beaune (F) 46 D5
Beaune-la-Rolande (F) 45 E3
Beaupréau-en-Mauges (F) 43 G4
Beauraing (B) 78 D4
Beaurepaire (F) 50 D4
Beaurepaire-en-Bresse (F) 50 D1
Beauvais (F) 39 G4
Beauvoir-sur-Mer (F) 43 E5
Beauvoir-sur-Niort (F) 48 D2
Beba Veche (RO) 146 A5
Bebington (GB) 32 C3
Bebra (D) 85 G4
Bebrovo (BG) 159 F1
Beccles (GB) 37 E2
Becedas (E) 63 G3
Beceite (E) 60 A5
Bečej / Бечеј (SRB) 140 C2
Becerreá (E) 57 E3
Bécherel (F) 43 F2
Bechet (RO) 151 F5
Bechhofen (D) 89 H3
Becicherecu Mic (RO) 146 B5
Bečići (MNE) 139 F5
Becilla de Valderaduey (E) 57 H4
Beckenried (CH) 99 E3
Beckington (GB) 35 F2
Beckum (D) 85 E3
Beclean (RO) 147 G3
Bečov nad Teplou (CZ) 91 G3
Becsehely (H) 128 B4
Becsvölgye (H) 128 B3
Bedale (GB) 31 G5
Bédarieux (F) 54 A2
Beddgelert (GB) 32 A4
Bedford (GB) 33 F5
Bedlington (GB) 31 G3
Bedmar (E) 71 E4
Bedonia (I) 105 F3
Bedum (NL) 77 G2
Bedwas (GB) 35 E2
Bedworth (GB) 33 E5
Będzin (PL) 122 B5
Beeford (GB) 33 F1
Beelitz (D) 86 C2
Beerfelden (D) 89 F3
Beeskow (D) 87 E2
Beesten (D) 84 D1
Beetzendorf (D) 86 A1
Beg-Meil (F) 42 B3
Bégard (F) 42 D1
Begejci (SRB) 140 D2
Begleż (BG) 156 A3
Begov Han (BIH) 137 F4
Begues (E) 60 D4
Begur (E) 61 F2
Behobia (E) 59 F1
Behringersmühle (D) 91 E3
Beiarn (N) 179 F5
Beidaud (RO) 153 F3
Beilen (NL) 77 F3
Beilngries (D) 91 E5
Beisfjord (N) 179 H3
Beith (GB) 30 C2
Beitostølen (N) 188 D3
Beiuș (RO) 146 D4
Beja (P) 68 D3
Béjar (E) 63 G3
Békés (H) 131 E3
Békéscsaba (H) 131 E3
Békéssámson (H) 129 H4
Békésszentandrás (H) 129 H3
Bel (E) 66 A1
Bela Crkva (SRB) 140 B5
Bela Crkva (SRB) 141 E4
Bělá nad Radbuzou (CZ) 91 G4
Bela Palanka (SRB) 143 G2
Bělá pod Pradědem (CZ) 93 E2
Bélâbre (F) 49 F1
Belalcázar (E) 69 H2
Belanovce (MK) 143 F5
Belanovica (SRB) 140 D5
Bélavár (H) 128 C5
Belcaire (F) 53 G4
Belcești (RO) 148 D2
Bełchatów (PL) 122 B3
Belchite (E) 59 G5
Belčišta (MK) 145 E2
Belcoo (GB) 23 E3
Bele Vode (SRB) 139 H2
Belec (HR) 135 E2
Belecke (D) 85 E3
Beled (H) 128 C2
Belegiš (SRB) 140 D3
Belej (HR) 134 B5
Belenci (BG) 158 C1
Belene (BG) 151 H5
Belev (RUS) 7 G3
Belfast (GB) 23 G3
Belford (GB) 31 G2
Belfort (F) 47 G3
Belforte all'Isauro (I) 107 F3
Belgern (D) 86 D3
Belgodère (F) 55 H3
Belgorod (RUS) 7 H5
Belgun (BG) 157 G2
Beli Iskăr (BG) 158 B2
Beli Manastir (HR) 137 G1
Beli Osăm (BG) 158 D1
Beli Potok (SRB) 143 F2
Belianes (E) 60 B4
Belica (BG) 161 H1
Belimel (BG) 154 C2
Belin (F) 48 C5
Beliș (RO) 147 E4
Belišće (HR) 135 H3
Beliu (RO) 146 C4
Beljakovce (MK) 143 F5
Beljina (SRB) 140 D5
Bell-lloc d'Urgell (E) 60 B3
Bellac (F) 49 F2
Bellagio (I) 101 E3
Bellano (I) 101 E3
Bellaria (I) 107 F2
Bellcaire d'Urgell (E) 60 B3
Belle-Isle-en-Terre (F) 42 C1
Belleek (GB) 22 D3
Bellegarde (F) 54 C2
Bellegarde (F) 45 E3
Bellegarde-en-Marche (F) 49 H2
Bellegarde-sur-Valserine (F) 51 E2
Bellême (F) 44 C2
Bellencombre (F) 39 F4
Bellerive-sur-Allier (F) 50 A2
Belleville (F) 50 D2
Belley (F) 51 E3
Bellinzona (CH) 99 F4
Bello (E) 65 F1
Bellpuig (E) 60 B3
Belluno (I) 103 F3
Bellver de Cerdanya (E) 60 D2
Bélmez (E) 69 H3
Belmont (F) 50 C2
Belmont (GB) 27 G1
Belmont-sur-Rance (F) 53 H2
Belmonte (E) 57 F2
Belmonte (E) 64 D4
Belmonte (P) 62 D3
Belmullet (IRL) 22 B3
Belo Brdo (SRB) 142 D2
Belo Polje (SRB) 142 D4
Belœil (B) 78 B3
Belogradčik (BG) 150 D5
Beloljin (SRB) 143 E2
Belopolci (BG) 163 E1
Belorado (E) 58 C3
Beloslav (BG) 157 F3
Belotinci (BG) 154 C2
Belovec (BG) 152 C5
Belovo (BG) 158 C3
Belozem (BG) 159 E3
Belpech (F) 53 G3
Belper (GB) 33 E4
Belsay (GB) 31 G3
Belsh (AL) 144 C3
Beltinci (SLO) 135 E1
Belturbet (IRL) 23 E4
Belušić (SRB) 143 E1
Belvedere Marittimo (I) 113 B1
Belver de Cinca (E) 60 A3
Belvès (F) 49 F5
Belvís de la Jara (E) 63 H5
Belz (F) 42 D3
Belzig (D) 86 C2
Bełżyce (PL) 123 F3
Bembibre (E) 57 F3
Bemposta (P) 62 C5
Benabarre (E) 60 A2
Benaguasil (E) 65 H4
Benahadux (E) 72 B5
Benalmádena (E) 74 D3
Benalmádena-Costa (E) 74 D4
Benalúa de Guadix (E) 71 E5
Benalúa de las Villas (E) 70 D5
Benamargosa (E) 75 E3
Benamaurel (E) 71 F4
Benamejí (E) 70 C5
Benaoján (E) 74 C3
Benasal (E) 66 A1
Benasque (E) 60 A1
Benavente (E) 57 G5
Benavente (P) 68 B1
Benavides (E) 57 G3
Bendorf (D) 88 D1
Benediktbeuern (D) 95 G3
Benešov (CZ) 92 B3

A B C D E F G H I J K L M N O P Q R S T U V W X Y Z

Benešov nad Ploučnicí *(CZ)* 87 E5
Bénévent-l'Abbaye *(F)* 49 G2
Benevento *(I)* 109 H4
Benfeld *(F)* 47 H2
Benfleet *(GB)* 36 D4
Bengeşti *(RO)* 151 F2
Bengtsfors *(S)* 195 F1
Beničanci *(HR)* 135 H3
Benicarló *(E)* 66 B1
Benicàssim *(E)* 66 A2
Benidorm *(E)* 66 A5
Benifaió *(E)* 65 H5
Benissa *(E)* 66 A5
Benítses *(GR)* 164 A1
Benkovac *(HR)* 136 C5
Benkovski (Dobrič) *(BG)* 157 F2
Benkovski (Kărdžali) *(BG)* 162 D2
Benkovski (Plovdiv) *(BG)* 158 D3
Benneckenstein *(D)* 85 H3
Bénodet *(F)* 42 B3
Benquerencia de la Serena *(E)* 69 H2
Bensberg *(D)* 84 C4
Bensersiel *(D)* 81 E4
Bensheim *(D)* 89 E2
Bentley *(GB)* 33 E2
Beočin *(SRB)* 140 C3
Beograd / Београд *(SRB)* 140 D4
Bera *(E)* 59 F1
Berane *(MNE)* 139 H3
Berat *(AL)* 144 C3
Berazino *(BY)* 7 E4
Berbegal *(E)* 60 A3
Berberana *(E)* 58 C2
Berbeşti *(RO)* 151 F2
Berceto *(I)* 105 F3
Berching *(D)* 91 E5
Berchtesgaden *(D)* 96 B3
Berck-Plage *(F)* 39 G2
Berck-sur-Mer *(F)* 39 G2
Berdyčiv *(UA)* 13 E1
Bere Regis *(GB)* 38 A1
Beregsurány *(H)* 127 G5
Bereguardo *(I)* 101 E4
Berehove *(UA)* 12 C3
Berek *(HR)* 135 F3
Beremend *(H)* 129 E5
Bereşti *(RO)* 149 E5
Beret *(E)* 60 B1
Berettyóújfalu *(H)* 131 E2
Berezeni *(RO)* 149 E4
Berezivka *(UA)* 13 G3
Berg *(A)* 97 H2
Berg *(N)* 183 E2
Berg *(S)* 189 H1
Berga *(D)* 86 A3
Berga *(E)* 60 B2
Bergama *(TR)* 19 G3
Bergamo *(I)* 101 F4
Bergara *(E)* 59 E1
Bergby *(S)* 190 B4
Bergedorf *(D)* 81 H4
Bergen *(N)* 188 B4
Bergen *(NL)* 76 D3
Bergen (Celle) *(D)* 81 H5
Bergen (Rügen) *(D)* 82 C5
Bergen aan Zee *(NL)* 76 D3
Bergen auf Rügen *(D)* 83 F2
Bergen op Zoom *(NL)* 78 C1
Bergerac *(F)* 49 E5
Berggießhübel *(D)* 87 E5
Bergheim *(D)* 84 C4
Bergisch Gladbach *(D)* 84 C4
Bergnäset *(S)* 185 E2
Bergneustadt *(D)* 84 D4
Bergö *(FIN)* 191 E1
Bergsjö *(S)* 190 B2
Bergsviken *(S)* 185 E2
Bergues *(F)* 39 H1
Bergün / Bravuogn *(CH)* 99 G3
Berhida *(H)* 128 D3
Beringel *(P)* 68 C3
Beringen *(B)* 78 D2
Berja *(E)* 72 A5
Berka *(D)* 85 G5
Berkåk *(N)* 189 E1
Berkhamsted *(GB)* 36 B3
Berkheim *(D)* 95 E2
Berkhof *(D)* 85 G1
Berkovica *(BG)* 154 D3
Berkovići *(BIH)* 139 E3
Berlaimont *(F)* 40 B3
Berlanga *(E)* 69 G3
Berlanga de Duero *(E)* 58 D5
Berlebeck *(D)* 85 F2
Berlevåg *(N)* 177 G1
Berlin *(D)* 86 D1
Berlişte *(RO)* 150 B2
Bermeo *(E)* 58 D1
Bermillo de Sayago *(E)* 63 F1
Bern *(CH)* 98 C3
Bernalda *(I)* 111 E4
Bernartice *(CZ)* 92 A4
Bernau am Chiemsee *(D)* 95 H3
Bernau bei Berlin *(D)* 86 D1
Bernau im Schwarzwald *(D)* 94 B3
Bernaville *(F)* 39 H3
Bernay *(F)* 39 E5
Bernburg *(D)* 86 B3
Berndorf *(A)* 97 G2
Berne *(D)* 81 F5
Bernhardsthal *(A)* 93 E5
Bernkastel-Kues *(D)* 88 C2
Bernsdorf *(D)* 87 E3
Bernstein *(A)* 97 G3
Beronovo *(BG)* 159 H1
Beroun *(CZ)* 92 A3
Berovo *(MK)* 145 H1
Berra *(I)* 103 E5
Berre-l'Étang *(F)* 54 D3
Beršad' *(UA)* 13 F2
Bersenbrück *(D)* 84 D1
Bertamiráns *(E)* 56 B3
Berteştii de Jos *(RO)* 153 E3
Bertinoro *(I)* 107 E2
Bertrix *(B)* 78 D4
Berwang *(A)* 95 F3
Berwick-upon-Tweed *(GB)* 31 F2
Beryslav *(UA)* 13 H2
Berzasca *(RO)* 150 C3
Bērzaune *(LV)* 203 F3
Berzence *(H)* 128 C4
Bērzkrogs *(LV)* 203 E2
Berzocana *(E)* 63 G5
Berzovia *(RO)* 150 C1
Bērzpils (Bierzpiļs) *(LV)* 203 G3
Besalú *(E)* 61 E2
Besançon *(F)* 47 E4
Besande *(E)* 57 H3
Besenyszög *(H)* 129 G2
Besigheim *(D)* 89 F4
Beška *(SRB)* 140 C3
Besse-et-Saint-Anastaise *(F)* 50 A3
Besse-sur-Issole *(F)* 55 F3
Bessèges *(F)* 54 B1
Bessines-sur-Gartempe *(F)* 49 F2
Betancuria *(E)* 67 H5
Betanzos *(E)* 56 C2
Betelu *(E)* 59 E2
Bétera / Bètera *(E)* 65 H4
Beteta *(E)* 65 E2
Bethesda *(GB)* 32 B3
Béthune *(F)* 39 H2
Bettna *(S)* 197 F2
Bettola *(I)* 105 F2
Bettolle *(I)* 107 E4
Bettyhill *(GB)* 26 A4
Betws-y-Coed *(GB)* 32 B3
Betz *(F)* 40 A5
Betzdorf *(D)* 84 D5
Beuil *(F)* 55 G1
Beuron *(D)* 94 C2
Beuzeville *(F)* 39 E4
Bevagna *(I)* 107 F5
Beveren *(B)* 78 C1
Beverley *(GB)* 33 F2
Beverstedt *(D)* 81 G4
Beverungen *(D)* 85 F3
Beverwijk *(NL)* 76 D4
Bewdley *(GB)* 32 D5
Bex *(CH)* 98 C4
Bexhill *(GB)* 36 D5
Beynac-et-Cazenac *(F)* 49 F5
Beynat *(F)* 49 G4
Bezas *(E)* 65 G3
Bezdan *(SRB)* 137 H1
Bežeck *(RUS)* 7 F1
Béziers *(F)* 54 A3
Bezmisht *(AL)* 145 E3
Béznar *(E)* 75 F3
Biała *(PL)* 121 F5
Biała Piska *(PL)* 119 F3
Biała Podlaska *(PL)* 123 G1
Biała Rawska *(PL)* 122 C2
Białaszewo *(PL)* 119 F3
Białe Błota *(PL)* 117 G4
Białobrzegi *(PL)* 122 D2
Białogard *(PL)* 116 D2
Białogóra *(PL)* 117 G1
Białopole *(PL)* 123 H4
Białowieża *(PL)* 119 H5
Biały Bór *(PL)* 117 E3
Białystok *(PL)* 119 G4
Biancavilla *(I)* 115 F3
Bianco *(I)* 115 H2
Biandrate *(I)* 100 D4
Biar *(E)* 73 E1
Biarritz *(F)* 52 A3
Biasca *(CH)* 99 F4
Biasteri *(E)* 58 D3
Biatorbágy *(H)* 129 E2
Bibbiena *(I)* 107 E3
Biberach an der Riß *(D)* 94 D2
Biberach im Kinzigtal *(D)* 88 D5
Bibinje *(HR)* 136 B5
Bibione *(I)* 103 G4
Bibury *(GB)* 35 G1
Bicaj *(AL)* 142 D5
Bicaz *(RO)* 148 B3
Bicaz-Chei *(RO)* 148 B4
Bicester *(GB)* 35 H1
Bichl *(D)* 95 G3
Bicske *(H)* 129 E2
Bidache *(F)* 52 B3
Bidart *(F)* 52 A3
Biddenden *(GB)* 36 D5
Bideford *(GB)* 34 D3
Bidovce *(SK)* 133 G3
Biebelried *(D)* 89 G2
Biecz *(PL)* 127 E2
Biedenkopf *(D)* 85 E5
Biel / Bienne *(CH)* 98 C2
Bielawa *(PL)* 121 E5
Bielefeld *(D)* 85 E2
Biella *(I)* 100 C4
Bielsa *(E)* 60 A1
Bielsk *(PL)* 118 C5
Bielsk Podlaski *(PL)* 119 G5
Bielsko-Biała *(PL)* 125 F2
Bienne / Biel 98 C2
Bientina *(I)* 105 G4
Bienvenida *(E)* 69 G3
Bierdzany *(PL)* 121 G4
Bierné *(F)* 43 H3
Bierre-lès-Semur *(F)* 45 H4
Biertan *(RO)* 147 G5
Bieruń *(PL)* 125 F1
Bierutów *(PL)* 121 F4
Biescas *(E)* 59 H2
Biesenthal *(D)* 83 G5
Bietigheim-Bissingen *(D)* 89 F4
Bieżuń *(PL)* 118 C4
Biga *(TR)* 19 G2
Biggar *(GB)* 30 D2
Biggleswade *(GB)* 36 C3
Bignasco *(CH)* 99 E4
Bihać *(BIH)* 135 E5
Biharia *(RO)* 146 C3
Biharkeresztes *(H)* 131 E2
Biharnagybajom *(H)* 131 E2
Bijele Poljane *(MNE)* 139 F4
Bijeljani *(BIH)* 139 E3
Bijeljina / Бијељина *(BIH)* 137 H3
Bijelo Brdo *(HR)* 137 H2
Bijelo Polje *(MNE)* 139 G3
Bila Cerkva *(UA)* 13 F1
Bilbao *(E)* 58 D1
Bilbor *(RO)* 148 A3
Bíldudalur *(IS)* 178 A1
Bileća *(BIH)* 139 E3
Bilecik *(TR)* 19 H2
Biled *(RO)* 146 B5
Biłgoraj *(PL)* 123 G5
Bilhorod-Dnistrovs'kyj *(UA)* 13 G3
Bílina *(CZ)* 86 D5
Bilisht *(AL)* 145 E3
Biljača *(SRB)* 143 F4
Biljanovac *(SRB)* 142 D2
Bilje *(HR)* 137 H1
Billerbeck *(D)* 84 D2
Billericay *(GB)* 36 D4
Billingham *(GB)* 31 G4
Billingshurst *(GB)* 36 C5
Billom *(F)* 50 A3
Billund *(DK)* 198 B3
Bilopillja *(UA)* 7 G5
Bílovec *(CZ)* 93 G3
Bilto *(N)* 176 C4
Bilzen *(B)* 79 E2
Binaced *(E)* 60 A3
Binasco *(I)* 101 E4
Binche *(B)* 78 C3
Binéfar *(E)* 60 A3
Bingen am Rhein *(D)* 88 D2
Bingham *(GB)* 33 F4
Bingley *(GB)* 32 D2
Bingsjö *(S)* 190 A4
Binic *(F)* 42 D1
Binkos *(BG)* 159 G2
Binn Éadair / Howth *(IRL)* 23 G5
Binz *(D)* 83 F2
Bioče *(MNE)* 139 G4
Biograd na moru *(HR)* 136 B5
Bionaz *(I)* 100 B3
Biosca *(E)* 60 C3
Bira *(RO)* 148 C3
Birchington *(GB)* 37 E4
Biri *(N)* 189 F3
Birkeland *(N)* 194 C2
Birkenfeld *(D)* 88 C2
Birkenhead *(GB)* 32 C3
Birkenwerder *(D)* 86 D1
Birkerød *(DK)* 199 E3
Birkfeld *(A)* 97 F3
Birmingham *(GB)* 32 D5
Birr *(IRL)* 24 D2
Biržai *(LT)* 205 F1
Birzebbuga *(M)* 114 C5
Bisaccia *(I)* 110 C3
Biscarrosse *(F)* 52 B1
Biscarrosse-Plage *(F)* 48 B5
Bisceglie *(I)* 111 E3
Bischofsgrün *(D)* 91 F3
Bischofsheim an der Rhön *(D)* 89 G1
Bischofshofen *(A)* 96 C3
Bischofswerda *(D)* 87 E4
Bischofswiesen *(D)* 96 B3
Bischofszell *(CH)* 99 F2
Bischwiller *(F)* 41 H5
Bisenti *(I)* 109 G1
Bishop Auckland *(GB)* 31 G4
Bishop's Castle *(GB)* 32 C5
Bishop's Stortford *(GB)* 36 C3
Bisignano *(I)* 113 B2
Bisko *(HR)* 138 B2
Biskupice Radłowskie *(PL)* 125 H1
Biskupiec (Iława) *(PL)* 118 B3
Biskupiec (Olsztyn) *(PL)* 118 D2
Biskupin *(PL)* 117 F5
Bismark *(D)* 86 A1
Bismo *(N)* 188 D2
Bispgården *(S)* 190 B1
Bispingen *(D)* 81 H5
Bistra *(BG)* 156 D2
Bistreţ *(RO)* 151 E5
Bistrica *(BG)* 158 B2
Bistrica *(MNE)* 139 G3
Bistrica *(SRB)* 139 G2
Bistrica ob Sotli *(SLO)* 134 D2
Bistriţa *(RO)* 147 G3
Bisztynek *(PL)* 118 D2
Bitburg *(D)* 88 B2
Bitche *(F)* 41 G5
Bitetto *(I)* 111 E3
Bitola *(MK)* 145 F2
Bitonto *(I)* 111 E3
Bitterfeld *(D)* 86 B3
Bitti *(I)* 112 C2
Bixad *(RO)* 148 B5
Bizau *(A)* 94 D4
Bizovac *(HR)* 137 G1
Bjal Izvor (Kărdžali) *(BG)* 162 D1
Bjal Izvor (Stara Zagora) *(BG)* 159 F3
Bjala (Ruse) *(BG)* 156 C2
Bjala (Sliven) *(BG)* 159 G1
Bjala (Varna) *(BG)* 157 F3
Bjala Reka *(BG)* 159 E3
Bjala Slatina / Бяла Слатина *(BG)* 155 E2
Bjaroza *(BY)* 6 C5
Bjästa *(S)* 184 C5
Bjelovar *(HR)* 135 F3
Bjerkreim *(N)* 194 B1
Bjerkvik *(N)* 176 A5
Bjerringbro *(DK)* 194 D5
Bjørkelangen *(N)* 189 F5
Björkliden *(S)* 180 A3
Björklinge *(S)* 190 C5
Björköby *(FIN)* 185 E5
Björksele *(S)* 184 C3
Bjorli *(N)* 188 D1
Björna *(S)* 184 C5
Björneborg / Pori *(FIN)* 191 F3
Bjørnevatn *(N)* 177 H3
Björsäter *(S)* 197 E3
Bjurholm *(S)* 184 D4
Bjursås *(S)* 190 A4
Bjuv *(S)* 199 E3
Blace *(SRB)* 143 E2
Blachownia *(PL)* 121 H5
Blackburn *(GB)* 32 D2
Blackpool *(GB)* 32 C2
Blackwater *(IRL)* 25 F3
Blackwaterfoot *(GB)* 23 H1
Blaenau Ffestiniog *(GB)* 32 B4
Blaenavon *(GB)* 35 E1
Blagaj *(BIH)* 138 D3
Blagnac *(F)* 53 F2
Blagoevgrad / Благоевград *(BG)* 158 B3
Blåhammaren *(S)* 183 E5
Blain *(F)* 43 F4
Blainville *(F)* 47 F1
Blair Atholl *(GB)* 29 F5
Blairgowrie *(GB)* 29 G5
Blaj *(RO)* 147 F5
Blakeney *(GB)* 33 H4
Blakstad *(N)* 194 D2
Blâmont *(F)* 47 F1
Blanca *(E)* 71 H3
Blândeşti *(RO)* 148 C2
Blandford Forum *(GB)* 38 B1
Blanes *(E)* 61 E3
Blangy-le-Château *(F)* 39 E5
Blangy-sur-Bresle *(F)* 39 G3
Blankenberge *(B)* 78 B1
Blankenburg *(D)* 86 A3
Blankenhain *(D)* 86 A5
Blankenheim *(D)* 88 B1
Blanquefort *(F)* 48 C4
Blansko *(CZ)* 93 E4
Blanzac *(F)* 48 D3
Blanzy *(F)* 50 C1
Blarney *(IRL)* 24 C4
Blăskovo *(BG)* 157 E3
Błaszki *(PL)* 121 G3
Blatec *(BG)* 159 G2
Blatná *(CZ)* 92 A4
Blatnica *(BIH)* 137 F4
Blato *(HR)* 138 C2
Blattniksele *(S)* 184 C2
Blaubeuren *(D)* 89 G5
Blaufelden *(D)* 89 G3
Blaustein *(D)* 89 G5
Blaye *(F)* 48 C4
Blaževo *(SRB)* 143 E2
Błażowa *(PL)* 127 F1
Bleckede *(D)* 82 C4
Bled *(SLO)* 134 B2
Bleiburg *(A)* 97 E5
Bleicherode *(D)* 85 H3
Bleik *(N)* 179 G1
Bléneau *(F)* 45 F3
Blénod *(F)* 41 E5
Blérancourt *(F)* 40 A4
Bléré *(F)* 44 C4
Blesle *(F)* 50 A4
Bletchley *(GB)* 35 H1
Bletterans *(F)* 47 E5
Blexen *(D)* 81 F4
Blieskastel *(D)* 88 C3
Bligny *(F)* 46 C5
Blinisht *(AL)* 144 C1
Blinja *(HR)* 135 E4
Bliznaci *(BG)* 157 F3
Bliznak *(BG)* 157 E5
Bloemendaal *(NL)* 76 D4
Blois *(F)* 44 D4
Blokhus *(DK)* 194 D4
Blomberg *(D)* 85 F2
Blönduós *(IS)* 178 B2
Błonie *(PL)* 122 D1
Blonville-sur-Mer *(F)* 38 D4
Blosenberg *(D)* 91 F2
Bloškapolica *(SLO)* 134 B3
Błotnowola *(PL)* 122 D5
Blovice *(CZ)* 91 H4
Bludenz *(A)* 94 D4
Blumberg (Schwarzwald-Baar) *(D)* 94 B3
Blumberg arnim) *(D)* 86 D1
Blyth *(GB)* 31 G3
Bø *(N)* 194 D1
Bø *(N)* 179 F2
Bo' Ness *(GB)* 30 D1
Boal *(E)* 57 E1
Boan *(MNE)* 139 G3
Boara Pisani *(I)* 103 E5
Bobbio *(I)* 105 E2
Bòbbio Pèllice *(I)* 100 B5
Bobigny *(F)* 39 H5
Bobingen *(D)* 89 H5
Böblingen *(D)* 89 F4
Boblitz *(D)* 87 E2
Bobolice *(PL)* 117 E3
Boboševo *(BG)* 158 A3
Boboszów *(PL)* 124 B1
Bobota *(RO)* 146 D2
Bobov dol *(BG)* 158 A2
Bobrovycja *(UA)* 13 F1
Bobrowniki *(PL)* 119 H4
Bobrynec' *(UA)* 13 G2
Bocac *(BIH)* 137 E4
Bocairent *(E)* 73 F1
Boceguillas *(E)* 58 C5
Bochnia *(PL)* 125 H1
Bocholt *(D)* 84 C2
Bochov *(CZ)* 91 G2
Bochum *(D)* 84 C3
Bockenem *(D)* 85 G2
Böckstein *(A)* 96 C4
Bockum-Hövel *(D)* 84 D3
Bocognano *(F)* 55 H4
Bocşa *(RO)* 150 C2
Bocsig *(RO)* 146 C4
Böda *(S)* 197 F4
Boda *(S)* 190 A4
Bodafors *(S)* 195 H4

Bodajk (H) 128 D 2
Bodani (SRB) 137 H 2
Bodegraven (NL) 76 D 5
Boden (S) 185 E 1
Bodenmais (D) 91 H 5
Bodenwerder (D) 85 G 2
Bodenwöhr (D) 91 F 4
Bodești (RO) 148 C 3
Bodman (D) 94 C 3
Bodmin (GB) 34 C 4
Bodø (N) 179 F 4
Bodrum (TR) 19 G 4
Bodzanów (PL) 118 C 5
Bodzanowice (PL) 121 H 4
Bodzentyn (PL) 122 D 4
Boecillo (E) 58 A 5
Boëge (F) 51 F 2
Boën-sur-Lignon (F) 50 B 3
Boeza (E) 57 F 3
Boffalora (I) 101 E 4
Bogádmindszent (H) 128 D 5
Bogarra (E) 71 G 2
Bogatić (SRB) 140 B 4
Bogatynia (PL) 120 B 4
Bogda (RO) 146 C 5
Bogdan (BG) 158 D 2
Bogdanci (BG) 156 D 2
Bogdanci (MK) 145 H 2
Bogdand (RO) 147 E 2
Bogdaniec (PL) 116 C 5
Bogë (AL) 142 C 4
Bogen (D) 91 G 5
Bogen (N) 176 A 5
Bogense (DK) 198 C 3
Bogetići (MNE) 139 F 4
Bognanco (I) 100 D 3
Bognor Regis (GB) 38 D 1
Bogodol (BIH) 138 D 2
Bogojevo (SRB) 137 H 2
Bogomila (MK) 145 F 1
Bogomolje (HR) 138 C 3
Bogorodica (MK) 145 H 2
Bogorovo (BG) 152 D 5
Bögöte (H) 128 C 3
Bogovina (SRB) 143 F 1
Boguszów Gorce (PL) 120 D 4
Bogutovac (SRB) 142 D 2
Bohain-
en-Vermandois (F) 40 A 3
Bohdanovce (SK) 133 G 3
Boherbue (IRL) 24 C 4
Bohinjska
Bistrica (SLO) 134 B 2
Böhlen (D) 86 C 4
Böhmenkirch (D) 89 G 5
Bohmte (D) 85 E 1
Bohoduchiv (UA) 7 H 5
Böhönye (H) 128 C 4
Bohot (BG) 156 A 2
Bohumín (CZ) 93 G 2
Bohuslav (UA) 13 F 1
Boiro (E) 56 B 3
Bois-d'Amont (F) 51 F 1
Boitzenburg (D) 83 F 4
Bóixols (E) 60 C 2
Boizenburg (D) 82 C 4
Bojadła (PL) 120 D 2
Bojano (I) 109 H 4
Bojanovo (BG) 159 G 2
Bojanów (PL) 123 E 5
Bojanowo (PL) 121 E 2
Bojčinovci (BG) 154 D 2
Bøjden (DK) 198 C 4
Bojkovice (CZ) 93 F 4
Bojnica (BG) 150 D 5
Bojnik (SRB) 143 F 3
Bol (HR) 138 B 2
Bøla (N) 183 E 4
Bolaños de Calatrava (E) 70 D 2
Bolbec (F) 39 E 4
Bolboși (RO) 151 E 3
Bolchov (RUS) 7 G 3
Boldești-Scăeni (RO) 152 B 3
Bolesław (PL) 122 D 5
Bolesławiec (PL) 120 C 3
Boleszkowice (PL) 116 B 5
Bolhrad (UA) 13 F 4
Boliden (S) 184 D 3
Bolintin-Vale (RO) 152 B 4
Boliqueime (P) 68 C 5
Boljanići (MNE) 139 G 2
Boljarci (BG) 159 E 3
Boljarovo (BG) 159 H 3
Boljarsko (BG) 159 G 2
Boljevac (SRB) 143 F 1
Boljevci (SRB) 140 C 4
Boljkovci (SRB) 139 H 1
Boljuni (BIH) 138 D 3
Bolkesjø (N) 188 D 5
Bolków (PL) 120 D 4
Bollebygd (S) 195 G 3
Bollène (F) 54 C 1
Bollnäs (S) 190 B 3
Bollstabruk (S) 190 C 1
Bollullos
de la Mitación (E) 69 G 5
Bollullos Par
del Condado (E) 69 F 5
Bolochovo (RUS) 7 G 3
Bologna (I) 106 D 1
Bologne (F) 46 D 2
Bologoje (RUS) 7 E 1
Bolotana (I) 112 C 2
Bolsena (I) 107 E 5
Bolsward (NL) 77 E 3
Boltaña (E) 60 A 2
Boltenhagen (D) 82 C 3
Bolton (GB) 32 D 2
Bolungarvík (IS) 178 A 1
Bóly (H) 129 E 5
Bolzano / Bozen (I) 102 D 2
Bombarral (P) 62 A 5
Bömenzien (D) 82 D 5
Boñar (E) 57 H 3
Bonar Bridge (GB) 29 E 2
Bonares (E) 69 F 5
Bonassola (I) 105 F 3
Bondeno (I) 102 D 5
Bonefro (I) 109 H 3
Bonete (E) 71 H 2
Bonifacio (F) 55 H 5
Bonn (D) 84 C 5
Bonnåsjøen (N) 179 G 4
Bonnat (F) 49 G 1
Bonndorf
im Schwarzwald (D) 94 B 3
Bonnétable (F) 44 B 2
Bonneuil-Matours (F) 49 E 1
Bonneval (F) 44 D 2
Bonneval-sur-Arc (F) 51 G 3
Bonneville (F) 51 F 2
Bonnières-sur-Seine (F) 39 G 5
Bonnieux (F) 54 D 2
Bonny-sur-Loire (F) 45 F 4
Bono (I) 112 C 2
Bonorva (I) 112 B 2
Bønsnes (N) 189 E 5
Bonțida (RO) 147 F 3
Bonyhád (H) 129 E 4
Boo (S) 197 G 1
Boom (B) 78 C 2
Boos (F) 39 F 4
Bootle (GB) 32 C 3
Bopfingen (D) 89 H 4
Boppard (D) 88 D 1
Bor (CZ) 91 G 3
Bor / Бор (SRB) 141 F 5
Borås (S) 195 G 3
Borăscu (RO) 151 E 3
Borba (P) 68 D 2
Borbona (I) 109 E 1
Borca (RO) 148 B 3
Borča (SRB) 140 D 4
Borcea (RO) 153 E 4
Borci (BIH) 139 E 2
Bordeaux (F) 48 C 5
Bordei Verde (RO) 152 D 2
Bordères-Louron (F) 52 D 4
Bordesholm (D) 81 H 3
Bordighera (I) 104 C 4
Bore (I) 105 F 2
Borek Wielkopolski (PL) 121 F 2
Borello (I) 107 E 2
Borensberg (S) 197 E 2
Borgå / Porvoo (FIN) 193 E 4
Borgafjäll (S) 183 G 3
Borgarfjörður (IS) 178 D 2
Borgarnes (IS) 178 A 2
Börger (D) 81 E 5
Borger (NL) 77 G 3
Borghetto (I) 108 D 2
Borghetto
Santo Spirito (I) 104 D 3
Borgholm (S) 197 F 5
Borgholzhausen (D) 85 E 2
Borghorst (D) 84 D 2
Borgia (I) 113 C 3
Borgo
San Dalmazzo (I) 104 B 3
Borgo San Lorenzo (I) 106 D 2
Borgo Tufico (I) 107 G 4
Borgo Val di Taro (I) 105 F 3
Borgo Valsugana (I) 102 D 3
Borgomanero (I) 100 D 3
Borgone Susa (I) 100 B 5
Borgonovo
Val Tidone (I) 101 F 5
Borgorose (I) 109 F 2
Borgosesia (I) 100 D 3
Borgsjö (S) 190 A 1
Borgvattnet (S) 183 H 5
Boričje (MNE) 139 F 3
Borino (BG) 162 B 1
Borja (E) 59 F 4
Borken (D) 84 C 2
Borkenes (Kvæfjord) (N) 179 G 2
Borki (PL) 122 D 5
Børkop (DK) 198 C 3
Borkum (D) 80 D 4
Borlänge (S) 190 A 4
Bormes-
les-Mimosas (F) 55 F 3
Bormio (I) 101 G 2
Born am Darß (D) 83 E 2
Borna (D) 86 C 4
Bornes (P) 63 E 1
Bornhöved (D) 81 H 3
Börnicke (D) 86 C 1
Bornos (E) 74 B 3
Borod (RO) 146 D 3
Boroșneu Mare (RO) 152 B 1
Boroughbridge (GB) 33 E 1
Borovan (BG) 155 E 2
Borovci (BG) 154 D 3
Borovec (BG) 158 B 2
Boroviči (RUS) 7 E 1
Borovnica (SLO) 134 B 3
Borovo (BG) 156 C 2
Borovo (HR) 137 H 2
Borovsk (RUS) 7 G 2
Borre (N) 195 E 1
Borriana (E) 66 A 2
Borriol (E) 66 A 2
Borris (IRL) 25 F 3
Borrisokane (IRL) 24 D 2
Borș (RO) 146 C 3
Borșa (RO) 147 G 2
Borsec (RO) 148 A 3
Børselv (N) 177 E 2
Borsfa (H) 128 B 4
Borsh (AL) 144 C 5
Bórsio (GR) 164 D 4
Borský Mikuláš (SK) 132 A 3
Bort-les-Orgues (F) 49 H 3
Börtnan (S) 189 H 1
Boryspil' (UA) 13 F 1
Borzna (UA) 7 F 5
Borzonasca (I) 105 E 3
Bosa (I) 112 B 2
Bosanci (HR) 134 D 4
Bosanci (RO) 148 B 2
Bosanska Dubica /
Kosarska Dubica (BIH) 135 F 4
Bosanska Gradiška /
Gradiška (BIH) 135 G 4
Bosanska
Kostajnica (BIH) 135 F 4
Bosanska Krupa (BIH) 135 E 5
Bosanska Rača (BIH) 137 H 3
Bosanski (BIH) 135 G 5
Bosanski Brod /
Srpski Brod (BIH) 135 H 4
Bosanski Novi /
Novi Grad (BIH) 135 E 5
Bosanski
Petrovac (BIH) 136 D 4
Bosanski Šamac /
Šamac (BIH) 137 G 3
Bosansko
Grahovo (BIH) 136 D 5
Bosansko
Petrovo Selo (BIH) 137 G 4
Bősárkány (H) 128 C 1
Bosco (I) 107 F 4
Bosco Chiesanuova (I) 101 H 4
Bosilegrad (SRB) 143 G 4
Bosiljevo (HR) 134 D 4
Boskoop (NL) 76 D 5
Boskovice (CZ) 93 E 4
Bošnjace (SRB) 143 F 3
Bošnjaci (HR) 137 H 3
Bossolasco (I) 104 C 2
Bossòst (E) 60 B 1
Boštanj (SLO) 134 D 2
Boston (GB) 33 G 4
Bošulja (BG) 158 C 2
Bőszénfa (H) 128 D 4
Boțești (Pitești) (RO) 151 H 2
Boțești (Vaslui) (RO) 149 E 4
Botevgrad /
Ботевград (BG) 158 C 1
Bothel (GB) 31 E 4
Boticas (P) 56 D 5
Botiza (RO) 147 G 2
Botley (GB) 38 C 1
Botngård (N) 182 D 4
Botoroaga (RO) 152 A 4
Botoš (SRB) 140 D 3
Botoșani (RO) 148 C 2
Botsmark (S) 184 D 4
Bottrop (D) 84 C 3
Botun (MK) 145 E 2
Bouaye (F) 43 F 5
Boucau (F) 52 A 2
Bouchain (F) 40 A 2
Boudry (CH) 98 B 3
Bouillon (B) 78 D 5
Bouilly (F) 45 H 2
Boulay-Moselle (F) 41 F 5
Boulogne-sur-Gesse (F) 53 E 3
Boulogne-sur-Mer (F) 39 G 1
Bouloire (F) 44 C 3
Bourbon-Lancy (F) 50 B 1
Bourbon-
l'Archambault (F) 50 A 1
Bourbonne-
les-Bains (F) 47 E 3
Bourbourg (F) 39 H 1
Bourbriac (F) 42 D 1
Bourdeaux (F) 50 D 5
Bourdeilles (F) 49 E 4
Bourg (F) 48 C 4
Bourg-Achard (F) 39 F 4
Bourg-Argental (F) 50 C 4
Bourg-de-Péage (F) 50 D 4
Bourg-de-Visa (F) 53 E 1
Bourg-en-Bresse (F) 50 D 2
Bourg-Lastic (F) 49 H 3
Bourg-Madame (F) 53 G 5
Bourg-Saint-Andéol (F) 54 C 1
Bourg-Saint-Maurice (F) 51 G 3
Bourganeuf (F) 49 G 2
Bourges (F) 45 E 5
Bourgneuf-en-Retz (F) 43 E 5
Bourgoin-Jallieu (F) 50 D 3
Bourgueil (F) 44 B 4
Bourmont (F) 47 E 2
Bourne (GB) 33 F 4
Bournemouth (GB) 38 B 1
Bouro (P) 56 C 5
Boussac (F) 49 H 1
Boussens (F) 53 E 3
Bouxwiller (F) 41 G 5
Bouzonville (F) 41 F 4
Bova Marina (I) 115 H 2
Bovalino Marina (I) 115 H 2
Bovan (SRB) 143 F 2
Bovec (SLO) 134 A 2
Bóveda (E) 56 D 3
Bøverdal (N) 188 D 2
Boves (F) 39 H 3
Boves (I) 104 B 3
Bovey Tracey (GB) 34 D 4
Bovolone (I) 101 H 5
Bowes (GB) 31 F 5
Bowness-
on-Solway (GB) 31 E 4
Bowness-on-
Windermere (GB) 31 E 5
Boxholm (S) 196 D 3
Boxmeer (NL) 79 F 1
Boxtel (NL) 79 E 1
Boyle (IRL) 22 D 4
Božaj (MNE) 139 G 5
Božava (HR) 136 A 5
Bozdoğan (TR) 19 H 3
Bozel (F) 51 G 3
Bozen / Bolzano (I) 102 D 2
Boží dar (CZ) 91 G 2
Božica (SRB) 143 G 4
Bozouls (F) 53 H 1
Bozovici (RO) 150 C 3
Božurište (BG) 158 B 1
Bozüyük (TR) 19 H 2
Bozvelijsko (BG) 157 F 3
Bozzolo (I) 101 G 5
Bra (I) 104 C 2
Brabova (RO) 151 E 4
Bracadale (GB) 28 C 3
Bracciano (I) 108 D 2
Bračevci (HR) 135 H 4
Brachlewo (PL) 117 H 3
Bracieux (F) 44 D 4
Bracigovo (BG) 158 D 3
Bräcke (S) 190 A 1
Brackenheim (D) 89 F 4
Brackley (GB) 35 H 1
Bracknell (GB) 35 H 2
Brackwede (D) 85 E 2
Brad (RO) 146 D 5
Bradashesh (AL) 144 C 2
Brădeanu (RO) 152 C 3
Bradford (GB) 33 E 2
Bradford-on-Avon (GB) 35 F 2
Bradina (BIH) 139 E 1
Brading (GB) 38 C 1
Bradvari (BG) 152 D 5
Bradwell-on-Sea (GB) 36 D 3
Braemar (GB) 29 F 4
Braga (P) 56 B 5
Bragadiru
(Alexandria) (RO) 152 A 5
Bragadiru
(București) (RO) 152 B 4
Bragança (P) 57 E 5
Brahestad /
Raahe (FIN) 185 G 3
Brăila (RO) 153 E 2
Braine (F) 40 B 4
Braine-le-Comte (B) 78 C 3
Braintree (GB) 36 D 3
Brake (D) 81 F 4
Brakel (D) 85 F 3
Bräkne-Hoby (S) 199 G 2
Brallo di Pregola (I) 105 E 2
Brálos (GR) 165 F 3
Bramming (DK) 198 B 3
Brampton (GB) 31 E 4
Bramsche (D) 84 D 1
Bran (RO) 151 H 1
Brancaleone Marina (I) 115 H 2
Brancion (F) 50 D 1
Brand (A) 94 D 4
Brand-Erbisdorf (D) 86 D 5
Brandbu (N) 189 E 4
Brande (DK) 198 B 2
Brande-
Hörnerkirchen (D) 81 H 3
Brandenburg (D) 86 C 1
Brandis (D) 86 C 4
Brändo (FIN) 191 E 4
Brandon (GB) 33 H 5
Brănești (RO) 152 C 4
Branice (PL) 124 D 1
Braničevo (SRB) 141 F 4
Branne (F) 48 D 5
Brañosera (E) 58 A 2
Brańsk (PL) 119 G 5
Br'ansk (RUS) 7 F 4
Brańszczyk (PL) 119 E 5
Brantôme-
en-Périgord (F) 49 E 4
Braskereidfoss (N) 189 F 4
Braslaŭ (BY) 6 D 3
Brașov (RO) 152 A 1
Brassac (F) 53 H 2
Brassac-les-Mines (F) 50 A 3
Brasschaat (B) 78 D 1
Bratislava (SK) 132 A 4
Bratja Daskalovi (BG) 159 E 2
Bratovoești (RO) 151 F 4
Brattvåg (N) 188 C 1
Bratunac (BIH) 140 B 5
Braubach (D) 88 D 1
Braunau am Inn (A) 96 B 2
Braunfels (D) 85 E 5
Braunlage (D) 85 H 3
Braunsbedra (D) 86 B 4
Braunschweig (D) 85 H 2
Braunton (GB) 34 D 3
Bravães (P) 56 B 5
Bravuogn / Bergün 99 G 3
Bray (F) 39 H 3
Bray / Bré (IRL) 25 G 2
Bray-Dunes (F) 39 H 1
Bray-sur-Seine (F) 45 G 2
Brazatortas (E) 70 C 2
Brbinj (HR) 136 B 5
Brčko (BIH) 137 H 3
Brđani (SRB) 139 H 1
Bré / Bray (IRL) 25 G 2
Brea de Aragón (E) 59 F 5
Breasta (RO) 151 F 4
Breaza (RO) 152 A 2
Brebeni (RO) 151 G 4
Brebu Nou (RO) 150 C 2
Brécey (F) 43 G 1
Brechin (GB) 29 G 5
Brecht (B) 78 D 1
Břeclav (CZ) 93 E 5
Brecon (GB) 35 E 1
Breda (E) 61 E 3
Breda (NL) 78 D 1
Bredbyn (S) 184 C 5
Bredelar (D) 85 F 3
Bredstedt (D) 81 G 2
Bree (B) 79 E 2
Breganze (I) 103 E 4
Bregenz (A) 94 D 3
Bregovo (BG) 150 D 4
Bréhal (F) 38 B 5
Brehna (D) 86 B 3
Breiðdalsvík (IS) 178 D 2
Breil-sur-Roya (F) 55 H 1
Breisach am Rhein (D) 94 A 2
Breitengüßbach (D) 89 H 2
Breitungen (D) 85 H 5
Breivikbotn (N) 176 D 2
Brekke (N) 188 B 3
Brekken (N) 189 G 1
Brekkvasselv (N) 183 F 3
Brekstad (N) 182 C 4
Brela (HR) 138 C 2
Bremen (D) 81 G 5
Bremerhaven (D) 81 F 4
Bremervörde (D) 81 G 4
Bremsnes (N) 182 B 5
Brenes (E) 69 G 5
Brenica (BG) 155 E 2
Brennilis (F) 42 C 2
Breno (I) 101 G 3
Brénod (F) 51 E 2
Brentwood (GB) 36 D 4
Brescia (I) 101 G 4
Breskens (NL) 78 B 1
Bresles (F) 39 H 4

A B C D E F G H I J K L M N O P Q R S T U V W X Y Z

Bressanone / Brixen *(I)* 103 E1
Bressuire *(F)* 43 H5
Brest *(BY)* 12 C1
Brest *(F)* 42 B2
Brestanica *(SLO)* 134 D2
Brestovac *(SRB)* 143 F3
Brestovac *(SRB)* 141 F5
Brestovac *(SRB)* 143 F3
Brestovac (Rijeka) *(HR)* 134 B4
Brestovac (Slavonski Brod) *(HR)* 135 G4
Brestovačka Banja *(SRB)* 141 F5
Brestovene *(BG)* 152 C5
Brestovo *(BG)* 159 E1
Breţcu *(RO)* 148 B5
Bretenoux *(F)* 49 G5
Breteuil *(F)* 39 H4
Breteuil-sur-Iton *(F)* 44 C1
Bretten *(D)* 89 E4
Breuil Cervinia *(I)* 100 C3
Breum *(DK)* 194 D5
Brevik *(N)* 195 E1
Breza *(BIH)* 137 G5
Brežđe *(SRB)* 140 C5
Brežice *(SLO)* 134 D3
Brezna *(SRB)* 142 D2
Breznica *(HR)* 135 E2
Breznica Đakovačka *(HR)* 135 H4
Březnice *(CZ)* 92 A4
Breznik *(BG)* 158 A1
Brezno *(SK)* 132 D3
Brezoi *(RO)* 151 G2
Brezolles *(F)* 44 C1
Brezová pod Bradlom *(SK)* 132 A3
Brezovica *(SRB)* 143 E5
Brezovo *(BG)* 159 E2
Brezovo Polje *(BIH)* 137 H3
Briançon *(F)* 51 G4
Briare *(F)* 45 F4
Bribirske Mostine *(HR)* 136 C5
Bricquebec-en-Cotentin *(F)* 38 B4
Brides-les-Bains *(F)* 51 F3
Bridge of Allan *(GB)* 30 D1
Bridgend / Pen-y-bont *(GB)* 34 D2
Bridgend (Islay) *(GB)* 30 A2
Bridgnorth *(GB)* 32 D5
Bridgwater *(GB)* 35 E3
Bridlington *(GB)* 33 G1
Bridport *(GB)* 38 A1
Brie-Comte-Robert *(F)* 45 F1
Briec *(F)* 42 B2
Brielle *(NL)* 76 C5
Brienne-le-Château *(F)* 46 C2
Brienon *(F)* 45 G3
Brienz *(CH)* 98 D3
Brienza *(I)* 110 C4
Briey *(F)* 41 E4
Brig *(CH)* 98 D4
Brigg *(GB)* 33 F2
Brighouse *(GB)* 33 E2
Brightlingsea *(GB)* 37 E3
Brighton *(GB)* 38 D1
Brignogan-Plages *(F)* 42 B1
Brignoles *(F)* 55 F3
Brihuega *(E)* 64 D2
Briksdal *(N)* 188 C2
Brilon *(D)* 85 E4
Brinches *(P)* 68 D3
Brindisi *(I)* 111 G4
Brinon-sur-Beuvron *(F)* 45 G4
Brioni *(HR)* 134 A5
Brionne *(F)* 39 E5
Brioude *(F)* 50 A4
Brioux-sur-Boutonne *(F)* 48 D2
Briouze *(F)* 43 H1
Brisighella *(I)* 107 E2
Brissac-Quincé *(F)* 43 H4
Brissago *(CH)* 99 E5
Bristol *(GB)* 35 F2
Brive-la-Gaillarde *(F)* 49 G4
Briviesca *(E)* 58 C3
Brixen / Bressanone *(I)* 103 E1
Brixham *(GB)* 35 E4
Brixlegg *(A)* 95 G3
Brjagovo *(BG)* 163 E1
Brjanslækur *(IS)* 178 A2
Brka *(BIH)* 137 H3
Brna *(HR)* 138 C3
Brnaze *(HR)* 138 B2
Brno *(CZ)* 93 E4
Bro *(S)* 197 F1
Broadford *(GB)* 28 C4
Broadford *(IRL)* 24 C2
Broadstairs *(GB)* 37 E4
Broadway *(GB)* 35 G1
Broager *(DK)* 198 C4
Broby *(S)* 199 F2
Brocēni *(LV)* 202 B3
Brod *(BIH)* 139 F2
Brod na Kupi *(HR)* 134 C4
Brod Prizrenski *(SRB)* 142 D5
Brodarevo *(SRB)* 139 G3
Brodica *(SRB)* 141 F4
Brodick *(GB)* 30 B2
Brodnica *(PL)* 118 B4
Brodowe Łąki *(PL)* 119 E4
Brody *(UA)* 12 D2
Brody (Starachowice) *(PL)* 122 D4
Brody (Zielona Gora) *(PL)* 120 B2
Broglie *(F)* 39 E5
Brohl-Lützing *(D)* 84 C5
Brok *(PL)* 119 F5
Brolo *(I)* 115 F2
Bromarv *(FIN)* 191 G5
Brome *(D)* 85 H1
Bromölla *(S)* 199 G3
Bromsgrove *(GB)* 32 D5
Bromyard *(GB)* 32 D5
Bronchales *(E)* 65 F2
Brønderslev *(DK)* 194 D4
Broni *(I)* 101 E5
Brønnøysund *(N)* 183 E2
Brøns *(DK)* 198 B4
Bronte *(I)* 115 F3
Bronzani Majdan *(BIH)* 135 F5
Broons *(F)* 43 E2
Brora *(GB)* 26 A5
Brösarp *(S)* 199 F3
Brossac *(F)* 48 D4
Brøstadbotn *(N)* 176 A4
Broşteni (Drobeta-Turnu Severin) *(RO)* 151 E3
Broşteni (Suceava) *(RO)* 148 A3
Broto *(E)* 59 H2
Brotton *(GB)* 31 H4
Brøttum *(N)* 189 F3
Brou *(F)* 50 D2
Brou *(F)* 44 D2
Brouage *(F)* 48 C2
Brough *(GB)* 31 F5
Broughshane *(GB)* 23 G2
Broughton-in-Furness *(GB)* 31 E5
Broumov *(CZ)* 87 H5
Brovst *(DK)* 194 D4
Brownhills *(GB)* 32 D4
Brozas *(E)* 63 E5
Bruay-la-Buissière *(F)* 39 H2
Bruay-sur-l'Escaut *(F)* 40 A2
Bruchsal *(D)* 89 E4
Brück *(D)* 86 C2
Bruck an der Großglocknerstraße *(A)* 96 B4
Bruck an der Leitha *(A)* 97 H2
Bruck an der Mur *(A)* 97 F3
Bruck in der Oberpfalz *(D)* 91 F4
Brückl *(A)* 97 E5
Bruckmühl *(D)* 95 G2
Brudzeń Duży *(PL)* 118 B5
Brüel *(D)* 82 D3
Bruës *(E)* 56 C3
Brugg *(CH)* 99 E2
Brügge *(D)* 84 D4
Brugge (Bruges) *(B)* 78 B1
Brühl *(D)* 84 C5
Bruksvallarna *(S)* 189 G1
Brûlon *(F)* 43 H3
Brumath *(F)* 41 H5
Brummen *(NL)* 77 F5
Brumov *(CZ)* 93 G4
Brumunddal *(N)* 189 F4
Bruneck / Brunico 103 E1
Brunete *(E)* 64 B3
Brunflo *(S)* 190 A1
Brunico / Bruneck *(I)* 103 E1
Bruniquel *(F)* 53 F1
Brunkeberg *(N)* 188 D5
Brunnen *(CH)* 99 E3
Brunsbüttel *(D)* 81 G3
Brunssum *(NL)* 79 F2
Bruntál *(CZ)* 93 F2
Brus *(SRB)* 143 E2
Brusand *(N)* 194 A1
Brušane *(HR)* 136 B4
Brusarci *(BG)* 151 E5
Brusasco *(I)* 100 C5
Brusnik *(SRB)* 141 G5
Brusno *(SK)* 132 D3
Brussel / Bruxelles 78 C2
Brusson *(I)* 100 C3
Brüssow *(D)* 83 G4
Brusturi *(RO)* 146 D3
Brusy *(PL)* 117 F3
Bruton *(GB)* 35 F3
Bruvno *(HR)* 136 C4
Bruxelles / Brussel *(B)* 78 C2
Bruyères *(F)* 47 F2
Brwinów *(PL)* 122 D1
Bryne *(N)* 194 A1
Brynmawr *(GB)* 35 E1
Brza Palanka *(SRB)* 141 G4
Brzan *(SRB)* 141 E5
Brzeće *(SRB)* 143 E2
Brzeg *(PL)* 121 F4
Brzeg Dolny *(PL)* 121 E3
Brześć Kujawski *(PL)* 118 B5
Brzesko *(PL)* 125 H1
Brzeszcze *(PL)* 125 F1
Brzeziny *(PL)* 122 B2
Brzostek *(PL)* 127 E1
Brzozów *(PL)* 127 F2
Buarcos *(P)* 62 B3
Buavåg *(N)* 188 A5
Bubry *(F)* 42 D3
Bučač *(UA)* 12 D2
Buccheri *(I)* 115 F4
Bucchianico *(I)* 109 G2
Bucecea *(RO)* 148 C1
Buchen *(D)* 89 F3
Buchenwald *(D)* 86 A4
Buchholz in der Nordheide *(D)* 81 H4
Buchloe *(D)* 95 F2
Buchlovice *(CZ)* 93 F4
Buchs *(CH)* 99 F2
Buchy *(F)* 39 F4
Bučin Prohod *(BG)* 158 B1
Bucine *(I)* 106 D4
Bucinişu *(RO)* 151 G5
Buciumi *(RO)* 147 E3
Bučje *(SRB)* 143 G1
Bückeburg *(D)* 85 F2
Buckfastleigh *(GB)* 34 D4
Buckhaven *(GB)* 31 E1
Buckie *(GB)* 29 G3
Buckingham *(GB)* 35 H1
Buckow *(D)* 87 E1
Bückwitz *(D)* 83 E5
Bučovice *(CZ)* 93 E4
Bucsa *(H)* 130 D2
Bucsu *(H)* 128 B2
Bucureşti *(RO)* 152 B4
Bud *(N)* 182 A5
Buda *(RO)* 152 C1
Budakeszi *(H)* 129 E2
Budaörs *(H)* 129 E2
Budapest *(H)* 129 F2
Búðardalur *(IS)* 178 A2
Buddusò *(I)* 112 C2
Bude *(GB)* 34 C3
Büdelsdorf *(D)* 81 H2
Budeşti *(RO)* 152 C4
Budimlić Japra *(BIH)* 135 E5
Büdingen *(D)* 89 F1
Budinšćina *(HR)* 135 E2
Búðir *(IS)* 178 A2
Budleigh Salterton *(GB)* 35 E4
Budrio *(I)* 106 D1
Budureasa *(RO)* 146 D4
Budva *(MNE)* 139 F5
Budyně nad Ohří *(CZ)* 92 A2
Budziszów Wielki *(PL)* 121 E4
Budzyń *(PL)* 117 E5
Buenache de Alarcón *(E)* 65 E4
Buenavista de Valdavia *(E)* 58 A3
Buendía *(E)* 64 D3
Bueu *(E)* 56 B4
Buftea *(RO)* 152 B4
Bugac *(H)* 129 G3
Bugeat *(F)* 49 G3
Bugibba *(M)* 114 C5
Bugojno *(BIH)* 137 E5
Bugøynes *(N)* 177 G3
Bugyi *(H)* 129 F2
Bühl *(D)* 88 D4
Buhovci *(BG)* 156 D2
Buhuşi *(RO)* 148 C4
Builth Wells *(GB)* 32 B5
Buis-les-Baronnies *(F)* 54 D1
Buitrago del Lozoya *(E)* 64 C1
Bujalance *(E)* 70 C4
Bujanovac *(SRB)* 143 F4
Bujaraloz *(E)* 59 H5
Buje / Bcie *(HR)* 134 A4
Bujoru *(RO)* 152 A5
Bük *(H)* 128 B2
Buk *(PL)* 121 E1
Bukinje *(BIH)* 137 G4
Bükkösd *(H)* 128 D5
Bukova Gora *(BIH)* 138 C2
Bukovi *(SRB)* 139 H1
Bukowiec *(PL)* 127 F3
Bukowno *(PL)* 122 B5
Bülach *(CH)* 99 E1
Bulair *(BG)* 157 F3
Buldan *(TR)* 19 H3
Bulgnéville *(F)* 47 E2
Bullas *(E)* 71 H3
Bulle *(CH)* 98 C3
Büllingen *(B)* 79 F3
Bully *(F)* 39 H2
Bultei *(I)* 112 C2
Bumbeşti-Jiu *(RO)* 151 E2
Bun Dobhráin / Bundoran *(IRL)* 22 D3
Buna *(BIH)* 138 D3
Bunclody *(IRL)* 25 F3
Buncrana *(IRL)* 23 E1
Bunde *(D)* 81 E5
Bünde *(D)* 85 E2
Bundoran / Bun Dobhráin *(IRL)* 22 D3
Bunessan *(GB)* 30 A1
Bungay *(GB)* 37 E2
Bunić *(HR)* 134 D5
Bunmahon *(IRL)* 25 E4
Buñol *(E)* 65 H5
Buntingford *(GB)* 36 C3
Buñuel *(E)* 59 F4
Buonabitàcolo *(I)* 110 C5
Buonalbergo *(I)* 110 B3
Buonconvento *(I)* 106 D4
Buonfornello *(I)* 114 D3
Burbach *(D)* 84 D5
Burbáguena *(E)* 65 F1
Bureå *(S)* 185 E3
Burela *(E)* 56 D1
Büren *(D)* 85 E3
Buren *(NL)* 77 F2
Burfjord *(N)* 176 C3
Burford *(GB)* 35 G1
Burg *(D)* 86 B2
Burg auf Fehmarn *(D)* 82 C2
Burg Stargard *(D)* 83 F4
Burgas / Бургас *(BG)* 157 F4
Burgau *(D)* 89 H5
Burgbernheim *(D)* 89 H3
Burgdorf *(CH)* 98 D2
Burgdorf *(D)* 85 G1
Bürgel *(D)* 86 B5
Burgess Hill *(GB)* 38 D1
Burgete / Auritz *(E)* 59 F2
Burggrub *(D)* 91 E2
Burghasungen *(D)* 85 F4
Burghausen *(D)* 96 B2
Burgi *(E)* 59 G2
Burgjoß *(D)* 89 F1
Burgkunstadt *(D)* 91 E3
Burglengenfeld *(D)* 91 F5
Burgohondo *(E)* 64 A2
Burgos *(E)* 58 B3
Burgsinn *(D)* 89 G1
Burgstädt *(D)* 86 C5
Burgsteinfurt *(D)* 84 D2
Burgsvik *(S)* 197 G4
Burguillos del Cerro *(E)* 69 F3
Burgum *(NL)* 77 F2
Burgwedel *(D)* 85 G1
Burhaniye *(TR)* 19 G3
Burie *(F)* 48 D3
Burila Mare *(RO)* 150 D4
Burja *(BG)* 159 E1
Burjassot / Burjasot *(E)* 65 H4
Burkau *(D)* 87 E4
Burnham-on-Crouch *(GB)* 36 D4
Burnham-on-Sea *(GB)* 35 E2
Burnley *(GB)* 32 D2
Burntisland *(GB)* 31 E1
Buronzo *(I)* 100 D4
Burrel *(AL)* 144 C1
Burry Port *(GB)* 34 D2
Bursa *(TR)* 19 G2
Burscheid *(D)* 84 C4
Bürstadt *(D)* 89 E2
Burton-upon-Trent *(GB)* 33 E4
Burträsk *(S)* 185 E3
Burwick *(GB)* 26 B4
Bury *(GB)* 32 D2
Bury Saint Edmunds *(GB)* 33 H5
Busalla *(I)* 105 E2
Busca *(I)* 104 B2
Buševec *(HR)* 135 E3
Bushat *(AL)* 142 B5
Bushmills *(GB)* 23 F1
Busko-Zdrój *(PL)* 122 D5
Busovača *(BIH)* 137 F5
Bussang *(F)* 47 G3
Busseto *(I)* 101 F5
Bussière-Badil *(F)* 49 E3
Bussolengo *(I)* 101 H4
Bussum *(NL)* 77 E4
Buşteni *(RO)* 152 A2
Busto Arsizio *(I)* 101 E4
Busto de Bureba *(E)* 58 C3
Büsum *(D)* 81 G3
Butan *(BG)* 151 F5
Buteni *(RO)* 146 C4
Butera *(I)* 115 E4
Butjadingen-Burhave *(D)* 81 F4
Butoieşti *(RO)* 151 E3
Butovo *(BG)* 156 B2
Buttermere *(GB)* 31 E5
Buttevant *(IRL)* 24 C4
Buttstädt *(D)* 86 A4
Butzbach *(D)* 89 E1
Bützow *(D)* 82 D3
Buxtehude *(D)* 81 H4
Buxton *(GB)* 32 D3
Buxy *(F)* 50 C1
Buzançais *(F)* 44 D5
Buzancy *(F)* 40 D4
Buzău *(RO)* 152 C2
Buzescu *(RO)* 151 H5
Buzet / Pinguente *(HR)* 134 B4
Buziaş *(RO)* 150 C1
Bužim *(BIH)* 135 E5
Buzovgrad *(BG)* 159 E2
Bychaŭ *(BY)* 7 E4
Bychawa *(PL)* 123 F4
Byczyna *(PL)* 121 G4
Bydgoszcz *(PL)* 117 G4
Bygdeå *(S)* 185 E4
Bygdin *(N)* 188 D3
Bygdsiljum *(S)* 185 E4
Bygland *(N)* 194 C1
Byglandsfjord *(N)* 194 C2
Bykle *(N)* 188 C5
Bylderup-Bov *(DK)* 198 B4
Byrkjelo *(N)* 188 C2
Byske *(S)* 185 E3
Bystřice nad Pernštejnem *(CZ)* 92 D4
Bystřice pod Hostýnem *(CZ)* 93 F4
Bystrzyca Kłodzka *(PL)* 124 B1
Bytča *(SK)* 132 C2
Bytom *(PL)* 121 H5
Bytom Odrzański *(PL)* 120 D2
Bytów *(PL)* 117 F2
Byxelkrok *(S)* 197 F4

C

Cabañaquinta *(E)* 57 G2
Cabanes *(E)* 66 A2
Čabar *(HR)* 134 C3
Cabeceiras de Basto *(P)* 62 C1
Cabeço de Vide *(P)* 68 D1
Cabella Ligure *(I)* 105 E2
Cabeza del Buey *(E)* 69 H2
Cabezas Rubias *(E)* 69 E4
Cabezón de la Sal *(E)* 58 B1
Cabezón de Pisuerga *(E)* 58 A5
Cabezuela del Valle *(E)* 63 G4
Cabo de Gata *(E)* 72 C5
Cabourg *(F)* 38 D5
Cabra *(E)* 70 C5
Cabra del Sto Cristo *(E)* 71 E4
Cabras *(I)* 112 B3
Cabreiros *(E)* 56 D1
Cabrerets *(F)* 49 G5
Cabrillas *(E)* 63 F2
Cacabelos *(E)* 57 E3
Čačak / Чачак *(SRB)* 139 H1
Caccamo *(I)* 114 D3
Cacela Velha *(P)* 68 D5
Cáceres *(E)* 63 F5
Cachafeiro *(E)* 56 C3
Cachopo *(P)* 68 D5
Čačinci *(HR)* 135 H3
Cádabo (O Baleira) *(E)* 57 E2
Cadalso de los Vidrios *(E)* 64 A3
Cadaqués *(E)* 61 F2
Cadaval *(P)* 62 A5
Čađavica *(BIH)* 137 E4
Čadca *(SK)* 132 C1
Cadelbosco di Sopra *(I)* 105 G2
Cadenabbia *(I)* 101 E3
Cadenberge *(D)* 81 G3
Cadenet *(F)* 54 D2
Cádiar *(E)* 72 A5
Cadillac *(F)* 48 D5
Cadipietra / Steinhaus *(I)* 103 E1
Cádiz *(E)* 74 A4
Cadouin *(F)* 49 F5
Caen *(F)* 38 D5
Caerdydd / Cardiff *(GB)* 35 E2
Caerffili / Caerphilly *(GB)* 35 E2
Caerfyrddin / Carmarthen *(GB)* 34 C1
Caergybi / Holyhead *(GB)* 32 A3
Caernarfon *(GB)* 32 A3
Caerphilly / Caerffili *(GB)* 35 E2
Caersws *(GB)* 32 B5
Cafasan *(AL)* 144 D2
Cagli *(I)* 107 F3
Cagliari *(I)* 112 C5
Čaglin *(HR)* 135 H4
Cagnano Varano *(I)* 110 C1
Cagnes-sur-Mer *(F)* 55 G2
Caher *(IRL)* 24 D3
Cahersiveen *(IRL)* 24 A4
Cahors *(F)* 53 F1
Cahul *(MD)* 13 F4
Caianello *(I)* 109 G4
Caiazzo *(I)* 109 H4
Căinenii Mici *(RO)* 151 G1
Caión *(E)* 56 B1

Cairnryan (GB) 23 H 2
Cairo Montenotte (I) 104 D 3
Caiseal / Cashel (IRL) 24 D 3
Caisleán an Bharraigh / Castlebar (IRL) 22 C 4
Caistor (GB) 33 F 2
Cajarc (F) 53 G 1
Čajetina (SRB) 139 G 1
Čajniče (BIH) 139 F 2
Cajvana (RO) 148 B 2
Čakovec (HR) 135 E 2
Cakran (AL) 144 C 3
Çal (TR) 19 H 3
Cala en Porter (E) 67 H 2
Cala Gonone (I) 112 D 3
Cala Rajada (E) 67 G 2
Calabor (E) 57 E 5
Calaceite (E) 60 A 5
Calacuccia (F) 55 H 4
Calaf (E) 60 C 3
Calafat (RO) 151 E 5
Calafell (E) 60 C 4
Calafort Ros Láir / Rosslare Harbour (IRL) 25 F 4
Calahonda (E) 75 G 3
Calahorra (E) 59 E 3
Calais (F) 39 G 1
Calamocha (E) 65 G 1
Călan (RO) 151 E 1
Calañas (E) 69 E 4
Calanda (E) 65 H 1
Calangianus (I) 112 C 1
Calapica (BG) 158 D 3
Călărași (MD) 13 F 3
Călărași (RO) 152 D 4
Calasetta (I) 112 A 5
Calasparra (E) 71 H 3
Calatafimi (I) 114 C 3
Calatañazor (E) 58 D 5
Calatayud (E) 59 F 5
Calatorao (E) 59 F 5
Calau (D) 87 E 3
Calbe (D) 86 B 2
Calcena (E) 59 F 5
Caldaro / Kaltern (I) 101 H 2
Caldarola (I) 107 G 4
Caldas da Rainha (P) 62 A 5
Caldas de Reis (E) 56 B 3
Caldelas (P) 56 C 5
Caldelas das Taipas (P) 62 C 1
Caldes de Boí (E) 60 B 1
Caldes de Malavella (E) 61 E 3
Caldes de Montbui (E) 60 D 3
Caldirola (I) 105 E 2
Calella (E) 61 E 3
Calella de Palafrugell (E) 61 F 2
Calenzana (F) 55 G 3
Calera de León (E) 69 F 3
Calera y Chozas (E) 63 H 4
Caleruega (E) 58 C 4
Càlig (E) 66 A 1
Călimănești (RO) 151 G 2
Calitri (I) 110 C 3
Calizzano (I) 104 C 3
Callac (F) 42 C 2
Callan (IRL) 25 E 3
Callander (GB) 30 D 1
Callas (F) 55 F 2
Callington (GB) 34 C 4
Callosa de Segura (E) 73 E 3
Callosa d'En Sarrià (E) 66 A 5
Călmățuiu de Sus (RO) 151 H 5
Calmbach (D) 89 E 4
Calne (GB) 35 G 2
Călnic (RO) 151 E 2
Calolziocorte (I) 101 F 3
Calonge (E) 61 F 3
Calp (E) 66 A 5
Caltabellotta (I) 114 C 3
Caltagirone (I) 115 F 4
Caltanissetta (I) 115 E 4
Caltavuturo (I) 114 D 3
Călugăreni (București) (RO) 152 B 4
Călugăreni (Ploiești) (RO) 152 C 2
Caluso (I) 100 C 4
Calvi (F) 55 G 3
Calvörde (D) 86 A 1
Calw (D) 89 E 4
Calzada de Calatrava (E) 70 D 2
Calzada de Valdunciel (E) 63 G 2
Camaiore (I) 105 G 4
Camaleño (E) 58 A 1
Camăr (RO) 146 D 2
Camarasa (E) 60 B 3
Cămărașu (RO) 147 G 4
Camarena (E) 64 B 3
Camarès (F) 53 H 2
Camaret-sur-Mer (F) 42 B 2
Camarillas (E) 65 G 2
Camariñas (E) 56 A 2
Camarzana de Tera (E) 57 G 5
Camas (E) 69 G 5
Cambados (E) 56 B 3
Cambas (P) 62 C 4
Camberley (GB) 35 H 2
Cambil (E) 71 E 4
Cambo-les-Bains (F) 52 A 3
Camborne (GB) 34 B 5
Cambrai (F) 40 A 3
Cambremer (F) 38 D 5
Cambridge (GB) 33 G 5
Cambrils (E) 60 C 5
Camburg (D) 86 B 4
Camelford (GB) 34 C 4
Camerino (I) 107 G 4
Camigliatello Silano (I) 113 C 2
Caminha (P) 56 B 5
Caminomorisco (E) 63 F 3
Caminreal (E) 65 F 1
Camogli (I) 105 E 3
Campagna (I) 110 B 4
Campagne-lès-Hesdin (F) 39 G 2
Campan (F) 52 D 4
Campana (I) 113 C 2
Campanario (E) 69 H 2
Campanas (E) 59 F 2
Campaspero (E) 58 B 5
Campbeltown (GB) 23 H 1
Campello / El Campello (E) 73 F 2
Câmpeni (RO) 147 E 4
Campi Bisenzio (I) 105 H 4
Campi Salentina (I) 111 G 4
Câmpia Turzii (RO) 147 F 4
Campiglia Marittima (I) 106 C 4
Campillo de Altobuey (E) 65 F 4
Campillo de Aragón (E) 65 F 1
Campillo de Arenas (E) 70 D 5
Campillo de Llerena (E) 69 G 2
Campillos (E) 74 D 2
Câmpina (RO) 152 B 2
Campione (I) 101 E 3
Campitello Matese (I) 109 H 4
Campli (I) 107 H 5
Campo (E) 60 A 2
Campo da Feira (E) 56 C 2
Campo de Caso (E) 57 H 2
Campo de Criptana (E) 64 C 5
Campo del Hospital (E) 56 D 1
Campo di Giove (I) 109 G 2
Campo Ligure (I) 104 D 2
Campo Maior (P) 69 E 1
Campo Tures / Sand in Taufers (I) 103 E 1
Campobasso (I) 109 H 3
Campobello di Licata (I) 114 D 4
Campobello di Mazara (I) 114 B 3
Campodonico (I) 107 F 4
Campoformido (I) 103 G 3
Campogalliano (I) 105 H 2
Campomanes (E) 57 G 2
Campomarino (I) 110 B 1
Campora San Giovanni (I) 113 B 3
Camporrobles (E) 65 F 4
Campos (E) 67 F 3
Camposampiero (I) 103 E 4
Camprodon (E) 60 D 2
Câmpulung (RO) 151 H 2
Câmpulung Moldovenesc (RO) 148 A 2
Câmpuri (RO) 148 C 5
Camucia (I) 107 E 4
Camuñas (E) 64 C 5
Cañada de Benatanduz (E) 65 H 2
Çanakkale (TR) 19 F 2
Canal San Bovo (I) 103 E 3
Canales (E) 58 D 4
Canals (E) 73 F 1
Cañamero (E) 63 H 5
Canas de Senhorim (P) 62 C 3
Cañaveral (E) 63 F 5
Cañaveral de León (E) 69 F 3
Cañaveras (E) 65 E 3
Canazei (I) 103 E 2
Cancale (F) 43 F 1
Cancarix (E) 71 H 3
Cancon (F) 49 E 5
Candanchú (E) 59 H 2
Candás (E) 57 G 1
Candasnos (E) 60 A 4
Candé (F) 43 G 4
Candela (I) 110 C 3
Candelario (E) 63 G 3
Candeleda (E) 63 H 4
Candes-Saint-Martin (F) 43 H 4
Canelli (I) 104 D 2
Canero (E) 57 F 1
Canet de Mar (E) 61 E 3
Canet-Plage (F) 54 A 4
Cañete (E) 65 F 3
Cañete de las Torres (E) 70 C 4
Cañete la Real (E) 74 D 3
Canfranc-Estación (E) 59 H 2
Cangas (E) 56 B 4
Cangas de Onís (E) 57 H 2
Cangas del Narcea (E) 57 F 2
Canha (P) 68 B 2
Canicattì (I) 114 D 4
Canicattini Bagni (I) 115 G 5
Caniles (E) 71 F 5
Canino (I) 108 C 1
Canisy (F) 38 C 5
Cañizal (E) 63 H 1
Canjáyar (E) 72 B 5
Cannero Riviera (I) 100 D 3
Cannes (F) 55 G 2
Canneto (I) 105 G 5
Cannich (GB) 28 D 3
Cannobio (I) 100 D 3
Cannock (GB) 32 D 4
Canonbie (GB) 31 E 3
Canosa di Puglia (I) 110 D 3
Cansano (I) 109 G 2
Cantalapiedra (E) 63 H 2
Cantalejo (E) 64 B 1
Cantalpino (E) 63 H 2
Cantanhede (P) 62 B 3
Cantavieja (E) 65 H 2
Čantavir (SRB) 140 C 1
Canterbury (GB) 37 E 4
Cantillana (E) 69 G 4
Cantoira (I) 100 B 4
Cantoral (E) 58 A 2
Cantoria (E) 71 G 5
Cantù (I) 101 E 3
Canvey Island (GB) 36 D 4
Cany-Barville (F) 39 E 3
Caorle (I) 103 G 4
Caorso (I) 101 F 5
Cap Ferret (F) 48 B 5
Capaccio (I) 110 B 4
Capaci (I) 114 C 2
Capalbio (I) 108 C 1
Caparde (BIH) 137 H 4
Caparroso (E) 59 F 3
Căpățânenii Pământeni (RO) 151 G 2
Capbreton (F) 52 A 2
Capdenac-Gare (F) 49 G 5
Capel Curig (GB) 32 B 3
Capellades (E) 60 C 3
Capendu (F) 53 H 3
Capestang (F) 54 A 3
Capestrano (I) 109 F 2
Capileira (E) 72 A 5
Capistrello (I) 109 F 3
Čapljina (BIH) 138 D 3
Capmany (E) 61 E 1
Capo d'Orlando (I) 115 F 2
Capodistria / Koper (SLO) 134 A 3
Cappelle sul Tavo (I) 109 G 1
Cappoquin (IRL) 24 D 4
Capracotta (I) 109 G 3
Capri (I) 110 A 4
Capriati a Volturno (I) 109 G 4
Captieux (F) 52 C 1
Capua (I) 109 G 4
Capurso (I) 111 E 3
Capvern (F) 52 D 4
Car Kalojan / Цар Калоян (BG) 156 D 2
Cara Droma Rúisc / Carrick-on-Shannon (IRL) 22 D 4
Caracal (RO) 151 G 4
Caracuel de Calatrava (E) 70 D 2
Caraman (F) 53 G 3
Caramanico Terme (I) 109 G 2
Caramulo (P) 62 C 3
Caransebeș (RO) 150 D 1
Carantec (F) 42 C 1
Caraula (RO) 151 E 4
Caravaca de la Cruz (E) 71 H 3
Carbajales de Alba (E) 57 G 5
Carballiño (E) 56 C 4
Carballo (E) 56 B 2
Carbon-Blanc (F) 48 C 5
Carboneras (E) 72 C 5
Carboneras de Guadazaón (E) 65 F 4
Carbonero el Mayor (E) 64 A 1
Carbonia (I) 112 B 5
Carbonin / Schluderbach (I) 103 F 2
Carbonne (F) 53 F 3
Cărbunari (RO) 150 C 3
Carcaboso (E) 63 F 4
Carcabuey (E) 70 C 5
Carcagente / Carcaixent (E) 65 H 5
Carcaixent / Carcagente (E) 65 H 5
Carcans (F) 48 C 4
Carcans-Plage (F) 48 B 4
Carcare (I) 104 D 3
Carcassonne (F) 53 H 3
Carcastillo (E) 59 F 3
Carcès (F) 55 F 3
Čardak (BIH) 137 G 4
Cardedeu (E) 61 E 3
Cardeña (E) 70 C 3
Cardenete (E) 65 F 4
Cardiff / Caerdydd (GB) 35 E 2
Cardigan (GB) 34 C 1
Cardona (E) 60 C 3
Carei (RO) 146 D 1
Carentan (F) 38 C 4
Carev Brod (BG) 157 E 2
Carev Dvor (MK) 145 E 2
Carevdar (HR) 135 F 2
Carevec (BG) 156 B 2
Carevo (BG) 157 F 5
Čargan (BG) 159 G 2
Cargèse (F) 55 G 4
Carhaix-Plouguer (F) 42 C 2
Caria (P) 62 D 3
Cariati (I) 113 D 2
Carignan (F) 40 D 4
Carignano (I) 100 C 5
Carina (MK) 145 E 3
Cariñena (E) 59 G 5
Carini (I) 114 C 2
Cariño (E) 56 D 1
Carinola (I) 109 G 4
Carisio (I) 100 D 4
Cârjoaia (RO) 148 C 2
Carlet (E) 65 H 5
Cârlibaba (RO) 147 H 2
Carling (F) 41 F 5
Carlingford (IRL) 23 G 4
Carlisle (GB) 31 E 4
Carloforte (I) 112 A 5
Cârlogani (RO) 151 G 4
Carlow / Ceatharlach (IRL) 25 F 2
Carloway (GB) 28 B 1
Carluke (GB) 30 D 2
Carmagnola (I) 100 C 5
Carmarthen / Caerfyrddin (GB) 34 C 1
Carmaux (F) 53 G 1
Carmona (E) 69 H 5
Carna (IRL) 22 B 5
Carnac (F) 42 D 3
Carndonagh (IRL) 23 E 1
Carnew (IRL) 25 F 3
Carnforth (GB) 31 E 5
Carnia (I) 103 G 2
Carnikava (LV) 202 D 3
Carnlough (GB) 23 G 2
Carnon-Plage (F) 54 B 3
Carnota (E) 56 B 3
Carnoustie (GB) 29 G 5
Carnwath (GB) 30 D 2
Carolles (F) 43 F 1
Carovigno (I) 111 G 4
Carpaneto Piacentino (I) 101 F 5
Carpegna (I) 107 F 3
Carpen (RO) 151 E 4
Carpenedolo (I) 101 G 4
Carpentras (F) 54 D 1
Carpi (I) 105 H 2
Carpignano Sesia (I) 100 D 4
Carpineti (I) 105 G 3
Carpineto Romano (I) 109 E 3
Cărpiniș (RO) 150 B 1
Carpinone (I) 109 G 3
Carquefou (F) 43 F 4
Carqueiranne (F) 55 F 3
Carracedelo (E) 57 E 3
Carradale (GB) 30 B 2
Carral (E) 56 C 2
Carrapateira (P) 68 B 5
Carrara (I) 105 F 3
Carrascosa del Campo (E) 64 D 3
Carrazeda de Ansiães (P) 62 D 1
Carrazedo de Montenegro (P) 56 D 5
Carrbridge (GB) 29 E 4
Carregado (P) 68 B 1
Carregal do Sal (P) 62 C 3
Carreña (E) 58 A 1
Carrick-on-Shannon / Cara Droma Rúisc (IRL) 22 D 4
Carrick-on-Suir (IRL) 25 E 3
Carrickfergus (GB) 23 G 2
Carrickmacross (IRL) 23 F 4
Carrigart (IRL) 23 E 1
Carrió (E) 56 C 2
Carrión de Calatrava (E) 70 D 1
Carrión de los Condes (E) 58 A 3
Carrizo de la Ribera (E) 57 G 3
Carro (F) 54 D 3
Carrouges (F) 43 H 1
Carrowkeel (IRL) 23 F 1
Carrù (I) 104 C 2
Carry-le-Rouet (F) 54 D 3
Carsoli (I) 109 E 2
Cartagena (E) 73 E 4
Cártama (E) 74 D 3
Cartaxo (P) 68 B 1
Cartaya (E) 69 E 5
Carteret (F) 38 B 4
Cârțișoara (RO) 151 G 1
Carviçais (P) 63 E 1
Carvin (F) 40 A 2
Carvoeiro (P) 68 B 5
Casa Branca (P) 68 D 1
Casa Branca (P) 68 B 3
Casabermeja (E) 75 E 3
Casacalenda (I) 109 H 3
Casaio (E) 57 E 4
Casalarreina (E) 58 D 3
Casalbordino (I) 109 H 2
Casalbuttano (I) 101 F 5
Casale Monferrato (I) 100 D 5
Casale sul Sile (I) 103 F 4
Casalecchio di Reno (I) 105 H 3
Casalmaggiore (I) 101 G 5
Casalpusterlengo (I) 101 F 5
Casamassima (I) 111 E 3
Casamicciola Terme (I) 109 G 5
Casar de Cáceres (E) 63 F 5
Casarabonela (E) 74 D 3
Casarano (I) 111 H 5
Casares (E) 74 C 4
Casares de las Hurdes (E) 63 F 3
Casariche (E) 70 B 5
Casarsa (I) 103 G 3
Casas de Don Pedro (E) 69 H 1
Casas de Fernando Alonso (E) 65 E 5
Casas de Juan Núñez (E) 65 F 5
Casas de Luján (E) 64 D 4
Casas de Miravete (E) 63 G 5
Casas del Puerto (E) 72 D 2
Casas Ibáñez (E) 65 F 5
Casas Nuevas (E) 72 D 3
Casasimarro (E) 65 E 5
Casatejada (E) 63 G 4
Casavieja (E) 64 A 3
Cascais (P) 68 A 2
Cascante (E) 59 F 4
Cascia (I) 107 G 5
Casciana Terme (I) 105 G 5
Cascina (I) 105 G 4
Casei (I) 101 E 5
Caselle in Pittari (I) 110 C 5
Caselle Torinese (I) 100 C 5
Caserta (I) 109 G 4
Casetas (E) 59 G 4
Cashel / Caiseal (IRL) 24 D 3
Casicas del Río Segura (E) 71 F 3
Casillas de Coria (E) 63 E 4
Casimcea (RO) 153 F 3
Casina (I) 105 G 3
Casinos (E) 65 H 4
Čáslav (CZ) 92 C 3
Casnewydd / Newport (GB) 35 E 2
Casola in Lunigiana (I) 105 G 3
Casoli (I) 109 G 2
Casoria (I) 109 G 5
Caspe (E) 60 A 4
Cassà de la Selva (E) 61 E 3
Cassagnes-Bégonhès (F) 53 H 1
Cassano allo Ionio (I) 113 C 1
Cassano delle Murge (I) 111 E 3
Cassel (F) 39 H 1
Cassino (I) 109 G 4
Cassis (F) 55 E 3
Castalla (E) 73 E 1
Castanet-Tolosan (F) 53 F 3
Castanheira de Pêra (P) 62 C 4
Castasegna (CH) 99 F 4
Casteggio (I) 101 E 5
Castejón (E) 59 F 4
Castejón de Monegros (E) 59 H 5
Castejón de Sos (E) 60 A 1
Castejón de Valdejasa (E) 59 G 4
Castel del Monte (I) 109 F 2
Castel del Rio (I) 106 D 2
Castel di Sangro (I) 109 G 3
Castel Gandolfo (I) 109 E 3
Castel Madama (I) 109 E 3
Castel San Giovanni (I) 101 F 5
Castel San Lorenzo (I) 110 C 4
Castel San Pietro Terme (I) 106 D 1
Castel Volturno (I) 109 G 5
Castelbuono (I) 115 E 3
Casteldaccia (I) 114 D 2
Casteldelfino (I) 104 B 2
Castelfidardo (I) 107 G 4
Castelfiorentino (I) 105 H 5

Castelfranco Emilia (I) ... 105 H 2
Castelfranco in Miscano (I) ... 110 B 3
Castelfranco Veneto (I) ... 103 E 4
Casteljaloux (F) ... 52 D 1
Castell de Ferro (E) ... 75 G 3
Castellabate (I) ... 110 B 5
Castellammare del Golfo (I) ... 114 C 2
Castellammare di Stabia (I) ... 109 H 5
Castellamonte (I) ... 100 C 4
Castellana Grotte (I) ... 111 F 3
Castellane (F) ... 55 F 2
Castellaneta (I) ... 111 E 4
Castellar de la Muela (E) ... 65 F 2
Castellar de Santiago (E) ... 71 E 2
Castellar de Santisteban (E) ... 71 E 3
Castellar del Vallès (E) ... 60 D 3
Castell'Arquato (I) ... 101 F 5
Castelldans (E) ... 60 B 4
Castelldefels (E) ... 60 D 4
Castelleone (I) ... 101 F 4
Castellfollit de la Roca (E) ... 61 E 2
Castellina in Chianti (I) ... 105 H 5
CastellNedd / Neath (GB) ... 34 D 2
Castelló de la Plana / Castellón de la Plana (E) ... 66 A 2
Castelló de Rugat (E) ... 73 F 1
Castello del Lago (I) ... 109 H 4
Castelló d'Empúries (E) ... 61 F 2
Castello Tesino (I) ... 103 E 3
Castellolí (E) ... 60 D 3
Castellote (E) ... 65 H 1
Castellterçol (E) ... 60 D 3
Castelluccio (I) ... 107 G 5
Castelmassa (I) ... 101 H 5
Castelmauro (I) ... 109 H 3
Castelmoron-sur-Lot (F) ... 53 E 1
Castelnau-de-Médoc (F) ... 48 C 4
Castelnau-de-Montmiral (F) ... 53 G 2
Castelnau-Magnoac (F) ... 53 E 3
Castelnau-Montratier (F) ... 53 F 1
Castelnau-Rivière-Basse (F) ... 52 D 2
Castelnaudary (F) ... 53 G 3
Castelnovo ne' Monti (I) ... 105 G 3
Castelnuovo Berardenga (I) ... 106 D 4
Castelnuovo Bocca d'Adda (I) ... 101 F 5
Castelnuovo della Daunia (I) ... 110 B 2
Castelnuovo di Garfagnana (I) ... 105 G 3
Castelnuovo di Porto (I) ... 108 D 2
Castelnuovo Scrivia (I) ... 101 E 5
Castelo Branco (P) ... 62 D 4
Castelo de Paiva (P) ... 62 C 2
Castelo de Vide (P) ... 62 D 5
Castelraimondo (I) ... 107 G 4
Castelrotto (I) ... 103 E 2
Castelsardo (I) ... 112 B 1
Castelsarrasin (F) ... 53 F 1
Castelserás (E) ... 65 H 1
Casteltermini (I) ... 114 D 3
Castelvecchio Subequo (I) ... 109 F 2
Castelvetrano (I) ... 114 B 3
Castets (F) ... 52 B 2
Castiadas (I) ... 112 C 5
Castiglion Fiorentino (I) ... 107 E 4
Castiglioncello (I) ... 105 G 5
Castiglione d'Adda (I) ... 101 F 5
Castiglione dei Pepoli (I) ... 105 H 3
Castiglione del Lago (I) ... 107 E 4
Castiglione della Pescaia (I) ... 106 C 5
Castiglione delle Stiviere (I) ... 101 G 4
Castiglione in Teverina (I) ... 107 E 5
Castiglione Messer Marino (I) ... 109 H 3
Castiglione Olona (I) ... 101 E 3
Castilblanco (E) ... 70 B 1
Castilblanco de los Arroyos (E) ... 69 G 4
Castilleja del Campo (E) ... 69 F 5
Castilléjar (E) ... 71 F 4
Castillejo de Martín Viejo (E) ... 63 E 2
Castillo de Locubín (E) ... 70 D 5
Castillon-en-Couserans (F) ... 53 E 4
Castillon-la-Bataille (F) ... 48 D 5
Castillonnès (F) ... 49 E 5
Castilruiz (E) ... 59 E 4
Castions di Strada (I) ... 103 G 3
Castle Douglas (GB) ... 30 D 4
Castlebar / Caisleán an Bharraigh (IRL) ... 22 C 4
Castlebay (GB) ... 28 B 4
Castlebellingham (IRL) ... 23 F 4
Castleblayney (IRL) ... 23 F 4
Castlecomer (IRL) ... 25 E 2
Castledawson (GB) ... 23 F 2
Castlederg (GB) ... 23 E 2
Castledermot (IRL) ... 25 F 2
Castleford (GB) ... 33 E 2
Castleisland (IRL) ... 24 B 3
Castlemaine (IRL) ... 24 B 4
Castlepollard (IRL) ... 23 E 4
Castlerea (IRL) ... 22 D 4
Castlerock (GB) ... 23 F 1
Castleton (GB) ... 33 E 3
Castletown (Highland) (GB) ... 26 B 4
Castletown (Isle of Man) (GB) ... 32 A 1
Castletownbere (IRL) ... 24 A 5
Castlewellan (GB) ... 23 G 3
Castrejón de Trabancos (E) ... 63 H 1
Castres (F) ... 53 G 2
Castries (F) ... 54 B 2
Castril (E) ... 71 F 4
Castrillo de la Reina (E) ... 58 C 4
Castrillo de Villavega (E) ... 58 A 3
Castro (E) ... 56 D 2
Castro Daire (P) ... 62 C 2
Castro del Río (E) ... 70 C 4
Castro Marim (P) ... 68 D 5
Castro-Urdiales (E) ... 58 C 1
Castro Verde (P) ... 68 C 4
Castrocalbón (E) ... 57 G 4
Castrocaro Terme (I) ... 107 E 2
Castrocontrigo (E) ... 57 F 4
Castrojeriz (E) ... 58 B 3
Castromonte (E) ... 57 H 5
Castronuevo (E) ... 57 G 5
Castronuño (E) ... 63 H 1
Castrop-Rauxel (D) ... 84 C 3
Castropol (E) ... 57 E 1
Castroreale (I) ... 115 G 2
Castroreale Terme (I) ... 115 G 2
Castrotierra de Valmadrigal (E) ... 57 H 4
Castroverde (E) ... 56 D 2
Castroverde de Campos (E) ... 57 H 5
Castrovillari (I) ... 113 B 1
Castuera (E) ... 69 H 2
Catane (RO) ... 151 E 5
Catania (I) ... 115 G 3
Catanzaro (I) ... 113 C 3
Catanzaro Lido (I) ... 113 C 3
Cătcău (RO) ... 147 F 3
Catenanuova (I) ... 115 F 3
Čatež ob Savi (SLO) ... 134 D 3
Cathair na Mart / Westport (IRL) ... 22 B 4
Čatići (BIH) ... 137 G 5
Catignano (I) ... 109 G 2
Catoira (E) ... 56 B 3
Catral (E) ... 73 E 2
Cattenom (F) ... 41 E 4
Cattolica (I) ... 107 F 2
Catus (F) ... 49 F 5
Căuaş (RO) ... 146 D 2
Caudebec-en-Caux (F) ... 39 E 4
Caudete (E) ... 73 E 1
Caudiel (E) ... 65 H 3
Caudry (F) ... 40 A 3
Caulnes (F) ... 43 E 2
Caulonia (I) ... 113 C 4
Caumont-l'Éventé (F) ... 38 C 5
Caunes-Minervois (F) ... 53 H 3
Căuşeni (MD) ... 13 F 3
Caussade (F) ... 53 F 1
Cauterets (F) ... 52 C 4
Cava de' Tirreni (I) ... 109 H 5
Cavadineşti (RO) ... 149 E 5
Cavaglià (I) ... 100 C 4
Cavaillon (F) ... 54 D 2
Cavalaire-sur-Mer (F) ... 55 F 3
Cavalese (I) ... 102 D 2
Cavalière (F) ... 55 F 3
Cavan / An Cabhán (IRL) ... 23 E 4
Cavarzere (I) ... 103 E 5
Cavazzo Carnico (I) ... 103 G 2
Çavdarhisar (TR) ... 19 H 2
Cavezzo (I) ... 105 H 2
Cavnic (RO) ... 147 F 2
Cavo (I) ... 106 B 5
Cavour (I) ... 100 B 5
Cavtat (HR) ... 139 E 4
Čavusy (BY) ... 7 E 4
Cayeux-sur-Mer (F) ... 39 G 3
Caylus (F) ... 53 G 1
Cayres (F) ... 50 B 5
Cazalla de la Sierra (E) ... 69 G 4
Cazals (F) ... 49 F 5
Căzăneşti (RO) ... 152 D 3
Cazaubon (F) ... 52 D 2
Cazaux (F) ... 48 B 5
Cazères (F) ... 53 E 3
Cazin (BIH) ... 135 E 5
Čazma (HR) ... 135 F 3
Cazorla (E) ... 71 F 4
Cea (E) ... 56 C 3
Ceadîr-Lunga (MD) ... 13 F 4
Ceahlău (RO) ... 148 B 3
Ceatharlach / Carlow (IRL) ... 25 F 2
Cebolla (E) ... 64 A 4
Cebreros (E) ... 64 A 2
Ceccano (I) ... 109 F 3
Cece (H) ... 129 E 3
Čechov (RUS) ... 7 G 2
Čechtice (CZ) ... 92 B 3
Cecina (I) ... 105 G 5
Ceclavín (E) ... 63 E 4
Cedeira (E) ... 56 C 1
Cedillo (E) ... 62 D 5
Cedrillas (E) ... 65 G 2
Cedynia (PL) ... 116 B 5
Cefalù (I) ... 115 E 2
Cegléd (H) ... 129 G 2
Ceglie Messapica (I) ... 111 F 4
Čegrane (MK) ... 145 E 1
Cehegín (E) ... 71 H 3
Cehu Silvaniei (RO) ... 147 E 2
Čejč (CZ) ... 93 E 5
Čelákovice (CZ) ... 92 B 2
Celano (I) ... 109 F 2
Celanova (E) ... 56 C 4
Čelarevo (SRB) ... 140 B 3
Celaru (RO) ... 151 F 5
Čelebić (BIH) ... 136 D 5
Čelebići (BIH) ... 139 F 2
Čelić (BIH) ... 137 H 3
Čelinac (BIH) ... 135 G 5
Celje (SLO) ... 134 D 2
Cella (E) ... 65 G 2
Celldömölk (H) ... 128 C 2
Celle (D) ... 85 G 1
Celle Ligure (I) ... 104 D 3
Celles-sur-Belle (F) ... 48 D 2
Čelopeci (MK) ... 145 E 1
Celorico da Beira (P) ... 62 D 3
Celorico de Basto (P) ... 62 C 1
Čemerno (BIH) ... 139 F 3
Cencenighe Agordino (I) ... 103 E 2
Cenei (RO) ... 150 A 1
Cenicero (E) ... 58 D 3
Cenovo (BG) ... 156 C 2
Censeau (F) ... 47 F 5
Čenta (SRB) ... 140 D 3
Centelles (E) ... 60 D 3
Cento (I) ... 105 H 2
Centuripe (I) ... 115 F 3
Cepagatti (I) ... 109 G 2
Çepan (AL) ... 144 D 4
Čepelare (BG) ... 162 C 1
Čepin (HR) ... 137 G 2
Čepinci (BG) ... 162 C 2
Čepinski Martinci (HR) ... 137 G 2
Ceppo (I) ... 107 G 5
Ceprano (I) ... 109 F 3
Čeralije (HR) ... 135 G 3
Cerăt (RO) ... 151 F 5
Cerbăl (RO) ... 150 D 1
Cerbère (F) ... 54 A 5
Cercal (P) ... 68 B 4
Cercal (P) ... 68 B 1
Cercedilla (E) ... 64 B 2
Cerchiara di Calabria (I) ... 113 C 1
Cerdedo (E) ... 56 C 3
Cerdeira do Côa (P) ... 63 E 3
Cerea (I) ... 101 H 5
Čerenča (BG) ... 156 D 2
Čerepovo (BG) ... 159 G 3
Céres (I) ... 100 B 4
Čereševo (BG) ... 152 C 5
Ceresole Reale (I) ... 100 B 4
Céret (F) ... 53 H 5
Cerezo de Abajo (E) ... 64 C 1
Cerezo de Riotirón (E) ... 58 C 3
Cergy (F) ... 39 G 5
Cerignola (I) ... 110 D 3
Cérilly (F) ... 50 A 1
Cerisiers (F) ... 45 G 2
Cerisy-la-Salle (F) ... 38 C 5
Cerizay (F) ... 43 G 5
Čerkasy (UA) ... 13 G 1
Cerknica (SLO) ... 134 B 3
Cerkno (SLO) ... 134 B 2
Čerkovna (BG) ... 156 D 3
Cerkwica (PL) ... 116 C 2
Cerler (E) ... 60 A 1
Cermei (RO) ... 146 C 4
Cerna (HR) ... 137 G 2
Cerna (RO) ... 153 F 2
Černá v Pošumaví (CZ) ... 92 A 5
Čern'achovsk (RUS) ... 6 B 4
Cernăteşti (RO) ... 151 E 4
Cernavodă (RO) ... 153 E 4
Cernay (F) ... 47 G 3
Černi Osăm (BG) ... 158 D 1
Černičevo (BG) ... 163 E 2
Černihiv (UA) ... 7 F 5
Černik (HR) ... 135 G 4
Černivci (UA) ... 13 E 3
Cernobbio (I) ... 101 E 3
Černogorovo (BG) ... 158 D 2
Černolik (BG) ... 152 D 5
Černomorec (BG) ... 157 F 4
Černoočene (BG) ... 162 D 1
Cerova Korija (BG) ... 159 F 1
Cerovo (BG) ... 158 B 1
Cerreto Sannita (I) ... 109 H 4
Cerrigydrudion (GB) ... 32 B 4
Cërrik (AL) ... 144 C 2
Certaldo (I) ... 105 H 5
Certeju de Sus (RO) ... 147 E 5
Cervatos (E) ... 58 B 2
Cervatos de la Cueza (E) ... 58 A 3
Červen (BG) ... 162 C 1
Červen brjag / Червен бряг (BG) ... 155 E 3
Červena Voda (BG) ... 152 B 5
Červená Voda (CZ) ... 93 E 2
Červenci (BG) ... 157 E 2
Červený Kostelec (CZ) ... 87 H 5
Cervera (E) ... 60 C 3
Cervera de la Cañada (E) ... 59 F 5
Cervera de Pisuerga (E) ... 58 A 2
Cervera del Río Alhama (E) ... 59 E 4
Cerveteri (I) ... 108 D 2
Cervia (I) ... 107 F 2
Červień (BY) ... 6 D 4
Cervignano del Friuli (I) ... 103 G 3
Cervinara (I) ... 109 H 5
Cervione (F) ... 55 H 4
Cervo (E) ... 56 D 1
Červonohrad (UA) ... 12 D 2
Cesana Torinese (I) ... 100 A 5
Cesarica (HR) ... 136 B 4
Cesarò (I) ... 115 F 3
Cesena (I) ... 107 E 2
Cesenatico (I) ... 107 F 2
Cēsis (LV) ... 203 E 2
Česká Kamenice (CZ) ... 87 E 5
Česká Lípa (CZ) ... 87 F 5
Česká Skalice (CZ) ... 87 H 5
Česká Třebová (CZ) ... 92 D 2
České Budějovice (CZ) ... 92 B 5
České Velenice (CZ) ... 92 B 5
Český Brod (CZ) ... 92 B 2
Český Krumlov (CZ) ... 92 A 5
Český Těšín (CZ) ... 93 G 3
Çeşme (TR) ... 19 G 3
Cespedosa de Tormes (E) ... 63 G 3
Cessalto (I) ... 103 F 4
Čestimensko (BG) ... 152 D 5
Cesvaine (LV) ... 203 F 3
Cetate (RO) ... 151 E 4
Cetatea de Baltă (RO) ... 147 G 5
Cetina (E) ... 65 E 1
Cetinje (MNE) ... 139 F 4
Cetraro (I) ... 113 B 2
Ceuta (E) ... 74 C 5
Ceutí (E) ... 72 D 3
Ceva (I) ... 104 C 3
Cevico de la Torre (E) ... 58 A 4
Čevo (MNE) ... 139 F 4
Ceyrat (F) ... 50 A 3
Ceyzériat (F) ... 50 D 2
Chabanais (F) ... 49 E 2
Chabeuil (F) ... 50 D 5
Chablis (F) ... 45 G 3
Chabris (F) ... 44 D 4
Chagny (F) ... 46 D 5
Chailland (F) ... 43 G 2
Chaillé-les-Marais (F) ... 48 C 1
Chairóneia (GR) ... 165 G 3
Chalabre (F) ... 53 G 4
Chalais (F) ... 48 D 4
Chalamont (F) ... 50 D 2
Chalampé (F) ... 47 H 3
Chalandrítsa (GR) ... 165 E 4
Chalindrey (F) ... 46 D 3
Chalkeió (GR) ... 167 E 4
Chálki (Nótio Aigaío) (GR) ... 171 G 3
Chálki (Thessalía) (GR) ... 165 F 1
Chalkiádes (GR) ... 165 F 1
Chalkída / Χαλκίδα (GR) ... 165 H 3
Chalkidóna (GR) ... 161 F 3
Challans (F) ... 43 E 5
Challes-les-Eaux (F) ... 51 F 3
Chalon-sur-Saône (F) ... 46 D 5
Chalonnes-sur-Loire (F) ... 43 G 4
Châlons-en-Champagne (F) ... 40 C 5
Châlus (F) ... 49 F 3
Cham (D) ... 91 G 4
Chambéry (F) ... 51 E 3
Chambley (F) ... 41 E 5
Chambly (F) ... 39 H 5
Chambon-sur-Lac (F) ... 50 A 3
Chambon-sur-Voueize (F) ... 49 H 2
Chambord (F) ... 44 D 4
Chamonix-Mont-Blanc (F) ... 51 G 2
Champagnac-de-Belair (F) ... 49 E 3
Champagne-Mouton (F) ... 49 E 2
Champagnole (F) ... 47 E 5
Champdeniers-Saint-Denis (F) ... 48 D 1
Champeaux (F) ... 43 F 2
Champeix (F) ... 50 A 3
Champéry (CH) ... 98 B 4
Champex (CH) ... 98 C 5
Champlitte (F) ... 47 E 3
Champlon (B) ... 79 E 4
Champoluc (I) ... 100 C 3
Champorcher (I) ... 100 C 4
Champs-sur-Tarentaine (F) ... 49 H 4
Champtoceaux (F) ... 43 F 4
Chamrousse (F) ... 51 E 4
Chamusca (P) ... 62 B 5
Chanac (F) ... 54 A 1
Chanákia (GR) ... 164 D 5
Chanas (F) ... 50 D 4
Chandrás (GR) ... 173 F 4
Chandria (CY) ... 174 C 4
Chaniá / Χανιά (Kríti) (GR) ... 172 B 3
Chánia (Pelopónnisos) (GR) ... 168 D 3
Chánia (Thessalía) (GR) ... 165 G 1
Chaniótis (GR) ... 161 H 5
Chantada (E) ... 56 D 3
Chantelle (F) ... 50 A 2
Chantemerle (F) ... 51 G 4
Chantilly (F) ... 39 H 5
Chantonnay (F) ... 48 C 1
Chaource (F) ... 45 H 3
Chapel-en-le-Frith (GB) ... 32 D 3
Chapinería (E) ... 64 B 3
Charavgí (GR) ... 161 E 4
Charbonnières (F) ... 50 D 3
Chard (GB) ... 35 E 3
Charenton-du-Cher (F) ... 49 H 1
Charkeia (CY) ... 175 E 2
Charkiv (UA) ... 7 H 5
Charleroi (B) ... 78 C 3
Charlestown (IRL) ... 22 C 4
Charleville (IRL) ... 24 C 3
Charleville-Mézières (F) ... 40 C 3
Charlieu (F) ... 50 C 2
Charlottenberg (S) ... 189 G 5
Charly-sur-Marne (F) ... 40 A 5
Charmes (F) ... 47 F 2
Charny-Orée de Puisaye (F) ... 45 F 3
Charny-sur-Meuse (F) ... 40 D 5
Charokopeió (GR) ... 168 C 3
Charolles (F) ... 50 C 1
Chârost (F) ... 45 E 5
Charquemont (F) ... 47 G 4
Charroux (F) ... 49 E 2
Chartres (F) ... 44 D 2
Chasseneuil-sur-Bonnieure (F) ... 49 E 3
Château-Arnoux-Saint-Auban (F) ... 55 E 1
Château-Chinon (F) ... 45 H 5
Château-d'Oex (CH) ... 98 C 4
Château-du-Loir (F) ... 44 B 3
Château-Gontier (F) ... 43 G 3
Château-la-Vallière (F) ... 44 B 4
Château-Landon (F) ... 45 F 2
Château-Porcien (F) ... 40 C 4
Château-Queyras (F) ... 51 G 5
Château-Regnault (F) ... 40 C 3
Château-Renard (F) ... 45 F 3
Château-Renault (F) ... 44 C 4
Château-Salins (F) ... 41 F 5
Château-Thierry (F) ... 40 A 5
Châteaubourg (F) ... 43 F 2
Châteaubriant (F) ... 43 F 3
Châteaudun (F) ... 44 D 3
Châteaugiron (F) ... 43 F 3
Châteaulin (F) ... 42 B 2
Châteaumeillant (F) ... 49 H 1
Châteauneuf-de-Randon (F) ... 50 B 5
Châteauneuf-d'Ille-et-Vilaine (F) ... 43 F 1
Châteauneuf-du-Faou (F) ... 42 C 2
Châteauneuf-du-Pape (F) ... 54 C 1

Châteauneuf-en-Thymerais (F) 44 D2
Châteauneuf-la-Forêt (F) 49 G3
Châteauneuf-les-Bains (F) 50 A2
Châteauneuf-sur-Charente (F) 48 D3
Châteauneuf-sur-Cher (F) 45 E5
Châteauneuf-sur-Loire (F) 45 E3
Châteauneuf-sur-Sarthe (F) 43 H3
Châteauponsac (F) 49 F2
Châteaurenard (F) 54 D2
Châteauroux (F) 44 D5
Châteauvillain (F) 46 D3
Châtel (F) 51 G1
Châtel-Guyon (F) 50 A2
Châtel-Montagne (F) 50 B2
Châtel-Saint-Denis (CH) 98 B4
Châtel-sur-Moselle (F) 47 F2
Châtelaillon-Plage (F) 48 C2
Châtelaudren (F) 42 D1
Châteldon (F) 50 B2
Châtelet (B) 78 C3
Châtellerault (F) 44 C5
Châtelus-Malvaleix (F) 49 G2
Châtenois (F) 47 E2
Chatham (GB) 36 D4
Châtillon (I) 100 C3
Châtillon-Coligny (F) 45 F3
Châtillon-en-Bazois (F) 45 G5
Châtillon-en-Diois (F) 51 E5
Châtillon-sur-Chalaronne (F) 50 D2
Châtillon-sur-Indre (F) 44 D5
Châtillon-sur-Loire (F) 45 F4
Châtillon-sur-Marne (F) 40 B5
Châtillon-sur-Seine (F) 46 C3
Chatteris (GB) 33 G5
Chaudes-Aigues (F) 50 A5
Chauffailles (F) 50 C2
Chaufour-lès-Bonnières (F) 39 G5
Chaulnes (F) 39 H3
Chaumergy (F) 47 E5
Chaumont (F) 46 D2
Chaumont-en-Vexin (F) 39 G5
Chaumont-sur-Loire (F) 44 D4
Chauny (F) 40 A4
Chaussin (F) 46 D5
Chauvigny (F) 49 E1
Chavári (GR) 164 D5
Chavdáta (GR) 164 B4
Chaves (P) 56 D5
Chazelles (F) 50 C3
Cheb (CZ) 91 F3
Chęciny (PL) 122 C4
Chef-Boutonne (F) 48 D2
Cheia (RO) 152 B2
Cheímarros (GR) 161 G2
Cheles (E) 69 E2
Chełm (PL) 123 H3
Chełmno (PL) 117 G4
Chelmsford (GB) 36 D3
Chełmża (PL) 117 H4
Cheltenham (GB) 35 G1
Chelva (E) 65 G4
Chemillé-en-Anjou (F) 43 G4
Chemin (F) 46 D5
Chemnitz (D) 86 C5
Chênehutte-Trèves-Cunault (F) 43 H4
Chénérailles (F) 49 H2
Chenonceaux (F) 44 C4
Chepstow (GB) 35 F2
Chera (E) 65 G4
Cherbourg-en-Cotentin (F) 38 B4
Chéroy (F) 45 F2
Cherson (UA) 13 G3
Cheshunt (GB) 36 C3
Cheste (E) 65 H4
Chester (GB) 32 C3
Chester-le-Street (GB) 31 G4
Chesterfield (GB) 33 E3
Chevagnes (F) 50 B1
Chevillon (F) 46 D2
Chevreuse (F) 45 E1
Chiampo (I) 101 H4
Chianciano Terme (I) 107 E4
Chiaramonte Gulfi (I) 115 F5
Chiaravalle (I) 107 G3
Chiaravalle Centrale (I) 113 C4
Chiari (I) 101 F4
Chiasso (CH) 99 F5
Chiavari (I) 105 E3
Chiavenna (I) 101 F2
Chichester (GB) 38 C1
Chiclana de la Frontera (E) 74 B4
Chieming (D) 95 H2
Chieri (I) 100 C5
Chiesa in Valmalenco (I) 101 F2
Chiesina Uzzanese (I) 105 G4
Chieti (I) 109 G2
Chiliomódi (GR) 165 G5
Chimay (B) 78 C4
Chinchilla de Monte Aragón (E) 71 H1
Chinchón (E) 64 C3
Chinon (F) 44 B5
Chiochiş (RO) 147 G3
Chioggia (I) 103 F5
Chíos / Χίος (GR) 167 E4
Chipiona (E) 74 A3
Chippenham (GB) 35 G2
Chipping Campden (GB) 35 G1
Chipping Norton (GB) 35 G1
Chipping Sodbury (GB) 35 F2
Chirivel (E) 71 G4
Chirpăr (RO) 147 G5
Chişinău (MD) 13 F3
Chişineu-Criş (RO) 146 C4
Chitila (RO) 152 B4
Chiusa / Klausen (I) 103 E2
Chiusa di Pesio (I) 104 C3
Chiusa Sclafani (I) 114 C3
Chiusaforte (I) 103 G2
Chiusi (I) 107 E5
Chiva (E) 65 H4
Chivasso (I) 100 C5
Chlapowo (PL) 121 F1
Chlewiska (PL) 122 D3
Chlorakas (CY) 174 B4
Chlum u Třeboně (CZ) 92 B5
Chlumec nad Cidlinou (CZ) 92 C2
Chmel'nyc'kyj (UA) 13 E2
Chmielnik (PL) 122 D5
Chmil'nyk (UA) 13 E2
Choceň (CZ) 92 D2
Chóchlakas (GR) 171 H4
Chochołów (PL) 125 G3
Chocianów (PL) 120 D3
Chociwel (PL) 116 C4
Chocz (PL) 121 G2
Chodecz (PL) 121 H1
Chodel (PL) 123 F3
Chodov (CZ) 91 G2
Chodzież (PL) 117 E5
Chojna (PL) 116 B5
Chojnice (PL) 117 F3
Chojniki (BY) 7 E5
Chojnów (PL) 120 D3
Cholet (F) 43 G5
Chollerford (GB) 31 F3
Cholm (RUS) 7 E2
Chomutov (CZ) 91 H2
Chóra (Pelopónnisos) (GR) 168 C3
Chóra (Vóreio Aigaío) (GR) 167 G5
Chóra Sfakíon (GR) 172 B3
Choreftó (GR) 165 G1
Chorges (F) 51 F5
Chorley (GB) 32 C2
Chorol (UA) 13 G1
Chorzele (PL) 118 D4
Chorzów (PL) 122 A5
Choszczno (PL) 116 C4
Chotěboř (CZ) 92 C3
Chotyn (UA) 13 E2
Choumnikó (GR) 161 H3
Choúni (GR) 164 D2
Chouto (P) 68 C1
Chrást (CZ) 92 D3
Christchurch (GB) 38 B1
Christianí (GR) 168 B3
Christiansfeld (DK) 198 B3
Chrudim (CZ) 92 C3
Chrýsafa (GR) 168 D3
Chrysí Aktí (GR) 162 C3
Chrysí Ammoudiá (GR) 162 C3
Chrysoúpoli (GR) 162 C3
Chrysovítsi (GR) 165 E5
Chrzanów (PL) 125 F1
Chur / Coira (CH) 99 G3
Church Stretton (GB) 32 C5
Chust (UA) 12 D3
Chynów (PL) 122 D2
Ciacova (RO) 150 B1
Cicciano (I) 109 H5
Ćićevac (SRB) 143 E1
Čičevo (BIH) 139 E4
Cidones (E) 58 D4
Ciechanów (PL) 118 D5
Ciechanowiec (PL) 119 G5
Ciechocinek (PL) 117 H5
Ciempozuelos (E) 64 C3
Cieplice (PL) 120 C4
Cieszanów (PL) 123 G5
Cieszyn (PL) 125 E2
Cieza (E) 71 H3
Ciężkowice (PL) 125 H2
Cifuentes (E) 64 D2
Cigánd (H) 127 F5
Cigliano (I) 100 C4
Cilavegna (I) 100 D4
Cilibia (RO) 152 D2
Cilieni (RO) 151 G5
Čilipi (HR) 139 E4
Cill Airne / Killarney (IRL) 24 B4
Cill Chainnigh / Kilkenny (IRL) 25 E3
Cill Mhantáin / Wicklow (IRL) 25 G2
Cillas (E) 65 F1
Cilleros (E) 63 E4
Cilleruelo de Bezana (E) 58 B2
Cimişlia (MD) 13 F3
Cinctorres (E) 65 H2
Ciney (B) 78 D3
Cinfães (P) 62 C2
Cingoli (I) 107 G4
Cinigiano (I) 106 D5
Cinisi (I) 114 C2
Cínovec (CZ) 86 D5
Cintegabelle (F) 53 F3
Cintruénigo (E) 59 F4
Ciocăneşti (RO) 152 D4
Ciolăneştii din Deal (RO) 151 H4
Ciorăşti (RO) 152 D2
Cioroiaşi (RO) 151 E4
Čiprovci (BG) 154 C3
Cirák (H) 128 C2
Cirencester (GB) 35 G1
Cireşu (RO) 150 D3
Cirey-sur-Vezouze (F) 47 G1
Ciria (E) 59 E5
Ciriè (I) 100 C4
Cirò (I) 113 D2
Cirò Marina (I) 113 D2
Čirpan / Чирпан (BG) 159 E3
Cislău (RO) 152 C2
Cisna (PL) 127 F3
Cisnădie (RO) 151 G1
Cisneros (E) 58 A3
Čista Mala (HR) 136 C5
Cista Provo (HR) 138 C2
Cisterna di Latina (I) 109 E3
Cisternino (I) 111 F4
Cistierna (E) 57 H3
Čitluk (BIH) 138 D3
Città della Pieve (I) 107 E5
Città di Castello (I) 107 E4
Città Sant' Angelo (I) 109 G1
Cittadella (I) 103 E4
Cittaducale (I) 109 E2
Cittanova (I) 115 H2
Cittanova d'Istria / Novigrad (HR) 134 A4
Cittareale (I) 107 G5
Ciucea (RO) 147 E3
Ciucurova (RO) 153 F3
Ciudad Real (E) 70 D1
Ciudad Rodrigo (E) 63 F3
Ciuperceni (RO) 151 E3
Ciupercenii Noi (RO) 151 E5
Ciutadella de Menorca (E) 67 G2
Cividale del Friuli (I) 103 G3
Civita Castellana (I) 108 D2
Civitanova Marche (I) 107 H4
Civitavecchia (I) 108 C2
Civitella del Tronto (I) 107 H5
Civitella Roveto (I) 109 F3
Civray (F) 49 E2
Cjurupyns'k (UA) 13 G3
Clacton-on-Sea (GB) 37 E3
Clairvaux-les-Lacs (F) 51 E1
Clamecy (F) 45 G4
Claonaig (GB) 30 B2
Clapham (GB) 31 F5
Clara (IRL) 23 E5
Clare (GB) 33 H5
Claremorris (IRL) 22 C4
Claudy (GB) 23 F2
Clausthal-Zellerfeld (D) 85 H3
Claut (I) 103 F2
Clavière (I) 100 A5
Clay Cross (GB) 33 E3
Claye (F) 39 H5
Clécy (F) 38 D5
Cleethorpes (GB) 33 G2
Clefmont (F) 47 E2
Cléguérec (F) 42 D2
Clejani (RO) 152 B4
Clelles (F) 51 E5
Clères (F) 39 F4
Clermont (F) 39 H4
Clermont-en-Argonne (F) 40 D5
Clermont-Ferrand (F) 50 A3
Clermont-l'Hérault (F) 54 A2
Clerval (F) 47 F4
Clervaux (L) 79 E4
Cléry-Saint-André (F) 44 D3
Cles (I) 101 H2
Clevedon (GB) 35 E2
Cleveleys (GB) 32 C2
Clifden (IRL) 22 B5
Clisson (F) 43 F5
Clitheroe (GB) 32 D2
Clogh Mills (GB) 23 G2
Cloghan (IRL) 22 D5
Clogheen (IRL) 24 D3
Clogherhead (IRL) 23 G4
Clonakilty (IRL) 24 C5
Clonbur (IRL) 22 C5
Clondalkin (IRL) 23 F5
Clones (IRL) 23 E3
Clonmel / Cluain Meala (IRL) 25 E3
Cloppenburg (D) 81 F5
Clovelly (GB) 34 C3
Cloyes-sur-le-Loir (F) 44 D3
Cluain Meala / Clonmel (IRL) 25 E3
Cluj-Napoca (RO) 147 F4
Clun (GB) 32 C5
Cluny (F) 50 C1
Cluses (F) 51 F2
Clusone (I) 101 F3
Clydebank (GB) 30 C2
Ćmielów (PL) 123 E4
Coachford (IRL) 24 C4
Coalisland (GB) 23 F3
Coalville (GB) 33 E4
Coaña (E) 57 E1
Coarnele Caprei (RO) 148 D2
Coatbridge (GB) 30 D2
Cobadin (RO) 153 F5
Cobeña (E) 64 C2
Cobh / An Cóbh (IRL) 24 D4
Coburg (D) 90 D2
Coca (E) 64 A1
Cocconato (I) 100 C5
Cocentaina (E) 73 F1
Cochem (D) 88 C1
Cockburnspath (GB) 31 F2
Cockermouth (GB) 31 E4
Cocora (RO) 152 D3
Cocorăştii Colţ (RO) 152 B3
Codăeşti (RO) 149 E3
Code (LV) 202 D4
Codevigo (I) 103 E5
Codigoro (I) 107 E1
Codlea (RO) 152 A1
Codo (E) 59 H5
Codogno (I) 101 F5
Codos (E) 59 F5
Codroipo (I) 103 G3
Coesfeld (D) 84 C2
Coevorden (NL) 77 G3
Cofrentes (E) 65 G5
Cogealac (RO) 153 F3
Cogeces del Monte (E) 58 A5
Cognac (F) 48 D3
Cogne (I) 100 B4
Cogolin (F) 55 F3
Cogolludo (E) 64 C1
Coimbra (P) 62 B3
Coín (E) 74 D3
Coina (P) 68 B2
Coira / Chur 99 G3
Cojocna (RO) 147 F4
Čoka (SRB) 140 C1
Col (SLO) 134 B3
Colares (P) 68 A1
Colchester (GB) 36 D3
Coldbackie (GB) 26 A4
Colditz (D) 86 C4
Coldstream (GB) 31 F2
Coleford (GB) 35 F1
Coleraine (GB) 23 F1
Colfiorito (I) 107 F5
Colico (I) 101 F3
Coligny (F) 50 D1
Colinas (E) 69 G5
Colindres (E) 58 C1
Colintraive (GB) 30 B2
Coll de Nargó (E) 60 C2
Collado de Tallante (E) 73 E4
Collado Villalba (E) 64 B2
Colle di Val d'Elsa (I) 105 H5
Colle Isarco / Gossensaß (I) 102 D1
Colle Sannita (I) 109 H4
Collecchio (I) 105 G2
Colleferro (I) 109 E3
Collesalvetti (I) 105 G5
Collesano (I) 114 D3
Colli a Volturno (I) 109 G3
Collinée (F) 43 E2
Collio (I) 101 G3
Collioure (F) 54 A5
Collobrières (F) 55 F3
Collodi (I) 105 G4
Collonges (F) 51 E2
Collonges-la-Rouge (F) 49 G4
Colmar (F) 47 G2
Colmars (F) 55 F1
Colmenar (E) 75 E3
Colmenar de Oreja (E) 64 C3
Colmenar Viejo (E) 64 B2
Colnabaichin (GB) 29 G4
Colne (GB) 32 D2
Colobraro (I) 111 E5
Cologna Veneta (I) 102 D4
Cologne (F) 53 E2
Colombey-les-Belles (F) 47 E1
Colombey-les-Deux-Églises (F) 46 D2
Colombres (E) 58 A1
Colomera (E) 70 D5
Coloneşti (RO) 151 G3
Colònia de Sant Jordi (E) 67 F3
Colorno (I) 101 G5
Colosimi (I) 113 C3
Colunga (E) 57 H1
Colwyn Bay / Bae Colwyn (GB) 32 B3
Coma-ruga (E) 60 C4
Comacchio (I) 107 E1
Čomakovci (BG) 155 E3
Comana (RO) 152 B4
Comana de Jos (RO) 147 H5
Comăneşti (RO) 148 C4
Comarnic (RO) 152 A2
Combarro (E) 56 B3
Combe Martin (GB) 34 D3
Combeaufontaine (F) 47 E3
Comber (GB) 23 G3
Combloux (F) 51 G2
Combourg (F) 43 F2
Combronde (F) 50 A2
Comeglians (I) 103 G2
Comillas (E) 58 A1
Comines (F) 40 A1
Comiso (I) 115 F5
Comloşu Mare (RO) 146 A5
Commentry (F) 49 H2
Commercy (F) 47 E1
Como (I) 101 E3
Cómpeta (E) 75 F3
Compiègne (F) 40 A4
Comporta (P) 68 B2
Comps-sur-Artuby (F) 55 F2
Comrat (MD) 13 F3
Comunanza (I) 107 G5
Concarneau (F) 42 C3
Concha (E) 58 C1
Conches-en-Ouche (F) 39 F5
Concordia sulla Secchia (I) 101 H5
Condat (F) 50 A4
Condé (F) 40 B2
Condé-en-Brie (F) 40 B5
Condé-sur-Noireau (F) 38 D5
Condeixa-a-Nova (P) 62 B4
Condom (F) 52 D2
Condrieu (F) 50 D3
Conegliano (I) 103 F3
Conev (BG) 157 F3
Conflans-en-Jarnisy (F) 41 E5
Confolens (F) 49 E2
Cong (IRL) 22 C5
Congleton (GB) 32 D3
Congosto de Valdavia (E) 58 A2
Congresbury (GB) 35 F2
Conil de la Frontera (E) 74 B4
Conisbrough (GB) 33 E3
Coniston (GB) 31 E5
Conlie (F) 43 H2
Conliège (F) 51 E1
Connel (GB) 28 D5
Connerré (F) 44 C3
Conop (RO) 146 C5
Čonoplja (SRB) 137 H1
Conques-en-Rouergue (F) 49 H5
Conquista (E) 70 C3
Conselice (I) 107 E1
Conselve (I) 103 E5
Consett (GB) 31 G4
Constância (P) 62 B5
Constanţa (RO) 153 F4
Constantina (E) 69 H4
Consuegra (E) 64 C5
Consuma (I) 106 D3
Contarina (I) 103 F5
Conthey (CH) 98 C4
Contigliano (I) 109 E2
Contin (GB) 29 E3
Contres (F) 44 D4
Contrexéville (F) 47 E2
Contursi Terme (I) 110 C4
Conty (F) 39 H4

Conversano (I) 111 F3
Conwy (GB) 32 B3
Cookstown (GB) 23 F2
Cootehill (IRL) 23 F4
Čop (UA) 12 C3
Copalnic-Mănăştur (RO) 147 F2
Cope (E) 71 H5
Copertino (I) 111 G5
Copparo (I) 103 E5
Copşa Mică (RO) 147 G5
Corabia (RO) 151 G5
Coral Bay (CY) 174 B4
Corato (I) 111 E3
Coray (F) 42 C2
Čorbadžijsko (BG) 162 D2
Corbeil-Essonnes (F) 45 E1
Corbie (F) 39 H3
Corbigny (F) 45 G4
Corbii Mari (RO) 152 A4
Corbola (I) 103 E5
Corbridge (GB) 31 F4
Corbu (Constanţa) (RO) 153 F4
Corbu (Slatina) (RO) 151 G4
Corby (GB) 33 F5
Corcaigh / Cork (IRL) 24 C4
Corcieux (F) 47 G2
Corconte (E) 58 B2
Corcova (RO) 151 E3
Corcubión (E) 56 A2
Cordes-sur-Ciel (F) 53 G1
Córdoba (E) 70 B4
Cordobilla de Lácara (E) 69 F1
Corduente (E) 65 E1
Corella (E) 59 F4
Coreses (E) 63 G1
Corfe Castle (GB) 38 B1
Cori (I) 109 E3
Coria (E) 63 F4
Coria del Río (E) 69 G5
Corias (E) 57 F2
Corigliano Calabro (I) 113 C1
Corinaldo (I) 107 G3
Coripe (E) 74 C3
Cork / Corcaigh (IRL) 24 C4
Corlăţel (RO) 151 E4
Corlay (F) 42 D2
Corleone (I) 114 C3
Corleto Perticara (I) 110 D4
Çorlu (TR) 19 G1
Cormatin (F) 50 C1
Cormeilles (F) 39 E5
Cormery (F) 44 C4
Cormons (I) 103 H3
Cornago (E) 59 E4
Cornellana (E) 57 F1
Corneşti (RO) 147 F3
Corniglio (I) 105 G3
Cornimont (F) 47 G3
Čornobyl' (UA) 7 F5
Čornomors'ke (UA) 13 H3
Cornu Luncii (RO) 148 B2
Cornuda (I) 103 E3
Cornus (F) 54 A2
Corod (RO) 152 D1
Çorovodë (AL) 144 D4
Corps (F) 51 F5
Corral de Almaguer (E) 64 C4
Corralejo (E) 67 H5
Corrales del Vino (E) 63 G1
Corran (GB) 28 D5
Corredoiras (E) 56 C2
Correggio (I) 105 H2
Corrèze (F) 49 G4
Corridonia (I) 107 G4
Corrofin (IRL) 24 C2
Corsham (GB) 35 F2
Čortanovci (SRB) 140 C3
Corte (F) 55 H4
Corte de Peleas (E) 69 F2
Cortegada (E) 56 C4
Cortegana (E) 69 E4
Cortemaggiore (I) 101 F5
Cortemilia (I) 104 D2
Corteolona (I) 101 E5
Cortes (E) 59 F4
Cortes de Aragón (E) 65 G1
Cortes de Baza (E) 71 F4
Cortes de la Frontera (E) 74 C3
Cortijos Nuevos (E) 71 F3
Cortina d'Ampezzo (I) 103 E2
Čortkiv (UA) 12 D2
Cortona (I) 107 E4
Coruche (P) 68 B1
Corund (RO) 147 H4
Corvara in Badia (I) 103 E2
Corvera (E) 73 E3
Corwen (GB) 32 B4
Cosenza (I) 113 B2
Coşereni (RO) 152 C3
Coşeşti (RO) 151 H2
Cosham (GB) 38 C1
Coslada (E) 64 C2
Cosne-Cours-sur-Loire (F) 45 F4
Cosne-d'Allier (F) 50 A1
Coşoveni (RO) 151 F4
Cossato (I) 100 D4
Cossé-le-Vivien (F) 43 G3
Cossonay (CH) 98 B3
Costa da Caparica (P) 68 A2
Costa de Santo André (P) 68 B3
Costache Negri (RO) 153 E1
Costeşti (Buzău) (RO) 152 C2
Costeşti (Piteşti) (RO) 151 H3
Costeşti (Râmnicu Vâlcea) (RO) 151 F2
Costigliole d'Asti (I) 100 D5
Costineşti (RO) 153 F5
Coswig (Meißen Radebeuf) (D) 86 D4
Coswig Anhalt-Zerbst) (D) 86 C2
Coteşti (RO) 152 D1
Cotignac (F) 55 F2
Cotmeana (RO) 151 G2
Cottbus (D) 87 E3
Coţuşca (RO) 148 C1
Couches (F) 46 C5
Couço (P) 68 C1
Coucy-le-Château-Auffrique (F) 40 A4
Couhé (F) 49 E1
Couilly-Pont-aux-Dames (F) 40 A5
Couiza (F) 53 G4
Coulanges-la-Vineuse (F) 45 G3
Coulanges-sur-Yonne (F) 45 G4
Coulommiers (F) 45 F1
Coulon (F) 48 C1
Coulonges-sur-l'Autize (F) 48 C1
Coupar Angus (GB) 29 F5
Couptrain (F) 43 H2
Cour-Cheverny (F) 44 D4
Courchevel (F) 51 G3
Courçon (F) 48 C2
Courmayeur (I) 100 B3
Cournon-d'Auvergne (F) 50 A3
Courpière (F) 50 B3
Cours (F) 50 C2
Coursan (F) 54 A3
Coursegoules (F) 55 G2
Courseulles-sur-Mer (F) 38 D4
Courson-les-Carrières (F) 45 G4
Courtenay (F) 45 F3
Courthézon (F) 54 D1
Courtomer (F) 44 B1
Courtown (IRL) 25 G3
Courville-sur-Eure (F) 44 D2
Coussey (F) 47 E2
Coutances (F) 38 B5
Coutras (F) 48 D4
Couvin (B) 78 C4
Covadonga (E) 57 H2
Covarrubias (E) 58 C4
Covăsinţ (RO) 146 C5
Covasna (RO) 152 B1
Coventry (GB) 33 E5
Covilhã (P) 62 D3
Cowbridge (GB) 35 E2
Cowdenbeath (GB) 31 E1
Cowes (GB) 38 C1
Cowfold (GB) 36 C5
Cozes (F) 48 C3
Cozieni (RO) 152 C2
Crăcăoani (RO) 148 B3
Craco (I) 111 E4
Crăieşti (RO) 147 G4
Craigavon (GB) 23 G3
Craigellachie (GB) 29 G3
Craighouse (GB) 30 A2
Craignure (GB) 28 D5
Crail (GB) 31 F1
Crailsheim (D) 89 G4
Craiova (RO) 151 F4
Craiva (RO) 146 C4
Crâmpoia (RO) 151 G4
Cranborne (GB) 38 B1
Crângu (RO) 151 H5
Crans (CH) 98 C4
Craon (F) 43 G3
Craonne (F) 40 B4
Craponne-sur-Arzon (F) 50 B4
Crasna (RO) 151 F2
Crato (P) 68 D1
Craughwell (IRL) 22 C5
Črâvarica (BG) 158 A3
Craven Arms (GB) 32 C5
Crawinkel (D) 85 H5
Crawley (GB) 36 C5
Creagorry (GB) 28 B3
Crécy-en-Ponthieu (F) 39 G2
Crécy-la-Chapelle (F) 40 A5
Crécy-sur-Serre (F) 40 B4
Crediton (GB) 34 D3
Creegh (IRL) 24 B2
Creeslough (IRL) 23 E1
Creglingen (D) 89 G3
Creil (F) 39 H5
Crema (I) 101 F4
Crémieu (F) 50 D3
Cremona (I) 101 F5
Créon (F) 48 D5
Crepaja (SRB) 140 D3
Crépy-en-Valois (F) 40 A5
Cres (HR) 134 B5
Crescentino (I) 100 C5
Crespino (I) 103 E5
Crest (F) 50 D5
Cresta (CH) 99 F4
Créteil (F) 45 E1
Creully (F) 38 D4
Creußen (D) 91 E3
Creutzwald (F) 41 F5
Creuzburg (D) 85 H4
Crevacuore (I) 100 D3
Crevalcore (I) 105 H2
Crèvecœur-le-Grand (F) 39 G4
Crevedia Mare (RO) 152 A4
Crevillent / Crevillente (E) 73 E2
Crewe (GB) 32 D3
Crewkerne (GB) 38 A1
Crianlarich (GB) 30 C1
Criccieth (GB) 32 A4
Crickhowell (GB) 35 E1
Cricklade (GB) 35 G2
Crieff (GB) 30 D1
Criel-sur-Mer (F) 39 F3
Crikvenica (HR) 134 C4
Crimmitschau (D) 86 C5
Crinan (GB) 30 B1
Criquetot-l'Esneval (F) 39 E4
Crissolo (I) 104 B2
Cristuru Secuiesc (RO) 147 H5
Crivitz (D) 82 D4
Crkvice (MNE) 139 F4
Crmljan (SRB) 142 D4
Črmošnjice (SLO) 134 C3
Crna Bara (SRB) 140 C1
Crna Bara (SRB) 140 B4
Črna na Koroškem (SLO) 134 C1
Crna Trava (SRB) 143 G3
Crnac (HR) 135 H3
Crni Guber (BIH) 137 H5
Crni Lug (BIH) 136 D5
Crni Lug (HR) 134 C4
Črni Vrh (SLO) 134 B2
Crnjelovo Donje (BIH) 137 H3
Črnkovci (HR) 135 H3
Črnomelj (SLO) 134 C3
Crocq (F) 49 H2
Crolly (IRL) 22 D1
Cromarty (GB) 29 F3
Cromer (GB) 37 E1
Crook (GB) 31 G4
Croom (IRL) 24 C3
Cross Hands (GB) 34 D1
Crosshaven (IRL) 24 D4
Crossmaglen (GB) 23 F4
Crossmolina (IRL) 22 C3
Crotone (I) 113 D3
Crowborough (GB) 36 D5
Crowland (GB) 33 G4
Crowle (GB) 33 F2
Croyde (GB) 34 D3
Croydon (GB) 36 C4
Crozant (F) 49 G1
Crozon (F) 42 B2
Crucea (RO) 153 F4
Cruden Bay (GB) 29 H3
Crudgington (GB) 32 D4
Crumlin (GB) 23 G2
Cruseilles (F) 51 F2
Cruz da Légua (P) 62 A5
Cruzamento de Pegões (P) 68 B2
Crveni Grm (BIH) 138 D3
Crvenka (SRB) 140 B2
Crymmych (GB) 34 C1
Csabacsűd (H) 129 H3
Csabrendek (H) 128 C3
Csákberény (H) 129 E2
Csákvár (H) 129 E2
Csanádapáca (H) 129 H4
Csanádpalota (H) 129 H4
Csanytelek (H) 129 G4
Csaroda (H) 127 F5
Császár (H) 128 D2
Császártöltés (H) 129 F4
Csávoly (H) 129 F5
Csépa (H) 129 G3
Cserebökény (H) 129 H3
Cserkeszőlő (H) 129 G3
Csesztreg (H) 128 B3
Csetény (H) 128 D2
Csikéria (H) 129 F5
Csökmő (H) 131 E3
Csokonyavisonta (H) 128 C5
Csömend (H) 128 C4
Csongrád (H) 129 G3
Csopak (H) 128 D3
Csor (H) 128 D2
Csorna (H) 128 C1
Csorvás (H) 129 H4
Csót (H) 128 C2
Csurgó (H) 128 C4
Cuacos de Yuste (E) 63 G4
Cualedro (E) 56 D5
Cuba (P) 68 D3
Cubel (E) 65 F1
Cuckfield (GB) 36 C5
Cudalbi (RO) 153 E1
Čude (BIH) 137 H5
Cudillero (E) 57 F1
Čudovo (RUS) 6 D1
Cuéllar (E) 58 A5
Cuenca (E) 65 E3
Cuers (F) 55 F3
Cuerva (E) 64 B4
Cuevas de San Clemente (E) 58 C4
Cuevas de San Marcos (E) 70 C5
Cuevas del Almanzora (E) 71 H5
Cuevas del Becerro (E) 74 D3
Cuevas del Campo (E) 71 F4
Cuevas del Valle (E) 63 H3
Cugir (RO) 151 E1
Cuglieri (I) 112 B3
Cuijk (NL) 77 E5
Cuiseaux (F) 51 E1
Cuisery (F) 50 D1
Cujmir (RO) 151 E4
Culan (F) 49 H1
Culdaff (IRL) 23 F1
Culemborg (NL) 77 E5
Cúllar Baza (E) 71 F4
Cullen (GB) 29 G3
Cullera (E) 66 A4
Cullompton (GB) 35 E3
Culoz (F) 51 E2
Culross (GB) 30 D1
Cumbernauld (GB) 30 D2
Cumbres Mayores (E) 69 F3
Cumiana (I) 100 B5
Ćumić (SRB) 140 D5
Cumnock (GB) 30 D3
Cumpăna (RO) 153 F4
Cuneo (I) 104 B3
Cungrea (RO) 151 G3
Cunlhat (F) 50 B3
Čunski (HR) 134 B5
Cuntis (E) 56 B3
Cuorgnè (I) 100 C4
Cupar (GB) 31 E1
Cupello (I) 109 H2
Cupramontana (I) 107 G4
Čuprene (BG) 154 C2
Ćuprija (SRB) 143 E1
Čurek (BG) 158 C1
Curia (P) 62 B3
Curtea de Argeş (RO) 151 G2
Curtici (RO) 146 B4
Curtis (E) 56 C2
Curtişoara (RO) 151 G4
Čurug (SRB) 140 C2
Cusano Mutri (I) 109 H4
Cushendall (GB) 23 G1
Cushendun (GB) 23 G1
Cusset (F) 50 B2
Cutro (I) 113 D3
Cuxhaven (D) 81 F3
Cvikov (CZ) 87 F5
Čvrstec (HR) 135 F3
Cwmbrân (GB) 35 E2
Cybinka (PL) 120 B1
Cysoing (F) 40 A2
Czacz (PL) 121 E2
Czajków (PL) 121 G3
Czaplinek (PL) 116 D3
Czarna Białostocka (PL) 119 G4
Czarna Dąbrówka (PL) 117 F2
Czarna Górna (PL) 127 G3
Czarna Woda (PL) 117 G3
Czarnków (PL) 117 E5
Czchów (PL) 125 H2
Czechowice-Dziedzice (PL) 125 F1
Czempiń (PL) 121 E1
Czerniejewo (PL) 121 F1
Czersk (PL) 117 G3
Czerwin (PL) 119 E4
Czerwińsk nad Wisłą (PL) 122 C1
Czerwionka-Leszczyny (PL) 125 E1
Częstochowa (PL) 121 H4
Człopa (PL) 116 D4
Człuchów (PL) 117 F3
Czosnów (PL) 122 D1
Czyżew-Osada (PL) 119 F5

D

D. Ljubata (SRB) 143 G4
Dabar (HR) 134 D5
Dabas (H) 129 F2
Dąbie (Koło) (PL) 121 H2
Dąbie (Szczecin) (PL) 116 B4
Dabilje (MK) 145 H1
Dăbnica (BG) 161 H1
Dabo (F) 47 G1
Dabromani (BIH) 139 E4
Dąbrowa Białostocka (PL) 119 H3
Dąbrowa Górnicza (PL) 122 B5
Dąbrowa Tarnowska (PL) 125 H1
Dăbuleni (RO) 151 F5
Dachau (D) 95 G2
Dačice (CZ) 92 C5
Dadiá (GR) 163 E2
Dáfnes (GR) 165 E4
Dáfni (Achaïa) (GR) 165 E5
Dáfni (Ágio Óros) (GR) 162 B4
Dáfni (Aitola-Arkananía) (GR) 165 E3
Dafnotí (GR) 164 C1
Dafnoúla (GR) 165 E4
Dagali (N) 188 D4
Dagda (LV) 203 H4
Dagebüll-Kirche (D) 81 G1
Dagenham (GB) 36 C4
Dahlen (D) 86 C4
Dahlenburg (D) 82 C5
Dahme (Teltow Fläming) (D) 82 C2
Dahme Ostholstein) (D) 86 D2
Dahn (D) 88 D3
Daia Română (RO) 147 F5
Daimiel (E) 64 C5
Daimonía (GR) 169 E4
Daimús (E) 66 A4
Đakovica / Gjakovë (SRB) 142 D4
Đakovo (HR) 137 G2
Dal (N) 189 F5
Đala (SRB) 140 C1
Dalbeattie (GB) 30 D4
Dălbok Dol (BG) 158 D1
Dălbok Izvor (BG) 159 E3
Dalboşeţ (RO) 150 C3
Dalby (S) 199 F3
Dale (N) 188 B2
Dale (N) 188 B4
Dalen (N) 188 C5
Daleszyce (PL) 122 D4
Dălgopol (BG) 157 E3
Dali (CY) 175 E3
Dalías (E) 75 H3
Daliburgh (GB) 28 B4
Dalj (HR) 137 H2
Dalkeith (GB) 31 E2
Dalkey (IRL) 23 G5
Dalmally (GB) 30 C1
Dalmellington (GB) 30 C3
Dalmine (I) 101 F4
Dalry (GB) 30 C2
Dals Långed (S) 195 G2
Dalsbruk (FIN) 191 F5
Dalsjöfors (S) 195 G3
Dalton-in-Furness (GB) 31 E5
Dalvík (IS) 178 C1
Dalwhinnie (GB) 29 E4
Damaskiniá (GR) 160 D4
Damazan (F) 52 D1
Damelevières (F) 47 F1
Damgan (F) 43 E4
Damjanovo (BG) 159 E1
Dammartin-en-Goële (F) 39 H5
Damme (D) 85 E1
Damnjane (SRB) 142 D5
Dampierre (F) 47 E4
Dampierre-sur-Salon (F) 47 E4
Damville (F) 39 F5
Damvillers (F) 40 D4
Dănciuleşti (RO) 151 F3
Dăneasa (RO) 151 G4
Daneţi (RO) 151 F5
Dangé-Saint-Romain (F) 44 C5
Dângeni (RO) 148 C1
Danilovgrad (MNE) 139 F4
Dannemarie (F) 47 G3
Dannenberg (D) 82 C5
Daoulas (F) 42 B2
Darabani (RO) 148 C1
Darány (H) 128 C5
Darbėnai (LT) 204 B1
Darda (HR) 137 G1
Dardesheim (D) 85 H2
Darfo-Boario Terme (I) 101 G3

Dargun *(D)* 83 E3
Darlington *(GB)* 31 G5
Darłowo *(PL)* 117 E1
Dărmănești *(RO)* 148 C5
Darmstadt *(D)* 89 E2
Darney *(F)* 47 E2
Daroca *(E)* 65 F1
Darque *(P)* 56 B5
Dartford *(GB)* 36 D4
Dartmouth *(GB)* 35 E4
Daruvar *(HR)* 135 G3
Dârvari *(RO)* 151 E4
Darwen *(GB)* 32 D2
Dārzciems *(LV)* 202 C3
Daržyno *(PL)* 117 F1
Dasburg *(D)* 88 B1
Dasing *(D)* 95 F1
Dasochóri *(GR)* 162 C3
Dassel *(D)* 85 G3
Dassow *(D)* 82 C3
D'at'kovo *(RUS)* 7 F4
Datteln *(D)* 84 D3
Daudzese *(LV)* 203 E4
Daugai *(LT)* 205 F5
Daugailiai *(LT)* 205 G2
Daugavpils *(LV)* 203 G5
Daun *(D)* 88 C1
Dava *(GB)* 29 F3
Daventry *(GB)* 33 E5
Daviá *(GR)* 165 E5
Dávleia *(GR)* 165 F3
Davlos *(CY)* 175 F2
Davor *(HR)* 135 G4
Davos *(CH)* 99 G3
Dawlish *(GB)* 35 E4
Dax *(F)* 52 B2
De Bilt *(NL)* 77 E5
De Haan (Le Coq-sur-Mer) *(B)* 78 B1
De Koog *(NL)* 76 D2
De Panne *(B)* 78 A1
Deal *(GB)* 37 E4
Dealu Morii *(RO)* 148 D5
Deauville *(F)* 39 E4
Deba *(E)* 59 E1
Debar *(MK)* 144 D1
Debarska Banja Banjišta *(MK)* 144 D1
Debeli Lug *(SRB)* 141 F5
Debeljača *(SRB)* 140 D3
Debelt *(BG)* 157 E4
Dębica *(PL)* 127 E1
Dęblin *(PL)* 123 E2
Debnevo *(BG)* 159 E1
Dębnica Kaszubska *(PL)* 117 F2
Dębno (Myślibórz) *(PL)* 116 B5
Dębno (Nowy Targ) *(PL)* 125 G2
Debovo *(BG)* 156 A2
Debrc *(SRB)* 140 C4
Debrecen *(H)* 131 E2
Debrzno *(PL)* 117 F3
Dečani *(SRB)* 139 H4
Decazeville *(F)* 49 H5
Děčín *(CZ)* 87 E5
Decize *(F)* 45 G5
Decs *(H)* 129 E4
Deda *(RO)* 147 H3
Dedemsvaart *(NL)* 77 F4
Degaña *(E)* 57 F2
Degerfors *(S)* 195 H1
Degerndorf am Inn *(D)* 95 H3
Deggendorf *(D)* 91 G5
Dego *(I)* 104 D3
Degracias *(P)* 62 B4
Dehesa de Montejo *(E)* 58 A2
Deià *(E)* 67 E2
Deidesheim *(D)* 89 E3
Deinze *(B)* 78 B2
Deiva Marina *(I)* 105 F3
Dej *(RO)* 147 F3
Deje *(S)* 195 G1
Dekov *(BG)* 156 B2
Delčevo *(MK)* 143 H5
Delden *(NL)* 77 G4
Deleitosa *(E)* 63 G5
Delémont *(CH)* 98 C2
Deléria *(GR)* 161 F5
Delfoí *(GR)* 165 F3
Delft *(NL)* 76 C5
Delfzijl *(NL)* 77 G2
Delia *(I)* 114 D4
Delianuova *(I)* 115 H2
Deliblato *(SRB)* 141 E4
Deliceto *(I)* 110 C3
Delimeđe *(SRB)* 139 H3
Delitzsch *(D)* 86 B3
Delle *(F)* 47 G4
Delme *(F)* 41 F5
Delmenhorst *(D)* 81 F5
Delnice *(HR)* 134 C4
Delsbo *(S)* 190 B2
Deltebre *(E)* 60 B5
Delvin *(IRL)* 23 F5
Delvináki *(GR)* 160 C5
Delvinë *(AL)* 144 D5
Demandice *(SK)* 132 C4
Demänovská Dolina *(SK)* 132 D2
Demidov *(RUS)* 7 E3
Demir Kapija *(MK)* 145 G1
Demirci *(TR)* 19 G3
Demmin *(D)* 83 F3
Den Burg *(NL)* 76 D2
Den Haag ('s-Gravenhage) *(NL)* 76 C5
Den Helder *(NL)* 76 D3
Den Oever *(NL)* 77 E3
Denain *(F)* 40 A2
Denbigh / Dinbych *(GB)* 32 B3
Dendermonde *(B)* 78 C2
Denekamp *(NL)* 77 G4
Dénia / Denia *(E)* 66 A5
Denizli *(TR)* 19 H3
Denkendorf *(D)* 91 E5
Dennington *(GB)* 37 E2
Denny *(GB)* 30 D1
Derby *(GB)* 33 E4
Derecske *(H)* 131 E2
Dereköy *(TR)* 19 F1
Derenburg *(D)* 85 H3
Dermanci *(BG)* 155 E3
Dermbach *(D)* 85 G5
Derneburg *(D)* 85 G2
Derry / Londonderry *(GB)* 23 E2
Deruta *(I)* 107 F5
Dervaig *(GB)* 28 C5
Derval *(F)* 43 F3
Dervéni *(GR)* 165 F4
Derventa *(BIH)* 135 H5
Dervíziana *(GR)* 164 C1
Deryneia *(CY)* 175 F3
Desa *(RO)* 151 E5
Desborough *(GB)* 33 F5
Descartes *(F)* 44 C5
Desenzano *(I)* 101 G4
Desești *(RO)* 147 F1
Desfina *(GR)* 165 F3
Dési *(GR)* 164 D1
Desimirovac *(SRB)* 140 D5
Desio *(I)* 101 E4
Deskáti *(GR)* 161 E5
Despotovac *(SRB)* 141 E5
Despotovo *(SRB)* 140 B2
Dessau *(D)* 86 B3
Deštné v Orlických horách *(CZ)* 92 D2
Destriana *(E)* 57 F4
Desulo *(I)* 112 C3
Desvres *(F)* 39 G2
Deszk *(H)* 129 G4
Deta *(RO)* 150 B1
Detmold *(D)* 85 F2
Dettelbach *(D)* 89 G2
Detva *(SK)* 132 D3
Deurne *(NL)* 79 E1
Deutsch Wagram *(A)* 97 H1
Deutschkreutz *(A)* 97 H3
Deutschlandsberg *(A)* 97 F5
Deva *(RO)* 147 E5
Dévaványa *(H)* 129 H3
Devecser *(H)* 128 C3
Devene *(BG)* 154 D3
Deventer *(NL)* 77 F4
Deveselu *(RO)* 151 G5
Devil's Bridge *(GB)* 32 B5
Devin / Девин *(BG)* 162 B1
Devizes *(GB)* 35 G2
Devnja *(BG)* 157 F3
Dewsbury *(GB)* 33 E2
Deza *(E)* 59 E5
Dezzo di Scalve *(I)* 101 G3
Dhermi *(AL)* 144 C4
Diafáni *(GR)* 171 F4
Diakófti *(GR)* 169 E5
Diakoftó *(GR)* 165 E4
Diamante *(I)* 113 B1
Diano Marina *(I)* 104 C4
Diásello *(GR)* 161 E5
Diavolítsi *(GR)* 168 C2
Dicmo *(HR)* 138 B2
Dicomano *(I)* 106 D3
Didim *(TR)* 19 G4
Dídyma *(GR)* 169 E2
Die *(F)* 51 E5
Dieburg *(D)* 89 F2
Diedorf *(D)* 85 H4
Diego Álvaro *(E)* 63 H3
Diekirch *(L)* 79 F5
Diemelstadt *(D)* 85 F3
Diepholz *(D)* 85 E1
Dieppe *(F)* 39 F3
Dierdorf *(D)* 84 D5
Dieren *(NL)* 77 F5
Diesdorf *(D)* 85 H1
Dießen am Ammersee *(D)* 95 F2
Diest *(B)* 78 D2
Dietenheim *(D)* 95 E2
Dietfurt an der Altmühl *(D)* 91 E5
Dietikon *(CH)* 99 E2
Dietmannsried *(D)* 95 E3
Dietzenbach *(D)* 89 E2
Dieulefit *(F)* 50 D5
Dieulouard *(F)* 41 E5
Dieuze *(F)* 41 F5
Dieveniškės *(LT)* 205 G5
Diez *(D)* 88 D1
Diezma *(E)* 71 E5
Differdange *(L)* 79 E5
Dignano *(I)* 103 G3
Dignano / Vodnjan *(HR)* 134 A5
Digne-les-Bains *(F)* 55 F1
Digoin *(F)* 50 B1
Dijon *(F)* 46 D4
Dikanäs *(S)* 183 H2
Díkella *(GR)* 163 E3
Diksmuide *(B)* 78 A2
Diktynaíon *(GR)* 172 B2
Dílesi *(GR)* 165 H4
Dillenburg *(D)* 85 E5
Dillingen *(D)* 88 B3
Dillingen an der Donau *(D)* 89 H5
Dimári *(GR)* 162 C2
Dímitra *(GR)* 161 F5
Dimitrítsi *(GR)* 161 H3
Dimitrovgrad *(SRB)* 143 H3
Dimitrovgrad / Димитровград *(BG)* 159 F3
Dimitsána *(GR)* 165 E5
Dimovo *(BG)* 150 D5
Dinami *(I)* 115 H1
Dinan *(F)* 43 E2
Dinant *(B)* 78 D4
Dinard *(F)* 43 E1
Dinbych / Denbigh *(GB)* 32 B3
Dinbych-y-pysgod / Tenby *(GB)* 34 C2
Dingelstädt *(D)* 85 H4
Dingle *(IRL)* 24 A4
Dingle *(S)* 195 F2
Dingli *(M)* 114 C5
Dingolfing *(D)* 95 H1
Dingwall *(GB)* 29 E3
Dinjiška *(HR)* 136 B4
Dinkelsbühl *(D)* 89 H4
Dinklage *(D)* 85 E1
Dinslaken *(D)* 84 C3
Dióni *(GR)* 162 D3
Diónysos *(GR)* 165 H4
Diorios *(CY)* 174 D3
Diosig *(RO)* 146 C2
Dioști *(RO)* 151 G4
Dippoldiswalde *(D)* 86 D5
Dirdal *(N)* 194 B1
Disentis / Mustèr *(CH)* 99 E3
Diss *(GB)* 33 H5
Dissen am Teutoburger Wald *(D)* 85 E2
Dístomo *(GR)* 165 F3
Dístrato *(GR)* 160 C5
Ditrău *(RO)* 148 A4
Ditzingen *(D)* 89 F4
Diva Slatina *(BG)* 154 C3
Divača *(SLO)* 134 B3
Divaráta *(GR)* 164 B3
Divčibare *(SRB)* 139 H1
Dives *(F)* 38 D5
Divič *(BIH)* 137 H4
Divjakë *(AL)* 144 B2
Divljana *(SRB)* 143 G2
Divonne-les-Bains *(F)* 51 F1
Divuša *(HR)* 135 E4
Djulino *(BG)* 157 F3
Djuni *(BG)* 157 F4
Djúpivogur *(IS)* 178 D2
Djupvik *(N)* 176 C3
Djurås *(S)* 190 A4
Długosiodło *(PL)* 119 E5
Dmitrov *(RUS)* 7 G2
Dniprodzeržyns'k *(UA)* 13 H1
Dnipro *(UA)* 13 H1
Dno *(RUS)* 6 D2
Dobanovci *(SRB)* 140 C4
Dobărsko *(BG)* 158 B3
Dobbiaco / Toblach *(I)* 103 F1
Dobczyce *(PL)* 125 G1
Dobel *(D)* 89 E4
Dobele *(LV)* 202 C3
Döbeln *(D)* 86 D4
Doberlug-Kirchhain *(D)* 86 D3
Döbern *(D)* 87 F3
Dobersberg *(A)* 92 C5
Dobiegniew *(PL)* 116 D5
Dobiesławice *(PL)* 122 D5
Dobieszczyn *(PL)* 116 B3
Doboj *(BIH)* 135 H5
Dobosnica *(BIH)* 137 G4
Doboz *(H)* 131 E3
Dobra *(RO)* 152 B3
Dobra *(SRB)* 141 F4
Dobra (Szczecin) *(PL)* 116 C3
Dobra (Turek) *(PL)* 121 H2
Dobrčane *(SRB)* 143 F4
Dobre Miasto *(PL)* 118 D2
Dobrești (Craiova) *(RO)* 151 F5
Dobrești (Oradea) *(RO)* 146 D3
Dobri Do *(SRB)* 143 E3
Döbriach *(A)* 96 C5
Dobrič *(BG)* 159 F3
Dobrič / Добрич *(BG)* 157 F2
Dobrica *(SRB)* 140 D3
Dobričevo *(SRB)* 141 E3
Dobrin *(BG)* 153 E5
Dobrinj *(HR)* 134 C4
Dobrinja *(SRB)* 139 H1
Dobříš *(CZ)* 92 A3
Dobrljin *(BIH)* 135 E4
Dobrna *(SLO)* 134 D2
Dobro Polje *(BIH)* 139 E2
Dobrodzień *(PL)* 121 G5
Dobromir *(BG)* 157 E3
Dobroplodno *(BG)* 157 E2
Dobrošinci *(MK)* 145 H1
Dobrotești *(RO)* 151 H4
Dobrotica *(BG)* 156 D3
Dobrovnik *(SLO)* 135 E1
Dobrun *(BIH)* 139 G1
Dobruš *(BY)* 7 F5
Dobruševo *(MK)* 145 F2
Dobruška *(CZ)* 92 D2
Dobrzany *(PL)* 116 C4
Dobrzyń nad Wisłą *(PL)* 118 B5
Dobrzyniewo Duże *(PL)* 119 G4
Docksta *(S)* 190 C1
Doesburg *(NL)* 77 F5
Doetinchem *(NL)* 77 F5
Doganović *(SRB)* 143 E5
Dogliani *(I)* 104 C2
Doïráni *(GR)* 161 G2
Dojrenci *(BG)* 156 A3
Dokanj *(BIH)* 137 G4
Dokka *(N)* 189 E4
Dokkum *(NL)* 77 F2
Doksy *(CZ)* 87 F5
Dol-de-Bretagne *(F)* 43 F1
Dole *(F)* 47 E5
Dølemo *(N)* 194 C2
Dolenci *(MK)* 145 E2
Dolenjavas *(SLO)* 134 C3
Dolenjske Toplice *(SLO)* 134 C3
Dolga Vas *(SLO)* 135 F1
Dolgellau *(GB)* 32 B4
Dolhasca *(RO)* 148 C2
Dołhobyczów *(PL)* 123 H4
Dolianá *(GR)* 160 C5
Dolianova *(I)* 112 C5
Dolíchi *(GR)* 161 E5
Doljani *(HR)* 136 C4
Doljevac *(SRB)* 143 F2
Dolla *(IRL)* 24 D2
Döllach *(A)* 96 B4
Dollar *(GB)* 30 D1
Dolle *(D)* 86 A1
Dolna Banja *(BG)* 158 C2
Dolna Dikanja *(BG)* 158 B2
Dolna Mitropolija / Долна Митрополия *(BG)* 156 A2
Dolná Strehová *(SK)* 132 D4
Dolni Dăbnik / Долни Дъбник *(BG)* 156 A2
Dolní Dvořiště *(CZ)* 96 D1
Dolni Glavanak *(BG)* 163 E1
Dolní Lipka *(CZ)* 93 E2
Dolni Lom *(BG)* 154 C2
Dolní Poustevna *(CZ)* 87 E4
Dolno Cerovene *(BG)* 154 D2
Dolno Kamarci *(BG)* 158 C1
Dolno Kosovrasti *(MK)* 144 D1
Dolno Levski *(BG)* 158 D2
Dolno Ujno *(BG)* 158 A2
Dolný Kubín *(SK)* 132 D2
Dolo *(I)* 103 E4
Dolores *(E)* 73 E2
Dolovo *(SRB)* 140 D4
Dolsk *(PL)* 121 E2
Dolyna *(UA)* 12 D2
Domaradz *(PL)* 127 F2
Domart-en-Ponthieu *(F)* 39 H3
Domaševo *(BIH)* 139 E3
Domașnea *(RO)* 150 D2
Domažlice *(CZ)* 91 G4
Dombås *(N)* 189 E2
Dombasle *(F)* 47 F1
Dombegyház *(H)* 131 E4
Dombóvár *(H)* 128 D4
Dombrád *(H)* 127 F5
Domburg *(NL)* 78 B1
Domène *(F)* 51 E4
Doméniko *(GR)* 161 E5
Domèvre-en-Haye *(F)* 41 E5
Domfront en Poiraie *(F)* 43 G1
Dömitz *(D)* 82 C5
Domme *(F)* 49 F5
Dommitzsch *(D)* 86 C3
Domnești (București) *(RO)* 152 B4
Domnești (Pitești) *(RO)* 151 H2
Domnísta *(GR)* 165 E3
Domodedovo *(RUS)* 7 G2
Domodossola *(I)* 100 D3
Domokós *(GR)* 165 F2
Dompaire *(F)* 47 F2
Dompierre-sur-Besbre *(F)* 50 B1
Domrémy *(F)* 47 E2
Dömsöd *(H)* 129 F3
Domusnovas *(I)* 112 B5
Domvraína *(GR)* 165 G4
Domžale *(SLO)* 134 C2
Don Benito *(E)* 69 G1
Doña María Ocaña *(E)* 72 B5
Doña Mencía *(E)* 70 C5
Donaghadee *(GB)* 23 H2
Donaueschingen *(D)* 94 B2
Donauwörth *(D)* 89 H4
Donawitz *(A)* 97 E3
Doncaster *(GB)* 33 E2
Donegal / Dún na nGall *(IRL)* 22 D2
Doneztebe / Santesteban *(E)* 59 F1
Dongen *(NL)* 78 D1
Donges *(F)* 43 E4
Donington *(GB)* 33 G4
Donja Bebrina *(HR)* 135 H5
Donja Brezna *(MNE)* 139 F3
Donja Bukovica *(MNE)* 139 F3
Donja Šatornja *(SRB)* 140 D5
Donje Crniljevo *(SRB)* 140 B5
Donje Dragovlje *(SRB)* 143 G3
Donje Ljupče *(SRB)* 143 E3
Donji Andrijevci *(HR)* 135 H4
Donji Barbeš *(SRB)* 143 F3
Donji Kazanci *(BIH)* 136 D5
Donji Lapac *(HR)* 136 C4
Donji Lukavac *(BIH)* 139 E3
Donji Malovan *(BIH)* 137 E5
Donji Miholjac *(HR)* 135 H3
Donji Milanovac *(SRB)* 141 F5
Donji Muć *(HR)* 138 B2
Donji Rujani *(BIH)* 136 D5
Donji Slatina *(SRB)* 143 F3
Donji Stajovac *(SRB)* 143 G4
Donji Stupnik *(HR)* 135 E3
Donji Vakuf *(BIH)* 137 E5
Donji Vijačani *(BIH)* 135 G5
Donnemarie-Dontilly *(F)* 45 F2
Donnersbachwald *(A)* 96 D3
Dønnes *(N)* 183 F1
Donostia-San Sebastián *(E)* 59 E1
Donzenac *(F)* 49 G4
Donzère *(F)* 54 C1
Donzy *(F)* 45 F4
Doorn *(NL)* 77 E5
Dopiewo *(PL)* 121 E1
Dora *(CY)* 174 C4
Đorce Petrov *(MK)* 143 E5
Dorchester *(GB)* 38 A1
Dordives *(F)* 45 F2
Dordrecht *(NL)* 76 D5
Dorfen *(D)* 95 H2
Dorfmark *(D)* 81 H5
Dorgali *(I)* 112 D3
Dório *(GR)* 168 C2
Dorkáda *(GR)* 161 G3
Dorking *(GB)* 36 C4
Dormagen *(D)* 84 C4
Dormans *(F)* 40 B5
Dorna Candrenilor *(RO)* 147 H2
Dornbirn *(A)* 94 D3
Dornburg *(D)* 86 B4
Dorndorf *(D)* 85 G5
Dornes *(F)* 50 A1
Dornești *(RO)* 148 B1
Dornie *(GB)* 28 D4
Dornoch *(GB)* 29 F2
Dornstetten *(D)* 89 E5
Dornum *(D)* 81 E4
Dorobanțu *(RO)* 152 D4
Dorog *(H)* 129 E1
Dorogobuž *(RUS)* 7 F3
Dorohoi *(RO)* 148 B1
Dorohusk *(PL)* 123 H3
Dorolț *(RO)* 147 E1
Dorotea *(S)* 183 H4
Dörpstedt *(D)* 81 G2
Dorsten *(D)* 84 C3
Dortan *(F)* 51 E1
Dortmund *(D)* 84 D3

Dorum (D) 81 F4
Dörzbach (D) 89 G3
Dos Hermanas (E) 69 G5
Dosbarrios (E) 64 C4
Dospat (BG) 162 B1
Douai (F) 40 A2
Douarnenez (F) 42 B2
Doucier (F) 51 E1
Doudeville (F) 39 F4
Doué-la-Fontaine (F) 43 H4
Douglas (Isle of Man) (GB) 30 C5
Douglas (South Lanarkshire) (GB) 30 D2
Doulaincourt (F) 46 D2
Doulevant-le-Château (F) 46 D2
Doullens (F) 39 H3
Doune (GB) 30 D1
Dourdan (F) 45 E2
Dourgne (F) 53 G3
Doŭsk (BY) 7 E4
Douvaine (F) 51 F1
Douvres-la-Délivrande (F) 38 D4
Dover (GB) 37 E5
Dovre (N) 189 E2
Dovreskogen (N) 189 E2
Downham Market (GB) 33 G4
Downpatrick (GB) 23 G3
Dowra (IRL) 22 D3
Doxáto (GR) 162 B2
Dozulé (F) 38 D5
Drabeši (LV) 203 E2
Dračevo (MK) 143 F5
Drachten (NL) 77 F2
Dragalevci (BG) 158 B2
Dragalina (RO) 152 D4
Dragalovci (BIH) 135 H5
Drăgănești-Olt (RO) 151 G4
Drăgănești-Vlașca (RO) 152 A5
Draganovo (BG) 156 C3
Dragaš / Dragash (SRB) 142 D5
Drăgășani (RO) 151 G3
Dragash / Dragaš 142 D5
Dragaši (MNE) 139 G2
Drăgești (RO) 146 C3
Draginac (SRB) 140 B5
Draginje (SRB) 140 C5
Dragiževo (BG) 159 F1
Dragočaj (BIH) 135 F5
Dragoevo (BG) 159 H1
Dragoevo (MK) 145 G1
Dragoman (BG) 158 A1
Dragomirești (Baia Mare) (RO) 147 G2
Dragomirești (Ploiești) (RO) 151 H3
Dragomirovo (BG) 156 B2
Dragoni (I) 109 G4
Dragør (DK) 199 E3
Dragoš (MK) 145 F3
Dragoș Vodă (RO) 152 D4
Dragosloveni (RO) 148 C5
Dragosvet (SRB) 143 E1
Dragović (HR) 135 G4
Dragovištica (BG) 158 A2
Dragozetići (HR) 134 B4
Dragsfjärd (FIN) 191 F5
Dragsvik (N) 188 C3
Draguignan (F) 55 F2
Drăgușeni (RO) 148 C3
Drahovce (SK) 132 B3
Dralfa (BG) 156 D2
Dráma / Δράμα (GR) 162 B2
Drammen (N) 189 E5
Drangedal (N) 194 D1
Drangovo (BG) 162 D2
Drănic (RO) 151 F5
Dranske (D) 83 F1
Drasenhofen (A) 93 E5
Dravograd (SLO) 134 C1
Drawno (PL) 116 D4
Drawsko Pomorskie (PL) 116 D3
Draženov (CZ) 91 G4
Draževac (SRB) 140 C4
Drebkau (D) 87 E3
Drenovac (SRB) 143 F4
Drenovci (HR) 137 H3
Drenovec (BG) 151 E5
Drenovo (MK) 145 F1
Drépano (Dytikí Makedonía) (GR) 161 E4
Drépano (Pelopónnisos) (GR) 165 G5
Dresden (D) 86 D4
Dreux (F) 44 D1
Drezdenko (PL) 116 D5
Drežnik Grad (HR) 134 D5
Driebergen-Rijsenburg (NL) 77 E5
Driebes (E) 64 D3
Drienica (SK) 133 G2
Driffield (GB) 33 F1
Drinjača (BIH) 137 H4
Drinovci (BIH) 138 C2
Drisht (AL) 142 C5
Drjanovo (BG) 159 F1
Drlače (SRB) 139 G1
Drnholec (CZ) 93 E5
Drniš (HR) 136 C5
Drnje (HR) 135 F2
Drnovo (SLO) 134 D3
Drøbak (N) 189 E5
Drobeta-Turnu Severin (RO) 150 D3
Drobin (PL) 118 C5
Drochia (MD) 13 E3
Drochtersen (D) 81 G4
Drogheda / Droichead Átha (IRL) 23 G4
Drohiczyn (PL) 123 F1
Drohobyč (UA) 12 C2
Droichead Átha / Drogheda (IRL) 23 G4
Droitwich (GB) 32 D5
Dromcolliher (IRL) 24 C3
Dromolaxia (CY) 175 E4
Dromore (Banbridge) (GB) 23 G3
Dromore (Omagh) (GB) 23 E3
Dronero (I) 104 B2
Dronfield (GB) 33 E3
Dronninglund (DK) 195 E4
Dronten (NL) 77 E4
Dropla (BG) 157 G2
Drosáto (GR) 161 G2
Drosendorf Stadt (A) 92 C5
Drosiá (GR) 165 H3
Drosopigí (Dytikí Makedonía) (GR) 160 D3
Droué (F) 44 C3
Drouseia (CY) 174 B4
Drugnia (PL) 122 D4
Drugovci (BIH) 137 F5
Drulingen (F) 41 G5
Drumevo (BG) 157 E3
Drumkeeran (IRL) 22 D3
Drummore (GB) 23 H2
Drumnadrochit (GB) 29 E3
Drumshanbo (IRL) 22 D4
Drusenheim (F) 41 H5
Druskininkai (LT) 205 E5
Druten (NL) 77 E5
Druževo (BG) 154 D3
Drvar (BIH) 136 D4
Drvenik (HR) 138 C3
Drygały (PL) 119 F3
Drymen (GB) 30 C1
Drymónas (GR) 165 G2
Drymós (GR) 161 G3
Dryopída (GR) 169 G2
Dryós (GR) 170 C2
Dubăsari (MD) 13 F3
Duben (D) 86 D2
Dubí (CZ) 86 D5
Dubienka (PL) 123 H3
Dublin / Baile Átha Cliath (IRL) 23 G5
Dubna (RUS) 7 F1
Dubňany (CZ) 93 E5
Dubnica nad Váhom (SK) 132 B2
Dubno (UA) 12 D1
Dubočke (MNE) 139 F3
Duboka (SRB) 142 D3
Dubona (SRB) 140 D4
Duboštica (BIH) 137 G4
Dubova (RO) 150 D3
Dubovac (SRB) 141 E4
Dubovsko (BIH) 135 E5
Dubrava (Pelješac Otoc) (HR) 138 D3
Dubrava (Zagreb) (HR) 135 F3
Dubrava Stara (BIH) 135 G5
Dubrave (Brčko) (BIH) 137 G3
Dubrave (Tuzla) (BIH) 137 G4
Dubravica (SRB) 141 E4
Dubrovnik (HR) 139 E4
Ducey-Les Chéris (F) 43 G1
Duchcov (CZ) 86 D5
Ducherow (D) 83 G3
Duchovščina (RUS) 7 E3
Duclair (F) 39 F4
Dudelange (L) 79 E5
Duderstadt (D) 85 H3
Dudeștii Vechi (RO) 146 A5
Dudince (SK) 132 C4
Dudley (GB) 32 D5
Dudweiler (D) 88 C3
Dueñas (E) 58 A4
Duesund (N) 188 B3
Dufftown (GB) 29 G3
Duga Poljana (SRB) 139 H2
Duga Resa (HR) 134 D4
Dugi Rat (HR) 138 B2
Dugo Selo (HR) 135 E3
Duingt (F) 51 F2
Duino (I) 103 H4
Duisburg (D) 84 C3
Dukat (SRB) 143 G4
Dukla (PL) 127 E2
Dūkštas (LT) 205 H2
Dulcești (RO) 148 C3
Duleek (IRL) 23 F5
Dulje (SRB) 143 E4
Dülken (D) 84 B4
Dülmen (D) 84 C3
Dulnain Bridge (GB) 29 F4
Đulovac (HR) 135 G3
Dulovo (BG) 152 D5
Dumbarton (GB) 30 C2
Dumbrava de Jos (RO) 151 E3
Dumbrăveni (Constanța) (RO) 153 E5
Dumbrăveni (Suceava) (RO) 148 B2
Dumbrăveni (Focșani) (RO) 152 D1
Dumbrăvița (RO) 152 A1
Dumbría (E) 56 B2
Dumfries (GB) 30 D3
Dumitra (RO) 147 G3
Dún Dealgan / Dundalk (IRL) 23 F4
Dún Laoghaire (IRL) 23 G5
Dun-le-Palestel (F) 49 G2
Dún na nGall / Donegal (IRL) 22 D2
Dun-sur-Auron (F) 45 F5
Dun-sur-Meuse (F) 40 D4
Dunaföldvár (H) 129 E3
Dunaharaszti (H) 129 F2
Dunaïvci (UA) 13 E2
Dunajská Streda (SK) 132 A4
Dunakeszi (H) 129 F1
Dunapataj (H) 129 F4
Dunaszekcső (H) 129 E5
Dunaújváros (H) 129 E3
Dunavci (Stara Zagora) (BG) 159 E2
Dunavci (Vidin) (BG) 150 D5
Dunavecse (H) 129 E3
Dunbar (GB) 31 F1
Dunblane (GB) 30 D1
Dundaga (LV) 202 B2
Dundalk / Dún Dealgan (IRL) 23 F4
Dundee (GB) 29 G5
Dundonnell (GB) 28 D2
Dunfanaghy (IRL) 23 E1
Dunfermline (GB) 31 E1
Dungannon (GB) 23 F3
Dungarvan (IRL) 25 E4
Dungiven (GB) 23 F2
Dungloe (IRL) 22 D2
Dunje (MK) 145 F2
Dunkeld (GB) 29 F5
Dunkerque (F) 39 H1
Dunmanway (IRL) 24 C5
Dunmore (IRL) 22 C5
Dunmore East (IRL) 25 F4
Dunnamanagh (GB) 23 E2
Dunnet (GB) 26 B4
Dunoon (GB) 30 C2
Duns (GB) 31 F2
Dunshaughlin (IRL) 23 F5
Dunstable (GB) 36 C3
Dunster (GB) 35 E3
Dunvegan (GB) 28 C3
Dupnica / Дупница (BG) 158 B2
Đurakovac (SRB) 142 D4
Durango (E) 58 D1
Durankulak (BG) 153 F5
Duras (F) 48 D5
Durău (RO) 148 B3
Durban-Corbières (F) 53 H4
Durbuy (B) 79 E3
Dúrcal (E) 75 F3
Đurđevac (HR) 135 F2
Durđevića Tara (MNE) 139 G3
Đurdevik (BIH) 137 G4
Düren (D) 84 B5
Durham (GB) 31 G4
Durlach (D) 89 E4
Durlas / Thurles (IRL) 24 D3
Đurmanec (HR) 135 E2
Durness (GB) 28 E1
Dürnkrut (A) 97 H1
Dürnstein (A) 97 F1
Durrës (AL) 144 B2
Durrow (IRL) 25 E2
Dursley (GB) 35 F1
Durtal (F) 43 H3
Duruelo de la Sierra (E) 58 D4
Dušanovo (BIH) 137 H4
Dusina (BIH) 137 F5
Dusnok (H) 129 E4
Düsseldorf (D) 84 C4
Duszniki (PL) 121 E1
Duszniki-Zdrój (PL) 120 D5
Duved (S) 183 F5
Duži (Mostar) (BIH) 138 D3
Duži (Trebinje) (BIH) 139 E4
Dve Mogili (BG) 156 C2
Dverberg (N) 179 G1
Dvor (HR) 135 E5
Dvorovi (BIH) 137 H3
Dvory nad Lužnicí (CZ) 92 B5
Dvory nad Žitavou (SK) 132 B4
Dvůr Králové nad Labem (CZ) 87 G5
Dynów (PL) 127 F2
Dyrnes (N) 182 B5
Dyrráchi (GR) 168 C3
Dytikí Fragkísta (GR) 164 D2
Dywity (PL) 118 D3
Džanići (BIH) 137 F5
Džanka (BG) 163 E1
Džebel (BG) 162 D2
Džep (SRB) 143 G3
Dziadkowice (PL) 119 G5
Działdowo (PL) 118 C4
Działoszyce (PL) 122 C5
Działoszyn (PL) 121 H4
Dzierzgoń (PL) 118 B2
Dzierżoniów (PL) 121 E5
Dziwnów (PL) 116 C2
Dziwnówek (PL) 116 C2
Dzjaržynsk (BY) 6 D4
Džuljunica (BG) 159 F1
Džumajlija (MK) 145 F1
Džurkovo (BG) 162 C1
Džurovo (BG) 158 C1
Dźwierzuty (PL) 118 D3
Dźwirzyno (PL) 116 C2

E

Eaglescliffe (GB) 31 G5
Earith (GB) 33 G5
Earlston (GB) 31 F2
Easingwold (GB) 31 H5
Easky (IRL) 22 C3
East Dereham (GB) 33 H4
East Grinstead (GB) 36 C5
East Kilbride (GB) 30 D2
East Linton (GB) 31 F1
Eastbourne (GB) 36 D5
Eastleigh (GB) 38 C1
Eaux-Bonnes (F) 52 C4
Eauze (F) 52 D2
Ebbw Vale / Glyn Ebwy (GB) 35 E1
Ebeleben (D) 85 H4
Ebeltoft (DK) 195 E5
Eben im Pongau (A) 96 C3
Ebenfurth (A) 97 G2
Ebensee (A) 96 C2
Eberbach (D) 89 F3
Ebermannstadt (D) 91 E3
Ebern (D) 89 H1
Eberndorf (A) 97 E5
Ebersbach (D) 87 F4
Ebersberg (D) 95 G2
Eberstein (A) 97 E5
Eberswalde (D) 83 G5
Ebmath (D) 91 F2
Eboli (I) 110 B4
Ebrach (D) 89 H2
Ebreichsdorf (A) 97 G2
Ébreuil (F) 50 A2
Ebstorf (D) 82 B5
Eccleshall (GB) 32 D4
Eceabat (TR) 19 F2
Echallens (CH) 98 B3
Echínos (GR) 162 C2
Echt (NL) 79 E2
Echte (D) 85 G3
Echternach (L) 79 F5
Écija (E) 70 B5
Ečka (SRB) 140 D3
Eckartsberga (D) 86 A4
Eckernförde (D) 81 H2
Eckerö (FIN) 190 D5
Écommoy (F) 44 B3
Écos (F) 39 G5
Écouché-les-Vallées (F) 43 H1
Ecsegfalva (H) 129 H2
Écueillé (F) 44 D5
Ed (S) 195 F2
Edam (NL) 76 D4
Edane (S) 195 G1
Ēdas (LV) 202 B3
Ede (NL) 77 E5
Edelény (H) 126 D5
Edenderry (IRL) 23 F5
Edenkoben (D) 88 D3
Édessa / Έδεσσα (GR) 161 E3
Edgeworthstown (IRL) 23 E4
Edinburgh (GB) 31 E2
Edineț (MD) 13 E3
Edirne (TR) 19 F1
Edland (N) 188 C5
Edolo (I) 101 G3
Edremit (TR) 19 G2
Edsåsdalen (S) 183 F5
Edsbro (S) 190 C5
Edsbyn (S) 190 A3
Edsele (S) 183 H5
Eeklo (B) 78 B1
Eelde (NL) 77 G2
Eemshaven (NL) 77 G2
Eferding (A) 96 D1
Efkarpía (Kilkís) (GR) 161 H3
Efkarpía (Thessaloníki) (GR) 161 G2
Eforie Nord (RO) 153 F5
Egeln (D) 86 A2
Eger (H) 129 H1
Egersund (N) 194 B2
Egervár (H) 128 B3
Egeskov (DK) 198 C4
Egestorf (D) 81 H5
Egg (A) 94 D3
Eggenburg (A) 92 D5
Eggenfelden (D) 96 B1
Eggesin (D) 83 G3
Eggum (N) 179 F3
Éghezée (B) 78 D3
Egiertowo (PL) 117 G2
Egilsstaðir (IS) 178 D2
Egkomi (Ammóchostos) (CY) 175 F3
Egkomi (Lefkoşa) (CY) 174 D3
Égletons (F) 49 G3
Eglinton (GB) 23 F2
Egloffstein (D) 91 E3
Egļuciems (LV) 203 H3
Egmond aan Zee (NL) 76 D3
Egremont (GB) 30 D5
Egtved (DK) 198 B3
Egüés (E) 59 F2
Éguzon (F) 49 G1
Ehingen (D) 89 G5
Ehra (D) 85 H1
Ehrang (D) 88 B2
Ehrenberg (D) 89 G1
Ehrenhausen (A) 97 F5
Ehrwald (A) 95 F4
Eibar (E) 58 D1
Eibenstock (D) 86 C5
Eibiswald (A) 97 F5
Eichstätt (D) 91 E5
Eiðar (IS) 178 D2
Eide (N) 182 B5
Eidet (N) 179 F3
Eidfjord (N) 188 C4
Eiði (Færøerne) (DK) 194 A4
Eidkjosen (N) 176 B4
Eidsborg (N) 188 C5
Eidsbugarden (N) 188 D3
Eidsdal (N) 188 C1
Eidsfoss (N) 189 E5
Eidsvåg (N) 188 D1
Eidsvoll (N) 189 F4
Eikelandsosen (N) 188 B4
Eiken (N) 194 C2
Eikesdal (N) 188 D1
Eilenburg (D) 86 C3
Eilsleben (D) 86 A2
Einbeck (D) 85 G3
Eindhoven (NL) 79 E1
Einsiedeln (CH) 99 E2
Eisenach (D) 85 H4
Eisenberg (D) 86 B4
Eisenerz (A) 97 E3
Eisenhüttenstadt (D) 87 F2
Eisenstadt (A) 97 H2
Eisfeld (D) 89 H1
Eišiškės (LT) 205 F5
Eisleben Lutherstadt (D) 86 A3
Eislingen (D) 89 G4
Eitorf (D) 84 D5
Eivissa / Ibiza (E) 66 D4
Ejea de los Caballeros (E) 59 G4
Ejulve (E) 65 H2
Ekenäs / Tammisaari (FIN) 191 G5
Ekkára (GR) 165 E2
Ekshärad (S) 189 H5
Eksjö (S) 195 H4
Ekzarh Antimovo (BG) 159 H2
El Algar (E) 73 E4
El Almendro (E) 69 E5
El Alquián (E) 72 C5
El Astillero (E) 58 B1
El Barco de Ávila (E) 63 G3
El Barraco (E) 64 A2
El Bodón (E) 63 F3
El Bonillo (E) 71 F1
El Bosque (E) 74 C3
El Burgo (E) 74 D3

El Burgo de Osma (E) 58 D5
El Burgo Ranero (E) 57 H4
El Cabaco (E) 63 F3
El Campello / Campello (E) 73 F2
El Campo de Peñaranda (E) 63 H2
El Cañigral (E) 65 F3
El Carpio (E) 70 C4
El Carpio de Tajo (E) 64 A4
El Casar (E) 64 C2
El Castell de Guadalest (E) 66 A5
El Castellar (E) 65 G2
El Castillo de las Guardas (E) 69 F4
El Centenillo (E) 70 D3
El Cerro de Andévalo (E) 69 E4
El Coronil (E) 74 C2
El Cubillo (E) 65 F3
El Cubo de Don Sancho (E) 63 F2
El Cubo de Tierra del Vino (E) 63 G1
El Cuervo (E) 74 B3
El Ejido (E) 75 H3
El Escorial (E) 64 B2
El Espinar (E) 64 B2
El Fondó de les Neus (E) 73 E2
El Formigal (E) 59 H2
El Grado (E) 60 A2
El Grau de Castelló (E) 66 A2
El Grau de València (E) 65 H4
El Hoyo de Pinares (E) 64 A2
El Madroño (E) 69 F4
El Masnou (E) 61 E4
El Molar (E) 64 C2
El Molinillo (E) 64 B5
El Moral (E) 71 G4
El Pardo (E) 64 B2
El Pedernoso (E) 64 D5
El Pedroso (E) 69 G4
El Perelló (E) 65 H5
El Perelló (E) 60 B5
El Picazo (E) 65 E5
El Pinell de Brai (E) 60 B5
El Pinós (E) 73 E2
El Pobo de Dueñas (E) 65 F2
El Pont d'Armentera (E) 60 C4
El Pont de Suert (E) 60 B2
El Port de la Selva (E) 61 F1
El Port de Llançà (E) 61 F1
El Port de Sagunt (E) 66 A3
El Portal (E) 74 B3
El Prat de Llobregat (E) 60 D4
El Provencio (E) 64 D5
El Puente (E) 58 C1
El Puente del Arzobispo (E) 63 H5
El Puerto de Sta María (E) 74 A3
El Real de la Jara (E) 69 G4
El Real de San Vicente (E) 64 A3
El Robledo (E) 64 A5
El Rocío (E) 69 F5
El Romeral (E) 64 C4
El Rompido (E) 69 E5
El Ronquillo (E) 69 G4
El Royo (E) 58 D4
El Rubio (E) 70 B5
El Saler (E) 65 H5
El Salobral (E) 71 G2
El Saucejo (E) 74 C2
El Serrat (AND) 60 C1
El Tiemblo (E) 64 A2
El Toboso (E) 64 D4
El Vendrell (E) 60 C4
El Villar de Arnedo (E) 59 E3
El Viso (E) 70 B2
El Viso del Alcor (E) 69 G5
Élafos (GR) 164 C1
Elaiochóri (GR) 162 B3
Elaiochória (GR) 161 G4
Elaiónas (GR) 165 F3
Elassóna / Ελασσόνα (GR) 161 E5
Eláteia (GR) 165 F3
Eláti (Dytikí Makedonía) (GR) 161 E5
Eláti (Thessalía) (GR) 164 D1
Elatoú (GR) 165 E3
Elbasan (AL) 144 C2
Elbeuf (F) 39 F5
Elbigenalp (A) 95 E4
Elbingerode (D) 85 H3
Elbląg (PL) 118 B2
Elburg (NL) 77 F4
Elche / Elx (E) 73 E2
Elche de la Sierra (E) 71 G3
Elda (E) 73 E2
Eldena (D) 82 D5
Elefsína / Ελευσίνα (GR) 165 H4
Eleftherés (GR) 162 B3
Eléfthero (GR) 160 C5
Eleftherochóri (GR) 160 D5
Eleftheroúpoli / Ελευθερούπολη (GR) 162 B3
Eleja (LV) 202 D4
Elek (H) 131 E4
Elektrėnai (LT) 205 F4
Elemir (SRB) 140 C2
Elena (BG) 159 F1
Eleoúsa (GR) 171 H3
Elgå (N) 189 G2
Elgin (GB) 29 F3
Elgoibar (E) 59 E1
Elgol (GB) 28 C4
Elhovo Елхово (BG) 159 G3
Eliá (GR) 168 D4
Elie (GB) 31 E1
Elimäki (FIN) 193 E4
Elin Pelin / Елин Пелин (BG) 158 B2
Elisejna (BG) 158 B1
Elizondo (E) 59 F1
Ełk (PL) 119 F2
Ellesmere (GB) 32 C4
Ellesmere Port (GB) 32 C3
Ellingen (D) 91 E5
Ellinikó (GR) 165 E5
Ellon (GB) 29 H3
Ellopía (GR) 165 G4
Ellös (S) 195 F3
Ellrich (D) 85 H3
Ellwangen (D) 89 G4
Elmas (I) 112 C5
Elmshorn (D) 81 H3
Elne (F) 54 A5
Elnesvågen (N) 182 B5
Elorrio (E) 58 D1
Élos (GR) 172 A3
Előszállás (H) 129 E3
Eloúnta (GR) 173 E3
Éloyes (F) 47 F2
Elphin (IRL) 22 D4
Els Monjós (E) 60 D4
Elsdorf (D) 84 B4
Elsendorf (D) 95 G1
Elsfleth (D) 81 F5
Elšica (BG) 158 C2
Elsterberg (D) 86 B5
Elsterwerda (D) 86 D3
Eltisley (GB) 33 G5
Eltmann (D) 89 H2
Elva (EST) 201 F4
Elvanfoot (GB) 30 D3
Elvas (P) 69 E1
Elvekrok (N) 188 C2
Elven (F) 43 E3
Elverum (N) 189 F4
Elx / Elche (E) 73 E2
Ely (GB) 33 G5
Elzach (D) 94 B2
Elze (D) 85 G2
Embid (E) 65 F1
Embid de Ariza (E) 59 E5
Embrun (F) 51 F5
Embūte (LV) 202 B4
Emden (D) 80 D4
Emet (TR) 19 H2
Emlichheim (D) 84 C1
Emmaboda (S) 197 E5
Emmaste (EST) 200 B3
Emmeloord (NL) 77 E3
Emmen (NL) 77 G3
Emmendingen (D) 94 A2
Emmerich (D) 84 B2
Empa (CY) 174 B4
Empesós (GR) 164 D2
Empoli (I) 105 H4
Émponas (GR) 171 H3
Emporeiós (Nótio Aigaío) (GR) 171 G2
Emporeiós (Vóreio Aigaío) (GR) 167 E4
Emsdetten (D) 84 D2
Emskirchen (D) 89 H3
Enafors (S) 183 E5
Enäjärvi (FIN) 193 F3
Enånger (S) 190 B3
Encamp (AND) 60 C1
Encausse-les-Thermes (F) 53 E4
Encinas de Abajo (E) 63 G2
Encinasola (E) 69 E3
Encinedo (E) 57 F4
Encs (H) 126 D5
Endriejavas (LT) 204 C2
Endrinal (E) 63 G3
Endrőd (H) 129 H3
Enego (I) 103 E3
Enese (H) 128 C1
Enfesta (E) 56 C2
Eng (A) 95 G4
Engelberg (CH) 99 E3
Engelhartszell (A) 96 C1
Engelskirchen (D) 84 D4
Engen (D) 94 C2
Enger (D) 85 E2
Engerdal (N) 189 G2
Enghien (B) 78 C3
Engstingen (D) 89 F5
Enguera (E) 73 E1
Enguídanos (E) 65 F4
Enkhuizen (NL) 77 E3
Enköping (S) 197 F1
Enna (I) 115 E3
Ennepetal (D) 84 D4
Ennezat (F) 50 A2
Ennis / Inis (IRL) 24 C2
Enniscorthy / Inis Córthaidh (IRL) 25 F3
Enniskerry (IRL) 25 G2
Enniskillen (GB) 23 E3
Ennistimon (IRL) 24 C2
Enns (A) 96 D2
Eno (FIN) 187 H5
Enonkoski (FIN) 193 G1
Enontekiö (FIN) 176 D5
Enschede (NL) 77 G4
Ensisheim (F) 47 G3
Entlebuch (CH) 98 D3
Entraygues-sur-Truyère (F) 49 H5
Entre-os-Rios (P) 62 C1
Entrevaux (F) 55 G1
Entrèves (I) 100 B3
Entroncamento (P) 62 B5
Envermeu (F) 39 F3
Enviken (S) 190 A4
Enying (H) 128 D3
Enzklösterle (D) 89 E5
Epe (NL) 77 F4
Épernay (F) 40 B5
Épernon (F) 44 D1
Épila (E) 59 G5
Épinac (F) 46 C5
Épinal (F) 47 F2
Episkopí (Attikí) (GR) 169 F2
Episkopí (Lasíthi) (GR) 173 F4
Episkopi (Lemesós) (CY) 174 C5
Episkopi (Páfos) (CY) 174 B4
Episkopí (Réthymno) (GR) 170 A5
Eppan / Appiano (I) 101 H2
Epping (GB) 36 C3
Eppingen (D) 89 F3
Epsom (GB) 36 C4
Eptachóri (GR) 160 D4
Eptakomi (CY) 175 F2
Eptálofos (GR) 165 F3
Epworth (GB) 33 F2
Eraclea (I) 103 F4
Eraclea Mare (I) 103 F4
Eräjärvi (FIN) 191 H3
Erateiní (GR) 165 E3
Erátyra (GR) 160 D4
Erba (I) 101 E3
Erbach (D) 89 F2
Erbalunga (F) 55 H3
Erbendorf (D) 91 F3
Ērberģe (LV) 203 E4
Ercsi (H) 129 E2
Érd (H) 129 E2
Erdek (TR) 19 G2
Erdevik (SRB) 140 B3
Erding (D) 95 G2
Erdut (HR) 137 H2
Eremitu (RO) 147 H4
Eresfjord (N) 188 D1
Eresós (GR) 167 E2
Erétria (GR) 165 H3
Erezée (B) 79 E4
Erfde (D) 81 G2
Erftstadt (D) 84 C5
Erfurt (D) 86 A4
Ergates (CY) 174 D3
Ērgļi (LV) 203 F3
Ergoldsbach (D) 95 H1
Erice (I) 114 B2
Ericeira (P) 68 A1
Eriksberg (S) 197 E2
Eriksmåle (S) 197 E5
Erimi (CY) 174 C5
Erkelenz (D) 84 B4
Erkner (D) 86 D1
Erla (E) 59 G4
Erlangen (D) 91 E4
Erlsbach (A) 95 H5
Ermenonville (F) 39 H5
Ermidas-Aldeia (P) 68 C3
Ermióni (GR) 169 E2
Ermoúpoli / Ερμούπολη (GR) 169 H2
Ermsleben (D) 86 A3
Erndtebrück (D) 85 E4
Ernée (F) 43 G2
Ernei (RO) 147 G4
Ernestinovo (HR) 137 G2
Ernstbrunn (A) 97 G1
Erquy (F) 43 E1
Erratzu (E) 59 F1
Erronkari (E) 59 G2
Ersekë (AL) 144 D4
Erstein (F) 47 H2
Ervenik (HR) 136 C5
Ervidel (P) 68 C3
Ervy-le-Châtel (F) 45 H3
Erwitte (D) 85 E3
Erythrés (GR) 165 G4
Eržvilkas (LT) 204 D3
es Caló (E) 66 D5
es Mercadal (E) 67 H2
Esbjerg (DK) 198 B3
Esblada (E) 60 C4
Esbo / Espoo (FIN) 191 H5
Escairón (E) 56 D3
Escalada (E) 58 B2
Escalante (E) 58 C1
Escaldes-Engordany (AND) 60 C1
Escalona (E) 64 A3
Escalonilla (E) 64 A4
Escalos de Cima (P) 62 D4
Escatrón (E) 59 H5
Esch (D) 89 E1
Esch-sur-Alzette (L) 79 E5
Esch-sur-Sûre (L) 79 E4
Eschede (D) 85 H1
Eschenbach in der Oberpfalz (D) 91 F3
Eschershausen (D) 85 G2
Eschwege (D) 85 G4
Eschweiler (D) 84 B5
Escombreras (E) 73 E4
Escorihuela (E) 65 G2
Escullar (E) 71 F5
Escurial (E) 69 G1
Esens (D) 81 E4
Esguevillas de Esgueva (E) 58 A5
Esher (GB) 36 C4
Eskifjörður (IS) 178 D2
Eskilstuna (S) 197 F1
Eskoriatza (E) 58 D2
Eslarn (D) 91 G4
Eslohe (D) 85 E4
Eslöv (S) 199 F3
Esmoriz (P) 62 B2
Espa (N) 189 F4
Espadañedo (E) 57 F4
Espalion (F) 50 A5
Esparreguera (E) 60 D3
Espedal (N) 189 E3
Espejo (E) 70 C4
Espelette (F) 52 A3
Espelkamp (D) 85 E1
Espelúy (E) 70 D3
Espenschied (D) 88 D1
Espera (E) 74 B3
Espiel (E) 70 B3
Espinama (E) 58 A1
Espinho (P) 62 B2
Espinilla (E) 58 B2
Espinosa de Cerrato (E) 58 B4
Espinosa de los Monteros (E) 58 C2
Espolla (E) 61 F1
Espoo / Esbo (FIN) 191 H5
Esporles (E) 67 E2
Esposende (P) 56 B5
Espot (E) 60 B1
Esquedas (E) 59 H3
Esquivias (E) 64 B3
Esse (FIN) 185 F5
Essen (Cloppenburg) (D) 84 C3
Essen (Essen) (D) 84 D1
Essenbach (D) 95 H1
Esslingen am Neckar (D) 89 F4
Essoyes (F) 46 C3
Estación de Salinas (E) 75 E2
Estadilla (E) 60 A2
Estagel (F) 53 H4
Estaing (F) 49 H5
Estaires (F) 39 H2
Estarreja (P) 62 B2
Estavayer-le-Lac (CH) 98 B3
Este (I) 103 E5
Estella (E) 59 E2
Estepa (E) 70 B5
Estepona (E) 74 C4
Esteras de Medinaceli (E) 65 E1
Esternay (F) 45 G1
Esterri d'Àneu (E) 60 B1
Estissac (F) 45 G2
Estoi (P) 68 C5
Estoril (P) 68 A2
Estrées-Saint-Denis (F) 39 H4
Estremoz (P) 68 D2
Esztergom (H) 129 E1
Étables-sur-Mer (F) 42 D1
Étain (F) 41 E5
Étampes (F) 45 E2
Étang-sur-Arroux (F) 45 H5
Étaples (F) 39 G2
Étel (F) 42 D3
Etne (N) 188 B5
Étrépagny (F) 39 G5
Étretat (F) 39 E4
Etropole / Етрополе (BG) 158 C1
Ettelbruck (L) 79 F5
Etten-Leur (NL) 78 D1
Ettenheim (D) 88 D5
Ettington (GB) 33 E5
Ettlingen (D) 89 E4
Etxarri-Aranatz (E) 59 E2
Eu (F) 39 G3
Eugénie-les-Bains (F) 52 C2
Eupen (B) 79 F3
Eura (FIN) 191 F3
Eurajoki (FIN) 191 F3
Euratsfeld (A) 97 E2
Euskirchen (D) 84 C5
Eußenhausen (D) 89 H1
Eutin (D) 82 C3
Evangelismós (GR) 161 F5
Évaux-les-Bains (F) 49 H2
Évdilos (GR) 167 F5
Evendorf (D) 81 H5
Evenskjær (Skånland) (N) 179 G2
Evergem (B) 78 B2
Everöd (S) 199 F3
Evertsberg (S) 189 H3
Evesham (GB) 35 G1
Évian (F) 51 F1
Evijärvi (FIN) 185 G5
Evinochóri (GR) 164 D3
Évisa (F) 55 G4
Evje (N) 194 C2
Évlalo (GR) 162 C3
Evolène (CH) 98 C5
Évora (P) 68 D2
Évoramonte (P) 68 D2
Évran (F) 43 F2
Évrecy (F) 38 D5
Évreux (F) 39 F5
Évron (F) 43 H2
Evropós (GR) 161 F3
Evrostína (GR) 165 F4
Évry (F) 45 E1
Evrychou (CY) 174 C3
Évzonoi (GR) 161 F2
Exaplátanos (GR) 161 E3
Excideuil (F) 49 F4
Exeter (GB) 35 E4
Exmes (F) 44 B1
Exmouth (GB) 35 E4
Exo Metochi (CY) 175 E3
Exochí (GR) 161 H2
Exter (D) 85 F2
Eydehavn (N) 194 D2
Eye (GB) 33 G4
Eyemouth (GB) 31 F2
Eyguières (F) 54 D2
Eygurande (F) 49 H3
Eymet (F) 49 E5
Eymoutiers (F) 49 G3
Ezcaray (E) 58 D3
Ezcároz (E) 59 G2
Èze (F) 55 H2
Ezernieki (Bukmuiža) (LV) 203 H4
Ezerovo (BG) 159 E3
Ezıne (TR) 19 F2

F

Faaborg (DK) 198 C4
Faak (A) 96 D5
Fabara (E) 60 A4
Fåberg (N) 189 E3
Fabero (E) 57 F3
Fábiánháza (H) 131 F1
Fabianki (PL) 117 H5
Fábiánsebestyén (H) 129 H3
Fabriano (I) 107 F4
Fábricas de Riópar (E) 71 G2
Fabro (I) 107 E5
Făcăeni (RO) 153 E3
Facinas (E) 74 B4
Facture (F) 48 C5
Fadd (H) 129 E4
Faenza (I) 107 E2
Faeto (I) 110 B2
Fafe (P) 62 C1
Făgăraş (RO) 151 H1
Fågelfors (S) 197 E4
Fagernes (N) 176 B4
Fagernes (N) 189 E3
Fagersta (S) 190 A5
Făget (RO) 146 C5

Făgețelu (RO) 151 G3
Fagurhólsmýri (IS) 178 C3
Fairford (GB) 35 G1
Fakenham (GB) 33 H4
Fakija (BG) 159 H3
Fakovici (BIH) 139 G1
Falaise (F) 38 D5
Falakró (GR) 162 B2
Fálanna (GR) 161 F5
Falcade (I) 103 E2
Falces (E) 59 F3
Falconara Marittima (I) 107 G3
Falcone (I) 115 F2
Falerna (I) 113 B3
Faliráki (GR) 171 H3
Falkenberg (D) 86 D3
Falkenberg (S) 195 F5
Falkensee (D) 86 C1
Falkenstein (D) 91 F2
Falkirk (GB) 30 D1
Falkland (GB) 31 E1
Falköping (S) 195 G3
Fallersleben (D) 85 H1
Fällfors (S) 185 E2
Falmouth (GB) 34 B5
Falset (E) 60 B4
Falsterbo (S) 199 E4
Fălticeni (RO) 148 B2
Falun (S) 190 A4
Fameck (F) 41 E4
Famjin (Færøerne) (DK) 194 A5
Fanári (Anatolikí Makedonía
kai Thráki) (GR) 162 D3
Fanári (Attikí) (GR) 165 G5
Fanári (Dytikí
Elláda) (GR) 165 E5
Fanári (Thessalía) (GR) 165 E1
Fanefjord (DK) 199 E4
Fanjeaux (F) 53 G3
Fano (I) 107 G3
Fanós (GR) 161 F2
Fara Novarese (I) 100 D4
Faraoani (RO) 148 C4
Fårbo (S) 197 E4
Fărdea (RO) 150 C1
Fareham (GB) 38 C1
Fårevejle (DK) 198 D3
Färgelanda (S) 195 F2
Färila (S) 190 A2
Farindola (I) 109 G1
Faringdon (GB) 35 G2
Farini (I) 105 F2
Färjestaden (S) 197 E5
Farkadóna (GR) 165 E1
Farkasgyepű (H) 128 C2
Farkaždin (SRB) 140 D3
Farlete (E) 59 H5
Fârliug (RO) 150 C1
Farmakonísi (GR) 171 F1
Farnborough (GB) 35 H2
Farnese (I) 108 C1
Farnham (GB) 35 H2
Faro (P) 68 C5
Fårösund (S) 197 G3
Farra d'Alpago (I) 103 F3
Fársala / Φάρσαλα (GR) 165 F1
Farsø (DK) 194 D4
Farsund (N) 194 B2
Farum (DK) 199 E3
Fasano (I) 111 F3
Fáskrúðsfjörður (IS) 178 D2
Fastiv (UA) 13 F1
Fatež (RUS) 7 G4
Fátima (P) 62 B5
Fatmomakke (S) 183 G3
Faucogney-
et-la-Mer (F) 47 F3
Faulquemont (F) 41 F5
Fauquembergues (F) 39 G2
Făurei (Brăila) (RO) 152 D2
Făurei
(Piatra-Neamț) (RO) 148 C3
Fauske (N) 179 G4
Fauville-en-Caux (F) 39 E4
Fåvang (N) 189 E3
Favara (E) 65 H5
Favara (I) 114 D4
Faverges (F) 51 F3
Faverney (F) 47 E3
Faversham (GB) 37 E4
Fawley (GB) 38 C1
Faxe (DK) 199 E4
Faxe Ladeplads (DK) 199 E4
Fay-sur-Lignon (F) 50 C4
Fayence (F) 55 G2
Fayl-Billot (F) 47 E3
Fayón (E) 60 A4
Fažana (HR) 134 A5
Fécamp (F) 39 E3
Feces de Abaixo (E) 56 D5
Feda (N) 194 B2
Fegyvernek (H) 129 H2
Fehérgyarmat (H) 131 G1
Fehrbellin (D) 83 E5
Fehring (A) 97 G4
Feked (H) 129 E5
Feketić (SRB) 140 C2
Felanitx (E) 67 F3
Feld am See (A) 96 D5
Feldafing (D) 95 F2
Feldbach (A) 97 G4
Feldberg (D) 83 F4
Feldberger Hof (D) 94 B2
Feldioara (RO) 152 A1
Feldkirch (A) 94 D4
Feldkirchen
in Kärnten (A) 96 D5
Feldru (RO) 147 G2
Felgueiras (P) 62 C1
Felixstowe (GB) 37 E3
Fellabær (IS) 178 D2
Fellbach (D) 89 F4
Felletin (F) 49 H2
Fellingsbro (S) 197 E1
Felnac (RO) 146 B5
Felsőszölnök (H) 128 A3
Felton (GB) 31 G3
Feltre (I) 103 E3
Fene (E) 56 C1
Fener (I) 103 E3
Fénétrange (F) 41 G5
Feolin Ferry (GB) 30 A2
Ferbane (IRL) 23 E5
Ferdinandovac (HR) 135 G2
Ferdinandshof (D) 83 G3
Fère-Champenoise (F) 45 H1
Fère-en-Tardenois (F) 40 B5
Ferentino (I) 109 F3
Féres (GR) 163 E3
Feria (E) 69 F2
Feričanci (HR) 135 H4
Ferizaj /
Uroševac (SRB) 143 E4
Ferlach (A) 96 D5
Fermo (I) 107 H4
Fermoselle (E) 63 F1
Fermoy (IRL) 24 D4
Fernán Caballero (E) 64 B5
Fernán Núñez (E) 70 B4
Ferney-Voltaire (F) 51 F1
Ferrandina (I) 111 E4
Ferrara (I) 106 D1
Ferreira (E) 56 D1
Ferreira do Alentejo (P) 68 C3
Ferreira do Zêzere (P) 62 B5
Ferreiras (P) 68 C5
Ferreras de Abajo (E) 57 F5
Ferreries (E) 67 H2
Ferreruela
de Huerva (E) 65 G1
Ferrette (F) 47 G4
Ferriere (I) 105 F2
Ferrières-
en-Gâtinais (F) 45 F3
Ferrol (E) 56 C1
Fertilia (I) 112 A2
Fertőd (H) 128 B1
Fertőszentmiklós (H) 128 B1
Fetești (RO) 153 E4
Fethard (IRL) 25 E3
Fetsund (N) 189 F5
Feucht (D) 91 E4
Feuchtwangen (D) 89 H3
Feurs (F) 50 C3
Feyzin (F) 50 D3
Fiamignano (I) 109 E2
Fiano Romano (I) 108 D2
Fiastra (I) 107 G5
Fibiș (RO) 146 B5
Ficarolo (I) 102 D5
Fíchtio (GR) 165 F5
Fidenza (I) 101 F5
Fieberbrunn (A) 95 H3
Fieni (RO) 152 A2
Fier (AL) 144 C3
Fiera di Primiero (I) 103 E3
Fierbinți-Târg (RO) 152 C3
Fiesole (I) 105 H4
Figaró (E) 60 D3
Figeac (F) 49 G5
Figline Valdarno (I) 106 D3
Figueira da Foz (P) 62 B3
Figueira
de Castelo Rodrigo (P) 63 E2
Figueiró dos Vinhos (P) 62 C4
Figueres (E) 61 E2
Figueruela de Arriba (E) 57 F5
Fikardou (CY) 174 D4
Filadelfia (I) 113 C3
Fiľakovo (SK) 133 E4
Filey (GB) 33 F1
Filia (Dytikí Elláda) (GR) 165 E5
Filia (Vóreio Aigaío) (GR) 167 E2
Filiași (RO) 151 F3
Filiátes / Φιλιάτες (GR) 160 B5
Filiatrá / Φιλιατρά (GR) 168 B3
Filipeștii
de Pădure (RO) 152 B3
Filipów (PL) 119 G2
Filippiáda (GR) 164 C1
Filipstad (S) 189 H5
Fillan (N) 182 C4
Fillýra (GR) 162 D2
Filottrano (I) 107 G4
Finale Emilia (I) 105 H2
Finale Ligure (I) 104 D3
Fiñana (E) 71 F5
Finby / Särkisalo (FIN) 191 G5
Finchingfield (GB) 36 D3
Finja (S) 199 F3
Finneidfjord (N) 183 F1
Finnentrop (D) 84 D4
Finnsnes (Lenvik) (N) 176 A4
Finow (D) 83 G5
Finowfurt (D) 83 G5
Finspång (S) 197 E2
Finsterau (D) 91 H5
Finsterwalde (D) 86 D3
Finström (FIN) 190 D5
Fintona (GB) 23 E3
Fintown (IRL) 22 D2
Fionnphort (GB) 30 A1
Fiorenzuola d'Arda (I) 101 F5
Firenze (I) 105 H4
Firenzuola (I) 106 D2
Firminy (F) 50 C3
Firmo (I) 113 B1
Fischamend Markt (A) 97 H2
Fischbach (D) 91 E4
Fischbeck (D) 86 B1
Fischen im Allgäu (D) 95 E3
Fishbourne (GB) 38 C1
Fishguard /
Abergwaun (GB) 25 H4
Fiskárdo (GR) 164 B3
Fiskari (FIN) 191 G5
Fismes (F) 40 B4
Fisterra (E) 56 A2
Fitero (E) 59 F4
Fitjar (N) 188 A4
Fiuggi (I) 109 F3
Fiumicino (I) 108 D3
Fivemiletown (GB) 23 E3
Fivizzano (I) 105 G3
Fjærland (N) 188 C2
Fjällåsen (S) 180 A4
Fjällbacka (S) 195 F2
Fjällnäs (S) 189 G1
Fjärdhundra (S) 190 B5
Fjätervålen (S) 189 G2
Fjellerup (DK) 195 E5
Fjerritslev (DK) 194 D4
Fjerze (AL) 142 C5
Flå (N) 189 E4
Fladungen (D) 85 G5
Flaine (F) 51 G2
Flakk (N) 182 D5
Flåm (N) 188 C3
Flămânzi (RO) 148 C2
Flampourári (GR) 160 C5
Flampourési (GR) 161 E5
Flámpouro (GR) 161 H3
Flattnitz (A) 96 D4
Flatval (N) 182 C4
Fleetwood (GB) 32 C2
Flekkefjord (N) 194 B2
Flen (S) 197 F2
Flensburg (D) 81 G1
Flers (F) 43 H1
Flesberg (N) 188 D5
Fleurance (F) 53 E2
Fleurier (CH) 98 B3
Fleurus (B) 78 C3
Fleury (F) 45 F2
Fleury-sur-Andelle (F) 39 F4
Flims-Waldhaus (CH) 99 F3
Flint (GB) 32 C3
Flisa (N) 189 G4
Flix (E) 60 B4
Flixecourt (F) 39 G3
Flize (F) 40 C4
Floda (S) 190 A4
Flogny (F) 45 H3
Flöha (D) 86 C5
Flor da Rosa (P) 62 D5
Florac (F) 54 A1
Florennes (B) 78 C4
Florensac (F) 54 A3
Florenville (B) 78 D5
Florești (MD) 13 F3
Florești
(Cluj-Napoca) (RO) 147 F4
Florești (Ploiești) (RO) 152 B3
Floriáda (GR) 164 D2
Floridia (I) 115 G4
Flórina / Φλώρινα (GR) 160 D3
Florø (N) 188 B2
Flörsheim-
Dalsheim (D) 89 E2
Flötningen (S) 189 G2
Fluðir (IS) 178 B3
Flüelen (CH) 99 E3
Flühli (CH) 98 D3
Flumet (F) 51 F2
Fluminimaggiore (I) 112 B4
Flums (CH) 99 F2
Foča (BIH) 139 F2
Foça (TR) 19 G3
Foce Verde (I) 109 E4
Fochabers (GB) 29 G3
Fockbek (D) 81 H2
Focșani (RO) 152 D1
Focuri (RO) 148 D2
Foeni (RO) 150 A1
Foggia (I) 110 C2
Föglö (FIN) 191 E5
Fohnsdorf (A) 97 E4
Foiano della Chiana (I) 107 E4
Foini (CY) 174 C4
Foínikas (GR) 169 H2
Foinikoúntas (GR) 168 C3
Foix (F) 53 F4
Fojnica (Mostar) (BIH) 139 E3
Fojnica (Zenica) (BIH) 137 F5
Földeák (H) 129 H4
Foldereid (N) 183 E3
Földes (H) 131 E2
Foleá (GR) 162 B3
Folégandros (GR) 169 H4
Folgaria (I) 101 H3
Folgoso de la Ribera (E) 57 F3
Foligno (I) 107 F5
Folkestone (GB) 37 E5
Follafoss (N) 182 D4
Folldal (N) 189 E2
Follebu (N) 189 E3
Follina (I) 103 E3
Föllinge (S) 183 G5
Follonica (I) 106 C5
Folmava (CZ) 91 G4
Fombellida (E) 58 B4
Fompedraza (E) 58 B5
Fondevila (E) 56 C5
Fondi (I) 109 F4
Fondo (I) 101 H2
Fonfría (E) 57 F5
Fonfría (E) 65 G1
Fonn (N) 188 C2
Fonni (I) 112 C3
Fonollosa (E) 60 C3
Font-Romeu-
Odeillo-Via (F) 53 G5
Fontaine (F) 47 G3
Fontaine-
de-Vaucluse (F) 54 D2
Fontaine-Française (F) 46 D4
Fontaine-le-Dun (F) 39 F3
Fontainebleau (F) 45 F2
Fontanigorda (I) 105 E2
Fontenay-le-Comte (F) 48 C1
Fontenay-Trésigny (F) 45 F1
Fontevraud-
l'Abbaye (F) 43 H5
Fontgombault (F) 49 F1
Fontibre (E) 58 B2
Fontiveros (E) 63 H2
Fontoy (F) 41 E4
Fontvieille (F) 54 C2
Fonyód (H) 128 C3
Fonz (E) 60 A3
Fonzaso (I) 103 E3
Foppolo (I) 101 F3
Forbach (F) 41 F5
Forcall (E) 65 H2
Forcalquier (F) 55 E2
Forcarei (E) 56 C3
Forchheim (D) 91 E3
Førde (N) 188 B2
Førde (N) 188 B5
Förderstedt (D) 86 A2
Fordingbridge (GB) 38 B1
Fordon (PL) 117 G4
Fordongianus (I) 112 B3
Forenza (I) 110 D3
Foresta di Burgos (I) 112 C2
Føresvik (N) 188 A5
Forfar (GB) 29 G5
Forges-les-Eaux (F) 39 G4
Forio (I) 109 G5
Forlì (I) 107 E2
Forlì del Sannio (I) 109 G3
Forlimpopoli (I) 107 E2
Formazza (I) 100 D2
Formby (GB) 32 C2
Formerie (F) 39 G4
Formia (I) 109 F4
Formigine (I) 105 H2
Fornaci di Barga (I) 105 G4
Fornells (E) 67 H1
Forni Avoltri (I) 103 F2
Forni di Sopra (I) 103 F2
Forno di Zoldo (I) 103 F2
Fornos de Algodres (P) 62 D3
Fornovo di Taro (I) 105 G2
Forotic (RO) 150 B2
Forráskút (H) 129 G4
Forres (GB) 29 F3
Forsa (S) 190 B3
Forsand (N) 194 B1
Forserum (S) 195 H3
Forshaga (S) 195 G1
Forsnes (N) 182 C5
Forssa (FIN) 191 G4
Forst (D) 87 F3
Fort Augustus (GB) 28 D4
Fort-Mahon-Plage (F) 39 G2
Fort William (GB) 28 D5
Forte dei Marmi (I) 105 G4
Forth (D) 91 E4
Fortrose (GB) 29 E3
Fortuna (E) 73 E2
Fortuneswell (GB) 38 A2
Forvik (N) 183 F2
Fos (F) 53 E4
Fos-sur-Mer (F) 54 D3
Foslandsosen (N) 183 E3
Fosnavåg (N) 188 B1
Fossacesia (I) 109 H2
Fossano (I) 104 C2
Fossbakken (N) 176 A5
Fosses-la-Ville (B) 78 D3
Fossombrone (I) 107 F3
Fót (H) 129 F1
Foteiná (GR) 161 F4
Foteinó (GR) 161 E5
Fotolívos (GR) 162 B2
Fouesnant (F) 42 B3
Foug (F) 47 E1
Fougères (F) 43 G2
Fougerolles (F) 47 F3
Fouras (F) 48 C2
Fourchambault (F) 45 F5
Fourfourás (GR) 172 D3
Fourmies (F) 40 B3
Fourná (GR) 165 E2
Fournels (F) 50 A5
Fournés (GR) 172 B3
Fourní (GR) 173 E3
Foúrnoi (GR) 167 F5
Fours (F) 45 G5
Foústani (GR) 161 F2
Fowey (GB) 34 C4
Foxford (IRL) 22 C4
Foyers (GB) 29 E4
Foz (E) 57 E1
Foz do Arelho (P) 62 A5
Foz Giraldo (P) 62 D4
Frabosa Soprana (I) 104 C3
Fraddon (GB) 34 C4
Fraga (E) 60 A4
Fragkádes (GR) 160 C5
Frailes (E) 70 D5
Fraize (F) 47 G2
Fram (SLO) 134 D1
Frammersbach (D) 89 F1
Frampol (PL) 123 F4
Francavilla al Mare (I) 109 G1
Francavilla di Sicilia (I) 115 G3
Francavilla Fontana (I) 111 G4
Francavilla in Sinni (I) 110 D5
Francofonte (I) 115 F4
Francorchamps (B) 79 E3
Frändefors (S) 195 F2
Franeker (NL) 77 E2
Frangy (F) 51 E2
Frankenberg
(Mittweida) (D) 86 C5
Frankenberg (Waldeck
Frankenberg) (D) 85 F4
Frankenburg
am Hausruck (A) 96 C2
Frankenmarkt (A) 96 C2
Frankenstein (D) 88 D3
Frankenthal (D) 89 E3
Frankfurt am Main (D) 89 E1
Frankfurt an der Oder (D) 87 E1
Františkovy Lázně (CZ) 91 F2
Frantsila / Rantsila (FIN) 185 H3
Frascati (I) 109 E3
Frascineto (I) 113 B1
Frasdorf (D) 95 H3
Fraserburgh (GB) 29 H3
Frasin (RO) 148 B2
Frăsinet (RO) 151 H4
Frătăuții Noi (RO) 148 B1
Fratel (P) 62 C5
Fratta Polesine (I) 103 E5
Frauenfeld (CH) 99 F1
Frauenkirchen (A) 97 H2
Frauenstein (D) 86 D5
Frechen (D) 84 C5
Frechilla (E) 58 A4
Freckenhorst (D) 84 D2
Fredensborg (DK) 199 E3
Fredericia (DK) 198 C3
Frederikshavn (DK) 195 E4

Frederikssund (DK) 199 E3
Frederiksværk (DK) 199 E3
Fredrika (S) 184 C4
Fredriksberg (S) 189 H5
Fredrikstad (N) 195 F1
Fregenal de la Sierra (E) 69 F3
Fregene (I) 108 D3
Freiberg (D) 86 D5
Freiburg (D) 81 G3
Freiburg im Breisgau (D) 94 A2
Freihung (D) 91 F4
Freilassing (D) 96 B2
Freilingen (D) 84 D5
Freising (D) 95 G1
Freistadt (A) 96 D1
Freital (D) 86 D4
Freixedas (P) 63 E2
Freixido (E) 57 E4
Freixo de Espada à Cinta (P) 63 E2
Fréjus (F) 55 G3
Frenaros (CY) 175 F3
Frenchpark (IRL) 22 D4
Frenštát pod Radhoštěm (CZ) 93 G3
Freren (D) 84 D1
Freshford (IRL) 25 E3
Freshwater (GB) 38 B1
Fresnay-sur-Sarthe (F) 43 H2
Fresne-Saint-Mamès (F) 47 E4
Fresnes-en-Woëvre (F) 41 E5
Fresno Alhándiga (E) 63 G2
Freudenberg (Main-Tauber) (D) 89 F2
Freudenberg (Siegen Wittgenstein) (D) 84 D5
Freudenstadt (D) 89 E5
Frévent (F) 39 H2
Freyburg (D) 86 B4
Freyenstein (D) 83 E4
Freyming-Merlebach (F) 41 F5
Freyung (D) 91 H5
Frías (E) 58 C2
Frías de Albarracín (E) 65 F3
Fribourg (CH) 98 C3
Fridingen an der Donau (D) 94 C2
Friedberg (A) 97 G3
Friedberg (Aichach-Friedberg) (D) 95 F1
Friedberg (Wetteraukreis) (D) 89 E1
Friedeburg (D) 81 E4
Friedersdorf (D) 86 D1
Friedland (Göttingen) (D) 85 G4
Friedland (Mecklenburg-Strelitz) (D) 83 F4
Friedrichroda (D) 85 H5
Friedrichshafen (D) 94 D3
Friedrichskoog (D) 81 G3
Friedrichsort (D) 81 H2
Friedrichstadt (D) 81 G2
Friedrichsthal (D) 88 C3
Friesach (A) 97 E4
Friesack (D) 86 C1
Friesoythe (D) 81 E5
Frigiliana (E) 75 F3
Frihetsli (N) 176 B5
Fríkes (GR) 164 C3
Frinton-on-Sea (GB) 37 E3
Friol (E) 56 D2
Fristad (S) 195 G3
Fritsla (S) 195 G4
Fritzlar (D) 85 F4
Frizington (GB) 31 E5
Frodsham (GB) 32 C3
Frogner (N) 189 F5
Frohburg (D) 86 C4
Frohnleiten (A) 97 F4
Froissy (F) 39 H4
Froitzheim (D) 84 B5
Frombork (PL) 118 C1
Frome (GB) 35 F2
Fromentine (F) 43 E5
Frómista (E) 58 A3
Fronteira (P) 68 D1
Frontenay-Rohan-Rohan (F) 48 C2
Frontenhausen (D) 95 H1
Frontignan (F) 54 B3
Fronton (F) 53 F2
Frosinone (I) 109 F3
Frosolone (I) 109 H3
Frösön (S) 183 G5
Frosta (N) 182 D5
Frostavallen (S) 199 F3
Frøstrup (DK) 194 D4
Frouard (F) 47 E1
Frövi (S) 197 E1
Fruges (F) 39 H2
Frutigen (CH) 98 D3
Fry (GR) 171 F5
Frýdek-Místek (CZ) 93 G3
Frýdlant (CZ) 87 F4
Frýdlant nad Ostravicí (CZ) 93 G3
Frygnowo (PL) 118 C3
Fryšták (CZ) 93 F4
Fteliá (GR) 162 B2
Ftéri (GR) 165 E4
Fucecchio (I) 105 H4
Fuencaliente (E) 70 C3
Fuencaliente de la Palma (E) 67 E5
Fuendejalón (E) 59 F4
Fuendetodos (E) 59 G5
Fuengirola (E) 74 D4
Fuenlabrada (E) 64 B3
Fuenlabrada de los Montes (E) 70 B1
Fuenmayor (E) 58 D3
Fuensalida (E) 64 B3
Fuensanta (E) 57 H2
Fuensanta de Martos (E) 70 D4
Fuente Álamo (E) 71 H2
Fuente Álamo de Murcia (E) 73 E3
Fuente de Cantos (E) 69 F3
Fuente de Pedro Naharro (E) 64 D4
Fuente de Piedra (E) 74 D2
Fuente del Maestre (E) 69 F2
Fuente el Fresno (E) 64 B5
Fuente el Sol (E) 63 H1
Fuente Obejuna (E) 69 H3
Fuente Palmera (E) 69 H4
Fuentecén (E) 58 B5
Fuenteguinaldo (E) 63 E3
Fuentelapeña (E) 63 H1
Fuentepinilla (E) 58 D5
Fuentes de Andalucía (E) 69 H5
Fuentes de Ayódar (E) 65 H3
Fuentes de Ebro (E) 59 H5
Fuentes de León (E) 69 F3
Fuentes de Nava (E) 58 A4
Fuentes de Oñoro (E) 63 E3
Fuentes de Ropel (E) 57 G5
Fuentes de Valdepero (E) 58 A4
Fuentesaúco (E) 63 G1
Fuentidueña (E) 58 B5
Fuentidueña de Tajo (E) 64 C3
Fuerte del Rey (E) 70 D4
Fügen (A) 95 G4
Fuglebjerg (DK) 198 D4
Fulda (D) 85 G5
Fulga de Jos (RO) 152 C3
Fulgatore (I) 114 B3
Fulnek (CZ) 93 F3
Fülöpszállás (H) 129 F3
Fulpmes (A) 95 F4
Fumay (F) 40 C3
Fumel (F) 49 F5
Funäsdalen (S) 189 G1
Funchal (P) 68 A4
Fundão (P) 62 D4
Fundata (RO) 151 H1
Fundeni (RO) 152 C4
Fundulea (RO) 152 C4
Funes / Villnöß (I) 103 E2
Furadouro (P) 62 B2
Furci (I) 109 H2
Furculeşti (RO) 151 H5
Furnace (GB) 30 B1
Fürstenau (D) 84 D1
Fürstenberg (D) 83 F5
Fürstenfeld (A) 97 G4
Fürstenfeldbruck (D) 95 F2
Fürstenwalde (D) 87 E1
Fürstenwerder (D) 83 F4
Fürstenzell (D) 96 C1
Furta (H) 131 E2
Furtei (I) 112 B4
Fürth (D) 91 E4
Furth im Wald (D) 91 G4
Furtwangen im Schwarzwald (D) 94 B2
Furudal (S) 190 A3
Furuflaten (N) 176 B4
Fuscaldo (I) 113 B2
Fusch (A) 96 B4
Fuschl am See (A) 96 C3
Fuseta (P) 68 D5
Fushë-Arrëz (AL) 142 C5
Fushë Kosovë / Kosovo Polje (SRB) 143 E4
Fushë-Krujë (AL) 144 C1
Fushë-Muhur (AL) 144 D1
Fusignano (I) 107 E1
Füssen (D) 95 E3
Fustiñana (E) 59 F4
Futog (SRB) 140 C3
Füzesgyarmat (H) 131 E2
Fužine (HR) 134 C4
Fyláki (GR) 163 F1
Fylí (GR) 165 H4
Fyllia (CY) 174 D3
Fýllo (GR) 165 E1
Fynshav (DK) 198 C4
Fyresdal (N) 194 C1
Fyteíes (GR) 164 D3

G

Gaal (A) 97 E4
Gabare (BG) 155 E3
Gabarret (F) 52 D2
Gabčíkovo (SK) 132 A5
Gabela (BIH) 138 D3
Gaber (BG) 158 A1
Gabicce Mare (I) 107 F2
Gąbin (PL) 122 B1
Gabrovka (SLO) 134 C2
Gabrovo / Габрово (BG) 159 E1
Gacé (F) 44 B1
Gacko (BIH) 139 E3
Gäddede (S) 183 F3
Gadebusch (D) 82 C4
Gádor (E) 72 B5
Gádoros (H) 129 H3
Gadžin Han (SRB) 143 F2
Găeşti (RO) 151 H3
Gaeta (I) 109 F4
Gagarin (RUS) 7 F2
Găgeşti (RO) 149 E5
Gaggenau (D) 89 E4
Gagliano del Capo (I) 111 H5
Gagnef (S) 190 A4
Gagyvendégi (H) 126 D5
Gaigalava (Bikova) (LV) 203 G5
Gaildorf (D) 89 G4
Gailey (GB) 32 D4
Gaillac (F) 53 G2
Gaillimh / Galway (IRL) 22 C5
Gaillon (F) 39 F5
Galtellì (I) 112 D2
Gainsborough (GB) 33 F3
Gairloch (GB) 28 D3
Gaj (SRB) 141 E4
Gajdobra (SRB) 140 B3
Gakovo (SRB) 137 H1
Gălăbinci (BG) 159 G2
Gălăbovo / Гълъбово (BG) 159 F3
Galambok (H) 128 C4
Galan (F) 52 D3
Galanádo (GR) 170 C1
Galanta (SK) 132 B4
Galapagar (E) 64 B2
Galaroza (E) 69 F4
Galashiels (GB) 31 E2
Galata (CY) 174 C4
Galatádes (GR) 161 F3
Galatás (GR) 165 H5
Galaţi (RO) 153 E2
Galatina (I) 111 H5
Galatone (I) 111 H5
Galaxídi (GR) 165 F3
Galdakao (E) 58 D1
Gáldar (E) 67 G5
Galeata (I) 107 E2
Galende (E) 57 E4
Galera (E) 71 F4
Gâlgău (RO) 147 F2
Galiče (BG) 155 E2
Galicea (RO) 151 G3
Galicea Mare (RO) 151 E4
Galičnik (MK) 144 D1
Galini (CY) 174 C3
Galipsós (GR) 162 B3
Galisteo (E) 63 F4
Gallarate (I) 101 E4
Gallardon (F) 44 D2
Gallareto (I) 100 C5
Gallargues (F) 54 B2
Galliate (I) 100 D4
Gallikós (GR) 161 G3
Gallipoli (I) 111 G5
Gällivare (S) 180 B4
Gallneukirchen (A) 96 D1
Gällö (S) 190 A1
Gallspach (A) 96 C2
Gallur (E) 59 F4
Galston (GB) 30 C2
Galten (DK) 194 D5
Galtür (A) 95 E4
Galveias (P) 68 C1
Gálvez (E) 64 A4
Galway / Gaillimh (IRL) 22 C5
Gamaches (F) 39 G3
Gambarie (I) 115 H2
Gaming (A) 97 E2
Gamleby (S) 197 E3
Gammelstaden (S) 185 E2
Gammertingen (D) 89 F5
Gams (CH) 99 F2
Gamvik (N) 177 F1
Gamzigrad (SRB) 143 G1
Gâmzovo (BG) 150 D4
Ganacker (D) 95 H1
Gándara (E) 56 C1
Ganderkesee (D) 81 F5
Gandesa (E) 60 A5
Gandia (E) 66 A4
Gandino (I) 101 F3
Gandria (CH) 99 F5
Găneasa (RO) 151 G4
Ganges (F) 54 B2
Gangi (I) 115 E3
Gangkofen (D) 95 H1
Gannat (F) 50 A2
Gänserndorf (A) 97 H1
Gánt (H) 129 E2
Gañuelas (E) 71 H4
Gap (F) 51 F5
Gara (H) 129 F5
Garaballa (E) 65 F4
Garbów (PL) 123 F3
Garching an der Alz (D) 95 H2
Garcia (E) 60 B4
Garciaz (E) 63 G5
Garda (I) 101 H4
Gârdani (RO) 147 E2
Gardanne (F) 55 E3
Gårdby (S) 197 F5
Gardeja (PL) 117 H3
Gardelegen (D) 86 A1
Gardermoen (N) 189 F5
Gardíki (GR) 165 E2
Garding (D) 81 G2
Gardjönäs (S) 183 H2
Gardna Wielka (PL) 117 F1
Gärdnäs (S) 183 G4
Gardone Riviera (I) 101 G4
Gardone Val Trompia (I) 101 G4
Gárdony (H) 129 E2
Garður (IS) 178 A3
Garešnica (HR) 135 F3
Garessio (I) 104 C3
Garforth (GB) 33 E2
Gargaliánoi / Γαργαλιάνοι (GR) 168 B3
Garganta la Olla (E) 63 G4
Gargellen (A) 94 D4
Gargilesse (F) 49 G1
Gargnano (I) 101 G4
Gargnäs (S) 184 C2
Gargždai (LT) 204 B2
Garípa (GR) 173 E4
Garlasco (I) 101 E5
Garliava (LT) 205 E4
Garlin (F) 52 C2
Garlstorf (D) 81 H5
Gârmen (BG) 161 H1
Garmisch-Partenkirchen (D) 95 F3
Gârnic (RO) 150 C3
Garoza (LV) 202 D3
Garpenberg (S) 190 B5
Garraf (E) 60 D4
Garrafe de Torío (E) 57 G3
Garray (E) 59 E4
Garrel (D) 81 F5
Garriguella (E) 61 F2
Garrovillas de Alconétar (E) 63 E5
Garrucha (E) 71 H5
Gars am Kamp (A) 97 F1
Gartow (D) 82 D5
Gartz (D) 83 H4
Garvagh (GB) 23 F2
Garvão (P) 68 C4
Garve (GB) 28 E3
Garwolin (PL) 123 E2
Garynahine (GB) 28 C2
Garz (D) 83 F2
Gaschurn (A) 94 D4
Gassino Torinese (I) 100 C5
Gastoúni (GR) 164 D5
Gata (E) 63 E3
Gata de Gorgos (E) 66 A5
Gătaia (RO) 150 B1
Gatčina (RUS) 6 D1
Gatehouse of Fleet (GB) 30 D4
Gátér (H) 129 G3
Gateshead (GB) 31 G4
Gattinara (I) 100 D4
Gattorna (I) 105 E3
Gaucín (E) 74 C4
Gaulstad (N) 183 E4
Gaupne (N) 188 C2
Gaurė (LT) 204 D3
Gautegiz-Arteaga (E) 58 D1
Gauting (D) 95 G2
Gavà / Gavá (E) 60 D4
Găvăneşti (RO) 151 F4
Gavardo (I) 101 G4
Gavarnie (F) 52 D4
Gávavencsellő (H) 127 E5
Gavi (I) 104 D2
Gavião (P) 62 C5
Gavirate (I) 100 D3
Gävle (S) 190 B4
Gavoi (I) 112 C3
Gavray (F) 38 B5
Gavrilov-Jam (RUS) 7 G1
Gávrio (GR) 166 C5
Gåvsta (S) 190 C5
Gäxsjö (S) 183 G5
Gazimağusa / Ammóchostos (Famagusta) (CY) 175 F3
Gazzuolo (I) 101 G5
Gdańsk (PL) 117 H2
Gdov (RUS) 6 C1
Gdów (PL) 125 G1
Gdynia (PL) 117 H1
Geaune (F) 52 C2
Gebesee (D) 85 H4
Gebze (TR) 19 G1
Géderlak (H) 129 E4
Gedern (D) 89 F1
Gediz (TR) 19 H2
Gedser (DK) 198 D5
Geel (B) 78 D2
Geertruidenberg (NL) 76 D5
Geesthacht (D) 82 B4
Gefell (D) 91 F2
Gefrees (D) 91 F3
Géfyra (Kentrikí Makedonía) (GR) 161 F3
Géfyra (Pelopónnisos) (GR) 169 E4
Gehren (D) 86 A5
Geilenkirchen (D) 84 B4
Geilo (N) 188 D4
Geiranger (N) 188 C1
Geirangerfjorden (N) 188 C1
Geisa (D) 85 G5
Geiselhöring (D) 91 G5
Geisenfeld (D) 95 G1
Geisenhausen (D) 95 H1
Geising (D) 86 D5
Geisingen (D) 94 B2
Geislingen an der Steige (D) 89 G5
Geismar (D) 85 G4
Geisnes (N) 183 E3
Geithain (D) 86 C4
Gela (I) 115 E5
Geldern (D) 84 B3
Geldrop (NL) 79 E1
Geleen (NL) 79 E2
Gelibolu (TR) 19 F2
Gelnhausen (D) 89 F1
Gelsa (E) 59 H5
Gelsdorf (D) 84 C5
Gelse (H) 128 B4
Gelsenkirchen (D) 84 C3
Gelting (D) 81 H1
Gelu (RO) 146 B5
Gelvonai (LT) 205 F3
Gembloux (B) 78 D3
Gemeaux (F) 46 D4
Gemenele (RO) 153 E2
Gémenos (F) 55 E3
Gemert (NL) 79 E1
Gemlik (TR) 19 G2
Gemona del Friuli (I) 103 G2
Gémozac (F) 48 C3
Gemünd (D) 84 B5
Gemünden (D) 88 D2
Gemünden (Wohra) (D) 85 F4
Gemünden am Main (D) 89 G1
Genagra (CY) 175 E3
Genappe (B) 78 C3
Gençay (F) 49 E1
General Inzovo (BG) 159 G2
General Toševo (BG) 153 E5
Generalski Stol (HR) 134 D4
Genève (CH) 98 A4
Geniséa (GR) 162 C3
Genk (B) 79 E2
Genlis (F) 46 D4
Gennádio (GR) 171 H4
Gennep (NL) 79 F1
Gennes (F) 43 H4
Génolhac (F) 54 B1
Genova (I) 105 E3
Gent (Gand) (B) 78 B2
Genthin (D) 86 B1
Gentioux-Pigerolles (F) 49 G3
Genzano di Lucania (I) 110 D3
Genzano di Roma (I) 109 E3
Geoagiu (RO) 147 E5
Geoagiu-Băi (RO) 147 E5
Georgianoí (GR) 161 F4
Georgioúpoli (GR) 170 A5
Georgítsi (GR) 168 D3
Gepiu (RO) 146 C3
Gera (D) 86 B5
Geraardsbergen (B) 78 C2
Gerabronn (D) 89 G3

Gerace (I) 113 C4
Gerakári (GR) 172 C3
Gerakaroú (GR) 161 G3
Gérakas (GR) 169 E4
Geráki / Γεράκι (GR) 168 D3
Gerakiní (GR) 161 H4
Gérardmer (F) 47 G2
Geras (A) 92 C5
Gerbéviller (F) 47 F1
Gerbstedt (D) 86 A3
Gerena (E) 69 G5
Gerês (P) 56 C5
Geretsried (D) 95 G2
Gérgal (E) 72 B5
Geri (CY) 175 E3
Geringswalde (D) 86 C4
Gerjen (H) 129 E4
Gerlos (A) 95 H4
Gérmas (GR) 160 D4
Germasogeia (CY) 174 D4
Germering (D) 95 F2
Germersheim (D) 89 E3
Gernika-Lumo (E) 58 D1
Gernrode (D) 86 A3
Gernsbach (D) 89 E4
Gernsheim (D) 89 E2
Gerola Alta (I) 101 F3
Gerolakkos (CY) 174 D3
Geroliménas (GR) 168 D4
Gerolstein (D) 88 B1
Gerolzhofen (D) 89 H2
Geroplátanos (GR) 161 H4
Geroskipou (CY) 174 B4
Gerovo (HR) 134 C3
Gersau (CH) 99 E3
Gersfeld (D) 89 G1
Gerstetten (D) 89 G5
Gersthofen (D) 89 H5
Gerswalde (D) 83 G5
Gerviškės (LT) 205 G5
Gescher (D) 84 C2
Geseke (D) 85 E3
Gesualdo (I) 110 B3
Geta (FIN) 190 D5
Getafe (E) 64 B3
Gettorf (D) 81 H2
Getxo (E) 58 D1
Gevelsberg (D) 84 D4
Gevgelija (MK) 145 H2
Gevrey-Chambertin (F) 46 D4
Gex (F) 51 F1
Geyve (TR) 19 H1
Gföhl (A) 97 F1
Ghedi (I) 101 G4
Gheorgheni (RO) 148 A4
Gherla (RO) 147 F3
Ghilarza (I) 112 B3
Ghimbav (RO) 152 A1
Ghimpaţi (RO) 152 B4
Ghisonaccia (F) 55 H4
Ghisoni (F) 55 H4
Gialia (CY) 174 B3
Giannádes (GR) 160 A5
Giannitsá / Γιαννιτσά (GR) 161 F3
Giannítsi (GR) 166 B4
Giannoúli (GR) 163 E2
Giardini-Naxos (I) 115 G3
Giarratana (I) 115 F5
Giarre (I) 115 G3
Giat (F) 49 H3
Giaveno (I) 100 B5
Giba (I) 112 B5
Gibostad (N) 176 A4
Gibraleón (E) 69 E5
Giby (PL) 119 G2
Gic (H) 128 D2
Gideå (S) 184 D5
Gidle (PL) 122 B4
Gieboldehausen (D) 85 G3
Gieczno (PL) 122 B2
Giedraičiai (LT) 205 G3
Gien (F) 45 F3
Giengen an der Brenz (D) 89 H5
Giens (F) 55 F4
Giera (RO) 150 B1
Gießen (D) 85 E5
Giethoorn (NL) 77 F3
Gifhorn (D) 85 H1
Gigen (BG) 151 G5
Giglio Porto (I) 108 B2
Gignac (F) 54 A2
Gijón (E) 57 G1
Gilău (RO) 147 E4
Gilching (D) 95 F2
Gilford (GB) 23 G3
Gilleleje (DK) 199 E2
Gillhov (S) 190 A1
Gillingham (Dorset) (GB) 35 F3
Gillingham (Kent) (GB) 36 D4
Gills (GB) 26 B4
Gilze (NL) 78 D1
Gimenells (E) 60 A3
Gimo (S) 190 C5
Gimont (F) 53 E2
Gingst (D) 83 F2
Ginosa (I) 111 E4
Ginzling (A) 95 G4
Gioia del Colle (I) 111 E3
Gioia Tauro (I) 115 H1
Giolou (CY) 174 B4
Giovinazzo (I) 111 E3
Giraltovce (SK) 133 G2
Girifalco (I) 113 C3
Girkalnis (LT) 204 D3
Girne / Kerýneia (CY) 174 D2
Giromagny (F) 47 G3
Girona (E) 61 E2
Gironella (E) 60 D2
Girov (RO) 148 C3
Girvan (GB) 30 C3
Gisburn (GB) 32 D2
Gislaved (S) 195 G4
Gisors (F) 39 G5
Gissi (I) 109 H2
Gistel (B) 78 A1
Gittun (S) 184 C1
Giubega (RO) 151 E4
Giulianova (I) 107 H5
Giulvăz (RO) 150 B1
Giurgeni (RO) 153 E3
Giurgiţa (RO) 151 F5
Giurgiu (RO) 152 B5
Give (DK) 198 B3
Givet (F) 40 C3
Givors (F) 50 D3
Givry (F) 46 D5
Givry-en-Argonne (F) 40 D5
Giżałki (PL) 121 F2
Giżycko (PL) 119 E2
Gjakovë / Đakovica (SRB) 142 D4
Gjendesheim (N) 188 D3
Gjerde (N) 188 C2
Gjermundshavn (N) 188 B4
Gjesvær (N) 177 E1
Gjilani / Gnjilane (SRB) 143 F4
Gjirokastër (AL) 144 D5
Gjøra (N) 189 E1
Gjorm (AL) 144 C4
Gjov (Færøerne) (DK) 194 A4
Gjøvik (N) 189 F4
Gjuesevo (BG) 158 A2
Gkagkáles (GR) 172 D4
Gkoritsá (GR) 168 D3
Gkoúra (GR) 165 F4
Gladbeck (D) 84 C3
Gladenbach (D) 85 E5
Gladstad (N) 183 E2
Glamis (GB) 29 G5
Glamoč (BIH) 137 E5
Glamsbjerg (DK) 198 C4
Glan-Münchweiler (D) 88 D3
Glandorf (D) 84 D2
Glanshammar (S) 197 E1
Glarus (CH) 99 F3
Glasgow (GB) 30 D2
Glastonbury (GB) 35 F3
Glauchau (D) 86 C5
Glava (S) 195 G1
Glavanovci (BG) 158 A1
Glavatičevo (BIH) 139 E2
Glavice (BIH) 136 D5
Glavičice (BIH) 137 H4
Glavinica (BG) 152 C5
Glavnik (SRB) 143 E3
Głębock (PL) 118 C1
Gledić (SRB) 143 E1
Glein (N) 183 F1
Gleisdorf (A) 97 F4
Glenamoy (IRL) 22 B3
Glenariff or Waterfoot (GB) 23 G2
Glenarm (GB) 23 G2
Glenbeigh (IRL) 24 B4
Glencolumbkille (IRL) 22 D2
Glendalough (IRL) 25 F2
Glenelg (GB) 28 D4
Glenfinnan (GB) 28 D4
Glengarriff (IRL) 24 B4
Glenluce (GB) 30 C4
Glennamaddy (IRL) 22 D5
Glenrothes (GB) 31 E1
Glenties (IRL) 22 D2
Glina (HR) 135 E4
Glinojeck (PL) 118 D5
Gliwice (PL) 122 A5
Globočica (SRB) 143 E5
Glodeni (RO) 147 G4
Glodževo (BG) 152 C5
Gloggnitz (A) 97 G3
Głogów (PL) 120 D2
Głogów Małopolski (PL) 127 F1
Głogówek (PL) 121 G5
Glomfjord (N) 179 F5
Glommersträsk (S) 184 D2
Głoska (PL) 121 E3
Glossop (GB) 32 D3
Gloucester (GB) 35 F1
Głowaczów (PL) 123 E2
Główczyce (PL) 117 F1
Głowno (PL) 122 B2
Gložan (SRB) 140 B3
Gložene (BG) 158 C1
Głubczyce (PL) 124 D1
Głuchołazy (PL) 124 C1
Glücksburg (D) 81 H1
Glückstadt (D) 81 G3
Glumsø (DK) 198 D4
Glušci (SRB) 140 B4
Głuszyca (PL) 120 D5
Glýfa (GR) 165 G2
Glyfáda / Γλυφάδα (Attikí) (GR) 165 H5
Glyfáda (Stereá Elláda) (GR) 165 E3
Glykí (GR) 164 C1
Glyn Ebwy / Ebbw Vale (GB) 35 E1
Gmünd (A) 92 B5
Gmund am Tegernsee (D) 95 G3
Gmünd in Kärnten (A) 96 C4
Gmunden (A) 96 D2
Gnarp (S) 190 B2
Gneisenaustadt Schildau (D) 86 C3
Gnesta (S) 197 F2
Gniechowice (PL) 121 E4
Gniew (PL) 117 H3
Gniewkowo (PL) 117 G5
Gniezno (PL) 121 F1
Gnisvärd (S) 197 G4
Gnjilane / Gjilan (SRB) 143 F4
Gnoien (D) 83 E3
Gnosjö (S) 195 G4
Goce Delčev / Гоце Делчев (BG) 161 H1
Goch (D) 84 B3
Godalming (GB) 36 B5
Godby (FIN) 190 D5
Godeč (BG) 158 B1
Godelheim (D) 85 F3
Goderville (F) 39 E4
Godmanchester (GB) 33 G5
Gödöllő (H) 129 F1
Godovič (SLO) 134 B2
Gödre (H) 128 D4
Godziszewo (PL) 117 H2
Goes (NL) 78 C1
Göggingen (D) 89 H5
Gogolin (PL) 121 G5
Gogoşu (RO) 150 D4
Göhren (D) 83 G2
Goieşti (RO) 151 F4
Goirle (NL) 78 D1
Góis (P) 62 C4
Goisern (A) 96 C3
Goito (I) 101 G5
Gokčanica (SRB) 142 D2
Gol (N) 188 D4
Gola (HR) 135 F2
Gołańcz (PL) 117 F5
Golčův Jeníkov (CZ) 92 C3
Golczewo (PL) 116 C3
Gołdap (PL) 119 F1
Goldberg (D) 82 D4
Goldenstedt (D) 81 F5
Golegã (P) 62 B5
Golemo Selo (SRB) 143 F4
Goleniów (PL) 116 C3
Goleš (SRB) 143 G4
Golfe-Juan (F) 55 G2
Golfo Aranci (I) 112 D1
Golina (PL) 121 G1
Goljam Izvor (BG) 163 E1
Goljam Manastir (BG) 159 G3
Goljamo Gradište (BG) 156 C2
Goljamo Kruševo (BG) 159 H3
Göllersdorf (A) 97 G1
Golling an der Salzach (A) 96 C3
Golnik (SLO) 134 B2
Gologanu (RO) 152 D1
Golpejas (E) 63 G2
Golspie (GB) 26 A5
Golßen (D) 86 D2
Golub-Dobrzyń (PL) 117 H4
Golubac (SRB) 141 F4
Golubinje (SRB) 141 G4
Golubovci (MNE) 139 G5
Golubovec (HR) 135 E2
Gołuchów (PL) 121 G2
Gołymin-Ośrodek (PL) 118 D5
Golzow (D) 86 C2
Gómara (E) 59 E5
Gomáti (GR) 161 H4
Gombrèn (E) 60 D2
Gomecello (E) 63 G2
Gommern (D) 86 B2
Gönc (H) 127 E5
Goncelin (F) 51 F3
Gondomar (E) 56 B4
Gondomar (P) 62 B1
Gondrecourt-le-Château (F) 46 D2
Gönen (TR) 19 G2
Goniądz (PL) 119 G3
Goniés (GR) 170 B5
Gonnesa (I) 112 B5
Gónnoi (GR) 161 F5
Gonnosfanadiga (I) 112 B4
Gönyű (H) 128 D1
Goole (GB) 33 F2
Goor (NL) 77 G4
Goppenstein (CH) 98 D4
Göppingen (D) 89 G4
Gor (E) 71 F5
Gor. Tlamino (SRB) 143 G4
Gora (HR) 135 E4
Góra (PL) 121 E3
Góra Kalwaria (PL) 122 D2
Goražde (BIH) 139 F2
Görbeháza (H) 131 E1
Görcsöny (H) 128 D5
Gördalen (S) 189 G3
Gordes (F) 54 D2
Gorenjavas (SLO) 134 B2
Gorey (GB) 38 B4
Gorey (IRL) 25 G3
Görgeteg (H) 128 C5
Gorgonzola (I) 101 F4
Gorgopótamos (GR) 160 C4
Gorgota (RO) 152 B3
Gorica (BIH) 138 C2
Gorica (MK) 145 E2
Goričan (HR) 135 F2
Gorinchem (NL) 76 D5
Gorizia (I) 103 H3
Górka (PL) 125 H1
Górki (PL) 123 E5
Gorlice (PL) 126 D2
Görlitz (D) 87 F4
Gorna Bešovica (BG) 155 E3
Gorna Koznica (BG) 158 A2
Gorna Kremena (BG) 155 E3
Gorna Mahala (BG) 158 D2
Gorna Malina (BG) 158 C1
Gorna Orjahovica / Горна Оряховица (BG) 159 F1
Gorna Rosica (BG) 159 E1
Gorna Studena (BG) 156 B2
Gornja Grabovica (BIH) 138 D2
Gornja Kamenica (SRB) 143 G2
Gornja Klina (SRB) 142 D3
Gornja Ljuboviđa (SRB) 140 B5
Gornja Ploča (HR) 136 C4
Gornja Radgona (SLO) 135 E1
Gornja Sabanta (SRB) 143 E1
Gornja Slatina (BIH) 137 G3
Gornja Toponica (SRB) 143 F2
Gornja Tuzla (BIH) 137 H4
Gornje Jelenje (HR) 134 C4
Gornje Ratkovo (BIH) 137 E4
Gornje Selo (HR) 138 B2
Gornje Vratno (HR) 135 E2
Gornji Grad (SLO) 134 C2
Gornji Kneginec (HR) 135 E2
Gornji Kokoti (MNE) 139 G4
Gornji Kosinj (HR) 134 D5
Gornji Lapac (HR) 136 C4
Gornji Milanovac / Горњи Милановац (SRB) 142 D1
Gornji Petrovci (SLO) 135 E1
Gornji Podgradci (BIH) 135 F5
Gornji Rajić (HR) 135 F4
Gornji Ravno (BIH) 137 E5
Gornji Srb (HR) 136 C4
Gornji Vakuf (BIH) 137 F5
Górno (PL) 122 D4
Gorno Orizari (MK) 145 F1
Goro (I) 107 E1
Górowo Iławeckie (PL) 118 D2
Gorredijk (NL) 77 F3
Gorron (F) 43 G2
Gorska Poljana (BG) 159 H3
Gorski Izvor (BG) 159 E3
Gorsleston-on-Sea (GB) 37 E1
Gort (IRL) 24 C2
Gorteen (IRL) 22 D4
Gortin (GB) 23 E2
Gortmore (IRL) 22 B5
Goruia (RO) 150 C2
Görzke (D) 86 B2
Gorzkowice (PL) 122 B3
Gorzów Śląski (PL) 121 G4
Gorzów Wielkopolski (PL) 116 C5
Gorzyce (PL) 123 E4
Gorzyń (PL) 120 D1
Gosaldo (I) 103 E2
Gosau (A) 96 C3
Göschenen (CH) 99 E3
Gościno (PL) 116 D2
Gosforth (GB) 31 E5
Goslar (D) 85 H2
Gosławice (PL) 121 G1
Gospić (HR) 136 B4
Gospođinci (SRB) 140 C3
Gosport (GB) 38 C1
Gossau (CH) 99 F2
Gosselies (B) 78 C3
Gossensaß / Colle Isarco (I) 102 D1
Gößl (A) 96 D3
Gößnitz (D) 86 C5
Gößweinstein (D) 91 E3
Gostinu (RO) 152 B5
Gostivar (MK) 145 E1
Göstling an der Ybbs (A) 97 E2
Gostomia (PL) 117 E4
Gostyń (PL) 121 E2
Gostynin (PL) 122 B1
Göteborg (S) 195 F3
Götene (S) 195 G2
Gotha (D) 85 H5
Göttingen (D) 85 G3
Götzis (A) 94 D4
Gouarec (F) 42 D2
Gouda (NL) 76 D5
Gouménissa (GR) 161 F3
Goumois (F) 47 G4
Gourdon (F) 49 F5
Gourin (F) 42 C2
Gournay-en-Bray (F) 39 G4
Goúrnes (GR) 170 C5
Gourock (GB) 30 C1
Gourri (CY) 174 D4
Gouveia (P) 62 D3
Goúves (GR) 170 C5
Gouviá (GR) 160 A5
Gouzon (F) 49 H2
Govedari (HR) 138 D4
Govora (RO) 151 G2
Goworowo (PL) 119 E5
Gozd Martuljek (SLO) 134 A1
Gozdnica (PL) 120 C3
Gozdowice (PL) 116 B5
Gozzano (I) 100 D3
Graal-Müritz (D) 83 E2
Graben (D) 89 E3
Grabenstätt (D) 95 H2
Grabovac (HR) 138 C2
Grabovci (SRB) 140 C4
Grabow (D) 82 D4
Grabów (PL) 121 H2
Grabów nad Prosna (PL) 121 G3
Grabowiec (PL) 123 H4
Gračac (HR) 136 C4
Gračanica (BIH) 135 H5
Gračanica (Priština) (SRB) 143 E4
Gračanica (Valjevo) (SRB) 140 B5
Graçay (F) 45 E5
Grächen (CH) 98 D4
Gradac (HR) 138 D3
Gradac (MNE) 139 F2
Gradac (SRB) 142 D2
Gradačac (BIH) 137 G3
Gradara (I) 107 F3
Gradec (HR) 135 F3
Gradec (Sliven) (BG) 159 G1
Gradec (Vidin) (BG) 150 D5
Gradefes (E) 57 H3
Gradevo (BG) 161 G1
Gradina (HR) 135 G3
Gradina (SRB) 143 H3
Gradina (Pleven) (BG) 156 A2
Gradina (Veliko Tărnovo) (BG) 156 B3
Grădinari (Reşiţa) (RO) 151 G3
Grădinari (Slatina) (RO) 150 C2
Gradisca d'Isonzo (I) 103 H3
Gradiška / Bosanska Gradiška (BIH) 135 G4
Gradište (BG) 157 E2
Gradište (HR) 135 H4
Gradište (MK) 143 F5
Grădiştea (RO) 151 F3
Gradnica (BG) 159 E1
Grado (E) 57 G2
Grado (I) 103 G4
Gradsko (MK) 145 F1
Gradskovo (SRB) 141 G5
Graewo (PL) 119 F3
Gräfelfing (D) 95 G2
Grafenau (D) 91 H5
Gräfenberg (D) 91 E4
Gräfenhainichen (D) 86 C3
Grafenwöhr (D) 91 F3

Grafing bei München (D) 95 G2
Gragnano (I) 109 H5
Grahovo (MNE) 139 F4
Grahovo (SLO) 134 A2
Graiguenamanagh (IRL) 25 F3
Grain (GB) 36 D4
Grainau (D) 95 F3
Grajvoron (RUS) 7 H5
Gram (DK) 198 B3
Gramada (BG) 150 D5
Gramat (F) 49 G5
Grămeşti (RO) 148 B1
Grametten (A) 92 C5
Grammichele (I) 115 F4
Gramsh (AL) 144 D3
Gramzow (D) 83 G4
Gran (N) 189 E4
Gran Tarajal (E) 67 H5
Granada (E) 70 D5
Granadilla de Abona (E) 67 F5
Granard (IRL) 23 E4
Grancey-le-Château (F) 46 D3
Grand Bourgtheroulde (F) 39 F4
Grand-Champ (F) 42 D3
Grand-Couronne (F) 39 F4
Grand-Fougeray (F) 43 F3
Grandas de Salime (E) 57 E2
Grandcamp-Maisy (F) 38 C4
Grândola (P) 68 B3
Grandpré (F) 40 C4
Grandrieu (F) 50 B5
Grandvilliers (F) 39 G4
Grañén (E) 59 H4
Grangärde (S) 190 A5
Grange-over-Sands (GB) 31 E5
Grangemouth (GB) 30 D1
Granges-sur-Vologne (F) 47 F2
Grängesberg (S) 190 A5
Grăniceri (RO) 146 B4
Granítis (GR) 162 B2
Granitovo (BG) 159 G3
Granítsa (GR) 164 D2
Granja (P) 69 E3
Granja de Torrehermosa (E) 69 H3
Gränna (S) 195 H3
Granollers (E) 61 E3
Granön (S) 184 D4
Gransee (D) 83 F5
Grantham (GB) 33 F4
Grantown-on-Spey (GB) 29 F3
Granville (F) 38 B5
Granvin (N) 188 C4
Graševo (BG) 162 B1
Grasleben (D) 86 A2
Grasmere (GB) 31 E5
Grassano (I) 110 D4
Grasse (F) 55 G2
Gråsten (DK) 198 C4
Grästorp (S) 195 G2
Gratangen (N) 176 A5
Gratiní (GR) 162 D2
Gratkorn (A) 97 F4
Graulhet (F) 53 G2
Graus (E) 60 A2
Grávalos (E) 59 E4
Gravdal (N) 179 F3
Grave (NL) 77 E5
Gravedona (I) 101 E3
Gravelines (F) 39 H1
Gravellona-Toce (I) 100 D3
Gravesend (GB) 36 D4
Graviá (GR) 165 F3
Gravina in Puglia (I) 111 E3
Gray (F) 47 E4
Grays (GB) 36 D4
Graz (A) 97 F4
Grazalema (E) 74 C3
Grążawy (PL) 118 C4
Gražiškiai (LT) 204 D4
Grazzanise (I) 109 G4
Grčak (SRB) 143 E2
Grdelica (SRB) 143 G3
Great Dunmow (GB) 36 D3
Great Malvern (GB) 35 F1
Great Torrington (GB) 34 D3
Great Yarmouth (GB) 37 E1
Grebbestad (S) 195 F2
Grebnik (SRB) 142 D4
Grębów (PL) 123 E5
Greccio (I) 109 E1
Greci (RO) 153 E2
Greding (D) 91 E5
Greenhead (GB) 31 F4
Greenlaw (GB) 31 F2
Greenock (GB) 30 C2
Greenodd (GB) 31 E5
Greggio (I) 100 D4
Gregolímano (GR) 165 G2
Greifenburg (A) 96 C5
Greiffenberg (D) 83 G5
Greifswald (D) 83 F3
Grein (A) 97 E1
Greiz (D) 86 B5
Grenå (DK) 195 E5
Grenade (F) 53 F2
Grenade-sur-l'Adour (F) 52 C2
Grenchen (CH) 98 C2
Grendi (N) 194 C1
Grenoble (F) 51 E4
Grense Jakobselv (N) 177 H3
Gréoux-les-Bains (F) 55 E2
Gresse-en-Vercors (F) 51 E4
Gressoney-la-Trinité (I) 100 C3
Gressoney-Saint-Jean (I) 100 C3
Gresten (A) 97 E2
Grésy-sur-Isère (F) 51 F3
Gretna (GB) 31 E4
Greußen (D) 86 A4
Greve (DK) 199 E3
Greve in Chianti (I) 105 H5
Greven (D) 84 D2
Grevená / Γρεβενά (GR) 160 D5
Grevenbroich (D) 84 B4
Grevenbrück (D) 84 D4
Greveníti (GR) 160 C5
Grevenmacher (L) 79 F5
Grevesmühlen (D) 82 C3
Grey Abbey (GB) 23 H3
Greystones (IRL) 25 G2
Grez-en-Bouère (F) 43 H3
Grezzana (I) 101 H4
Griebenow (D) 83 F3
Gries am Brenner (A) 95 G4
Gries im Sellrain (A) 95 F4
Grieskirchen (A) 96 D2
Griffen (A) 97 E5
Grigiškės (LT) 205 F4
Grignan (F) 54 D1
Grigno (I) 103 E3
Grignols (F) 52 D1
Grimaldi (I) 113 B3
Grimaud (F) 55 F3
Grimma (D) 86 C4
Grimmen (D) 83 F3
Grimsbu (N) 189 E2
Grimsby (GB) 33 G2
Grimstad (N) 194 D2
Grindaheim (N) 188 D3
Grindavík (IS) 178 A3
Grindelwald (CH) 98 D3
Grindsted (DK) 198 B3
Griñón (E) 64 B3
Grisignano di Zocco (I) 103 E4
Grisolles (F) 53 F2
Grisslehamn (S) 190 C5
Grivița (RO) 152 D3
Grk (BIH) 135 H5
Grljan (SRB) 143 G1
Grnča (SRB) 137 H4
Grøa (N) 188 D1
Grobiņa (LV) 202 A4
Gröbming (A) 96 D3
Grocka (SRB) 140 D4
Gröditz (D) 86 D3
Grodków (PL) 121 F5
Grodzisk Mazowiecki (PL) 122 D1
Grodzisk Wielkopolski (PL) 121 E1
Groenlo (NL) 77 G5
Grohotno (BG) 162 B1
Groitzsch (D) 86 B4
Groix (F) 42 C3
Grójec (PL) 122 D2
Grömitz (D) 82 C3
Gromnik (PL) 125 H2
Gronau (D) 84 C2
Grong (N) 183 E3
Grönhögen (S) 199 H2
Gröningen (D) 86 A2
Groningen (NL) 77 G2
Grönskåra (S) 197 E4
Gropello Cairoli (I) 101 E5
Groscavallo (I) 100 B4
Grosio (I) 101 G2
Groß-Enzersdorf (A) 97 H1
Groß-Gerau (D) 89 E2
Groß Gerungs (A) 97 E1
Groß Reken (D) 84 C3
Groß Schönebeck (D) 83 F5
Groß-Siegharts (A) 92 C5
Groß-Umstadt (D) 89 F2
Großbreitenbach (D) 86 A5
Großenbrode (D) 82 C2
Großenhain (D) 86 D4
Großenkneten (D) 81 F5
Grosseto (I) 106 C5
Großhabersdorf (D) 89 H3
Großheubach (D) 89 F2
Großpetersdorf (A) 97 G3
Großraming (A) 97 E2
Großräschen (D) 87 E3
Großröhrsdorf (D) 87 E4
Großschönau (D) 87 F4
Großweil (D) 95 F3
Großwitzeetze (D) 82 C5
Grostenquin (F) 41 F5
Grosuplje (SLO) 134 C3
Grotli (N) 188 D2
Grötlingbo (S) 197 G4
Grottaglie (I) 111 F4
Grottaminarda (I) 110 B3
Grottammare (I) 107 H5
Grotteria (I) 113 C4
Grövelsjön (S) 189 G2
Grovfjord (N) 176 A5
Grozdjovo (BG) 157 F3
Grubišno Polje (HR) 135 G3
Gruda (HR) 139 E4
Grude (BIH) 138 D2
Grudusk (PL) 118 D4
Grudziądz (PL) 117 H4
Gruia (RO) 150 D4
Gruissan (F) 54 A4
Gruiu (RO) 152 B3
Grums (S) 195 G1
Grünau im Almtal (A) 96 D2
Grünberg (D) 85 F5
Grünburg (A) 96 D2
Grundarfjörður (IS) 178 A2
Grundforsen (S) 189 G3
Grundlsee (A) 96 D3
Grundsund (S) 195 F3
Grundtjärn (S) 184 B5
Grünstadt (D) 89 E3
Grünwald (D) 95 G2
Grupčin (MK) 143 E5
Gruta (PL) 117 H4
Grūtas (LT) 205 E5
Gruyères (CH) 98 C3
Gruž (SRB) 142 D1
Gruzdžiai (LT) 204 D1
Grybów (PL) 125 H2
Grycksbo (S) 190 A4
Gryfice (PL) 116 C3
Gryfino (PL) 116 B4
Gryfów Śląski (PL) 120 C4
Gryllefjord (Torsken) (N) 176 A4
Grythyttan (S) 195 H1
Grza (SRB) 143 F1
Gstaad (CH) 98 C4
Gstadt am Chiemsee (D) 95 H2
Guadahortuna (E) 71 E5
Guadalajara (E) 64 C2
Guadalaviar (E) 65 F2
Guadalcanal (E) 69 G3
Guadalupe (E) 63 H5
Guadarrama (E) 64 B2
Guadassuar (E) 65 H5
Guadiaro (E) 74 C4
Guadix (E) 71 E5
Gualdo Tadino (I) 107 F4
Guarda (P) 62 D3
Guardamar del Segura (E) 73 F3
Guardia Sanframondi (I) 109 H4
Guardiagrele (I) 109 G2
Guardo (E) 58 A2
Guareña (E) 69 G2
Guarromán (E) 70 D3
Guastalla (I) 101 G5
Gubbio (I) 107 F4
Guben (D) 87 F2
Guberevac (SRB) 142 D1
Gubin (PL) 120 B2
Guča (SRB) 139 H1
Guča Gora (BIH) 137 F4
Gudavac (BIH) 135 E5
Gudhjem (DK) 199 G4
Gudow (D) 82 C4
Gudvangen (N) 188 C3
Gudžiūnai (LT) 205 E2
Guebwiller (F) 47 G3
Guémené-Penfao (F) 43 F3
Guémené-sur-Scorff (F) 42 D2
Güeñes (E) 58 C1
Guer (F) 43 E3
Guérande (F) 43 E4
Guéret (F) 49 G2
Guérigny (F) 45 G5
Guerri de la Sal (E) 60 B2
Guéthary (F) 52 A3
Gueugnon (F) 50 B1
Gugeşti (RO) 152 D1
Güglingen (D) 89 F4
Guglionesi (I) 109 H3
Guía de Isora (E) 67 F5
Guichen (F) 43 F3
Guidonia (I) 109 E2
Guignes (F) 45 F1
Guijo de Granadilla (E) 63 F4
Guijuelo (E) 63 G3
Guildford (GB) 36 C4
Guillaumes (F) 55 G1
Guillena (E) 69 G5
Guillestre (F) 51 G5
Guillon (F) 45 H4
Guilvinec (F) 42 B3
Güímar (E) 67 F5
Guimarães (P) 62 C1
Guimiliau (F) 42 C1
Guînes (F) 39 G1
Guingamp (F) 42 D1
Guipavas (F) 42 B1
Guisborough (GB) 31 H5
Guiscard (F) 40 A4
Guise (F) 40 B3
Guissona (E) 60 C3
Guist (GB) 33 H4
Guitiriz (E) 56 D2
Guîtres (F) 48 D4
Gujan-Mestras (F) 48 B5
Gulbene (LV) 203 G2
Guljanci / Гулянци (BG) 151 G5
Gullspång (S) 195 H2
Gumiel de Izán (E) 58 B4
Gummersbach (D) 84 D4
Gundelfingen an der Donau (D) 89 H5
Gundelsheim (D) 89 F3
Gunnarn (S) 184 C3
Gunnarsbyn (S) 185 E1
Gunnarskog (S) 189 G5
Gunten (CH) 98 D3
Günterode (D) 85 G4
Guntín de Pallares (E) 56 D3
Günzburg (D) 89 H5
Gunzenhausen (D) 89 H4
Gura Humorului (RO) 148 B2
Gura Teghii (RO) 152 C1
Gurahonț (RO) 146 D5
Gurk (A) 96 D4
Gurkovo (BG) 159 F2
Gurrea de Gállego (E) 59 G4
Gusev (RUS) 6 B4
Gusinje (MNE) 139 H4
Guspini (I) 112 B4
Güssing (A) 97 G4
Güsten (D) 86 A3
Güstrow (D) 83 E3
Gutcher (GB) 27 G1
Gutenstein (A) 97 G2
Gütersloh (D) 85 E2
Gutkowo (PL) 118 D3
Gützkow (D) 83 F3
Guyhirn (GB) 33 G4
Guzet-Neige (F) 53 F4
Gvardejsk (RUS) 6 B4
Gvarv (N) 194 D1
Gvozd (HR) 135 E4
Gvozd (MNE) 139 F3
Gy (F) 47 E4
Gyál (H) 129 F2
Gyékényes (H) 128 B4
Gymnó (GR) 165 H3
Gyoma (H) 129 H3
Gyömrő (H) 129 F2
Gyöngyös (H) 129 G1
Gyönk (H) 129 E4
Győr (H) 128 C1
Gypsou (CY) 175 E3
Gysinge (S) 190 B5
Gýtheio / Γύθειο (GR) 168 D4
Gyula (H) 131 E4
Gyulafirátót (H) 128 D2
Gyulakeszi (H) 128 C3
Gyulavári (H) 131 E4

H

Haag (A) 97 E2
Haag am Hausruck (A) 96 C2
Haag in Oberbayern (D) 95 H2
Haage (EST) 201 F3
Haaksbergen (NL) 77 G5
Haamstede (NL) 76 C5
Haapajärvi (FIN) 185 H4
Haapakoski (FIN) 193 F1
Haapamäki (FIN) 185 H5
Haapamäki (FIN) 191 G2
Haapavesi (FIN) 185 H4
Haapsalu (EST) 200 C2
Haar (D) 95 G2
Haarby (DK) 198 C4
Haaren (D) 85 E3
Haarlem (NL) 76 D4
Habartice (CZ) 87 F4
Habay-la-Neuve (B) 79 E5
Habo (S) 195 H3
Habovka (SK) 132 D2
Habsheim (F) 47 G3
Håbu (N) 195 E1
Hachenburg (D) 84 D5
Hachmühlen (D) 85 F2
Hackås (S) 189 H1
Hadamar (D) 88 D1
Haddington (GB) 31 E1
Hadersdorf am Kamp (A) 97 F1
Haderslev (DK) 198 B4
Hadjač (UA) 7 G5
Hadleigh (GB) 33 H5
Hadmersleben (D) 86 A2
Hadsten (DK) 194 D5
Hadsund (DK) 194 D5
Hadžići (BIH) 137 G5
Hadžidimovo (BG) 161 H1
Hægebostad (N) 194 C2
Hægeland (N) 194 C2
Haganj (HR) 135 F3
Hagen (D) 84 D4
Hagen im Bremischen (D) 81 F4
Hagenow (D) 82 C4
Hagetmau (F) 52 C2
Hagfors (S) 189 H5
Häggdånger (S) 190 C1
Haggenås (S) 183 G5
Hagondange (F) 41 E4
Haguenau (F) 41 H5
Hahnbach (D) 91 F4
Haigerloch (D) 89 E5
Hailsham (GB) 36 D5
Hailuoto / Karlö (FIN) 185 G3
Hainburg an der Donau (A) 97 H1
Hainfeld (A) 97 F2
Hainichen (D) 86 D4
Hajdúböszörmény (H) 131 E1
Hajdučica (SRB) 141 E3
Hajdúdorog (H) 131 E1
Hajdúhadház (H) 131 E1
Hajdúnánás (H) 131 E1
Hajdúsámson (H) 131 E1
Hajdúszoboszló (H) 131 E2
Hajnówka (PL) 119 H5
Hajós (H) 129 F4
Hajredin (BG) 154 D2
Hajsyn (UA) 13 F2
Hajvoron (UA) 13 F2
Hakkas (S) 180 B5
Häkkilä (FIN) 191 H1
Hălăuceşti (RO) 148 C3
Halbe (D) 86 D2
Halberstadt (D) 86 A2
Halden (N) 195 F1
Haldensleben (D) 86 A2
Halesowen (GB) 32 D5
Halesworth (GB) 37 E2
Halhjem (N) 188 B4
Halifax (GB) 32 D2
Halikko (FIN) 191 G4
Haljala (EST) 201 F1
Halju (S) 180 C3
Hall in Tirol (A) 95 G4
Halle (B) 78 C2
Halle (D) 86 B3
Halle (Saale) (D) 85 E2
Halle-Neustadt (D) 86 B3
Hällefors (S) 189 H5
Hälleforsnäs (S) 197 E1
Hallein (A) 96 B3
Hällekis (S) 195 G2
Hallenberg (D) 85 E4
Hallencourt (F) 39 G3
Hällesjö (S) 190 B1
Hällevadsholm (S) 195 F2
Hällnäs (S) 184 D4
Hallörmsstaður (IS) 178 D2
Hallsberg (S) 196 D1
Hallstadt (D) 89 H2
Hallstahammar (S) 197 E1
Hallstatt (A) 96 C3
Hallstavik (S) 190 C5
Halluin (F) 40 A1
Halmeu (RO) 147 E1
Halmstad (S) 195 G5
Hals (DK) 195 E4
Halsa (N) 182 B5
Hälsingtuna (S) 190 B3
Halsskov (DK) 198 D4
Halstead (GB) 36 D3
Halsteren (NL) 78 C1
Halsua (FIN) 185 G5
Haltdålen (N) 189 F1
Haltern am See (D) 84 C3
Halver (D) 84 D4
Ham (F) 40 A4
Hamar (N) 189 F4
Hamarøy (N) 179 G3
Hamburg (D) 81 H4
Hamdorf (D) 81 H2
Hämeenkyrö (FIN) 191 G3
Hämeenlinna (FIN) 191 H3
Hämelerwald (D) 85 G1
Hameln (D) 85 F2
Hamersleben (D) 86 A2
Hamilton (GB) 30 D2
Hamina (FIN) 193 F4
Hamm (D) 84 D3
Hammarland (FIN) 190 D5

Hammarstrand (S) 190 B 1
Hammaslahti (FIN) 193 H 1
Hammel (DK) 194 D 5
Hammelburg (D) 89 G 1
Hammerdal (S) 183 G 5
Hammerfest (N) 176 D 2
Hamningberg (N) 177 H 2
Hamoir (B) 79 E 3
Hamra (S) 190 A 3
Hamre (N) 194 C 2
Hamzali (MK) 145 H 1
Hamzići (BIH) 138 D 2
Han Asparuhovo (BG) 159 F 2
Han-Pijesak (BIH) 137 H 5
Han-sur-Lesse (B) 78 D 4
Hanau (D) 89 F 1
Handlová (SK) 132 C 3
Hanerau-Hademarschen (D) 81 G 3
Hangö / Hanko (FIN) 191 G 5
Hangu (RO) 148 B 3
Hani i Hotit (AL) 142 B 5
Hankamäki (FIN) 187 F 5
Hankasalmen as (FIN) 193 E 1
Hankasalmi (FIN) 193 E 1
Hankensbüttel (D) 85 H 1
Hanko / Hangö (FIN) 191 G 5
Hann-Münden (D) 85 G 4
Hannover (D) 85 G 1
Hannut (B) 78 D 3
Hansnes (N) 176 B 3
Hanstedt (D) 81 H 5
Hanstholm (DK) 194 C 4
Hanušovce nad Topľou (SK) 133 G 2
Hanušovice (CZ) 93 E 2
Haparanda (S) 185 G 1
Haradok (BY) 7 E 3
Harads (S) 185 E 1
Haraldshaugen (N) 188 A 5
Harasiuki (PL) 123 F 5
Harburg (D) 81 H 4
Harburg (Schwaben) (D) 89 H 4
Hardbakke (N) 188 A 3
Hardegg (A) 92 D 5
Hardegsen (D) 85 G 3
Hardelot-Plage (F) 39 G 2
Hardenberg (NL) 77 G 4
Harderwijk (NL) 77 E 4
Hardeshøj (DK) 198 C 4
Hardheim (D) 89 F 2
Hareid (N) 188 C 1
Harelbeke (B) 78 B 2
Haren (D) 80 D 5
Haren (NL) 77 G 2
Harewood (GB) 33 E 2
Haría (E) 67 H 4
Harjavalta (FIN) 191 F 3
Harjunpää (FIN) 191 F 3
Harkány (H) 128 D 5
Härkmeri (FIN) 191 E 2
Hârlău (RO) 148 C 2
Hărlec (BG) 151 F 5
Harlech (GB) 32 A 4
Harlesiel (D) 81 E 3
Harleston (GB) 37 E 2
Harlingen / Harns (NL) 77 E 2
Harlow (GB) 36 C 3
Harmånger (S) 190 B 2
Harmanli / Харманли (BG) 163 E 1
Härnösand (S) 190 C 1
Harns / Harlingen 77 E 2
Haro (E) 58 D 3
Haroldswick (GB) 27 G 1
Háromfa (H) 128 C 5
Haroué (F) 47 E 2
Harøysund (N) 182 A 5
Harpenden (GB) 36 C 3
Harplinge (S) 195 G 5
Harpstedt (D) 81 F 5
Harrachov (CZ) 87 G 5
Harrogate (GB) 33 E 1
Härryda (S) 195 F 3
Harsefeld (D) 81 H 4
Hârseşti (RO) 151 H 4
Hârşova (RO) 153 E 3
Harsprånget (S) 180 A 5
Harstad (N) 179 G 2
Harsvik (N) 182 D 4
Harta (H) 129 F 3
Hartberg (A) 97 G 3
Hartha (D) 86 C 4
Hârtieşti (RO) 151 H 2
Hartlepool (GB) 31 G 4
Hartmannsdorf (D) 86 C 5
Hartola (FIN) 193 E 2
Harwich (GB) 37 E 3
Harzgerode (D) 86 A 3
Haselünne (D) 84 D 1
Haskovo / Хасково (BG) 162 D 1
Haslach an der Mühl (A) 96 D 1
Haslach im Kinzigtal (D) 88 D 5
Hasle (DK) 199 G 4
Haslemere (GB) 35 H 3
Haslev (DK) 199 E 4
Hasparren (F) 52 B 3
Hassela (S) 190 B 2
Hasselfelde (D) 85 H 3
Hasselt (B) 79 E 2
Haßfurt (D) 89 H 2
Hässleholm (S) 199 F 3
Hastière-Lavaux (B) 78 D 4
Hastings (GB) 36 D 5
Hasvik (N) 176 C 2
Hatě (CZ) 92 D 5
Haţeg (RO) 151 E 1
Hatfield (GB) 36 C 3
Hatherleigh (GB) 34 D 3
Hattem (NL) 77 F 4
Hattfjelldal (N) 183 F 2
Hattingen (D) 84 C 3
Hattula (FIN) 191 G 3
Hattuvaara (FIN) 187 H 5
Hattuvaara (FIN) 187 H 5
Hatvan (H) 129 G 1
Hatvik (N) 188 B 4
Haubourdin (F) 40 A 2
Hauge (N) 194 B 2
Haugesund (N) 188 A 5
Hauho (FIN) 191 H 3
Haukeligrend (N) 188 C 5
Haukipudas (FIN) 185 H 2
Haukivuori (FIN) 193 F 2
Haunstetten (D) 95 F 2
Haus (A) 96 D 3
Hausach (D) 88 D 5
Hausham (D) 95 G 3
Hausjärvi (FIN) 191 H 4
Hautajärvi (FIN) 181 G 5
Hautefort (F) 49 F 4
Hauterives (F) 50 D 4
Hauteville-Lompnes (F) 51 E 2
Hautmont (F) 40 B 2
Havant (GB) 38 C 1
Havârna (RO) 148 C 1
Havelange (B) 78 D 3
Havelberg (D) 82 D 5
Haverfordwest / Hwlffordd (GB) 25 H 5
Haverhill (GB) 33 H 5
Haverö (S) 190 A 2
Havířov (CZ) 93 G 3
Havlíčkův Brod (CZ) 92 C 3
Havneby (DK) 198 B 4
Havøysund (N) 177 E 1
Havraň (CZ) 91 H 2
Hawes (GB) 31 F 5
Hawick (GB) 31 E 3
Hawkhurst (GB) 36 D 5
Hay-on-Wye (GB) 35 E 1
Hayange (F) 41 E 4
Hayle (GB) 34 B 5
Haywards Heath (GB) 36 C 5
Hazebrouck (F) 39 H 1
Headford (IRL) 22 C 5
Heanor (GB) 33 E 4
Héas (F) 52 D 4
Heathfield (GB) 36 D 5
Heby (S) 190 B 5
Hechingen (D) 89 F 5
Hecho (E) 59 G 2
Hechtel (B) 79 E 2
Hecklingen (D) 86 A 3
Hedal (N) 189 E 4
Heddal (N) 188 D 5
Hédé-Bazouges (F) 43 F 2
Hede (S) 189 H 1
Hedemora (S) 190 A 5
Hedenäset (S) 185 F 1
Hédervár (H) 128 C 1
Hedeviken (S) 189 H 1
Hedon (GB) 33 G 2
Heemstede (NL) 76 D 4
Heerde (NL) 77 F 4
Heerenveen (NL) 77 F 3
Heerlen (NL) 79 F 2
Heeze (NL) 79 E 1
Hegge (N) 188 D 3
Hegra (N) 182 D 5
Hegyeshalom (H) 128 C 1
Hegyhátsál (H) 128 B 3
Heia (N) 176 B 4
Heide (D) 81 G 2
Heidelberg (D) 89 E 3
Heidenau (D) 87 E 4
Heidenheim an der Brenz (D) 89 G 5
Heidenreichstein (A) 92 C 5
Heikendorf (D) 81 H 2
Heikkilä (FIN) 187 F 1
Heilbronn (D) 89 F 3
Heiligenberg (D) 94 C 3
Heiligenblut (A) 96 B 4
Heiligenhafen (D) 82 C 2
Heiligenkirchen (D) 85 F 2
Heiligenkreuz im Lafnitztal (A) 97 G 4
Heiligenstadt (D) 85 G 4
Heilsbronn (D) 89 H 3
Heimari (FIN) 193 F 2
Heimdal (N) 182 D 5
Heimertingen (D) 95 E 2
Heinävaara (FIN) 193 H 1
Heinävesi (FIN) 193 G 1
Heinola (FIN) 193 E 3
Heinolan mlk (FIN) 193 E 3
Heinsberg (D) 84 B 4
Heist (B) 78 B 1
Heist-op-den-Berg (B) 78 D 2
Hel (PL) 117 H 1
Heldburg (D) 89 H 1
Heldrungen (D) 86 A 4
Helechal (E) 69 H 2
Helensburgh (GB) 30 C 1
Hella (IS) 178 B 3
Hella (N) 188 C 3
Helle (N) 194 C 1
Hellendoorn (NL) 77 F 4
Hellesylt (N) 188 C 1
Hellevoetsluis (NL) 76 C 5
Hellín (E) 71 H 2
Hellvik (N) 194 B 2
Helmbrechts (D) 91 F 2
Helmond (NL) 79 E 1
Helmsdale (GB) 26 B 5
Helmsley (GB) 31 H 5
Helmstadt (D) 89 G 2
Helmstedt (D) 86 A 2
Helsa (D) 85 G 4
Helshan (AL) 142 D 5
Helsingborg (S) 199 E 3
Helsinge (DK) 199 E 3
Helsingfors / Helsinki (FIN) 191 H 5
Helsingør (DK) 199 E 3
Helsinki / Helsingfors (FIN) 191 H 5
Helston (GB) 34 B 5
Heltermaa (EST) 200 C 2
Hemau (D) 91 F 5
Hemavan (S) 183 G 1
Hemel Hempstead (GB) 36 C 3
Hemer (D) 84 D 4
Hemmoor (D) 81 G 4
Hemnes (N) 189 F 5
Hemnesberget (N) 183 F 1
Hemsedal (N) 188 D 3
Hendaye (F) 52 A 3
Hengelo (NL) 77 G 4
Hengersberg (D) 91 H 5
Hénin-Beaumont (F) 40 A 2
Henley (GB) 33 E 5
Henley-on-Thames (GB) 35 H 2
Henneberg (D) 89 H 1
Hennebont (F) 42 D 3
Hennef (D) 84 C 5
Hennigsdorf (D) 86 D 1
Henningsvær (N) 179 F 3
Henrichemont (F) 45 F 4
Henstedt-Ulzburg (D) 81 H 3
Henstridge (GB) 38 A 1
Heppenheim (D) 89 E 2
Herbault (F) 44 D 4
Herbertingen (D) 94 D 2
Herbignac (F) 43 E 4
Herbolzheim (D) 88 D 5
Herborn (D) 85 E 5
Herbrechtingen (D) 89 G 5
Herbstein (D) 85 F 5
Herceg Novi (MNE) 139 E 4
Hercegovac (HR) 135 F 3
Hercegovacka Goleša (SRB) 139 G 2
Hercegszántó (H) 129 E 5
Hereford (GB) 35 F 1
Herencia (E) 64 C 5
Herend (H) 128 D 2
Herentals (B) 78 D 2
Herford (D) 85 E 2
Héricourt (F) 47 F 3
Heringsdorf (D) 83 G 3
Herisau (CH) 99 F 2
Hérisson (F) 49 H 1
Herk-de-Stad (B) 78 D 2
Herľany (SK) 133 G 3
Herleshausen (D) 85 G 4
Hermagor (A) 96 C 5
Hermannsburg (D) 81 H 5
Hermansverk (N) 188 C 3
Heřmanův Městec (CZ) 92 C 3
Herment (F) 49 H 3
Hermeskeil (D) 88 C 2
Hermigua (E) 67 F 5
Hermsdorf (D) 86 B 5
Hernádnémeti (H) 126 D 5
Hernani (E) 59 E 1
Hernansancho (E) 64 A 2
Herne (D) 84 C 3
Herne Bay (GB) 37 E 4
Herning (DK) 194 C 5
Heroldsberg (D) 91 E 4
Herrala (FIN) 191 H 4
Herre (N) 194 D 1
Herrenberg (D) 89 F 5
Herrera (E) 70 B 5
Herrera de Alcántara (E) 62 D 5
Herrera de los Navarros (E) 65 G 1
Herrera de Pisuerga (E) 58 A 3
Herrera del Duque (E) 70 B 1
Herreruela (E) 63 E 5
Herrestad (S) 195 F 2
Herrieden (D) 89 H 3
Herrljunga (S) 195 G 3
Herrnburg (D) 82 C 3
Herrnhut (D) 87 F 4
Herrsching am Ammersee (D) 95 F 2
Herrskog (S) 190 C 1
Hersbruck (D) 91 E 4
Herselt (B) 78 D 2
Herstal (B) 79 E 3
Herten (D) 84 C 3
Hertford (GB) 36 C 3
Hervás (E) 63 G 3
Herzberg (D) 86 D 3
Herzberg am Harz (D) 85 H 3
Herzogenaurach (D) 89 H 3
Herzogenburg (A) 97 F 1
Herzsprung (D) 83 E 5
Hesdin (F) 39 G 2
Hesel (D) 81 E 4
Hesseng (N) 177 H 3
Hessisch Lichtenau (D) 85 G 4
Hessisch Oldendorf (D) 85 F 2
Hetekylä (FIN) 185 H 2
Hetin (SRB) 140 D 2
Hettange-Grande (F) 41 E 4
Hettstedt (D) 86 A 3
Heubach (D) 89 G 4
Heuchin (F) 39 H 2
Heves (H) 129 G 1
Hévíz (H) 128 C 3
Hevlín (CZ) 92 D 5
Hexham (GB) 31 F 4
Heyrieux (F) 50 D 3
Heysham (GB) 32 C 1
Hidişelu de Sus (RO) 146 C 3
Hieflau (A) 97 E 3
Hiersac (F) 48 D 3
Hietaniemi (FIN) 181 G 4
High Wycombe (GB) 35 H 2
Higham Ferrers (GB) 33 F 5
Higuera de la Serena (E) 69 G 2
Higuera de la Sierra (E) 69 F 4
Higuera de Vargas (E) 69 E 2
Higuera la Real (E) 69 F 3
Higueruela (E) 71 H 1
Híjar (E) 65 H 1
Hilchenbach (D) 85 E 4
Hildburghausen (D) 89 H 1
Hilden (D) 84 C 4
Hilders (D) 85 G 5
Hildesheim (D) 85 G 2
Hillegom (NL) 76 D 4
Hillerød (DK) 199 E 3
Hillesøy (N) 176 A 4
Hillswick (GB) 27 D 3
Hilpoltstein (D) 91 E 5
Hiltula (FIN) 193 G 2
Hilvarenbeek (NL) 78 D 1
Hilversum (NL) 77 E 4
Himanka (FIN) 185 G 4
Hînceşti (MD) 13 F 3
Hinckley (GB) 33 E 5
Hindhead (GB) 35 H 3
Hinojares (E) 71 F 4
Hinojosa de Duero (E) 63 E 2
Hinojosa del Duque (E) 69 H 2
Hinova (RO) 150 D 3
Hintersee (D) 83 G 4
Hinterstoder (A) 96 D 3
Hintertux (A) 95 G 4
Hinterweidenthal (D) 88 D 3
Hirschau (D) 91 F 4
Hirschberg (D) 91 F 2
Hirschegg (A) 95 E 4
Hirsingue (F) 47 G 3
Hirson (F) 40 B 3
Hirtshals (DK) 195 E 3
Hirvasvaara (FIN) 181 G 5
Hirvensalmi (FIN) 193 E 2
Hirvilahti (FIN) 187 F 5
Hirwaun (GB) 35 E 1
Hisarja (BG) 158 D 2
Hitchin (GB) 36 C 3
Hitrino (BG) 157 E 2
Hitzacker (D) 82 C 5
Hjartdal (N) 188 D 5
Hjellestad (N) 188 B 4
Hjelmeland (N) 194 B 1
Hjerkinn (N) 189 E 2
Hjo (S) 195 H 3
Hjørring (DK) 195 E 4
Hlebine (HR) 135 F 2
Hlinsko (CZ) 92 D 3
Hljabovo (BG) 159 G 3
Hlobyne (UA) 13 G 1
Hlohovec (SK) 132 B 3
Hlubočky (CZ) 93 F 3
Hluboká nad Vltavou (CZ) 92 B 5
Hluchiv (UA) 7 G 5
Hlučín (CZ) 93 G 2
Hluk (CZ) 93 F 5
Hlybokaje (BY) 6 D 4
Hnúšťa (SK) 133 E 3
Hobro (DK) 194 D 5
Höchberg (D) 89 G 2
Hochdorf (CH) 99 E 2
Hochfelden (F) 41 G 5
Hochspeyer (D) 88 D 3
Höchst im Odenwald (D) 89 F 2
Höchstadt an der Aisch (D) 89 H 2
Höchstädt an der Donau (D) 89 H 5
Hockenheim (D) 89 E 3
Hoddesdon (GB) 36 C 3
Hodenhagen (D) 85 G 1
Hódmezővásárhely (H) 129 H 4
Hodnanes (N) 188 B 4
Hodnet (GB) 32 C 4
Hodonín (CZ) 93 E 5
Hodoš (SLO) 135 E 1
Hodovo (BIH) 138 D 3
Hoedekenskerke (NL) 78 C 1
Hoek van Holland (NL) 76 C 5
Hoemsbu (N) 188 D 1
Hof (D) 91 F 2
Hofgeismar (D) 85 F 3
Hofheim in Unterfranken (D) 89 H 1
Hofles (N) 183 E 3
Höfn/Hornafirði (IS) 178 D 3
Hofolding (D) 95 G 2
Hofors (S) 190 B 4
Hofsós (IS) 178 B 1
Höganäs (S) 199 E 2
Høgebru (N) 188 C 2
Hoghilag (RO) 147 G 5
Höglekardalen (S) 183 F 5
Högsäter (S) 195 F 2
Högsby (S) 197 E 4
Hohen-Landin (D) 83 G 5
Hohenau an der March (A) 93 E 5
Hohenberg (A) 97 F 2
Hohenems (A) 94 D 4
Hohengandern (D) 85 G 4
Hohenlimburg (D) 84 D 4
Hohenlinden (D) 95 G 2
Hohenlockstedt (D) 81 H 3
Hohenmölsen (D) 86 B 4
Hohenpeißenberg (D) 95 F 3
Hohenseeden (D) 86 B 2
Hohenstein-Ernstthal (D) 86 C 5
Hohentauern (A) 97 E 3
Hohenwestedt (D) 81 H 3
Højer (DK) 198 B 4
Hokksund (N) 189 E 5
Hokstad (N) 182 D 4
Hol (N) 188 D 4
Hola Prystan' (UA) 13 G 3
Holbæk (DK) 198 D 3
Holbeach (GB) 33 G 4
Holdorf (D) 85 E 1
Holešov (CZ) 93 F 4
Holguera (E) 63 F 4
Holič (SK) 132 A 3
Holice (CZ) 92 D 2
Höljäkkä (FIN) 187 G 4
Höljes (S) 189 G 4
Hollabrunn (A) 97 G 1
Hollád (H) 128 C 4
Høllen (N) 194 B 2
Hollenstedt (D) 81 H 4
Hollfeld (D) 91 E 3
Hollingsholm (N) 182 A 5
Hollola (FIN) 191 H 3
Hollum (NL) 77 E 2
Hollywood (IRL) 25 F 2
Holm (N) 183 E 2
Holm (S) 190 B 1
Hólmavik (IS) 178 A 1
Holmec (SLO) 134 C 1
Holmen (N) 189 E 4
Holmestrand (N) 195 E 1
Holmfirth (GB) 33 E 2
Holmön (S) 185 E 4
Holmsund (S) 184 D 5
Holod (RO) 146 C 3

Holstebro *(DK)* 194 C 5
Holsted *(DK)* 198 B 3
Holsworthy *(GB)* 34 C 3
Holt *(GB)* 33 H 4
Holwerd *(NL)* 77 F 2
Holycross *(IRL)* 24 D 3
Holyhead / Caergybi *(GB)* 32 A 3
Holywell / Treffynnon *(GB)* 32 C 3
Holywood *(GB)* 23 G 2
Holzappel *(D)* 88 D 1
Holzgau *(A)* 95 E 4
Holzkirchen *(D)* 95 G 2
Holzminden *(D)* 85 F 3
Homberg (Efze) *(D)* 85 F 4
Homberg (Niederrhein) *(D)* 84 C 3
Homberg (Ohm) *(D)* 85 F 5
Homburg *(D)* 88 C 3
Homiel *(BY)* 7 F 5
Hommelstø *(N)* 183 F 2
Hommelvik *(N)* 182 D 5
Hommersåk *(N)* 194 B 1
Homorod *(RO)* 147 H 5
Hondarribia *(E)* 59 F 1
Hondschoote *(F)* 39 H 1
Hönebach *(D)* 85 G 5
Hønefoss *(N)* 189 E 5
Honfleur *(F)* 39 E 4
Høng *(DK)* 198 D 3
Honiton *(GB)* 35 E 3
Honkajoki *(FIN)* 191 F 2
Honningsvåg *(N)* 177 E 1
Honrubia *(E)* 65 E 4
Honrubia de la Cuesta *(E)* 58 B 5
Hontalbilla *(E)* 58 B 5
Hontianske Nemce *(SK)* 132 C 4
Hontoria del Pinar *(E)* 58 C 4
Hoogeveen *(NL)* 77 F 3
Hoogezand *(NL)* 77 G 2
Hoogstraten *(B)* 78 D 1
Höör *(S)* 199 F 3
Hoorn *(NL)* 77 E 3
Hopârta *(RO)* 147 F 5
Hopfgarten-Markt *(A)* 95 H 3
Hopperstad *(N)* 188 C 3
Hora Svatého Šebestiána *(CZ)* 86 D 5
Horažďovice *(CZ)* 91 H 4
Horb am Neckar *(D)* 89 E 5
Hörby *(S)* 199 F 3
Horcajo de los Montes *(E)* 64 A 5
Horcajo de Santiago *(E)* 64 D 4
Horcajo Medianero *(E)* 63 H 3
Horche *(E)* 64 D 2
Horden *(GB)* 31 G 4
Hořejší Kunčice *(CZ)* 93 F 3
Horezu *(RO)* 151 F 2
Horgen *(CH)* 99 E 2
Horgoš *(SRB)* 140 C 1
Horia (Arad) *(RO)* 146 B 5
Horia (Tulcea) *(RO)* 153 F 2
Hořice *(CZ)* 92 C 2
Horki *(BY)* 7 E 4
Horley *(GB)* 36 C 5
Horn *(A)* 92 C 5
Horn *(D)* 94 C 3
Horn (-Bad Meinberg) *(D)* 85 F 3
Horná Mariková *(SK)* 132 C 2
Horná Streda *(SK)* 132 B 3
Hornachos *(E)* 69 G 2
Hornachuelos *(E)* 69 H 4
Hornafirði / Höfn 178 D 3
Hornberg *(D)* 89 E 5
Hornburg *(D)* 85 H 2
Horncastle *(GB)* 33 G 3
Horndal *(S)* 190 B 5
Horneburg *(D)* 81 H 4
Hörnefors *(S)* 184 D 5
Horní Benešov *(CZ)* 93 F 2
Horní Lideč *(CZ)* 93 G 4
Horní Počernice *(CZ)* 92 B 2
Horní Slavkov *(CZ)* 91 G 2
Hornindal *(N)* 188 C 2
Hørning *(DK)* 198 C 2
Hornnes *(N)* 194 C 2
Hornos *(E)* 71 F 3
Hornoy-le-Bourg *(F)* 39 G 3
Hornsea *(GB)* 33 G 2
Hornu *(B)* 78 B 3
Hörnum *(D)* 81 F 1
Horodło *(PL)* 123 H 4
Horodnja *(UA)* 7 F 5
Horodok *(UA)* 12 C 2
Horodyšče *(UA)* 13 F 1
Hořovice *(CZ)* 92 A 3
Horsens *(DK)* 198 C 3
Horsham *(GB)* 36 C 5
Hørsholm *(DK)* 199 E 3
Horšovský Týn *(CZ)* 91 G 4
Horst *(D)* 82 C 4
Horstmar *(D)* 84 D 2
Horten *(N)* 195 E 1
Hortezuela *(E)* 58 D 5
Hortobágy *(H)* 131 E 1
Horyniec *(PL)* 123 H 5
Hösbach *(D)* 89 F 2
Hospental *(CH)* 99 E 3
Hospital *(IRL)* 24 D 3
Hospital de Órbigo *(E)* 57 G 4
Hossa *(FIN)* 187 G 1
Hossegor *(F)* 52 A 2
Hosszúpályi *(H)* 131 E 2
Hostalric *(E)* 61 E 3
Hostinné *(CZ)* 87 G 5
Hotagen *(S)* 183 F 4
Hotarele *(RO)* 152 C 4
Hoting *(S)* 183 H 4
Hotton *(B)* 79 E 4
Houdain *(F)* 39 H 2
Houdan *(F)* 44 D 1
Houeillès *(F)* 52 D 1
Houffalize *(B)* 79 E 4
Houghton-le-Spring *(GB)* 31 G 4
Houlgate *(F)* 38 D 4
Hourtin *(F)* 48 C 4
Houtskär / Houtskari *(FIN)* 191 E 5
Houtskari / Houtskär *(FIN)* 191 E 5
Hov *(DK)* 198 C 3
Hovden *(N)* 188 C 5
Hove *(GB)* 38 D 1
Hovet *(N)* 188 D 4
Hovmantorp *(S)* 196 D 5
Høvringen *(N)* 189 E 2
Howden *(GB)* 33 F 2
Howth / Binn Éadair *(IRL)* 23 G 5
Höxter *(D)* 85 F 3
Hoya *(D)* 81 G 5
Høyanger *(N)* 188 B 3
Hoyerswerda *(D)* 87 E 3
Hoylake *(GB)* 32 C 3
Høylandet *(N)* 183 E 3
Hoym *(D)* 86 A 3
Hoyos *(E)* 63 E 4
Hrabrovo *(BG)* 157 F 2
Hradec Králové *(CZ)* 92 C 2
Hrádek *(CZ)* 92 D 5
Hrádek nad Nisou *(CZ)* 87 F 5
Hrafnagil *(IS)* 178 C 2
Hranice *(CZ)* 91 F 2
Hranice *(CZ)* 93 F 3
Hrasnica *(BIH)* 137 G 5
Hrastnik *(SLO)* 134 C 2
Hrastovlje *(SLO)* 134 A 3
Hrebenne *(PL)* 123 H 5
Hřensko *(CZ)* 87 E 5
Hriadky *(SK)* 133 G 3
Hriňová *(SK)* 132 D 3
Hrodna *(BY)* 6 C 5
Hronov *(CZ)* 87 H 5
Hrtkovci *(SRB)* 140 C 4
Hrubieszów *(PL)* 123 H 4
Hrušovany nad Jevišovkou *(CZ)* 92 D 5
Hrvace *(HR)* 136 D 5
Hrvatska Dubica *(HR)* 135 F 4
Hrvatska Kostajnica *(HR)* 135 F 4
Hückeswagen *(D)* 84 C 4
Hucknall *(GB)* 33 E 3
Hucqueliers *(F)* 39 G 2
Huddersfield *(GB)* 33 E 2
Hude *(D)* 81 F 5
Hudiksvall *(S)* 190 B 3
Huedin *(RO)* 147 E 3
Huélago *(E)* 71 E 5
Huélamo *(E)* 65 F 3
Huelgoat *(F)* 42 C 2
Huelma *(E)* 71 E 4
Huelva *(E)* 69 E 5
Huércal Overa *(E)* 71 G 5
Huérguina *(E)* 65 F 3
Huerta de Valdecarábanos *(E)* 64 C 4
Huerta del Rey *(E)* 58 C 4
Huertahernando *(E)* 65 E 2
Huerto *(E)* 59 H 4
Huesa *(E)* 71 E 4
Huesca *(E)* 59 H 4
Huéscar *(E)* 71 F 4
Huete *(E)* 64 D 3
Huétor Santillán *(E)* 71 E 5
Huétor Tájar *(E)* 70 D 5
Hüfingen *(D)* 94 B 2
Huftarøy *(N)* 188 A 4
Huittinen *(FIN)* 191 F 3
Huizen *(NL)* 77 E 4
Hulín *(CZ)* 93 F 4
Hulst *(NL)* 78 C 1
Hultsfred *(S)* 197 E 4
Humac *(BIH)* 138 D 3
Humada *(E)* 58 B 2
Humanes *(E)* 64 C 2
Humenné *(SK)* 133 H 2
Humpolec *(CZ)* 92 C 4
Humppila *(FIN)* 191 G 4
Hundested *(DK)* 199 E 3
Hundorp *(N)* 189 E 3
Hunedoara *(RO)* 151 E 1
Hünfeld *(D)* 85 G 5
Hungerford *(GB)* 35 G 2
Hunnebostrand *(S)* 195 F 2
Hunspach *(F)* 41 H 5
Hunstanton *(GB)* 33 H 4
Huntingdon *(GB)* 33 G 5
Huntly *(GB)* 29 G 3
Hurbanovo *(SK)* 132 B 5
Hurdal *(N)* 189 F 4
Hurdugi *(RO)* 149 E 4
Hurezani *(RO)* 151 F 3
Huriel *(F)* 49 H 1
Hurskaala *(FIN)* 193 F 1
Hürth *(D)* 84 C 5
Hurup *(DK)* 194 C 4
Húsafell *(IS)* 178 B 2
Húsavík *(IS)* 178 C 1
Husavik *(N)* 188 A 4
Husbands Bosworth *(GB)* 33 F 5
Hushinish *(GB)* 28 B 2
Huşi *(RO)* 149 E 4
Huskvarna *(S)* 195 H 3
Husnes *(N)* 188 B 5
Husnicioara *(RO)* 150 D 3
Hüsten *(D)* 84 D 3
Hustopeče *(CZ)* 93 E 5
Husum *(D)* 81 G 2
Husum *(S)* 184 D 5
Hutovo *(BIH)* 138 D 3
Hüttenberg *(A)* 97 E 4
Hüttschlag *(A)* 96 C 4
Huttula *(FIN)* 191 H 2
Huttwil *(CH)* 98 D 2
Huy *(B)* 78 D 3
Hvalba (Færøerne) *(DK)* 194 A 5
Hvaler *(N)* 195 E 1
Hvalpsund *(DK)* 194 D 5
Hvalvik (Færøerne) *(DK)* 194 A 4
Hvammstangi *(IS)* 178 B 2
Hvar *(HR)* 138 B 3
Hveragerdi *(IS)* 178 B 3
Hvidbjerg *(DK)* 194 C 5
Hvide Sande *(DK)* 194 C 5
Hvittingfoss *(N)* 195 E 1
Hvitträsk *(FIN)* 191 H 5
Hvojna *(BG)* 162 C 1
Hvolsvöllur *(IS)* 178 B 3
Hwlffordd / Haverfordwest *(GB)* 25 H 5
Hyde *(GB)* 32 D 3
Hyen *(N)* 188 B 2
Hyères *(F)* 55 F 3
Hyltebruk *(S)* 195 G 4
Hyrynsalmi *(FIN)* 187 F 3
Hythe *(GB)* 37 E 5
Hyvinkää *(FIN)* 191 H 4
Hyypiö *(FIN)* 181 F 5

I

Ianca *(RO)* 152 D 2
Iancu Jianu *(RO)* 151 F 4
Iara *(RO)* 147 F 4
Iaşi *(RO)* 148 D 3
Íasmos *(GR)* 162 D 2
Ibăneşti *(RO)* 147 H 4
Ibbenbüren *(D)* 84 D 2
Ibestad *(N)* 176 A 5
Ibi *(E)* 73 F 1
Ibiza / Eivissa *(E)* 66 D 4
Iclod *(RO)* 147 F 3
Ičnja *(UA)* 7 F 5
Icoana *(RO)* 151 G 4
Icod de los Vinos *(E)* 67 F 5
Idaío Ántro *(GR)* 172 D 3
Idanha-a-Nova *(P)* 62 D 4
Idar-Oberstein *(D)* 88 C 2
Iđoš *(SRB)* 140 C 2
Idre *(S)* 189 G 2
Idrija *(SLO)* 134 B 2
Idro *(I)* 101 G 3
Idstein *(D)* 89 E 1
Iecava *(LV)* 202 D 4
Ieper (Ypres) *(B)* 78 A 2
Ierápetra *(GR)* 173 E 4
Ierissós / Ιερισσός *(GR)* 161 H 4
Iernut *(RO)* 147 G 4
Ifjord *(N)* 177 F 2
Ifta *(D)* 85 G 4
Ig *(SLO)* 134 C 2
Igal *(H)* 128 D 4
Igalo *(MNE)* 139 E 4
Iggesund *(S)* 190 B 3
Iglesias *(I)* 112 B 5
Igls *(A)* 95 G 4
Ignalina *(LT)* 205 H 3
Igoumenítsa / Ηγουμενίτσα *(GR)* 164 B 1
Igrane *(HR)* 138 C 3
Igualada *(E)* 60 C 3
Iharosberény *(H)* 128 C 4
Ihtiman *(BG)* 158 C 2
Ii / Ijo *(FIN)* 185 H 2
Iisaku *(EST)* 201 G 2
Iisalmi *(FIN)* 187 E 4
Iisvesi *(FIN)* 193 E 1
Iitti *(FIN)* 193 E 3
IJmuiden *(NL)* 76 D 4
Ijo / Ii *(FIN)* 185 H 2
IJsselmuiden *(NL)* 77 F 4
IJzendijke *(NL)* 78 B 1
Ikaalinen *(FIN)* 191 F 2
Ikast *(DK)* 194 D 5
Ikervár *(H)* 128 B 2
Ikšķile *(LV)* 202 D 3
Ilandža *(SRB)* 140 D 3
Ilanz /Glion *(CH)* 99 F 3
Ilava *(SK)* 132 B 2
Iława *(PL)* 118 C 3
Ilche *(E)* 60 A 3
Ilchester *(GB)* 38 A 1
Ilfracombe *(GB)* 34 D 3
Ílhavo *(P)* 62 B 3
Ília *(GR)* 165 G 2
Ilia *(RO)* 146 D 5
Ilidža *(BIH)* 137 G 5
Ilija Blăskovo *(BG)* 157 E 3
Ilijaš *(BIH)* 137 G 5
Ilijno *(BG)* 159 G 1
Iliókastro *(GR)* 169 E 2
Ilirska Bistrica *(SLO)* 134 B 3
Ilişeşti *(RO)* 148 B 2
Ilkeston *(GB)* 33 E 4
Ilkley *(GB)* 32 D 2
Illana *(E)* 64 D 3
Illano *(E)* 57 E 2
Illar *(E)* 72 B 5
Ille-sur-Têt *(F)* 53 H 5
Illertissen *(D)* 95 E 2
Illescas *(E)* 64 B 3
Illhaeusern *(F)* 47 G 2
Illičivs'k *(UA)* 13 G 3
Illiers-Combray *(F)* 44 D 2
Illingen *(D)* 89 F 4
Illmitz *(A)* 97 H 2
Illora *(E)* 70 D 5
Illueca *(E)* 59 F 5
Ilmajoki *(FIN)* 191 F 1
Ilmenau *(D)* 85 H 5
Ilminster *(GB)* 35 E 3
Ilok *(HR)* 140 B 3
Ilomantsi *(FIN)* 187 H 5
Iłów *(PL)* 122 C 1
Iłowa *(PL)* 120 C 3
Ilsenburg *(D)* 85 H 3
Ilsfeld *(D)* 89 F 4
Ilūkste *(LV)* 203 F 5
Iłża *(PL)* 122 D 3
Imatra *(FIN)* 193 G 3
Ímeros *(GR)* 162 D 3
Immenstaad am Bodensee *(D)* 94 C 3
Immenstadt im Allgäu *(D)* 95 E 3
Immingham *(GB)* 33 G 2
Immingham Dock *(GB)* 33 G 2
Imola *(I)* 107 E 2
Imotski *(HR)* 138 C 2
Imperia (Porto Maurizio) *(I)* 104 C 4
Imphy *(F)* 45 G 5
Impruneta *(I)* 105 H 4
Imrenčevo *(BG)* 156 D 3
Imst *(A)* 95 F 4
Inari *(FIN)* 177 F 4
Inca *(E)* 67 F 2
Inchnadamph *(GB)* 28 D 2
Inchree *(GB)* 28 D 5
Incisa in Val d'Arno *(I)* 106 D 3
Indal *(S)* 190 B 1
Ineia *(CY)* 174 B 4
Ineu *(RO)* 146 C 4
Infesta *(E)* 56 B 3
Infiesto *(E)* 57 H 2
Ingå / Inkoo *(FIN)* 191 G 5
Ingelmunster *(B)* 78 B 2
Ingleton *(GB)* 31 F 5
Ingolstadt *(D)* 95 G 1
Ingrandes *(F)* 43 G 4
Ingwiller *(F)* 41 G 5
Inhulec' *(UA)* 13 G 2
Iniesta *(E)* 65 F 5
Iniö *(FIN)* 191 E 4
Inis / Ennis *(IRL)* 24 C 2
Inis Córthaidh / Enniscorthy *(IRL)* 25 F 3
Inishcrone *(IRL)* 22 C 3
Inkee *(FIN)* 187 F 1
Inkoo / Ingå *(FIN)* 191 G 5
Innbygda *(N)* 189 G 3
Inndyr *(N)* 179 F 5
Innellan *(GB)* 30 C 2
Innerleithen *(GB)* 31 E 2
Innfield *(IRL)* 23 F 5
Innhavet *(N)* 179 G 3
Innichen / San Candido *(I)* 103 F 1
Inning am Ammersee *(D)* 95 F 2
Innsbruck *(A)* 95 G 4
Innset *(N)* 176 B 5
Innvik *(N)* 188 C 2
Inöija / Инђија *(SRB)* 140 C 3
Inowłódz *(PL)* 122 C 3
Inowrocław *(PL)* 117 G 5
Ins *(CH)* 98 C 3
Insel Hiddensee *(D)* 83 F 2
Ińsko *(PL)* 116 D 4
Însurăţei *(RO)* 153 E 3
Interlaken *(CH)* 98 D 3
Întorsura Buzăului *(RO)* 152 B 1
Inveraray *(GB)* 30 C 1
Inverbervie *(GB)* 29 G 5
Invergarry *(GB)* 28 E 4
Invergordon *(GB)* 29 F 3
Inverkeithing *(GB)* 31 E 1
Invermoriston *(GB)* 28 E 4
Inverness *(GB)* 29 E 3
Inverurie *(GB)* 29 H 4
Inzell *(D)* 96 B 3
Ioánnina / Ιωάννινα *(GR)* 160 C 5
Ion Corvin *(RO)* 153 E 4
Íos *(GR)* 170 C 2
Iphofen *(D)* 89 H 2
İpsala *(TR)* 19 F 2
Ipswich *(GB)* 37 E 3
Iraío *(GR)* 167 G 5
Irákleia (Dytikí Makedonía) *(GR)* 165 F 2
Irákleia (Kentrikí Makedonía) *(GR)* 161 G 2
Irákleio / Ηρακλειο *(GR)* 170 C 5
Irdning *(A)* 96 D 3
Iregszemcse *(H)* 128 D 3
Íria *(GR)* 165 G 5
Irig *(SRB)* 140 C 3
Ironbridge *(GB)* 32 D 4
Irschenberg *(D)* 95 G 3
Irsina *(I)* 110 D 4
Irun *(E)* 59 F 1
Irurtzun *(E)* 59 F 2
Irvine *(GB)* 30 C 2
Irvinestown *(GB)* 23 E 3
Is-sur-Tille *(F)* 46 D 4
Isaba *(E)* 59 G 2
Isaccea *(RO)* 153 F 2
Ísafjörður *(IS)* 178 A 1
Işalniţa *(RO)* 151 F 4
Isane *(N)* 188 B 2
Isaszeg *(H)* 129 F 2
Isbister *(GB)* 27 G 1
Iscar *(E)* 58 A 5
Ischgl *(A)* 95 E 4
Ischia *(I)* 109 G 5
Ise *(N)* 195 F 1
Iselle *(I)* 100 D 2
Iseo *(I)* 101 G 4
Iserlohn *(D)* 84 D 4
Isernia *(I)* 109 G 3
Isfjorden *(N)* 188 D 1
Ishëm *(AL)* 144 C 1
Isigny-sur-Mer *(F)* 38 C 4
Isili *(I)* 112 C 4
Iskra *(BG)* 162 D 1
Iskrec *(BG)* 158 B 1
Isla *(E)* 58 C 1
Isla Cristina *(E)* 68 D 5
Islaz *(RO)* 151 G 5
Isle of Whithorn *(GB)* 30 C 4
Isleornsay *(GB)* 28 D 4
Ismaning *(D)* 95 G 2
Isnäs *(FIN)* 193 E 4
Isny im Allgäu *(D)* 95 E 3
Iso-Evo *(FIN)* 191 H 3
Isojoki *(FIN)* 191 F 2
Isokylä *(FIN)* 181 F 5
Isokyrö *(FIN)* 191 F 1
Isola 2000 *(F)* 55 G 1
Isola del Gran Sasso d'Italia *(I)* 109 F 1
Isola del Liri *(I)* 109 F 3
Isola della Scala *(I)* 101 H 5
Isola di Capo Rizzuto *(I)* 113 D 3
Ísoma *(GR)* 164 D 4
Isona *(E)* 60 B 2
Isorella *(I)* 101 G 4
Isperih / Исперих *(BG)* 152 C 5
Isperihovo *(BG)* 158 D 3
Ispica *(I)* 115 F 5
Issigeac *(F)* 49 E 5
Issoire *(F)* 50 A 3
Issoudun *(F)* 45 E 5
Issy-l'Évêque *(F)* 50 B 1
Istán *(E)* 74 D 4
İstanbul *(TR)* 19 G 1

Istarske Toplice (HR) 134 A4
Istebna (PL) 125 E2
Istérnia (GR) 166 D5
Istha (D) 85 F4
Isthmía (GR) 165 G5
Istiaía (GR) 165 G2
Istibanja (MK) 143 G5
Istok (SRB) 142 D4
Istres (F) 54 D3
Itä-Aure (FIN) 191 G2
Itäsalmi / Östersundom (FIN) 191 H5
Itéa / Ιτέα (Stereá Elláda) (GR) 165 F3
Itéa (Flórina) (GR) 160 D3
Itéa (Grevená) (GR) 161 E5
Itéa (Thessalía) (GR) 165 E1
Itháki / Ιθάκη (GR) 164 C3
Itri (I) 109 F4
Ittiri (I) 112 B2
Itzehoe (D) 81 H3
Ivacevičy (BY) 6 D5
Ivajlovgrad (BG) 163 E1
Ivalo (FIN) 177 G5
Ivančice (CZ) 92 D4
Ivančići (BIH) 137 G5
Ivančna Gorica (SLO) 134 C3
Ivanec (HR) 135 E2
Ivanić Grad (HR) 135 E3
Ivanjica (SRB) 139 H2
Ivanjska (BIH) 135 F5
Ivanka pri Dunaji (SK) 132 A4
Ivankovo (HR) 137 G2
Ivano-Frankivs'k (UA) 12 D2
Ivanovo (RUS) 7 H1
Ivanovo (Ruse) (BG) 152 B5
Ivanovo (Šumen) (BG) 159 H1
Ivanska (HR) 135 F3
Ivanski (BG) 157 E3
Ivești (RO) 152 D1
Ívira (GR) 161 H3
Ivrea (I) 100 C4
Ivry-la-Bataille (F) 39 G5
Ixiá (GR) 171 H3
Ixworth (GB) 33 H5
Izbica Kujawska (PL) 121 H1
Izbiceni (RO) 151 G5
Izeda (P) 63 E1
Izegem (B) 78 B2
Izernore (F) 51 E2
Izlake (SLO) 134 C2
Izmaïl (UA) 13 F4
İzmir (TR) 19 G3
İzmit (TR) 19 H1
Iznájar (E) 70 C5
Iznalloz (E) 71 E5
İznik (TR) 19 H2
Izola / Isola (SLO) 134 A3
Izsák (H) 129 F3
Izvoarele (Giurgiu) (RO) 152 B5
Izvoarele (Slatina) (RO) 151 G4
Izvor (BG) 158 A2
Izvor (Jagodina) (SRB) 143 F1
Izvor (Kičevo) (MK) 145 E1
Izvor (Veles) (MK) 145 F1
Izvor (Vranje) (SRB) 143 G4
Izvoru (RO) 152 C2
Izvoru Berheciului (RO) 148 D4

J

Jaala (FIN) 193 E3
Jabălčevo (BG) 159 H1
Jabbeke (B) 78 B1
Jablan Do (BIH) 139 E4
Jablanac (HR) 134 C5
Jablanica (BG) 158 C1
Jablanica (BIH) 138 D2
Jablanovo (BG) 159 G1
Jablonec nad Nisou (CZ) 87 F5
Jablonica (SK) 132 A3
Jabłonka (PL) 125 G2
Jabłonna (PL) 122 D1
Jablonné v Podještědí (CZ) 87 F5
Jabłonowo Pomorskie (PL) 117 H4
Jablunkov (CZ) 93 H3
Jabugo (E) 69 F4
Jabuka (BIH) 139 F2
Jabuka (Beograg) (SRB) 140 D4
Jabuka (Prijepolje) (SRB) 139 G2
Jabukovac (HR) 135 E4
Jabukovac (SRB) 141 G5
Jaca (E) 59 H3
Jáchymov (CZ) 91 G2
Jade (D) 81 F4
Jäder (S) 197 F1
Jadranska Lešnica (SRB) 140 B4
Jadraque (E) 64 D1
Jaén (E) 70 D4
Jagoda (BG) 159 F2
Jagodina / Јагодина (SRB) 143 E1
Jagodnjak (HR) 137 G1
Jagsthausen (D) 89 F3
Jahorina (BIH) 139 F2
Jahotyn (UA) 13 F1
Jajce (BIH) 137 E4
Jakabszállás (H) 129 F3
Jakimovo (BG) 151 E5
Jäkkvik (S) 183 H1
Jakobstad / Pietarsaari (FIN) 185 F5
Jakoruda (BG) 158 C3
Jakovo (BG) 161 G1
Jakšić (HR) 135 G4
Jakubovik (SRB) 143 G3
Jakuszyce (PL) 120 C4
Jalasjärvi (FIN) 191 F1
Jaligny-sur-Besbre (F) 50 B1
Jalovik Izvor (SRB) 143 G2
Jałówka (PL) 119 H4
Jambol / Ямбол (BG) 159 G2
Jamena (SRB) 137 H3
Jämijärvi (FIN) 191 F2
Jäminkipohja (FIN) 191 G2
Jämjö (S) 199 H3
Jamnička Kiselica (HR) 135 E3
Jämsä (FIN) 191 H2
Jämsänkoski (FIN) 191 H2
Jamu Mare (RO) 150 B2
Jana (BG) 158 B1
Janakkala (FIN) 191 H4
Janče (MK) 144 D1
Janderup (DK) 198 B3
Janikowo (PL) 117 G5
Janja (BIH) 137 H3
Janjevo (SRB) 143 E4
Janjina (HR) 138 D3
Jánoshalma (H) 129 F4
Jánosháza (H) 128 C2
Jánossomorja (H) 128 C1
Janów (PL) 122 B4
Janów Lubelski (PL) 123 F4
Janów Podlaski (PL) 123 G1
Janowiec (PL) 123 E3
Janowiec Wielkopolski (PL) 117 F5
Jantra (BG) 159 E1
Janville (F) 45 E2
Janzé (F) 43 F3
Jäppilä (FIN) 193 F1
Jaraba (E) 65 F1
Jarafuel (E) 65 G5
Jaraicejo (E) 63 G5
Jaraíz de la Vera (E) 63 G4
Jarak (SRB) 140 C4
Jarandilla de la Vera (E) 63 G4
Järbo (S) 190 B4
Jarcevo (RUS) 7 F3
Jard-sur-Mer (F) 48 B1
Jarebica (BG) 152 D5
Jaren (N) 189 E4
Jargeau (F) 45 E3
Jarkovac (SRB) 140 D3
Jarmen (D) 83 F3
Jarmenovci (SRB) 140 D5
Järna (S) 197 F1
Järna (S) 189 H4
Jarnac (F) 48 D3
Jarnages (F) 49 G2
Jarny (F) 41 E5
Jarocin (PL) 121 F2
Jaroměř (CZ) 92 C2
Jaroměřice nad Rokytnou (CZ) 92 D4
Jaromierz (PL) 117 H3
Jaroslavl' (RUS) 7 G1
Jarosław (PL) 127 G1
Jarosławiec (PL) 117 E1
Jarošov nad Nežárkou (CZ) 92 B4
Järpen (S) 183 F5
Jarrow (GB) 31 G4
Järva-Jaani (EST) 201 F1
Järvakandi (EST) 200 D3
Järvelä (FIN) 191 H4
Järvenpää (FIN) 191 H4
Järvsö (S) 190 B3
Jaša Tomić (SRB) 140 D2
Jasenak (HR) 134 C4
Jasenica (BIH) 135 E5
Jasenkovo (BG) 157 E2
Jasenovac (HR) 135 F4
Jasenovec (BG) 156 D2
Jasenovo (SRB) 141 E4
Jasenovo (SRB) 139 H2
Jasień (PL) 120 C2
Jasika (SRB) 143 E2
Jasikovo (SRB) 141 F5
Jašiūnai (LT) 205 G4
Jaśliska (PL) 127 E2
Jasło (PL) 127 E2
Jasna Poljana (BG) 157 F5
Jasov (SK) 133 F3
Jastarnia (PL) 117 H1
Jastrebarsko (HR) 134 D3
Jastrowie (PL) 117 E4
Jastrzębia Góra (PL) 117 G1
Jastrzębie Zdrój (PL) 125 E1
Jászalsószentgyörgy (H) 129 G2
Jászapáti (H) 129 G2
Jászárokszállás (H) 129 G1
Jászberény (H) 129 G2
Jászkarajenő (H) 129 G3
Jászkisér (H) 129 G2
Jászladány (H) 129 G2
Jaunay-Clan (F) 49 E1
Jaunbērze (LV) 202 C3
Jaunjelgava (LV) 203 E3
Jaunmārupe (LV) 202 D3
Jaunpiebalga (LV) 203 F2
Jausiers (F) 51 G5
Jávea / Xàbia (E) 66 A5
Jävenitz (D) 86 A1
Javorec (BG) 159 E1
Javoriv (UA) 12 C2
Javorník (CZ) 93 E2
Jävre (S) 185 E2
Javron (F) 43 H2
Jawidz (PL) 123 F3
Jawor (PL) 120 D4
Jaworzno (PL) 125 F1
Jaworzyna Śląska (PL) 121 E4
Jazowsko (PL) 125 H2
Jebel (RO) 150 B1
Jedburgh (GB) 31 F3
Jedlina-Zdrój (PL) 120 D5
Jedlińsk (PL) 122 D3
Jednorożec (PL) 119 E4
Jędrzejów (PL) 122 C5
Jedwabne (PL) 119 F4
Jedwabno (PL) 118 D3
Jeesiö (FIN) 181 E4
Jefremov (RUS) 7 H3
Jegălia (RO) 153 E4
Jegorjevsk (RUS) 7 G2
Jegun (F) 52 D2
Jegunovce (MK) 143 E5
Jēkabpils (LV) 203 F4
Jektevik (N) 188 B4
Jelah (BIH) 137 F4
Jelašca (BIH) 139 E2
Jelec (RUS) 7 H3
Jelenia Góra (PL) 120 D4
Jelgava (LV) 202 D3
Jelling (DK) 198 C3
Jel'n'a (RUS) 7 F3
Jelsa (HR) 138 B3
Jelsa (N) 188 B5
Jelšava (SK) 133 E3
Jelsi (I) 109 H3
Jemnice (CZ) 92 C5
Jena (D) 86 A5
Jenbach (A) 95 G4
Jennersdorf (A) 97 G4
Jeppo (FIN) 185 F5
Jerez de la Frontera (E) 74 B3
Jerez de los Caballeros (E) 69 F3
Jérica (E) 65 H3
Jerichow (D) 86 B1
Jerte (E) 63 G4
Jerxheim (D) 85 H2
Jerzu (I) 112 D4
Jerzwałd (PL) 118 C3
Jesenice (CZ) 91 H3
Jesenice (SLO) 134 B1
Jeseník (CZ) 93 E2
Jesi (I) 107 G3
Jesolo (I) 103 F4
Jessen (D) 86 C3
Jessheim (N) 189 F5
Jeßnitz (D) 86 B3
Jetzelsdorf (A) 92 D5
Jeumont (F) 40 B2
Jevenstedt (D) 81 H2
Jever (D) 81 E4
Jevíčko (CZ) 93 E3
Jevišovice (CZ) 92 D5
Jevnaker (N) 189 E4
Jezerane (HR) 134 C5
Jezero (SRB) 143 E4
Jezero (BIH) 137 E4
Ježevica (SRB) 139 H1
Jeżewo (PL) 117 G4
Jeziorany (PL) 118 D2
Jeżów (PL) 122 C2
Jgliškeliai (LT) 205 E4
Jibert (RO) 147 H5
Jibou (RO) 147 E2
Jičín (CZ) 87 G5
Jieznas (LT) 205 E4
Jihlava (CZ) 92 C4
Jilava (RO) 152 B4
Jilavele (RO) 152 C3
Jilemnice (CZ) 87 G5
Jílové u Prahy (CZ) 92 B3
Jimbolia (RO) 150 A1
Jimena (E) 71 E4
Jimena de la Frontera (E) 74 C4
Jina (RO) 151 F1
Jindřichovice (CZ) 91 G2
Jindřichův Hradec (CZ) 92 B4
Jirkov (CZ) 86 D5
Jirlău (RO) 152 D2
Joachimsthal (D) 83 G5
Jockfall (S) 180 C5
Jódar (E) 71 E4
Jodoigne (B) 78 D3
Joensuu (FIN) 193 G1
Jõgeva (EST) 201 F3
Johanngeorgenstadt (D) 91 G2
John O' Groats (GB) 26 B4
Johnstone (GB) 30 C2
Johovac (BIH) 135 H5
Jõhvi (EST) 201 G1
Joigny (F) 45 G3
Joinville (F) 46 D2
Jokela (FIN) 191 H4
Jokijärvi (FIN) 187 F1
Jokikylä (FIN) 187 F3
Jokioinen (FIN) 191 G4
Jokkmokk (S) 180 A5
Joloskylä (FIN) 185 H2
Jomala (FIN) 190 D5
Jönåker (S) 197 F2
Jonava (LT) 205 F3
Jondal (N) 188 B4
Joniškėlis (LT) 205 E1
Joniškis (LT) 205 G3
Joniškis (LT) 205 E1
Jönköping (S) 195 H3
Jonzac (F) 48 D3
Jordanów (PL) 125 G2
Jordbro (S) 197 G1
Jormlien (S) 183 F3
Jörn (S) 184 D3
Joroinen (FIN) 193 F1
Jørpeland (N) 194 B1
Jørstadmoen (N) 189 E3
Jošanica (SRB) 143 F1
Jošanička Banja (SRB) 142 D2
Jošavka (BIH) 135 G5
Joseni (RO) 148 A4
Josenii Bârgăului (RO) 147 G3
Josipdol (HR) 134 D4
Josipovac (HR) 137 G1
Josselin (F) 43 E3
Jouarre (F) 40 A5
Joué-lès-T. (F) 44 C4
Jougne (F) 47 F5
Joukokylä (FIN) 187 F2
Joutsa (FIN) 193 E2
Joutseno (FIN) 193 G3
Joutsijärvi (FIN) 181 F5
Jovsa (SK) 133 H3
Joyeuse (F) 50 C5
Józefów (Warszawa) (PL) 123 G5
Józefów (Zamość) (PL) 122 D1
Józefów nad Wisłą (PL) 123 E4
Juan-les-Pins (F) 55 G2
Juankoski (FIN) 187 F5
Jüchen (D) 84 B4
Juchnov (RUS) 7 F3
Juchnowiec Kościelny (PL) 119 G4
Judaberg (N) 194 B1
Judenau (A) 97 G1
Judenburg (A) 97 E4
Juelsminde (DK) 198 C3
Jugon-les-Lacs (F) 43 E2
Jugorje (SLO) 134 D3
Juillac (F) 49 F4
Juist (D) 80 D3
Jukkasjärvi (S) 180 B3
Jülich (D) 84 B4
Jullouville (F) 43 F1
Jumaliskylä (FIN) 187 F3
Jumeaux (F) 50 A3
Jumièges (F) 39 F4
Jumilhac-le-Grand (F) 49 F3
Jumilla (E) 71 H2
Juminen (FIN) 187 F5
Jumisko (FIN) 181 F5
Jundola (BG) 158 C3
Juneda (E) 60 B4
Junik (SRB) 139 H4
Juniville (F) 40 C4
Junosuando (S) 180 C4
Junsele (S) 183 H5
Juntusranta (FIN) 187 G2
Juodupė (LT) 205 G1
Juoksenki (FIN) 180 D5
Juorkuna (FIN) 187 E2
Jurata (PL) 117 H1
Jurbarkas (LT) 204 D3
Jüri (EST) 200 D2
Jurilovca (RO) 153 G3
Jūrkalne (LV) 202 A3
Jūrmala (LV) 202 D3
Jurmu (FIN) 187 F2
Juromenha (P) 69 E2
Jurva (FIN) 191 F1
Jussey (F) 47 E3
Justel (E) 57 F4
Juta (H) 128 D4
Jüterbog (D) 86 C2
Jutrosin (PL) 121 F3
Juuka (FIN) 187 G5
Juuma (FIN) 181 G5
Juupajoki (FIN) 191 G2
Juva (FIN) 191 F4
Juva (FIN) 193 F2
Juvigny-le-Tertre (F) 43 G1
Juvigny-sous-Andaine (F) 43 H2
Juvola (FIN) 193 G2
Juzennecourt (F) 46 D2
Jūžintai (LT) 205 G2
Jyderup (DK) 198 D3
Jyrkkä (FIN) 187 F4
Jyväskylä (FIN) 191 H2

K

Kaakamo (FIN) 185 G1
Kaamanen (FIN) 177 F4
Kaaresuvanto (FIN) 176 D5
Kaarina (FIN) 191 F4
Kaatsheuvel (NL) 78 D1
Kaavi (FIN) 187 F5
Kaba (H) 131 E2
Kåbdalis (S) 184 D1
Kableškovo (BG) 157 F4
Kać (SRB) 140 C3
Kačanik (SRB) 143 E5
Kačarevo (SRB) 140 D4
Kacelovo (BG) 156 C2
Kachovka (UA) 13 H2
Kačikol (SRB) 143 E4
Kadaň (CZ) 91 H2
Kadarkút (H) 128 C4
Kadrifakovo (MK) 145 G1
Kadrina (EST) 201 F2
Kadzidło (PL) 119 E4
Kåfjord (N) 177 E1
Kaga (S) 197 E2
Kåge (S) 185 E3
Kagkádi (GR) 164 D4
Kaharlyk (UA) 13 F1
Kahla (D) 86 A5
Kaïáfas (GR) 164 D5
Kailbach (D) 89 F3
Käina (EST) 200 B3
Kainasto (FIN) 191 F1
Kaindorf (A) 97 G4
Kainoúrgio (GR) 164 D3
Kaipola (FIN) 191 H2
Kairala (FIN) 181 F4
Kaiserslautern (D) 88 D3
Kaisheim (D) 89 H4
Kajaani (FIN) 187 F3
Kajnardža (BG) 152 D5
Kakanj (BIH) 137 G5
Kakaviá (GR) 160 B5
Kakí Thálassa (GR) 166 B5
Kakopetria (CY) 174 C4
Kakslauttanen (FIN) 177 G5
Kalá Nerá (GR) 165 G1
Kalajoki (FIN) 185 G4
Kalak (N) 177 F2
Kalamáki (Kríti) (GR) 172 D4
Kalamáki (Thessalía) (GR) 165 F1
Kalamáta / Καλαμάτα (GR) 168 C3
Kalámi (Kríti) (GR) 170 A5
Kalámi (Vóreio Aigaío) (GR) 167 G5
Kalamítsi (GR) 162 B5
Kálamos (GR) 165 H4
Kalamotí (GR) 167 E4
Kalándra (GR) 161 H5
Kalanti (FIN) 191 E4
Kalapódi (GR) 165 G3
Kälarne (S) 190 B1
Kálathos (GR) 171 H3
Kalavárda (GR) 171 H3
Kalavasos (CY) 174 D4
Kalávryta / Καλάβρυτα (GR) 165 E4
Kal'azin (RUS) 7 G1
Kalbe (D) 86 A1
Kalce (SLO) 134 B3
Kalčevo (BG) 159 G2
Káld (H) 128 C2
Kałęczyn (PL) 119 E3
Kalekovec (BG) 158 D3
Kaléntzi (Dytikí Elláda) (GR) 165 E4
Kaléntzi (Ípeiros) (GR) 164 C1
Kalérgo (GR) 166 B4
Kalesija (BIH) 137 H4
Kalesméno (GR) 165 E2
Kalety (PL) 121 H5

Kali (HR) 136 B5
Kaliánoi (GR) 165 F5
Kaliningrad (RUS) 5 H4
Kalinkavičy (BY) 7 E5
Kalinovnik (BIH) 139 E2
Kalinowo (PL) 119 G2
Kaliráchi (GR) 160 D5
Kalisz (PL) 121 G2
Kalisz Pomorski (PL) 116 D4
Kalix (S) 185 F1
Kalkar (D) 84 B3
Kalkkinen (FIN) 191 H3
Kall (S) 183 F5
Kallaste (EST) 201 G3
Kållby (FIN) 185 F5
Källby (S) 195 G2
Kallepeia (CY) 174 B4
Kalli (EST) 200 D3
Kallimasiá (GR) 167 E4
Kallinge (S) 199 G2
Kallio (FIN) 191 G2
Kalliojoki (FIN) 187 G3
Kallipéfki (GR) 161 F5
Kallislahti (FIN) 193 G2
Kallithéa (Dytikí Elláda) (GR) 165 E5
Kallithéa (Kentrikí Makedonía) (GR) 161 H5
Kallithéa (Pelopónnisos) (GR) 168 C3
Kallmünz (D) 91 F5
Kalloní (GR) 167 F2
Kalmar (S) 197 E5
Kalna (SRB) 143 G2
Kalnik (HR) 135 F2
Kaló Chorió (GR) 173 E3
Kalo Chorio (Larnaka) (CY) 175 E4
Kalo Chorio (Lefka) (CY) 174 C3
Kalo Chorio (Lemesos) (CY) 174 D4
Kalo Chorio Kapouti (CY) 174 D3
Kaló Neró (GR) 168 C2
Kalochóri (GR) 161 E5
Kalocsa (H) 129 F4
Kalofer (BG) 159 E2
Kalograia (CY) 175 E2
Kalogriá (GR) 164 D4
Kaloí Liménes (GR) 172 D4
Kalojan (BG) 157 E2
Kalojanovec (BG) 159 F2
Kalojanovo (Plovdiv) (BG) 158 D2
Kalojanovo (Sliven) (BG) 159 G2
Kalókastro (GR) 161 H3
Kalopanagiotis (CY) 174 C4
Kalopsida (CY) 175 F3
Kaloskopí (GR) 165 F3
Kalotina (BG) 158 A1
Káloz (H) 129 E3
Kalpáki (GR) 160 C5
Kals am Großglockner (A) 95 H4
Kalsdorf bei Graz (A) 97 F4
Kaltanėnai (LT) 205 G3
Kaltbrunn (CH) 99 F2
Kaltenkirchen (D) 81 H3
Kaltennordheim (D) 85 G5
Kaltern / Caldaro (I) 101 H2
Kaltinėnai (LT) 204 D2
Kaluga (RUS) 7 G3
Kalugerovo (BG) 158 C2
Kalundborg (DK) 198 D3
Kaluš (UA) 12 D2
Kałuszyn (PL) 123 E1
Kalvåg (N) 188 B2
Kalvarija (LT) 204 D4
Kalvehave (DK) 199 E4
Kalvene (LV) 202 A3
Kälviä (FIN) 185 F4
Kalvola (FIN) 191 G3
Kalvträsk (S) 184 D3
Kalwaria Zebrzydowska (PL) 125 F1
Kálymnos / Κάλυμνος (GR) 171 F2
Kalyvári (GR) 166 C4
Kalýves (GR) 162 C3
Kalývia (Achaïa) (GR) 165 E5
Kalývia (Aitolía-Akarnanía) (GR) 164 D3
Kalývia (Attikí) (GR) 165 H5
Kalývia Varikoú (GR) 161 F4
Kám (H) 128 B3
Kamajai (LT) 205 G2
Kamáres (Dytikí Elláda) (GR) 165 E4
Kamáres (Kríti) (GR) 172 D3
Kamáres (Nótio Aigaío) (GR) 169 H3
Kamári (GR) 170 C3
Kamariótissa (GR) 162 D4
Kamen (BG) 156 C2
Kamen (D) 84 D3
Kaména Voúrla / Καμένα Βούρλα (GR) 165 F3
Kamenari (MNE) 139 F4
Kamenec (BG) 159 H2
Kamenica (MK) 143 H5
Kamenica (SRB) 140 C5
Kamenice nad Lipou (CZ) 92 B4
Kameno (BG) 157 E4
Kamensko (Daruvar) (HR) 135 G4
Kamensko (Split) (HR) 138 C2
Kamenz (D) 87 E4
Kamień Krajeński (PL) 117 F3
Kamień Pomorski (PL) 116 C2
Kamieniec Ząbkowicki (PL) 121 E5
Kamienna Góra (PL) 120 D4
Kamieńsk (PL) 122 B3
Kamilski dol (BG) 163 E1
Kaminaria (CY) 174 C4
Kamínia (Dytikí Elláda) (GR) 164 D4
Kamínia (Vóreio Aigaío) (GR) 162 D5
Kamjanec'-Podil's'kyj (UA) 13 E2
Kam'janka (UA) 13 G1
Kam'janka Dniprovs'ka (UA) 13 H2
Kamnik (SLO) 134 C2
Kamp-Bornhofen (D) 88 D1
Kamp-Lintfort (D) 84 B3
Kampánis (GR) 161 G3
Kampen (D) 81 F1
Kampen (NL) 77 F4
Kampiá (GR) 167 E3
Kampochóri (GR) 161 F3
Kampos (CY) 174 C3
Kámpos (Kríti) (GR) 172 A3
Kámpos (Pelopónnisos) (GR) 168 C3
Kanal (SLO) 134 A2
Kanália (GR) 165 G1
Kanalláki (GR) 164 C1
Kanatádika (GR) 165 G2
Kánava (GR) 169 H4
Känčevo (BG) 159 F2
Kańczuga (PL) 127 F1
Kandava (LV) 202 C3
Kandel (D) 89 E4
Kandern (D) 94 A3
Kandersteg (CH) 98 D4
Kandíla (Dytikí Elláda) (GR) 164 C3
Kandíla (Pelopónnisos) (GR) 165 F5
Kandıra (TR) 19 H1
Kandrše (SLO) 134 C2
Kanestraum (N) 182 B5
Kanfanar (HR) 134 A4
Kangasala (FIN) 191 G3
Kangaslampi (FIN) 193 F1
Kangasniemi (FIN) 193 E2
Kangosjärvi (FIN) 180 D3
Kaniv (UA) 13 F1
Kanjiža (SRB) 140 C1
Kankaanpää (FIN) 191 F2
Kannonkoski (FIN) 185 H5
Kannus (FIN) 185 G4
Kannusjärvi (FIN) 193 F4
Kántanos (GR) 172 B3
Kántia (GR) 165 G5
Kanturk (IRL) 24 C4
Kaolinovo (BG) 157 E2
Kaona (SRB) 142 D1
Kaonik (BIH) 137 F5
Kaonik (SRB) 143 F2
Kapandríti (GR) 165 H4
Kapčiamiestis (LT) 205 E5
Kapellskär (S) 197 G1
Kapfenberg (A) 97 F3
Kapitan Dimitrovo (BG) 153 E5
Kaplice (CZ) 92 B5
Kaposfő (H) 128 C4
Kaposszekcső (H) 128 D4
Kaposvár (H) 128 D4
Kapp (N) 189 F4
Kappel (D) 88 C2
Kappeln (D) 81 H1
Kaprun (A) 96 B4
Kapsáli (GR) 169 E5
Kápsas (GR) 165 F5
Kapsoúri (GR) 166 C4
Kapuvár (H) 128 C1
Karabiga (TR) 19 G2
Karaburun (TR) 19 G3
Karačev (RUS) 7 G4
Karageorgievo (BG) 159 H1
Karamanci (BG) 162 D1
Karan (SRB) 139 H1
Karanovo (BG) 159 H2
Karapelit (BG) 157 F2
Karasjok (N) 177 E4
Karasu (TR) 19 H1
Karats (S) 180 A5
Karavas (CY) 174 D2
Karavás (GR) 169 E5
Käravete (EST) 201 E2
Karavostasi (CY) 174 C3
Kårböle (S) 190 A2
Karcag (H) 129 H2
Kardakáta (GR) 164 B3
Kardam (BG) 157 G1
Kardámaina (GR) 171 F2
Kardámyla (GR) 167 E3
Kardámyli (GR) 168 C3
Kardiá (GR) 161 G4
Kardítsa / Καρδίτσα (GR) 165 E1
Kärdla (EST) 200 B2
Kărdžali / Кърджали (BG) 162 D1
Karesuando (S) 176 D5
Karfás (GR) 167 E3
Kargowa (PL) 120 D2
Karhukangas (FIN) 185 H3
Karhula (FIN) 193 F4
Kariani (GR) 162 B3
Karigasniemi (FIN) 177 E4
Karijoki (FIN) 191 E2
Karinainen (FIN) 191 F4
Karis / Karjaa (FIN) 191 G5
Karítaina (GR) 165 E5
Karjaa / Karis (FIN) 191 G5
Karjalohja (FIN) 191 G5
Karkaloú (GR) 165 E5
Karkkila (FIN) 191 G4
Karkku (FIN) 191 F3
Karklėnai (LT) 204 D2
Karkölä (FIN) 191 H4
Karksi-Nuia (EST) 201 E4
Kärla (EST) 200 B4
Karleby / Kokkola (FIN) 185 F4
Karlevi (S) 197 E5
Karlino (PL) 116 D2
Karlivka (UA) 13 H1
Karlö / Hailuoto (FIN) 185 G3
Karlobag (HR) 136 B4
Karlova Studánka (CZ) 93 E2
Karlovac (HR) 134 D4
Karlovási / Καρλοβάσι (GR) 167 F5
Karlovo / Карлово (BG) 158 D2
Karlovy Vary (CZ) 91 G2
Karlsborg (S) 195 H2
Karlsburg (D) 83 F3
Karlsfeld (D) 95 G2
Karlshamn (S) 199 G3
Karlshuld (D) 95 F1
Karlskoga (S) 195 H1
Karlskrona (S) 199 H3
Karlsruhe (D) 89 E4
Karlstad (S) 195 G1
Karlstadt (D) 89 G2
Karlštejn (CZ) 92 A3
Karlstift (A) 97 E1
Karmėlava (LT) 205 E3
Karmi (CY) 174 D2
Kărnare (BG) 158 D1
Karnezaíika (GR) 165 G5
Karnobat / Карнобат (BG) 159 H2
Karolinka (CZ) 93 G4
Karow (D) 83 E4
Karpacz (PL) 120 D4
Kärpänkylä (FIN) 187 G1
Kárpathos (GR) 171 F5
Karpenísi / Καρπενήσι (GR) 165 E2
Karperí (GR) 161 G2
Kärsämäki (FIN) 185 H4
Kārsava (LV) 203 H3
Karsin (PL) 117 G3
Karstädt (D) 82 D5
Karstula (FIN) 191 H1
Kartal (TR) 19 G1
Kartena (LT) 204 C2
Kartéri (Ípeiros) (GR) 164 B1
Kartéri (Pelopónnisos) (GR) 165 F5
Karterós (GR) 170 C5
Karttula (FIN) 187 E5
Kartuzy (PL) 117 G2
Karungi (S) 185 G1
Karunki (FIN) 185 G1
Karup (DK) 194 D5
Karvala (FIN) 185 G5
Kärväskylä (FIN) 185 H5
Kårvatn (N) 189 E1
Karvia (FIN) 191 F2
Karviná (CZ) 93 G2
Karvoskylä (FIN) 185 H4
Karvounári (GR) 164 B1
Karwia (PL) 117 G1
Karyá (Iónia Nisiá) (GR) 164 C2
Karyá (Pelopónnisos) (GR) 165 F5
Karýdi (GR) 173 F3
Karyés / Καρυές (Ágio Óros) (GR) 162 B4
Karyés (Pelopónnisos) (GR) 168 D2
Karyés (Stereá Elláda) (GR) 165 F2
Kašalj (SRB) 142 D3
Kašin (RUS) 7 F1
Kašina (HR) 135 E3
Kašira (RUS) 7 G2
Kaskinen / Kaskö (FIN) 191 E2
Kaskö / Kaskinen (FIN) 191 E2
Käsmu (EST) 201 F1
Káspakas (GR) 162 D5
Kašperské Hory (CZ) 91 H5
Kaspičan (BG) 157 E2
Kassándreia (GR) 161 H5
Kassel (D) 85 G4
Kassiópi (GR) 160 B5
Kastaniá (Kardítsa) (GR) 165 E1
Kastaniá (Kentrikí Makedonía) (GR) 161 E4
Kastaniá (Pelopónnisos) (GR) 165 F5
Kastaniá (Tríkala) (GR) 160 D5
Kastaniés (GR) 163 F1
Kaštel Stari (HR) 138 B2
Kaštel Žegarski (HR) 136 C5
Kastélla (GR) 165 H3
Kastellaun (D) 88 D1
Kastélli (GR) 173 E3
Kasterlee (B) 78 D1
Kastl (D) 91 F4
Kastorf (D) 82 B3
Kastoriá / Καστοριά (GR) 160 D4
Kastráki (Dytikí Elláda) (GR) 164 D3
Kastráki (Nótio Aigaío) (GR) 170 C2
Kastrí (Pelopónnisos) (GR) 168 D2
Kastrí (Stereá Elláda) (GR) 165 E2
Kastrí (Thessalía) (GR) 165 F1
Kástro (Dytikí Elláda) (GR) 164 C4
Kástro (Stereá Elláda) (GR) 165 G3
Kastrosykiá (GR) 164 C2
Kaszaper (H) 129 H4
Katáfourko (GR) 164 D2
Katáfyto (GR) 161 H2
Katákolo (GR) 164 D5
Katápola (GR) 170 D2
Katastári (GR) 164 C5
Kateríni / Κατερίνη (GR) 161 F4
Kathenoí (GR) 165 H3
Kathikas (CY) 174 B4
Katići (SRB) 139 H2
Kätkäsuvanto (FIN) 180 C3
Katlanovo (MK) 143 F5
Katlanovska Banja (MK) 143 F5
Katlenburg (D) 85 G3
Káto Achaïa (GR) 164 D4
Káto Almyrí (GR) 165 G5
Káto Aséa (GR) 168 D2
Kato Deftera (CY) 174 D3
Kato Dikomo (CY) 174 D3
Káto Dolianá (GR) 168 D2
Káto Figáleia (GR) 165 E5
Káto Glykóvrysi (GR) 168 D3
Káto Kastellianá (GR) 173 E4
Káto Kleinés (GR) 160 D3
Kato Lakatameia (CY) 174 D3
Káto Makrinoú (GR) 164 D3
Káto Nevrokópi (GR) 161 H2
Kato Polemidia (CY) 174 C5
Kato Pyrgos (CY) 174 C3
Káto Tithoréa (GR) 165 F3
Káto Vasilikí (GR) 164 D3
Káto Vérga (GR) 168 C3
Káto Vérmio (GR) 161 E4
Káto Vlasía (GR) 165 E4
Káto Vrontoú (GR) 161 H2
Káto Zachloroú (GR) 165 E4
Kato Zodeia (CY) 174 C3
Katochí (GR) 164 D3
Katokopia (CY) 174 D3
Katoúna (Dytikí Elláda) (GR) 164 C2
Katoúna (Iónia Nisiá) (GR) 164 C2
Katowice (PL) 122 A5
Katrineholm (S) 197 E2
Katsikás (GR) 164 C1
Kattavía (GR) 171 G4
Katunci (BG) 161 H2
Katunica (BG) 159 E3
Katwijk aan Zee (NL) 76 D4
Kąty Wrocławskie (PL) 121 E4
Katyčiai (LT) 204 C3
Kaub (D) 88 D1
Kaufbeuren (D) 95 E2
Kauhajärvi (FIN) 191 G1
Kauhajoki (FIN) 191 F1
Kauhava (FIN) 185 F5
Kaukonen (FIN) 180 D4
Kaunas (LT) 205 E4
Kaupanger (N) 188 C3
Kaustinen (FIN) 185 G5
Kautokeino (N) 176 D4
Kauttua (FIN) 191 F3
Kavadarci (MK) 145 G1
Kavajë (AL) 144 C2
Kavála / Καβάλα (GR) 162 B3
Kavarna (BG) 157 G2
Kavastu (EST) 201 G3
Kävlinge (S) 199 F3
Kávos (GR) 164 B1
Kavoúsi (GR) 173 F3
Käylä (FIN) 181 G5
Kaysersberg-Vignoble (F) 47 G2
Kazafani (CY) 174 D2
Kažani (MK) 145 E2
Kazanlăk / Казанлък (BG) 159 E2
Kazárma (GR) 168 C3
Kazimierz Dolny (PL) 123 E3
Kazimierza Wielka (PL) 122 C5
Kazincbarcika (H) 126 D5
Kazlų Rūda (LT) 205 E4
Kcynia (PL) 117 F5
Kdyně (CZ) 91 G4
Kéa (GR) 166 B5
Keadew (IRL) 22 D4
Keady (GB) 23 F3
Kebnekaise (S) 180 A3
Kecel (H) 129 F4
Kechrókampos (GR) 162 C2
Kecskemét (H) 129 G3
Kėdainiai (LT) 205 E3
Kédros (GR) 165 E2
Kędzierzyn-Koźle (PL) 121 G5
Keel (IRL) 22 B4
Keerbergen (B) 78 D2
Kéfalos (GR) 171 F2
Kefalóvryso (Dytikí Elláda) (GR) 164 D3
Kefalóvryso (Ípeiros) (GR) 160 C5
Kefalóvryso (Pelopónnisos) (GR) 168 C3
Kefalóvryso (Thessalía) (GR) 161 E5
Keflavík (IS) 178 A3
Ķegums (LV) 203 E3
Kehl (D) 88 D5
Kehra (EST) 201 E2
Kehtna (EST) 200 D2
Keighley (GB) 32 D2
Keila (EST) 200 D2
Ķeipene (LV) 203 E3
Keitele (FIN) 187 E5
Keith (GB) 29 G3
Kelankylä (FIN) 185 H1
Kelberg (D) 88 C1
Kelbra (D) 86 A3
Këlcyrë (AL) 144 D4
Kelebia (H) 129 F5
Kelheim (D) 91 F5
Kellinghusen (D) 81 H3
Kellokoski (FIN) 191 H4
Kells (IRL) 23 F4
Kelmė (LT) 204 D2
Kelokedara (CY) 174 B4
Kelso (GB) 31 F2
Kelujärvi (FIN) 181 F4
Kemberg (D) 86 C3
Kembs (F) 47 H3
Kemeneshőgyész (H) 128 C2
Kémes (H) 128 D5
Kemi (FIN) 185 G1
Kemijärvi (FIN) 181 F5
Keminmaa (FIN) 185 G1
Kemiö / Kimito (FIN) 191 F5
Kemnath (D) 91 F3
Kempele (FIN) 185 H3
Kempen (D) 84 B3
Kempenich (D) 88 C1
Kempten (D) 95 E3
Kendal (GB) 31 F5
Kenderes (H) 129 H2
Kengyel (H) 129 H3
Kenilworth (GB) 33 E5
Kenmare (IRL) 24 B4
Kennacraig (GB) 30 B2
Kentallen (GB) 28 D5

Kentrikó (GR) 161 G2
Kenzingen (D) 94 A2
Kępice (PL) 117 E2
Kępno (PL) 121 G3
Kerameía (GR) 167 F2
Keramídi (GR) 165 G1
Keramítsa (GR) 160 B5
Kéramos (GR) 167 E3
Keramotí (GR) 162 C3
Kerasiá (GR) 165 G2
Kerasiés (GR) 161 E3
Keratéa (GR) 166 B5
Keratokampos (GR) 173 E4
Kerava (FIN) 191 H4
Kerekegyháza (H) 129 F3
Kerí (GR) 164 C5
Kerimäki (FIN) 193 G2
Kerken (D) 84 B3
Kerkonkoski (FIN) 193 E1
Kerkrade (NL) 79 F2
Kérkyra / Κέρκυρα (GR) 160 B5
Kermen (BG) 159 G2
Kernascléden (F) 42 C2
Kerpen (D) 84 C5
Kerta (H) 128 C2
Kerteminde (DK) 198 C3
Kértezi (GR) 165 E4
Kerýneia / Girne (CY) 174 D2
Kerzers (CH) 98 C3
Kesälahti (FIN) 193 H2
Keşan (TR) 19 F2
Kesarevo (BG) 156 C3
Kesh (GB) 23 E3
Kestilä (FIN) 185 H3
Keswick (GB) 31 E4
Keszthely (H) 128 C3
Kétegyháza (H) 131 E4
Kętrzyn (PL) 119 E2
Kettering (GB) 33 F5
Kettletoft (GB) 26 C3
Kettwig (D) 84 C4
Kęty (PL) 125 F1
Ketzin (D) 86 C1
Keuruu (FIN) 191 H2
Kevelaer (D) 84 B3
Kevo (FIN) 177 F3
Keynsham (GB) 35 F2
Kežmarok (SK) 133 F2
Kiáto / Κιάτο (GR) 165 F4
Kibæk (DK) 194 C5
Kiberg (N) 177 H2
Kičevo (BG) 157 F2
Kičevo (MK) 145 E1
Kidderminster (GB) 32 D5
Kidlington (GB) 35 H1
Kidsgrove (GB) 32 D3
Kidwelly (GB) 34 C1
Kiefersfelden (D) 95 H3
Kiekinkoski (FIN) 187 G3
Kiel (D) 81 H2
Kielce (PL) 122 D4
Kiental (CH) 98 D3
Kierinki (FIN) 181 E4
Kietrz (PL) 124 D1
Kietz (D) 87 E1
Kiev = Kyïv (UA) 13 F1
Kifisiá / Κηφισιά (GR) 165 H4
Kifjord (N) 177 F1
Kihelkonna (EST) 200 B3
Kihlanki (FIN) 180 C4
Kihniö (FIN) 191 F2
Kiihtelysvaara (FIN) 193 H1
Kiikala (FIN) 191 G4
Kiikka (FIN) 191 F3
Kiikoinen (FIN) 191 F3
Kiiminki / Kiiminge (FIN) 185 H2
Kiiskilä (FIN) 185 G4
Kiistala (FIN) 180 D3
Kijevo (HR) 136 D5
Kijevo (SRB) 142 D4
Kikinda / Кикинда (SRB) 140 D2
Kikół (PL) 117 H5
Kil (S) 195 G1
Kilafors (S) 190 B3
Kilbaha (IRL) 24 B3
Kilbeggan (IRL) 23 E5
Kilbirnie (GB) 30 C2
Kilbotn (N) 179 G2
Kilchoan (GB) 28 C5
Kilcock (IRL) 23 F5
Kilcormac (IRL) 25 E2
Kilcreggan (GB) 30 C1
Kilcullen (IRL) 25 F2
Kildare (IRL) 25 F2
Kildorrery (IRL) 24 D4
Kilfenora (IRL) 24 C2
Kilgarvan (IRL) 24 B4
Kilifarevo (BG) 159 F1
Kilija (UA) 13 F4
Kilingi-Nõmme (EST) 201 E4
Kilkee (IRL) 24 B2
Kilkeel (GB) 23 G4
Kilkenny / Cill Chainnigh (IRL) 25 E3
Kilkhampton (GB) 34 C3
Kilkís / Κιλκίς (GR) 161 G3
Killadysert (IRL) 24 C3
Killaloe (IRL) 24 D2
Killarney / Cill Airne (IRL) 24 B4
Killashandra (IRL) 23 E4
Killenaule (IRL) 25 E3
Killimer (IRL) 24 B3
Killin (GB) 29 E5
Killinkoski (FIN) 191 G1
Killorglin (IRL) 24 B4
Killybegs (IRL) 22 D2
Killyleagh (GB) 23 G3
Kilmaine (IRL) 22 C5
Kilmallock (IRL) 24 C3
Kilmarnock (GB) 30 C2
Kilmartin (GB) 30 B1
Kilmore Quay (IRL) 25 F4
Kilmurry (IRL) 24 C2
Kilninver (GB) 30 B1
Kilnsea (GB) 33 G2
Kilpisjärvi (FIN) 176 C4
Kilrea (GB) 23 F2
Kilronan (IRL) 22 B5
Kilrush (IRL) 24 B3
Kilsyth (GB) 30 D1
Kiltealy (IRL) 25 F3
Kiltimagh (IRL) 22 C4
Kilwinning (GB) 30 C2
Kılyos (TR) 19 G1
Kiminge / Kiiminki (FIN) 185 H2
Kimito / Kemiö (FIN) 191 F5
Kímolos (GR) 169 H4
Kimry (RUS) 7 F1
Kimstad (S) 197 E2
Kinbrace (GB) 26 A5
Kincardine (GB) 30 D1
Kindberg (A) 97 F3
Kindelbrück (D) 86 A4
Kinéta (GR) 165 G4
Kingisepp (RUS) 6 C1
King's Lynn (GB) 33 G4
Kingsbridge (GB) 34 D5
Kingscourt (IRL) 23 F4
Kingston (GB) 36 C4
Kingston upon Hull (GB) 33 F2
Kingswear (GB) 35 E4
Kington (GB) 32 C5
Kingussie (GB) 29 F4
Kinloch Rannoch (GB) 29 F5
Kinlochbervie (GB) 28 E1
Kinlochewe (GB) 28 D3
Kinna (S) 195 G4
Kinnasniemi (FIN) 193 H1
Kinnegad (IRL) 23 F5
Kinnitty (IRL) 25 E2
Kinnula (FIN) 185 H5
Kinross (GB) 31 E1
Kinsale (IRL) 24 C5
Kinsarvik (N) 188 C4
Kintai (LT) 204 B2
Kintaus (FIN) 191 H2
Kintore (GB) 29 H4
Kinvarra (IRL) 24 C2
Kipilovo (BG) 159 G1
Kipinä (FIN) 185 H2
Kípoi (Anatolikí Makedonía kai Thráki) (GR) 163 F3
Kípoi (Ípeiros) (GR) 160 C5
Kipoureío (GR) 160 D5
Kirchbach in Steiermark (A) 97 F4
Kirchberg (D) 86 C5
Kirchberg (Hunsrück) (D) 88 C2
Kirchberg am Wagram (A) 97 G1
Kirchberg an der Pielach (A) 97 F2
Kirchberg in Tirol (A) 95 H3
Kirchdorf an der Krems (A) 96 D2
Kirchenlamitz (D) 91 F2
Kirchenthumbach (D) 91 F3
Kirchhain (D) 85 F5
Kirchheim (D) 85 G5
Kirchheim am Neckar (D) 89 F4
Kirchheim unter Teck (D) 89 F5
Kirchheimbolanden (D) 88 D2
Kirchhundem (D) 85 E4
Kirchlengern (D) 85 E2
Kirchschlag in der Buckligen Welt (A) 97 G3
Kirilovo (BG) 159 E2
Kiriši (RUS) 6 D1
Kırkağaç (TR) 19 G3
Kirkby Lonsdale (GB) 31 F5
Kirkby Stephen (GB) 31 F5
Kirkcaldy (GB) 31 E1
Kirkcolm (GB) 23 H2
Kirkcudbright (GB) 30 D4
Kirkebygden (N) 195 F1
Kirkenær (N) 189 G4
Kirkenes (N) 177 H3
Kirkham (GB) 32 C2
Kírki (GR) 163 E3
Kirkintilloch (GB) 30 D2
Kirkjubæjarklaustur (IS) 178 C3
Kirkjubøur (Færøerne) (DK) 194 A5
Kirkkonummi / Kyrkslätt (FIN) 191 H5
Kirklareli (TR) 19 F1
Kirkonkylä / Längelmäen (FIN) 191 H2
Kirkovo (BG) 162 D2
Kirkwall (GB) 26 B3
Kirn (D) 88 D2
Kirov (RUS) 7 F3
Kirovohrad (UA) 13 G2
Kirriemuir (GB) 29 G5
Kirtorf (D) 85 F5
Kiruna (S) 180 A3
Kiržač (RUS) 7 G1
Kisa (S) 197 E3
Kisač (SRB) 140 C3
Kisar (H) 127 G5
Kisbér (H) 128 D2
Kiseljak (Bijeljina) (BIH) 137 H4
Kiseljak (Sarajevo) (BIH) 137 G5
Kiseljak (Tuzla) (BIH) 137 G4
Kishajmás (H) 128 D5
Kisielice (PL) 117 H3
Kisko (FIN) 191 G5
Kisköre (H) 129 H2
Kiskőrös (H) 129 F4
Kiskundorozsma (H) 129 G4
Kiskunfélegyháza (H) 129 G3
Kiskunhalas (H) 129 F4
Kiskunlacháza (H) 129 F2
Kiskunmajsa (H) 129 G4
Kismaros (H) 129 F1
Kíssamos (Kastélli) / Κίσσαμος (Καστέλλι) (GR) 172 B3
Kißlegg (D) 94 D3
Kissonerga (CY) 174 B4
Kissoú Kámpos (GR) 172 C3
Kistanje (HR) 136 C5
Kistelek (H) 129 G4
Kisújszállás (H) 129 H2
Kisvárda (H) 127 F5
Kiszkowo (PL) 121 F1
Kiszombor (H) 129 H5
Kitee (FIN) 193 H1
Kiten (BG) 157 F5
Kiti (CY) 175 E4
Kitka (FIN) 181 G5
Kítros (GR) 161 F4
Kittilä (FIN) 180 D4
Kittsee (A) 97 H2
Kitzbühel (A) 95 H3
Kitzingen (D) 89 G2
Kiukainen (FIN) 191 F3
Kiuruvesi (FIN) 187 E4
Kivéri (GR) 165 F5
Kivijärvi (FIN) 185 H5
Kivilahti (FIN) 187 H5
Kiviõli (EST) 201 G2
Kivitaipale (FIN) 181 E5
Kivotós (GR) 160 D4
Kizári (GR) 163 E2
Kjellerup (DK) 194 D5
Kjerringøy (N) 179 F4
Kjerringvåg (N) 182 C4
Kjøllefjord (N) 177 F1
Kjøpsvik (N) 179 G3
Kjustendil / Кюстендил (BG) 158 A2
Kladanj (BIH) 137 G4
Kladnica (BG) 158 B2
Kladnice (HR) 138 B2
Kladno (CZ) 92 A2
Kladovo (SRB) 141 G4
Kladušnica (SRB) 141 G4
Klæbu (N) 182 D5
Klagenfurt (A) 96 D5
Klaipėda (LT) 204 B2
Klakegg (N) 188 C2
Klaksvík (Færøerne) (DK) 194 B4
Klana (HR) 134 B4
Klanac (HR) 134 D5
Klanxbüll (D) 81 G1
Klašnice (BIH) 135 G5
Klässbol (S) 195 G1
Klášterec nad Ohří (CZ) 91 H2
Klatovy (CZ) 91 H4
Klaukkala (FIN) 191 H4
Klausen / Chiusa (I) 103 E2
Klazienaveen (NL) 77 G3
Kłecko (PL) 117 F5
Kleczew (PL) 121 G1
Kleinhaugsdorf (A) 92 D5
Kleinkirchheim (A) 96 D5
Kleisoúra (GR) 160 D4
Kleitoría (GR) 165 E4
Klembów (PL) 122 D1
Klenovica (HR) 134 C4
Kleppe (N) 194 A1
Kleppestø (N) 188 B4
Kleszczele (PL) 119 H5
Kleve (D) 84 B3
Kličevac (SRB) 141 E4
Klimavičy (BY) 7 F4
Klimontów (PL) 123 E4
Klimpfjäll (S) 183 G3
Klin (RUS) 7 F2
Klina / Klinë (SRB) 142 D4
Klinča Sela (HR) 134 D3
Klincy (RUS) 7 F4
Klingenbach (A) 97 H2
Klingenthal (D) 91 G2
Klintehamn (S) 197 G4
Klippan (S) 199 F3
Klippen (S) 183 G1
Klirou (CY) 174 D3
Klis (HR) 138 B2
Klisura (BG) 158 B2
Klisura (SRB) 143 G3
Klitten (D) 87 F3
Klixbüll (D) 81 G1
Kljajićevo (SRB) 137 H1
Ključ (BIH) 136 D4
Kłobuck (PL) 121 H4
Kłoczew (PL) 123 E2
Kłodawa (PL) 121 H1
Kłodzko (PL) 121 E5
Kløfta (N) 189 F5
Klokkarvik (N) 188 A4
Klokočevac (SRB) 141 G5
Klos (AL) 144 C1
Kloštar Ivanić (HR) 135 E3
Klösterle (A) 95 E4
Klosterneuburg (A) 97 G1
Klosters (CH) 99 G3
Kloten (CH) 99 E2
Klötze (D) 86 A1
Klöverträsk (S) 185 E2
Klövsjö (S) 189 H1
Kluczbork (PL) 121 G4
Kluczewo (PL) 116 D3
Kluki (PL) 117 F1
Klukowa Huta (PL) 117 G2
Klupe (BIH) 137 F4
Klütz (D) 82 C3
Knäred (S) 195 G5
Knaresborough (GB) 33 E1
Knarvik (N) 188 B4
Kneža (BG) 155 E2
Knežak (SLO) 134 B3
Kneževi Vinogradi (HR) 137 H1
Kneževo (HR) 137 G1
Kneževo / Skender Vakuf (BIH) 137 E4
Knežica (BIH) 135 F4
Knežina (BIH) 137 H5
Knić (SRB) 142 D1
Knighton (GB) 32 C5
Knight's Town (IRL) 24 A4
Knin (HR) 136 C5
Knittelfeld (A) 97 E4
Knivsta (S) 197 F1
Knižovnik (BG) 162 D1
Knjaževac / Књажевац (SRB) 143 G2
Knjaževo (BG) 159 G3
Knokke-Heist (B) 78 B1
Knurów (PL) 122 A5
Knutsford (GB) 32 D3
Knyszyn (PL) 119 G4
Kobarid (SLO) 134 A2
Kobeljaky (UA) 13 G1
København (DK) 199 E3
Kobern (D) 88 D1
Kobišnica (SRB) 141 G5
Koblenz (D) 88 D1
Kobryn (BY) 12 C1
Kobylanka (PL) 116 C4
Kobylin (PL) 121 F2
Kobyłka (PL) 122 D1
Kocan (BG) 162 B1
Kočani (MK) 143 G5
Koceljeva (SRB) 140 C5
Kočerin (BIH) 138 D2
Kočerinovo (BG) 158 B3
Kočevje (SLO) 134 C3
Kochel am See (D) 95 F3
Kock (PL) 123 F2
Kočmar (BG) 152 D5
Kočovo (BG) 156 D3
Kocs (H) 128 D1
Kocsér (H) 129 G3
Kocsola (H) 128 D4
Kodeń (PL) 123 H2
Kodiksami (FIN) 191 F4
Kodisjoki (FIN) 191 F4
Kodovjat (AL) 144 D3
Koeru (EST) 201 F2
Kofinou (CY) 175 E4
Köflach (A) 97 F4
Køge (DK) 199 E3
Kohila (EST) 200 D2
Kohtla-Järve (EST) 201 G1
Koikkala (FIN) 193 F2
Koíla (GR) 161 E4
Koiláda (GR) 169 E2
Koilani (CY) 174 C4
Koilovci (BG) 156 A2
Koínyra (GR) 162 C3
Koirakoski (FIN) 187 F4
Koivu (FIN) 185 G1
Kojetín (CZ) 93 F4
Kojnare (BG) 155 E3
Kökar (FIN) 191 E5
Kokava nad Rimavicou (SK) 133 E3
Kokemäki (FIN) 191 F3
Kokin Brod (SRB) 139 H2
Kokkála (GR) 168 D4
Kokkári (GR) 167 G5
Kókkino Neró (GR) 161 G5
Kokkinotrimithia (CY) 174 D3
Kokkola / Karleby (FIN) 185 F4
Koksijde-Bad (B) 78 A1
Kola (BIH) 135 F5
Kołacze (PL) 123 G3
Kolari (FIN) 180 D4
Kolari (SRB) 140 D4
Kolarovo (BG) 161 G2
Kolárovo (SK) 132 B5
Kolåsen (S) 183 F4
Kolašin (MNE) 139 G3
Kolbäck (S) 197 E1
Kołbacz (PL) 116 C4
Kołbaskowo (PL) 116 B4
Kolbermoor (D) 95 H3
Kołbiel (PL) 123 E1
Kolbuszowa (PL) 123 E5
Kolby Kås (DK) 198 C3
Kolchikó (GR) 161 G3
Kołczewo (PL) 116 B2
Kołczygłowy (PL) 117 F2
Kolding (DK) 198 C3
Kölesd (H) 129 E4
Kolga-Jaani (EST) 201 F3
Kolho (FIN) 191 G2
Koli (FIN) 187 G5
Kolín (CZ) 92 C3
Kolindrós (GR) 161 F4
Kolka (LV) 202 B1
Kolkanlahti (FIN) 191 H1
Kölleda (D) 86 A4
Kollínes (GR) 168 D2
Köln (D) 84 C4
Kolno (PL) 119 F3
Koło (PL) 121 H1
Kołobrzeg (PL) 116 D2
Kolomna (RUS) 7 G2
Kolomyja (UA) 12 D3
Kolonowskie (PL) 121 G5
Koloveč (CZ) 91 H4
Kolovrat (SRB) 139 G2
Kolpino (RUS) 6 D1
Kolsva (S) 197 E1
Koluszki (PL) 122 B2
Koluvere (EST) 200 D2
Kolvereid (N) 183 E3
Kolymvári (GR) 172 B2
Koma tou Gialou (CY) 175 F2
Komádi (H) 131 E3
Komagfjord (N) 176 D3
Komańcza (PL) 127 F3
Kómanos (GR) 161 E4
Komarevo (BG) 156 A2
Komárno (SK) 132 B5
Komárom (H) 128 D1
Komi (CY) 175 F2
Kómi (GR) 167 E4
Komílio (GR) 164 C3
Komin (HR) 135 E2
Komíto (GR) 166 C4
Komiža (HR) 138 A3
Komló (H) 128 D5
Kömlőd (H) 128 D2
Komméno (GR) 164 C2
Komniná (Anatolikí Makedonía kai Thráki) (GR) 162 C2
Komniná (Dytikí Makedonía) (GR) 161 E3
Komninádes (GR) 160 D4
Komorane (SRB) 143 E4
Komorniki (PL) 121 E1
Komotiní / Κομοτηνή (GR) 162 D2
Kömpöc (H) 129 G4
Kompóti (GR) 164 C2
Komunari (BG) 157 E3
Komuniga (BG) 162 D1
Konak (SRB) 140 D3
Konakovo (RUS) 7 F1
Končanica (HR) 135 G3
Kondolovo (BG) 157 F5
Kondoros (H) 129 H3

Kondrić (HR) 135 H4
Køng (DK) 198 D4
Köngernheim (D) 89 E2
Konginkangas (FIN) 191 H1
Kongsberg (N) 189 E5
Kongsfjord (N) 177 G1
Kongsvinger (N) 189 F5
Konice (CZ) 93 E3
Koniecpol (PL) 122 B4
Konieczna (PL) 127 E2
Königs Wusterhausen (D) 86 D1
Königsbrück (D) 87 E4
Königsbrunn (D) 89 H5
Königsee (D) 86 A5
Königsfeld im Schwarzwald (D) 94 B2
Königslutter am Elm (D) 85 H2
Königssee (D) 96 B3
Königstein (D) 87 E4
Königstein im Taunus (D) 89 E1
Königswiesen (A) 97 E1
Königswinter (D) 84 C5
Konin (PL) 121 G1
Koniskós (GR) 161 E5
Konispol (AL) 144 D5
Kónitsa (GR) 160 C5
Konjavo (BG) 158 A2
Konjevrate (HR) 136 C5
Konjic (BIH) 139 E2
Konjsko (BIH) 139 E4
Könnern (D) 86 B3
Konnevesi (FIN) 193 E1
Könönpelto (FIN) 193 F1
Konopište (MK) 145 G2
Konotop (UA) 7 G5
Końskie (PL) 122 C3
Konsko (MK) 145 G2
Konsmo (N) 194 C2
Konstancin-Jeziorna (PL) 122 D1
Konstantinovy Lázně (CZ) 91 G3
Konstantynów (PL) 123 G1
Konstantynów Łódzki (PL) 122 B2
Konstanz (D) 94 C3
Kontea (CY) 175 E3
Kontemenos (CY) 174 D3
Kontiás (GR) 162 D5
Kontich (B) 78 C2
Kontiolahti (FIN) 187 G5
Kontiomäki (FIN) 187 F3
Kontopoúli (GR) 162 D5
Konttajärvi (FIN) 180 D5
Konz (D) 88 B2
Koosa (EST) 201 G3
Kopanós (GR) 161 E3
Kópasker (IS) 178 C1
Köpenick (D) 86 D1
Koper / Capodistria (SLO) 134 A3
Kopervik (N) 188 A5
Kopidlno (CZ) 92 C2
Kopiec (PL) 119 G3
Köping (S) 197 E1
Köpingsvik (S) 197 F5
Koplik (AL) 142 B5
Köpmanholmen (S) 184 C5
Koporiće (SRB) 143 E3
Koppang (N) 189 F3
Kopparberg (S) 190 A5
Kopperby (D) 81 H1
Koprivlen (BG) 161 H1
Koprivna (BIH) 135 H5
Koprivnica (HR) 135 F2
Koprivnica (SRB) 141 G5
Koprivštica / Копривщица (BG) 158 D2
Koprzywnica (PL) 123 E5
Kõpu (EST) 201 E4
Korakou (CY) 174 C3
Korbach (D) 85 F4
Korbevac (SRB) 143 G4
Korbielów (PL) 125 F2
Korbovo (SRB) 141 G4
Korçë (AL) 145 E3
Korčula (HR) 138 C3
Koren (BG) 163 E1
Korenica (HR) 134 D5
Korfantów (PL) 121 F5
Kórfos (GR) 165 G5
Korgen (N) 183 F1
Koria (FIN) 193 E4
Korinós (GR) 161 F4
Kórinthos / Κόρινθος (GR) 165 G4
Korisós (GR) 160 D4
Korissía (GR) 166 B5
Korita (BIH) 139 E3
Korita (HR) 138 D4
Korita (MNE) 139 G4
Koriten (BG) 153 E5
Koríthi (GR) 164 C4
Koritnik (SRB) 142 D2
Korkeakangas (FIN) 193 H1
Kõrkvere (EST) 200 C3
Kormakitis (CY) 174 C2
Körmend (H) 128 B3
Korneuburg (A) 97 G1
Kornica (BG) 161 H1
Kórnik (PL) 121 F1
Kornos (CY) 174 D4
Kornwestheim (D) 89 F4
Környe (H) 129 E2
Koromačno (HR) 134 B5
Koróni / Κορώνη (GR) 168 C3
Koronisía (GR) 164 C2
Kóronos (GR) 170 C1
Koronoúda (GR) 161 G3
Koronowo (PL) 117 G4
Koropí / Κορωπί (GR) 165 H5
Körösladány (H) 130 D3
Körösszegapáti (H) 131 E3
Köröstarcsa (H) 130 D3
Korosten' (UA) 13 E1
Korostyšiv (UA) 13 E1
Korpilahti (FIN) 191 H2
Korpilombolo (S) 180 C5
Korpo / Korppoo (FIN) 191 F5
Korppoo / Korpo (FIN) 191 F5
Korsberga (S) 196 D4
Korsholm / Mustasaari (FIN) 185 E5
Korsnäs (FIN) 191 E1
Korsør (DK) 198 D4
Korsun'-Ševčenkivs'kyj (UA) 13 F1
Korsze (PL) 119 E2
Kortesjärvi (FIN) 185 F5
Kórthio (GR) 166 C5
Kortrijk (Courtrai) (B) 78 B2
Kortteenperä (FIN) 185 H1
Korvala (FIN) 181 E5
Korvaluoma (FIN) 191 F2
Korycin (PL) 119 G3
Koryfási (GR) 168 B3
Kos / Κως (GR) 171 F2
Kosančić (SRB) 143 F3
Kosanica (MNE) 139 G3
Košarovce (SK) 133 H2
Kosarska Dubica / Bosanska Dubica (BIH) 135 F4
Košava (BG) 151 E4
Kościan (PL) 121 E2
Kościelec (PL) 121 H1
Kościerzyna (PL) 117 G2
Kose (EST) 201 E2
Kose-Uuemõisa (EST) 201 E2
Kosel (MK) 145 E2
Koserow (D) 83 G3
Košice (SK) 133 G3
Kosjerić (SRB) 139 H1
Koška (HR) 135 H4
Koskenkorva (FIN) 191 F1
Koskenpää (FIN) 191 H2
Koski (FIN) 191 H3
Koski (FIN) 191 G4
Koskue (FIN) 191 F2
Kosmás (GR) 168 D3
Kósmio (GR) 162 D2
Kosovo Polje / Fushë Kosovë (SRB) 143 E4
Kosovska Kamenica (SRB) 143 F4
Kosovska Mitrovica / Kosovska Mitrovicë (SRB) 143 E3
Kosovska Mitrovicë / Kosovska Mitrovica 143 E3
Kosów Lacki (PL) 119 F5
Kössen (A) 95 H3
Kósta (GR) 169 E2
Kostandenec (BG) 156 C2
Kostandovo (BG) 158 C3
Kostanjevac (HR) 134 D3
Kostanjevica na Krki (SLO) 134 D3
Kostelec nad Černými Lesy (CZ) 92 B3
Kostelec nad Orlicí (CZ) 92 D2
Kostenec (BG) 158 C2
Koster (S) 195 F2
Kosti (BG) 157 F5
Kostinbrod (BG) 158 B1
Kostolac (SRB) 141 E4
Kostomłoty (PL) 121 E4
Kostopil' (UA) 12 D1
Kostrzyn (PL) 121 F1
Kostrzyn nad Odrą (PL) 116 B5
Kosturino (MK) 145 H1
Kosula (FIN) 193 F1
Koszalin (PL) 116 D2
Kőszeg (H) 128 B2
Koszyce (PL) 125 H1
Kotala (FIN) 181 G4
Kotala (FIN) 191 G2
Kótas (GR) 160 D3
Kotel (BG) 159 G1
Koterka (PL) 123 G1
Köthen (D) 86 B3
Kotka (FIN) 193 F4
Kotor (MNE) 139 F4
Kotor-Varoš (BIH) 137 E4
Kotoriba (HR) 135 F2
Kotorsko (BIH) 135 H5
Kotovs'k (UA) 13 F2
Kotraža (SRB) 139 H1
Kótronas (GR) 168 D4
Köttsjön (S) 183 H5
Koufália (GR) 161 F3
Koufós (GR) 161 H5
Kouklia (CY) 174 B5
Kouklioí (GR) 160 C5
Koukounariés (GR) 165 H2
Kouloúra (GR) 161 F4
Kounoupélli (GR) 164 D4
Kounoupidianá (GR) 170 A5
Koura (FIN) 191 F1
Kouroúta (GR) 164 D5
Koutsó (GR) 162 C3
Koutsóchero (GR) 165 F1
Koutsourás (GR) 173 F4
Kouvola (FIN) 193 F3
Kovačevci (Pernik) (BG) 158 A2
Kovačevci (Sofia-Grad) (BG) 158 B2
Kovacevica / Ковачевица (BG) 161 H1
Kovačevo (BG) 159 G2
Kovačica (SRB) 140 D3
Kovel' (UA) 12 D1
Kõveriku (EST) 201 F2
Kovero (FIN) 193 H1
Kovilj (SRB) 140 C3
Kovin (SRB) 141 E4
Kovrov (RUS) 7 H1
Kowal (PL) 118 B5
Kowalewo Pomorskie (PL) 117 H4
Kowary (PL) 120 D4
Köyliö (FIN) 191 F3
Kozáni / Κοζάνη (GR) 161 E4
Kozarac (BIH) 135 F5
Kozarac (HR) 137 G1
Kozel'sk (RUS) 7 G3
Kozica (HR) 138 C3
Koziegłowy (PL) 121 H5
Kozienice (PL) 123 E2
Kozina (SLO) 134 B3
Kozjatyn (UA) 13 E1
Kozloduj (BG) 151 F5
Kozlovec (BG) 156 B2
Kozluk (BIH) 137 H4
Koźmin Wielkopolski (PL) 121 F2
Kożuchów (PL) 120 C2
Kragenæs (DK) 198 D4
Kragerø (N) 194 D1
Kragujevac / Крагујевац (SRB) 143 E1
Kraište (BG) 161 H1
Krajan (AL) 142 C5
Krajenka (PL) 117 E4
Krajišnik (SRB) 140 D2
Krajkovac (SRB) 143 F2
Krajnik Dolny (PL) 116 B4
Krakės (LT) 205 E3
Krakhella (N) 188 B3
Kraków (PL) 125 G1
Krakow am See (D) 83 E4
Kraljevica (HR) 134 B4
Kraljevo / Краљево (SRB) 142 D1
Královec (CZ) 87 H5
Kralovice (CZ) 91 H3
Kráľovský Chlmec (SK) 133 H3
Kralupy nad Vltavou (CZ) 92 A2
Kramfors (S) 190 C1
Kramolin (BG) 159 E1
Kramsk (PL) 121 G1
Krăn (BG) 159 E2
Kranenburg (D) 84 B3
Krani (MK) 145 E3
Kraniá (Grevená) (GR) 160 D5
Kraniá (Tríkala) (GR) 164 D1
Kraniá Elassónas / Κρανιά Ελασσόνας (GR) 161 E5
Kranichfeld (D) 86 A5
Kranídi (GR) 169 E2
Kranj (SLO) 134 B2
Kranjska Gora (SLO) 134 A1
Kranovo (BG) 153 E5
Krape (Lobe) (LV) 203 E3
Krapina (HR) 135 E2
Krapinske Toplice (HR) 135 E2
Krapkowice (PL) 121 G5
Krasen (BG) 153 E5
Krašić (HR) 134 D3
Krasiczyn (PL) 127 G2
Krāslava (LV) 203 G5
Kraslice (CZ) 91 G2
Krásná Lípa (CZ) 87 E4
Kraśniczyn (PL) 123 G4
Kraśnik (PL) 123 F4
Krasno Polje (HR) 134 C5
Krasnobród (PL) 123 G5
Krásnohorské Podhradie (SK) 133 F3
Krasnohrad (UA) 13 H1
Krasnopol (PL) 119 G2
Krasnosielc (PL) 119 E4
Krasnovo (BG) 158 D2
Krasnyj Cholm (RUS) 7 F1
Krasnystaw (PL) 123 G4
Krasocin (PL) 122 C4
Kráthio (GR) 165 F4
Krátigos (GR) 167 F2
Kratovo (MK) 143 G5
Kratovska Stena (SRB) 139 H1
Krauchenwies (D) 94 C2
Krautheim (D) 89 G3
Kravaře (CZ) 93 F2
Kravarsko (HR) 135 E3
Krefeld (D) 84 B4
Krekenava (LT) 205 E2
Kremastí (Nótio Aigaío) (GR) 171 H3
Kremastí (Pelopónnisos) (GR) 169 E3
Kremenčuk (UA) 13 G1
Kremenec' (UA) 12 D2
Kremenica (MK) 145 F3
Kremmen (D) 86 C1
Kremna (SRB) 139 G1
Kremnica (SK) 132 C3
Krems an der Donau (A) 97 F1
Kremsmünster (A) 96 D2
Krepča (BG) 156 C2
Krepoljin (SRB) 141 F5
Kreševo (BIH) 137 F5
Kresna (BG) 161 G1
Krestcy (RUS) 7 E1
Kréstena (GR) 164 D5
Kretinga (LT) 204 B2
Kreuth (D) 95 G3
Kreuzlingen (CH) 99 F1
Kreuztal (D) 84 D4
Kričim (BG) 158 D3
Krieglach (A) 97 F3
Kriens (CH) 99 E3
Kríkello (GR) 165 E2
Kríkellos (GR) 164 D2
Krimml (A) 95 H4
Krimpen aan den IJssel (NL) 76 D5
Krinídes (GR) 162 B3
Kristdala (S) 197 E4
Kristiansand (N) 194 C2
Kristianstad (S) 199 F3
Kristiansund (N) 182 B5
Kristiinankaupunki / Kristinestad (FIN) 191 E2
Kristineberg (S) 184 C3
Kristinehamn (S) 195 H1
Kristinestad / Kristiinankaupunki (FIN) 191 E2
Kritinía (GR) 171 H3
Kritou Tera (CY) 174 B4
Kritsá (GR) 173 E3
Kriukai (LT) 205 E1
Kriva Feja (SRB) 143 G4
Kriva Palanka (MK) 143 G5
Kriváň (SK) 132 D3
Krivodol (BG) 154 D3
Krivogaštani (MK) 145 F2
Krivolak (MK) 145 G1
Křižanov (CZ) 92 D4
Križevci (HR) 135 F2
Krk (HR) 134 B5
Krnjača (SRB) 140 D4
Krnjak (HR) 134 D4
Krnjeuša (BIH) 135 E5
Krnjevo (SRB) 141 E5
Krnov (CZ) 93 F2
Krobia (PL) 121 E2
Kroczyce (PL) 122 B5
Krokeide (N) 188 B4
Krokek (S) 197 E2
Krokialaukis (LT) 205 E4
Krokom (S) 183 G5
Kroksjö (S) 184 C3
Krolevec' (UA) 7 G5
Kroměříž (CZ) 93 F4
Kronach (D) 91 E2
Kronoby / Kruunupyy (FIN) 185 F5
Kronštadt (RUS) 6 C1
Kröpelin (D) 82 D3
Kropp (D) 81 H2
Kroppenstedt (D) 86 A2
Krościenko (PL) 127 G2
Krościenko nad Dunajcem (PL) 125 H2
Krosna (LT) 205 E5
Krośniewice (PL) 121 H1
Krosno (PL) 127 E2
Krosno Odrzańskie (PL) 120 C2
Krotos (GR) 172 D4
Krotoszyn (PL) 121 F2
Krousónas (GR) 172 D3
Krška vas (SLO) 134 C3
Krško (SLO) 134 D3
Krstac (MNE) 139 F3
Krstinja (HR) 134 D4
Kruë i Fushës (AL) 142 C5
Kruiningen (NL) 78 C1
Krujë (AL) 144 C1
Krumbach (D) 89 H5
Krummhörn (D) 80 D4
Krumovgrad / Крумовград (BG) 163 E2
Krumovo Gradište (BG) 159 H2
Krumpendorf am Wörther See (A) 96 D5
Krün (D) 95 F3
Kruonis (LT) 205 F4
Kruopiai (LT) 204 D1
Krupá (CZ) 91 H2
Krupa na Vrbasu (BIH) 137 E4
Krupac (BIH) 137 G5
Krupac (SRB) 143 H3
Krupaja (SRB) 141 F5
Krupanj (SRB) 140 B5
Krupište (MK) 143 G5
Krupka (CZ) 87 E5
Krupnik (BG) 161 G1
Kruså (DK) 198 B4
Krušare (BG) 159 G2
Krušari (BG) 153 E5
Kruščica (BIH) 137 F5
Krušedol (SRB) 140 C3
Kruševac / Крушевац (SRB) 143 E2
Kruševec (BG) 157 F5
Kruševica (SRB) 140 D5
Kruševo (MK) 145 E2
Krušovene (BG) 151 G5
Kruszwica (PL) 117 G5
Krute (MNE) 139 G5
Kruunupyy / Kronoby (FIN) 185 F5
Krýa Vrýsi (GR) 161 F3
Kryčaŭ (BY) 7 E4
Krynica (PL) 125 H2
Krynica Morska (PL) 118 B1
Krynki (PL) 119 H4
Kryonéri (Korinthia) (GR) 165 F4
Kryonéri (Messinía) (GR) 168 C2
Kryopigí (GR) 161 H5
Krystallopigí (GR) 160 D3
Kryvyj Rih (UA) 13 G2
Krzepice (PL) 121 H4
Krzeszowice (PL) 125 F1
Krzeszyce (PL) 116 C5
Krzynowłoga Mała (PL) 118 D4
Krzywcza (PL) 127 F2
Krzywiń (PL) 121 E2
Krzyż Wielkopolski (PL) 116 D5
Książ Wielkopolski (PL) 121 F2
Küblis (CH) 99 G3
Kubrat / Кубрат (BG) 152 C5
Kučevište (MK) 143 F5
Kučevo (SRB) 141 F5
Kuchl (A) 96 C3
Kućište (HR) 138 C3
Kuçovë (AL) 144 C3
Kudirkos Naumiestis (LT) 204 D4
Kudowa-Zdrój (PL) 120 D5
Kufstein (A) 95 H3
Kühlungsborn (D) 82 D3
Kuhmalahti (FIN) 191 H3
Kuhmo (FIN) 187 G3
Kuhmoinen (FIN) 191 H3
Kuivajärvi (FIN) 187 G3
Kuivalahti (FIN) 191 E3
Kuivaniemi (FIN) 185 G2
Kuivasjärvi (FIN) 191 F2
Kuivastu (EST) 200 C3
Kukës (AL) 142 D5
Kukko (FIN) 191 G1
Kuklen (BG) 158 D3
Kukljica (HR) 136 B5
Kukujevci (SRB) 137 H3
Kukulje (BIH) 135 G5
Kula (BG) 150 D5
Kula (TR) 19 H3
Kula / Кула (SRB) 140 B2
Kuldīga (LV) 202 B3
Kulen Vakuf (BIH) 136 C4
Kulennoinen (FIN) 193 G2
Kuliai (LT) 204 C2
Kulina (SRB) 143 F2
Kulju (FIN) 191 G3
Kullaa (FIN) 191 F3
Kulmbach (D) 91 E3

Kuloharju (FIN) 187 F1
Külsheim (D) 89 G2
Kultakero (FIN) 181 F4
Kumane (SRB) 140 C2
Kumanovo (MK) 143 F5
Kumla (S) 196 D1
Kumlinge (FIN) 191 E5
Kummavuopio (S) 176 C5
Kumrovec (HR) 134 D2
Kunadacs (H) 129 F3
Kunágota (H) 130 D4
Kunda (EST) 201 F1
Kungälv (S) 195 F3
Kungsbacka (S) 195 F4
Kungshamn (S) 195 F2
Kungsör (S) 197 E1
Kunhegyes (H) 129 H2
Kunmadaras (H) 129 H2
Kunpeszér (H) 129 F3
Kunrau (D) 86 A1
Kunszentmárton (H) 129 G3
Kunszentmiklós (H) 129 F3
Künzelsau (D) 89 G3
Kuolio (FIN) 187 F1
Kuopio (FIN) 187 F5
Kuorevesi (FIN) 191 H2
Kuortane (FIN) 191 G1
Kuortti (FIN) 193 E3
Kup (H) 128 C2
Kupferzell (D) 89 G3
Kupinovo (SRB) 140 C4
Kupiškis (LT) 205 F2
Kupres (BIH) 137 E5
Kuqishtë (SRB) 139 H4
Kurbnesh (AL) 144 C1
Kurd (H) 128 D4
Kurenalus / Pudasjärvi (FIN) 187 E2
Kuressaare (EST) 200 B4
Kurikka (FIN) 191 F1
Kuřim (CZ) 93 E4
Kurów (PL) 123 F3
Kuršėnai (LT) 204 D1
Kursk (RUS) 7 G4
Kursu (FIN) 181 F5
Kuršumlija (SRB) 143 E3
Kuršumlijska Banja (SRB) 143 E3
Kurtakko (FIN) 180 D4
Kurtuvėnai (LT) 204 D2
Kuru (FIN) 191 G2
Kurzętnik (PL) 118 C4
Kusadak (SRB) 140 D5
Kuşadası (TR) 19 G3
Kusel (D) 88 C3
Küsnacht (CH) 99 E2
Küssnacht am Rigi (CH) 99 E2
Kustavi (FIN) 191 E4
Kütahya (TR) 19 H2
Kutas (H) 128 C4
Kutina (HR) 135 F4
Kutjevo (HR) 135 H4
Kutná Hora (CZ) 92 C3
Kutno (PL) 122 B1
Kuttanen (FIN) 176 D5
Kuttura (FIN) 177 F5
Kúty (SK) 132 A3
Kuumu (FIN) 187 G3
Kuusalu (EST) 201 E1
Kuusamo (FIN) 187 F1
Kuusankoski (FIN) 193 F3
Kuusjärvi (FIN) 193 G1
Kuusjoki (FIN) 191 G4
Kuvšinovo (RUS) 7 E2
Kužiai (LT) 204 D1
Kuzma (SLO) 135 E1
Kuzmin (SRB) 140 B3
Kuźmina (PL) 127 F2
Kuźnia Raciborska (PL) 125 E1
Kuźnica (PL) 119 H3
Kv. Sarafovo (BG) 157 F4
Kvænangsbotn (N) 176 C3
Kværndrup (DK) 198 C4
Kvalsund (N) 176 D2
Kvam (N) 189 E2
Kvanndal (N) 188 C4
Kvėdarna (LT) 204 C2
Kvernes (N) 182 B5
Kvevlax (FIN) 185 E5
Kvikkjokk (S) 179 H5
Kvinesdal (N) 194 B2
Kviteseid (N) 194 D1
Kwidzyn (PL) 117 H3
Kyaní (GR) 163 F2
Kybartai (LT) 204 D4
Kyïv = Kiev (UA) 13 F1
Kyjov (CZ) 93 E5
Kylänlahti (FIN) 187 G5
Kylänpää (FIN) 191 F1
Kyle of Lochalsh (GB) 28 D4
Kyleakin (GB) 28 D4
Kylerhea (GB) 28 D4
Kylestrome (GB) 28 E1
Kyllburg (D) 88 B1
Kyllíni (GR) 164 C4
Kylmäkoski (FIN) 191 G3
Kylmälä (FIN) 185 H3
Kymási (GR) 165 H3
Kými (GR) 166 B3
Kyparíssi (GR) 169 E3
Kyparissía / Κυπαρισσία (GR) 168 B2
Kypárissos (GR) 165 F1
Kyperounta (CY) 174 C4
Kyra (CY) 174 D3
Kyritz (D) 83 E5
Kyrksæterøra (N) 182 C5
Kyrkslätt / Kirkkonummi (FIN) 191 H5
Kyröskoski (FIN) 191 G3
Kyrtóni (GR) 165 G3
Kyselka (CZ) 91 G2
Kýthira (GR) 169 E5
Kýthnos (GR) 169 G2
Kythrea (CY) 175 E3
Kyyjärvi (FIN) 185 G5
Kómi (GR) 166 D5

L

La Adrada (E) 64 A3
La Alberca (E) 63 F3
La Alberca de Záncara (E) 65 E4
La Alberguería de Argañán (E) 63 E3
La Albuera (E) 69 E2
La Aldea de San Nicolás (E) 67 G5
La Algaba (E) 69 G5
La Almarcha (E) 65 E4
La Almunia de Doña Godina (E) 59 F5
La Antilla (E) 69 E5
La Azohía (E) 73 E4
La Bañeza (E) 57 G4
La Barca de la Florida (E) 74 B3
La Barthe-de-Neste (F) 52 D4
La Bassée (F) 39 H2
La Bastide-Clairence (F) 52 B3
La Bastide-de-Sérou (F) 53 F4
La Bâtie-Neuve (F) 51 F5
La Baule (F) 43 E4
La Bégude-de-Mazenc (F) 50 D5
La Bérarde (F) 51 F4
La Bisbal de Falset (E) 60 B4
La Bisbal d'Empordà (E) 61 F2
La Bonneville-sur-Iton (F) 39 F5
La Bourboule (F) 49 H3
La Bóveda de Toro (E) 63 H1
La Brède (F) 48 C5
La Bresse (F) 47 G3
La Cabrera (E) 64 C1
La Calahorra (E) 71 E5
La Caletta (I) 112 D2
La Calzada de Oropesa (E) 63 H4
La Campana (E) 69 H5
La Canourgue (F) 54 A1
La Capelle (F) 40 B3
La Carlota (E) 70 B4
La Carolina (E) 70 D3
La Cavalerie (F) 54 A2
La Chaise-Dieu (F) 50 B4
La Chambre (F) 51 F3
La Chapelle-d'Angillon (F) 45 E4
La Chapelle-de-Guinchay (F) 50 D2
La Chapelle-en-Valgaudémar (F) 51 F5
La Chapelle-en-Vercors (F) 51 E4
La Charité-sur-Loire (F) 45 F5
La Chartre-sur-le-Loir (F) 44 C3
La Châtaigneraie (F) 48 C1
La Châtre (F) 49 G1
La Chaux-de-Fonds (CH) 98 B2
La Chèze (F) 42 D2
La Ciotat (F) 55 E3
La Clayette (F) 50 C1
La Clusaz (F) 51 F2
La Codosera (E) 69 E1
La Coronada (E) 69 H1
La Côte-Saint-André (F) 50 D3
La Couronne (F) 48 D3
La Courtine (F) 49 H3
La Couvertoirade (F) 54 A2
La Crau (F) 55 F3
La Croix-Valmer (F) 55 F3
La Cumbre (E) 63 F5
La Cure (F) 51 F1
La Espina (E) 57 F1
La Féclaz (F) 51 F3
La Fère (F) 40 A4
La Ferté-Alais (F) 45 E2
La Ferté-Bernard (F) 44 C2
La Ferté-en-Ouche (F) 44 C1
La Ferté-Gaucher (F) 45 G1
La Ferté-Macé (F) 43 H1
La Ferté-Milon (F) 40 A5
La Ferté-Saint-Aubin (F) 45 E3
La Ferté-sous-Jouarre (F) 40 A5
La Ferté-Vidame (F) 44 C1
La Flèche (F) 43 H3
La Font de la Figuera (E) 73 E1
La Fregeneda (E) 63 E2
La Frontera (E) 65 E2
La Fuente de San Esteban (E) 63 F2
La Gacilly (F) 43 E3
La Garde-Freinet (F) 55 F3
La Garriga (E) 60 D3
La Gineta (E) 65 E5
La Granadella (E) 60 B4
La Grand-Combe (F) 54 B1
La Grand-Croix (F) 50 C3
La Grande-Motte (F) 54 B3
La Granjuela (E) 69 H3
La Grave (F) 51 F4
La Guardia (E) 64 C4
La Guardia de Jaén (E) 70 D4
La Guerche-de-Bretagne (F) 43 G3
La Guerche-sur-l'Aubois (F) 45 F5
La Haye-du-Puits (F) 38 B4
La Haye-Pesnel (F) 43 F1
La Hermida (E) 58 A1
La Herradura (E) 75 F3
La Horcajada (E) 63 G3
La Horra (E) 58 B5
La Iglesuela del Cid (E) 65 H2
La Jana (E) 66 A1
La Javie (F) 55 F1
La Jonquera (E) 61 E1
La Laguna (E) 67 F5
La Léchère (F) 51 F3
La Línea de la Concepción (E) 74 C4
La Londe-les-Maures (F) 55 F3
La Losa (E) 71 F4
La Loupe (F) 44 C2
La Louvière (B) 78 C3
La Luisiana (E) 69 H5
La Machine (F) 45 G5
La Maddalena (I) 112 C1
La Magdalena (E) 57 G3
La Malène (F) 54 A1
La Manga del Mar Menor (E) 73 E4
La Mesa Roldán (E) 72 C5
La Molina (E) 60 D2
La Mongie (F) 52 D4
La Mothe-Achard (F) 48 B1
La Mothe-Saint-Héray (F) 48 D1
La Motte-Chalancon (F) 51 E5
La Motte-du-Caire (F) 55 E1
La Mudarra (E) 57 H5
La Muela (E) 59 G5
La Mure (F) 51 E4
La Napoule (F) 55 G2
La Nava de Ricomalillo (E) 63 H5
La Nava de Santiago (E) 69 F1
La Neuve-Lyre (F) 39 E5
La Neuveville (CH) 98 C2
La Nuez de Arriba (E) 58 B3
La Oliva (E) 67 H5
La Orotava (E) 67 F5
La Paca (E) 71 H4
La Pacaudière (F) 50 B2
La Pallice (F) 48 B2
La Palma del Condado (E) 69 F5
La Petite-Pierre (F) 41 G5
La Pinilla (E) 64 C1
La Plagne (F) 51 G3
La Plaza (E) 57 F2
La Pobla de Benifassà (E) 66 A1
La Pobla de Lillet (E) 60 D2
La Pobla de Massaluca (E) 60 A4
La Pobla de Segur (E) 60 B2
La Pobla de Vallbona (E) 65 H4
La Pobla Llarga (E) 65 H5
La Pobla Tornesa (E) 66 A2
La Pola de Gordón (E) 57 G3
La Porta (F) 55 H3
La Primaube (F) 53 H1
La Puebla de Almoradiel (E) 64 C4
La Puebla de Cazalla (E) 69 H5
La Puebla de Híjar (E) 65 H1
La Puebla de los Infantes (E) 69 H4
La Puebla de Montalbán (E) 64 A4
La Puebla de Valverde (E) 65 G3
La Puebla del Río (E) 69 G5
La Pueblanueva (E) 64 A4
La Puerta de Segura (E) 71 F3
La Rábita (E) 75 G3
La Rambla (E) 70 B4
La Réole (F) 48 D5
La Rinconada (E) 69 G5
La Rivière-Thibouville (F) 39 E5
La Robla (E) 57 G3
La Roca de la Sierra (E) 69 F1
La Roca del Vallès (E) 61 E3
La Roche-Bernard (F) 43 E4
La Roche-Canillac (F) 49 G4
La Roche-Chalais (F) 48 D4
La Roche-Derrien (F) 42 D1
La Roche-en-Ardenne (B) 79 E4
La Roche-Guyon (F) 39 G5
La Roche-Posay (F) 44 C5
La Roche-sur-Foron (F) 51 F2
La Roche-sur-Yon (F) 48 B1
La Rochefoucauld (F) 49 E3
La Rochelle (F) 48 B2
La Rochepot (F) 46 C5
La Rochette (F) 51 F3
La Roda (E) 65 E5
La Roda de Andalucía (E) 70 B5
La Roque-Gageac (F) 49 F5
La Roquebrussanne (F) 55 E3
La Rosière 1850 (F) 51 G3
La Salceda (E) 64 B1
La Salvetat-Peyralès (F) 53 G1
La Salvetat-sur-Agout (F) 53 H2
La Seca (E) 63 H1
La Selva del Camp (E) 60 C4
La Sénia (E) 66 A1
La Seu d'Urgell (E) 60 C2
La Seyne (F) 55 E3
La Solana (E) 71 E1
La Souterraine (F) 49 G2
La Spezia (I) 105 F3
La Sterza (I) 105 G5
La Suze-sur-Sarthe (F) 43 H3
La Teste-de-Buch (F) 48 B5
La Thuile (I) 100 B3
La Torre del Valle (E) 57 G4
La Torre d'En Besora (E) 66 A1
La Tour-d'Auvergne (F) 49 H3
La Tour-du-Pin (F) 51 E3
La Tour-Fondue (F) 55 F4
La Toussuire (F) 51 F4
La Tranche-sur-Mer (F) 48 B1
La Tremblade (F) 48 B3
La Trimouille (F) 49 F1
La Trinité (F) 42 D3
La Trinité-Porhoët (F) 43 E2
La Turballe (F) 43 E4
La Turbie (F) 55 H2
La Unión (E) 73 E4
La Vall d'Uixó / Vall de Uxó (E) 65 H4
La Vecilla (E) 57 H3
La Vellés (E) 63 G2
La Verpillière (F) 50 D3
La Vila Joiosa (E) 66 A5
La Vilella Baixa (E) 60 B4
La Villa (I) 103 E2
La Villa de Don Fadrique (E) 64 C4
La Villedieu-du-Clain (F) 49 E1
La Virgen del Camino (E) 57 G3
La Voulte-sur-Rhône (F) 50 D5
La Wantzenau (F) 47 H1
La Yesa (E) 65 G4
Laa an der Thaya (A) 92 D5
Laage (D) 83 E3
Laagri (EST) 200 D2
Läätsa (EST) 200 B4
Labajos (E) 64 A2
Labanoras (LT) 205 G3
Labasheeda (IRL) 24 C3
Labastide-Murat (F) 49 G5
Labastide-Rouairoux (F) 53 H3
L'Aber-Wrac'h (F) 42 B1
Labin / Albona (HR) 134 B4
Labinot-Fushë (AL) 144 D2
Łabiszyn (PL) 117 G5
Lábod (H) 128 C5
Laboe (D) 81 H2
Labouheyre (F) 52 B1
Labrit (F) 52 C1
Labruguière (F) 53 G3
Labudnjaca (SRB) 137 H2
Laç (AL) 144 C1
Lacanau (F) 48 B4
Lacanau-Océan (F) 48 B4
Lacapelle-Marival (F) 49 G5
Laćarak (SRB) 140 B4
Lacaune (F) 53 H2
Lacedonia (I) 110 C3
Lachanás (GR) 161 G3
Łąck (PL) 122 B1
Łącko (PL) 125 H2
Laconi (I) 112 C4
Lacq (F) 52 C3
Lacu Roşu (RO) 148 B4
Lacu Sărat (RO) 153 E2
Lad (H) 128 C5
Ląd (PL) 121 G1
Ladbergen (D) 84 D2
Lądek-Zdrój (PL) 121 E5
Lădeşti (RO) 151 F3
Ládi (GR) 163 F2
Ladispoli (I) 108 D3
Ladoeiro (P) 62 D4
Lærdal (N) 188 C3
Láerma (GR) 171 H3
Laferté-sur-Amance (F) 47 E3
Laffrey (F) 51 E4
Láfka (GR) 165 F5
Lafrançaise (F) 53 F1
Lagan (S) 195 H5
Laganás (GR) 164 C5
Lagartera (E) 63 H4
Lage (D) 85 F2
Laggan (GB) 29 E4
Lagkáda (Pelopónnisos) (GR) 168 D4
Lagkáda (Vóreio Aigaío) (GR) 167 E3
Lagkadás (GR) 161 G3
Lagkádia (GR) 165 E5
Lagkadíkia (GR) 161 G3
Lagnieu (F) 51 E2
Lagny (F) 39 H5
Lago (I) 113 B2
Lagoa (P) 68 B5
Lagoaça (P) 63 E1
Lagonegro (I) 110 D5
Lágos (GR) 162 D3
Lagos (P) 68 B5
Lagoudera (CY) 174 C4
Łagów (Kielce) (PL) 122 D4
Łagów (Świebodzin) (PL) 120 C1
Lagrasse (F) 53 H4
Laguarres (E) 60 A2
Laguarta (E) 59 H3
Laguépie (F) 53 G1
Laguiole (F) 50 A5
Laguna de Duero (E) 58 A5
Lagyná (GR) 161 G3
Lahiguera (E) 70 D4
Lahinch (IRL) 24 B2
Lahnstein (D) 88 D1
Laholm (S) 195 G5
Lahr (D) 88 D5
Lahti (FIN) 191 H3
Laichingen (D) 89 G5
Laide (GB) 28 D2
L'Aigle (F) 44 C1
Laignes (F) 45 H3
Laigueglia (I) 104 C4
L'Aiguillon-sur-Mer (F) 48 B1
Laihia (FIN) 191 F1
Laiküla (EST) 200 D3
Laïliás (GR) 161 H2
Laimbach am Ostrong (A) 97 E1
Laimjala (EST) 200 C3
Laimoluokta (S) 180 A3
Lainate (I) 101 E4
Lairg (GB) 26 A5
Laissac-Sévérac-l'Eglise (F) 53 H1
Laïsta (GR) 160 C5
Laisvall (S) 183 H1
Laitikkala (FIN) 191 G3
Laitila (FIN) 191 F4
Laižuva (LT) 204 D1
Lajkovac (SRB) 140 C5
Lajosmizse (H) 129 F3
Lakavica (MK) 145 G1
Láki (BG) 162 C1
Lakitelek (H) 129 G3
Lákka (GR) 164 B1
Lakkí (GR) 171 F1
Lákkoi (GR) 172 B3
Lákkoma (GR) 162 D4
Lakkópetra (GR) 164 D4
Lakócsa (H) 128 D5
Lakselv (N) 177 E3
Laktaši (BIH) 135 G5
Lálas (GR) 164 D5
Lalbenque (F) 53 F1
L'Alcora (E) 65 H3
L'Alcúdia (E) 65 H5
L'Alcúdia de Crespins (E) 73 F1
L'Aldea (E) 60 B5
Lale (BG) 162 D1
L'Alfàs del Pi / Alfaz del Pí (E) 66 A5
Laliki (PL) 125 F2
Lalín (E) 56 C3
Lalinac (SRB) 143 F2
Lalinde (F) 49 E5
Lalm (N) 189 E2
Lalouvesc (F) 50 C4
Lalueza (E) 59 H4
Lam (D) 91 H5
Lama dei Peligni (I) 109 G2
Lamalou-les-Bains (F) 54 A2

Lamarche (F) 47 E2
Lamarque (F) 48 C4
Lamastre (F) 50 C4
Lambach (A) 96 D2
Lamballe (F) 43 E2
Lambesc (F) 54 D2
Lambrecht (D) 88 D3
Lamego (P) 62 C1
L'Ametlla de Mar (E) 60 B5
Lamía / Λαμία (GR) 165 F2
Lamlash (GB) 23 H1
Lammhult (S) 195 H4
Lammi (FIN) 191 H3
Lamotte-Beuvron (F) 45 E4
Lampaul (F) 42 A1
Lampedusa (I) 114 D5
Lámpeia (GR) 165 E5
Lampertheim (D) 89 E2
Lampeter (GB) 34 D1
Lampíri (GR) 165 E4
L'Ampolla (E) 60 B5
Lámpou Mýloi (GR) 167 F2
Lamstedt (D) 81 G4
Lamure-sur-Azergues (F) 50 C2
Lana (I) 101 H2
Lanaja (E) 59 H4
Lanaken (B) 79 E2
Lanark (GB) 30 D2
Lancaster (GB) 32 C1
Lanchester (GB) 31 G4
Lanciano (I) 109 G2
Łańcut (PL) 127 F1
Landau an der Isar (D) 95 H1
Landau in der Pfalz (D) 88 D3
Landeck (A) 95 E4
Landerneau (F) 42 B1
Landete (E) 65 G4
Landévennec (F) 42 B2
Landivisiau (F) 42 B1
Landivy (F) 43 G2
Landquart (CH) 99 G3
Landrecies (F) 40 B3
Landriano (I) 101 E4
Landsberg (D) 86 B3
Landsberg am Lech (D) 95 F2
Landshut (D) 95 H1
Landskrona (S) 199 E3
Landstuhl (D) 88 D3
Landverk (S) 183 E5
Lanersbach (A) 95 G4
Lanesborough (IRL) 22 D4
Langa de Duero (E) 58 C5
Langangen (N) 195 E1
Langeac (F) 50 B4
Langeais (F) 44 B4
Längelmäen / Kirkonkylä (FIN) 191 H2
Langelsheim (D) 85 H2
Langen (Cuxhaven) (D) 81 F4
Langen (Offenbach) (D) 89 E2
Langenargen (D) 94 D3
Langenau (D) 89 G5
Langenberg (D) 86 B5
Langenbruck (D) 95 G1
Langenburg (D) 89 G3
Längenfeld (A) 95 F4
Langenfeld (D) 84 C4
Langenhagen (D) 85 G1
Langenhahn (D) 84 D5
Langenlois (A) 97 F1
Langenthal (CH) 98 D2
Langenwang (A) 97 F3
Langenzenn (D) 89 H3
Langeoog (D) 81 E3
Långeserud (S) 195 G1
Langeskov (DK) 198 C3
Langesund (N) 195 E1
Langevåg (N) 188 C1
Langevåg (N) 188 A5
Langfjord (N) 176 D3
Langhirano (I) 105 G2
Langholm (GB) 31 E3
Langnau im Emmental (CH) 98 D3
Langogne (F) 50 B5
Langon (F) 48 D5
Langport (GB) 35 F3
Langreo (E) 57 G2
Langres (F) 46 D3
Langrune-sur-Mer (F) 38 D4
Långsele (S) 183 H5
Långshyttan (S) 190 A4
Långträsk (S) 184 D2
Lanjarón (E) 75 F3
Lanke (D) 83 F5
Länkipohja (FIN) 191 H2
Lanmeur (F) 42 C1
Lannemezan (F) 52 D3
Lannilis (F) 42 B1
Lannion (F) 42 C1
Lanouaille (F) 49 F4
Lans-en-Vercors (F) 51 E4
Lanškroun (CZ) 93 E3
Lanslebourg-Mont-Cenis (F) 51 G3
Lanta (F) 53 F3
Lantejuela (E) 69 H5
Lantosque (F) 55 G1
Lanusei (I) 112 D3
Lanvollon (F) 42 D1
Lanzahíta (E) 63 H4
Lanzo Torinese (I) 100 B4
Laon (F) 40 B4
Lapalisse (F) 50 B2
Lápas (GR) 164 D4
Lapathos (CY) 175 F3
Laperdiguera (E) 60 A3
Lapinjärvi / Lappträsk (FIN) 193 E4
Lapinlahti (FIN) 187 F5
Lapithos (CY) 174 D2
Lapleau (F) 49 H4
Laplume (F) 53 E1
Lapoutroie (F) 47 G2
Lapovo (SRB) 141 E5
Lappajärvi (FIN) 185 G5
Lappalaisten-Kesätuvat (FIN) 177 E5
Lappea (FIN) 180 D4
Lappeenranta (FIN) 193 G3
Lappfjärd / Lapväärtti (FIN) 191 E2
Lappfors (FIN) 185 F5
Lappi (FIN) 191 F3
Lappohja (FIN) 191 G5
Lappträsk (S) 185 F1
Lappträsk / Lapinjärvi (FIN) 193 E4
Lapua (FIN) 191 F1
Lăpuşnicel (RO) 150 C2
Lapväärtti / Lappfjärd (FIN) 191 E2
Łapy (PL) 119 G4
L'Aquila (I) 109 F2
Laragh (IRL) 25 G2
Laragne-Montéglin (F) 55 E1
L'Arbresle (F) 50 C2
Lärbro (S) 197 G3
Larche (F) 51 G5
Larche (F) 49 F4
Larderello (I) 105 H5
Lárdos (GR) 171 H4
Laredo (E) 58 C1
Laren (NL) 77 E4
Largentière (F) 50 C5
L'Argentière-la-Bessée (F) 51 G5
Largs (GB) 30 C2
Larino (I) 109 H3
Lárisa / Λάρισα (GR) 165 F1
Larmor-Plage (F) 42 C3
Lárnaka (CY) 175 E4
Larnakas Lapithou (CY) 174 D3
Larne (GB) 23 G2
Larochette (L) 79 F5
Laroles (E) 72 A5
Laroque-d'Olmes (F) 53 G4
Laroque-Timbaut (F) 53 E1
Laroquebrou (F) 49 H4
Larraga (E) 59 E3
Larsmo (FIN) 185 F4
Laruns (F) 52 C4
Larv (S) 195 G3
Larvik (N) 195 E1
Lárymna (GR) 165 G3
Las Arenas (E) 58 A1
Las Cabezas de San Juan (E) 74 B3
Las Caldas de Besayas (E) 58 B1
Las Mesas (E) 64 D5
Las Mestas (E) 63 F3
Las Minas (E) 71 H3
Las Navas de la Concepción (E) 69 H4
Las Navas del Marqués (E) 64 A2
Las Negras (E) 72 C5
Las Pajanosas (E) 69 G4
Las Palmas de Gran Canaria (E) 67 G5
Las Pedroñeras (E) 64 D5
Las Pedrosas (E) 59 G4
Las Rozas de Madrid (E) 64 B2
Las Veguillas (E) 63 G2
Las Ventas con Peña Aguilera (E) 64 B4
Las Vertientes (E) 71 G4
Las Viñas (E) 70 D3
Lasalle (F) 54 B1
Lasarte-Oria (E) 59 E1
Låsby (DK) 194 D5
Łasin (PL) 117 H4
Łask (PL) 121 H3
Łaskarzew (PL) 123 E2
Laško (SLO) 134 D2
Lassan (D) 83 G3
Lassay-les-Châteaux (F) 43 H2
Lassigny (F) 40 A4
Lastovo (HR) 138 C4
Lastra a Signa (I) 105 H4
Lastres (E) 57 H1
Lastrup (D) 81 E5
Lastva (BIH) 139 E4
Lašva (BIH) 137 F5
Łaszczów (PL) 123 H5
Laterza (I) 111 E4
Lathen (D) 81 E5
Latheron (GB) 26 B5
Lati Vojvoda (BG) 159 G2
Latiano (I) 111 G4
Latikberg (S) 183 H3
Latina (I) 109 E4
Latisana (I) 103 G3
Latour-de-France (F) 53 H4
Latronico (I) 110 D5
Latronquière (F) 49 G5
Lauchhammer (D) 86 D3
Lauder (GB) 31 E2
Laudio / Llodio (E) 58 D1
Lauenau (D) 85 F2
Lauenburg (D) 82 B4
Lauenstein (D) 87 E5
Lauf an der Pegnitz (D) 91 E4
Laufen (CH) 98 C2
Laufen (D) 96 B2
Laufenburg (D) 94 B3
Lauffen am Neckar (D) 89 F4
Laugar (IS) 178 A2
Laugarbakki (IS) 178 B2
Laugarvatn (IS) 178 B3
Lauingen (D) 89 H5
Láujar de Andarax (E) 72 B5
Laukaa (FIN) 191 H1
Laukuva (LT) 204 C2
Launceston (GB) 34 C4
Laupheim (D) 89 G5
Lauragh (IRL) 24 B4
Laurana / Lovran (HR) 134 B4
Laureana di Borrello (I) 115 H1
Laurencekirk (GB) 29 G5
Laurenzana (I) 110 D4
Lauria (I) 110 D5
Laurière (F) 49 G2
Lausanne (CH) 98 B4
Lauta (D) 87 E3
Lautenthal (D) 85 H3
Lauterbach (D) 85 F5
Lauterbourg (F) 41 H5
Lauterbrunnen (CH) 98 D3
Lauterecken (D) 88 D2
Lautrec (F) 53 G2
Lauvvik (N) 194 B1
Lauzerte (F) 53 F1
Lauzun (F) 49 E5
Lavacolla (E) 56 C2
Lavagna (I) 105 E3
Laval (F) 43 G3
Lavamünd (A) 97 E5
Lavangen (N) 176 A5
Lavardac (F) 52 D1
Lavaur (F) 53 G2
Lavelanet (F) 53 G4
Lavello (I) 110 C3
Lavelsloh (D) 85 F1
Lavenham (GB) 33 H5
Laveno (I) 100 D3
Lavéra (F) 54 D3
Lavia (FIN) 191 F3
Laviano (I) 110 C4
Lavik (N) 188 B3
Lavinio-Lido di Enea (I) 108 D4
Lavis (I) 101 H3
Lavit-de-Lomagne (F) 53 E2
Lavoûte-Chilhac (F) 50 B4
Lavre (P) 68 C2
Lávrio / Λαύριο (GR) 166 B5
Laxå (S) 195 H2
Laxe (E) 56 B2
Laxford Bridge (GB) 28 D1
Laxo (GB) 27 G2
Layos (E) 64 B4
Laza (E) 56 D4
Lazarev Krst (MNE) 139 F4
Lazarevac / Лазаревац (SRB) 140 C5
Lazarevo (SRB) 140 D3
Lazaropole (MK) 144 D1
Lazdijai (LT) 205 E5
Lazise (I) 101 H4
Lázně Bohdaneč (CZ) 92 C2
Lázně Kynžvart (CZ) 91 G3
Laznica (SRB) 141 F5
Łazy (Koszalin) (PL) 116 D2
Łazy (Zawiercie) (PL) 122 B5
Le Bar-sur-Loup (F) 55 G2
Le Beausset (F) 55 E3
Le Bec-Hellouin (F) 39 E5
Le Bény-Bocage (F) 38 C5
Le Biot (F) 51 F1
Le Blanc (F) 49 F1
Le Bleymard (F) 50 B5
Le Boréon (F) 55 G1
Le Boulou (F) 53 H5
Le Bourg-d'Oisans (F) 51 F4
Le Bourget-du-Lac (F) 51 E3
Le Bousquet-d'Orb (F) 54 A2
Le Bugue (F) 49 F5
Le Buisson-de-Cadouin (F) 49 F5
Le Cap-d'Agde (F) 54 A3
Le Cateau (F) 40 B3
Le Catelet (F) 40 A3
Le Caylar (F) 54 A2
Le Chambon-Feugerolles (F) 50 C3
Le Chambon-sur-Lignon (F) 50 C4
Le Château-d'Oléron (F) 48 B2
Le Châtelard (F) 51 F3
Le Châtelet (F) 49 H1
Le Châtelet-en-Brie (F) 45 F2
Le Chesne (F) 40 C4
Le Cheylard (F) 50 C5
Le Conquet (F) 42 A2
Le Creusot (F) 45 H5
Le Croisic (F) 43 E4
Le Crotoy (F) 39 G3
Le Donjon (F) 50 B1
Le Dorat (F) 49 F2
Le Faou (F) 42 B2
Le Faouët (F) 42 C2
Le Folgoët (F) 42 B1
Le Fossat (F) 53 F3
Le Fousseret (F) 53 E3
Le Grand-Bornand (F) 51 F2
Le Grand-Bourg (F) 49 G2
Le Grand-Lemps (F) 51 E3
Le Grand-Lucé (F) 44 C3
Le Grand-Pressigny (F) 44 C5
Le Grand-Serre (F) 50 D4
Le Grau-du-Roi (F) 54 B3
Le Havre (F) 39 E4
Le Hohwald (F) 47 G2
Le Lauzet-Ubaye (F) 51 F5
Le Lavandou (F) 55 F3
Le Lion-d'Angers (F) 43 G4
Le Lioran (F) 50 A4
Le Locle (CH) 98 B2
Le Loroux-Bottereau (F) 43 F4
Le Louroux-Béconnais (F) 43 G4
Le Luc (F) 55 F3
Le Lude (F) 44 B4
Le Malzieu-Ville (F) 50 A5
Le Mans (F) 44 B3
Le Markstein (F) 47 G3
Le Mas-d'Agenais (F) 52 D1
Le Mas-d'Azil (F) 53 F4
Le Massegros (F) 54 A1
Le Mayet-de-Montagne (F) 50 B2
Le Mêle-sur-Sarthe (F) 44 B2
Le Merlerault (F) 44 B1
Le Monastier-sur-Gazeille (F) 50 B4
Le Monêtier (F) 51 F4
Le Mont-Dore (F) 50 A3
Le Mont-Saint-Michel (F) 43 F1
Le Montet (F) 50 A1
Le Muy (F) 55 F3
Le Neubourg (F) 39 F5
Le Nouvion-en-Thiérache (F) 40 B3
Le Palais (F) 42 D4
Le Péage-de-Roussillon (F) 50 D3
Le Pellerin (F) 43 F4
Le Perthus (F) 53 H5
Le Poiré-sur-Vie (F) 43 F5
Le Pont-de-Beauvoisin (F) 51 E3
Le Pont-de-Claix (F) 51 E4
Le Pont-de-Montvert (F) 54 B1
Le Pontet (F) 54 D2
Le Pouldu (F) 42 C3
Le Pouliguen (F) 43 E4
Le Pouzin (F) 50 D5
Le Puy-en-Velay (F) 50 B4
Le Quesnoy (F) 40 B2
Le Rozier (F) 54 A1
Le Russey (F) 47 F4
Le Sauze (F) 55 F1
Le Teil (F) 50 D5
Le Teilleul (F) 43 G2
Le Theil (F) 44 C2
Le Thillot (F) 47 F3
Le Touquet-Paris-Plage (F) 39 G2
Le Touvet (F) 51 F3
Le Trayas (F) 55 G2
Le Tréport (F) 39 F3
Le Val-André (F) 43 E1
Le Val-d'Ajol (F) 47 F3
Le Verdon-sur-Mer (F) 48 C3
Le Vigan (F) 54 B2
Le Vivier-sur-Mer (F) 43 F1
Leadenham (GB) 33 F3
Łeba (PL) 117 F1
Lebach (D) 88 C3
Lebane (SRB) 143 F3
Lebedyn (UA) 7 G5
Lébény (H) 128 C1
Lebesby (N) 177 F2
Lębork (PL) 117 G1
Lebrija (E) 74 B3
Lebus (D) 87 E1
Lecce (I) 111 H4
Lecco (I) 101 F3
Lécera (E) 65 H1
Lećevica (HR) 138 B2
Lech (A) 95 E4
Lechainá (GR) 164 D4
Lechința (RO) 147 G3
Lechlade (GB) 35 G1
Léchovo (GR) 160 D3
Leciñena (E) 59 H4
Leck (D) 81 G1
Lectoure (F) 53 E2
Łęczna (PL) 123 G3
Łęczyca (PL) 121 H2
Ledaña (E) 65 F5
Ledanca (E) 64 D1
Ledbury (GB) 35 F1
Ledeč nad Sázavou (CZ) 92 C3
Ledesma (E) 63 G2
Lédignan (F) 54 B2
Ledmore (GB) 28 D2
Lednogora (PL) 121 F1
Leeds (GB) 33 E2
Leek (GB) 32 D3
Leenane (IRL) 22 B4
Leer (D) 81 E4
Leerdam (NL) 76 D5
Lees (E) 60 B1
Leese (D) 85 F1
Leeuwarden (NL) 77 F2
Lefka (CY) 174 C3
Lefkáda / Λευκάδα (GR) 164 C2
Lefkádia (GR) 161 E3
Lefkadíti (GR) 165 E3
Lefkantí (GR) 165 H3
Léfkes (GR) 170 C1
Lefkímmi (GR) 164 B1
Lefkonoiko (CY) 175 E3
Lefkopigí (GR) 161 E4
Lefkoşa / Lefkosía (Nicosia) (CY) 174 D3
Lefkosía / Lefkoşa (Nicosia) (CY) 174 D3
Legan (D) 81 H2
Leganés (E) 64 B3
Legé (F) 43 F5
Legionowo (PL) 122 D1
Legnago (I) 101 H5
Legnano (I) 101 E4
Legnica (PL) 120 D4
Legrad (HR) 135 F2
Legrená (GR) 166 B5
Léguevin (F) 53 F2
Legutio (E) 58 D2
Lehčevo (BG) 154 D2
Lehliu-Gară (RO) 152 C4
Lehmden (D) 81 F4
Lehnin (D) 86 C1
Lehrberg (D) 89 H3
Lehre (D) 85 H2
Lehrte (D) 85 G1
Lehtimäki (FIN) 191 G1
Lehtovaara (FIN) 181 E4
Lehtovaara (FIN) 187 F4
Leianokládi (GR) 165 F2
Leibnitz (A) 97 F5
Leicester (GB) 33 E4
Leiden (NL) 76 D4
Leie (EST) 201 F3
Leigh (GB) 32 D3
Leighton Buzzard (GB) 35 H1
Leikanger (N) 188 C3
Leinefelde (D) 85 H4
Leinì (I) 100 C5
Leipalingis (LT) 205 E5
Leipheim (D) 89 G5
Leipsoí (GR) 171 F1
Leipzig (D) 86 B4
Leira (N) 182 B5
Leira (N) 189 E3
Leirbotn (N) 176 D3
Leiria (P) 62 B4
Leiro (E) 56 C4
Leirpollskogen (N) 177 G2
Leirvåg (N) 188 A3
Leirvik (N) 188 B3
Leirvik (N) 188 B5
Leirvik (Færøerne) (DK) 194 A4
Leisnig (D) 86 C4
Leiston (GB) 37 E2
Leith (GB) 31 E1

A B C D E F G H I J K L M N O P Q R S T U V W X Y Z

Leitir Ceanainn / Letterkenny (IRL) 23 E2
Leitza (E) 59 E2
Leitzkau (D) 86 B2
Leivadeiá / Λειβαδειά (GR) 165 G3
Leivadítis (GR) 162 C2
Leivonmäki (FIN) 193 E2
Leka (N) 183 E2
Lekáni (GR) 162 C2
Łękawica (PL) 125 F2
Lekeitio (E) 58 D1
Lekenik (HR) 135 E3
Leknes (N) 179 F3
Łęknica (PL) 120 B3
Leksand (S) 190 A4
Leksvik (N) 182 D4
Lekunberri (E) 59 E2
Leland (N) 183 F1
Leleasca (RO) 151 G3
Lelis (PL) 119 E4
Leliūnai (LT) 205 G2
Lelle (EST) 201 E3
Lelów (PL) 122 B4
Lelystad (NL) 77 E4
Lelystad Haven (NL) 77 E4
Lembach (F) 41 H5
Lembeye (F) 52 D3
Lemesós (Limassol) (CY) 174 D5
Lemförde (D) 85 E1
Lemgo (D) 85 F2
Lemi (FIN) 193 F3
Lemithou (CY) 174 C4
Lemland (FIN) 190 D5
Lemmenjoki (FIN) 177 F5
Lemmer (NL) 77 E3
Lempäälä (FIN) 191 G3
Lempdes-sur-Allagnon (F) 50 A4
Lemvig (DK) 194 C5
Lenart v Slovenskih Goricah (SLO) 135 E1
Lenauheim (RO) 146 A5
Lencloître (F) 44 B5
Lend (A) 96 B4
Lendava (SLO) 135 F1
Lendinara (I) 103 E5
Lengefeld (D) 86 D5
Lengenfeld (D) 86 C5
Lengerich (D) 84 D2
Lenggries (D) 95 G3
Lengyeltóti (H) 128 C3
Lenhovda (S) 196 D5
Lenk (CH) 98 C4
Lenkimai (LT) 204 B1
Lennestadt (D) 85 E4
Lens (F) 39 H2
Lensahn (D) 82 C2
Léntas (GR) 172 D4
Lentföhrden (D) 81 H3
Lenti (H) 128 B4
Lentiira (FIN) 187 G3
Lenting (D) 91 E5
Lentini (I) 115 F4
Lenzburg (CH) 98 D2
Lenzen (D) 82 D5
Lenzerheide Valbella (CH) 99 G3
Lenzkirch (D) 94 B2
Leoben (A) 97 F3
Leobersdorf (A) 97 G2
Leogang (A) 96 B3
Leominster (GB) 32 C5
León (E) 57 G3
Léon (F) 52 B2
Leonarisso (CY) 175 F2
Leonberg (D) 89 F4
Léoncel (F) 50 D4
Leonessa (I) 109 E1
Leonforte (I) 115 E3
Leonídio / Λεωνίδιο (GR) 169 E3
Leontári (Pelopónnisos) (GR) 168 C2
Leontári (Thessalía) (GR) 165 E2
Leopoldsburg (B) 79 E2
Leopoldsdorf im Marchfelde (A) 97 H1
Lepe (E) 69 E5
Lepetani (MNE) 139 F4
Lepiel (BY) 6 D4
L'Épine (F) 40 C5
Lepoglava (HR) 135 E2
Leposavić (SRB) 142 D3
Lépoura (GR) 166 B3
Leppäjärvi (FIN) 176 D5
Leppävirta (FIN) 193 F1
Lepşa (RO) 148 C5
Lepsény (H) 128 D3
Leptokaryá (Anatolikí Makedonía kai Thráki) (GR) 163 E2
Leptokaryá (Kentrikí Makedonía) (GR) 161 F5
Lercara Friddi (I) 114 D3
Léré (F) 45 F4
Lerici (I) 105 F3
Lerín (E) 59 E3
Lerma (E) 58 B4
Lermoos (A) 95 F4
Lerum (S) 195 F3
Lerwick (GB) 26 D1
Les Abrets-en-Dauphiné (F) 51 E3
Les Aix-d'Angillon (F) 45 F5
Les Andelys (F) 39 F5
Les Arcs (F) 51 G3
Les Arcs (F) 55 F3
Les Baux-de-Provence (F) 54 C2
Les Bézards (F) 45 F3
Les Borges Blanques (E) 60 B4
Les Bouchoux (F) 51 E1
Les Cabannes (F) 53 F4
Les Contamines-Montjoie (F) 51 G2
Les Coves de Vinromà (E) 66 A1
Les Deux-Alpes (F) 51 F4
Les Diablerets (CH) 98 C4
Les Écharmeaux (F) 50 C2
Les Échelles (F) 51 E3
Les Essarts (F) 43 F5
Les Eyzies-de-Tayac (F) 49 F5
Les Gets (F) 51 G2
Les Herbiers (F) 43 G5
Les Houches (F) 51 G2
Les Issambres (F) 55 G3
Les Lecques (F) 55 E3
Les Llosses (E) 60 D2
Les Matelles (F) 54 B2
Les Mées (F) 55 E1
Les Menuires (F) 51 F3
Les Ollières (F) 50 C5
Les Pieux (F) 38 B4
Les Planches-en-Montagne (F) 51 E1
Les Ponts-de-Cé (F) 43 H4
Les Riceys (F) 45 H3
Les Rosiers-sur-Loire (F) 43 H4
Les Rousses (F) 51 F1
Les Sables-d'Olonne (F) 48 B1
Les Settons (F) 45 H5
Les Trois-Épis (F) 47 G2
Les Trois-Moutiers (F) 43 H5
Les Useres (E) 66 A2
Les Vans (F) 54 B1
Les Vignes (F) 54 A1
Lešak (SRB) 142 D3
Lešani (MK) 145 E2
Lešć (HR) 134 D4
L'Escala (E) 61 F2
Lescar (F) 52 C3
L'Escarène (F) 55 H2
Lesce (SLO) 134 B2
Lescun (F) 52 C4
Lesencetomaj (H) 128 C3
Leshnicë (AL) 144 D3
Lesičovo (BG) 158 C2
Lesina (I) 110 C1
Lesíni (GR) 164 D3
Lesja (N) 188 D2
Lesjöfors (S) 189 H5
Lesko (PL) 127 F2
Leskovac / Лесковац (SRB) 143 F3
Leskovik (AL) 144 D4
Leskovo (BG) 153 E5
Leśna (PL) 120 C4
Lesneven (F) 42 B1
Lešnica (SRB) 137 H4
Lesparre-Médoc (F) 48 C4
Lespezi (RO) 148 C2
L'Espluga de Francolí (E) 60 C4
L'Espunyola (E) 60 D2
Lessay (F) 38 B5
Lessebo (S) 196 D5
Lessines (B) 78 B2
L'Estartit (E) 61 F2
Lestelle-Bétharram (F) 52 C3
Lestijärvi (FIN) 185 G5
Lestkov (CZ) 91 G3
Leszno (Poznań) (PL) 121 E2
Leszno (Warszawa) (PL) 122 C1
Létavértes (H) 131 F2
Letchworth (GB) 36 C3
Letenye (H) 128 B4
Letino (I) 109 G4
Letmathe (D) 84 D4
Letnica (BG) 156 B2
Letschin (D) 87 E1
Letterfrack (IRL) 22 B5
Letterkenny / Leitir Ceanainn (IRL) 23 E2
Lettermullan (IRL) 22 B5
Letur (E) 71 G3
Letuš (SLO) 134 C2
Letymvou (CY) 174 B4
Letzlingen (D) 86 A1
Leu (RO) 151 F4
Leuchars (GB) 31 E1
Leukerbad (CH) 98 D4
Leuna (D) 86 B4
Leutenberg (D) 86 A5
Leutershausen (D) 89 H3
Leutkirch im Allgäu (D) 94 D3
Leutschach (A) 97 F5
Leuven (Louvain) (B) 78 D2
Leuze-en-Hainaut (B) 78 B3
Levajok (N) 177 F3
Levala (EST) 201 F2
Levanger (N) 183 E4
Levanjska Varoš (HR) 135 H4
Levanto (I) 105 F3
Leväsjoki (FIN) 191 F2
Leven (East Riding of Yorks.) (GB) 33 F2
Leven (Fife) (GB) 31 E1
Levens (F) 55 G2
Leverano (I) 111 G4
Leverburgh (GB) 28 B2
Leverkusen (D) 84 C4
Levet (F) 45 E5
Levi (FIN) 180 D3
Levice (SK) 132 C4
Levico Terme (I) 101 H3
Levídi (GR) 165 E5
Levie (F) 55 H5
Levier (F) 47 F5
Levka (BG) 163 F1
Levoča (SK) 133 F2
Levroux (F) 44 D5
Levski / Левски (BG) 156 B2
Lewes (GB) 36 C5
Lewin Brzeski (PL) 121 F5
Leyburn (GB) 31 G5
Leyland (GB) 32 C2
Leysdown-on-Sea (GB) 37 E4
Leysin (CH) 98 C4
Leżajsk (PL) 123 F5
Lézardrieux (F) 42 D1
Lézat-sur-Lèze (F) 53 F3
Lezay (F) 48 D2
Lezhë (AL) 144 C1
Lézignan-Corbières (F) 53 H3
Ležimir (SRB) 140 B3
Lezoux (F) 50 A3
Lezuza (E) 71 G1
L'gov (RUS) 7 G4
L'Hermenault (F) 48 C1
L'Hospitalet de l'Infant (E) 60 B5
Libáň (CZ) 92 B2
Liberec (CZ) 87 F5
Libochovice (CZ) 92 A2
Libofshë (AL) 144 C3
Libourne (F) 48 D5
Librazhd (AL) 144 D2
Librilla (E) 71 H4
Licata (I) 114 D4
Licciana Nardi (I) 105 F3
Lich (D) 85 F5
Licháda (GR) 165 G2
Lichfield (GB) 33 E4
Lichoslavl' (RUS) 7 F1
Lichtenberg (D) 91 E2
Lichtenfels (D) 91 E2
Lichtenstein (D) 86 C5
Lichtenvoorde (NL) 77 F5
Lička Jesenica (HR) 134 D5
Lički Osik (HR) 136 B4
Ličko Lešće (HR) 134 D5
Licurici (RO) 151 F3
Licze (PL) 117 H3
Lida (BY) 6 C5
Liden (S) 190 B1
Lidhult (S) 195 G5
Lidingö (S) 197 G1
Lidköping (S) 195 G2
Lido degli Estensi (I) 107 E1
Lido delle Nazioni (I) 107 E1
Lido di Camaiore (I) 105 G4
Lido di Classe (I) 107 F2
Lido di Jesolo (I) 103 F4
Lido di Metaponto (I) 111 E4
Lido di Ostia (I) 108 D3
Lido di Savio (I) 107 F2
Lido di Spina (I) 107 E1
Lido di Torre Mileto (I) 110 C1
Lido di Venezia (I) 103 F4
Lido Silvana (I) 111 F4
Lidoríki (GR) 165 E3
Lidzbark (PL) 118 C4
Lidzbark Warmiński (PL) 118 D2
Liebenwalde (D) 83 F5
Lieberose (D) 87 E2
Liebling (RO) 150 B1
Liège (Luik) (B) 79 E3
Lieksa (FIN) 187 G5
Lielvārde (LV) 203 E3
Lienz (A) 96 B5
Liepāja (LV) 202 A4
Liepas (Mežamuiža) (LV) 203 F4
Liepna (LV) 203 G2
Lier (B) 78 D2
Liérganes (E) 58 B1
Liernais (F) 45 H4
Liestal (CH) 98 D2
Lieşti (RO) 152 D1
Lieto (FIN) 191 F4
Liétor (E) 71 G2
Lieurey (F) 39 E5
Lievestuore (FIN) 193 E1
Liévin (F) 39 H2
Liezen (A) 96 D3
Liffol-le-Grand (F) 47 E2
Lifford (IRL) 23 E2
Liffré (F) 43 F2
Lignano Sabbiadoro (I) 103 G4
Lignières (F) 49 H1
Ligny-en-Barrois (F) 46 D1
Ligny-le-Châtel (F) 45 G3
Ligourió (GR) 165 G5
Ligueil (F) 44 C5
Lihula (EST) 200 C3
Liikasenvaara (FIN) 181 G5
Lijeva Rijeka (MNE) 139 G4
Lijevi Dubravčak (HR) 135 E3
Likenäs (S) 189 G4
Lilaía (GR) 165 F3
Liland (N) 176 A5
L'Île-Bouchard (F) 44 B5
L'Île-Rousse (F) 55 G2
Lilienfeld (A) 97 F2
Liljanovo (BG) 161 H1
Liljendal (FIN) 193 E4
Lilla Edet (S) 195 F3
Lillby (FIN) 185 F5
Lille (F) 40 A2
Lillebonne (F) 39 E4
Lillehammer (N) 189 E3
Lillerød (DK) 199 E3
Lillers (F) 39 H2
Lillesand (N) 194 C2
Lillestrøm (N) 189 F5
Lillhärdal (S) 189 H2
Lillholmsjön (S) 183 G5
Lillo (E) 64 C4
Lillögda (S) 184 C4
Lima (S) 189 H4
Limáni Chersonísou (GR) 170 C5
Limáni Géraka (GR) 169 E4
Limavady (GB) 23 F2
Limbach-Oberfrohna (D) 86 C5
Limbaži (LV) 203 E2
Limburg an der Lahn (D) 88 D1
Limenária (GR) 162 C3
Liménas (GR) 167 E4
Limerick / Luimneach (IRL) 24 C3
Limingen (N) 183 F3
Limingo / Liminka (FIN) 185 H3
Liminka / Limingo (FIN) 185 H3
Liminpuro (FIN) 187 E3
Limljani (MNE) 139 F5
Límnes (GR) 165 G5
Límni (GR) 165 G3
Limnia (CY) 175 F3
Limnítsa (GR) 165 E3
Limoges (F) 49 F3
Limogne-en-Quercy (F) 53 G1
Limone Piemonte (I) 104 B3
Limonest (F) 50 D2
Limours-en-Hurepoix (F) 45 E1
Limoux (F) 53 G4
Lin (AL) 144 D2
Linares (E) 70 D3
Linares de Mora (E) 65 H3
Linares de Riofrío (E) 63 G3
Linariá (GR) 166 C2
Lincoln (GB) 33 F3
Lindås (N) 188 B3
Lindau (D) 94 D3
Linden (BG) 161 H2
Linden (D) 89 H1
Lindenberg im Allgäu (D) 94 D3
Lindern (D) 81 E5
Lindesberg (S) 197 E1
Lindesnes (N) 194 B2
Lindö (S) 197 E2
Líndos / Λίνδος (GR) 171 H4
Lindoso (P) 56 C5
Lindow (D) 83 F5
Lindsdal (S) 197 E5
Lingbo (S) 190 B4
Linge (N) 188 C1
Lingen (D) 84 D1
Linghem (S) 197 E2
Linguaglossa (I) 115 G3
Linken (D) 83 G4
Linköping (S) 197 E2
Linkuva (LT) 205 E1
Linlithgow (GB) 30 D1
Linnamäe (EST) 200 C2
Linsell (S) 189 H2
Linslade (GB) 35 H1
Linthal (CH) 99 F3
Linyola (E) 60 B3
Linz (A) 96 D1
Linz am Rhein (D) 84 C5
Lion-sur-Mer (F) 38 D4
Lioni (I) 110 B3
Liopetri (CY) 175 F3
Lipar (SRB) 140 B2
Lipari (I) 115 F1
Liperi (FIN) 193 G1
Lipiany (PL) 116 C5
Lipica (SLO) 134 A3
Lipik (HR) 135 G4
Lipki Wielkie (PL) 116 C5
Lipkovo (MK) 143 F5
Lipljan (SRB) 143 E4
Lipnica (Chojnice) (PL) 117 F2
Lipnica (Toruń) (PL) 117 H4
Lipnik (PL) 123 E4
Lipník nad Bečvou (CZ) 93 F3
Lipno (PL) 117 H5
Lipno nad Vltavou (CZ) 96 D1
Lipova (RO) 146 C5
Lipová-Lázně (CZ) 93 E2
Lipovac (HR) 137 H3
Lippstadt (D) 85 E3
Lipsk (PL) 119 H3
Lipsko (PL) 123 E3
Lipszczany (PL) 119 H3
Liptovský Hrádok (SK) 133 E2
Liptovský Mikuláš (SK) 132 D2
Ļipuški (LV) 203 H4
Liqenas (AL) 145 E3
Liria / Llíria (E) 65 H4
Lis (AL) 144 C1
Lisac (BIH) 137 F5
Lisboa (P) 68 A2
Lisburn (GB) 23 G3
Lisdoonvarna (IRL) 24 C2
Lisewo (PL) 117 H4
Lisieux (F) 39 E5
Liskeard (GB) 34 C4
Lisków (PL) 121 G2
L'Isle-Adam (F) 39 H5
L'Isle-d'Abeau (F) 50 D3
L'Isle-de-Noé (F) 52 D2
L'Isle-en-Dodon (F) 53 E3
L'Isle-Jourdain (F) 49 E2
L'Isle-Jourdain (F) 53 E2
L'Isle-sur-la-Sorgue (F) 54 D2
L'Isle-sur-le-Doubs (F) 47 F4
L'Isle-sur-Serein (F) 45 H4
Lisle-sur-Tarn (F) 53 G2
Lismore (IRL) 24 D4
Lisnaskea (GB) 23 E3
Lišnja (BIH) 135 G5
Lisovići (BIH) 137 G4
Lispeszentadorján (H) 128 B4
Lisse (NL) 76 D4
List (D) 81 F1
Listowel (IRL) 24 B3
Lit (S) 183 G5
Lit-et-Mixe (F) 52 B1
Litakovo (BG) 158 C1
Litene (LV) 203 G2
Liteni (RO) 148 C2
Lithakiá (GR) 164 C5
Lithínes (GR) 173 F4
Lithótopos (GR) 161 G2
Litija (SLO) 134 C2
Litke (H) 126 B5
Litóchoro / Λιτόχωρο (GR) 161 F5
Litoměřice (CZ) 87 E5
Litomyšl (CZ) 92 D3
Litovel (CZ) 93 E3
Litschau (A) 92 B5
Littlehampton (GB) 38 D1
Littleport (GB) 33 G5
Litvínov (CZ) 86 D5
Liu (EST) 200 D4
Liudvinavas (LT) 205 E4
Livada (RO) 147 E1
Livade (HR) 134 A4
Livaderó (GR) 162 B2
Livadhe (AL) 144 D5
Livádi (Nótio Aigaío) (GR) 169 H3
Livádi (Thessalía) (GR) 161 E4
Livadia (CY) 175 E4
Livádia (GR) 171 G3
Livadiá (GR) 161 G2
Livadochóri (GR) 162 D5
Livanátes (GR) 165 G3
Līvāni (LV) 203 F4
Livari (MNE) 139 G5
Livarot (F) 39 E5
Livera (CY) 174 C2
Liverdun (F) 47 E1
Livernon (F) 49 G5
Liverpool (GB) 32 C3

Livezile (Bistriţa) (RO) 147 G3
Livezile (Timişoara) (RO) 150 B1
Livigno (I) 101 G2
Livingston (GB) 30 D2
Livno (BIH) 137 E5
Livny (RUS) 7 H4
Livo (FIN) 185 H2
Livold (SLO) 134 C3
Livorno (I) 105 G5
Livorno Ferraris (I) 100 C4
Livron-sur-Drôme (F) 50 D5
Liw (PL) 123 E1
Lixoúri (GR) 164 B4
Lizard (GB) 34 B5
Lizy (F) 40 A5
Lizzano in Belvedere (I) 105 H3
Ljeskove Vode (BIH) 135 H5
Ljig (SRB) 140 C5
Ljubaništa (MK) 145 E3
Ljubašivka (UA) 13 F2
Ljuben (BG) 158 D2
Ljuben Karavelovo (BG) 157 F2
Ljubenova mahala (BG) 159 F2
Ljubenovo (BG) 159 F3
Ljubija (BIH) 135 F5
Ljubimec (BG) 163 E1
Ljubinje (BIH) 139 E3
Ljubiš (SRB) 139 H2
Ljubljana (SLO) 134 B2
Ljubno ob Savinji (SLO) 134 C2
Ljubojno (MK) 145 E3
Ljuboml' (UA) 12 C1
Ljubovija (SRB) 140 B5
Ljubuški (BIH) 138 D3
Ljugarn (S) 197 G4
Ljuljak (BG) 159 F2
Ljuljakovo (BG) 159 H1
Ljungby (S) 195 H5
Ljungbyhed (S) 199 F3
Ljungdalen (S) 189 G1
Ljungsbro (S) 197 E2
Ljungskile (S) 195 F3
Ljusdal (S) 190 B2
Ljusne (S) 190 B3
Ljuta (BIH) 139 E2
Ljutići (MNE) 139 G3
Ljutoglav (SRB) 142 D5
Ljutomer (SLO) 135 E1
Ljutribrod (BG) 158 C1
Llagostera (E) 61 E3
Llan Ffestiniog (GB) 32 B4
Llanberis (GB) 32 A3
Llançà (E) 61 F1
Llandeilo (GB) 34 D1
Llandovery (GB) 34 D1
Llandrindod Wells (GB) 32 B5
Llandudno (GB) 32 B3
Llandysul (GB) 34 C1
Llanelli (GB) 34 D2
Llanerchymedd (GB) 32 A3
Llanes (E) 58 A1
Llanfairfechan (GB) 32 B3
Llanfyllin (GB) 32 C4
Llangadog (GB) 34 D1
Llangefni (GB) 32 A3
Llangollen (GB) 32 C4
Llangurig (GB) 32 B5
Llanidloes (GB) 32 B5
Llanrhystud (GB) 32 A5
Llanrwst (GB) 32 B3
Llanwrtyd Wells (GB) 34 D1
Llavorsí (E) 60 C1
Lleida (E) 60 B3
Llera (E) 69 G3
Llerena (E) 69 G3
Lles de Cerdanya (E) 60 C2
Llessui (E) 60 B2
Llíria / Liria (E) 65 H4
Llívia (E) 60 D1
Llodio / Laudio (E) 58 D1
Lloret de Mar (E) 61 E3
Llucmajor (E) 67 F3
Llynclys (GB) 32 C4
Lnáře (CZ) 92 A4
Lniano (PL) 117 G3
Loamneş (RO) 147 F5
Loanhead (GB) 31 E2
Loano (I) 104 D3
Löbau (D) 87 F4
Löbejün (D) 86 B3
Lobenstein (D) 91 E2
Łobez (PL) 116 D3
Löbnitz (D) 83 E2
Lobón (E) 69 F2
Loburg (D) 86 B2
Łobżenica (PL) 117 F4
Locana (I) 100 B4
Locarno (CH) 99 E4
Loch Garman / Wexford (IRL) 25 F3
Lochaline (GB) 28 D5
Lochboisdale (GB) 28 B4
Lochcarron (GB) 28 D3
Lochearnhead (GB) 30 D1
Lochem (NL) 77 F5
Loches (F) 44 C5
Lochgelly (GB) 31 E1
Lochgilphead (GB) 30 B1
Lochinver (GB) 28 D2
Lochmaben (GB) 31 E3
Lochmaddy (GB) 28 B3
Łochów (PL) 119 E5
Lochranza (GB) 30 B2
Lochvycja (UA) 7 G5
Lockenhaus (A) 97 G3
Lockerbie (GB) 31 E3
Löcknitz (D) 83 G4
Locmariaquer (F) 42 D3
Locminé (F) 42 D3
Locorotondo (I) 111 F4
Locquirec (F) 42 C1
Locri (I) 113 C5
Locronan (F) 42 B2
Loctudy (F) 42 B3
Lodè (I) 112 D2
Lodève (F) 54 A2
Lodi (I) 101 F4
Løding (N) 179 F4
Lødingen (N) 179 G3
Lodosa (E) 59 E3
Łódź (PL) 122 B2
Loeches (E) 64 C3
Loen (N) 188 C2
Løfallstrand (N) 188 B4
Lofário (GR) 162 D3
Lofer (A) 95 H3
Löffingen (D) 94 B2
Lofsdalen (S) 189 H2
Lofthus (N) 188 C4
Loftus (GB) 31 H4
Log (SLO) 134 A1
Logarska dolina (SLO) 134 C1
Logatec (SLO) 134 B3
Logodaš (BG) 158 A3
Logroño (E) 59 E3
Logrosán (E) 69 H1
Løgstør (DK) 194 D4
Løgten (DK) 195 E5
Løgumkloster (DK) 198 B4
Lohals (DK) 198 D4
Lohberg (D) 91 H5
Lohilahti (FIN) 193 G2
Lohiniva (FIN) 180 D4
Lohja / Lojo (FIN) 191 G5
Lohne (D) 85 E1
Löhne (D) 85 E2
Lohr am Main (D) 89 G2
Lohsa (D) 87 E3
Lohtaja (FIN) 185 G4
Loiano (I) 105 H3
Loimaa (FIN) 191 G4
Loimaan kunta (FIN) 191 F4
Loiri (I) 112 D1
Loiron-Ruillé (F) 43 G3
Loitz (D) 83 F3
Loja (E) 70 C5
Lojo / Lohja (FIN) 191 G5
Lokalahti (FIN) 191 E4
Løken (N) 189 F5
Lokeren (B) 78 C2
Loket (CZ) 91 G2
Lokka (FIN) 181 F3
Løkken (DK) 194 D4
Løkken (N) 182 C5
Lokn'a (RUS) 6 D2
Lőkösháza (H) 131 E4
Loksa (EST) 201 E1
Lokve (HR) 134 C4
Lokve (SLO) 134 A2
Lokve (SRB) 141 E3
L'Olleria (E) 73 F1
Lom (CZ) 86 D5
Lom (N) 188 D2
Lom / Лом (BG) 151 E5
Łomazy (PL) 123 G2
Lombez (F) 53 E3
Lomci (BG) 156 D2
Lomello (I) 101 E5
Lomen (N) 188 D3
Łomianki (PL) 122 D1
Lomma (S) 199 F3
Lommatzsch (D) 86 D4
Lommel (B) 79 E1
Lomnice nad Popelkou (CZ) 87 G5
Lomonosov (RUS) 6 D1
Lompolo (FIN) 180 D3
Łomża (PL) 119 F4
Lonato (I) 101 G4
Loncari (BIH) 137 G3
Lončarica (HR) 135 G3
Londinières (F) 39 F3
London (GB) 36 C4
Londonderry / Derry (GB) 23 E2
Long Eaton (GB) 33 E4
Long Preston (GB) 32 D1
Long Sutton (GB) 33 G4
Longá (Pelopónnisos) (GR) 168 C3
Longá (Thessalía) (GR) 161 E5
Longádes (GR) 160 C5
Longares (E) 59 G5
Longarone (I) 103 F2
Longeau (F) 46 D3
Longford / An Longfort (IRL) 23 E4
Longny-au-Perche (F) 44 C2
Longobucco (I) 113 C2
Longtown (GB) 31 E4
Longué (F) 43 H4
Longueville-sur-Scie (F) 39 F3
Longuyon (F) 41 E4
Longwy (F) 41 E4
Lonigo (I) 102 D4
Löningen (D) 84 D1
Łoniów (PL) 123 E5
Lonja (HR) 135 F4
Lons-le-Saunier (F) 51 E1
Lönsboda (S) 195 H5
Lønsdal (N) 179 G5
Loo (EST) 201 E1
Loosdorf (A) 97 F1
Lopar (HR) 134 C5
Lopare (BIH) 137 H4
Lopătari (RO) 152 C1
Lopatica (MK) 145 E2
Lopcombe Corner (GB) 35 G3
Lopera (E) 70 C4
Loppa (N) 176 C3
Loppi (FIN) 191 H4
Lopud (HR) 139 E4
Łopuszno (PL) 122 C4
Lora (N) 188 D2
Lora del Río (E) 69 H4
Lorca (E) 71 H4
Lorcé (B) 79 E3
Lorch (Ostalbkreis) (D) 89 G4
Lorch (Rheingau-Taunus) (D) 88 D1
Loreo (I) 103 F5
Loreto (I) 107 H4
Loreto Aprutino (I) 109 G1
Lorgues (F) 55 F2
Lorica (I) 113 C2
Lorient (F) 42 C3
Loriga (P) 62 D3
Loriol-sur-Drôme (F) 50 D5
Lormes (F) 45 H4
Loro Ciuffenna (I) 106 D3
Lorquin (F) 47 G1
Lörrach (D) 94 A3
Lorrez-le-Bocage (F) 45 F2
Lorris (F) 45 F3
Los (S) 190 A3
Los Alcázares (E) 73 E3
Los Arcos (E) 59 E3
Los Baños de Guardias Viejas (E) 75 H3
Los Barrios (E) 74 C4
Los Corrales (E) 58 B1
Los Cortijos de Abajo (E) 64 B5
Los Cristianos (E) 67 F5
Los Dolores (E) 73 E4
Los Gallardos (E) 71 G5
Los Hinojosos (E) 64 D4
Los Llanos de Aridane (E) 67 E5
Los Lobos (E) 71 H5
Los Navalmorales (E) 64 A4
Los Navalucillos (E) 64 A4
Los Palacios y Villafranca (E) 69 G5
Los Santos (E) 63 G3
Los Santos de Maimona (E) 69 F3
Los Sauces (E) 67 E5
Los Villares (E) 70 D4
Los Yébenes (E) 64 B4
Losar de la Vera (E) 63 G4
Losenstein (A) 96 D2
Losheim (D) 88 C3
Łosice (PL) 123 F1
Loßburg (D) 89 E5
Lossiemouth (GB) 29 F3
Lößnitz (D) 86 C5
Lostwithiel (GB) 34 C4
Lote (N) 188 C2
Løten (N) 189 F4
Löttorp (S) 197 F4
Loudéac (F) 42 D2
Loudes (F) 50 B4
Loudías (GR) 161 F3
Loudun (F) 43 H5
Loué (F) 43 H3
Loughborough (GB) 33 E4
Loughrea (IRL) 22 D5
Louhans-Châteaurenaud (F) 50 D1
Louisburgh (IRL) 22 B4
Loukísia (GR) 165 H3
Loulay (F) 48 C2
Loulé (P) 68 C5
Louny (CZ) 91 H2
Lourdes (F) 52 D4
Loures (P) 68 A1
Louriçal (P) 62 B4
Lourinhã (P) 62 A5
Loúros (GR) 164 C2
Lousa (P) 68 A1
Lousã (P) 62 C4
Lousada (P) 62 C1
Louth (GB) 33 G3
Loutrá (Kentrikí Makedonía) (GR) 161 H5
Loutrá (Nótio Aigaío) (GR) 169 G2
Loutrá (Pelopónnisos) (GR) 165 E5
Loutrá (Vóreio Aigaío) (GR) 167 F2
Loutrá Aidipsoú / Λουτρά Αιδηψού (GR) 165 G2
Loutrá Aridaías (GR) 161 E3
Loutrá Elefterón (GR) 162 B3
Loutrá Kaítsas (GR) 165 E2
Loutrá Kyllínis (GR) 164 C4
Loutrá Lagkadá (GR) 161 G3
Loutrá Smokóvou (GR) 165 E2
Loutrá Vólvis (GR) 161 H3
Loutrá Ypátis (GR) 165 F2
Loutráki (GR) 165 G4
Loutráki (Dytikí Elláda) (GR) 164 C2
Loutráki (Thessalía) (GR) 165 H2
Loutró Elénis (GR) 165 G5
Loutropigí (GR) 165 E2
Loutrós (GR) 163 E3
Loútsa (Attikí) (GR) 166 B4
Loútsa (Ípeiros) (GR) 164 C1
Louvain-la-Neuve (B) 78 D3
Louviers (F) 39 F5
Louvigné-du-Désert (F) 43 G2
Lövånger (S) 185 E4
Lovasberény (H) 129 E2
Lovászpatona (H) 128 C2
Lövberga (S) 183 H4
Loveč / Ловеч (BG) 158 D1
Lovere (I) 101 G3
Loviisa / Lovisa (FIN) 193 E4
Lovisa / Loviisa (FIN) 193 E4
Lovište (HR) 138 C3
Lövő (H) 128 B2
Lovosice (CZ) 87 E5
Lovran / Laurana (HR) 134 B4
Lovrenc na Pohorju (SLO) 134 D1
Lovrin (RO) 146 A5
Lövstabruk (S) 190 C5
Lovund (N) 183 F1
Low Street (GB) 37 E1
Löwenberg (D) 83 F5
Lowestoft (GB) 37 F2
Łowicz (PL) 122 C1
Lož (SLO) 134 B3
Lozarevo (BG) 159 H1
Lozen (Haskovo) (BG) 163 E1
Lozen (Sofia-Grad) (BG) 158 B2
Lozenec (Burgas) (BG) 157 F5
Lozenec (Jambol) (BG) 159 H2
Lozna (SRB) 143 E2
Loznica (BG) 156 D2
Loznica / Лозница (SRB) 137 H4
Lozovac (HR) 136 C5
Lozovik (SRB) 141 E5
Lozoyuela (E) 64 C1
Luanco (E) 57 G1
Luarca (E) 57 F1
Lubaczów (PL) 123 G5
Lubań (PL) 120 C4
Lubāna (LV) 203 G3
Lübars (D) 86 B2
Lubartów (PL) 123 F3
Lubasz (PL) 117 E5
Lubawa (PL) 118 C3
Lübbecke (D) 85 E2
Lübben (D) 87 E2
Lübbenau (D) 87 E2
Lübbow (D) 82 C5
Lübeck (D) 82 C3
Lubenec (CZ) 91 H2
L'ubercy (RUS) 7 G2
Lubersac (F) 49 F3
Lubicz Dolny (PL) 117 H5
Lubień (Kraków) (PL) 125 G2
Lubień (Włodawa) (PL) 123 G2
Lubień Kujawski (PL) 121 H1
Lubieszyn (PL) 116 B3
Lubin (PL) 120 D3
Lublin (PL) 123 F3
Lubliniec (PL) 121 H5
Lubmin (D) 83 F2
Lubniewice (PL) 120 C1
Lubny (UA) 13 G1
Luborzyca (PL) 125 G1
Ľubotín (SK) 133 F2
Lubraniec (PL) 118 B5
Lubrín (E) 71 G5
Lubsko (PL) 120 C2
Lübtheen (D) 82 C4
Lubycza Królewska (PL) 123 H5
Lübz (D) 82 D4
Luc-en-Diois (F) 51 E5
Luc-sur-Mer (F) 38 D4
Lucainena de las Torres (E) 72 C5
Lucan (IRL) 23 F5
Lučani (SRB) 139 H1
Lucca (I) 105 G4
Luče (SLO) 134 C2
Lucena (E) 70 C5
Lucena del Cid (E) 65 H3
Lucenay-l'Évêque (F) 45 H5
Lučenec (SK) 132 D4
Luceni (E) 59 G4
Lucera (I) 110 C2
Lüchow (D) 82 C5
Luciana (E) 70 C1
Lucito (I) 109 H3
Luc'k (UA) 12 D1
Lucka (D) 86 B4
Luckau (D) 86 D2
Luckenwalde (D) 86 D2
Luçon (F) 48 B1
Ludbreg (HR) 135 F2
Lüdenscheid (D) 84 D4
Ludeşti (RO) 151 H3
Ludiente (E) 65 H3
Lüdinghausen (D) 84 D3
L'udinovo (RUS) 7 F3
Ludlow (GB) 32 C5
Ludogorci (BG) 156 D2
Luduş (RO) 147 F4
Ludvika (S) 190 A5
Ludwigsburg (D) 89 F4
Ludwigsfelde (D) 86 D2
Ludwigshafen (D) 94 C3
Ludwigshafen am Rhein (D) 89 E3
Ludwigslust (D) 82 D4
Ludwigsstadt (D) 91 E2
Ludza (LV) 203 H4
Lug (BIH) 137 F5
Luga (RUS) 6 D1
Lugagnano Val d'Arda (I) 102 B5
Lugano (CH) 99 F5
Lugau (D) 86 C5
Lügde (D) 85 F2
Lugnano in Teverina (I) 108 D1
Lugo (E) 56 D2
Lugo (I) 107 E1
Lugoj (RO) 150 C1
Lugones (E) 57 G2
Luhačovice (CZ) 93 F4
Luhalahti (FIN) 191 G2
Luhanka (FIN) 191 H2
Luhtapohja (FIN) 187 H5
Luica (RO) 152 C4
Luidja (EST) 200 B2
Luimneach / Limerick (IRL) 24 C3
Luino (I) 101 E3
Luíntra (Nogueira de Ramuin) (E) 56 D4
Luka (BIH) 139 E2
Luka (HR) 136 B5
Luka (SRB) 141 G5
Lukavac (BIH) 137 G4
Lukavica (BIH) 135 H5
Lukovë (AL) 144 C5
Lukovica pri Domžalah (SLO) 134 C2
Lukovit (BG) 155 E3
Lukovo (MK) 144 D2
Lukovo (Kuršumlija) (SRB) 143 F1
Lukovo (Zaječar) (SRB) 143 E3
Lukovo Šugarje (HR) 136 B4
Łuków (PL) 123 F2
Łukta (PL) 118 C3
Luleå (S) 185 E2
Lüleburgaz (TR) 19 F1
Lümanda (EST) 200 B4
Lumbarda (HR) 138 C3
Lumbier (E) 59 F2
Lumbrales (E) 63 E2
Lumbres (F) 39 H1
Lumezzane (I) 101 G4
Lumijoki (FIN) 185 G3
Lumina (RO) 153 F4
Lumparland (FIN) 191 E5
Lumsås (DK) 198 D3
Lumsheden (S) 190 B4
Lun (HR) 134 C5

Luna (E) 59 G3
Lunas (F) 54 A2
Lunca (RO) 151 G5
Lunca Bradului (RO) 147 H3
Lunca Cernii de Jos (RO) 150 D1
Lunca Corbului (RO) 151 G3
Lunca de Jos (RO) 148 B4
Lunca Ilvei (RO) 147 H2
Luncavița (RO) 153 F2
Lund (N) 183 E3
Lund (S) 199 F3
Lunde (N) 194 D1
Lunde (N) 188 C2
Lunden (D) 81 G2
Lüneburg (D) 82 B5
Lunel (F) 54 B2
Lünen (D) 84 D3
Lunéville (F) 47 F1
Lungern (CH) 98 D3
Lungro (I) 113 B1
Łuniniec (BY) 6 D5
Lunz am See (A) 97 E2
Luogosanto (I) 112 C1
Luokė (LT) 204 D2
Luopioinen (FIN) 191 H3
Luosto (FIN) 181 E4
Lupandi (LV) 203 H5
Lupeni (RO) 151 E2
Lupoglav (HR) 135 E3
Lupşanu (RO) 152 C4
Luque (E) 70 C5
Lurbe-Saint-Christau (F) 52 C3
Lurcy-Lévis (F) 50 A1
Lure (F) 47 F3
Lurgan (GB) 23 G3
Luri (F) 55 H2
Lurisia (I) 104 C3
Lury-sur-Arnon (F) 45 E5
Lušci Palanka (BIH) 135 E5
Lushnjë (AL) 144 C3
Lusi (FIN) 193 E3
Lusignan (F) 48 D1
Lusigny-sur-Barse (F) 45 H2
Lusk (IRL) 23 G5
Luso (P) 62 B3
Lussac (F) 48 D4
Lussac-les-Châteaux (F) 49 E1
Lussan (F) 54 C1
Lustenau (A) 94 D3
Luster (N) 188 C2
Lütjenburg (D) 82 B2
Luton (GB) 36 C3
Lutterberg (D) 85 G4
Lutterworth (GB) 33 E5
Lutzelbourg (F) 41 G5
Lützen (D) 86 B4
Lutzerath (D) 88 C1
Lutzmannsburg (A) 97 H3
Lützow (D) 82 C4
Luumäki (FIN) 193 F3
Luupuvesi (FIN) 187 E4
Luusua (FIN) 181 F5
Luvia (FIN) 191 E3
Luxembourg (L) 79 F5
Luxeuil-les-Bains (F) 47 F3
Luynes (F) 44 C4
Luz-Saint-Sauveur (F) 52 D4
Luzaide (E) 59 F1
Lužani (HR) 135 G4
Luzarches (F) 39 H5
Luzech (F) 53 F1
Luzern (CH) 99 E3
Luzy (F) 45 H5
Luzzara (I) 101 G5
Luzzi (I) 113 C2
L'viv (UA) 12 D2
Lwówek (PL) 120 D1
Lwówek Śląski (PL) 120 C4
Lychen (D) 83 F5
Lycksele (S) 184 C3
Lydd (GB) 37 E5
Lydney (GB) 35 F1
Lykoporiá (GR) 165 F4
Lykórrachi (GR) 160 C4
Lyme Regis (GB) 35 E4
Lymington (GB) 38 B1
Lympia (CY) 175 E3
Lyndhurst (GB) 38 B1
Lyness (GB) 26 B4
Lyngdal (N) 194 B2
Lyngseidet (N) 176 B4
Lyngsnes (N) 183 E3
Lynmouth (GB) 34 D3
Lynton (GB) 34 D3
Lyon (F) 50 D3
Lyons-la-Forêt (F) 39 G4
Lýrkeia (GR) 165 F5
Lysá nad Labem (CZ) 92 B2
Łyse (PL) 119 E4
Lysekil (S) 195 F2
Lysi (CY) 175 E3
Łysomice (PL) 117 H4
Lysos (CY) 174 B4
Lyss (CH) 98 C2
Lysvik (S) 189 G5
Łyszkowice (PL) 122 C2
Lytham Saint Anne's (GB) 32 C2
Lythrodontas (CY) 174 D4

M

Maalahti / Malax (FIN) 191 E1
Maam Cross (IRL) 22 B5
Maaninka (FIN) 187 F5
Maaninkavaara (FIN) 181 G5
Maanselkä (FIN) 187 F4
Maardu (EST) 201 E1
Maarianvaara (FIN) 187 G5
Maaseik (B) 79 E2
Maasmechelen (B) 79 E2
Maassluis (NL) 76 C5
Maastricht (NL) 79 E2
Määttälänvaara (FIN) 187 F1
Mablethorpe (GB) 33 G3
Macael (E) 71 G5
Mação (P) 62 C5
Macclesfield (GB) 32 D3
Macduff (GB) 29 H3
Maceda (E) 56 D4
Macedo de Cavaleiros (P) 63 E1
Macelj (HR) 135 E2
Macerata (I) 107 G4
Macerata Feltria (I) 107 F3
Măceşu de Jos (RO) 151 F5
Machairádo (GR) 164 C5
Macharce (PL) 119 G2
Machault (F) 40 C4
Machecoul-Saint-Même (F) 43 F5
Machliny (PL) 117 E4
Machrihanish (GB) 23 G1
Machynlleth (GB) 32 B5
Maciejowice (PL) 123 E2
Măcin (RO) 153 E2
Mackenrode (D) 85 H3
Mačkovci (SLO) 135 E1
Macomer (I) 112 B3
Mâcon (F) 50 D1
Macotera (E) 63 H2
Macroom (IRL) 24 C4
Macugnaga (I) 100 C3
Mačvanska (SRB) 140 B4
Mačvanski Pričinović (SRB) 140 B4
Madan / Мадан (BG) 162 C2
Madara (BG) 157 E2
Madaras (H) 129 F5
Maddaloni (I) 109 H5
Maderuelo (E) 58 C5
Madesimo (I) 101 F2
Madona (LV) 203 F3
Madonna di Campiglio (I) 101 H2
Madrid (E) 64 B2
Madridejos (E) 64 C5
Madrigal de la Vera (E) 63 H4
Madrigal de las Altas Torres (E) 63 H2
Madrigalejo (E) 69 H1
Madrona (E) 64 B1
Madroñera (E) 63 G5
Madžarovo (BG) 163 E1
Maël-Carhaix (F) 42 C2
Maella (E) 60 A5
Mære (N) 183 E4
Maesteg (GB) 34 D2
Mafra (P) 68 A1
Magacela (E) 69 G2
Magallón (E) 59 F4
Magaña (E) 59 E4
Magaz de Pisuerga (E) 58 A4
Magdeburg (D) 86 A2
Magenta (I) 101 E4
Maghera (GB) 23 F2
Magherafelt (GB) 23 F2
Magione (I) 107 E4
Maglaj (BIH) 137 G4
Magliano de' Marsi (I) 109 F2
Magliano in Toscana (I) 106 D5
Magliano Sabina (I) 108 D2
Maglič (SRB) 142 D2
Maglie (I) 111 H5
Măgliž (BG) 159 F2
Magnac-Bourg (F) 49 F3
Magnac-Laval (F) 49 F2
Magnor (N) 189 G5
Magnuszew (PL) 123 E2
Magny-en-Vexin (F) 39 G5
Mágocs (H) 128 D4
Magoúla (GR) 164 D5
Măgura (RO) 152 C2
Magura (SRB) 143 E4
Magyaratád (H) 128 D4
Magyaregregy (H) 128 D4
Magyarmecske (H) 128 D5
Magyarszék (H) 128 D5
Mahilëŭ (BY) 7 E4
Mahlu (FIN) 191 H1
Mahora (E) 65 F5
Mahovo (HR) 135 E3
Mähring (D) 91 G3
Maia (P) 62 B1
Măicăneşti (RO) 152 D1
Maîche (F) 47 G4
Maida (I) 113 C3
Maidenhead (GB) 35 H2
Maidstone (GB) 36 D4
Maienfeld (CH) 99 G3
Măieruş (RO) 152 A1
Maignelay-Montigny (F) 39 H4
Maijanen (FIN) 180 D4
Maillezais (F) 48 C1
Mailly-le-Camp (F) 45 H1
Mainar (E) 65 G1
Mainburg (D) 95 G1
Maintenon (F) 44 D1
Mainz (D) 89 E2
Maiori (I) 109 H5
Mairena del Alcor (E) 69 G5
Maisach (D) 95 F2
Maišiagala (LT) 205 F4
Maison-Neuve (F) 46 C2
Maissau (A) 97 F1
Maizières (F) 41 E5
Maja (HR) 135 E4
Majdan Królewski (PL) 123 E5
Majdanpek (SRB) 141 F5
Majšperk (SLO) 134 D2
Makarska (HR) 138 C2
Makce (SRB) 141 E4
Makedonski Brod (MK) 145 E1
Makó (H) 129 H4
Makov (SK) 132 C1
Makovo (MK) 145 F2
Maków Mazowiecki (PL) 119 E5
Maków Podhalański (PL) 125 G2
Makrasyka (CY) 175 E3
Makrakómi (GR) 165 E2
Mákri (GR) 163 E3
Makrinítsa (GR) 165 G1
Makrochóri (GR) 161 F4
Makryámmos (GR) 162 C3
Makrychóri (Anatolikí Makedonía kai Thrákí) (GR) 162 C3
Makrychóri (Thessalía) (GR) 161 F5
Makrýgialos (GR) 161 F4
Makrygialós (GR) 173 F4
Makryrráchi (GR) 165 E2
Maksamaa / Maxmo (FIN) 185 F5
Maksniemi (FIN) 185 G2
Malå (S) 184 C2
Mala / Mallow (IRL) 24 C4
Mala Bosna (SRB) 140 B1
Mala Krsna (SRB) 141 E4
Mala Subotica (HR) 135 F2
Mala Vyska (UA) 13 G2
Malacky (SK) 132 A3
Maładečna (BY) 6 D4
Málaga (E) 75 E3
Malagón (E) 64 B5
Malahide / Mullach Íde (IRL) 23 G5
Malaja Višera (RUS) 6 D1
Malăk Porovec (BG) 152 C5
Malăk Preslavec (BG) 152 C5
Malalbergo (I) 106 D1
Malandríno (GR) 165 E3
Malaucène (F) 54 D1
Malax / Maalahti (FIN) 191 E1
Malbork (PL) 117 H2
Malbuisson (F) 47 F5
Malcesine (I) 101 H3
Malchin (D) 83 E3
Malchow (D) 83 E4
Malčika (BG) 156 B2
Malczyce (PL) 121 E3
Maldegem (B) 78 B1
Maldon (GB) 36 D3
Małdyty (PL) 118 C2
Malé (I) 101 H2
Male Pijace (SRB) 140 C1
Malechowo (PL) 117 E2
Malente-Gremsmühlen (D) 82 B2
Malesherbes (F) 45 E2
Malesína (GR) 165 G3
Malestroit (F) 43 E3
Malgrat de Mar (E) 61 E3
Mali Iđoš (SRB) 140 B2
Mali Lošinj (HR) 136 A4
Mali Požarevac (SRB) 140 D4
Mali Zvornik (SRB) 137 H4
Malia (CY) 174 C4
Mália / Μάλια (GR) 170 C5
Malicorne-sur-Sarthe (F) 43 H3
Mălini (RO) 148 B2
Malinska (HR) 134 B4
Maliq (AL) 144 D3
Mališevo (SRB) 142 D4
Maliskylä (FIN) 185 H4
Małkinia Górna (PL) 119 F5
Malko Gradište (BG) 163 E1
Malko Šarkovo (BG) 159 H3
Malko Tărnovo (BG) 157 F5
Mallaig (GB) 28 D4
Mallén (E) 59 F4
Mallersdorf-Pfaffenberg (D) 91 F5
Malles Venosta/ Mals (I) 101 G1
Mallnitz (A) 96 C4
Mallow / Mala (IRL) 24 C4
Mallwyd (GB) 32 B4
Malm (N) 183 E4
Malmberget (S) 180 B4
Malmedy (B) 79 F3
Malmesbury (GB) 35 G2
Malmköping (S) 197 F1
Malmö (S) 199 E3
Malmslätt (S) 197 E2
Malo (I) 102 D4
Malo-les-Bains (F) 39 H1
Maloarchangel'sk (RUS) 7 G4
Małogoszcz (PL) 122 C4
Maloja (CH) 99 G4
Malojaroslavec (RUS) 7 G2
Małomice (PL) 120 C3
Malomir (BG) 159 G2
Malomirovo (BG) 159 H3
Malorad (BG) 154 D2
Malovăț (RO) 150 D3
Måløy (N) 188 B1
Malpartida de Cáceres (E) 63 F5
Malpartida de Plasencia (E) 63 F4
Malpica de Bergantiños (E) 56 B1
Malpica do Tejo (P) 62 D5
Mals / Malles Venosta (I) 101 G1
Målsnes (N) 176 B4
Malsta (S) 190 B2
Malta (A) 96 C4
Malta (LV) 203 G4
Maltby (GB) 33 E3
Malton (GB) 31 H5
Malu cu Flori (RO) 151 H2
Malu Mare (RO) 151 F4
Maluenda (E) 59 F5
Malung (S) 189 H4
Malungsfors (S) 189 H4
Malveira (P) 68 A1
Malveira (P) 68 A2
Malvik (N) 182 D5
Malyn (UA) 13 E1
Mamarrosa (P) 62 B3
Mamers (F) 44 B2
Mammari (CY) 174 D3
Mammola (I) 113 C4
Mamonovo (RUS) 5 H4
Manacor (E) 67 F3
Manacore (I) 110 D1
Manamansalo (FIN) 187 E3
Manarola (I) 105 F3
Manastir (BG) 162 D1
Mânăstirea (RO) 152 C4
Mânăstirea Humorului (RO) 148 B2
Mânăstireni (RO) 147 E4
Mancha Real (E) 70 D4
Manchester (GB) 32 D3
Manching (D) 95 G1
Manciano (I) 106 D5
Mandal (N) 194 C2
Mandas (I) 112 C4
Mandela (I) 109 E2
Mandelieu-la-Napoule (F) 55 G2
Manderscheid (D) 88 C1
Mándra (Anatolikí Makedonía kai Thrákí) (GR) 163 F2
Mándra (Attikí) (GR) 165 H4
Mandráki (GR) 171 F2
Mandre (HR) 136 A4
Mandria (Óros Ólimbos) (CY) 174 C4
Mandria (Páfos) (CY) 174 B5
Mandrica (BG) 163 E2
Mandrikó (GR) 171 H3
Manduria (I) 111 G4
Măneciu-Ungureni (RO) 152 B2
Manerbio (I) 101 G4
Manětín (CZ) 91 H3
Mánfa (H) 128 D5
Manfredonia (I) 110 D2
Mangalia (RO) 153 F5
Manger (N) 188 A3
Mangualde (P) 62 C3
Maniago (I) 103 F3
Manilva (E) 74 C4
Manisa (TR) 19 G3
Manises (E) 65 H4
Mank (A) 97 F2
Månkarbo (S) 190 B5
Manlleu (E) 60 D2
Mannersdorf am Leithagebirge (A) 97 H2
Mannheim (D) 89 E3
Manole (BG) 159 E3
Manoleasa (RO) 148 C1
Manolič (BG) 159 H1
Manoppello (I) 109 G2
Manorhamilton (IRL) 22 D3
Manosque (F) 55 E2
Manresa (E) 60 D3
Manschnow (D) 87 E1
Mansfeld (D) 86 A3
Mansfield (GB) 33 E3
Mansilla de las Mulas (E) 57 H4
Mansle (F) 49 E2
Mantamádos (GR) 167 F1
Manteigas (P) 62 D3
Mantes-la-Jolie (F) 39 G5
Mantiel (E) 64 D2
Mäntlahti (FIN) 193 F4
Mantorp (S) 197 E3
Mantoúdi (GR) 165 H3
Mantova (I) 101 H5
Mäntsälä (FIN) 191 H4
Mänttä (FIN) 191 H2
Mäntyharju (FIN) 193 F3
Mäntyjärvi (FIN) 187 E1
Mäntyluoto (FIN) 191 E3
Manzanares (E) 71 E1
Manzanares el Real (E) 64 B2
Manzaneda (E) 57 E4
Manzanera (E) 65 G3
Manzat (F) 50 A2
Manziana (I) 108 D2
Maó / Mahón (E) 67 H2
Maqellarë (AL) 144 D1
Maqueda (E) 64 A3
Maranchón (E) 65 E1
Maranello (I) 105 H3
Marano (I) 103 G3
Marano di Napoli (I) 109 G5
Marans (F) 48 C1
Mărăşeşti (RO) 152 D1
Maratea (I) 110 C5
Marateca (P) 68 B2
Marathéa (GR) 165 E1
Marathiás (GR) 165 E3
Marathókampos (GR) 167 F5
Marathónas (GR) 166 B4
Marathópoli (GR) 168 B3
Márathos (GR) 165 G1
Marathovounos (CY) 174 B1
Marbach am Neckar (D) 89 F4
Mårbacka (S) 189 G5
Marbella (E) 74 D4
Marburg (D) 85 E5
Marby (S) 183 F5
Marcali (H) 128 C4
Marcaltő (H) 128 C2
Marčana (HR) 134 A5
Mărčevo (BG) 154 D2
March (GB) 33 G4
Marchamalo (E) 64 C2
Marchaux (F) 47 F4
Marche-en-Famenne (B) 79 E4
Marchegg (A) 97 H1
Marchena (E) 69 H5
Marchenoir (F) 44 D3
Marchiennes (F) 40 A2
Marciac (F) 52 D3
Marciana Marina (I) 106 B5
Marcianise (I) 109 G5
Marcigny (F) 50 B2
Marcilla (E) 59 F3
Marcillac-Vallon (F) 53 H1
Marcillat-en-Combraille (F) 49 H2
Marcilly-le-Hayer (F) 45 G2
Marcinkonys (LT) 205 F5
Marckolsheim (F) 47 H2
Marco de Canaveses (P) 62 C1
Marcoule (F) 54 C1
Mardec (BG) 159 G3
Marene (I) 104 C2
Marennes (F) 48 C2
Marentes (E) 57 E2
Mareuil (F) 49 E3
Mareuil-sur-Lay (F) 48 B1
Margate (GB) 37 E4
Margherita di Savoia (I) 110 D2
Marghita (RO) 146 D2
Marginea (RO) 148 B1
Margonin (PL) 117 F5
Margueritte (F) 54 C2
María (E) 71 G4
Maria Saal (A) 96 D5
Maria Taferl (A) 97 E1
Mariannelund (S) 197 E4
Mariánské Lázně (CZ) 91 G3

Mariazell *(A)* 97 F2
Maribo *(DK)* 198 D4
Maribor *(SLO)* 134 D1
Mariborsko Pohorje *(SLO)* 134 D1
Mariefred *(S)* 197 F1
Mariehamn *(FIN)* 190 D5
Marienberg *(D)* 86 D5
Marienstedt *(D)* 82 C4
Mariestad *(S)* 195 H2
Marignane *(F)* 54 D3
Marigny-le-Châtel *(F)* 45 G2
Marigny-Le-Lozon *(F)* 38 C5
Marija Bistrica *(HR)* 135 E2
Marijampolė *(LT)* 205 E4
Marikostinovo *(BG)* 161 H2
Marín *(E)* 56 B4
Marina *(HR)* 138 B2
Marina di Camerota *(I)* 110 C5
Marina di Campo *(I)* 106 B5
Marina di Carrara *(I)* 105 F4
Marina di Castagneto-Donoratico *(I)* 105 G5
Marina di Gioiosa Ionica *(I)* 113 C4
Marina di Grosseto *(I)* 106 C5
Marina di Leuca *(I)* 114 F1
Marina di Massa *(I)* 105 F4
Marina di Pietrasanta *(I)* 105 G4
Marina di Pisa *(I)* 105 G4
Marina di Ragusa *(I)* 115 F5
Marina di Ravenna *(I)* 107 E1
Marina di Torre Grande *(I)* 112 B3
Marinella *(I)* 114 B3
Marineo *(I)* 114 D3
Marines *(F)* 39 G5
Maringues *(F)* 50 A2
Marinha Grande *(P)* 62 A4
Marinka *(BG)* 157 F4
Marinkainen *(FIN)* 185 F4
Marino *(I)* 109 E3
Mărișel *(RO)* 147 E4
Marismas del Odiel, paraje natural de las *(E)* 74 A2
Maritsa / Марица *(BG)* 158 D3
Märjamaa *(EST)* 200 D2
Marjaniemi *(FIN)* 185 G2
Marjna Horka *(BY)* 6 D4
Markaryd *(S)* 195 G5
Markdorf *(D)* 94 D3
Market Drayton *(GB)* 32 D4
Market Harborough *(GB)* 33 F5
Market Rasen *(GB)* 33 F3
Market Weighton *(GB)* 33 F2
Markethill *(GB)* 23 F3
Markgröningen *(D)* 89 F4
Marki *(PL)* 122 D1
Markina-Xemein *(E)* 58 D1
Märkisch Buchholz *(D)* 86 D2
Markkleeberg *(D)* 86 C4
Markneukirchen *(D)* 91 F2
Markópoulo (Iónia Nisiá) *(GR)* 164 C4
Markópoulo (Marathónas) *(GR)* 165 H5
Markópoulo (Vougliaméni) *(GR)* 165 H4
Markovac (Velika Plana) *(SRB)* 141 E5
Markovac (Vršac) *(SRB)* 141 E3
Markovo *(BG)* 157 E3
Markranstädt *(D)* 86 B4
Markt Erlbach *(D)* 89 H3
Markt Indersdorf *(D)* 95 F1
Markt Sankt Florian *(A)* 96 D2
Marktbreit *(D)* 89 G2
Marktheidenfeld *(D)* 89 G2
Marktl *(D)* 96 B2
Marktoberdorf *(D)* 95 E3
Marktredwitz *(D)* 91 F3
Markušica *(HR)* 137 G2
Marl *(D)* 84 C3
Marlborough *(GB)* 35 G2
Marle *(F)* 40 B4
Marlenheim *(F)* 47 G1
Marlow *(D)* 83 E2
Marlow *(GB)* 35 H2
Marmande *(F)* 48 D5
Marmári *(GR)* 166 B4
Marmaris *(TR)* 19 H4
Mármaro *(GR)* 167 E3
Marmolejo *(E)* 70 C3
Marmoutier *(F)* 47 G1
Marnay *(F)* 47 E4
Marne *(D)* 81 G3
Marnitz *(D)* 82 D4
Marnovo Manastir *(MK)* 145 F2
Marolles-les-Braults *(F)* 44 B2
Maróneia *(GR)* 162 D3
Maroni *(CY)* 174 D4
Maroslele *(H)* 129 H4
Marostica *(I)* 103 E4
Marotta *(I)* 107 G3
Márpissa *(GR)* 170 C2
Marquartstein *(D)* 95 H3
Marquion *(F)* 40 A3
Marquise *(F)* 39 G1
Marradi *(I)* 106 D2
Marraskoski *(FIN)* 181 E5
Mars-la-Tour *(F)* 41 E5
Marsaglia *(I)* 105 E2
Marsala *(I)* 114 B3
Marsberg *(D)* 85 F3
Marsciano *(I)* 107 F5
Marseillan *(F)* 54 A3
Marseille *(F)* 54 D3
Marseille-en-Beauvaisis *(F)* 39 G4
Marsico Nuovo *(I)* 110 C4
Marske-by-the-Sea *(GB)* 31 H4
Märsta *(S)* 197 G1
Marstal *(DK)* 198 C4
Marstrand *(S)* 195 F3
Marta *(I)* 108 C1
Martano *(I)* 111 H5
Martel *(F)* 49 G5
Martelange *(B)* 79 E5
Martfű *(H)* 129 G3
Marthon *(F)* 49 E3
Martignacco *(I)* 103 G3
Martigné-Ferchaud *(F)* 43 F3
Martigny *(CH)* 98 C5
Martigny-les-Bains *(F)* 47 E2
Martigues *(F)* 54 D3
Martim Longo *(P)* 68 D5
Martin *(SK)* 132 C2
Martin Brod *(BIH)* 136 C4
Martín de la Jara *(E)* 74 D2
Martín de Yeltes *(E)* 63 F2
Martina *(CH)* 99 H3
Martina Franca *(I)* 111 F4
Martinengo *(I)* 101 F4
Martinet *(E)* 60 C2
Martingança *(P)* 62 A4
Martinniemi *(FIN)* 185 H2
Martinšćica *(HR)* 134 B5
Martis *(I)* 112 B1
Martjanci *(SLO)* 135 E1
Martofte *(DK)* 198 C3
Martonvaara *(FIN)* 187 G5
Martonvásár *(H)* 129 E2
Martorell *(E)* 60 D4
Martos *(E)* 70 D4
Martti *(FIN)* 181 F4
Marttila *(FIN)* 191 F4
Marvão *(P)* 62 D5
Marvejols *(F)* 50 A5
Marykirk *(GB)* 29 H5
Marynin *(PL)* 123 G3
Maryport *(GB)* 31 E4
Mas-Cabardès *(F)* 53 H3
Mas de Barberans *(E)* 60 A5
Mas de las Matas *(E)* 65 H1
Masegoso de Tajuña *(E)* 64 D2
Masevaux-Niederbruck *(F)* 47 G3
Masi *(N)* 176 D4
Masku *(FIN)* 191 F4
Maslenica *(HR)* 136 B4
Maslinica *(HR)* 138 B2
Maslovare *(BIH)* 137 F4
Maspalomas *(E)* 67 G5
Massa *(I)* 105 G4
Massa Fiscaglia *(I)* 107 E1
Massa Marittima *(I)* 106 C4
Massa Martana *(I)* 107 F5
Massafra *(I)* 111 F4
Massamagrell *(E)* 65 H4
Massarosa *(I)* 105 G4
Massat *(F)* 53 F4
Masseube *(F)* 53 E3
Massiac *(F)* 50 A4
Massiaru *(EST)* 200 D4
Mastichári *(GR)* 171 F2
Masty *(BY)* 6 C5
Masueco *(E)* 63 F1
Maszewo (Szczecin) *(PL)* 116 C3
Maszewo (Zielona Gora) *(PL)* 120 C2
Mátala *(GR)* 172 D4
Matalascañas *(E)* 74 A2
Matalebreras *(E)* 59 E4
Matallana de Torío *(E)* 57 G3
Mataró *(E)* 61 E3
Mataruška Banja *(SRB)* 142 D1
Mătăsari *(RO)* 151 E3
Matca *(RO)* 152 D1
Matejče *(MK)* 143 F5
Matelica *(I)* 107 G4
Matera *(I)* 111 E4
Mateševo *(MNE)* 139 G4
Mátészalka *(H)* 131 F1
Mateus *(P)* 62 D1
Matfors *(S)* 190 B2
Matha *(F)* 48 D2
Máti *(GR)* 166 B4
Matignon *(F)* 43 E1
Matiši *(LV)* 203 E1
Matka *(MK)* 143 E5
Matku *(FIN)* 191 G4
Matlock *(GB)* 33 E3
Matosinhos *(P)* 62 B1
Matour *(F)* 50 C1
Matrei am Brenner *(A)* 95 G4
Matrei in Osttirol *(A)* 95 H4
Mattersburg *(A)* 97 G2
Mattighofen *(A)* 96 C2
Mattinata *(I)* 110 D2
Mattmar *(S)* 183 F5
Mattsee *(A)* 96 B2
Mattsmyra *(S)* 190 A3
Matulji *(HR)* 134 B4
Maubeuge *(F)* 40 B2
Maubourguet *(F)* 52 D3
Maubuisson *(F)* 48 B4
Mauchline *(GB)* 30 C2
Mauerkirchen *(A)* 96 B2
Mauguio *(F)* 54 B2
Maula *(FIN)* 185 G1
Maulbronn *(D)* 89 E4
Mauléon *(F)* 43 G5
Mauléon-Barousse *(F)* 53 E4
Mauléon-Licharre *(F)* 52 B3
Maure-de-Bretagne *(F)* 43 E3
Mauriac *(F)* 49 H4
Mauron *(F)* 43 E2
Maurs *(F)* 49 H5
Mautern in Steiermark *(A)* 97 E3
Mauterndorf *(A)* 96 C4
Mauthausen *(A)* 97 E1
Mauthen *(A)* 96 B5
Mauvezin *(F)* 53 E2
Mauzé-sur-le-Mignon *(F)* 48 C2
Mavréli *(GR)* 161 E5
Mavrochóri *(GR)* 160 D4
Mavrokklísi *(GR)* 163 F2
Mavroléfki *(GR)* 162 B3
Mavrommáta *(GR)* 165 E2
Mavrommáti *(GR)* 168 C3
Mavronéri *(GR)* 161 G3
Mavrove *(AL)* 144 C4
Mavrovi Anovi *(MK)* 144 D1
Mavrovo *(MK)* 144 D1
Mavrovoúni (Kentrikí Makedonía) *(GR)* 161 F3
Mavrovoúni (Thessalía) *(GR)* 165 F1
Maxhütte *(D)* 91 F5
Măxineni *(RO)* 153 E2
Maxmo / Maksamaa *(FIN)* 185 F5
Mayáls *(E)* 60 B4
Maybole *(GB)* 30 C3
Mayen *(D)* 88 C1
Mayenne *(F)* 43 H2
Mayerling *(A)* 97 G2
Mayet *(F)* 44 B3
Maynooth *(IRL)* 23 F5
Mayorga *(E)* 57 H4
Mayrhofen *(A)* 95 G4
Mazagón *(E)* 69 E5
Mazagran *(F)* 40 C4
Mazamet *(F)* 53 H3
Mazara del Vallo *(I)* 114 B3
Mazarakiá *(GR)* 164 B1
Mazarete *(E)* 65 E1
Mazarrón *(E)* 72 D4
Mažeikiai *(LT)* 204 C1
Mazères *(F)* 53 F3
Mázi *(GR)* 160 C5
Mazières-en-Gâtine *(F)* 48 D1
Mazotos *(CY)* 175 E4
Mazsalaca *(LV)* 203 E1
Mazyr *(BY)* 7 E5
Mazzarino *(I)* 115 E4
Mazzarò *(I)* 115 G3
Mcensk *(RUS)* 7 G3
Mealhada *(P)* 62 B3
Meaux *(F)* 40 A5
Mechelen (Malines) *(B)* 78 C2
Mečka *(BG)* 152 B5
Meckenbeuren *(D)* 94 D3
Mêda *(P)* 62 D2
Međa *(SRB)* 140 D2
Medak *(HR)* 136 B4
Mede *(I)* 100 D5
Medebach *(D)* 85 E4
Međeđa *(BIH)* 139 F1
Medelim *(P)* 62 D4
Medellín *(E)* 69 G1
Medemblik *(NL)* 77 E3
Meden Buk *(BG)* 163 E2
Meden Kladenec *(BG)* 159 G2
Medeni Poljani *(BG)* 161 H1
Medgidia *(RO)* 153 F4
Medgyesegyháza *(H)* 130 D4
Mediaș *(RO)* 147 G5
Medicina *(I)* 106 D1
Medina Azahara *(E)* 70 B4
Medina de Pomar *(E)* 58 C2
Medina de Rioseco *(E)* 57 H5
Medina del Campo *(E)* 63 H1
Medina-Sidonia *(E)* 74 B4
Medinaceli *(E)* 65 E1
Medkovec *(BG)* 151 E5
Médousa *(GR)* 162 C2
Medovo *(BG)* 157 F4
Mędrzechów *(PL)* 122 D5
Medulin *(HR)* 134 A5
Međumajdam *(HR)* 135 E4
Meduno *(I)* 103 G3
Međurečje *(SRB)* 139 H2
Medveđa *(SRB)* 143 F3
Medveja *(HR)* 134 B4
Medviđa *(HR)* 136 C5
Medvode *(SLO)* 134 B2
Medyka *(PL)* 127 G1
Medyn' *(RUS)* 7 G3
Medzilaborce *(SK)* 133 H2
Medžitlija *(MK)* 145 F3
Meerane *(D)* 86 C5
Meersburg *(D)* 94 C3
Mefjordbotn *(N)* 176 A4
Mefjordvær *(N)* 176 A4
Méga Déreio *(GR)* 163 E2
Méga Monastíri *(GR)* 165 F1
Megáli Panagía *(GR)* 161 H4
Megáli Vólvi *(GR)* 161 H3
Megálo Chorió (Agathonísi) *(GR)* 171 G3
Megálo Chorió (Stereá Elláda) *(GR)* 165 E2
Megálo Chorió (Tílos) *(GR)* 171 F1
Megalochóri (Attikí) *(GR)* 165 G5
Megalochóri (Thessalía) *(GR)* 165 E1
Megalópoli / Μεγαλόπολη *(GR)* 168 C2
Megálos Prínos *(GR)* 162 C3
Mégara / Μέγαρα *(GR)* 165 G4
Megève *(F)* 51 F2
Megísti *(GR)* 171 H1
Megyaszó *(H)* 126 D5
Mehamn *(N)* 177 F1
Mehedeby *(S)* 190 B4
Mehikoorma *(EST)* 201 G4
Mehun-sur-Yèvre *(F)* 45 E5
Meigle *(GB)* 29 F5
Meijel *(NL)* 79 E1
Meilen *(CH)* 99 E2
Meillant *(F)* 45 F5
Meimoa *(P)* 62 D3
Meina *(I)* 100 D3
Meinerzhagen *(D)* 84 D4
Meiningen *(D)* 85 H5
Meira *(E)* 57 E2
Meiringen *(CH)* 98 D3
Meisenheim *(D)* 88 D2
Meißen *(D)* 86 D4
Meitingen *(D)* 89 H5
Mel *(I)* 103 E3
Melalahti *(FIN)* 187 F3
Mélampes *(GR)* 172 C3
Melaniós *(GR)* 167 E3
Melánthi *(GR)* 160 D4
Melátes *(GR)* 164 D1
Melbeck *(D)* 82 B5
Melbu *(N)* 179 F2
Meldal *(N)* 182 C5
Meldola *(I)* 107 E2
Meldorf *(D)* 81 G3
Melegnano *(I)* 101 E4
Melenci *(SRB)* 140 C2
Melendugno *(I)* 111 H4
Melfi *(I)* 110 C3
Melgaço *(P)* 56 C4
Melgar de Abajo *(E)* 57 H4
Melgar de Fernamental *(E)* 58 B3
Melhus *(N)* 182 D5
Melía *(GR)* 165 F1
Melide *(E)* 56 C2
Melides *(P)* 68 B3
Meligalás *(GR)* 168 C3
Melíki *(GR)* 161 F4
Melilli *(I)* 115 G4
Melinești *(RO)* 151 F3
Mélisey *(F)* 47 F3
Mélissa *(GR)* 162 C3
Melíssi *(GR)* 165 F4
Melissochóri *(GR)* 165 G4
Melissópetra *(GR)* 160 C4
Melito di Porto Salvo *(I)* 115 H3
Melívoia *(GR)* 162 C2
Melk *(A)* 97 F1
Melksham *(GB)* 35 F2
Mellansel *(S)* 184 C5
Melle *(D)* 85 E2
Melle *(F)* 48 D2
Mellendorf *(D)* 85 G1
Mellerud *(S)* 195 G2
Mellieha *(M)* 114 C5
Mellilä *(FIN)* 191 F4
Mellin *(D)* 86 A1
Mellingen *(D)* 86 A5
Mellrichstadt *(D)* 89 H1
Melnica *(SRB)* 141 F5
Melnice *(HR)* 134 C5
Melnik *(BG)* 161 H1
Mělník *(CZ)* 92 A2
Melpers *(D)* 85 G5
Melrose *(GB)* 31 E2
Melsungen *(D)* 85 G4
Meltaus *(FIN)* 181 E5
Melton Mowbray *(GB)* 33 F4
Meltosjärvi *(FIN)* 180 D5
Melun *(F)* 45 F2
Melvich *(GB)* 26 A4
Mélykút *(H)* 129 F5
Memaliaj *(AL)* 144 C4
Membrilla *(E)* 71 E1
Membrío *(E)* 63 E5
Memmingen *(D)* 95 E2
Mena *(UA)* 7 F5
Menaggio *(I)* 101 E3
Menai Bridge *(GB)* 32 A3
Menasalbas *(E)* 64 A4
Menat *(F)* 50 A2
Mendavia *(E)* 59 E3
Mende *(F)* 50 B5
Menden *(D)* 84 D3
Mendenítsa *(GR)* 165 F3
Mendrisio *(CH)* 99 F5
Menen *(B)* 78 B2
Menesjärvi *(FIN)* 177 F5
Menetés *(GR)* 171 F5
Menfi *(I)* 114 C3
Ménfőcsanak *(H)* 128 C1
Mengamuñoz *(E)* 63 H3
Mengara *(I)* 107 F4
Mengen *(D)* 94 C2
Mengeš *(SLO)* 134 C2
Mengíbar *(E)* 70 D4
Mengiševo *(BG)* 159 G1
Menídi *(GR)* 164 D2
Ménigoute *(F)* 48 D1
Meniko *(CY)* 174 D3
Mennetou-sur-Cher *(F)* 45 E4
Mens *(F)* 51 E5
Mentana *(I)* 109 E2
Menthon *(F)* 51 F2
Menton *(F)* 55 H2
Méntrida *(E)* 64 B3
Meppel *(NL)* 77 F3
Meppen *(D)* 84 D1
Mequinenza *(E)* 60 A4
Mer *(F)* 44 D3
Merag *(HR)* 134 B5
Meråker *(N)* 183 E5
Meran / Merano *(I)* 101 H2
Merano / Meran *(I)* 101 H2
Merate *(I)* 101 F4
Mercatale *(I)* 107 F3
Mercatale *(I)* 107 E4
Mercatino Conca *(I)* 107 F3
Mercato San Severino *(I)* 109 H5
Mercato Saraceno *(I)* 107 E2
Merćez *(SRB)* 143 E2
Mercœur *(F)* 49 G4
Merdrignac *(F)* 43 E2
Mere *(GB)* 35 F3
Merei *(RO)* 152 C2
Méréville *(F)* 45 E2
Mergozzo *(I)* 100 D3
Méribel *(F)* 51 F3
Mérichas *(GR)* 169 G2
Meričleri *(BG)* 159 F3
Mérida *(E)* 69 F1
Mérignac *(F)* 48 C5
Merijärvi *(FIN)* 185 G4
Merikarvia *(FIN)* 191 E2
Mering *(D)* 95 F2
Merișani *(RO)* 151 G3
Merkendorf *(D)* 89 H3
Merkinė *(LT)* 205 E5
Merklingen *(D)* 89 G5
Mernye *(H)* 128 D4
Merošina *(SRB)* 143 F2
Mers-les-Bains *(F)* 39 F3
Mersch *(L)* 79 F5
Merseburg *(D)* 86 B4
Mersevát *(H)* 128 C2
Mērsrags *(LV)* 202 C2
Merthyr Tydfil *(GB)* 35 E1
Mértola *(P)* 68 D4
Méru *(F)* 39 H5
Merville *(F)* 39 H2
Merville-Franceville *(F)* 38 D5

Méry-sur-Seine (F) 45 H 2
Merzig (D) 88 B 3
Mesa Geitonia (CY) 174 D 5
Mesagne (I) 111 G 4
Mesanagrós (GR) 171 H 4
Mesão Frio (P) 62 C 1
Meschede (D) 85 E 4
Mescherin (D) 83 H 4
Meschers-sur-Gironde (F) 48 C 3
Mešeišta (MK) 145 E 2
Mesići (BIH) 137 H 5
Mesihovina (BIH) 138 C 2
Mesiméri (GR) 161 G 4
Meškuičiai (LT) 205 E 1
Meslay-du-Maine (F) 43 H 3
Mesocco (CH) 99 F 4
Mesochóra (GR) 164 D 1
Mesochóri (Nótio Aigaío) (GR) 171 F 5
Mesochóri (Thessalía) (GR) 161 E 5
Mesogi (CY) 174 B 4
Mesola (I) 103 F 5
Mesolóngi / Μεσολόγγι (GR) 164 D 3
Mesón do Vento (E) 56 C 2
Mesopótamo (GR) 164 C 1
Mesoraca (I) 113 C 3
Mesótopos (GR) 167 E 2
Mespelbrunn (D) 89 F 2
Meßdorf (D) 86 A 1
Messei (F) 43 H 1
Messelt (N) 189 F 3
Messina (I) 115 G 2
Messíni / Μεσσήνη (GR) 168 C 3
Meßkirch (D) 94 C 2
Messlingen (S) 189 G 1
Meßstetten (D) 94 C 2
Mestá (GR) 167 E 4
Mestanza (E) 70 D 2
Mésti (GR) 163 E 3
Mestlin (D) 82 D 4
Město Albrechtice (CZ) 93 F 2
Mestre (I) 103 F 4
Mesvres (F) 45 H 5
Mesztegnyő (H) 128 C 4
Metajna (HR) 136 B 4
Metaljka (BIH) 139 F 2
Metallikó (GR) 161 G 3
Metamórfosi (GR) 161 H 4
Metaxádes (GR) 163 E 2
Meteliai (LT) 205 E 5
Méthana / Μέθανα (GR) 165 G 5
Methil (GB) 31 E 1
Methóni / Μεθώνη (Pelopónnisos) (GR) 168 B 3
Methóni (Kentrikí Makedonía) (GR) 161 F 4
Metković (HR) 138 D 3
Metličina (BG) 157 F 2
Metlika (SLO) 134 D 3
Metnitz (A) 96 D 4
Metóchi (Stereá Elláda) (GR) 166 B 3
Metóchi (Thessalía) (GR) 165 G 2
Metsäkyla (FIN) 187 F 2
Metsäkylä (FIN) 193 F 4
Metsämaa (FIN) 191 G 4
Métsovo / Μέτσοβο (GR) 160 D 5
Mettingen (D) 84 D 1
Mettlach (D) 88 B 3
Mettmann (D) 84 C 4
Metz (F) 41 E 5
Metzervisse (F) 41 F 4
Metzingen (D) 89 F 5
Meulan (F) 39 G 5
Meung-sur-Loire (F) 44 D 3
Meursault (F) 46 D 5
Meuselwitz (D) 86 B 4
Mevagissey (GB) 34 C 5
Meximieux (F) 50 D 2
Meyenburg (D) 83 E 4
Meymac (F) 49 H 3
Meyrueis (F) 54 A 1
Meyzieu (F) 50 D 3
Mezdra (BG) 155 E 3
Mèze (F) 54 B 3
Mézel (F) 55 F 1
Mežica (SLO) 134 C 1
Mézidon (F) 38 D 5
Mézières-en-Brenne (F) 44 D 5
Mézières-sur-Issoire (F) 49 F 2
Mézin (F) 52 D 1
Mezőberény (H) 130 D 3
Mezőcsát (H) 129 H 1
Mezőfalva (H) 129 E 3
Mezőhegyes (H) 129 H 4
Mezőhék (H) 129 H 3
Mezőkovácsháza (H) 129 H 4
Mezőkövesd (H) 129 H 1
Mezőörs (H) 128 D 2
Mezőszilas (H) 129 E 3
Mezőtúr (H) 129 H 3
Mezquita de Jarque (E) 65 G 2
Mezzano (I) 103 E 3
Mezzolombardo (I) 101 H 3
Mgarr (M) 114 C 5
Mia Milia (CY) 175 E 3
Miajadas (E) 69 G 1
Miastko (PL) 117 E 2
Mica (RO) 147 G 4
Micăsasa (RO) 147 F 5
Michajlov (RUS) 7 H 2
Michałkowo (PL) 119 E 1
Michalovce (SK) 133 H 3
Michałowo (PL) 119 H 4
Micheldorf in Oberösterreich (A) 96 D 2
Michelstadt (D) 89 F 2
Michendorf (D) 86 C 1
Michói (GR) 164 D 4
Michów (PL) 123 F 3
Mickūnai (LT) 205 G 4
Mid Yell (GB) 27 G 1
Middelburg (NL) 78 B 1
Middelfart (DK) 198 C 3
Middelharnis (NL) 76 C 5
Middlesbrough (GB) 31 G 4
Middleton-in-Teesdale (GB) 31 F 4
Middlewich (GB) 32 D 3
Midhurst (GB) 38 D 1
Midleton (IRL) 24 D 4
Midsund (N) 188 C 1
Miechów (PL) 122 C 5
Mięczyn (PL) 123 H 4
Miedes de Aragón (E) 65 F 1
Miedziana Góra (PL) 122 D 4
Międzybrodzie Bialskie (PL) 125 F 2
Międzychód (PL) 116 D 5
Międzygórze (PL) 124 B 1
Międzylesie (PL) 124 B 1
Międzyrzec Podlaski (PL) 123 F 1
Międzyrzecz (PL) 120 D 1
Międzyzdroje (PL) 116 B 2
Miehikkälä (FIN) 193 F 4
Miejska Górka (PL) 121 E 3
Miélan (F) 52 D 3
Mielec (PL) 123 E 5
Mielno (PL) 116 D 2
Mieluskylä (FIN) 185 H 4
Miercurea Ciuc (RO) 148 B 5
Miercurea Nirajului (RO) 147 H 4
Miercurea Sibiului (RO) 147 F 5
Mieres (E) 57 G 2
Mieroszów (PL) 120 D 5
Mierzęcice (PL) 121 H 5
Miesbach (D) 95 G 3
Mieszkowice (PL) 116 B 5
Mietoinen (FIN) 191 F 4
Miettila (FIN) 193 G 3
Miežiškiai (LT) 205 F 2
Migennes (F) 45 G 3
Migliarino (I) 107 E 1
Miglionico (I) 111 E 4
Miguel Esteban (E) 64 D 4
Miguelturra (E) 70 D 1
Mihăeşti (Piteşti) (RO) 151 H 2
Mihăeşti (Slatina) (RO) 151 H 4
Mihai Viteazu (Cluj-Napotica) (RO) 147 F 4
Mihai Viteazu (Constanţa) (RO) 153 F 3
Mihail Kogălniceanu (RO) 153 F 4
Mihăileşti (Bucureşti) (RO) 152 B 4
Mihăileşti (Buzău) (RO) 152 C 3
Mihajlovac (Negotin) (SRB) 141 G 5
Mihajlovac (Smederovo) (SRB) 141 E 4
Mihajlovo (Stara Zagora) (BG) 159 F 2
Mihajlovo (Vraca) (BG) 154 D 2
Mihalkovo (BG) 162 B 1
Mihalţ (RO) 147 F 5
Mihályfa (H) 128 C 3
Mihályi (H) 128 C 2
Mijas (E) 74 D 3
Mijoux (F) 51 E 1
Mikkelbostad (N) 176 A 5
Mikkeli (FIN) 193 F 2
Mikkelvik (N) 176 B 3
Mikleuš (HR) 135 H 3
Mikołajki (PL) 119 E 3
Mikosszéplak (H) 128 B 3
Mikre (BG) 158 D 1
Mikrevo (BG) 161 G 1
Mikrí Doxipára (GR) 163 F 1
Mikrí Mantíneia (GR) 168 C 3
Mikró Déreio (GR) 163 E 2
Mikró Doukáto (GR) 162 D 3
Mikró Eleftherochóri (GR) 161 E 5
Mikrókampos (GR) 161 G 3
Mikrópoli (GR) 161 H 2
Mikrothíves (GR) 165 F 1
Mikstat (PL) 121 G 3
Mikulov (CZ) 93 E 5
Mikulovice (CZ) 93 E 2
Milagro (E) 59 F 3
Miłakowo (PL) 118 C 2
Milano (I) 101 E 4
Milano Marittima (I) 107 F 2
Milanovce (SK) 132 B 4
Milâs (TR) 19 G 4
Mílatos (GR) 170 C 5
Milazzo (I) 115 G 2
Milcoiu (RO) 151 G 2
Milejczyce (PL) 119 G 5
Milejewo (PL) 118 C 2
Milešev Dol (SRB) 139 G 2
Mileševo (SRB) 140 C 2
Milestone (IRL) 24 D 3
Miletići (HR) 136 B 4
Mileto (I) 115 H 1
Milevsko (CZ) 92 A 4
Milford (GB) 36 B 5
Milford Haven / Aberdaugleddau (GB) 25 H 5
Milhão (P) 57 F 5
Milia (CY) 175 E 3
Miliá (Anatolikí Makedonía kai Thráki) (GR) 163 E 1
Miliá (Dytikí Makedonía) (GR) 160 D 4
Miliá (Ípeiros) (GR) 160 D 5
Milići (BIH) 137 H 5
Milicz (PL) 121 F 3
Milín (CZ) 92 A 3
Milína (GR) 165 G 2
Milis (I) 112 B 3
Milişăuţi (RO) 148 B 1
Militello in Val di Catania (I) 115 F 4
Miljevina (BIH) 139 F 2
Millares (E) 65 H 5
Millas (F) 53 H 4
Millau (F) 54 A 1
Millesimo (I) 104 C 3
Millford (IRL) 23 E 1
Millom (GB) 31 E 5
Millport (GB) 30 C 2
Millstatt (A) 96 C 5
Millstreet (IRL) 24 C 4
Milltown Malbay (IRL) 24 B 2
Milly-la-Forêt (F) 45 E 2
Milmarcos (E) 65 F 1
Milmersdorf (D) 83 G 5
Milna (HR) 138 B 2
Miločer (MNE) 139 F 5
Milohnići (HR) 134 B 4
Miłomłyn (PL) 118 C 3
Miloševa Kula (SRB) 141 F 5
Miłosław (PL) 121 F 1
Milówka (PL) 125 F 2
Miltach (D) 91 G 5
Miltenberg (D) 89 F 2
Milton Keynes (GB) 35 H 1
Milutinovic (SRB) 141 G 4
Mimizan (F) 52 B 1
Mimizan-Plage (F) 52 B 1
Mimoň (CZ) 87 F 5
Mina de São Domingos (P) 68 D 4
Minas de Ríotinto (E) 69 F 4
Minaya (E) 65 E 5
Mindelheim (D) 95 E 2
Minden (D) 85 F 2
Mindin (F) 43 E 4
Mindja (BG) 159 F 1
Mindszent (H) 129 G 4
Minehead (GB) 35 E 3
Mineralni Bani (BG) 162 D 1
Minerbe (I) 102 D 5
Minerbio (I) 106 D 1
Minervino Murge (I) 110 D 3
Minglanilla (E) 65 F 4
Mingorría (E) 64 A 2
Minićevo (SRB) 143 G 1
Minkiö (FIN) 191 G 4
Minkowice Oławskie (PL) 121 F 4
Minsk (BY) 6 D 4
Mińsk Mazowiecki (PL) 123 E 1
Minsterley (GB) 32 C 4
Mintlaw (GB) 29 H 3
Mionica (SRB) 140 C 5
Mionnay (F) 50 D 2
Mioveni (RO) 151 H 3
Mira (E) 65 F 4
Mira (I) 103 E 4
Mira (P) 62 B 3
Mira de Aire (P) 62 B 5
Mirabella Imbaccari (I) 115 E 4
Miraflores (E) 58 C 3
Miraflores de la Sierra (E) 64 B 2
Miramar (F) 55 G 2
Miramar (P) 62 B 1
Miramare (I) 107 F 2
Miramas (F) 54 D 2
Mirambeau (F) 48 C 3
Miramont-de-Guyenne (F) 49 E 5
Miranda de Ebro (E) 58 D 2
Miranda del Castañar (E) 63 G 3
Miranda do Corvo (P) 62 B 4
Miranda do Douro (P) 63 F 3
Mirande (F) 52 D 3
Mirandela (P) 63 E 1
Mirandilla (E) 69 F 1
Mirandola (I) 101 H 5
Mirano (I) 103 E 4
Miravci (MK) 145 G 2
Mirebeau (F) 44 B 5
Mirebeau-sur-Bèze (F) 46 D 4
Mirecourt (F) 47 E 2
Mirepoix (F) 53 G 4
Mireşu Mare (RO) 147 E 2
Miribel (F) 50 D 2
Mirkovo (BG) 158 C 1
Mirna (SLO) 134 C 3
Miroševce (SRB) 143 F 3
Miroşi (RO) 151 H 4
Mirosławiec (PL) 116 D 4
Mirotice (CZ) 92 A 4
Mirovice (CZ) 92 A 4
Mirovo (BG) 156 C 3
Mirow (D) 83 E 4
Mirsk (PL) 120 C 4
Mirueña de los Infanzones (E) 63 H 2
Mirzec (PL) 122 D 3
Mišar (SRB) 140 C 4
Misi (FIN) 181 E 5
Misilmeri (I) 114 D 2
Miskolc (H) 126 D 5
Mislinja (SLO) 134 D 1
Mistelbach (A) 97 G 1
Misterbianco (I) 115 F 3
Mistretta (I) 115 E 3
Místros (GR) 165 H 3
Misurina (I) 103 F 2
Misvær (N) 179 F 4
Mitchelstown (IRL) 24 D 3
Míthymna (GR) 167 E 1
Mitrašinci (MK) 145 H 1
Mitrópoli (GR) 165 E 1
Mitsero (CY) 174 D 3
Mittelberg (A) 95 F 4
Mittelberg (A) 95 E 4
Mittenwald (D) 95 F 3
Mittenwalde (D) 86 D 2
Mittersill (A) 95 H 4
Mitterteich (D) 91 F 3
Mittweida (D) 86 C 4
Mižhir'ja (UA) 12 D 3
Mizija (BG) 151 F 5
Mizil (RO) 152 C 3
Mjadzel (BY) 6 D 4
Mjällom (S) 190 C 1
Mjöbäck (S) 195 G 4
Mjölby (S) 196 D 3
Mjøndalen (N) 189 E 5
Mladá Boleslav (CZ) 92 B 2
Mladá Vožice (CZ) 92 B 4
Mladé Buky (CZ) 87 G 5
Mladenovac / Младеновац (SRB) 140 D 5
Mladinovo (BG) 163 E 1
Mlado Nagoričane (MK) 143 F 5
Mława (PL) 118 D 4
Mlini (HR) 139 E 4
Młynary (PL) 118 C 2
Mnichovo Hradiště (CZ) 87 F 5
Mniów (PL) 122 C 4
Mníšek nad Hnilcom (SK) 133 F 3
Mo i Rana (N) 183 G 1
Moaña (E) 56 B 4
Moate (IRL) 23 E 5
Mocejón (E) 64 B 4
Móchlos (GR) 173 F 3
Möckern (D) 86 B 2
Möckmühl (D) 89 F 3
Moclín (E) 70 D 5
Modane (F) 51 G 4
Modbury (GB) 34 D 4
Modelo do Minho (P) 56 B 5
Modelu (RO) 152 D 4
Modena (I) 105 H 2
Módi (GR) 165 F 3
Modica (I) 115 F 5
Modigliana (I) 107 E 2
Modliborzyce (PL) 123 F 4
Mödling (A) 97 G 2
Modra (SK) 132 A 4
Modran (BIH) 135 H 5
Modrava (CZ) 91 H 5
Modriča (BIH) 135 H 5
Modrište (MK) 145 E 1
Modugno (I) 111 E 3
Moëlan-sur-Mer (F) 42 C 3
Moelv (N) 189 F 3
Moen (N) 176 B 4
Moena (I) 103 E 2
Moers (D) 84 C 3
Moffat (GB) 31 E 3
Moftinu Mic (RO) 146 D 1
Mogadouro (P) 63 E 1
Mogente (E) 73 E 1
Mogielnica (PL) 122 D 2
Mogila (MK) 145 F 2
Mogilno (PL) 117 G 5
Moglia (I) 101 H 5
Mogliano Veneto (I) 103 F 4
Moglicë (AL) 144 D 3
Mogón (E) 71 E 3
Mogoş (RO) 147 E 5
Moguer (E) 69 E 5
Mohács (H) 129 E 5
Mohelnice (CZ) 93 E 3
Mohill (IRL) 23 E 4
Möhkö (FIN) 187 H 5
Moholm (S) 195 H 2
Mohyliv-Podil's'kyj (UA) 13 E 2
Moi (N) 194 B 2
Moià (E) 60 D 3
Moie (I) 107 G 3
Moimenta (P) 57 E 5
Moimenta da Beira (P) 62 D 2
Moineşti (RO) 148 C 4
Moirans (F) 51 E 4
Moirans-en-Montagne (F) 51 E 1
Moíres (GR) 172 D 4
Mõisaküla (EST) 201 E 4
Moisdon-la-Rivière (F) 43 F 3
Moisei (RO) 147 G 2
Moisiovaara (FIN) 187 F 3
Moisling (D) 82 C 3
Moissac (F) 53 E 1
Moita (P) 68 B 2
Mojácar (E) 72 C 5
Mojados (E) 58 A 5
Mojkovac (MNE) 139 G 3
Mojstrana (SLO) 134 B 1
Mokra Gora (SRB) 139 G 1
Mokren (BG) 159 G 1
Mokreš (BG) 151 E 5
Mokrin (SRB) 140 D 1
Mokro Polje (HR) 136 C 5
Mokronog (SLO) 134 C 3
Mol (B) 78 D 2
Mol (SRB) 140 C 2
Mola di Bari (I) 111 F 3
Moláoi (GR) 169 E 4
Molat (HR) 136 A 4
Mold / YrWyddgrug (GB) 32 C 3
Moldava nad Bodvou (SK) 133 F 3
Molde (N) 188 C 1
Moldova Nouă (RO) 150 C 3
Moldoveni (RO) 148 C 4
Moldoviţa (RO) 148 A 2
Møldrup (DK) 194 D 5
Molėtai (LT) 205 G 3
Molfetta (I) 111 E 3
Molières (F) 53 F 1
Molina de Aragón (E) 65 F 1
Molina de Segura (E) 73 E 3
Molinella (I) 106 D 1
Molinicos (E) 71 G 2
Molinos (E) 65 H 1
Molins de Rei (E) 60 D 4
Moliterno (I) 110 D 5
Molitg-les-Bains (F) 53 H 5
Molkom (S) 195 H 1
Möllbrücke (A) 96 C 5
Mollerussa (E) 60 B 3
Molliens-Dreuil (F) 39 G 3
Mollina (E) 74 D 2
Mölln (D) 82 C 4
Möllösund (S) 195 F 3
Mölnlycke (S) 195 F 3
Mólos (GR) 165 F 2
Molpe (FIN) 191 E 1
Molsheim (F) 47 G 1
Molve (HR) 135 F 2
Molveno (I) 101 H 3
Mombeltrán (E) 63 H 4
Mombuey (E) 57 F 5
Momčilgrad / Момчилград (BG) 162 D 1
Momčilovci (BG) 162 C 1
Momino Selo (BG) 159 E 2
Mommark (DK) 198 C 4
Momo (I) 100 D 4
Mon Idée (F) 40 C 3
Monaghan / Muineachán (IRL) 23 F 3
Monasterace Marina (I) 113 C 4

Monasterevin (IRL) 25 F2
Monasterio de Rodilla (E) 58 C3
Monastir (I) 112 C5
Monastiráki (Anatolikí Makedonía kai Thráki) (GR) 163 E3
Monastiráki (Dytikí Elláda) (GR) 164 C2
Monbazillac (F) 49 E5
Moncalieri (I) 100 C5
Moncalvo (I) 100 D5
Monção (P) 56 B4
Moncarapacho (P) 68 D5
Mönchdorf (A) 97 E1
Mönchengladbach (D) 84 B4
Monchique (P) 68 B5
Monclar-de-Quercy (F) 53 F2
Moncofa (E) 66 A3
Moncontour (F) 43 E2
Moncontour (F) 43 H5
Moncoutant (F) 48 C1
Monda (E) 74 D3
Mondariz (E) 56 C4
Mondavio (I) 107 G3
Mondéjar (E) 64 C3
Mondello (I) 114 C2
Mondim de Basto (P) 62 C1
Mondolfo (I) 107 G3
Mondoñedo (E) 56 D1
Mondorf-les-Bains (L) 79 F5
Mondoubleau (F) 44 C3
Mondovì (I) 104 C3
Mondragon (F) 54 C1
Mondragon / Arrasate (E) 58 D2
Mondragone (I) 109 G4
Mondsee (A) 96 C2
Moneasa (RO) 146 D4
Monein (F) 52 C3
Monemvasía / Μονεμβασία (GR) 169 E4
Mónesi di Triora (I) 104 C3
Monesterio (E) 69 F3
Monestier-de-Clermont (F) 51 E4
Monestiés (F) 53 G1
Moneygall (IRL) 24 D2
Moneymore (GB) 23 F2
Monfalcone (I) 103 H3
Monflanquin (F) 49 E5
Monforte (P) 68 D1
Monforte de Lemos (E) 56 D3
Monguelfo / Welsberg (I) 103 E1
Monheim (D) 89 H4
Mönichkirchen (A) 97 G3
Monifieth (GB) 29 G5
Mõniste (EST) 201 F5
Monistrol (E) 60 D3
Monistrol-d'Allier (F) 50 B4
Monistrol-sur-Loire (F) 50 C4
Mönkebude (D) 83 G3
Mońki (PL) 119 G3
Monmouth / Trefynwy (GB) 35 F1
Monnickendam (NL) 76 D4
Monodéndri (GR) 160 C5
Monódryo (GR) 166 B3
Monólithos (GR) 171 G3
Monopoli (I) 111 F3
Monor (H) 129 F2
Monor (RO) 147 G3
Monóvar (E) 73 E2
Monpazier (F) 49 F5
Monreal (D) 88 C1
Monreal del Campo (E) 65 F2
Monreale (I) 114 C2
Monroy (E) 63 F5
Monroyo (E) 60 A5
Mons (Bergen) (B) 78 C3
Møns Klint (DK) 199 E4
Monsanto (P) 63 E4
Monsaraz (P) 68 D2
Monschau (D) 84 B5
Monségur (F) 48 D5
Monselice (I) 103 E5
Monsols (F) 50 C2
Mönsterås (S) 197 E4
Monsummano Terme (I) 105 H4
Mont-de-Marsan (F) 52 C2
Mont-Louis (F) 53 G5
Mont-roig del Camp (E) 60 B5
Mont-Saint-Vincent (F) 50 C1
Mont-sous-Vaudrey (F) 47 E5
Montabaur (D) 88 D1
Montagnac (F) 54 A3
Montagnana (I) 102 D5
Montagrier (F) 49 E4
Montaigu (F) 43 F5
Montaigu-de-Quercy (F) 53 E1
Montaigut (F) 50 A2
Montaione (I) 105 H5
Montalbán (E) 65 G1
Montalbo (E) 64 D4
Montalcino (I) 106 D4
Montalegre (P) 56 D5
Montalieu-Vercieu (F) 51 E2
Montalivet-les-Bains (F) 48 B3
Montalto delle Marche (I) 107 H5
Montalto di Castro (I) 108 C2
Montalto Uffugo (I) 113 B2
Montalvão (P) 62 D5
Montamarta (E) 57 G5
Montana (CH) 98 C4
Montana / Монтана (BG) 154 D3
Montañana (E) 59 G5
Montánchez (E) 69 G1
Montanejos (E) 65 H3
Montargil (P) 68 C1
Montargis (F) 45 F3
Montastruc-la-Conseillère (F) 53 F2
Montauban (F) 53 F2
Montauban-de-Bretagne (F) 43 E2
Montbard (F) 45 H4
Montbazens (F) 53 G1
Montbazon (F) 44 C4
Montbéliard (F) 47 G4
Montbenoît (F) 47 F5
Montblanc (E) 60 C4
Montbozon (F) 47 F4
Montbrió del Camp (E) 60 B4
Montbrison (F) 50 C3
Montbron (F) 49 E3
Montceau-les-Mines (F) 50 C1
Montcenis (F) 45 H5
Montchanin (F) 46 C5
Montcornet (F) 40 B4
Montcuq-en-Quercy-Blanc (F) 53 F1
Montdidier (F) 39 H4
Monte-Carlo-Monaco (MC) 55 H2
Monte da Pedra (P) 62 C5
Monte Redondo (P) 62 B4
Monte San Savino (I) 107 E4
Monte Sant' Angelo (I) 110 D2
Monteagudo de las Vicarías (E) 59 E5
Montealegre de Campos (E) 57 H5
Montealegre del Castillo (E) 71 H2
Montebello Ionico (I) 115 H2
Montebello Vicentino (I) 102 D4
Montebelluna (I) 103 E3
Montebourg (F) 38 B4
Montecarotto (I) 107 G3
Montecatini Terme (I) 105 H4
Montecchio (I) 107 F3
Montecchio Maggiore (I) 102 D4
Montech (F) 53 F2
Montecorvino Rovella (I) 110 B4
Montedoro (I) 114 D4
Montefalco (I) 107 F5
Montefalcone di Val Fortore (I) 110 B2
Montefalcone nel Sannio (I) 109 H3
Montefiascone (I) 108 D1
Montefiore dell Aso (I) 107 H4
Montefrío (E) 70 D5
Montegallo (I) 107 G5
Montegiorgio (I) 107 G4
Montegranaro (I) 107 H4
Montegrotto Terme (I) 103 E4
Montehermoso (E) 63 F4
Montejícar (E) 71 E5
Montejo de Tiermes (E) 58 C5
Monteleone di Spoleto (I) 107 G5
Montélimar (F) 50 D5
Montella (I) 110 B4
Montellano (E) 74 C3
Montelupo Fiorentino (I) 105 H4
Montemaggiore Belsito (I) 114 D3
Montemagno (I) 100 D5
Montemayor (E) 70 B4
Montemayor de Pililla (E) 58 A5
Montemor-o-Novo (P) 68 C2
Montemor-o-Velho (P) 62 B3
Montendre (F) 48 D4
Montenegro de Cameros (E) 58 D4
Montenero di Bisaccia (I) 109 H3
Montenero Sabino (I) 109 E2
Montepulciano (I) 107 E4
Montereale (I) 109 F1
Montereale (I) 103 F3
Montereau-Fault-Yonne (F) 45 F2
Monterenzio (I) 106 D2
Monteriggioni (I) 105 H5
Monteroni di Lecce (I) 111 H4
Monterosso al Mare (I) 105 F3
Monterotondo (I) 109 E2
Monterotondo Marittimo (I) 106 C4
Monterroso (E) 56 D3
Monterrubio de la Serena (E) 69 H2
Monterubbiano (I) 107 H4
Montesano sulla Marcellana (I) 110 C5
Montesarchio (I) 109 H4
Montescaglioso (I) 111 E4
Montesilvano Marina (I) 109 G1
Montesquieu-Volvestre (F) 53 F3
Montesquiou (F) 52 D2
Montevarchi (I) 106 D3
Montfaucon (F) 43 G5
Montfaucon-d'Argonne (F) 40 D4
Montfaucon-en-Velay (F) 50 C4
Montfort-en-Chalosse (F) 52 B2
Montfort-l'Amaury (F) 45 E1
Montfort-sur-Meu (F) 43 F2
Montfort-sur-Risle (F) 39 E5
Montgaillard (F) 53 F4
Montgenèvre (F) 51 G4
Montgiscard (F) 53 F3
Montgomery (GB) 32 C5
Montguyon (F) 48 D4
Monthermé (F) 40 C3
Monthey (CH) 98 C4
Monthois (F) 40 C4
Monthureux-sur-Saône (F) 47 E3
Monti (I) 112 C1
Montichiari (I) 101 G4
Monticiano (I) 106 D4
Montiel (E) 71 F2
Montier-en-Der (F) 46 C2
Montignac (F) 49 F4
Montigny-le-Roi (F) 47 E3
Montigny-sur-Aube (F) 46 C3
Montijo (E) 69 F1
Montijo (P) 68 B2
Montilla (E) 70 C5
Montioni (I) 106 C5
Montivilliers (F) 39 E4
Montjean-sur-Loire (F) 43 G4
Montlhéry (F) 45 E1
Montlieu-la-Garde (F) 48 D4
Montlouis-sur-Loire (F) 44 C4
Montluçon (F) 49 H1
Montluel (F) 50 D2
Montmarault (F) 50 A1
Montmartin-sur-Mer (F) 38 B5
Montmédy (F) 40 D4
Montmélian (F) 51 F3
Montmirail (F) 40 B5
Montmirail (F) 44 C3
Montmirey-le-Château (F) 47 E4
Montmoreau-Saint-Cybard (F) 48 D3
Montmorillon (F) 49 F1
Montmort (F) 40 B5
Montodine (I) 101 F4
Montoggio (I) 105 E2
Montoire-sur-le-Loir (F) 44 C3
Montoito (P) 68 D2
Montorio al Vomano (I) 109 F1
Montoro (E) 70 C4
Montpellier (F) 54 B2
Montpezat-de-Quercy (F) 53 F1
Montpezat-sous-Bauzon (F) 50 C5
Montpon-Ménestérol (F) 48 D4
Montpont-en-Bresse (F) 50 D1
Montréal (F) 52 D2
Montréal (F) 53 G3
Montréal-la-Cluse (F) 51 E2
Montredon-Labessonnié (F) 53 G2
Montréjeau (F) 53 E4
Montrésor (F) 44 D5
Montresta (I) 112 B2
Montret (F) 50 D1
Montreuil (F) 39 G2
Montreuil-Bellay (F) 43 H5
Montreux (CH) 98 B4
Montrevault (F) 43 G4
Montrevel-en-Bresse (F) 50 D1
Montrichard Val-de-Cher (F) 44 D4
Montrond-les-Bains (F) 50 C3
Montrose (GB) 29 G5
Monts-sur-Guesnes (F) 44 B5
Montsalvy (F) 49 H5
Montsauche (F) 45 H4
Montseny (E) 61 E3
Montserrat (E) 65 H5
Montsûrs (F) 43 H2
Montuenga (E) 64 A1
Montuïri (E) 67 F3
Monza (I) 101 E4
Monzón (E) 60 A3
Monzón de Campos (E) 58 A4
Moordorf (D) 81 E4
Moosburg an der Isar (D) 95 G1
Mór (H) 128 D2
Mora (E) 64 B4
Mora (P) 68 C1
Mora (S) 189 H4
Mora de Rubielos (E) 65 H3
Móra d'Ebre (E) 60 B5
Móra la Nova (E) 60 B5
Morąg (PL) 118 C2
Mórahalom (H) 129 G5
Moraira (E) 66 A5
Morais (P) 63 E1
Moraïtika (GR) 164 B1
Morakovo (MNE) 139 G4
Moral de Calatrava (E) 70 D2
Moraleda de Zafayona (E) 70 D5
Moraleja (E) 63 E4
Moraleja de Sayago (E) 63 G1
Moraleja del Vino (E) 63 G1
Morales de Rey (E) 57 G4
Morales de Toro (E) 63 H1
Morano Calabro (I) 113 B1
Morărești (RO) 151 G2
Mörarp (S) 199 E3
Morasverdes (E) 63 F3
Morata de Jalón (E) 59 F5
Morata de Tajuña (E) 64 C3
Moratalla (E) 71 H3
Moravče (SLO) 134 C2
Moravci-v-Slovenskih Goricah (SLO) 135 E1
Moravica (BG) 156 C3
Moravice (HR) 134 C4
Moravița (RO) 150 B2
Morávka (CZ) 93 G3
Moravská Třebová (CZ) 93 E3
Moravské Budějovice (CZ) 92 D5
Moravske Toplice (SLO) 135 E1
Moravský Beroun (CZ) 93 F3
Moravský Krumlov (CZ) 92 D5
Morbach (D) 88 C2
Morbegno (I) 101 F3
Mörbisch (A) 97 H2
Mörbylånga (S) 197 E5
Morcenx (F) 52 B1
Morciano di Romagna (I) 107 F3
Morcone (I) 109 H4
Morcote (CH) 99 F5
Mordelles (F) 43 F2
Mordy (PL) 123 F1
Morecambe (GB) 32 C1
Moreda (E) 71 E5
Morée (F) 44 D3
Morella (E) 66 A1
Moreni (RO) 152 A3
Mores (I) 112 B2
Morestel (F) 51 E3
Moret-sur-Loing (F) 45 F2
Moreton (GB) 35 G1
Moretonhampstead (GB) 34 D4
Moreuil (F) 39 H3
Morez (F) 51 E1
Morfasso (I) 105 F2
Mórfio (GR) 164 B1
Morfou (CY) 174 C3
Morgat (F) 42 B2
Morges (CH) 98 B4
Morgex (I) 100 B3
Morhange (F) 41 F5
Mori (I) 101 H3
Morina (SRB) 139 H4
Moritzburg (D) 86 D4
Morjärv (S) 185 F1
Morlaàs (F) 52 C3
Morlaix (F) 42 C1
Mormanno (I) 113 B1
Mormant (F) 45 F1
Mormoiron (F) 54 D1
Mornant (F) 50 C3
Moroeni (RO) 152 A2
Morón de Almazán (E) 59 E5
Morón de la Frontera (E) 74 C2
Morosaglia (F) 55 H3
Morović (SRB) 137 H3
Morpeth (GB) 31 G3
Morro Jable (E) 67 H5
Mörrum (S) 199 G3
Morsbach (D) 84 D5
Mörsil (S) 183 F5
Mörskom / Myrskylä (FIN) 193 E4
Morsleben (D) 86 A2
Mortagne-au-Perche (F) 44 C2
Mortagne-sur-Gironde (F) 48 C3
Mortagne-sur-Sèvre (F) 43 G5
Mortágua (P) 62 C3
Mortain-Bocage (F) 43 G1
Mortara (I) 100 D4
Morteau (F) 47 F5
Mortrée (F) 44 B1
Moryń (PL) 116 B5
Morzine (F) 51 G2
Mosbach (D) 89 F3
Mosby (N) 194 C2
Mošćenice (HR) 134 B4
Mošćenička Draga (HR) 134 B4
Moschendorf (A) 97 H4
Moschopótamos (GR) 161 F4
Moscou = Moskva (RUS) 7 G2
Moscow = Moskva (RUS) 7 G2
Mosina (PL) 121 E1
Mosjøen (N) 183 F1
Mosko (BIH) 139 E4
Moskosel (S) 184 D1
Moskva (RUS) 7 G2
Moslavina Podravska (HR) 135 H3
Moșna (RO) 149 E3
Mosonmagyaróvár (H) 128 C1
Mosonszolnok (H) 128 C1
Mosqueruela (E) 65 H2
Moss (N) 195 E1
Mossala (FIN) 191 E5
Mossat (GB) 29 G4
Mössingen (D) 89 F5
Most (BG) 162 D1
Most (CZ) 86 D5
Most na Soči (SLO) 134 A2
Mosta (M) 114 C5
Mostar (BIH) 138 D2
Mosteiro (E) 56 B3
Mosterhamn (N) 188 A5
Móstoles (E) 64 B3
Mostowo (PL) 117 E2
Mosty (PL) 123 G2
Mostyn (GB) 32 C3
Mostys'ka (UA) 12 C2
Mosvik (N) 182 D4
Moszczenica (PL) 122 B3
Mota del Cuervo (E) 64 D5
Mota del Marqués (E) 57 H5
Motala (S) 196 D2
Motherwell (GB) 30 D2
Motilla del Palancar (E) 65 F4
Motovun (HR) 134 A4
Motril (E) 75 F3
Motru (RO) 151 E3
Motta di Livenza (I) 103 F3
Motta Sant' Anastasia (I) 115 F3
Motta Visconti (I) 101 E4
Mottola (I) 111 F4
Mouchard (F) 47 E5
Moudon (CH) 98 B3
Moúdros (GR) 162 D5
Mougins (F) 55 G2
Mouhijärvi (FIN) 191 F3
Mouilleron-en-Pareds (F) 48 C1
Moulins (F) 50 A1
Moulins-Engilbert (F) 45 H5
Moulins-la-Marche (F) 44 C1
Moult (F) 38 D5
Mount Bellew (IRL) 22 D5
Mountain Ash (GB) 35 E2
Mountmellick (IRL) 25 E2
Mountrath (IRL) 25 E2
Moura (P) 68 D3
Mourão (P) 69 E3
Mourenx (F) 52 C3
Mouríki (GR) 165 G3
Mourmelon-le-Grand (F) 40 C5
Mourniés (GR) 172 B3
Mourujärvi (FIN) 181 G5
Mouscron (B) 78 B2
Moustiers-Sainte-Marie (F) 55 F2
Mouthe (F) 47 F5
Mouthier (F) 47 F5
Mouthoumet (F) 53 H4
Moutier (CH) 98 C2
Moûtiers (F) 51 F3
Moutiers-les-Mauxfaits (F) 48 B1
Moutoullas (CY) 174 C4
Moutsoúna (GR) 170 C1
Mouy (F) 39 H4
Mouzakaíoi (GR) 164 C1
Mouzáki (GR) 165 E1
Mouzon (F) 40 D4
Movila Miresii (RO) 152 D2
Movilița (RO) 152 C3
Moville (IRL) 23 F1
Moyenneville (F) 39 G3
Moyuela (E) 65 G1

Možajsk (RUS) 7 F2
Mozirje (SLO) 134 C2
Mrągowo (PL) 119 E2
Mrakovica (BIH) 135 F5
Mramorak (SRB) 141 E4
Mratinje (MNE) 139 F3
Mrazovac (BIH) 135 E5
Mrčajevci (SRB) 142 D1
Mrežičko (MK) 145 G2
Mrkonjić Grad (BIH) 137 E4
Mrkopalj (HR) 134 C4
Mrocza (PL) 117 F4
Mrzeżyno (PL) 116 C2
Mrzygłód (PL) 122 B5
Mscislaŭ (BY) 7 E4
Mšeno (CZ) 87 F5
Mszana Dolna (PL) 125 G2
Mszczonów (PL) 122 C2
Mtarfa (M) 114 C5
Muccia (I) 107 G4
Much (D) 84 D5
Much Wenlock (GB) 32 D5
Mücheln (D) 86 B4
Mucientes (E) 58 A5
Mudanya (TR) 19 G2
Mudau (D) 89 F3
Muel (E) 59 G5
Muelas del Pan (E) 63 G1
Muff (IRL) 23 E1
Muge (P) 68 B1
Mügeln (D) 86 C4
Muggia (I) 103 H4
Mugla (BG) 162 C1
Muğla (TR) 19 H4
Mugron (F) 52 C2
Mugueimes (E) 56 C5
Mühlacker (D) 89 E4
Mühlbach am Hochkönig (A) 96 C3
Mühlberg (D) 86 D3
Mühldorf am Inn (D) 95 H2
Mühlen Eichsen (D) 82 C3
Mühlhausen (D) 85 H4
Mühltroff (D) 86 B5
Muhniemi (FIN) 193 F4
Muhos (FIN) 185 H3
Muhovo (BG) 158 C2
Muineachán / Monaghan (IRL) 23 F3
Muir of Ord (GB) 29 E3
Muirkirk (GB) 30 D2
Mukačeve (UA) 12 C3
Mula (E) 71 H3
Mülheim (D) 84 C3
Mulhouse (F) 47 G3
Mullach Íde / Malahide (IRL) 23 G5
Müllheim (D) 94 A3
Mullingar / An Muileann gCearr (IRL) 23 E5
Müllrose (D) 87 E2
Mullsjö (S) 195 H3
Mulrany (IRL) 22 B4
Multia (FIN) 191 H1
Muñana (E) 63 H3
Münchberg (D) 91 F2
Müncheberg (D) 87 E1
München (D) 95 G2
Münchhausen (D) 85 E4
Mundesley (GB) 37 E1
Mundford (GB) 33 H5
Munera (E) 71 F1
Mungia (E) 58 D1
Muñico (E) 63 H3
Muniesa (E) 65 G1
Munkebo (DK) 198 C3
Munkedal (S) 195 F2
Munkfors (S) 189 H5
Münnerstadt (D) 89 G1
Muñogalindo (E) 63 H3
Munsala (FIN) 185 F5
Münsingen (CH) 98 D3
Münsingen (D) 89 F5
Münster (CH) 99 E4
Munster (D) 81 H5
Münster (D) 84 D2
Munster (F) 47 G2
Münstertal (D) 94 A2
Münzenberg (D) 89 E1
Münzkirchen (A) 96 C1
Muodoslompolo (S) 180 C3
Muonio (FIN) 180 C3
Muotkatunturit (FIN) 177 F4
Mur-de-Barrez (F) 49 H5
Mûr-de-Bretagne (F) 42 D2
Murakeresztúr (H) 128 B4
Muráň (SK) 133 E3
Murano (I) 103 F4
Murat (F) 50 A4
Murat-sur-Vèbre (F) 53 H1
Murato (F) 55 H3
Murau (A) 96 D4
Muravera (I) 112 D5
Murça (P) 62 D1
Murchante (E) 59 F4
Murcia (E) 73 E3
Mureck (A) 97 G5
Muret (F) 53 F3
Murfatlar (RO) 153 F4
Murgeni (RO) 149 E5
Murgeşti (RO) 152 C2
Murguía (E) 58 D2
Muri (CH) 99 E2
Murias de Paredes (E) 57 F3
Murighiol (RO) 153 G2
Murino (MNE) 139 H4
Muriqan (AL) 142 B5
Murjek (S) 180 B5
Murnau am Staffelsee (D) 95 F3
Muro (F) 55 G3
Muro de Alcoy (E) 73 F1
Muro Lucano (I) 110 C4
Murol (F) 50 A3
Murole (FIN) 191 G2
Muros (E) 56 B3
Murowana Goślina (PL) 121 E1
Mürren (CH) 98 D4
Murrhardt (D) 89 G4
Murska Sobota (SLO) 135 E1
Mursko Središće (HR) 135 E1
Murten (CH) 98 C3
Murter (HR) 136 B5
Murtosa (P) 62 B2
Murtovaara (FIN) 187 F1
Murvica (HR) 136 B5
Murviel-lès-Béziers (F) 54 A3
Mürzsteg (A) 97 F3
Mürzzuschlag (A) 97 F3
Musina (BG) 156 B3
Musninkai (LT) 205 F3
Mussalo (FIN) 193 F4
Musselburgh (GB) 31 E2
Musselkanaal (NL) 77 G3
Mussidan (F) 49 E4
Mussomeli (I) 114 D3
Mussy-sur-Seine (F) 46 C3
Müstair (CH) 99 H3
Mustasaari / Korsholm (FIN) 185 E5
Mustèr / Disentis 99 E3
Mustion as (FIN) 191 G5
Mustla (EST) 201 F4
Mustvee (EST) 201 G2
Muszaki (PL) 118 D4
Muszyna (PL) 125 H3
Muta (SLO) 134 D1
Mutala (FIN) 191 G3
Mutterstadt (D) 89 E3
Mutzschen (D) 86 C4
Muurame (FIN) 191 H2
Muurasjärvi (FIN) 185 H5
Muurla (FIN) 191 G4
Muurola (FIN) 181 E5
Muuruvesi (FIN) 187 F5
Muxía (E) 56 A2
Muzillac (F) 43 E4
Muzine (AL) 144 D5
Muzzana del Turgnano (I) 103 G3
Myckelgensjö (S) 184 C5
Myjava (SK) 132 A3
Mýki (GR) 162 C2
Mykínes / Μυκήνες (GR) 165 F5
Mykines (Færøerne) (DK) 194 A4
Mykolaïv (UA) 12 D2
Mykolaïv (UA) 13 G3
Mýkonos / Μύκονος (GR) 170 C1
Myllykoski (FIN) 193 F4
Myllykylä (FIN) 191 F1
Myllymäki (FIN) 191 G1
Mýloi (GR) 165 F5
Mylopótamos (GR) 169 E5
Mynämäki (FIN) 191 F4
Myre (N) 179 G2
Myrhorod (UA) 13 G1
Mýrina / Μύρινα (GR) 162 D5
Myronivka (UA) 13 F1
Myrskylä / Mörskom (FIN) 193 E4
Myrtiés (GR) 171 F2
Mýrtos (GR) 173 E4
Myrtou (CY) 174 D3
Myrviken (S) 189 H1
Mysen (N) 195 F1
Mysłakowice (PL) 120 D4
Myślenice (PL) 125 G2
Myślibórz (PL) 116 C5
Mysłowice (PL) 122 B5
Mystrás / Μυστράς (GR) 168 D3
Mysusæter (N) 189 E2
Myszków (PL) 122 B5
Myszyniec (PL) 119 E4
Mýtikas (GR) 164 C3
Mytilíni / Μυτιλήνη (GR) 167 F2
Mytišči (RUS) 7 G2
Mólos (GR) 166 C2

N

Naamijoki (FIN) 180 D5
Naantali (FIN) 191 F4
Naarajärvi (FIN) 193 F1
Naarva (FIN) 187 H5
Naas / An Nás (IRL) 25 F1
Nabburg (D) 91 F4
Načeradec (CZ) 92 B3
Náchod (CZ) 87 H5
Nadab (RO) 146 C4
Nadarevo (BG) 156 D3
Nadarzyn (PL) 122 D1
Nádasdladány (H) 128 D2
Naddvik (N) 188 C3
Nadela (E) 56 D2
Nădlac (RO) 146 A5
Nádudvar (H) 131 E2
Nadur (M) 114 B4
Nadvirna (UA) 12 D3
Nærbø (N) 194 A1
Nærøy (N) 183 E3
Næstved (DK) 198 D4
Näfels (CH) 99 F2
Náfpaktos / Ναύπακτος (GR) 165 E3
Náfplio / Ναύπλιο (GR) 165 F5
Naggen (S) 190 A2
Nagłowice (PL) 122 C4
Nagold (D) 89 E5
Nagu / Nauvo (FIN) 191 F5
Nagyalásony (H) 128 C2
Nagyatád (H) 128 C4
Nagybajom (H) 128 C4
Nagybaracska (H) 129 E5
Nagycenk (H) 128 B1
Nagydobsza (H) 128 C5
Nagydorog (H) 129 E4
Nagyecsed (H) 131 F1
Nagygyimót (H) 128 C2
Nagyhalász (H) 127 E5
Nagyharsány (H) 129 E5
Nagyigmánd (H) 128 D1
Nagykálló (H) 131 F1
Nagykanizsa (H) 128 B4
Nagykapornak (H) 128 B3
Nagykáta (H) 129 G2
Nagykereki (H) 131 F2
Nagykónyi (H) 128 D4
Nagykőrös (H) 129 G3
Nagykörű (H) 129 H2
Nagylak (H) 129 H5
Nagylengyel (H) 128 B3
Nagymágocs (H) 129 H4
Nagymányok (H) 129 E4
Nagyrábé (H) 131 E2
Nagyszakácsi (H) 128 C4
Nagyszénás (H) 129 H3
Nagyvázsony (H) 128 D3
Nahe (D) 81 H3
Naidăș (RO) 150 B3
Naila (D) 91 F2
Nailloux (F) 53 F3
Nailsworth (GB) 35 F1
Nairn (GB) 29 E3
Najac (F) 53 G1
Najdenovo (BG) 159 E2
Nájera (E) 58 D3
Nakkila (FIN) 191 F3
Nakło nad Notecią (PL) 117 F4
Nakovo (SRB) 140 D2
Nakskov (DK) 198 D4
Nalbant (RO) 153 F2
Nałęczów (PL) 123 F3
Näljänkä (FIN) 187 F2
Naltijärvi (FIN) 177 E5
Namdalseid (N) 183 E4
Namest nad Oslavou (CZ) 92 D4
Namsos (N) 183 E3
Namsskogan (N) 183 F3
Namur (Namen) (B) 78 D3
Namysłów (PL) 121 F4
Nancy (F) 47 E1
Nănești (RO) 152 D1
Nangis (F) 45 F2
Nannestad (N) 189 F5
Nanovica (BG) 162 D1
Nant (F) 54 A2
Nanterre (F) 39 H5
Nantes (F) 43 F4
Nanteuil-le-Haudouin (F) 40 A5
Nantiat (F) 49 F2
Nantua (F) 51 E2
Nantwich (GB) 32 D3
Náousa (GR) 170 C1
Náousa / Νάουσα (GR) 161 E3
Napoli (I) 109 G5
Narberth (GB) 34 C1
Narbolia (I) 112 B3
Narbonne (F) 54 A3
Narbonne-Plage (F) 54 A3
Narcao (I) 112 B5
Nardò (I) 111 G5
Narew (PL) 119 H4
Narila (FIN) 193 F2
Narkaus (FIN) 185 H1
Narni (I) 108 D1
Naro (I) 114 D4
Naro-Fominsk (RUS) 7 G2
Narol (PL) 123 G5
Närpes (FIN) 191 E1
Narta (HR) 135 F3
Nartháki (GR) 165 F1
Năruja (RO) 152 C1
Naruszewo (PL) 118 D5
Narva (EST) 201 H1
Narva-Jõesuu (EST) 201 H1
Narvik (N) 176 A5
Nås (S) 189 H4
Näsåker (S) 183 H5
Năsăud (RO) 147 G2
Nasbinals (F) 50 A5
Našice (HR) 135 H4
Nasielsk (PL) 118 D5
Naso (I) 115 F2
Nassau (D) 88 D1
Nassereith (A) 95 F4
Nässjö (S) 195 H4
Nastola (FIN) 193 E3
Natalinci (SRB) 140 D5
Nattavaara (S) 180 B5
Nättraby (S) 199 H3
Naucelle (F) 53 G1
Nauders (A) 95 E5
Nauen (D) 86 C1
Naujoji Akmenė (LT) 204 D1
Naul (IRL) 23 G5
Naumburg (D) 86 B4
Naunhof (D) 86 C4
Naustdal (N) 188 B2
Nauvo / Nagu (FIN) 191 F5
Nava (E) 57 G2
Nava de la Asunción (E) 64 A1
Nava del Rey (E) 63 H1
Navacepeda de Tormes (E) 63 H3
Navacerrada (E) 64 B2
Navaconcejo (E) 63 G4
Navahermosa (E) 64 A4
Navahrudak (BY) 6 D5
Navalcán (E) 63 H4
Navalcarnero (E) 64 B3
Navaleno (E) 58 D4
Navalmanzano (E) 64 A1
Navalmoral de la Mata (E) 63 G4
Navalperal de Pinares (E) 64 A2
Navaluenga (E) 64 A2
Navalvillar de Pela (E) 69 H1
Navamorcuende (E) 64 A3
Navan / An Uaimh (IRL) 23 F5
Navarredonda de Gredos (E) 63 H3
Navarrenx (F) 52 B3
Navarrés (E) 65 H5
Navarrete (E) 58 D3
Navàs (E) 60 D3
Navas de Jorquera (E) 65 F5
Navas de Oro (E) 64 A1
Navas de San Juan (E) 71 E3
Navas del Madroño (E) 63 E5
Navascués (E) 59 G2
Navasfrías (E) 63 E3
Navatalgordo (E) 63 H3
Nave (I) 101 G4
Nave Redonda (P) 68 B5
Nävekvarn (S) 197 F2
Navelli (I) 109 F2
Naveros (E) 74 B4
Navia (E) 57 F1
Navia de Suarna (E) 57 E2
Navl'a (RUS) 7 G4
Năvodari (RO) 153 F4
Náxos (GR) 170 C1
Naxxar (M) 114 C5
Nay (F) 52 C3
Nazaré (P) 62 A5
Nazilli (TR) 19 H3
Ndrejaj (AL) 142 C4
Ndroq (AL) 144 C2
Néa Alikarnassós (GR) 170 C5
Néa Anchíalos / Νέα Αγχίαλος (GR) 165 G1
Néa Apollonía (GR) 161 H3
Néa Artáki (GR) 165 H3
Néa Éfesos (GR) 161 F4
Néa Epídavros (GR) 165 G5
Néa Fókaia (GR) 161 H5
Néa Iraklítsa (GR) 162 B3
Néa Kallikráteia (GR) 161 G4
Néa Kerdýlia (GR) 161 H3
Néa Kíos (GR) 165 F5
Néa Koróni (GR) 168 C3
Néa Mákri / Νέα Μάκρη (GR) 166 B4
Néa Málgara (GR) 161 F3
Néa Meságkala (GR) 161 F5
Néa Michanióna (GR) 161 G4
Néa Moudaniá (GR) 161 G4
Néa Pélla (GR) 161 F3
Néa Péramos (Anatolikí Makedonía kai Thráki) (GR) 162 B3
Néa Péramos (Attikí) (GR) 165 H4
Néa Plágia (GR) 161 G4
Néa Poteídaia (GR) 161 G4
Néa Roúmata (GR) 172 B3
Néa Sánta (Anatolikí Makedonía kai Thráki) (GR) 163 E2
Néa Sánta (Kentrikí Makedonía) (GR) 161 G3
Néa Skióni (GR) 161 H5
Néa Stýra (GR) 166 B4
Néa Tríglia (GR) 161 G4
Néa Zíchni (GR) 161 H3
Neagra Şarului (RO) 147 H3
Neápoli (Dytikí Makedonía) (GR) 160 D4
Neápoli (Kríti) (GR) 173 E3
Neápoli (Pelopónnisos) (GR) 169 E4
Neápoli (Vóreio Aigaío) (GR) 167 F2
Neath / CastellNedd (GB) 34 D2
Nebel (D) 81 F1
Nebljusi (HR) 135 E5
Nebra (D) 86 A4
Neckarelz (D) 89 F3
Neckargemünd (D) 89 E3
Neckarsteinach (D) 89 F3
Neckarsulm (D) 89 F3
Nečujam (HR) 138 B2
Neda (E) 56 C1
Nedelino (BG) 162 D2
Nedelišće (HR) 135 E2
Nedervetil (FIN) 185 F5
Nedjalsko (BG) 159 H2
Nedstrand (N) 188 B5
Neede (NL) 77 G5
Neermoor (D) 81 E4
Nées Pagasés (GR) 165 G1
Nefyn (GB) 32 A4
Negorci (MK) 145 G2
Negotin / Неготин (SRB) 141 G5
Negotino (MK) 145 G1
Negovanovci (BG) 150 D4
Negrar (I) 101 H4
Negraşi (RO) 151 H3
Negreira (E) 56 B2
Nègrepelisse (F) 53 F1
Negreşti (RO) 148 D4
Negreşti-Oaş (RO) 147 F1
Negru Vodă (RO) 153 F5
Neheim (D) 84 D3
Nehoiu (RO) 152 B2
Neiden (N) 177 G3
Neila (E) 58 D4
Nejdek (CZ) 91 G2
Neksø (DK) 199 G4
Nelas (P) 62 C3
Nelidovo (RUS) 7 E2
Nellim (FIN) 177 G4
Nelson (GB) 32 D2
Nemakščiai (LT) 204 D3
Neman (RUS) 6 B4
Neméa / Νεμέα (GR) 165 F5
Nemenčinė (LT) 205 G4
Nemesszalók (H) 128 C2
Nemesvid (H) 128 C4
Németkér (H) 129 E3
Nemours (F) 45 F2
Nemunėlio Radviliškis (LT) 205 F1
Nemyriv (UA) 13 E2
Nenagh / An tAonach (IRL) 24 D2
Nénita (GR) 167 E4
Nenzing (A) 94 D4
Neo Chorio (Akamas) (CY) 174 B4
Neo Chorio (Kythrea) (CY) 175 E3
Néo Erásmio (GR) 162 C3
Néo Iraío (GR) 165 F5
Néo Mikró Chorió (GR) 165 E2
Néo Monastíri (GR) 165 F1
Néo Perivóli (GR) 165 F1
Néo Petrítsi (GR) 161 G2
Neochoráki (GR) 165 G4
Neochóri (Anatolikí Makedonía kai Thráki) (GR) 163 F1
Neochóri (Kardítsa) (GR) 165 E1
Neochóri (Stereá Elláda) (GR) 166 B3
Neochóri (Tríkala) (GR) 165 E1
Néos Marmarás (GR) 161 H5

Néos Skopós *(GR)* 161 H 3
Nepomuk *(CZ)* 91 H 4
Nérac *(F)* 52 D 1
Neráida (Kardítsa) *(GR)* 165 E 1
Neráida (Mavrommáta) *(GR)* 165 E 2
Neratovice *(CZ)* 92 B 2
Nerdvika *(N)* 182 B 5
Nereju *(RO)* 152 C 1
Neresheim *(D)* 89 H 4
Nereta *(LV)* 203 E 4
Nereto *(I)* 107 H 5
Nerezi *(MK)* 143 F 5
Nerezine *(HR)* 134 B 5
Nerežišća *(HR)* 138 B 2
Néris-les-Bains *(F)* 49 H 2
Nerja *(E)* 75 F 3
Néronde *(F)* 50 C 2
Nérondes *(F)* 45 F 5
Nerotriviá *(GR)* 165 H 3
Nerpio *(E)* 71 G 3
Nerva *(E)* 69 F 4
Nervesa della Battaglia *(I)* 103 F 3
Nervi *(I)* 105 E 3
Nes *(N)* 189 E 4
Nes *(NL)* 77 F 2
Nesbyen *(N)* 188 D 4
Nesebăr / Несебър *(BG)* 157 F 4
Nesjahverfi *(IS)* 178 D 3
Neskaupstaður *(IS)* 178 D 2
Nesle *(F)* 40 A 4
Nesna *(N)* 183 F 1
Nesoddtangen *(N)* 189 E 5
Nesseby *(N)* 177 G 2
Nesselwang *(D)* 95 E 3
Nestáni *(GR)* 165 F 5
Nestório *(GR)* 160 D 4
Nesvik *(N)* 188 B 5
Netolice *(CZ)* 92 A 5
Netretić *(HR)* 134 D 4
Nettuno *(I)* 109 E 4
Neu Darchau *(D)* 82 C 5
Neu-Isenburg *(D)* 89 E 1
Neu Lübbenau *(D)* 86 D 2
Neu-Nagelberg *(A)* 92 B 5
Neu Ulm *(D)* 89 G 5
Neuastenberg *(D)* 85 E 4
Neubeckum *(D)* 84 D 3
Neubrandenburg *(D)* 83 F 4
Neubukow *(D)* 82 D 3
Neuburg an der Donau *(D)* 95 F 1
Neuchâtel *(CH)* 98 C 3
Neuenburg *(D)* 81 E 4
Neuenbürg *(D)* 89 E 4
Neuenhaus *(D)* 84 C 1
Neuenkirchen *(D)* 81 H 5
Neuenstadt am Kocher *(D)* 89 F 3
Neuerburg *(D)* 88 B 1
Neuf-Brisach *(F)* 47 H 2
Neufahrn in Niederbayern *(D)* 95 H 1
Neufchâteau *(B)* 79 E 5
Neufchâteau *(F)* 47 E 2
Neufchâtel-en-Bray *(F)* 39 G 4
Neufchâtel-sur-Aisne *(F)* 40 B 4
Neufelden *(A)* 96 D 1
Neuffen *(D)* 89 F 5
Neugersdorf *(D)* 87 F 4
Neuhardenberg *(D)* 87 E 1
Neuharlingersiel *(D)* 81 E 3
Neuhaus (Elbe) *(D)* 82 C 4
Neuhaus (Oste) *(D)* 81 G 3
Neuhaus am Rennweg *(D)* 86 A 5
Neuhaus im Solling *(D)* 85 G 3
Neuhaus-Schierschnitz *(D)* 91 E 2
Neuhausen am Rheinfall *(CH)* 99 E 1
Neuhofen an der Krems *(A)* 96 D 2
Neuillé-Pont-Pierre *(F)* 44 C 4
Neuilly-en-Thelle *(F)* 39 H 5
Neuilly-le-Réal *(F)* 50 B 1
Neuilly-l'Évêque *(F)* 46 D 3
Neuilly-Saint-Front *(F)* 40 A 5
Neukalen *(D)* 83 E 3
Neukirch *(D)* 87 E 4
Neukirchen *(D)* 81 G 1
Neukirchen am Großvenediger *(A)* 95 H 4
Neukloster *(D)* 82 D 3
Neulengbach *(A)* 97 G 1
Neum *(BIH)* 138 D 3
Neumarkt am Wallersee *(A)* 96 C 2
Neumarkt in der Oberpfalz *(D)* 91 E 4
Neumarkt in Steiermark *(A)* 97 E 4
Neumarkt-Sankt Veit *(D)* 95 H 1
Neumünster *(D)* 81 H 3
Neunburg vorm Wald *(D)* 91 G 4
Neung-sur-Beuvron *(F)* 45 E 4
Neunkirchen *(A)* 97 G 2
Neunkirchen *(D)* 88 C 3
Neuötting *(D)* 95 H 2
Neupölla *(A)* 97 F 1
Neuruppin *(D)* 83 E 5
Neusiedl am See *(A)* 97 H 2
Neuss *(D)* 84 C 4
Neustadt (Dosse) *(D)* 83 E 5
Neustadt (Hessen) *(D)* 85 F 5
Neustadt (Holstein) *(D)* 82 C 3
Neustadt (Titisee) *(D)* 94 B 2
Neustadt am Rübenberge *(D)* 85 F 1
Neustadt an der Aisch *(D)* 89 H 3
Neustadt an der Donau *(D)* 91 F 5
Neustadt an der Orla *(D)* 86 B 5
Neustadt an der Waldnaab *(D)* 91 F 3
Neustadt an der Weinstraße *(D)* 88 D 3
Neustadt bei Coburg *(D)* 91 E 2
Neustadt-Glewe *(D)* 82 D 4
Neustadt in Sachsen *(D)* 87 E 4
Neustift im Stubaital *(A)* 95 F 4
Neustrelitz *(D)* 83 F 4
Neuves-Maisons *(F)* 47 E 1
Neuvic *(F)* 49 H 4
Neuvic *(F)* 49 E 4
Neuville *(F)* 50 D 2
Neuville-aux-Bois *(F)* 45 E 3
Neuville-de-Poitou *(F)* 49 E 1
Neuvy-le-Roi *(F)* 44 C 4
Neuvy-Saint-Sépulchre *(F)* 49 G 1
Neuvy-sur-Barangeon *(F)* 45 E 4
Neuwied *(D)* 88 D 1
Névache *(F)* 51 G 4
Nevarėnai *(LT)* 204 C 1
Nevel *(RUS)* 6 D 3
Nevers *(F)* 45 G 5
Nevesinje *(BIH)* 139 E 3
Nevestino *(BG)* 158 A 2
Nevlunghavn *(N)* 195 E 1
New Abbey *(GB)* 30 D 4
New Alresford *(GB)* 35 H 3
New Cumnock *(GB)* 30 D 3
New Deer *(GB)* 29 H 3
New Galloway *(GB)* 30 D 3
New Quay *(GB)* 32 A 5
New Romney *(GB)* 37 E 5
New Ross *(IRL)* 25 F 3
Newark-on-Trent *(GB)* 33 F 3
Newbiggin-by-the-Sea *(GB)* 31 G 3
Newborough *(GB)* 32 A 3
Newbridge / An Droichead Nua *(IRL)* 25 F 2
Newburgh (Aberdeen) *(GB)* 31 E 1
Newburgh (Fife) *(GB)* 29 H 3
Newbury *(GB)* 35 H 2
Newcastle *(GB)* 23 G 3
Newcastle Emlyn *(GB)* 34 C 1
Newcastle-under-Lyme *(GB)* 32 D 4
Newcastle-upon-Tyne *(GB)* 31 G 4
Newcastle West *(IRL)* 24 C 3
Newhaven *(GB)* 36 C 5
Newmarket *(GB)* 33 H 5
Newmarket *(IRL)* 24 C 4
Newmarket on Fergus *(IRL)* 24 C 2
Newnham *(GB)* 35 F 1
Newport / Casnewydd *(GB)* 35 E 2
Newport (Isle of Wight) *(GB)* 38 C 1
Newport (Mayo) *(IRL)* 22 B 4
Newport (Pembrokes) *(GB)* 25 H 4
Newport (Tipperary) *(IRL)* 24 D 2
Newport (Wrekin) *(GB)* 32 D 4
Newport-on-Tay *(GB)* 29 G 5
Newport Pagnell *(GB)* 35 H 1
Newquay *(GB)* 34 B 4
Newry *(GB)* 23 G 3
Newton Abbot *(GB)* 34 D 4
Newton-Aycliffe *(GB)* 31 G 4
Newton Ferrers *(GB)* 34 D 5
Newton Stewart *(GB)* 30 C 4
Newtonmore *(GB)* 29 F 4
Newtown / Y Drenewydd (Powys) *(GB)* 32 C 5
Newtown (Here. And Worc.) *(GB)* 35 F 1
Newtown Saint Boswells *(GB)* 31 F 2
Newtownabbey *(GB)* 23 G 2
Newtownards *(GB)* 23 G 3
Newtownbutler *(GB)* 23 E 3
Newtownhamilton *(GB)* 23 F 3
Newtownstewart *(GB)* 23 E 2
Nexon *(F)* 49 F 3
Neyland *(GB)* 25 H 5
Nibe *(DK)* 194 D 4
Nica *(LV)* 202 A 4
Nicastro *(I)* 113 C 3
Nice *(F)* 55 G 2
Nicgale (Neicgaļs) *(LV)* 203 F 4
Nickelsdorf *(A)* 97 H 2
Nicolosi *(I)* 115 F 3
Nicosia *(I)* 115 E 3
Nicotera *(I)* 115 H 1
Niculiţel *(RO)* 153 F 2
Nidderau *(D)* 89 F 1
Nideggen *(D)* 84 B 5
Nidzica *(PL)* 118 D 4
Niebla *(E)* 69 F 5
Nieborów *(PL)* 122 C 1
Niebüll *(D)* 81 G 1
Niechorze *(PL)* 116 C 2
Niederalteich *(D)* 91 H 5
Niederaula *(D)* 85 G 5
Niederbronn-les-Bains *(F)* 41 H 5
Niederelsungen *(D)* 85 F 4
Niederjossa *(D)* 85 G 5
Niederkrüchten *(D)* 84 B 4
Niederottnang *(A)* 96 C 2
Niederstetten *(D)* 89 G 3
Niederstotzingen *(D)* 89 H 5
Niedrzwica Duża *(PL)* 123 F 3
Nielisz *(PL)* 123 G 4
Niemcza *(PL)* 121 E 5
Niemegk *(D)* 86 C 2
Niemisel *(S)* 185 E 1
Niemodlin *(PL)* 121 F 5
Nienburg (Saale) *(D)* 85 F 1
Nienburg (Weser) *(D)* 86 B 3
Niepołomice *(PL)* 125 G 1
Nieporęt *(PL)* 122 D 1
Nierstein *(D)* 89 E 2
Niesky *(D)* 87 F 4
Nieszawa *(PL)* 117 H 5
Nieul *(F)* 49 F 2
Nieuwpoort-Bad *(B)* 78 A 1
Nigrita / Νιγρίτα *(GR)* 161 H 3
Niinisalo *(FIN)* 191 F 2
Níjar *(E)* 72 C 5
Nijemci *(HR)* 137 H 2
Nijkerk *(NL)* 77 E 4
Nijmegen *(NL)* 77 E 5
Nijverdal *(NL)* 77 F 4
Níkaia *(GR)* 165 F 1
Níki *(GR)* 160 D 3
Nikifóros *(GR)* 162 B 2
Nikísiani *(GR)* 162 B 3
Nikitari *(CY)* 174 C 3
Nikitas *(CY)* 174 C 3
Nikítas *(GR)* 161 H 4
Nikkaluokta *(S)* 180 A 3
Nikola Kozlevo *(BG)* 157 E 2
Nikolaevo (Pleven) *(BG)* 156 A 3
Nikolaevo (Sliven) *(BG)* 159 G 2
Nikolaíika *(GR)* 165 E 4
Nikolovo *(BG)* 162 D 1
Nikopol *(BG)* 151 H 5
Nikopol' *(UA)* 13 H 2
Nikópoli *(GR)* 164 C 2
Nikšić *(MNE)* 139 F 4
Nilivaara *(S)* 180 B 4
Nilsiä *(FIN)* 187 F 5
Nîmes *(F)* 54 C 2
Nin *(HR)* 136 B 4
Ninove *(B)* 78 C 2
Niort *(F)* 48 D 1
Nípsa *(GR)* 163 E 3
Niš / Ниш *(SRB)* 143 F 2
Nisa *(P)* 62 D 5
Nisáki *(GR)* 160 A 5
Niscemi *(I)* 115 E 4
Niška Banja *(SRB)* 143 F 2
Nisko *(PL)* 123 F 5
Nissilä *(FIN)* 187 E 4
Nītaure *(LV)* 203 E 3
Niton *(GB)* 38 C 1
Nitra *(SK)* 132 B 4
Nitrianske Pravno *(SK)* 132 C 3
Nitry *(F)* 45 H 3
Nittedal *(N)* 189 F 5
Nittenau *(D)* 91 F 5
Nittendorf *(D)* 91 F 5
Nivala *(FIN)* 185 G 4
Nivelles *(B)* 78 C 3
Niwica *(PL)* 120 B 3
Nižyn *(UA)* 7 F 5
Nizza Monferrato *(I)* 104 D 2
Njasviž *(BY)* 6 D 5
Njivice *(HR)* 134 B 4
Njunis *(N)* 176 B 5
Njurundabommen *(S)* 190 B 2
Noailles *(F)* 39 H 4
Noáin *(E)* 59 F 2
Noblejas *(E)* 64 C 3
Nocera Inferiore *(I)* 109 H 5
Nocera Terinese *(I)* 113 B 3
Nocera Umbra *(I)* 107 F 4
Noceto *(I)* 105 G 2
Noci *(I)* 111 F 3
Nodeland *(N)* 194 C 2
Nœux *(F)* 39 H 2
Noevci *(BG)* 158 A 1
Nogara *(I)* 101 H 5
Nogaro *(F)* 52 D 2
Nogent *(F)* 46 D 3
Nogent-le-Roi *(F)* 44 D 1
Nogent-le-Rotrou *(F)* 44 C 2
Nogent-sur-Seine *(F)* 45 G 2
Noginsk *(RUS)* 7 G 2
Noguera *(E)* 65 F 2
Nohfelden *(D)* 88 C 2
Noia *(E)* 56 B 3
Noirétable *(F)* 50 B 3
Noirmoutier-en-l'Île *(F)* 43 E 5
Noja *(E)* 58 C 1
Nokia *(FIN)* 191 G 3
Nola *(I)* 109 H 5
Nolay *(F)* 46 C 5
Noli *(I)* 104 D 3
Nombela *(E)* 64 A 3
Nomeny *(F)* 41 E 5
Nomexy *(F)* 47 F 2
Nómia *(GR)* 169 E 4
Nonancourt *(F)* 44 D 1
Nonant-le-Pin *(F)* 44 B 1
Nonaspe *(E)* 60 A 4
None *(I)* 100 C 5
Nonio *(I)* 100 D 3
Nontron *(F)* 49 E 3
Nonza *(F)* 55 H 3
Nõo *(EST)* 201 F 4
Noordwijk aan Zee *(NL)* 76 D 4
Noormarkku *(FIN)* 191 F 3
Nora *(S)* 196 D 1
Norberg *(S)* 190 A 5
Norcia *(I)* 107 G 5
Nord Edewecht *(D)* 81 F 5
Nord-Lenangen *(N)* 176 B 3
Nordborg *(DK)* 198 C 4
Nordby *(DK)* 198 B 3
Nordby *(DK)* 198 C 3
Norddeich *(D)* 80 D 4
Nordeide *(N)* 188 B 3
Norden *(D)* 81 E 4
Nordenau *(D)* 85 E 4
Nordenham *(D)* 81 F 4
Norderney *(D)* 80 D 3
Norderstedt *(D)* 81 H 4
Nordfjordeid *(N)* 188 B 2
Nordfold *(N)* 179 G 4
Nordhalben *(D)* 91 E 2
Nordhausen *(D)* 85 H 3
Nordhorn *(D)* 84 C 1
Nordingrå *(S)* 190 C 1
Nordkapp *(N)* 177 E 1
Nordkjosbotn *(N)* 176 B 4
Nordli *(N)* 183 F 3
Nördlingen *(D)* 89 H 4
Nordmaling *(S)* 184 D 5
Nordmark *(S)* 189 H 5
Nordseter *(N)* 189 F 3
Norðurfjörður *(IS)* 178 B 1
Noreña *(E)* 57 G 2
Noresund *(N)* 189 E 5
Norg *(NL)* 77 F 3
Norheimsund *(N)* 188 B 4
Norra Bergnäs *(S)* 184 C 1
Norra Råda *(S)* 189 H 5
Norra Storfjället *(S)* 183 G 1
Norråker *(S)* 183 G 4
Norrby *(S)* 184 C 3
Nørre Aaby *(DK)* 198 C 3
Nørre Alslev *(DK)* 198 D 4
Nørre Nebel *(DK)* 198 B 3
Nørre Snede *(DK)* 198 C 2
Nørre Vorupør *(DK)* 194 C 4
Norrent-Fontes *(F)* 39 H 2
Norrköping *(S)* 197 E 2
Norrnäs *(FIN)* 191 E 1
Norrsundet *(S)* 190 B 4
Norrtälje *(S)* 190 C 5
Norrviken *(S)* 195 G 5
Norsjö *(S)* 184 D 3
Nort-sur-Erdre *(F)* 43 F 4
Nörten-Hardenberg *(D)* 85 G 3
North Berwick *(GB)* 31 E 1
North Walsham *(GB)* 37 E 1
Northallerton *(GB)* 31 G 5
Northam *(GB)* 34 D 3
Northampton *(GB)* 33 F 5
Northeim *(D)* 85 G 3
Northleach *(GB)* 35 G 1
Northwich *(GB)* 32 D 3
Norton *(GB)* 31 H 5
Nortorf *(D)* 81 H 3
Norwich *(GB)* 37 E 1
Nosivka *(UA)* 7 F 5
Nossebro *(S)* 195 G 3
Nossen *(D)* 86 D 4
Noszlop *(H)* 128 C 2
Noto *(I)* 115 G 5
Notodden *(N)* 188 D 5
Notre-Dame-de-Bellecombe *(F)* 51 F 2
Nottingham *(GB)* 33 E 4
Nouan-le-Fuzelier *(F)* 45 E 4
Nousiainen *(FIN)* 191 F 4
Nouvion-en-Ponthieu *(F)* 39 G 3
Nouzonville *(F)* 40 C 3
Nõva *(EST)* 200 C 2
Nova *(H)* 128 B 3
Nova Breznica *(MK)* 143 E 5
Nová Bystrica *(SK)* 132 D 1
Nová Bystřice *(CZ)* 92 C 5
Nova Crnja *(SRB)* 140 D 2
Nova Gorica *(SLO)* 134 A 2
Nova Gradiška *(HR)* 135 G 4
Nova Kachovka *(UA)* 13 H 2
Nova Kamena *(BG)* 152 D 5
Nova Levante *(I)* 103 E 2
Nová Paka *(CZ)* 87 G 5
Nova Pazova *(SRB)* 140 C 4
Nová Role *(CZ)* 91 G 2
Nová Sedlica *(SK)* 133 H 2
Nova Siri Marina *(I)* 111 E 5
Nova Topola *(BIH)* 135 G 5
Nova Varoš *(SRB)* 139 H 2
Nova vas *(SLO)* 134 B 3
Nova Zagora / Нова Загора *(BG)* 159 F 2
Novačene *(BG)* 158 C 1
Novaci *(MK)* 145 F 2
Novaci *(RO)* 151 F 2
Novaci *(SRB)* 140 C 5
Novafeltria *(I)* 107 E 3
Nováky *(SK)* 132 C 3
Novales *(E)* 59 H 4
Novalja *(HR)* 136 A 4
Novara *(I)* 100 D 4
Novara di Sicilia *(I)* 115 G 2
Nové Hrady *(CZ)* 92 B 5
Nové Město na Moravě *(CZ)* 92 D 3
Nové Město nad Metují *(CZ)* 92 D 2
Nové Mesto nad Váhom *(SK)* 132 B 3
Nové Zámky *(SK)* 132 B 4
Novelda *(E)* 73 E 2
Novellara *(I)* 102 C 5
Noventa Vicentina *(I)* 103 E 5
Noves *(F)* 54 D 2
Novgorod = Veliki Novgorod *(RUS)* 6 D 1
Novhorod-Sivers'kyj *(UA)* 7 F 5
Novi Bečej *(SRB)* 140 C 2
Novi di Modena *(I)* 101 H 5
Novi Dojran *(MK)* 145 H 2
Novi Grad *(BIH)* 135 H 5
Novi Grad / Bosanski Novi *(BIH)* 135 E 5
Novi Han *(BG)* 158 B 2
Novi Karlovci *(SRB)* 140 C 3
Novi Kneževac *(SRB)* 140 C 1
Novi Ligure *(I)* 104 D 2
Novi Marof *(HR)* 135 E 2
Novi Pazar / Нови пазар *(BG)* 157 E 2
Novi Pazar / Нови Пазар *(SRB)* 142 D 3
Novi Sad / Нови Сад *(SRB)* 140 C 3
Novi Šeher *(BIH)* 137 F 4
Novi Senkovac *(HR)* 135 H 3
Novi Slankamen *(SRB)* 140 C 3
Novi Travnik *(BIH)* 137 F 5
Novi Vinodolski *(HR)* 134 C 4
Novigrad *(HR)* 136 B 4
Novigrad / Cittanova d'Istria *(HR)* 134 A 4
Novigrad Podravski *(HR)* 135 F 2
Novion-Porcien *(F)* 40 C 4
Novo Brdo *(SRB)* 143 F 4
Novo Delčevo *(BG)* 161 G 1
Novo Korito *(SRB)* 143 G 1
Novo Mesto *(SLO)* 134 C 3
Novo Miloševo *(SRB)* 140 C 2
Novo Selo *(BIH)* 135 H 5
Novo Selo *(MK)* 145 H 1
Novo Selo (Ruse) *(BG)* 152 B 5
Novo Selo (Sofia-Grad) *(BG)* 158 C 2
Novo Zvečevo *(HR)* 135 G 4

A B C D E F G H I J K L M N O P Q R S T U V W X Y Z

Novohrad-Volyns'kyj (UA) 13 E1
Novomoskovsk (RUS) 7 H3
Novomyrhorod (UA) 13 G2
Novoržev (RUS) 6 D2
Novoselë (AL) 144 B3
Novoselec (BG) 159 G2
Novoselo (BG) 150 D4
Novoselycja (UA) 13 E3
Novosil' (RUS) 7 G3
Novoukraïnka (UA) 13 G2
Novovolyns'k (UA) 12 C1
Novozybkov (RUS) 7 F4
Novska (HR) 135 F4
Nový Bor (CZ) 87 F5
Nový Bydžov (CZ) 92 C2
Nový Jičín (CZ) 93 G3
Novyj Buh (UA) 13 G2
Nowa Brzeźnica (PL) 121 H4
Nowa Dęba (PL) 123 E5
Nowa Huta (PL) 125 G1
Nowa Karczma (PL) 117 G2
Nowa Ruda (PL) 121 E5
Nowa Sarzyna (PL) 123 F5
Nowa Słupia (PL) 122 D4
Nowa Sól (PL) 120 D2
Nowa Wieś Wielka (PL) 117 G5
Nowe (PL) 117 H3
Nowe Miasteczko (PL) 120 D2
Nowe Miasto (PL) 118 D5
Nowe Miasto Lubawskie (PL) 118 C3
Nowe Miasto nad Pilicą (PL) 122 C2
Nowe Miasto nad Wartą (PL) 121 F2
Nowe Skalmierzyce (PL) 121 G2
Nowe Warpno (PL) 116 B3
Nowica (PL) 118 C2
Nowogard (PL) 116 C3
Nowogród (PL) 119 F4
Nowogród Bobrzański (PL) 120 C2
Nowogrodziec (PL) 120 C3
Nowosiółki (PL) 123 H5
Nowy Duninów (PL) 118 B5
Nowy Dwór Gdański (PL) 117 H2
Nowy Dwór Mazowiecki (PL) 122 D1
Nowy Korczyn (PL) 122 D5
Nowy Sącz (PL) 125 H2
Nowy Staw (PL) 117 H2
Nowy Targ (PL) 125 G2
Nowy Tomyśl (PL) 120 D1
Nowy Wiśnicz (PL) 125 H1
Nowy Żmigród (PL) 127 E2
Noyant (F) 44 B4
Noyers (F) 45 H3
Noyers-sur-Jabron (F) 55 E1
Noyon (F) 40 A4
Nozay (F) 43 F4
Nucet (RO) 146 D4
Nucşoara (RO) 151 H2
Nueil-les-Aubiers (F) 43 G5
Nueva Carteya (E) 70 C5
Nueva de Llanes (E) 57 H1
Nuévalos (E) 65 F1
Nuevo Baztán (E) 64 C3
Nuijamaa (FIN) 193 G3
Nuits-Saint-Georges (F) 46 D5
Nules (E) 66 A2
Nulvi (I) 112 B1
Numana (I) 107 H3
Nummela (FIN) 191 H4
Nummi (FIN) 191 G4
Nuneaton (GB) 33 E5
Nunnanen (FIN) 177 E5
Nuñomoral (E) 63 F3
Nunspeet (NL) 77 E4
Nuorgam (FIN) 177 F3
Nuoro (I) 112 C2
Nur (PL) 119 F5
Nurallao (I) 112 C4
Nürburg (D) 88 C1
Núria (E) 60 D2
Nurmes (FIN) 187 G4
Nurmijärvi (FIN) 187 G4
Nurmijärvi (FIN) 191 H4
Nurmo (FIN) 191 F1
Nürnberg (D) 91 E4
Nürtingen (D) 89 F5
Nus (I) 100 C3
Nuşfalău (RO) 146 D3
Nusse (D) 82 B4
Nuštar (HR) 137 H2
Nuttlar (D) 85 E4
Nuttupera (FIN) 185 H4
Nuutajärvi (FIN) 191 G3
Nyåker (S) 184 D5
Nybergsund (N) 189 G3
Nyborg (DK) 198 D4
Nybro (S) 197 E5
Nydrí (GR) 164 C3
Nyíracsád (H) 131 F1
Nyirád (H) 128 C3
Nyíradony (H) 131 F1
Nyírbátor (H) 131 F1
Nyírbéltek (H) 131 F1
Nyírbogát (H) 131 F1
Nyíregyháza (H) 131 E1
Nyírlugos (H) 131 F1
Nyírmada (H) 127 F5
Nykarleby / Uusikaarlepyy (FIN) 185 F5
Nykøbing Falster (DK) 198 D4
Nykøbing Mors (DK) 194 C4
Nykøbing S (DK) 198 D3
Nyköping (S) 197 F2
Nykvarn (S) 197 F1
Nyksund (N) 179 G2
Nymburk (CZ) 92 B2
Nymfaía (GR) 162 D2
Nymfaío (GR) 160 D3
Nynäshamn (S) 197 G2
Nyon (CH) 98 A4
Nyons (F) 54 D1
Nýřany (CZ) 91 H3
Nýrsko (CZ) 91 H4
Nyrud (N) 177 G4
Nysa (PL) 121 F5
Nysäter (S) 195 G1
Nyseter (N) 188 D2
Nysted (DK) 198 D5
Nyúl (H) 128 D1
Nyvoll (N) 176 D3

O

O Barco (E) 57 E4
O Bolo (E) 57 E4
O Castro de Caldelas (E) 56 D4
O Corgo (E) 56 D2
O Grove (E) 56 B3
O Porriño (E) 56 B4
Oadby (GB) 33 F4
Oakham (GB) 33 F4
Oancea (RO) 149 E5
Oanes (N) 194 B1
Oban (GB) 28 C5
Obârşia-Cloşani (RO) 150 D2
Obbola (S) 184 D5
Obdach (A) 97 E4
Obedinenie (BG) 156 B2
Obejo (E) 70 B3
Obeliai (LT) 205 G2
Ober-Grafendorf (A) 97 F2
Oberammergau (D) 95 F3
Oberau (D) 95 F3
Oberaudorf (D) 95 H3
Oberdrauburg (A) 96 B5
Obereßfeld (D) 89 H1
Obergünzburg (D) 95 E3
Obergurgl (A) 95 F5
Oberhaslach (F) 47 G1
Oberhausen (D) 84 C3
Oberhof (D) 85 H5
Oberkirch (D) 88 D5
Oberkirchen (D) 85 E4
Oberkochen (D) 89 G4
Obermarchtal (D) 89 G5
Obernai (F) 47 G1
Obernberg am Inn (A) 96 C1
Obernburg am Main (D) 89 F2
Oberndorf am Neckar (D) 89 E5
Oberndorf bei Salzburg (A) 96 B2
Obernzell (D) 96 C1
Oberölsbach (D) 91 E4
Oberprechtal (D) 94 B2
Oberpullendorf (A) 97 H3
Obersontheim (D) 89 G4
Oberstaufen (D) 94 D3
Oberstdorf (D) 95 E3
Obertauern (A) 96 C4
Obertraun (A) 96 C3
Oberursel (D) 89 E1
Obervellach (A) 96 C4
Oberviechtach (D) 91 G4
Oberwart (A) 97 G3
Oberwesel (D) 88 D1
Oberwiesenthal (D) 91 G2
Oberwölz (A) 96 D4
Oberzeiring (A) 97 E4
Óbidos (P) 62 A5
Obilić (SRB) 143 E4
Obing (D) 95 H2
Objat (F) 49 F4
Objazda (PL) 117 F1
Obninsk (RUS) 7 G2
Obnova (BG) 156 B2
Obojan' (RUS) 7 H5
Obón (E) 65 H1
Oborín (SK) 133 H3
Oborište (BG) 158 C2
Oborniki (PL) 117 E5
Oborniki Śląskie (PL) 121 E3
Obornjača (SRB) 140 C2
Oborovo (HR) 135 E3
Obrenovac / Обреновац (SRB) 140 C4
Obretenik (BG) 156 C2
Obrež (SRB) 140 C4
Obročište (BG) 157 F2
Obrov (SLO) 134 B3
Obrovac (HR) 136 C4
Obrovac Sinjski (HR) 138 B1
Obrowo (PL) 117 H5
Obršani (MK) 145 F2
Obrzycko (PL) 117 E5
Obsteig (A) 95 F4
Obsza (PL) 123 G5
Obudavac (BIH) 137 G3
Obzor / Обзор (BG) 157 F3
Očakiv (UA) 13 G3
Ocaña (E) 64 C4
Occhiobello (I) 103 E5
Očevlja (BIH) 137 G5
Ochagavía (E) 59 G2
Ochsenfurt (D) 89 G2
Ochsenhausen (D) 94 D2
Óchthia (GR) 164 D3
Ochtrup (D) 84 C2
Ochtyrka (UA) 7 G5
Ockelbo (S) 190 B4
Ocland (RO) 148 A5
Ocna Mureş (RO) 147 F4
Ocna Sibiului (RO) 151 F1
Ócsa (H) 129 F2
Öcsöd (H) 129 H3
Ödåkra (S) 199 E3
Odărne (BG) 156 A2
Odda (N) 188 B4
Odden Færgehavn (DK) 198 D3
Odder (DK) 198 C3
Odeceixe (P) 68 B5
Odeleite (P) 68 D5
Odelzhausen (D) 95 F2
Odemira (P) 68 B4
Ödemiş (TR) 19 G3
Odense (DK) 198 C3
Odenthal (D) 84 C4
Oderberg (D) 83 G5
Oderzo (I) 103 F3
Odesa (UA) 13 G3
Ödeshög (S) 195 H3
Odivelas (P) 68 C3
Odobeşti (RO) 152 D1
Odolanów (PL) 121 F3
Odolo (I) 101 G4
Odorheiu Secuiesc (RO) 147 H5
Odrinci (BG) 157 F2
Odrowąż (PL) 122 D3
Odry (CZ) 93 F3
Odrzywół (PL) 122 C3
Odžaci (SRB) 137 H2
Odžak (BIH) 135 H5
Odžak (MNE) 139 G2
Oebisfelde (D) 86 A1
Oederan (D) 86 D5
Oeiras (P) 68 A2
Oelde (D) 85 E3
Oelsnitz (Plauen) (D) 86 C5
Oelsnitz (Zwickau) (D) 91 F2
Oesarat (AL) 144 C4
Oettingen in Bayern (D) 89 H4
Oetz (A) 95 F4
Offenbach am Main (D) 89 E1
Offenburg (D) 88 D5
Offida (I) 107 H5
Offranville (F) 39 F3
Ofir (P) 56 B5
Oggiono (I) 101 E3
Ogliastro Cilento (I) 110 B5
Ogorzelec (PL) 120 D5
Ogošte (SRB) 143 F4
Ogre (LV) 203 E3
Ogrodzieniec (PL) 122 B5
Ogulin (HR) 134 D4
Ohaba Lungă (RO) 146 C5
Ohanes (E) 72 B5
Ohlstadt (D) 95 F3
Ohorn (D) 87 E4
Ohrdruf (D) 85 H5
Ohrid (MK) 145 E2
Öhringen (D) 89 F3
Oía (GR) 170 C3
Oiartzun (E) 59 E1
Oijärvi (FIN) 185 H1
Oikarainen (FIN) 181 E5
Oinói (Attikí) (GR) 165 H4
Oinói (Dytikí Elláda) (GR) 164 D5
Oinói (Stereá Elláda) (GR) 165 H4
Oinoússes (GR) 167 F3
Oirschot (NL) 79 E1
Oisemont (F) 39 G3
Oisterwijk (NL) 79 E1
Oitti (FIN) 191 H4
Oituz (RO) 148 C5
Oítylo (GR) 168 D4
Öja (FIN) 185 F4
Ojakylä (FIN) 185 G2
Ojdula (RO) 148 B5
Öje (S) 189 H4
Öjebyn (S) 185 E2
Ojén (E) 74 D4
Ojos Negros (E) 65 F2
Ojrzeń (PL) 118 D5
Ojuelos (E) 69 H3
Öjung (S) 190 A3
Okány (H) 131 E3
Okehampton (GB) 34 D4
Oker (D) 85 H2
Oklaj (HR) 136 C5
Oknö (S) 197 E5
Okol (AL) 142 C4
Okonek (PL) 117 E3
Okop (BG) 159 G2
Okorš (BG) 152 D5
Oksa (PL) 122 C4
Oksbøl (DK) 198 B3
Oksby (DK) 198 A3
Øksfjord (N) 176 D3
Okučani (HR) 135 G4
Okulovka (RUS) 7 E1
Ólafsfjörður (IS) 178 B1
Ólafsvík (IS) 178 A2
Olaine (LV) 202 D3
Olargues (F) 53 H3
Olaszliszka (H) 127 E5
Oława (PL) 121 F4
Olazagutía (E) 59 E2
Olbernhau (D) 86 D5
Olbia (I) 112 D1
Oldcastle (IRL) 23 E4
Oldebroek (NL) 77 F4
Oldeide (N) 188 B2
Olden (N) 188 C2
Oldenburg (D) 81 F5
Oldenburg in Holstein (D) 82 C2
Oldenzaal (NL) 77 G4
Oldervik (N) 176 B3
Oldham (GB) 32 D2
Oldmeldrum (GB) 29 G3
Oldsum (D) 81 F1
Olecko (PL) 119 F2
Oleggio (I) 100 D4
Oleiros (E) 56 C1
Oleiros (P) 62 C4
Oleksandrija (UA) 13 G1
Ølen (N) 188 B5
Olesa de Montserrat (E) 60 D3
Oleśnica (PL) 121 F4
Olesno (PL) 121 G4
Oleszyce (PL) 123 G5
Oletta (F) 55 H3
Olette (F) 53 G5
Olevs'k (UA) 13 E1
Ølgod (DK) 198 B3
Olhão (P) 68 C5
Olhava (FIN) 185 H2
Oliana (E) 60 C2
Olib (HR) 136 A4
Oliena (I) 112 C3
Oliete (E) 65 H1
Olite (E) 59 F3
Oliva (E) 66 A5
Oliva de la Frontera (E) 69 E3
Oliva de Mérida (E) 69 G2
Olivares de Júcar (E) 65 E4
Oliveira de Azeméis (P) 62 B2
Oliveira de Frades (P) 62 C2
Oliveira do Bairro (P) 62 B3
Oliveira do Douro (P) 62 C1
Oliveira do Hospital (P) 62 C3
Olivenza (E) 69 E2
Olivet (F) 45 E3
Olivone (CH) 99 F4
Olkusz (PL) 122 B5
Ollerton (GB) 33 F3
Olliergues (F) 50 B3
Ollilanvaara (FIN) 181 E5
Ollioules (F) 55 E3
Öllölä (FIN) 193 H1
Olmedillo de Roa (E) 58 B4
Olmedo (E) 64 A1
Olmedo (I) 112 B2
Olmeto (F) 55 H5
Olocau del Rey (E) 65 H2
Olofström (S) 199 G2
Olombrada (E) 58 B5
Olomouc (CZ) 93 F3
Olonzac (F) 53 H3
Oloron-Sainte-Marie (F) 52 C3
Olost (E) 60 D2
Olot (E) 61 E2
Olovo (BIH) 137 G5
Olpe (D) 84 D4
Olsberg (D) 85 E4
Olshammar (S) 195 H2
Olst (NL) 77 F4
Ølstykke (DK) 199 E3
Olsztyn (PL) 118 D3
Olsztynek (PL) 118 D3
Olszyna (PL) 120 C4
Oltedal (N) 194 B1
Olten (CH) 98 D2
Olteniţa (RO) 152 C5
Olula del Río (E) 71 G5
Ólvega (E) 59 E4
Olvera (E) 74 C3
Olympía (GR) 164 D5
Olympiáda (Kentrikí Makedonía) (GR) 161 H4
Olympiáda (Thessalía) (GR) 161 F5
Ólynthos (GR) 161 H4
Omagh (GB) 23 E2
Omalós (GR) 172 B3
Oman (BG) 159 H2
Omarčevo (BG) 159 G2
Omarska (BIH) 135 F5
Omegna (I) 100 D3
Omiš (HR) 138 B2
Omišalj (HR) 134 B4
Ommen (NL) 77 F4
Omodos (CY) 174 C4
Omoljica (SRB) 140 D4
Omorfochóri (GR) 165 F1
Ömossa (FIN) 191 E2
Omurtag (BG) 159 G1
Oña (E) 58 C2
Oñati (E) 59 E2
Onda (E) 65 H3
Ondara (E) 66 A5
Ondarroa (E) 59 E1
Oneglia (I) 104 C4
Onesse-Laharie (F) 52 B1
Oneşti (RO) 148 C5
Onich (GB) 28 D5
Onkamo (FIN) 181 G5
Onkamo (FIN) 193 H1
Ontaneda (E) 58 B1
Ontiñena (E) 60 A3
Ontiniente / Ontinyient (E) 73 F1
Ontinyent / Onteniente (E) 73 F1
Ontur (E) 71 H2
Onuškis (LT) 205 F4
Onzain (F) 44 D4
Oost-Vlieland (NL) 77 E2
Oostburg (NL) 78 B1
Oostende (Ostende) (B) 78 A1
Oosterbeek (NL) 77 E5
Oosterend (NL) 77 E2
Oosterhout (NL) 78 D1
Oostkamp (B) 78 B1
Oostmalle (B) 78 D1
Ootmarsum (NL) 77 G4
Opaka (BG) 156 C2
Opalenica (PL) 121 E1
Opan (BG) 159 F3
Opatija (HR) 134 B4
Opatovac (HR) 137 H2
Opatów (PL) 123 E4
Opava (CZ) 93 F2
Opicina (I) 103 H4
Opladen (D) 84 C4
Opočka (RUS) 6 D3
Opoczno (PL) 122 C3
Opole (PL) 121 G5
Opole Lubelskie (PL) 123 E3
Opovo (SRB) 140 D3
Oppach (D) 87 E4
Oppdal (N) 189 E1
Oppenau (D) 88 D5
Oppenheim (D) 89 E2
Opphaug (N) 182 C4
Opphus (N) 189 F3
Oppido Lucano (I) 110 D4
Oppido Mamertina (I) 115 H2
Oprişor (RO) 151 E4
Ópusztaszer (H) 129 G4
Opuzen (HR) 138 D3
Ora / Auer (I) 101 H2
Oradea (RO) 146 C3
Oradour-sur-Glane (F) 49 F2
Oradour-sur-Vayres (F) 49 F3
Orahova (BIH) 135 F4
Orahovac / Rahovec (SRB) 142 D4
Orahovica (HR) 135 H4
Oraiókastro (GR) 161 G3
Oraison (F) 55 E2
Orajärvi (FIN) 180 D5
Orange (F) 54 C1
Orani (I) 112 C3
Oranienbaum (D) 86 B3
Oranienburg (D) 86 D1
Oranmore (IRL) 22 C5
Orašac (HR) 139 E4

Orašac (SRB) 140 D5
Orasi (MNE) 139 F4
Orašje (BIH) 137 G3
Orăştie (RO) 151 E1
Orăştioara de Sus (RO) 151 E1
Oraşu Nou (RO) 147 E1
Oravainen / Oravais (FIN) 185 F5
Oravais / Oravainen (FIN) 185 F5
Oravikoski (FIN) 193 F1
Oraviţa (RO) 150 C2
Oravská Lesná (SK) 132 D1
Orba (E) 66 A5
Ørbæk (DK) 198 C4
Orbassano (I) 100 C5
Orbe (CH) 98 B3
Orbeasca de Jos (RO) 151 H4
Orbec (F) 39 E5
Orbetello (I) 108 B1
Orbey (F) 47 G2
Őrbottyán (H) 129 F1
Orce (E) 71 F4
Orcera (E) 71 F3
Orchies (F) 40 A2
Orchomenós / Ορχομενός (GR) 165 G3
Orchowo (PL) 121 G1
Orcières (F) 51 F5
Orcival (F) 50 A3
Ordes (E) 56 C2
Ordino (AND) 60 C1
Ordizia (E) 59 E2
Orduña (E) 58 D2
Ordžonikidze (UA) 13 H2
Ore (S) 190 A3
Orea (E) 65 F2
Orebić (HR) 138 C3
Örebro (S) 197 E1
Orechovo-Zujevo (RUS) 7 G2
Öregcsertő (H) 129 F4
Öreglak (H) 128 C4
Öregrund (S) 190 C5
Orellana de la Sierra (E) 69 H1
Orellana la Vieja (E) 69 H1
Oreoí (GR) 165 G2
Orešak (BG) 158 D1
Orestiáda / Ορεστιάδα (GR) 163 F1
Organyà (E) 60 C2
Orgaz (E) 64 B4
Orgelet (F) 51 E1
Orgères-en-Beauce (F) 44 D2
Órgiva (E) 72 A5
Orgon (F) 54 D2
Orgosolo (I) 112 C3
Orgovány (H) 129 F3
Orhei (MD) 13 F3
Oria (E) 71 G5
Oria (I) 111 G4
Oricáin (E) 59 F2
Origny-Sainte-Benoite (F) 40 A3
Orihuela / Oriola (E) 73 E3
Orihuela del Tremedal (E) 65 F2
Orikum (AL) 144 B4
Orimattila (FIN) 191 H4
Oriola / Orihuela (E) 73 E3
Oriolo (I) 111 E5
Oripää (FIN) 191 F4
Orissaare (EST) 200 C3
Oristano (I) 112 B3
Őriszentpéter (H) 128 B3
Orivesi (FIN) 191 G2
Orizare (BG) 157 F4
Orizovo (BG) 159 E3
Orjahovo (BG) 151 F5
Ørje (N) 195 F1
Orkanger (N) 182 C5
Örkelljunga (S) 195 G5
Örkény (H) 129 F3
Orlane (SRB) 143 E3
Orlate (SRB) 143 E4
Orléans (F) 45 E3
Orlová (CZ) 93 G3
Orlovat (SRB) 140 D3
Orly (F) 45 E1
Órma (GR) 161 E3
Ormideia (CY) 175 E3
Órmos (GR) 161 G4
Órmos Korthíou (GR) 166 C5
Órmos Panagías (GR) 161 H4
Ormož (SLO) 135 E2
Ormsjö (S) 183 H4
Ormskirk (GB) 32 C2
Ormýlia (GR) 161 H4
Ornans (F) 47 F5
Ørnes (N) 179 F5
Orneta (PL) 118 C2
Ornós (GR) 170 C1
Örnsköldsvik (S) 184 C5
Orodel (RO) 151 E4
Or'ol (RUS) 7 G4
Orolik (HR) 137 H2
Orom (SRB) 140 C1
Oron-la-Ville (CH) 98 B3
Oropesa (E) 63 H4
Oropesa del Mar (E) 66 A2
Orosei (I) 112 D2
Orosháza (H) 129 H4
Oroszlány (H) 129 E2
Oroszló (H) 128 D4
Orounta (CY) 174 D3
Orpierre (F) 55 E1
Orpington (GB) 36 C4
Orreaga / Roncesvalles (E) 59 F2
Orrefors (S) 197 E5
Orša (BY) 7 E4
Orsa (S) 189 H3
Orsay (F) 45 E1
Orsières (CH) 98 C5
Orsogna (I) 109 G2
Orşova (RO) 150 D3
Ørsta (N) 188 C1
Örsundsbro (S) 197 F1
Orta Nova (I) 110 C2
Orta San Giulio (I) 100 D3
Ortakioi (CY) 174 D3
Orte (I) 108 D1
Orth an der Donau (A) 97 H1
Orthez (F) 52 B3
Ortigueira (E) 56 D1
Ortisei / Sankt Ulrich (I) 103 E2
Orţişoara (RO) 146 B5
Ortnevik (N) 188 B3
Orton (GB) 31 F5
Ortona (I) 109 H2
Ortrand (D) 86 D3
Örträsk (S) 184 D4
Orubica (HR) 135 G4
Orune (I) 112 C2
Orusco de Tajuña (E) 64 C3
Orvalho (P) 62 C4
Orvieto (I) 107 E5
Orvinio (I) 109 E2
Orzesze (PL) 125 E1
Orzinuovi (I) 101 F4
Orzoja (BG) 151 E5
Orzysz (PL) 119 F3
Os (N) 189 F1
Osa de la Vega (E) 64 D4
Osby (S) 195 H5
Oschatz (D) 86 C4
Oschersleben (D) 86 A2
Oschiri (I) 112 C2
Osečina (SRB) 140 B5
Oseja de Sajambre (E) 57 H2
Osen (N) 182 D4
Osera de Ebro (E) 59 H5
Osie (PL) 117 G3
Osięciny (PL) 117 H5
Osieczna (PL) 121 E2
Osiecznica (PL) 120 C3
Osiek (PL) 123 E5
Osijek (HR) 137 G2
Osilo (I) 112 B2
Osimo (I) 107 G4
Osinja (BIH) 135 H5
Osipaonica (SRB) 141 E4
Oskarshamn (S) 197 E4
Oskarström (S) 195 G5
Oslo (N) 189 E5
Ösmo (S) 197 G2
Osnabrück (D) 85 E2
Ośno Lubuskie (PL) 120 C1
Osoblaha (CZ) 93 F2
Osoppo (I) 103 G2
Osor (HR) 134 B5
Oşorhei (RO) 146 C3
Osorno la Mayor (E) 58 A3
Osowiec (PL) 119 G3
Osøyro (N) 188 B4
Ospedaletti (I) 104 C4
Ospitaletto (I) 101 G4
Oss (NL) 77 E5
Óssa (GR) 161 G3
Ossa de Montiel (E) 71 F1
Ossiach (A) 96 D5
Ossun (F) 52 D3
Ostaškov (RUS) 7 E2
Østby (N) 189 G3
Oster (UA) 7 F5
Østervrå (DK) 195 E4
Osterburg (D) 82 D5
Osterburken (D) 89 F3
Østerby Havn (DK) 195 E4
Österbybruk (S) 190 C5
Österbymo (S) 196 D3
Österfärnebo (S) 190 B5
Osterfeld (D) 86 B4
Osterhofen (D) 96 B1
Osterholz-Scharmbeck (D) 81 G5
Osteria del Gatto (I) 107 F4
Osterode am Harz (D) 85 H3
Östersund (S) 183 G5
Östersundom / Itäsalmi (FIN) 191 H5
Östervåla (S) 190 B5
Osterwieck (D) 85 H2
Ostffyasszonyfa (H) 128 C2
Östhammar (S) 190 C5
Ostheim vor der Rhön (D) 89 H1
Ostiglia (I) 101 H5
Östmark (S) 189 G5
Ostra (I) 107 G3
Ostrach (D) 94 D2
Ostrava (CZ) 93 G3
Oštrelj (BIH) 136 D4
Ostritz (D) 87 F4
Ostróda (PL) 118 C3
Ostroh (UA) 12 D1
Ostrołęka (PL) 119 E4
Ostroróg (PL) 117 E5
Ostrov (CZ) 91 G2
Ostrov (RO) 152 D5
Ostrov (RUS) 6 D2
Ostrów Lubelski (PL) 123 G3
Ostrów Mazowiecka (PL) 119 F5
Ostrów Wielkopolski (PL) 121 F3
Ostrowiec-Świętokrzyski (PL) 123 E4
Ostrowite (PL) 117 H5
Ostrožac (Bihać) (BIH) 135 E5
Ostrožac (Mostar) (BIH) 138 D2
Ostrzeszów (PL) 121 G3
Ostuni (I) 111 G4
Osuna (E) 69 H5
Oswestry (GB) 32 C4
Oświęcim (PL) 125 F1
Osztopán (H) 128 C4
Otanmäki (FIN) 187 E4
Otava (FIN) 193 F2
Oţeleni (RO) 148 C3
Oţelu Roşu (RO) 150 D1
Otepää (EST) 201 F4
Oteren (N) 176 B4
Oteşani (RO) 151 F2
Oteševo (MK) 145 E2
Othery (GB) 35 E3
Otívar (E) 75 F3
Otley (GB) 33 E2
Otmuchów (PL) 121 F5
Otnes (N) 189 F2
Otočac (HR) 134 D5
Otočec (SLO) 134 D3
Otok (HR) 137 H2
Otoka (BIH) 135 E5
Otopeni (RO) 152 B4
Otranto (I) 111 H5
Otrokovice (CZ) 93 F4
Otta (N) 189 E2
Ottana (I) 112 C3
Ottaviano (I) 109 H5
Ottenschlag (A) 97 F1
Ottensheim (A) 96 D1
Otter Ferry (GB) 30 B1
Otterburn (GB) 31 F3
Otterlo (NL) 77 E5
Otterndorf (D) 81 G3
Otternish (GB) 28 B3
Otterøy (N) 183 E3
Ottersberg (D) 81 G5
Otterup (DK) 198 C3
Ottery Saint Mary (GB) 35 E4
Öttevény (H) 128 C1
Ottmarsheim (F) 47 H3
Ottobeuren (D) 95 E2
Ottobrunn (D) 95 G2
Öttömös (H) 129 G4
Ottsjö (S) 183 F5
Ottweiler (D) 88 C3
Otwock (PL) 122 D1
Ouarville (F) 44 D2
Ouchy (CH) 98 B4
Oucques (F) 44 D3
Oud-Beijerland (NL) 76 C5
Ouddorp (NL) 76 C5
Oude Pekela (NL) 77 G3
Oudenaarde (B) 78 B2
Oudenbosch (NL) 78 D1
Oughterard (IRL) 22 C5
Ouistreham (F) 38 D5
Oulainen (FIN) 185 G4
Oulchy-le-Château (F) 40 A5
Oulu / Uleåborg (FIN) 185 H2
Oulunsalo / Uleåsalo (FIN) 185 H3
Oulx (I) 100 A5
Oundle (GB) 33 F5
Ouranópoli (GR) 162 B4
Ourém (P) 62 B5
Ourense (E) 56 D4
Ourique (P) 68 C4
Ourol (E) 56 D1
Ourville-en-Caux (F) 39 E4
Oust (F) 53 F4
Outeiro de Rei (E) 56 D2
Outokumpu (FIN) 193 G1
Outomuro (E) 56 C4
Outwell (GB) 33 G4
Ouzouer-le-Marché (F) 44 D3
Ouzouer-sur-Loire (F) 45 F3
Ovada (I) 104 D2
Ovanåker (S) 190 A3
Ovar (P) 62 B2
Ovča Mogila (BG) 156 B2
Ovčar Banja (SRB) 139 H1
Overath (D) 84 C4
Øverbygd (N) 176 B5
Overhalla (N) 183 E3
Överhörnäs (S) 184 C5
Överijo / Yli-Ii (FIN) 185 H2
Overijse (B) 78 C2
Överkalix (S) 185 F1
Överkiminge / Ylikiiminki (FIN) 185 H2
Övermark (FIN) 191 E1
Övertorneå (S) 180 D5
Överum (S) 197 E3
Oveselu (RO) 151 F3
Ovidiu (RO) 153 F4
Oviedo (E) 57 G2
Ovindoli (I) 109 F2
Øvre Årdal (N) 188 D3
Övre Soppero (S) 180 B3
Ovruč (UA) 13 E1
Oxelösund (S) 197 F2
Oxford (GB) 35 H1
Oxie (S) 199 F3
Oxýlithos (GR) 166 B3
Oxýneia (GR) 160 D5
Oy-Mittelberg (D) 95 E3
Oybin (D) 87 F5
Øye (N) 188 D3
Øyer (N) 189 E3
Oyntdartfjørdur (Færøerne) (DK) 194 A4
Oyón-Oion (E) 59 E3
Oyonnax (F) 51 E1
Øysang (N) 194 D2
Øystese (N) 188 B4
Oyten (D) 81 G5
Ozalj (HR) 134 D3
Ożarów (PL) 123 E4
Ożarów Mazowiecki (PL) 122 D1
Ožbalt (SLO) 134 D1
Ózd (H) 126 C5
Ozieri (I) 112 C2
Ozimek (PL) 121 G5
Ozora (H) 129 E3
Ozorków (PL) 122 B2
Ozun (RO) 152 B1

P

Paakkila (FIN) 187 G5
Paalasmaa (FIN) 187 G5
Paavola (FIN) 185 H3
Pabaiskas (LT) 205 F3
Pabianice (PL) 122 B2
Pabiržė (LT) 205 F1
Pabradė (LT) 205 G3
Paceco (I) 114 B3
Pacheiá Ámmos (GR) 173 F3
Páchi (GR) 165 G4
Pachino (I) 115 G5
Pachna (CY) 174 C4
Pachyammos (CY) 174 B3
Paço de Sousa (P) 62 C1
Paços de Ferreira (P) 62 C1
Pacov (CZ) 92 B4
Pacsa (H) 128 C3
Pacy-sur-Eure (F) 39 F5
Paczków (PL) 121 E5
Pădarevo (BG) 159 H1
Padasjoki (FIN) 191 H3
Padej (SRB) 140 C2
Pađene (HR) 136 C5
Paderborn (D) 85 E3
Paderne (P) 68 C5
Padiham (GB) 32 D2
Padina (SRB) 140 D3
Padinska Skela (SRB) 140 D4
Padornelo (E) 57 E4
Padova (I) 103 E4
Padragkút (H) 128 C3
Padrón (E) 56 B3
Padru (I) 112 D2
Padstow (GB) 34 C4
Padul (E) 75 F3
Paesana (I) 104 B2
Paestum (I) 110 B4
Páfos (CY) 174 B4
Pag (HR) 136 B4
Paganico (I) 106 D5
Pagėgiai (LT) 204 C3
Pagiriai (LT) 205 F3
Pagny (F) 41 E5
Pagóndas (GR) 167 G5
Pagoúria (GR) 162 D3
Pagramantis (LT) 204 C3
Páhi (H) 129 F3
Paianía (GR) 165 H4
Paide (EST) 201 E2
Paignton (GB) 35 E4
Paimbœuf (F) 43 E4
Paimio (FIN) 191 F4
Paimpol (F) 42 D1
Painswick (GB) 35 F1
Paisley (GB) 30 C2
Paistunturit (FIN) 177 F3
Pajala (S) 180 C4
Pájara (E) 67 H5
Pajęczno (PL) 121 H4
Páka (H) 128 B4
Pakość (PL) 117 G5
Pakoštane (HR) 136 B5
Pakrac (HR) 135 G4
Pakruojis (LT) 205 E1
Paks (H) 129 E4
Palacios de la Sierra (E) 58 C4
Palacios de Sanabria (E) 57 F4
Palacios del Sil (E) 57 F3
Paladru (F) 51 E3
Palafrugell (E) 61 F2
Palagiano (I) 111 F4
Palagonia (I) 115 F4
Palaia (I) 105 H5
Palaiá Epídavros (GR) 165 G5
Palaiá Krovýli (GR) 162 D3
Palaichori (CY) 174 D4
Palaíkastro (GR) 173 F3
Palaikythro (CY) 175 E3
Palaiochóra (GR) 172 B3
Palaiochóri (Dytikí Makedonía) (GR) 161 E5
Palaiochóri (Ípeiros) (GR) 164 C1
Palaiochóri (Pelopónnisos) (GR) 168 D3
Palaiokastrítsa / Παλαιοκαστρίτσα (GR) 160 A5
Palaiókastro (Chaldikí) (GR) 161 H4
Palaiókastro (Dytikí Makedonía) (GR) 161 E4
Palaiókastro (Sérres) (GR) 161 H2
Palaiókastro (Stereá Elláda) (GR) 165 E2
Palaiokómi (GR) 161 H3
Palaiometocho (CY) 174 D3
Palaiópoli (GR) 162 D4
Palaiópyrgos (GR) 165 E3
Pálairos (GR) 164 C2
Palaiseau (F) 45 E1
Palaiópoli (GR) 166 C5
Palamás (GR) 165 E1
Palamós (E) 61 F3
Palanga (LT) 204 B2
Palas de Rei (E) 56 D3
Palata (I) 109 H3
Palatna (SRB) 143 E3
Palau (I) 112 C1
Palavas-les-Flots (F) 54 B3
Palazzo del Pero (I) 107 E4
Palazzo San Gervasio (I) 110 D3
Palazzolo Acreide (I) 115 F4
Palazzolo sull'Oglio (I) 101 F4
Palazzuolo sul Senio (I) 106 D2
Paldiski (EST) 200 D2
Pale (BIH) 137 G5
Palena (I) 109 G2
Palencia (E) 58 A4
Paleohóri (GR) 161 H4
Palermo (I) 114 D2
Palestrina (I) 109 E3
Palėvenė (LT) 205 F2
Palež (BIH) 137 H5
Pálháza (H) 127 E4
Páli (H) 128 C2
Paliá Kavála (GR) 162 B3
Paliano (I) 109 E3
Palić (SRB) 140 C1
Palidoro (I) 108 D3
Palinges (F) 50 C1
Palinuro (I) 110 C5
Palioúri (GR) 161 H5
Paliouriá (GR) 161 E5
Paliseul (B) 78 D4
Palivere (EST) 200 D2
Pälkäne (FIN) 191 G3
Pålkem (S) 185 E1
Palláδio (GR) 165 F5
Palluau (F) 43 F5
Palma de Mallorca (E) 67 F3
Palma del Río (E) 69 H4
Palma di Montechiaro (I) 114 D4

Palmadula (I) 112 A 1
Palmanova (I) 103 G 3
Palmela (P) 68 B 2
Palmi (I) 115 H 2
Palo del Colle (I) 111 E 3
Páloi (GR) 171 F 2
Palojoensuu (FIN) 180 C 3
Palokki (FIN) 193 G 1
Palomäki (FIN) 187 F 5
Palomares del Campo (E) 64 D 4
Palomas (E) 69 G 2
Palombara Sabina (I) 109 E 2
Palos de la Frontera (E) 69 E 5
Palotás (H) 129 F 1
Pals (E) 61 F 2
Pålsboda (S) 197 E 1
Paltamo (FIN) 187 F 3
Paltaniemi (FIN) 187 F 3
Păltiniș (RO) 151 F 1
Paluzza (I) 103 G 2
Pámfyla (GR) 167 F 2
Pamhagen (A) 97 H 2
Pamiers (F) 53 F 4
Pampāļi (LV) 202 B 4
Pampilhosa da Serra (P) 62 C 4
Pampilhosa do Botão (P) 62 B 3
Pampliega (E) 58 B 4
Pamplona (E) 59 F 2
Panagía (Anatolikí Makedonía kai Thráki) (GR) 162 C 3
Panagía (Dytikí Makedonía) (GR) 161 E 5
Panagía (Ípeiros) (GR) 164 C 1
Panagía (Thessalía) (GR) 160 D 5
Panagjurište (BG) 158 C 2
Panaitólio (GR) 164 D 3
Pancalieri (I) 100 C 5
Pančarevo (BG) 158 B 2
Pančevo / Панчево (SRB) 140 D 4
Panciu (RO) 152 D 1
Pancorbo (E) 58 C 3
Pâncota (RO) 146 C 4
Pandino (I) 101 F 4
Pandrup (DK) 194 D 4
Panemunis (LT) 205 G 1
Panes (E) 58 A 1
Panevėžys (LT) 205 F 2
Panga (EST) 200 B 3
Pangbourne (GB) 35 H 2
Paničerevo (BG) 159 F 2
Pankakoski (FIN) 187 G 5
Pankow (D) 86 D 1
Pannonhalma (H) 128 D 2
Pano Archimandrita (CY) 174 C 4
Pano Arodes (CY) 174 B 4
Pano Deftera (CY) 174 D 3
Pano Dikomo (CY) 174 D 3
Pano Lakatameia (CY) 174 D 3
Pano Lefkara (CY) 174 D 4
Pano Panagia (CY) 174 B 4
Pano Platres (CY) 174 C 4
Pano Zodeia (CY) 174 C 3
Panórama (Anatolikí Makedonía kai Thráki) (GR) 161 H 2
Panórama (Kentrikí Makedonía) (GR) 161 G 4
Panormítis (GR) 171 H 3
Pánormos (Kríti) (GR) 170 B 5
Pánormos (Nótio Aigaío) (GR) 166 C 5
Pantánassa (GR) 169 E 4
Päntäne (FIN) 191 F 2
Panteleímonas (GR) 161 F 5
Pantelimon (București) (RO) 152 B 4
Pantelimon (Constanța) (RO) 153 F 3
Pantelleria (I) 114 A 5
Paola (I) 113 B 2
Pápa (H) 128 C 2
Páparis (GR) 168 D 2
Papasidero (I) 113 B 1
Papenburg (D) 81 E 5
Pápigko (GR) 160 C 5
Papilė (LT) 204 D 1
Papilys (LT) 205 F 1
Pappádes (GR) 165 G 2
Pappádos (GR) 167 F 2
Pappenheim (D) 91 E 5
Parabita (I) 111 H 5
Paraćin (SRB) 143 E 1
Paracuellos de Jiloca (E) 59 F 5
Parád (H) 129 G 1
Paradas (E) 69 H 5
Paradeisiá (GR) 168 C 2
Paradela (P) 56 C 5
Parainen / Pargas (FIN) 191 F 5
Parajes (E) 57 E 2
Parakálamos (GR) 160 C 5
Parákoila (GR) 167 E 2
Paralía (Dytikí Elláda) (GR) 164 D 4
Paralía (Kentrikí Makedonía) (GR) 161 F 4
Paralía (Pelopónnisos) (GR) 169 E 3
Paralía Akrátas (GR) 165 F 4
Paralía Avdíron (GR) 162 C 3
Paralía Kotsikiás (GR) 165 H 2
Paralía Kýmis (GR) 166 B 3
Paralía Saránti (GR) 165 G 4
Paralía Skotínas (GR) 161 F 5
Paralía Tyroú (GR) 169 E 3
Paralimni (CY) 175 F 3
Parálio Ástros (GR) 168 D 2
Paralovo (SRB) 143 E 4
Paramé (F) 43 F 1
Páramo del Sil (E) 57 F 3
Paramythiá (GR) 164 C 1
Paranésti (GR) 162 C 2
Parapótamos (GR) 164 B 1
Pârâul Rece (RO) 152 A 1
Paray-le-Monial (F) 50 C 1
Parchim (D) 82 D 4
Parczew (PL) 123 G 2
Pardubice (CZ) 92 C 2
Paredes (P) 62 C 1
Paredes de Coura (P) 56 B 5
Paredes de Nava (E) 58 A 4
Pareja (E) 64 D 2
Parekklisia (CY) 174 D 4
Parentis-en-Born (F) 52 B 1
Parenzo / Poreč (HR) 134 A 4
Párga / Πάργα (GR) 164 B 1
Pargas / Parainen (FIN) 191 F 5
Parikkala (FIN) 193 G 2
Paril (BG) 161 H 2
Parincea (RO) 148 D 4
Paris (F) 39 H 5
Parkalompolo (S) 180 C 4
Parkano (FIN) 191 F 2
Parla (E) 64 B 3
Parlavà (E) 61 F 2
Parma (I) 105 G 2
Parndorf (A) 97 H 2
Pärnu (EST) 200 D 3
Pärnu-Jaagupi (EST) 200 D 3
Parola (FIN) 191 G 3
Páros / Πάρος (GR) 170 C 1
Parpariá (GR) 167 E 3
Parsberg (D) 91 F 5
Pârscov (RO) 152 C 2
Parsdorf (D) 95 G 2
Partakko (FIN) 177 G 4
Partanna (I) 114 C 3
Partenen (A) 95 E 4
Parthenay (F) 48 D 1
Parthéni (GR) 171 F 1
Partinico (I) 114 C 2
Partizani (BG) 159 H 1
Partizani (SRB) 140 D 5
Partizánske (SK) 132 C 3
Partizanske Vode (SRB) 139 G 1
Partney (GB) 33 G 3
Părvenec (BG) 158 D 3
Părvomaj (BG) 161 G 2
Părvomaj / Първомай (BG) 159 E 3
Pas de la Casa (AND) 60 C 1
Pas-en-Artois (F) 39 H 3
Pasaia (E) 59 E 1
Pasarel (BG) 158 B 2
Pașcani (RO) 148 C 3
Pasewalk (D) 83 G 4
Pasikovci (HR) 135 G 4
Pasłęk (PL) 118 C 2
Pašman (HR) 136 B 5
Passais (F) 43 G 2
Passau (D) 96 C 1
Passignano sul Trasimeno (I) 107 E 4
Pastavy (BY) 6 D 4
Pastrana (E) 64 D 2
Păstrovo (BG) 159 E 2
Pasvalys (LT) 205 F 1
Pašvitinys (LT) 205 E 1
Pasym (PL) 118 D 3
Pásztó (H) 129 G 1
Patalenica (BG) 158 C 3
Pătârlagele (RO) 152 C 2
Patay (F) 44 D 3
Pateley Bridge (GB) 33 E 1
Pateniemi (FIN) 185 H 2
Paterna de Rivera (E) 74 B 4
Paternion (A) 96 C 5
Paternò (I) 115 F 3
Paternopoli (I) 110 B 3
Patersdorf (D) 91 G 5
Patiópoulo (GR) 164 D 2
Patitíri (GR) 165 H 2
Pátmos (GR) 171 E 1
Patos (AL) 144 C 3
Pátra / Πατρα (GR) 165 E 4
Patreksfjörður (IS) 178 A 2
Patriki (CY) 175 F 2
Patrington (GB) 33 G 2
Pattada (I) 112 C 2
Patterdale (GB) 31 E 5
Patti (I) 115 F 2
Pattijoki (FIN) 185 G 3
Pătulele (RO) 150 D 4
Pau (F) 52 C 3
Pauillac (F) 48 C 4
Paúl (P) 62 D 3
Paularo (I) 103 G 2
Paulhaguet (F) 50 B 4
Păuliș (RO) 146 C 5
Paullo (I) 101 E 4
Păunești (RO) 148 D 5
Pavel (BG) 156 B 2
Pavel Banja (BG) 159 E 2
Pavia (I) 101 E 5
Pavia (P) 68 C 1
Pavilly (F) 39 F 4
Pāvilosta (LV) 202 A 3
Pavino Polje (MNE) 139 G 3
Pávliani (GR) 165 F 3
Pavlica (SRB) 142 D 2
Pavlikeni (BG) 156 B 3
Pavlovce nad Uhom (SK) 133 H 3
Pavlovskij Posad (RUS) 7 G 2
Pavullo nel Frignano (I) 105 H 3
Paxoí (GR) 164 B 1
Payerne (CH) 98 C 3
Paymogo (E) 68 D 4
Payrac (F) 49 F 5
Pazardžik / Пазарджик (BG) 158 D 3
Pazin / Pisino (HR) 134 A 4
Pazo de Irixoa (E) 56 C 2
Pčelinovo (BG) 159 F 1
Pčelnik (BG) 157 F 3
Pcoliné (SK) 133 H 2
Peal de Becerro (E) 71 E 4
Peć / Pejë (SRB) 139 H 4
Pec pod Sněžkou (CZ) 87 G 5
Peccia (CH) 99 E 4
Peccioli (I) 105 G 5
Peceneaga (RO) 153 E 2
Pečenjevce (SRB) 143 F 3
Pechea (RO) 153 E 1
Pecica (RO) 146 B 5
Pećigrad (BIH) 135 E 5
Pećinci (SRB) 140 C 4
Peciu Nou (RO) 150 B 1
Pecka (SRB) 140 B 5
Peckelsheim (D) 85 F 3
Pécs (H) 128 D 5
Pécsely (H) 128 D 3
Pécsvárad (H) 129 E 5
Pečurice (MNE) 139 G 5
Pedaso (I) 107 H 4
Pedersker (DK) 199 G 4
Pedersöre / Pedersören k (FIN) 185 F 5
Pedersören k / Pedersöre (FIN) 185 F 5
Pedoulas (CY) 174 C 4
Pedrafita do Cebreiro (E) 57 E 3
Pedrajas de San Esteban (E) 58 A 5
Pedralba (E) 65 H 4
Pedralba de la Pradería (E) 57 E 5
Pedras Salgadas (P) 62 D 1
Pedraza (E) 64 B 1
Pedrera (E) 70 B 5
Pedro Abad (E) 70 C 4
Pedro Bernardo (E) 63 H 4
Pedro Muñoz (E) 64 D 5
Pedrógão (P) 68 D 3
Pedrógão (P) 62 A 4
Pedrógão Grande (P) 62 C 4
Pedrola (E) 59 G 4
Peebles (GB) 31 E 2
Peel (GB) 30 C 5
Peenemünde (D) 83 G 2
Pefkári (GR) 162 C 3
Pefkí (GR) 165 G 2
Péfkos (GR) 160 C 4
Pega (P) 63 E 3
Pegalajar (E) 70 D 4
Pegau (D) 86 B 4
Pegeia (CY) 174 B 4
Pegli (I) 104 D 3
Pegnitz (D) 91 E 3
Pego (E) 66 A 5
Pegognaga (I) 101 H 5
Pegolotte (I) 103 E 5
Peguera (E) 67 E 3
Pehčevo (MK) 145 H 1
Peine (D) 85 H 2
Peio (I) 101 H 2
Peïra-Cava (F) 55 H 1
Peiraiás / Πειραιασ (GR) 165 H 4
Peißenberg (D) 95 F 3
Peiting (D) 95 F 3
Peitz (D) 87 E 2
Pejë / Peć (SRB) 139 H 4
Pelagićevo (BIH) 137 G 3
Pelasgía (GR) 165 G 2
Pélekas (GR) 160 A 5
Pelendri (CY) 174 C 4
Peletá (GR) 169 E 3
Pelhřimov (CZ) 92 C 4
Pelkosenniemi (FIN) 181 F 4
Pellegrino Parmense (I) 105 F 2
Pellegrue (F) 48 D 5
Pellérd (H) 128 D 5
Pellesmäki (FIN) 193 F 1
Pello (FIN) 180 D 5
Pelovo (BG) 155 E 2
Pelplin (PL) 117 H 3
Peltosalmi (FIN) 187 E 5
Peltovuoma (FIN) 177 E 5
Pélussin (F) 50 D 3
Pembroke (GB) 25 H 5
Pembroke Dock (GB) 25 H 5
Pen-y-bont / Bridgend (GB) 34 D 2
Penacova (P) 62 C 3
Peñafiel (E) 58 B 5
Penafiel (P) 62 C 1
Peñaflor (E) 69 H 4
Penalva do Castelo (P) 62 D 2
Penamacor (P) 62 D 4
Peñaranda de Bracamonte (E) 63 H 2
Peñaranda de Duero (E) 58 C 5
Peñarroya-Pueblonuevo (E) 69 H 3
Penarth (GB) 35 E 2
Peñas de San Pedro (E) 71 G 2
Peñascosa (E) 71 G 2
Peñausende (E) 63 G 1
Pendine (GB) 34 C 1
Penedono (P) 62 D 2
Penela (P) 62 B 4
Pénestin (F) 43 E 4
Penhas da Saúde (P) 62 D 3
Penhas Juntas (P) 57 E 5
Peniche (P) 62 A 5
Penicuik (GB) 31 E 2
Penig (D) 86 C 5
Peníscola / Peñíscola (E) 66 B 1
Penkovci (BG) 158 A 2
Penkun (D) 83 G 4
Penmaenmawr (GB) 32 B 3
Penne (I) 109 G 1
Penne-d'Agenais (F) 53 E 1
Penrhyndeudraeth (GB) 32 B 4
Penrith (GB) 31 E 4
Penryn (GB) 34 B 5
Pentageia (CY) 174 C 3
Pentagioí (GR) 165 E 3
Pentakomo (CY) 174 D 4
Pentálofo (GR) 164 D 3
Pentálofos (GR) 160 D 4
Pénte Vrýses (GR) 161 G 3
Pentéli (GR) 165 H 4
Penteória (GR) 165 F 3
Pentrofoelas (GB) 32 B 4
Penzance (GB) 34 B 5
Penzberg (D) 95 G 3
Pénzesgyőr (H) 128 D 2
Penzlin (D) 83 F 4
Peqin (AL) 144 C 2
Pér (H) 128 D 1
Pera (CY) 174 D 3
Pera Chorio (CY) 174 D 3
Perä-Posio (FIN) 187 E 1
Perachóra (GR) 165 G 4
Peraía (Pélla) (GR) 161 E 3
Peraía (Thessaloníki) (GR) 161 G 4
Peraleda del Zaucejo (E) 69 H 2
Peralejos de las Truchas (E) 65 F 2
Perales de Tajuña (E) 64 C 3
Perales del Alfambra (E) 65 G 2
Perales del Puerto (E) 63 E 4
Peralta (E) 59 F 3
Peralta de Alcofea (E) 60 A 3
Peralva (P) 68 D 5
Pérama / Πέραμα (Attikí) (GR) 165 H 4
Pérama (Iónia Nisiá) (GR) 160 A 5
Pérama (Ípeiros) (GR) 160 C 5
Pérama (Kríti) (GR) 170 B 5
Peranka (FIN) 187 F 2
Peräseinäjoki (FIN) 191 F 1
Perast (MNE) 139 F 4
Peratáta (GR) 164 B 4
Perbál (H) 129 E 1
Percy-en-Normandie (F) 38 C 5
Pérdika (Attikí) (GR) 165 H 5
Pérdika (Ioánnina) (GR) 164 C 1
Pérdika (Thesprotía) (GR) 164 B 1
Perdíkkas (GR) 161 E 3
Peregu Mare (RO) 146 B 5
Perejaslav-Chmel'nyc'kyj (UA) 13 F 1
Pereruela (E) 63 G 1
Pereslavl'-Zalesskij (RUS) 7 G 1
Peretu (RO) 151 H 5
Perg (A) 97 E 1
Pergine Valsugana (I) 101 H 3
Pergola (I) 107 F 3
Perho (FIN) 185 G 5
Periam (RO) 146 A 5
Periana (E) 75 E 3
Périers (F) 38 B 5
Périgueux (F) 49 E 4
Períkleia (GR) 161 F 2
Perino (I) 101 F 5
Periș (RO) 152 B 3
Perișor (RO) 151 E 4
Períssa (GR) 170 C 3
Peristerá (GR) 161 G 4
Peristerona (Ammóchostos) (CY) 174 E 3
Peristerona (Lefkoşa) (CY) 174 D 3
Peristerona (Páfos) (CY) 174 B 4
Perívlepto (GR) 165 F 1
Perivóli (Dytikí Makedonía) (GR) 160 D 5
Perivóli (Stereá Elláda) (GR) 165 E 2
Perivolia (CY) 175 E 4
Perivolia (GR) 170 A 5
Perjasica (HR) 134 D 4
Perkáta (H) 129 E 3
Perković (HR) 138 B 2
Perleberg (D) 82 D 5
Perlez (SRB) 140 D 3
Përmet (AL) 144 D 4
Pernå / Pernaja (FIN) 193 E 4
Pernaja / Pernå (FIN) 193 E 4
Pernarava (LT) 205 E 3
Pernarec (CZ) 91 H 3
Pernek (SK) 132 A 4
Pernes-les-Fontaines (F) 54 D 1
Pernik / Перник (BG) 158 B 2
Perniö (FIN) 191 G 5
Pernitz (A) 97 G 2
Péronne (F) 40 A 3
Perosa Argentina (I) 100 B 5
Pérouges (F) 50 D 2
Perperek (BG) 162 D 1
Perpignan (F) 53 H 4
Perrero (I) 100 B 5
Perreux (F) 50 C 2
Perros-Guirec (F) 42 C 1
Persenbeug (A) 97 E 2
Pershore (GB) 35 G 1
Perstorp (S) 199 F 3
Perth (GB) 31 E 1
Pertisau (A) 95 G 3
Pertoča (SLO) 135 E 1
Pertoúli (GR) 164 D 1
Pertteli (FIN) 191 G 4
Pertuis (F) 55 E 2
Pertunmaa (FIN) 193 E 3
Pertusa (E) 59 H 4
Perućac Vrelo (SRB) 139 G 1
Perugia (I) 107 F 4
Perušić (HR) 134 D 5
Peruštica (BG) 158 D 3
Péruwelz (B) 78 B 3
Pervenchères (F) 44 B 2
Pervomajs'k (UA) 13 F 2
Pesaro (I) 107 F 3
Pescara (I) 109 G 1
Pescasseroli (I) 109 G 3
Pesceana (RO) 151 F 3
Peschici (I) 110 D 1
Peschiera del Garda (I) 101 H 4
Pescia (I) 105 G 4
Pescina (I) 109 F 2
Pescocostanzo (I) 109 G 3
Pescolanciano (I) 109 G 3
Pescopagano (I) 110 C 4
Pescorocchiano (I) 109 E 2
Peshkopi (AL) 144 D 1
Pesiökylä (FIN) 187 F 2
Pesmes (F) 47 E 4
Peso da Régua (P) 62 D 1
Pesočani (MK) 145 E 2
Pesoz (E) 57 E 2
Pessáni (GR) 163 E 2
Peštani (MK) 145 E 2
Peštera (BG) 158 D 3
Peștișani (RO) 151 E 2
Pestovo (RUS) 7 F 1
Pešurići (BIH) 137 H 5
Petačinci (SRB) 143 H 3
Petäjäskoski (FIN) 185 G 1
Petäjävesi (FIN) 191 H 2
Petalax (FIN) 191 E 1
Petalídi (GR) 168 C 3

Pétange (L) 79 E5
Pétas (GR) 164 C2
Peterborough (GB) 33 G4
Peterhead (GB) 29 H3
Peterlee (GB) 31 G4
Petersfield (GB) 35 H3
Petershagen (D) 85 F1
Pétervására (H) 129 G1
Pethelinós (GR) 161 H3
Petilia Policastro (I) 113 C3
Petina (I) 110 C4
Petite-Rosselle (F) 41 F4
Petka (SRB) 143 F4
Petko Karavelovo (BG) 156 C2
Petkula (FIN) 181 E3
Petlovača (SRB) 140 B4
Petoúsi (GR) 164 C1
Petra (CY) 174 C3
Petra (E) 67 F3
Pétra (GR) 167 E1
Petralia Sottana (I) 115 E3
Petrálona (GR) 161 G4
Petraná (GR) 161 E4
Petrčane (HR) 136 B4
Petrel / Petrer (E) 73 E2
Petrer / Petrel (E) 73 E2
Petreto-Bicchisano (F) 55 H5
Petric (BG) 158 C2
Petrič / Петрич (BG) 161 G2
Petrijevci (HR) 137 G1
Petrila (RO) 151 E1
Petrína (GR) 168 C2
Petrinja (HR) 135 E4
Petriș (RO) 146 D5
Pétrola (E) 71 H2
Petróna (GR) 164 D2
Petroșani (RO) 151 E1
Petroússa (GR) 162 B2
Petrova (RO) 147 G1
Petrovac (MNE) 139 F5
Petrovac (SRB) 141 E5
Petrovaradin (SRB) 140 C3
Petrovčić (SRB) 140 C4
Petrovec (MK) 143 F5
Petrovice (CZ) 92 A4
Pettenbach (A) 96 D2
Pettigoe (IRL) 23 E3
Petworth (GB) 38 D1
Peuerbach (A) 96 C1
Peura (FIN) 185 G1
Pewsey (GB) 35 G2
Peyrat-le-Château (F) 49 G3
Peyrehorade (F) 52 B2
Peyriac-Minervois (F) 53 H3
Peyrolles-en-Provence (F) 55 E2
Peyruis (F) 55 E1
Pézenas (F) 54 A3
Pezinok (SK) 132 A4
Pezoúla (GR) 162 C3
Pfaffenhofen an der Ilm (D) 95 G1
Pfäffikon (CH) 99 E2
Pfalzgrafenweiler (D) 89 E5
Pfarrkirchen (D) 96 B1
Pfeffenhausen (D) 95 F1
Pforzheim (D) 89 E4
Pfreimd (D) 91 F4
Pfronten (D) 95 E3
Pfullendorf (D) 94 C2
Pfullingen (D) 89 F5
Pfunds-Dorf (A) 95 E4
Pfungstadt (D) 89 E2
Phalsbourg (F) 41 G5
Philippeville (B) 78 C4
Philippsreut (D) 91 H5
Piacenza (I) 101 F5
Piadena (I) 101 G5
Piana (F) 55 G4
Piana degli Albanesi (I) 114 C2
Piancastagnaio (I) 106 D5
Piancavallo (I) 103 F3
Piandelagotti (I) 105 G3
Pianella (I) 109 G2
Piano del Cansiglio (I) 103 F3
Piano del Voglio (I) 105 H3
Pianoro (I) 106 D2
Piansano (I) 108 C1
Pias (P) 68 D2
Piaseczno (PL) 122 D1
Piaski (Lublin) (PL) 123 G3
Piaski (Mierzeja Wiślana) (PL) 118 C1
Piątek (PL) 122 B1
Piątnica Poduchowna (PL) 119 F4
Piatra (RO) 151 H5
Piatra-Neamț (RO) 148 B3
Piatra-Olt (RO) 151 G4
Piazza al Serchio (I) 105 G3
Piazza Armerina (I) 115 E4
Piazza Brembana (I) 101 F3
Piazzola sul Brenta (I) 103 E4
Piber (A) 97 F4
Pićan (HR) 134 B4
Picasent / Picassent (E) 65 H5
Picassent / Picasent (E) 65 H5
Picerno (I) 110 C4
Pickering (GB) 31 H5
Pico (I) 109 F4
Picquigny (F) 39 H3
Piechowice (PL) 120 C4
Piecki (PL) 119 E3
Piedicavallo (I) 100 C3
Piedicroce (F) 55 H4
Piediluco (I) 109 E1
Piedimonte Matese (I) 109 H4
Piedrabuena (E) 70 C1
Piedrafita de Babia (E) 57 F2
Piedrahíta (E) 63 H3
Piedralaves (E) 64 A3
Piedras Albas (E) 63 E4
Piedratajada (E) 59 G4
Piekoszów (PL) 122 C4
Pieksämäki (FIN) 193 F1
Pielavesi (FIN) 187 E5
Pieniężno (PL) 118 C2
Piennes (F) 41 E4
Pieńsk (PL) 120 C3
Pienza (I) 106 D4
Pierowall (GB) 26 B3
Pierre-Buffière (F) 49 F3
Pierre-de-Bresse (F) 46 D5
Pierrefitte-Nestalas (F) 52 D4
Pierrefitte-sur-Aire (F) 40 D5
Pierrefonds (F) 40 A4
Pierrefontaine-les-Varans (F) 47 F4
Pierrefort (F) 50 A5
Pierrelatte (F) 54 C1
Piešťany (SK) 132 B3
Pieszyce (PL) 121 E5
Pietarsaari / Jakobstad (FIN) 185 F5
Pietra Ligure (I) 104 D3
Pietralunga (I) 107 F4
Pietraperzia (I) 115 E4
Pietrari (RO) 151 F2
Pietrasanta (I) 105 G4
Pietroasa (RO) 146 D4
Pietroșani (RO) 152 A5
Pieve del Cairo (I) 101 E5
Pieve di Bono (I) 101 G3
Pieve di Cadore (I) 103 F2
Pieve di Soligo (I) 103 F3
Pieve di Teco (I) 104 C3
Pieve Santo Stefano (I) 107 E3
Pievepelago (I) 105 G3
Pigádi (GR) 165 G2
Pigés (GR) 164 D1
Pigna (I) 104 C4
Pihlajaveden as (FIN) 191 G1
Pihlava (FIN) 191 E3
Pihtipudas (FIN) 185 H5
Piikkiö (FIN) 191 F4
Piippola (FIN) 185 H4
Piispajärvi (FIN) 187 F2
Pikeliai (LT) 204 C1
Pikérmi (GR) 165 H4
Piła (PL) 117 E4
Pilas (E) 69 F5
Pilat-Plage (F) 48 B5
Pilawa (PL) 123 E2
Piława Górna (PL) 121 E5
Piles (E) 66 A4
Pilica (PL) 122 B5
Pílio (GR) 165 H3
Pilis (H) 129 F2
Pilisszentkereszt (H) 129 E1
Pilisvörösvár (H) 129 E1
Pilštanj (SLO) 134 D2
Pilviškiai (LT) 204 D4
Pilzno (PL) 127 E1
Piña de Campos (E) 58 A3
Pina de Ebro (E) 59 H5
Pincehely (H) 129 E3
Pińczów (PL) 122 C5
Pineda de la Sierra (E) 58 C3
Pineda de Mar (E) 61 E3
Pinerolo (I) 100 B5
Pineto (I) 107 H5
Piney (F) 45 H2
Pingeyri (IS) 178 A1
Pinguente / Buzet (HR) 134 B4
Pingvellir (IS) 178 B3
Pinhal Novo (P) 68 B2
Pinhão (P) 62 B2
Pinheiro (P) 56 C5
Pinhel (P) 63 E2
Pinkafeld (A) 97 G3
Pinneberg (D) 81 H4
Pinnow (D) 87 E2
Pino (F) 55 H2
Pino de la Virgen (E) 67 E5
Pinofranqueado (E) 63 F3
Pinols (F) 50 B4
Pinos Puente (E) 70 D5
Pinsk (BY) 6 D5
Pintamo (FIN) 187 E2
Pinto (E) 64 B3
Pinzano al Tagliamento (I) 103 G3
Pinzolo (I) 101 H3
Piobbico (I) 107 F3
Piombino (I) 106 C5
Pione (I) 105 F2
Pionki (PL) 123 E3
Pionsat (F) 49 H2
Piotrków Kujawski (PL) 118 A5
Piotrków Trybunalski (PL) 122 B3
Piove di Sacco (I) 103 E5
Piovene Rocchette (I) 102 D3
Pipriac (F) 43 E3
Piran / Pirano (SLO) 134 A3
Pirano / Piran 134 A3
Pirdop (BG) 158 C1
Piriac-sur-Mer (F) 43 E4
Pirin (BG) 161 H1
Pirkkala (FIN) 191 G3
Pirmasens (D) 88 D3
Pirna (D) 87 E4
Pirok (MK) 143 E5
Pirot / Пирот (SRB) 143 G2
Pirovac (HR) 136 C5
Pirttikoski (FIN) 181 F5
Pisa (I) 105 G4
Pișchia (RO) 146 B5
Pisciotta (I) 110 C5
Pișcolt (RO) 146 D2
Piscu Vechi (RO) 151 E5
Písek (CZ) 92 A4
Pisino / Pazin (HR) 134 A4
Piskokéfalo (GR) 173 F3
Piškorevci (HR) 135 H4
Pismenovo (BG) 157 F5
Pisodéri (GR) 160 D3
Pisogne (I) 101 G3
Písses (GR) 166 B5
Pissónas (GR) 165 H3
Pissos (F) 52 C1
Pissouri (CY) 174 C5
Pisticci (I) 111 E4
Pistoia (I) 105 H4
Pisz (PL) 119 E3
Piszczac (PL) 123 G1
Piteå (S) 185 E2
Pitești (RO) 151 H3
Pithiviers (F) 45 E2
Pitigliano (I) 106 D5
Pitlochry (GB) 29 F5
Pitomača (HR) 135 G3
Pittenween (GB) 31 E1
Pitvaros (H) 129 H4
Pivka (SLO) 134 B3
Pivnica (HR) 135 G3
Pivnice (SRB) 140 B2
Piwniczna (PL) 125 H2
Pizarra (E) 74 D3
Pizzighettone (I) 101 F5
Pizzo (I) 115 H1
Pizzoli (I) 109 F2
P'jatychatky (UA) 13 G1
Plabennec (F) 42 B1
Plačkovci (BG) 159 F1
Plaisance (F) 52 D2
Pláka (Pelopónnisos) (GR) 169 E3
Pláka (Vóreio Aigaío) (GR) 162 D5
Pláka Litochórou (GR) 161 F5
Plakiás (GR) 172 C3
Plan-d'Aups (F) 55 E3
Plana (BIH) 139 E3
Planá (CZ) 91 G3
Plancoët (F) 43 E1
Plandište / Пландиште (SRB) 141 E3
Plánice (CZ) 91 H4
Planina (Jesenice) (SLO) 134 B1
Planina (Ljubljana) (SLO) 134 B3
Planina pri Sevnici (SLO) 134 D2
Planinica (SRB) 143 G1
Plános (GR) 164 C5
Plasencia (E) 63 F4
Plaški (HR) 134 D4
Plăstina (BG) 159 G1
Plasy (CZ) 91 H3
Platamona Lido (I) 112 B1
Platamónas (GR) 162 C2
Platánia (Anatolikí Makedonía kai Thráki) (GR) 168 C2
Plataniá (Pelopónnisos) (GR) 162 B2
Plataniá (Thessalía) (GR) 165 G2
Plataniás (GR) 172 B3
Platanistasa (CY) 174 D4
Platanistós (GR) 166 C4
Platanítis (GR) 165 E3
Plátanos (Chaniá) (GR) 172 A3
Plátanos (Irákleio) (GR) 172 D4
Plátanos (Thessalía) (GR) 165 F2
Platariá (GR) 164 B1
Plateau-d'Assy (F) 51 G2
Pláti (GR) 163 F1
Platiána (GR) 164 D5
Platičevo (SRB) 140 C4
Platja d'Aro (E) 61 F3
Platja i Grau de Gandia (E) 66 A4
Plattling (D) 91 G5
Platýgiali (GR) 164 C3
Platýkampos (GR) 165 F1
Platýs Gialós (Iónia Nisi) (GR) 164 B4
Platýs Gialós (Mílos) (GR) 169 H3
Platýs Gialós (Mýkonos) (GR) 170 C1
Platýstomo (GR) 165 E2
Plau am See (D) 83 E4
Plaue (D) 86 B1
Plauen (D) 86 B5
Plav (MNE) 139 H4
Plavča (HR) 134 D5
Pļaviņas (LV) 203 F3
Plavna (SRB) 141 G5
Plavnica (MNE) 139 G5
Plavsk (RUS) 7 G3
Playa Blanca (E) 67 H4
Pleaux (F) 49 H4
Pleine-Fougères (F) 43 F1
Pleinfeld (D) 91 E5
Plejsy (SK) 133 F2
Plélan-le-Grand (F) 43 E3
Plélan-le-Petit (F) 43 E2
Pléneuf-Val-André (F) 43 E1
Plenița (RO) 151 E4
Plentzia (E) 58 D1
Plépi (GR) 169 F2
Plešin (SRB) 142 D2
Plešivec (SK) 133 F3
Plestin-les-Grèves (F) 42 C1
Pleszew (PL) 121 F2
Pleternica (HR) 135 H4
Plettenberg (D) 84 D4
Pleumartin (F) 49 E2
Pleumeur-Bodou (F) 42 C1
Pleven (BG) 156 A2
Pleyben (F) 42 C2
Pliego (E) 71 H4
Pliska (BG) 157 E2
Plitvička jezera (HR) 134 D5
Plitvički Ljeskovac (HR) 134 D5
Pljevlja / Ужице (MNE) 139 G2
Ploaghe (I) 112 B2
Ploče (HR) 138 D3
Plochingen (D) 89 F4
Płock (PL) 118 C5
Plodovitovo (BG) 159 E3
Ploemeur (F) 42 C3
Ploërmel (F) 43 E3
Plœuc-sur-Lié (F) 42 D2
Ploiești (RO) 152 B3
Plomári / Πλωμάρι (GR) 167 F2
Plombières-les-Bains (F) 47 F3
Plomin (HR) 134 B4
Plön (D) 82 B3
Plonéour-Lanvern (F) 42 B3
Płońsk (PL) 118 D5
Plopeni (RO) 152 B3
Plosca (RO) 151 H5
Płoty (PL) 116 C3
Plouagat (F) 42 D1
Plouaret (F) 42 C1
Plouay (F) 42 C3
Ploubalay (F) 43 E1
Ploudalmézeau (F) 42 B1
Plouescat (F) 42 B1
Plougasnou (F) 42 C1
Plougastel-Daoulas (F) 42 B2
Plougonven (F) 42 C1
Plouguenast (F) 42 D2
Plouha (F) 42 D1
Plouigneau (F) 42 C1
Ploumanac'h (F) 42 C1
Plouzévédé (F) 42 B1
Plovdiv / Пловдив (BG) 158 D3
Plumbridge (GB) 23 E2
Plungė (LT) 204 C2
Pl'ussa (RUS) 6 D1
Pluvigner (F) 42 C3
Plužine (BIH) 139 E2
Plužine (MNE) 139 F3
Plymouth (GB) 34 D4
Plympton (GB) 34 D4
Plymstock (GB) 34 D4
Plýtra (GR) 169 E4
Plzeň (CZ) 91 H3
Pniewo (PL) 116 B4
Pniewy (PL) 120 D1
Pobiedziska (PL) 121 F1
Pobierowo (PL) 116 C2
Poboru (RO) 151 G3
Pobrđe (SRB) 142 D3
Počep (RUS) 7 F4
Pöchlarn (A) 97 F1
Počinok (RUS) 7 F3
Počitelj (BIH) 138 D3
Pocking (D) 96 C1
Pocsaj (H) 131 F2
Počuta (SRB) 140 C5
Poda (MNE) 139 H3
Podajva (BG) 152 C5
Podareš (MK) 145 H1
Podari (RO) 151 F4
Podbořany (CZ) 91 H2
Podbrezová (SK) 132 D3
Podčetrtek (SLO) 134 D2
Poddębice (PL) 121 H2
Poděbrady (CZ) 92 B2
Podensac (F) 48 D5
Podersdorf am See (A) 97 H2
Podgajci Posavski (HR) 137 H3
Podgarić (HR) 135 F3
Podgora (HR) 138 C3
Podgorač (HR) 135 H4
Podgorac (SRB) 143 F1
Podgorica (MNE) 139 G4
Podgrad (SLO) 134 B3
Podhorod' (SK) 133 H3
Podhum (BIH) 138 C1
Podkoren (SLO) 134 A1
Podkova (BG) 162 D2
Podlejki (PL) 118 C3
Podlugovi (BIH) 137 G5
Podnovlje (BIH) 135 H5
Podochóri (GR) 162 B3
Podogorá (GR) 164 D2
Podolínec (SK) 133 F2
Podol'sk (RUS) 7 G2
Podpeč (SLO) 134 B2
Podrašnica (BIH) 137 E4
Podravski Kloštar (HR) 135 G3
Podromanija (BIH) 137 H5
Podsreda (SLO) 134 D2
Podsused (HR) 135 E3
Podturen (HR) 135 F1
Podu Iloaiei (RO) 148 D3
Podu Turcului (RO) 148 D5
Podujevë / Podujevo 143 E3
Podujevo / Podujevë (SRB) 143 E3
Podunavci (SRB) 142 D2
Poeni (RO) 151 H4
Poggibonsi (I) 105 H5
Poggio Imperiale (I) 110 C1
Poggio Mirteto (I) 109 E2
Poggio Renatico (I) 106 D1
Poggio Rusco (I) 101 H5
Pöggstall (A) 97 F1
Pogoanele (RO) 152 D3
Pogonianí (GR) 160 B5
Pogorzela (PL) 121 F2
Pogradec (AL) 144 D3
Pogrodzie (PL) 118 C2
Pohja / Pojo (FIN) 191 G5
Pohja-Lankila (FIN) 193 G2
Pohjaslahti (FIN) 185 H1
Pohjaslahti (FIN) 191 G2
Pohlitz (D) 87 E2
Pohořelice (CZ) 93 E5
Poiana Brașov (RO) 152 A1
Poiana Lacului (RO) 151 G3
Poiana Mare (RO) 151 E5
Poiana Mărului (RO) 150 D2
Poiana Sibiului (RO) 151 F1
Poibrene (BG) 158 C2
Poienari (RO) 151 G2
Poienești (RO) 148 D4
Poienile de Sub Munte (RO) 147 G1
Poio de Arriba (E) 56 B3
Poirino (I) 100 C5
Poissons (F) 46 D2
Poissy (F) 39 G5
Poitiers (F) 49 E1
Poix-de-Picardie (F) 39 G3
Poix-Terron (F) 40 C4
Pojate (SRB) 143 E1
Pojejena (RO) 150 B3
Pojo / Pohja (FIN) 191 G5
Pojorâta (RO) 148 A2
Pokka (FIN) 181 E3
Poklečani (BIH) 138 D2
Pokój (PL) 121 F4
Pokupsko (HR) 135 E4
Pola / Pula (HR) 134 A5
Pola de Allande (E) 57 F2
Pola de Laviana (E) 57 G2
Pola de Lena (E) 57 G2
Pola de Siero (E) 57 G2
Polače (HR) 138 D4

Polack (BY) 6 D3
Polán (E) 64 B4
Polanica-Zdrój (PL) 121 E5
Połaniec (PL) 123 E5
Polanów (PL) 117 E2
Polcenigo (I) 103 F3
Połczyn-Zdrój (PL) 116 D3
Polegate (GB) 36 D5
Polemi (CY) 174 B4
Polesella (I) 103 E5
Polessk (RUS) 6 B4
Polgárdi (H) 128 D3
Polhov Gradec (SLO) 134 B2
Policastro Bussentino (I) 110 C5
Police (PL) 116 B3
Polichnítos / Πολιχνίτος (GR) 167 E2
Polička (CZ) 92 D3
Poličnik (HR) 136 B4
Policoro (I) 111 E5
Polignano a Mare (I) 111 F3
Poligny (F) 47 E5
Polikraište (BG) 156 C3
Polis (CY) 174 B4
Polistena (I) 115 H1
Politiká (GR) 165 H3
Poljana (SLO) 134 C1
Poljana (SRB) 141 E4
Poljana Pakračka (HR) 135 F4
Poljanovo (BG) 159 F3
Poljčane (SLO) 134 D2
Polje (BIH) 135 H5
Poljica (HR) 138 C3
Poljice (BIH) 137 G4
Polkowice (PL) 120 D3
Polla (I) 110 C4
Pölläkkä (FIN) 193 G1
Pöllau (A) 97 G3
Polle (D) 85 F2
Pollença (E) 67 F2
Pollfoss (N) 188 D2
Pollos (E) 63 H1
Polmak (N) 177 G3
Polonne (UA) 13 E1
Polperro (GB) 34 C4
Polski Gradec (BG) 159 G3
Polski Trambeš (BG) 156 C2
Poltár (SK) 133 E3
Poltava (UA) 13 G1
Põltsamaa (EST) 201 F3
Põlva (EST) 201 G4
Polvijärvi (FIN) 187 G5
Polýdrosos (GR) 165 F3
Polýgyros / Πολύγυρος (GR) 161 H4
Polykárpi (GR) 161 E3
Polykástano (GR) 160 D4
Polýkastro (GR) 161 F3
Polýmylos (GR) 161 E4
Polypótamos (GR) 166 B4
Polýrracho (GR) 161 E4
Polzela (SLO) 134 C2
Pomar de Cinca (E) 60 A3
Pomarance (I) 105 H5
Pomarkku (FIN) 191 F3
Pomârla (RO) 148 B1
Pombal (P) 62 B4
Pomellen (D) 83 G4
Pomezí nad Ohří (CZ) 91 F3
Pomezia (I) 108 D3
Pomi (RO) 147 E1
Pomiechówek (PL) 122 D1
Pomigliano d'Arco (I) 109 H5
Pommersfelden (D) 89 H2
Pomorie / Поморие (BG) 157 F4
Pomos (CY) 174 B3
Pomoštnik (BG) 159 G3
Pompei (I) 109 H5
Pómpia (GR) 172 D4
Poncin (F) 51 E2
Ponferrada (E) 57 F3
Poniatowa (PL) 123 F3
Poniec (PL) 121 E2
Ponikovica (SRB) 139 H1
Ponoarele (RO) 150 D2
Pons (F) 48 C3
Ponsacco (I) 105 G5
Pont-à-Marcq (F) 40 A2
Pont-à-Mousson (F) 41 E5
Pont-Audemer (F) 39 E4
Pont-Aven (F) 42 C3
Pont Canavese (I) 100 C4
Pont-Château (F) 43 E4
Pont-Croix (F) 42 B2
Pont-d'Ain (F) 50 D2
Pont-de-Chéruy (F) 50 D3
Pont-de-Dore (F) 50 B3
Pont-de-l'Arche (F) 39 F5
Pont-de-Roide (F) 47 F4
Pont-de-Salars (F) 53 H1
Pont-de-Vaux (F) 50 D1
Pont-de-Veyle (F) 50 D2
Pont-d'Ouilly (F) 38 D5
Pont-du-Château (F) 50 A3
Pont-en-Royans (F) 51 E4
Pont-l'Abbé (F) 42 B3
Pont-l'Évêque (F) 39 E5
Pont-Saint-Esprit (F) 54 C1
Pont-Saint-Vincent (F) 47 E1
Pont-Sainte-Maxence (F) 39 H5
Pont-Scorff (F) 42 C3
Pont-St-Martin (I) 100 C4
Pont-sur-Yonne (F) 45 G2
Pontacq (F) 52 C3
Pontailler-sur-Saône (F) 46 D4
Pontão (P) 62 B4
Pontardawe (GB) 34 D1
Pontarddulais (GB) 34 D1
Pontarion (F) 49 G2
Pontarlier (F) 47 F5
Pontassieve (I) 106 D3
Pontaubault (F) 43 F1
Pontaumur (F) 49 H2
Pontcharra (F) 51 F3
Pontchartrain (F) 45 E1
Ponte Arche (I) 101 H3
Ponte Caldelas (E) 56 B4
Ponte da Barca (P) 56 C5
Ponte de Lima (P) 56 B5
Ponte de Sor (P) 68 C1
Ponte di Legno (I) 101 G2
Ponte di Piave (I) 103 F4
Ponte Leccia (F) 55 H3
Ponte nelle Alpi (I) 103 F3
Ponte San Pietro (I) 101 F4
Ponte Tresa (CH) 99 E5
Ponteareas (E) 56 B4
Pontebba (I) 103 G2
Pontecagnano (I) 109 H5
Ponteceno (I) 105 F2
Ponteceso (E) 56 B2
Pontecorvo (I) 109 F4
Pontedecimo (I) 105 E2
Pontedera (I) 105 G4
Pontedeume (E) 56 C1
Pontefract (GB) 33 E2
Pontelandolfo (I) 109 H4
Pontevedra (E) 56 B3
Pontevico (I) 101 G5
Pontfaverger-Moronvilliers (F) 40 C4
Pontgibaud (F) 50 A3
Pontigny (F) 45 G3
Pontinia (I) 109 E4
Pontinvrea (I) 104 D3
Pontivy (F) 42 D2
Pontlevoy (F) 44 D4
Pontoïrákleia (GR) 161 F2
Pontoise (F) 39 G5
Pontones (E) 71 F3
Pontoon (IRL) 22 C4
Pontorson (F) 43 F1
Pontremoli (I) 105 F3
Pontresina (CH) 99 G4
Pontrieux (F) 42 D1
Pontrilas (GB) 35 E1
Ponts (E) 60 C3
Pontvallain (F) 44 B3
Pontypool (GB) 35 E1
Pontypridd (GB) 35 E2
Poole (GB) 38 B1
Pootsi (EST) 200 D4
Popadić (SRB) 140 C5
Poperinge (B) 78 A2
Popeşti (Iaşi) (RO) 148 D3
Popeşti (Oradea) (RO) 146 D2
Popeşti (Râmnicu Vâlcea) (RO) 151 F2
Popeşti-Leordeni (RO) 152 B4
Popielów (PL) 121 F4
Popinci (BG) 158 D2
Popinci (SRB) 140 C4
Popoli (I) 109 G2
Popov Most (BIH) 139 F2
Popovac (SRB) 143 F1
Popovača (HR) 135 F3
Popovica (BG) 159 E3
Popovo / Попово (BG) 156 D2
Poppenhausen (D) 89 G1
Poppi (I) 107 E3
Poprad (SK) 133 E2
Popsko (BG) 163 E1
Porcari (I) 105 G4
Porchov (RUS) 6 D2
Porcuna (E) 70 C4
Porczyny (PL) 121 H2
Pordenone (I) 103 F3
Pordim (BG) 156 A2
Poręba (PL) 122 B5
Poreč / Parenzo (HR) 134 A4
Pori / Björneborg (FIN) 191 F3
Porjus (S) 180 A5
Porlock (GB) 34 D3
Pornainen (FIN) 191 H4
Pörnbach (D) 95 G1
Pornic (F) 43 E5
Pornichet (F) 43 E4
Poroina Mare (RO) 151 E4
Póros (GR) 164 C3
Póros / Πόρος (GR) 165 H5
Poroszló (H) 129 H1
Porozina (HR) 134 B4
Pórpi (GR) 162 D3
Porquerolles (F) 55 F4
Porrentruy (CH) 98 C2
Porretta Terme (I) 105 H3
Porsgrunn (N) 195 E1
Port Askaig (GB) 30 A2
Port-Bail (F) 38 B4
Port-Barcarès (F) 54 A4
Port Charlotte (GB) 30 A2
Port-Cros (F) 55 F4
Port d'Alcúdia (E) 67 F2
Port d'Andratx (E) 67 E3
Port-de-Bouc (F) 54 D3
Port de Pollença (E) 67 F2
Port de Sóller (E) 67 F2
Port Ellen (GB) 30 A2
Port-en-Bessin-Huppain (F) 38 C4
Port Erin (GB) 32 A1
Port-Eynon (GB) 34 D2
Port Glasgow (GB) 30 C2
Port-Joinville (F) 43 E5
Port-la-Nouvelle (F) 54 A4
Port Láirge / Waterford (IRL) 25 E4
Port Laoise / Portlaoise (IRL) 25 E2
Port-Leucate (F) 54 A4
Port-Louis (F) 42 C3
Port-Manech (F) 42 C3
Port-Navalo (F) 42 D4
Port of Ness (GB) 28 C1
Port-Saint-Louis-du-Rhône (F) 54 D3
Port Saint Mary (GB) 32 A1
Port-Sainte-Marie (F) 52 D1
Port-sur-Saône (F) 47 E3
Port Talbot (GB) 34 D2
Port-Vendres (F) 54 A5
Port William (GB) 30 C4
Porta Westfalica (D) 85 F2
Portadown (GB) 23 F3
Portaferry (GB) 23 H3
Portalegre (P) 68 D1
Portalrubio (E) 65 G1
Portariá (Kentrikí Makedonía) (GR) 161 G4
Portariá (Thessalía) (GR) 165 G1
Portarlington (IRL) 25 E2
Portavadie (GB) 30 B2
Portavogie (GB) 23 H3
Portbou (E) 61 F1
Portel (P) 68 D3
Portelo (P) 57 E5
Portezuelo (E) 63 F4
Portglenone (GB) 23 F2
Porthcawl (GB) 34 D2
Porthmadog (GB) 32 A4
Portici (I) 109 G5
Portilla de la Reina (E) 58 A2
Portillo (E) 58 A5
Portimão (P) 68 B5
Portimo (FIN) 185 H1
Portinho (P) 68 B2
Portishead (GB) 35 F2
Portlaoise / Port Laoise (IRL) 25 E2
Portman (E) 73 E4
Portmarnock (IRL) 23 G5
Portnacroish (GB) 28 D5
Portnaguran (GB) 28 C1
Portnahaven (GB) 30 A2
Porto (F) 55 G4
Porto (P) 62 B1
Porto Alto (P) 68 B1
Porto Azzurro (I) 106 B5
Porto Boúfalo (GR) 166 B4
Pórto Carrás (GR) 161 H5
Porto Ceresio (I) 101 E3
Porto Cervo (I) 112 D1
Porto Cesareo (I) 111 G5
Porto Cristo (E) 67 G3
Porto de Lagos (P) 68 B5
Porto de Mós (P) 62 B5
Porto di Vasto (I) 109 H2
Porto do Barqueiro (E) 56 D1
Porto do Son (E) 56 B3
Porto Empedocle (I) 114 D4
Porto Ercole (I) 108 B2
Porto Garibaldi (I) 107 E1
Portó Germenó (GR) 165 G4
Pórto Kágio (GR) 168 D4
Porto Moniz (P) 68 A4
Porto Pino (I) 112 B5
Pórto Ráfti (GR) 166 B5
Porto Recanati (I) 107 H4
Porto Rotondo (I) 112 D1
Porto San Giorgio (I) 107 H4
Porto Sant' Elpidio (I) 107 H4
Porto Santo Stefano (I) 108 B1
Porto Tolle (I) 103 F5
Porto Torres (I) 112 B1
Porto-Vecchio (F) 55 H5
Portochéli (GR) 169 E2
Portoferraio (I) 106 B5
Portofino (I) 105 E3
Portogruaro (I) 103 G3
Pörtom (FIN) 191 E1
Portomaggiore (I) 107 E1
Portomarín (E) 56 D3
Portomouro (E) 56 B2
Portonovo (E) 56 B4
Portopetro (E) 67 G3
Portorož / Portorose (SLO) 134 A3
Portoscuso (I) 112 A5
Portovenere (I) 105 F4
Portpatrick (GB) 23 H2
Portree (GB) 28 C3
Portrush (GB) 23 F1
Portsalon (IRL) 23 E1
Pörtschach am Wörther See (A) 96 D5
Portsmouth (GB) 38 C1
Portstewart (GB) 23 F1
Portugalete (E) 58 D1
Portumna (IRL) 24 D2
Poruba (CZ) 93 G3
Porvoo / Borgå (FIN) 193 E4
Porzuna (E) 64 B5
Posada (I) 112 D2
Posadas (E) 69 H4
Poschiavo (CH) 99 G4
Posedarje (HR) 136 B4
Poseidonía (GR) 169 H2
Poshnjë (AL) 144 C3
Posio (FIN) 187 F1
Positano (I) 109 H5
Pößneck (D) 86 A5
Posta (I) 109 E1
Poşta Câlnău (RO) 152 C2
Postira (HR) 138 B2
Postojna (SLO) 134 B3
Posušje (BIH) 138 C2
Potamia (CY) 175 E3
Potamiés (GR) 173 E3
Potamoí (GR) 162 B2
Potamós (GR) 172 A2
Potamoúla (GR) 164 D2
Potamós (GR) 169 E5
Potcoava (RO) 151 G4
Potenza (I) 110 D4
Potenza Picena (I) 107 D4
Potes (E) 58 A1
Potigny (F) 38 D5
Potlogi (RO) 152 A4
Potoci (BIH) 138 D2
Potočnica (BG) 163 E1
Potok (HR) 135 F4
Potós (GR) 162 C4
Pötrau (D) 82 B4
Potsdam (D) 86 C1
Pottenstein (A) 97 G2
Potters Bar (GB) 36 C3
Pöttmes (D) 95 F1
Potton (GB) 33 G5
Potworów (PL) 122 D3
Pouancé (F) 43 G3
Pougues-les-Eaux (F) 45 F5
Pouilly (F) 50 C2
Pouilly-en-Auxois (F) 46 C4
Pouilly-sur-Loire (F) 45 F4
Poúlithra (GR) 169 E3
Poúnta (GR) 170 B2
Pournári (GR) 165 F2
Poussu (FIN) 187 F1
Pouyastruc (F) 52 D3
Pouzauges (F) 43 G5
Považská Bystrica (SK) 132 C2
Poveda de la Sierra (E) 65 E2
Povlja (HR) 138 C2
Povljana (HR) 136 B4
Póvoa de Lanhoso (P) 56 C5
Póvoa de Varzim (P) 62 B1
Poysdorf (A) 93 E5
Pöytyä (FIN) 191 F4
Poza de la Sal (E) 58 C2
Požaranje (SRB) 143 E4
Požarevac / Пожаревац (SRB) 141 E4
Požega (HR) 135 G4
Požega (SRB) 139 H1
Poznań (PL) 121 E1
Pozo Alcón (E) 71 F4
Pozo Cañada (E) 71 H2
Pozo de Guadalajara (E) 64 C2
Pozo Higuera (E) 71 H5
Pozoblanco (E) 70 B3
Pozohondo (E) 71 G2
Pozondón (E) 65 F2
Pozuelo (E) 71 G2
Pozuelo de Calatrava (E) 70 D2
Pozuelo de Zarzón (E) 63 F4
Pozzallo (I) 115 F5
Pozzomaggiore (I) 112 B2
Pozzuoli (I) 109 G5
Pozzuolo del Friuli (I) 103 G3
Pra Loup (F) 55 F1
Prabuty (PL) 117 H3
Prača (BIH) 137 H5
Prachatice (CZ) 92 A5
Pradelles (F) 50 B5
Prádena (E) 64 B1
Prades (F) 53 H5
Prado del Rey (E) 74 C3
Pradoluengo (E) 58 C3
Præstø (DK) 199 E4
Prägraten am Großvenediger (A) 95 H4
Praha (CZ) 92 A2
Prahecq (F) 48 D2
Prahovo (SRB) 141 G5
Praia a Mare (I) 113 B1
Praia da Barra (P) 62 B2
Praia da Rocha (P) 68 B5
Praia da Tocha (P) 62 B3
Praia da Vieira (P) 62 A4
Praia de Mira (P) 62 B3
Praia de Santa Cruz (P) 68 A1
Praid (RO) 147 H4
Prali (I) 100 B5
Pralognan-la-V. (F) 51 G3
Prámanta (GR) 164 D1
Prangío (GR) 163 F2
Pranjani (SRB) 139 H1
Prapatnica (HR) 138 B2
Prasiés (GR) 170 A5
Prastio (CY) 175 E3
Prastio Lefkosias (CY) 174 B3
Praszka (PL) 121 G4
Prat de Comte (E) 60 A5
Pratella (I) 109 G4
Prati di Tivo (I) 109 F1
Prato (I) 107 E5
Prato (I) 105 H4
Pratola Peligna (I) 109 G2
Prats de Lluçanès (E) 60 D2
Prats-de-Mollo-la-Preste (F) 53 H5
Prauthoy (F) 46 D3
Pravda (BG) 152 D5
Pravdinsk (RUS) 6 B5
Pravec (BG) 158 C1
Pravia (E) 57 G1
Praz-sur-Arly (F) 51 F2
Pré-en-Pail (F) 43 H2
Pré-Saint-Didier (I) 100 B3
Prebold (SLO) 134 C2
Précy-sous-Thil (F) 45 H4
Predappio (I) 107 E2
Predazzo (I) 103 E2
Preddvor (SLO) 134 B2
Predeal (RO) 152 A1
Predejane (SRB) 143 G3
Predeşti (RO) 151 F4
Predoi / Prettau (I) 103 E1
Predošćica (HR) 134 B4
Preetz (D) 82 B2
Pregarten (A) 97 E1
Preiļi (LV) 203 G4
Prejmer (RO) 152 B1
Prekaja (BIH) 136 D4
Preko (HR) 136 B5
Preljina (SRB) 139 H1
Prelog (HR) 135 F2
Prelošćica (HR) 135 E4
Přelouč (CZ) 92 C2
Premantura (HR) 134 A5
Prémery (F) 45 G5
Premià de Mar (E) 61 E3
Premilcuore (I) 107 E2
Premnitz (D) 86 B1
Premuda (HR) 136 A4
Prenjas (AL) 144 D2
Prenzlau (D) 83 G4
Přerov (CZ) 93 F4
Prerow (D) 83 E2
Preselec (BG) 159 G1
Preselenci (BG) 153 E5
Preševo (SRB) 143 F4
Presjeka (MNE) 139 F3
Prešov (SK) 133 G2
Pressath (D) 91 F3
Pressbaum (A) 97 G1
Prestatyn (GB) 32 B3
Presteigne (GB) 32 C5
Prestfoss (N) 189 E5
Přeštice (CZ) 91 H4
Preston (GB) 32 C2
Prestonpans (GB) 31 E1
Prestwick (GB) 30 C2
Pretoro (I) 109 G2
Prettau / Predoi 103 E1

Prettin (D) 86 C3
Pretzsch (D) 86 C3
Preuilly-sur-Claise (F) 44 C5
Préveza / Πρέβεζα (GR) 164 C2
Prevršac (HR) 135 E4
Prezid (HR) 134 C3
Pribinić (BIH) 137 F4
Priboj (BIH) 137 H4
Priboj / Прибој (SRB) 139 G2
Příbor (CZ) 93 G3
Příbram (CZ) 92 A3
Priego (E) 65 E2
Priego de Córdoba (E) 70 C5
Priekulė (LT) 204 B2
Priekule (LV) 202 A4
Prien am Chiemsee (D) 95 H2
Prienai (LT) 205 E4
Prievidza (SK) 132 C3
Prigoria (RO) 151 F2
Prigradica (HR) 138 C3
Prijeboj (HR) 134 D5
Prijedor (BIH) 135 F5
Prijepolje / Пријепоље (SRB) 139 G2
Prilep (MK) 145 F2
Prilike (SRB) 139 H2
Priluka (BIH) 137 E5
Primel-Trégastel (F) 42 C1
Primišlje (HR) 134 D4
Primolano (I) 103 E3
Primorsko (BG) 157 F5
Primošten (HR) 138 A2
Primstal (D) 88 C3
Princetown (GB) 34 D4
Prinés (GR) 170 A5
Prisad (BG) 157 E4
Prisad (MK) 145 F1
Prishtinë / Priština 143 E4
Prisoje (BIH) 138 C2
Priština / Prishtinë (SRB) 143 E4
Pritzerbe (D) 86 C1
Pritzier (D) 82 C4
Pritzwalk (D) 83 E5
Privas (F) 50 C5
Priverno (I) 109 E4
Privlaka (Vukovar) (HR) 137 H2
Privlaka (Zadar) (HR) 136 B4
Prizren (SRB) 142 D5
Prizzi (I) 114 D3
Prnjavor (BIH) 135 G5
Prnjavor (SRB) 140 B4
Proaza (E) 57 G2
Probištip (MK) 143 G5
Probstzella (D) 86 A5
Prochod (BG) 159 H2
Próchoma (GR) 161 F3
Prochowice (PL) 120 D3
Procida (I) 109 G5
Prodromos (CY) 174 C4
Pródromos (GR) 165 G4
Produleşti (RO) 152 A3
Proença-a-Nova (P) 62 C4
Proevska Banja (MK) 143 F5
Profondeville (B) 78 D3
Progër (AL) 145 E3
Prokópi (GR) 165 H3
Prokuplje / Прокупље (SRB) 143 F2
Prolom (SRB) 143 E3
Prómachoi (GR) 161 E2
Pronsfeld (D) 88 B1
Propriano (F) 55 H5
Prosenik (BG) 157 F4
Prosílio (GR) 162 C2
Prosotsáni (GR) 162 B2
Prossedi (I) 109 F4
Prostějov (CZ) 93 E4
Prostki (PL) 119 F3
Proszowice (PL) 125 G1
Protokklísi (GR) 163 F2
Prötzel (D) 87 E1
Prousós (GR) 164 D3
Provadija / Провадия (BG) 157 F3
Provatónas (GR) 163 F3
Provenchères-sur-Fave (F) 47 G2
Provins (F) 45 G2
Prozor (BIH) 137 F5
Pruchnik (PL) 127 F1
Prudhoe (GB) 31 G4
Prudnik (PL) 121 F5
Prüm (D) 88 B1
Pruna (E) 74 C3
Prundu (RO) 152 B5
Prunetta (I) 105 H4
Prunişor (RO) 151 E3
Pruszcz (PL) 117 G4
Pruszcz Gdański (PL) 117 H2
Pruszków (PL) 122 D1
Pružany (BY) 6 C5
Pryluky (UA) 7 F5
Przasnysz (PL) 118 D4
Przechlewo (PL) 117 F3
Przedbórz (PL) 122 C4
Przedecz (PL) 121 H1
Przemęt (PL) 120 D2
Przemków (PL) 120 D3
Przemyśl (PL) 127 G2
Przesmyki (PL) 123 F1
Przeworsk (PL) 127 F1
Przybiernów (PL) 116 C3
Przyrów (PL) 122 B4
Przysucha (PL) 122 D3
Przytuły (PL) 119 F3
Przytyk (PL) 122 D3
Psača (MK) 143 G5
Psachná (GR) 165 H3
Psáka (GR) 164 B1
Psará (GR) 166 D3
Psarádes (GR) 160 D3
Psári (Korinthía) (GR) 165 F5
Psári (Messinía) (GR) 168 C2
Psátha (GR) 165 G4
Psathópyrgos (GR) 165 E3
Psérimos (GR) 171 F2
Psimolofou (CY) 174 D3
Psínthos (GR) 171 H3
Pskov (RUS) 6 D2
Psychró (GR) 173 E3
Pszczew (PL) 120 D1
Pszczyna (PL) 125 E1
Ptolemaïda / Πτολεμαΐδα (GR) 161 E4
Ptuj (SLO) 135 E2
Puchberg am Schneeberg (A) 97 G2
Púchov (SK) 132 C2
Pucioasa (RO) 152 A2
Pučišća (HR) 138 C2
Puck (PL) 117 G1
Puckeridge (GB) 36 C3
Puçol / Puzol (E) 65 H4
Pudarci (BG) 162 D1
Pudasjärvi / Kurenalus (FIN) 187 E2
Pudob (SLO) 134 B3
Puebla de Alcocer (E) 69 H1
Puebla de Almenara (E) 64 D4
Puebla de Beleña (E) 64 C1
Puebla de Don Fadrique (E) 71 G4
Puebla de Don Rodrigo (E) 64 A5
Puebla de Guzmán (E) 69 E4
Puebla de la Calzada (E) 69 F1
Puebla de la Reina (E) 69 G2
Puebla de Lillo (E) 57 H2
Puebla de Obando (E) 69 F1
Puebla de Sanabria (E) 57 F4
Pueblica de Valverde (E) 57 G5
Puente de Domingo Flórez (E) 57 E4
Puente de Génave (E) 71 F3
Puente de los Fierros (E) 57 G2
Puente de Montañana (E) 60 B2
Puente Genil (E) 70 B5
Puente la Reina (E) 59 F2
Puente la Reina de Jaca (E) 59 G3
Puente Viesgo (E) 58 B1
Puentenansa (E) 58 A1
Puerto Castilla (E) 63 G3
Puerto de Béjar (E) 63 G3
Puerto de la Cruz (E) 67 F5
Puerto de la Encina (E) 74 C2
Puerto de la Estaca (E) 67 E5
Puerto del Rosario (E) 67 H5
Puerto de Mazarrón (E) 72 D4
Puerto de San Vicente (E) 63 H5
Puerto Lápice (E) 64 C5
Puerto Lumbreras (E) 71 H5
Puerto Real (E) 74 A4
Puerto Serrano (E) 74 C3
Puertollano (E) 70 D2
Puget-Théniers (F) 55 G1
Puhja (EST) 201 F3
Puhos (FIN) 187 E2
Puhos (FIN) 193 H1
Pui (RO) 151 E1
Puieşti (RO) 148 D4
Puig-reig (E) 60 D2
Puigcerdà (E) 60 D1
Puiseaux (F) 45 E2
Puisserguier (F) 54 A3
Pujols (F) 48 D5
Pukë (AL) 142 C5
Pukiš (BIH) 137 H3
Pukkila (FIN) 191 H4
Pula (I) 112 C5
Pula / Pola (HR) 134 A5
Pulaj (AL) 144 B1
Puławy (PL) 123 E3
Pulborough (GB) 38 D1
Pulkau (A) 92 D5
Pulkkila (FIN) 185 H4
Pulpí (E) 71 H5
Pulsnitz (D) 87 E4
Pułtusk (PL) 119 E5
Pumpėnai (LT) 205 F2
Punat (HR) 134 C5
Punghina (RO) 151 E4
Punkaharju (FIN) 193 G2
Punkalaidun (FIN) 191 G3
Punta Ala (I) 106 C5
Punta Križa (HR) 134 B5
Punta Umbría (E) 69 E5
Puokio (FIN) 187 E3
Puolango (FIN) 187 E3
Purbach am Neusiedler See (A) 97 H2
Purchena (E) 71 G5
Purgstall an der Erlauf (A) 97 E2
Purkersdorf (A) 97 G1
Purmerend (NL) 76 D4
Purnu (FIN) 191 H3
Purullena (E) 71 E5
Puševo (BG) 159 F1
Puškin (RUS) 6 D1
Püspökladány (H) 131 E2
Pustoška (RUS) 6 D3
Pusula (FIN) 191 G4
Puszcza Mariańska (PL) 122 C2
Puszczykowo (PL) 121 E1
Pusztamagyaród (H) 128 B4
Pusztaszabolcs (H) 129 E2
Pusztaszemes (H) 128 D3
Pusztavám (H) 128 D2
Putanges-le-Lac (F) 43 H1
Putbus (D) 83 F2
Putgarten (D) 83 F1
Putignano (I) 111 F3
Putinci (SRB) 140 C3
Putineiu (Alexandria) (RO) 151 H5
Putineiu (Giurgiu) (RO) 152 B5
Putlitz (D) 82 D4
Puttelange (F) 41 F5
Putten (NL) 77 E4
Puttgarden (D) 82 C2
Putyv'l (UA) 7 G5
Puumala (FIN) 193 F2
Puy-Guillaume (F) 50 B2
Puy-l'Évêque (F) 49 F5
Puylaurens (F) 53 G3
Puymirol (F) 53 E1
Puzol / Puçol (E) 65 H4
Pwllheli (GB) 32 A4
Pyce / Ruse 152 B5
Pyhäjärvi (FIN) 185 H4
Pyhäjoki (FIN) 185 G3
Pyhäjoki (FIN) 191 F4
Pyhältö (FIN) 193 F4
Pyhäntä (FIN) 187 F3
Pyhäntä (FIN) 185 H4
Pyhäranta (FIN) 191 E4
Pyhäsalmi (FIN) 185 H4
Pyhäselkä (FIN) 193 H1
Pyhätunturi (FIN) 181 G5
Pyhtää / Pyttis (FIN) 193 F4
Pyla (CY) 175 E3
Pyla-sur-Mer (F) 48 B5
Pylés (GR) 171 F5
Pýli (GR) 164 D1
Pylio (GR) 171 F2
Pylkönmäki (FIN) 191 H1
Pyloroí (GR) 161 E5
Pýlos / Πύλος (GR) 168 B3
Pyrga Larnakas (CY) 175 E4
Pyrgadíkia (GR) 161 H4
Pyrgí (Iónia Nisiá) (GR) 160 A5
Pyrgí (Vóreio Aigaío) (GR) 167 E4
Pyrgos (CY) 174 D4
Pýrgos / Πύργος (Dytikí Elláda) (GR) 164 D5
Pýrgos (Pyrgos) (GR) 172 D4
Pýrgos (Stereá Elláda) (GR) 165 G3
Pýrgos (Vóreio Aigaío) (GR) 167 G5
Pýrgos Diroú (GR) 168 D4
Pyrjatyn (UA) 13 G1
Pyrsógianni (GR) 160 C4
Pyrzyce (PL) 116 C4
Pyskowice (PL) 121 H5
Pythagóreio (GR) 171 E5
Pýthio (GR) 163 F2
Pyttis / Pyhtää (FIN) 193 F4
Pyzdry (PL) 121 F1
Póros (GR) 164 C4

Q

Qala (M) 114 B4
Quakenbrück (D) 84 D1
Quarré-les-Tombes (F) 45 H4
Quarteira (P) 68 C5
Quarto d'Altino (I) 103 F4
Quartu Sant' Elena (I) 112 C5
Quatretonda (E) 73 F1
Quedlinburg (D) 86 A3
Queenborough (GB) 36 D4
Queensferry (GB) 32 C3
Queluz (P) 68 A2
Queralbs (E) 60 D2
Querfurt (D) 86 A4
Quérigut (F) 53 G4
Quero (E) 64 C5
Quesada (E) 71 E4
Questembert (F) 43 E3
Quettehou (F) 38 C4
Quiberon (F) 42 D4
Quickborn (D) 81 H3
Quiévrain (B) 78 B3
Quillan (F) 53 G4
Quillebeuf-sur-Seine (F) 39 E4
Quimper (F) 42 B2
Quimperlé (F) 42 C3
Quincinetto (I) 100 C4
Quincoces de Yuso (E) 58 C2
Quingey (F) 47 E5
Quintana (E) 69 H2
Quintana del Puente (E) 58 B4
Quintana Martín Galíndez (E) 58 C2
Quintana Redonda (E) 58 D5
Quintanar de la Orden (E) 64 D4
Quintanar de la Sierra (E) 58 D4
Quintanar del Rey (E) 65 F5
Quintanilha (P) 57 F5
Quintanilla de Onésimo (E) 58 A5
Quintin (F) 42 D2
Quinto (E) 59 H5
Quinzano d'Oglio (I) 101 F4
Quiroga (E) 57 E3
Quissac (F) 54 B2
Qukës (AL) 144 D2

R

Raab (A) 96 C1
Raabs an der Thaya (A) 92 C5
Raahe / Brahestad (FIN) 185 G3
Raajärvi (FIN) 181 F5
Rääkkylä (FIN) 193 G1
Raalte (NL) 77 F4
Raanujärvi (FIN) 180 D5
Raasiku (EST) 201 E2
Raate (FIN) 187 G2
Raattama (FIN) 180 D3
Rab (HR) 134 C5
Raba Wyżna (PL) 125 G2
Rabac (HR) 134 B4
Rábade (E) 56 D2
Rábafüzes (H) 128 A3
Rabastens (F) 53 G2
Rabastens-de-Bigorre (F) 52 D3
Rabat (M) 114 C5
Rábaújfalu (H) 128 C1
Rabe (SRB) 140 C1
Rabiša (BG) 150 D5
Rabka-Zdrój (PL) 125 G2
Rabrovo (MK) 145 H2
Rabrovo (SRB) 141 E4
Rača (Kragujevac) (SRB) 141 E5
Rača (Podujevo) (SRB) 143 E3
Răcăciuni (RO) 148 C5
Răcari (RO) 152 B3
Răcăşdia (RO) 150 C2
Racconigi (I) 100 C5
Rače (SLO) 134 D1
Ráches (GR) 165 F2
Răchitoasa (RO) 148 D4
Rachiv (UA) 12 D3
Raciąż (PL) 118 C5
Racibórz (PL) 124 D1
Račinovci (HR) 137 H3
Račišće (HR) 138 C3
Răciu (RO) 147 G4
Ráckeve (H) 129 E2
Racoviţa (RO) 151 G1
Raczki (PL) 119 G2
Radalj (SRB) 137 H4
Rădăuţi (RO) 148 B1
Råde (N) 195 E1
Radeberg (D) 87 E4
Radebeul (D) 86 D4
Radeburg (D) 86 D4
Radeče (SLO) 134 D2
Radechiv (UA) 12 D2
Radegunda (SLO) 134 C2
Radenci (SLO) 135 E1
Radenthein (A) 96 C5
Radevo (BG) 159 G2
Radevormwald (D) 84 D4
Radgoszcz (PL) 122 D5
Radicondoli (I) 105 H5
Radievo (BG) 159 F3
Radimlja (BIH) 138 D3
Radiovce (MK) 143 E5
Radków (PL) 120 D5
Radlje ob Dravi (SLO) 134 D1
Radljevo (SRB) 140 C5
Radnevo / Раднево (BG) 159 F2
Radnice (CZ) 91 H3
Radolevo (SRB) 140 D2
Radolfzell am Bodensee (D) 94 C3
Radom (PL) 122 D3
Radomir / Радомир (BG) 158 A2
Radomirci (BG) 155 E3
Radomsko (PL) 122 B4
Radomyšl' (UA) 13 E1
Radomyśl Wielki (PL) 123 E5
Radošina (SK) 132 B3
Radoszyce (PL) 122 C4
Radotín (CZ) 92 A3
Radovan (RO) 151 F4
Radovče (MNE) 139 G4
Radovec (BG) 163 F1
Radovići (MNE) 139 F4
Radoviš (MK) 145 G1
Radovljica (SLO) 134 B2
Radovnica (SRB) 143 G4
Radstadt (A) 96 C3
Radstock (GB) 35 F2
Raduil (BG) 158 C2
Radunci (BG) 159 F2
Raduša (MK) 143 E5
Radviliškis (LT) 205 E2
Radwanice (PL) 120 D3
Radymno (PL) 127 G1
Radzanów (PL) 118 C5
Radziejów (PL) 117 G5
Radzymin (PL) 122 D1
Radzyń Chełmiński (PL) 117 H4
Radzyń Podlaski (PL) 123 F2
Raesfeld (D) 84 C3
Raffadali (I) 114 D4
Rafína (GR) 166 B4
Rágama (E) 63 H2
Ragana (LV) 203 E2
Raglan (GB) 35 E1
Raguhn (D) 86 B3
Ragunda (S) 190 B1
Ragusa (I) 115 F5
Rahačoŭ (BY) 7 E4
Rahden (D) 85 E1
Rahlstedt (D) 81 H4
Rain am Lech (D) 95 F1
Räisälä (FIN) 181 F5
Raisio (FIN) 191 F4
Raittijärvi (FIN) 176 C5
Raja Jooseppi (FIN) 177 G5
Rajac (SRB) 141 G5
Rajadell (E) 60 D3
Rajamäki (FIN) 191 H4
Rajcza (PL) 125 F2
Rajec (SK) 132 C2
Rajgród (PL) 119 G3
Rajince (SRB) 143 F4
Raka (SLO) 134 D3
Rakalj (HR) 134 B5
Rakita (BG) 158 A1
Rakitna (SLO) 134 B3
Rakitnica (BG) 159 F2
Rakitnika (HR) 135 F3
Rakitovo (BG) 158 C3
Rakke (EST) 201 F2
Rakkestad (N) 195 F1
Rákóczifalva (H) 129 G3
Rakoniewice (PL) 120 D1
Rákos (H) 129 H4
Rakova Bara (SRB) 141 F4
Rakovac (BIH) 135 G5
Rakovica (BG) 150 D5
Rakovica (HR) 134 D5
Rakovník (CZ) 91 H2
Rakovo (BG) 159 G1
Rakovski / Раковски (BG) 159 E2
Rakvere (EST) 201 F2
Ralja (SRB) 140 D4
Ram (SRB) 141 E4
Ramacca (I) 115 F4
Ramales de la Victoria (E) 58 C1
Ramallosa (E) 56 B3
Ramatuelle (F) 55 F3
Ramberg (N) 179 E3
Rambervillers (F) 47 F2
Rambouillet (F) 45 E1
Rambucourt (F) 41 E5
Râmeţ (RO) 147 F5
Râmetea (RO) 147 F4

Rámia (GR) 164 D1
Râmnicu Sărat (RO) 152 D2
Râmnicu Vâlcea (RO) 151 G2
Ramsau (A) 96 C3
Ramsau bei Berchtesgaden (D) 96 B3
Ramsele (S) 183 H5
Ramsey (Cambs.) (GB) 33 G5
Ramsey (Isle of Man) (GB) 30 C5
Ramsgate (GB) 37 E4
Ramsjö (S) 190 A2
Ramstein-Miesenbach (D) 88 D3
Ramsund (N) 179 G2
Ramundberget (S) 189 G1
Ramvik (S) 190 C1
Ramygala (LT) 205 F2
Ranalt (A) 95 F4
Rânca (RO) 151 F2
Randaberg (N) 194 A1
Randalstown (GB) 23 G2
Randan (F) 50 A2
Randanne (F) 50 A3
Randazzo (I) 115 F3
Randers (DK) 194 D5
Råneå (S) 185 F1
Rangsdorf (D) 86 D2
Raniżów (PL) 123 F5
Rankweil (A) 94 D4
Rannapungerja (EST) 201 G2
Ranovac (SRB) 141 E5
Rantasalmi (FIN) 193 F2
Rantsila / Frantsila (FIN) 185 H3
Ranua (FIN) 185 H1
Raon-l'Étape (F) 47 F2
Rapallo (I) 105 E3
Räpina (EST) 201 G4
Rapla (EST) 200 D2
Rapolano Terme (I) 106 D4
Rapolla (I) 110 C3
Rapperswil (CH) 99 E2
Raptópoulo (GR) 168 C3
Raša (HR) 134 B4
Räsälä (FIN) 193 F1
Rascafría (E) 64 B1
Răscruci (RO) 147 F3
Rasdorf (D) 85 G5
Raseiniai (LT) 204 D3
Raška (SRB) 142 D2
Raslavice (SK) 133 G2
Rasno (BIH) 138 D2
Râşnov (RO) 152 A1
Rasova (RO) 153 E4
Rasovo (BG) 151 E5
Rasquera (E) 60 B5
Rast (RO) 151 E5
Rastatt (D) 89 E4
Rastede (D) 81 F4
Rastenberg (D) 86 A4
Rastenfeld (A) 97 F1
Rastošnica (BIH) 137 H4
Rasueros (E) 63 H2
Raszków (PL) 121 F2
Raszyn (PL) 122 D1
Rätan (S) 189 H1
Rateče (SLO) 134 A1
Ratekau (D) 82 C3
Rates (P) 62 B1
Rathdowney (IRL) 25 E2
Rathdrum (IRL) 25 G2
Rathenow (D) 86 B1
Rathfriland (GB) 23 G3
Rathkeale (IRL) 24 C3
Rathmelton (IRL) 23 E1
Rathmore (IRL) 24 C4
Rathmullan (IRL) 23 E1
Rathnew (IRL) 25 G2
Ratingen (D) 84 C4
Ratkovac (SRB) 142 D4
Ratkovo (SRB) 137 H2
Rátót (H) 128 B3
Ratten (A) 97 F3
Rattenberg (A) 95 G3
Rattersdorf-Liebing (A) 97 H3
Rattray (GB) 29 F5
Rättvik (S) 190 A4
Ratzeburg (D) 82 C4
Raubling (D) 95 H3
Raucourt-et-Flaba (F) 40 D4
Raudaskylä (FIN) 185 G4
Raudonė (LT) 204 D3
Raufarhöfn (IS) 178 C1
Raufoss (N) 189 F4
Rauha (FIN) 193 G3
Rauland (N) 188 C5
Rauma (FIN) 191 E3
Rauris (A) 96 B4
Rautalampi (FIN) 193 E1
Rautas (S) 180 A3
Rautavaara (FIN) 187 F4
Rautio (FIN) 185 G4
Rautjärvi (FIN) 193 G2
Ravanjska (HR) 136 B4
Ravanusa (I) 115 E4
Ravello (I) 109 H5
Ravenna (I) 107 E1
Ravensbrück (D) 83 F5
Ravensburg (D) 94 D3
Ravna Dubrava (SRB) 143 G3
Ravna Gora (HR) 134 C4
Ravna Reka (SRB) 143 F1
Ravne na Koroškem (SLO) 134 C1
Ravnec (BG) 159 H2
Ravnište (SRB) 143 E2
Ravnje (SRB) 140 B4
Ravno (BIH) 139 E3
Ravno Bučje (SRB) 143 G2
Ravnogor (BG) 162 B1
Rawa Mazowiecka (PL) 122 C2
Rawicz (PL) 121 E3
Rawtenstall (GB) 32 D2
Rayleigh (GB) 36 D4
Rayol-Canadel-sur-Mer (F) 55 F3
Räyrinki (FIN) 185 G5
R'azan' (RUS) 7 H2
Ražana (SRB) 139 H1
Ražanac (HR) 136 B4
Razboj (BIH) 135 G5
Razbojna (SRB) 143 E2
Raždaginja (SRB) 139 H3
Razdol (BG) 161 G1
Razdrto (SLO) 134 B3
Ražena (BG) 159 F2
Razgrad / Разград (BG) 156 D2
Razlog (BG) 161 H1
Razlovci (MK) 143 H5
Reading (GB) 35 H2
Réalmont (F) 53 G2
Rebais (F) 45 G1
Rebordelo (P) 62 B2
Rebricea (RO) 148 D3
Recanati (I) 107 H4
Recaş (RO) 150 B1
Recco (I) 105 E3
Recea (Braşov) (RO) 151 H1
Recea (Piteşti) (RO) 151 H4
Recea-Cristur (RO) 147 F3
Recey-sur-Ource (F) 46 D3
Rechnitz (A) 97 H3
Rećica (HR) 134 D4
Recke (D) 84 D1
Recklinghausen (D) 84 C3
Recoaro Terme (I) 101 H4
Recuerda (E) 58 D5
Rečyca (BY) 7 E5
Recz (PL) 116 D4
Ręczno (PL) 122 C3
Reda (PL) 117 G1
Redalen (N) 189 F4
Redange (L) 79 E5
Redcar (GB) 31 G2
Redditch (GB) 32 D5
Redhill (GB) 36 C4
Rédics (H) 128 B4
Redon (F) 43 E3
Redondela (E) 56 B4
Redondo (P) 68 D2
Redruth (GB) 34 B5
Rees (D) 84 B3
Reeth (GB) 31 G5
Reftele (S) 195 G4
Regalbuto (I) 115 F3
Regen (D) 91 H5
Regensburg (D) 91 F5
Regenstauf (D) 91 F5
Reggello (I) 106 D3
Reggio di Calabria (I) 115 G2
Reggio nell'Emilia (I) 105 G2
Reggiolo (I) 101 H5
Reghin (RO) 147 G4
Regkínio (GR) 165 F3
Reguengos de Monsaraz (P) 68 D2
Rehau (D) 91 F2
Rehburg-Loccum (D) 85 F1
Rehden (D) 85 E1
Rehna (D) 82 C3
Reichéa (GR) 169 E3
Reichenau (CH) 99 F3
Reichenau an der Rax (A) 97 G3
Reichenbach (Niederschlesischer Oberlausitzkreis) (D) 87 F4
Reichenbach (Vogtlandkreis) (D) 86 B5
Reichertshofen (D) 95 G1
Reichshoffen (F) 41 H5
Reigate (GB) 36 C4
Reignier-Esery (F) 51 F2
Reillanne (F) 55 E2
Reims (F) 40 B5
Reinach (CH) 98 D2
Reinbek (D) 82 B4
Reinberg (D) 83 F2
Reine (N) 179 E3
Reinfeld (D) 82 B3
Reinheim (D) 89 F2
Reinli (N) 189 E4
Reinosa (E) 58 B2
Reischenhart (D) 95 H3
Reisjärvi (FIN) 185 H5
Reiss (GB) 26 B4
Reit im Winkl (D) 95 H3
Reitzenhain (D) 86 D5
Rejowiec (PL) 123 G3
Rekovac (SRB) 143 E1
Remagen (D) 84 C5
Rémalard (F) 44 C2
Remeskylä (FIN) 185 H4
Remetea (RO) 148 A4
Remetea Mare (RO) 150 B1
Remetea Mică (RO) 146 B5
Remich (L) 79 F5
Remiremont (F) 47 F3
Remolinos (E) 59 G4
Remoulins (F) 54 C2
Rempstone (GB) 33 E4
Remscheid (D) 84 C4
Rémuzat (F) 54 D1
Rena (N) 189 F3
Renazé (F) 43 G3
Renchen (D) 88 D5
Renda (LV) 202 B3
Rende (I) 113 B2
Rendsburg (D) 81 H2
Rengsdorf (D) 84 D5
Reni (UA) 13 F4
Renko (FIN) 191 G4
Renkum (NL) 77 E5
Rennebu (N) 189 E1
Rennerod (D) 84 D5
Rennes (F) 43 F2
Rennes-les-Bains (F) 53 G4
Rennweg am Katschberg (A) 96 C4
Rensjön (S) 180 A3
Rentína (GR) 161 H3
Renwez (F) 40 C3
Répcelak (H) 128 C2
Repki (PL) 123 F1
Replot (FIN) 185 E5
Repojoki (FIN) 177 F5
Reposaari (FIN) 191 E3
Repvåg (N) 177 E2
Requena (E) 65 G4
Réquista (F) 53 H2
Rerik (D) 82 D3
Resanovci (BIH) 136 D4
Resavica (SRB) 141 F5
Resen (MK) 145 E2
Resende (P) 62 C1
Reşiţa (RO) 150 C2
Resko (PL) 116 C3
Resna (MNE) 139 F4
Resnik (SRB) 140 D4
Restelica (SRB) 142 D5
Resuttano (I) 115 E3
Reszel (PL) 119 E2
Retford (GB) 33 F3
Rethel (F) 40 C4
Rethem (D) 85 F1
Rethen (D) 85 G2
Réthymno / Ρέθυμνο (GR) 170 A5
Retiers (F) 43 F3
Retortillo de Soria (E) 58 D5
Retournac (F) 50 C4
Rétság (H) 129 F1
Retuerta del Bullaque (E) 64 A5
Retz (A) 92 D5
Reuilly (F) 45 E5
Reus (E) 60 C4
Reusel (NL) 78 D1
Reutlingen (D) 89 F5
Reutte (A) 95 F3
Revel (F) 53 G3
Révfülöp (H) 128 C3
Revigny (F) 40 D5
Revin (F) 40 C3
Řevničov (CZ) 92 A2
Revonlahti (FIN) 185 G3
Rewa (PL) 117 G1
Rewal (PL) 116 C2
Reyðarfjörður (IS) 178 D2
Reykhólar (IS) 178 A2
Reykholt (IS) 178 B2
Reykjahlíð (IS) 178 C2
Reykjavík (IS) 178 A3
Rēzekne (LV) 203 G4
Rezzato (I) 101 G4
Rezzoaglio (I) 105 E2
Rgotina (SRB) 141 G5
Rhade (D) 81 G4
Rhayader (GB) 32 B5
Rheda (D) 85 E3
Rhede (Bocholt) (D) 81 E5
Rhede (Ems) (D) 84 C2
Rheinbach (D) 84 C5
Rheinberg (D) 84 C3
Rheinböllen (D) 88 D2
Rheine (D) 84 D2
Rheinfelden (CH) 98 D1
Rheinfelden (D) 94 A3
Rheinhausen (D) 84 C3
Rheinsberg (D) 83 F5
Rhêmes-Notre Dame (I) 100 B4
Rhenen (NL) 77 E5
Rheydt (D) 84 B4
Rhinau (F) 47 H2
Rhinow (D) 86 B1
Rho (I) 101 E4
Rhondda (GB) 35 E2
Rhosneigr (GB) 32 A3
Rhossili (GB) 34 D2
Rhüden (D) 85 G2
Rhuthun / Ruthin (GB) 32 C3
Rhyl (GB) 32 B3
Rhynern (D) 84 D3
Rhynie (GB) 29 G3
Riaillé (F) 43 F4
Rial (E) 56 B4
Riaño (E) 57 H2
Rians (F) 55 E2
Rianxo (E) 56 B3
Riaza (E) 64 C1
Riba de Saelices (E) 65 E1
Riba de Santiuste (E) 64 D1
Ribadavia (E) 56 C4
Ribadelago (E) 57 E4
Ribadeo (E) 57 E1
Ribadesella (E) 57 H1
Ribarci (SRB) 143 G4
Ribarica (BG) 158 D1
Ribariće (SRB) 142 D3
Ribarska Banja (SRB) 143 F2
Ribas de Campos (E) 58 A4
Ribčev Laz (SLO) 134 B2
Ribe (DK) 198 B3
Ribeauvillé (F) 47 G2
Ribécourt-Dreslincourt (F) 40 A4
Ribeira de Pena (P) 62 D1
Ribemont (F) 40 A3
Ribera (I) 114 C4
Ribera Brava (P) 68 A4
Ribera de Cardós (E) 60 C1
Ribera del Fresno (E) 69 G2
Ribérac (F) 49 E4
Ribes de Freser (E) 60 D2
Ribiers (F) 55 E1
Ribnica (BIH) 137 G4
Ribnica (Dolenjavas) (SLO) 134 B3
Ribnica (Pivka) (SLO) 134 C3
Ribnica na Pohorju (SLO) 134 D1
Ribnik (HR) 134 D3
Rîbniţa (MD) 13 F3
Ribnitz-Damgarten (D) 83 E2
Ribnovo (BG) 161 H1
Ribolla (I) 106 C5
Říčany (CZ) 92 B3
Riccia (I) 109 H4
Riccione (I) 107 F2
Richelieu (F) 44 B5
Richelsdorf (D) 85 G4
Richmond (GB) 31 G5
Richmond upon Thames (GB) 36 C4
Richtenberg (D) 83 E2
Rickling (D) 81 H3
Ricla (E) 59 F5
Ricobayo (E) 63 G1
Riđica (SRB) 137 H1
Riec-sur-Belon (F) 42 C3
Ried im Innkreis (A) 96 C2
Ried im Oberinntal (A) 95 E4
Riedenburg (D) 91 F5
Riedlingen (D) 94 D2
Riegel am Kaiserstuhl (D) 94 A2
Riegersburg (A) 97 G4
Riego de la Vega (E) 57 G4
Riesa (D) 86 D4
Riesi (I) 115 E4
Riestedt (D) 86 A3
Rietavas (LT) 204 C2
Rietberg (D) 85 E3
Rieti (I) 109 E2
Rieumes (F) 53 F3
Rieupeyroux (F) 53 G1
Rieux-Volvestre (F) 53 F3
Riez (F) 55 F2
Riezlern (A) 95 E4
Rīga (LV) 202 D3
Rígaio (GR) 165 F1
Rignac (F) 53 G1
Rignano Flaminio (I) 108 D2
Riihimäki (FIN) 191 H4
Riisipere (EST) 200 D2
Riistavesi (FIN) 187 F5
Riječa (BIH) 137 G5
Rijeka (HR) 134 B4
Rijeka Crnojevica (MNE) 139 F5
Rijssen (NL) 77 F4
Riksgränsen (S) 176 A5
Rila (BG) 158 B3
Rillo (E) 65 G2
Rillo de Gallo (E) 65 E1
Rimavská Sobota (SK) 133 E4
Rimbo (S) 197 G1
Rimini (I) 107 F2
Rimšė (LT) 205 H2
Rimske Toplice (SLO) 134 D2
Rincón de la Victoria (E) 75 E3
Rincón de Soto (E) 59 F3
Rindal (N) 182 C5
Ringaskiddy (IRL) 24 D4
Ringe (DK) 198 C4
Ringebu (N) 189 E3
Ringford (GB) 30 D4
Ringkøbing (DK) 194 C5
Ringsaker (N) 189 F4
Ringstad (N) 188 B2
Ringsted (DK) 198 D3
Ringwood (GB) 38 B1
Rinkaby (S) 199 G3
Rinteln (D) 85 F2
Río (GR) 165 E4
Rio Maior (P) 62 A5
Rio Marina (I) 106 B5
Riocavado de la Sierra (E) 58 C4
Riogordo (E) 75 E3
Riola Sardo (I) 112 B3
Riolo Terme (I) 107 E2
Riom (F) 50 A2
Riom-ès-Montagnes (F) 49 H4
Riomaggiore (I) 105 F3
Rionero in Vulture (I) 110 C3
Rioseco de Tapia (E) 57 G3
Rioveggio (I) 105 H3
Rioz (F) 47 E4
Ripač (BIH) 135 E5
Ripanj (SRB) 140 D4
Riparbella (I) 105 G5
Ripatransone (I) 107 H5
Ripley (GB) 33 E3
Ripoll (E) 60 D2
Ripon (GB) 31 G5
Riquewihr (F) 47 G2
Riš (BG) 159 H1
Risan (MNE) 139 F4
Risbäck (S) 183 G3
Risca (GB) 35 E2
Riscle (F) 52 D2
Risnes (N) 194 B1
Risør (N) 194 D2
Risøyhamn (N) 179 G2
Rissa (N) 182 D5
Risti (EST) 200 D2
Ristiina (FIN) 193 F2
Ristijärvi (FIN) 187 F3
Ristilampi (FIN) 181 E5
Ristovac (SRB) 143 F4
Risum (D) 81 G1
Ritíni (GR) 161 F4
Ritoniemi (FIN) 187 F5
Ritsóna (GR) 165 H3
Rittmannshausen (D) 85 G4
Riudoms (E) 60 C4
Ríumar (E) 60 B5
Riva del Garda (I) 101 H3
Rivarolo Canavese (I) 100 C4
Rive-de-Gier (F) 50 C3
Rives (F) 51 E3
Rivesaltes (F) 53 H4
Rívio (GR) 164 D3
Rivisondoli (I) 109 G3
Rivne (UA) 12 D1
Rivoli (I) 100 B5
Rivolta d'Adda (I) 101 F4
Ríza (GR) 164 D3
Rizário (GR) 161 E3
Rizokarpaso (CY) 175 G1
Rizovoúni (GR) 165 E1
Rjukan (N) 188 D5
Roa (N) 189 E4
Roa de Duero (E) 58 B5
Roadside (GB) 26 B4
Roan (N) 182 D4
Roanne (F) 50 C2
Roata de Jos (RO) 152 A4
Robbio (I) 100 D4
Röbel (D) 83 E4
Robertsfors (S) 185 E4
Robertville (B) 79 F3
Robič (SLO) 134 A2
Robledillo de Gata (E) 63 F3
Robledo (E) 71 F2
Robledo de Chavela (E) 64 B2
Robres (E) 59 H4
Rocamadour (F) 49 G5
Rocca di Mezzo (I) 109 F2
Rocca di Papa (I) 109 E3
Rocca San Casciano (I) 107 E2
Rocca Sinibalda (I) 109 E2

A B C D E F G H I J K L M N O P Q R S T U V W X Y Z

Roccadaspide (I) 110 C4
Roccalbegna (I) 106 D5
Roccalumera (I) 115 G2
Roccamonfina (I) 109 G4
Roccapalumba (I) 114 D3
Roccaraso (I) 109 G3
Roccastrada (I) 106 D5
Roccella Ionica (I) 113 C4
Rocchetta Sant' Antonio (I) 110 C3
Rochdale (GB) 32 D2
Rochechouart (F) 49 E3
Rochefort (B) 78 D4
Rochefort (F) 48 C2
Rochefort-en-Terre (F) 43 E3
Rochefort-Montagne (F) 50 A3
Rochefort-sur-Nenon (F) 47 E5
Rochehaut (B) 78 D4
Rochemaure (F) 50 D5
Rocheservière (F) 43 F5
Rochester (GB) 36 D4
Rochlitz (D) 86 C4
Rociana del Condado (E) 69 F5
Rockenhausen (D) 88 D2
Rocroi (F) 40 C3
Róda (GR) 160 A5
Roda de Isábena (E) 60 A2
Rodacherbrunn (D) 91 E2
Rodavgí (GR) 164 C1
Rødberg (N) 188 D4
Rødby (DK) 198 D5
Rødbyhavn (DK) 198 D5
Rødding (DK) 194 C5
Rødding (DK) 198 B3
Rödeby (S) 199 H2
Rodeiro (E) 56 C3
Rødekro (DK) 198 B4
Rodel (GB) 28 B2
Rodellar (E) 59 H3
Roden (NL) 77 F2
Ródenas (E) 65 F2
Rodewisch (D) 86 C5
Rodez (F) 53 H1
Rodi Garganico (I) 110 D1
Rodiezmo (E) 57 G3
Roding (D) 91 G5
Rodítis (GR) 162 D2
Rodna (RO) 147 H2
Rodochóri (GR) 161 E3
Rododáfni (GR) 165 E4
Rodolívos (GR) 162 B3
Rödön (S) 183 G5
Rodópoli (GR) 161 G2
Rodopós (GR) 172 B2
Ródos / Ρόδος (GR) 171 H3
Rodováni (GR) 172 B3
Rodvattnet (S) 184 C5
Rødvig (DK) 199 E4
Roermond (NL) 79 F2
Roeselare (Roulers) (B) 78 B2
Rogač (HR) 138 B2
Rogača (SRB) 140 D5
Rogačica (Gnjilane) (SRB) 143 F4
Rogačica (Valjevo) (SRB) 139 G1
Rogalin (PL) 121 E1
Rogaška Slatina (SLO) 134 D2
Rogatec (SLO) 134 D2
Rogatica (BIH) 137 H5
Rogätz (D) 86 B2
Roggendorf (D) 82 C4
Roggiano Gravina (I) 113 B1
Roggosen (D) 87 E3
Rogliano (I) 113 C2
Rognan (N) 179 G5
Rogowo (PL) 117 F5
Rogoznica (HR) 138 A2
Rogoźno (PL) 117 E5
Rohan (F) 42 D2
Rohatyn (UA) 12 D2
Rohožník (SK) 132 A3
Rohr (D) 85 H5
Rohrbach in Oberösterreich (A) 96 D1
Rohrbach-lès-Bitche (F) 41 G5
Rohrbrunn (D) 89 F2
Rohuküla (EST) 200 C2
Roisel (F) 40 A3
Roissy (F) 39 H5
Roja (LV) 202 C2
Rojales / Rojals (E) 73 E3
Rök (S) 195 H3
Rokietnica (PL) 121 E1
Rokiškis (LT) 205 G2
Røkland (N) 179 G5
Rokovci (HR) 137 H2
Rokycany (CZ) 91 H3
Røldal (N) 188 C5
Rolfstorp (S) 195 F4
Rollag (N) 188 D5
Rolle (CH) 98 B4
Roma (I) 108 D3
Romagnano Sesia (I) 100 D4
Roman (BG) 155 E3
Roman (RO) 148 C3
Romana (I) 112 B2
Românaşi (RO) 147 E3
Romangordo (E) 63 G5
Romanija (BIH) 137 G5
Romans-sur-Isère (F) 50 D4
Romanshorn (CH) 99 F1
Rombas (F) 41 E4
Romford (GB) 36 D4
Römhild (D) 89 H1
Romilly-sur-Seine (F) 45 G2
Romny (UA) 7 G5
Romont (CH) 98 C3
Romorantin-Lanthenay (F) 44 D4
Romsey (GB) 38 B1
Roncade (I) 103 F4
Ronce-les-Bains (F) 48 B3
Roncegno (I) 102 D3
Roncesvalles / Orreaga (E) 59 F2
Ronchamp (F) 47 F3
Ronchi (I) 103 H3
Ronciglione (I) 108 D2
Roncobilaccio (I) 105 H3
Ronda (E) 74 C3
Rønde (DK) 195 E5
Rondeslottet (N) 189 E2
Rondissone (I) 100 C4
Rõngu (EST) 201 F4
Rönnäng (S) 195 F3
Rønne (DK) 199 G4
Ronneburg (D) 86 B5
Ronneby (S) 199 G3
Rønnede (DK) 199 E4
Rönnöfors (S) 183 F5
Ronse (Renaix) (B) 78 B2
Roosendaal (NL) 78 D1
Ropczyce (PL) 127 E1
Roperuelos del Páramo (E) 57 G4
Ropinsalmi (FIN) 176 C5
Ropotovo (MK) 145 F1
Roquebillière (F) 55 G1
Roquebrun (F) 54 A3
Roquebrune-Cap-Martin (F) 55 H2
Roquecourbe (F) 53 G2
Roquefort (F) 52 C1
Roquefort-sur-Soulzon (F) 54 A2
Roquemaure (F) 54 C1
Roquesteron (F) 55 G2
Roquetas de Mar (E) 75 H3
Roquevaire (F) 55 E3
Rore (BIH) 136 D4
Røros (N) 189 F1
Rorschach (CH) 99 F2
Rørvig (DK) 198 D3
Rørvik (N) 183 E3
Rørvik (N) 182 D5
Ros Comáin / Roscommon (IRL) 22 D5
Rosà (I) 103 E4
Rosal de la Frontera (E) 69 E4
Rosans (F) 54 D1
Rosarno (I) 115 H1
Roscoff (F) 42 C1
Roscommon / Ros Comáin (IRL) 22 D5
Roscrea (IRL) 25 E2
Rose (I) 113 C2
Rose (MNE) 139 F4
Rosegg (A) 96 D5
Rosen (BG) 157 F4
Rosendal (N) 188 B4
Rosenheim (D) 95 H2
Rosenthal-Bielatal (D) 87 E5
Roses (E) 61 F2
Roseto degli Abruzzi (I) 107 H5
Rosheim (F) 47 G1
Roşia (RO) 146 D3
Roşia de Secaş (RO) 147 F5
Rosica (BG) 153 E5
Rosice (CZ) 92 D4
Rosières-en-Santerre (F) 39 H3
Rosignano Marittimo (I) 105 G5
Rosignano Solvay (I) 105 G5
Roşiori de Vede (RO) 151 H4
Roskilde (DK) 199 E3
Roskovec (AL) 144 C3
Roslavl' (RUS) 7 F4
Rosmaninhal (P) 63 E5
Rosolina Mare (I) 103 F5
Rosolini (I) 115 F5
Rosoman (MK) 145 G1
Rosporden (F) 42 C3
Ross-on-Wye (GB) 35 F1
Rossano (I) 113 C1
Roßberg (A) 96 D1
Rosscarbery (IRL) 24 C5
Roßdorf (D) 89 E2
Rossell (E) 66 A1
Rosses Point (IRL) 22 D3
Roßhaupten (D) 95 F3
Rossio ao Sul do Tejo (P) 62 C5
Rosslare (IRL) 25 F4
Rosslare Harbour / Calafort Ros Láir (IRL) 25 F4
Roßlau (D) 86 B2
Rosslea (GB) 23 E3
Rossön (S) 183 H4
Roßwein (D) 86 D4
Rosthwaite (GB) 31 E5
Røstlandet (N) 179 E4
Rostock (D) 82 D3
Rostov Veliki (RUS) 7 G1
Rostrenen (F) 42 D2
Rostrevor (GB) 23 G4
Røsvik (N) 179 G4
Rosvik (S) 185 E2
Rosyth (GB) 31 E1
Röszke (H) 129 G5
Rota (E) 74 A3
Rotărăşti (RO) 151 G2
Rotenburg (D) 81 G5
Rotenburg an der Fulda (D) 85 G4
Roth (D) 91 E4
Rötha (D) 86 C4
Rothbury (GB) 31 G3
Röthenbach an der Pegnitz (D) 91 E4
Rothenburg (D) 87 F3
Rothenburg ob der Tauber (D) 89 G3
Rothéneuf (F) 43 F1
Rotherham (GB) 33 E3
Rothes (GB) 29 G3
Rothesay (GB) 30 C2
Rothwell (GB) 33 F5
Rotonda (I) 110 D5
Rotondella (I) 111 E5
Rott (D) 95 F2
Rott am Inn (D) 95 H2
Rottach (D) 95 G3
Rottenbach (D) 89 H1
Rottenburg am Neckar (D) 89 F5
Rottenburg an der Laaber (D) 95 G1
Rottenmann (A) 96 D3
Rotterdam (NL) 76 D5
Rottne (S) 195 H4
Rottneros (S) 189 G5
Rottweil (D) 94 B2
Rötz (D) 91 G4
Roubaix (F) 40 A1
Roudnice nad Labem (CZ) 92 A2
Rouen (F) 39 F4
Rouffach (F) 47 G3
Rougé (F) 43 F3
Rougemont (F) 47 F4
Rougemont-le-Château (F) 47 G3
Rouillac (F) 48 D3
Roujan (F) 54 A3
Roulans (F) 47 F4
Roundstone (IRL) 22 B5
Rovaniemi (FIN) 181 E5
Rovato (I) 101 F4
Rovereto (I) 101 H3
Roverud (N) 189 F5
Roviés (GR) 165 G2
Rovigno / Rovinj (HR) 134 A4
Rovigo (I) 103 E5
Rovinari (RO) 151 E3
Rovinj / Rovigno (HR) 134 A4
Rovišće (HR) 135 F3
Rowy (PL) 117 F1
Royal Leamington Spa (GB) 33 E5
Royal Tunbridge Wells (GB) 36 D5
Royan (F) 48 C3
Royat (F) 50 A3
Roybon (F) 50 D4
Roye (F) 39 H4
Royère-de-Vassivière (F) 49 G3
Røyrvik (N) 183 F3
Royston (GB) 36 C3
Röyttä (FIN) 185 G1
Roza (BG) 159 G2
Rožaje (MNE) 139 H3
Rozalimas (LT) 205 E2
Różan (PL) 119 E5
Rožanstvo (SRB) 139 H1
Rozay-en-Brie (F) 45 F1
Rozino (BG) 158 D1
Rožmitál pod Třemšínem (CZ) 92 A4
Rožňava (SK) 133 F3
Roznov (RO) 148 C4
Rožnov pod Radhoštěm (CZ) 93 G3
Rozogi (PL) 119 E3
Rozovec (BG) 159 E2
Rozoy-sur-Serre (F) 40 B4
Rozprza (PL) 122 B3
Roztoky (CZ) 92 A2
Rozvadov (CZ) 91 G3
Rras (AL) 142 C5
Rrëshen (AL) 144 C1
Rrogozhinë (AL) 144 C2
Rtanj (SRB) 143 F1
Ruabon (GB) 32 C4
Rubbestadneset (N) 188 A5
Rubena (E) 58 C3
Rubeņi (LV) 203 F4
Rubeži (MNE) 139 F4
Rubí (E) 60 D4
Rubí de Bracamonte (E) 63 H1
Rubiães (P) 56 B5
Rubielos de Mora (E) 65 H3
Rubiera (I) 105 H2
Rucăr (RO) 151 H2
Rucava (LV) 202 A4
Ruciane-Nida (PL) 119 E3
Ruda Śląska (PL) 122 A5
Rudamina (LT) 205 E5
Rudare (SRB) 143 E3
Rudawica (PL) 120 C3
Rüdersdorf bei Berlin (D) 86 D1
Rüdesheim am Rhein (D) 88 D2
Rūdiškės (LT) 205 F4
Rudiškiai (LT) 205 E1
Rudkøbing (DK) 198 C4
Rudna (PL) 120 D3
Rudn'a (RUS) 7 E3
Rudna Glava (SRB) 141 F5
Rudnica (MNE) 139 G2
Rudnica (SRB) 142 D2
Rudnik (Kosovska Mitrovica) (SRB) 142 D3
Rudnik (Kragujevac) (SRB) 140 D5
Rudnik nad Sanem (PL) 123 F5
Rudo (BIH) 139 G2
Rudolphstein (D) 91 F2
Rudolstadt (D) 86 A5
Rudozem (BG) 162 C2
Rue (F) 39 G2
Ruec (BG) 156 D3
Rueda (E) 63 H1
Rueda de Jalón (E) 59 G5
Ruelle-sur-Touvre (F) 49 E3
Ruen Руен (BG) 157 E4
Ruffec (F) 49 E2
Ruffieux (F) 51 E2
Rugby (GB) 33 E5
Rugeley (GB) 32 D4
Rugles (F) 44 C1
Ruhla (D) 85 H5
Ruhland (D) 87 E3
Ruhpolding (D) 95 H3
Ruidera (E) 71 F1
Rūjiena (LV) 203 E1
Ruka (FIN) 181 G5
Ruma / Рума (SRB) 140 C3
Rumboci (BIH) 137 F5
Rumburk (CZ) 87 F4
Rumengol (F) 42 B2
Rumenka (SRB) 140 C3
Rumia (PL) 117 G1
Rumigny (F) 40 C3
Rumilly (F) 51 E2
Rummu (EST) 200 D2
Rumšiškės (LT) 205 F4
Runcorn (GB) 32 C3
Runde (N) 188 B1
Rundvik (S) 184 D5
Runni (FIN) 187 E4
Runtuna (S) 197 F2
Ruokojärvi (FIN) 193 G2
Ruokolahti (FIN) 193 G3
Ruokto (S) 180 A4
Ruoms (F) 54 C1
Ruotsinpyhtää / Strömfors (FIN) 193 E4
Ruovesi (FIN) 191 G2
Rupa (HR) 134 B4
Rupea (RO) 147 H5
Rupt-sur-Moselle (F) 47 F3
Rus (RO) 147 F2
Rusca Montană (RO) 150 D1
Ruscova (RO) 147 G1
Ruše (SLO) 134 D1
Ruse / Русе (BG) 152 B5
Ruşeţu (RO) 152 D3
Ruševo (HR) 135 H4
Rush (IRL) 23 G5
Rushden (GB) 33 F5
Ruski Krstur (SRB) 140 B2
Rusko (FIN) 191 F4
Rusko Selo (SRB) 140 D2
Rusksele (S) 184 C3
Rusnė (LT) 204 B3
Rusokastro (BG) 159 H2
Rüsselsheim (D) 89 E2
Russenes (N) 177 E2
Russi (I) 107 E2
Rust (A) 97 H2
Rustefjelbma (N) 177 G2
Ruswil (CH) 98 D2
Rute (E) 70 C5
Rüthen (D) 85 E3
Ruthin / Rhuthun (GB) 32 C3
Rüti (CH) 99 E2
Rutigliano (I) 111 F3
Rutka-Tartak (PL) 119 G1
Rutki-Kossaki (PL) 119 F4
Rutledal (N) 188 B3
Ruukki (FIN) 185 G3
Ruuponsaari (FIN) 185 H5
Ruurlo (NL) 77 F5
Ruvo di Puglia (I) 111 E3
Ruwer (D) 88 B2
Ruynes-en-Margeride (F) 50 A4
Ružinci (BG) 150 D5
Ružomberok (SK) 132 D2
Ry (DK) 194 D5
Ryákia (GR) 161 F4
Rybczewice Drugie (PL) 123 G4
Rybnik (PL) 125 E1
Rybno (PL) 118 C4
Rychliki (PL) 118 C2
Rychnov nad Kněžnou (CZ) 92 D2
Rychnowo (PL) 118 C3
Rychwał (PL) 121 G2
Ryd (S) 195 H5
Ryde (GB) 38 C1
Rydułtowy (PL) 125 E1
Rydzyna (PL) 121 E2
Rye (GB) 36 D5
Rygge (N) 195 E1
Ryglice (PL) 126 D1
Rygnestad (N) 194 C1
Rykene (N) 194 D2
Ryki (PL) 123 E2
Ryl'sk (RUS) 7 G5
Rymań (PL) 116 D2
Rymanów (PL) 127 E2
Rýmařov (CZ) 93 E2
Rymättylä (FIN) 191 F4
Rýmnio (GR) 161 E4
Ryn (PL) 119 E2
Rypefjord (N) 176 D2
Rypin (PL) 118 B4
Rysjedalsvika (N) 188 B3
Rysstad (N) 194 C1
Ryttylä (FIN) 191 H4
Rząśnik (PL) 119 E5
Rzeczyca (PL) 122 C2
Rzepin (PL) 120 B1
Rzeszów (PL) 127 F1
Ržev (RUS) 7 F2

S

's-Gravendeel (NL) 76 D5
's-Heerenberg (NL) 77 F5
's-Hertogenbosch (NL) 77 E5
Sa Calobra (E) 67 F2
Sa Pobla (E) 67 F2
Sa Ràpita (E) 67 F3
Sääksjärvi (FIN) 185 G5
Saal an der Donau (D) 91 F5
Saalbach (A) 95 H3
Saales (F) 47 G2
Saalfeld (D) 86 A5
Saalfelden am Steinernen Meer (A) 96 B3
Saanen (CH) 98 C4
Saarbrücken (D) 88 C3
Saarburg (D) 88 B2
Sääre (EST) 200 B4
Saarenkylä (FIN) 181 E5
Saari (FIN) 193 H2
Saariharju (FIN) 187 E1
Saarijärvi (FIN) 191 H1
Saarikoski (FIN) 176 C5
Saariselkä (FIN) 177 G5
Saarlouis (D) 88 B3
Saas-Fee (CH) 98 D5
Šabac / Шабац (SRB) 140 C4
Sabadell (E) 60 D3
Săbăoani (RO) 148 C3
Sabaudia (I) 109 E4
Sabbioneta (I) 101 G5
Sabero (E) 57 H3
Sabile (LV) 202 B3
Sabiñánigo (E) 59 H3
Sabinosa (E) 67 E5
Sabiote (E) 71 E3
Šabla (BG) 157 G2
Sablé-sur-Sarthe (F) 43 H3
Sables-d'Or-les-Pins (F) 43 E1
Sabóia (P) 68 B4

Sabres (F) 52 C1
Sabrosa (P) 62 D1
Sabugal (P) 63 E3
Šaca (SK) 133 G3
Sacavém (P) 68 A1
Sacedón (E) 64 D2
Săcel (RO) 147 G2
Săcele (Braşov) (RO) 152 A1
Săcele (Constanţa) (RO) 153 F4
Săceni (RO) 151 H4
Saceruela (E) 70 C1
Sacile (I) 103 F3
Sacoşu Turcesc (RO) 150 B1
Sacramenia (E) 58 B5
Săcueni (RO) 146 C2
Sada (E) 56 C1
Sádaba (E) 59 F3
Sădievo (BG) 159 G2
Sadina (BG) 156 D2
Sadovec (BG) 155 F3
Sadovo (BG) 157 F3
Sadovo / Садово (BG) 159 E3
Sadu (RO) 151 G1
Sæby (DK) 195 E4
Săedinenie / Съединение (BG) 158 D2
Saelices (E) 64 D4
Sælvig (DK) 198 C3
Sævrøy (N) 188 A3
Safara (P) 69 E3
Säffle (S) 195 G1
Saffron Walden (GB) 36 D3
Safonovo (RUS) 7 F3
Şag (RO) 150 B1
Sâg (RO) 146 D3
Sagard (D) 83 F2
S'Agaró (E) 61 F3
Sagiáda (GR) 160 B5
Sagres (P) 68 A5
Sagunt / Sagunto (E) 65 H4
Sagvåg (N) 188 A5
Ságvár (H) 128 D3
Sahagún (E) 57 H4
Sahalahti (FIN) 191 G3
Sahinovići (BIH) 137 E4
Sahl (DK) 194 C5
Sahloinen (FIN) 191 H2
Šahy (SK) 132 C4
Saignelégier (CH) 98 C2
Saija (FIN) 181 G4
Saillagouse (F) 53 G5
Saillans (F) 50 D5
Saimaanranta (FIN) 193 G3
Sains (F) 40 B3
Sains-du-Nord (F) 40 B3
Saint-Affrique (F) 53 H2
Saint-Agnant (F) 48 C2
Saint-Agrève (F) 50 C4
Saint-Aignan (F) 44 D4
Saint-Aignan-sur-Roë (F) 43 G3
Saint-Alban-sur-Limagnole (F) 50 B5
Saint Albans (GB) 36 C3
Saint-Amand-en-Puisaye (F) 45 F4
Saint-Amand-les-Eaux (F) 40 A2
Saint-Amand-Longpré (F) 44 C3
Saint-Amand-Montrond (F) 49 H1
Saint-Amans (F) 50 B5
Saint-Amans-des-Cots (F) 49 H5
Saint-Amans-Soult (F) 53 H3
Saint-Amant-Roche-Savine (F) 50 B3
Saint-Amant-Tallende (F) 50 A3
Saint-Amarin (F) 47 G3
Saint-Ambroix (F) 54 B1
Saint-Amé (F) 47 F3
Saint-Amour (F) 50 D1
Saint-André-de-Cubzac (F) 48 C4
Saint-André-de-l'Eure (F) 39 F5
Saint-André-de-Valborgne (F) 54 B1
Saint-André-les-Alpes (F) 55 F1
Saint Andrews (GB) 31 E1
Saint-Anthème (F) 50 B3
Saint-Antonin-Noble-Val (F) 53 G1
Saint-Arnoult-en-Yvelines (F) 45 E2
Saint Asaph (GB) 32 B3
Saint-Astier (F) 49 E4
Saint-Auban (F) 55 G2
Saint-Aubin-d'Aubigné (F) 43 F2
Saint-Aubin-du-Cormier (F) 43 F2
Saint-Aubin-sur-Mer (F) 38 D4
Saint-Aulaye-Puymangou (F) 48 D4
Saint Austell (GB) 34 C4
Saint-Avold (F) 41 F5
Saint-Aygulf (F) 55 G3
Saint-Béat (F) 53 E4
Saint-Beauzély (F) 53 H1
Saint-Benin-d'Azy (F) 45 G5
Saint-Benoît-du-Sault (F) 49 F1
Saint-Benoît-sur-Loire (F) 45 E3
Saint-Bertrand-de-Comminges (F) 53 E4
Saint-Blin (F) 46 D2
Saint-Bonnet-de-Joux (F) 50 C1
Saint-Bonnet-en-Champsaur (F) 51 F5
Saint-Bonnet-le-Château (F) 50 C3
Saint-Brevin-les-Pins (F) 43 E4
Saint-Briac-sur-Mer (F) 43 E1
Saint-Brice-en-Coglès (F) 43 F2
Saint-Brieuc (F) 42 D1
Saint-Calais (F) 44 C3
Saint-Cast (F) 43 E1
Saint-Céré (F) 49 G5
Saint-Cergue (CH) 98 A4
Saint-Cernin (F) 49 H4
Saint-Chamas (F) 54 D2
Saint-Chamond (F) 50 C3
Saint-Chély-d'Apcher (F) 50 A5
Saint-Chély-d'Aubrac (F) 50 A5
Saint-Chinian (F) 53 H3
Saint-Ciers-sur-Gironde (F) 48 C4
Saint-Cirq-Lapopie (F) 53 F1
Saint-Clair-sur-l'Elle (F) 38 C5
Saint-Clar (F) 53 E2
Saint-Claud (F) 49 E2
Saint-Claude (F) 51 E1
Saint Clears (GB) 34 C1
Saint-Cyprien (F) 49 F5
Saint-Cyprien-Plage (F) 54 A5
Saint David's (GB) 25 H4
Saint-Denis (F) 39 H5
Saint-Denis-d'Oléron (F) 48 B2
Saint-Denis-d'Orques (F) 43 H3
Saint-Didier-en-Velay (F) 50 C4
Saint-Dié-des-Vosges (F) 47 G2
Saint-Dier-d'Auvergne (F) 50 B3
Saint-Dizier (F) 46 D1
Saint-Donat-sur-l'Herbasse (F) 50 D4
Saint-Éloy-les-Mines (F) 50 A2
Saint-Émilion (F) 48 D5
Saint-Étienne (F) 50 C3
Saint-Étienne-de-Baïgorry (F) 52 A3
Saint-Étienne-de-Lugdarès (F) 50 B5
Saint-Étienne-de-Montluc (F) 43 F4
Saint-Étienne-de-Saint-Geoirs (F) 51 E4
Saint-Étienne-de-Tinée (F) 55 G1
Saint-Étienne-en-Dévoluy (F) 51 F5
Saint-Étienne-les-Orgues (F) 55 E1
Saint-Fargeau (F) 45 F4
Saint-Félicien (F) 50 C4
Saint-Firmin (F) 51 F5
Saint-Florent (F) 55 H3
Saint-Florent-le-Vieil (F) 43 G4
Saint-Florent-sur-Cher (F) 45 E5
Saint-Florentin (F) 45 G3
Saint-Flour (F) 50 A4
Saint-François-Longchamp (F) 51 F3
Saint-Fulgent (F) 43 G5
Saint-Galmier (F) 50 C3
Saint-Gaudens (F) 53 E4
Saint-Gaultier (F) 49 F1
Saint-Genest-Malifaux (F) 50 C4
Saint-Gengoux-le-National (F) 50 C1
Saint-Geniez-d'Olt-et-d'Aubrac (F) 53 H1
Saint-Genis-de-Saintonge (F) 48 C3
Saint-Genis-Laval (F) 50 D3
Saint-Genix-sur-Guiers (F) 51 E3
Saint-Geoire (F) 51 E3
Saint-Georges-de-Didonne (F) 48 C3
Saint-Georges-en-Couzan (F) 50 B3
Saint-Georges-sur-Loire (F) 43 G4
Saint-Germain-de-Calberte (F) 54 B1
Saint-Germain-des-Fossés (F) 50 B2
Saint-Germain-du-Bois (F) 46 D5
Saint-Germain-du-Plain (F) 50 D1
Saint-Germain-du-Teil (F) 54 A1
Saint-Germain-en-Laye (F) 39 G5
Saint-Germain-Laval (F) 50 B3
Saint-Germain-Lembron (F) 50 A3
Saint-Germain-les-Belles (F) 49 G3
Saint-Germain-l'Herm (F) 50 B3
Saint-Gervais-d'Auvergne (F) 50 A2
Saint-Gervais-les-Bains (F) 51 G2
Saint-Gervais-les-Trois-Clochers (F) 44 B5
Saint-Gervais-sur-Mare (F) 54 A2
Saint-Géry (F) 53 F1
Saint-Gildas-de-Rhuys (F) 42 D4
Saint-Gildas-des-Bois (F) 43 E4
Saint-Gilles (F) 54 C2
Saint-Gilles-Croix-de-Vie (F) 43 E5
Saint-Gingolph (F) 51 G1
Saint-Girons (F) 53 F4
Saint-Girons-Plage (F) 52 B2
Saint-Gobain (F) 40 A4
Saint-Guénolé (F) 42 B3
Saint-Guilhem-le-Désert (F) 54 A2
Saint-Haon-le-Châtel (F) 50 B2
Saint Helens (GB) 32 C3
Saint Helier (GB) 38 B5
Saint-Herblain (F) 43 F4
Saint-Hilaire (F) 53 G4
Saint-Hilaire-de-Riez (F) 43 E5
Saint-Hilaire-de-Villefranche (F) 48 C2
Saint-Hilaire-des-Loges (F) 48 C1
Saint-Hilaire-du-Harcouët (F) 43 G1
Saint-Hippolyte (F) 47 G4
Saint-Hippolyte-du-Fort (F) 54 B2
Saint-Honoré-les-Bains (F) 45 H5
Saint-Hubert (B) 79 E4
Saint-Imier (CH) 98 C2
Saint Ives (GB) 33 G5
Saint Ives (GB) 34 B5
Saint-Jacques-de-la-Lande (F) 43 F2
Saint-Jacut-de-la-Mer (F) 43 E1
Saint-James (F) 43 F2
Saint-Jean-Brévelay (F) 42 D3
Saint-Jean-Cap-Ferrat (F) 55 H2
Saint-Jean-d'Angély (F) 48 C2
Saint-Jean-de-Bournay (F) 50 D3
Saint-Jean-de-Daye (F) 38 C5
Saint-Jean-de-Losne (F) 46 D5
Saint-Jean-de-Luz (F) 52 A3
Saint-Jean-de-Maurienne (F) 51 F4
Saint-Jean-de-Monts (F) 43 E5
Saint-Jean-du-Bruel (F) 54 A2
Saint-Jean-du-Gard (F) 54 B1
Saint-Jean-en-Royans (F) 51 E4
Saint-Jean-Pied-de-Port (F) 52 B3
Saint-Jeoire (F) 51 F2
Saint-Jouin-de-Marnes (F) 43 H5
Saint-Juéry (F) 53 G2
Saint-Julien (F) 51 E1
Saint-Julien-Chapteuil (F) 50 C4
Saint-Julien-de-Vouvantes (F) 43 G3
Saint-Julien-du-Sault (F) 45 G3
Saint-Julien-en-Genevois (F) 51 F2
Saint-Julien-l'Ars (F) 49 E1
Saint-Junien (F) 49 F2
Saint Just (GB) 34 B5
Saint-Just-en-Chaussée (F) 39 H4
Saint-Just-en-Chevalet (F) 50 B2
Saint-Just-Saint-Rambert (F) 50 C3
Saint-Justin (F) 52 C2
Saint Keverne (GB) 34 B5
Saint-Lary-Soulan (F) 52 D4
Saint-Laurent-de-Chamousset (F) 50 C3
Saint-Laurent-de-la-Salanque (F) 54 A4
Saint-Laurent-du-Pont (F) 51 E3
Saint-Laurent-en-Grandvaux (F) 51 E1
Saint-Laurent-les-Bains (F) 50 B5
Saint-Laurent-Médoc (F) 48 C4
Saint-Laurent-sur-Gorre (F) 49 F3
Saint-Laurent-sur-Mer (F) 38 C4
Saint-Laurent-sur-Sèvre (F) 43 G5
Saint-Léger-sous-Beuvray (F) 45 H5
Saint-Léonard-de-Noblat (F) 49 G3
Saint-Lô (F) 38 C5
Saint-Louis (F) 47 H3
Saint-Loup-sur-Semouse (F) 47 F3
Saint-Loup-sur-Thouet (F) 43 H5
Saint-Luc (CH) 98 D4
Saint-Lunaire (F) 43 E1
Saint-Lys (F) 53 F3
Saint-Macaire (F) 48 D5
Saint-Maixent-l'École (F) 48 D1
Saint-Malo (F) 43 E1
Saint-Malo-de-la-Lande (F) 38 B5
Saint-Mamet-la-Salvetat (F) 49 H5
Saint-Mandrier-sur-Mer (F) 55 E3
Saint-Marcellin (F) 51 E4
Saint Margaret's Hope (GB) 26 B4
Saint-Mars-la-Jaille (F) 43 G4
Saint-Martin-d'Auxigny (F) 45 E5
Saint-Martin-de-Belleville (F) 51 F3
Saint-Martin-de-Crau (F) 54 C2
Saint-Martin-de-Londres (F) 54 B2
Saint-Martin-de-Ré (F) 48 B2
Saint-Martin-de-Seignanx (F) 52 A2
Saint-Martin-de-Valamas (F) 50 C4
Saint-Martin-en-Bresse (F) 46 D5
Saint-Martin-Vésubie (F) 55 G1
Saint-Martory (F) 53 E3
Saint-Mathieu (F) 49 E3
Saint-Maurice (CH) 98 C4
Saint Mawes (GB) 34 B5
Saint-Maximin-la-Sainte-Baume (F) 55 E3
Saint-Médard-en-Jalles (F) 48 C5
Saint-Méen-le-Grand (F) 43 E2
Saint-Michel (F) 40 B3
Saint-Michel-de-Maurienne (F) 51 F4
Saint-Michel-en-Grève (F) 42 C1
Saint-Michel-en-l'Herm (F) 48 B1
Saint-Michel-Mont-Mercure (F) 43 G5
Saint-Mihiel (F) 40 D5
Saint-Nazaire (F) 43 E4
Saint-Nectaire (F) 50 A3
Saint Neots (GB) 33 G5
Saint-Nicolas-d'Aliermont (F) 39 F3
Saint-Nicolas-de-la-Grave (F) 53 E1
Saint-Nicolas-de-Port (F) 47 F1
Saint-Nicolas-du-Pélem (F) 42 D2
Saint-Omer (F) 39 H1
Saint-Pair-sur-Mer (F) 38 B5
Saint-Palais (F) 52 B3
Saint-Palais-sur-Mer (F) 48 C3
Saint-Pardoux-la-Rivière (F) 49 E3
Saint-Paul-Cap-de-Joux (F) 53 G2
Saint-Paul-de-Fenouillet (F) 53 H4
Saint-Paul-de-Vence (F) 55 G2
Saint-Paul-sur-Ubaye (F) 51 G5
Saint-Paul-Trois-Châteaux (F) 54 C1
Saint-Paulien (F) 50 B4
Saint-Pé-de-Bigorre (F) 52 C4
Saint-Pée-sur-Nivelle (F) 52 A3
Saint-Péray (F) 50 D4
Saint-Père-en-Retz (F) 43 E4
Saint Peter Port (GB) 38 A4
Saint-Philbert-de-Grand-Lieu (F) 43 F5
Saint-Pierre-d'Albigny (F) 51 F3
Saint-Pierre-de-Chartreuse (F) 51 E3
Saint-Pierre-de-Chignac (F) 49 F4
Saint-Pierre-d'Oléron (F) 48 B2
Saint-Pierre-Église (F) 38 B4
Saint-Pierre-le-Moûtier (F) 45 F5
Saint-Pierre-Quiberon (F) 42 D4
Saint-Pierre-sur-Dives (F) 38 D5
Saint-Pois (F) 43 G1
Saint-Pol-de-Léon (F) 42 C1
Saint-Pol-sur-Ternoise (F) 39 H2
Saint-Pons-de-Thomières (F) 53 H3
Saint-Porchaire (F) 48 C2
Saint-Pourçain-sur-Sioule (F) 50 A1
Saint-Privat (F) 49 G4
Saint-Quay-Portrieux (F) 42 D1
Saint-Quentin (F) 40 A3
Saint-Rambert-d'Albon (F) 50 D4
Saint-Rambert-en-Bugey (F) 51 E2
Saint-Raphaël (F) 55 G3
Saint-Rémy-de-Provence (F) 54 D2
Saint-Rémy-sur-Durolle (F) 50 B2
Saint-Renan (F) 42 B1
Saint-Riquier (F) 39 G3
Saint-Romain-de-Colbosc (F) 39 E4
Saint-Rome-de-Tarn (F) 53 H1
Saint-Saëns (F) 39 F4
Saint-Satur (F) 45 F4
Saint-Saulge (F) 45 G5
Saint-Sauveur-en-Puisaye (F) 45 G4
Saint-Sauveur-le-Vicomte (F) 38 B4
Saint-Sauveur-Lendelin (F) 38 B5
Saint-Sauveur-sur-Tinée (F) 55 G1
Saint-Savin (F) 49 F1
Saint-Savin (F) 48 C4
Saint-Savinien (F) 48 C2
Saint-Seine-l'Abbaye (F) 46 D4
Saint-Sernin-sur-Rance (F) 53 H2
Saint-Servan-sur-Mer (F) 43 F1
Saint-Sever (F) 52 C2
Saint-Sever-Calvados (F) 38 C5
Saint-Sulpice-les-Feuilles (F) 49 F1
Saint-Symphorien (F) 52 C1
Saint-Symphorien-de-Lay (F) 50 C2
Saint-Symphorien-d'Ozon (F) 50 D3
Saint-Symphorien-sur-Coise (F) 50 C3
Saint-Thégonnec Loc-Eguiner (F) 42 C1
Saint-Trivier-de-Courtes (F) 50 D1
Saint-Trivier-sur-Moignans (F) 50 D2
Saint-Trojan-les-Bains (F) 48 B2
Saint-Tropez (F) 55 G3
Saint-Vaast-la-Hougue (F) 38 C4
Saint-Valery-en-Caux (F) 39 E3
Saint-Valery-sur-Somme (F) 39 G3
Saint-Vallier (F) 50 D4
Saint-Vallier-de-Thiey (F) 55 G2
Saint-Varent (F) 43 H5
Saint-Vaury (F) 49 G2
Saint-Véran (F) 51 G5
Saint-Vincent (I) 100 C3
Saint-Vincent-de-Tyrosse (F) 52 B2

Saint-Vivien-de-Médoc *(F)* 48 C3
Saint-Wandrille-Rançon *(F)* 39 F4
Saint-Yorre *(F)* 50 B2
Saint-Yrieix-la-Perche *(F)* 49 F3
Sainte-Adresse *(F)* 39 E4
Sainte-Anne-d'Auray *(F)* 42 D3
Sainte-Croix *(CH)* 98 B3
Sainte-Croix-du-Mont *(F)* 48 D5
Sainte-Croix-Volvestre *(F)* 53 F4
Sainte-Enimie *(F)* 54 A1
Sainte-Foy-la-Grande *(F)* 49 E5
Sainte-Foy-l'Argentière *(F)* 50 C3
Sainte-Geneviève-sur-Argence *(F)* 50 A5
Sainte-Hélène *(F)* 48 C4
Sainte-Hermine *(F)* 48 C1
Sainte-Livrade-sur-Lot *(F)* 53 E1
Sainte-Lucie-de-Tallano *(F)* 55 H5
Sainte-Marie-aux-Mines *(F)* 47 G2
Sainte-Maure-de-Touraine *(F)* 44 C5
Sainte-Maxime *(F)* 55 G3
Sainte-Menehould *(F)* 40 D5
Sainte-Mère-Église *(F)* 38 C4
Sainte-Sévère-sur-Indre *(F)* 49 G1
Sainte-Suzanne-et-Chammes *(F)* 43 H2
Sainte-Tulle *(F)* 55 E2
Saintes *(F)* 48 C3
Saintes-Maries-de-la-Mer *(F)* 54 C3
Saintfield *(GB)* 23 G3
SaintMonans *(GB)* 31 E1
Saissac *(F)* 53 G3
Šajkaš *(SRB)* 140 C3
Šakiai *(LT)* 204 D3
Sakskøbing *(DK)* 198 D4
Saku *(EST)* 200 D2
Sakula *(SRB)* 140 D3
Säkylä *(FIN)* 191 F3
Sala *(S)* 190 B5
Šal'a *(SK)* 132 B4
Sala Consilina *(I)* 110 C4
Sălacea *(RO)* 146 D2
Salacgrīva *(LV)* 202 D1
Salakas *(LT)* 205 H2
Salamajärvi *(FIN)* 185 G5
Salamanca *(E)* 63 G2
Salamína / Σαλαμίνα *(GR)* 165 H4
Salamiou *(CY)* 174 C4
Salantai *(LT)* 204 C1
Salánti *(GR)* 169 E2
Salar *(E)* 70 D5
Sălard *(RO)* 146 C2
Salardú *(E)* 60 B1
Salas *(E)* 57 F1
Salaš *(SRB)* 141 G5
Salas de los Infantes *(E)* 58 C4
Salaspils *(LV)* 202 D3
Sălătrucu *(RO)* 151 G2
Salbohed *(S)* 190 B5
Salbris *(F)* 45 E4
Salcia *(RO)* 151 E4
Šalčininkai *(LT)* 205 G5
Salcombe *(GB)* 34 D5
Saldaña *(E)* 58 A3
Saldus *(LV)* 202 B3
Sale *(I)* 101 E5
Salem *(D)* 94 C3
Salemi *(I)* 114 B3
Sälen *(S)* 189 G3
Salen (Argyll and Bute) *(GB)* 28 D5
Salen (Highland) *(GB)* 28 D5
Salernes *(F)* 55 F2
Salerno *(I)* 109 H5
Salers *(F)* 49 H4
Salgótarján *(H)* 126 B5
Sali *(HR)* 136 B5
Salice Terme *(I)* 101 E5
Salies-de-Béarn *(F)* 52 B3
Salies-du-Salat *(F)* 53 E4
Salignac-Eyvigues *(F)* 49 F4
Salihli *(TR)* 19 G3
Salihorsk *(BY)* 6 D5
Salinas *(E)* 57 G1
Salindres *(F)* 54 B1
Sälinkää *(FIN)* 191 H4
Salins *(F)* 47 E5
Salisbury *(GB)* 35 G3
Săliște *(RO)* 151 F1
Săliștea de Sus *(RO)* 147 G2
Salla *(FIN)* 181 G4
Sallanches *(F)* 51 F2
Sallent *(E)* 60 D3
Sallent de Gállego *(E)* 59 H2
Salles-Curan *(F)* 53 H1
Salles-sur-l'Hers *(F)* 53 G3
Salmanovo *(BG)* 157 E3
Salmerón *(E)* 65 E2
Salmoral *(E)* 63 H2
Salmünster *(D)* 89 F1
Salo *(FIN)* 191 G4
Salò *(I)* 101 G4
Salobreña *(E)* 75 F3
Saločiai *(LT)* 205 F1
Salon-de-Provence *(F)* 54 D2
Salonta *(RO)* 146 C3
Salorino *(E)* 63 E5
Salou *(E)* 60 C5
Salsbruket *(N)* 183 E3
Salses-le-Château *(F)* 53 H4
Salsomaggiore Terme *(I)* 105 F2
Saltash *(GB)* 34 D4
Saltburn-by-the-Sea *(GB)* 31 H4
Saltcoats *(GB)* 30 C2
Salto *(P)* 56 C5
Saltoluokta *(S)* 180 A4
Saltvik *(FIN)* 190 D5
Saltzgitter-Lebenstedt *(D)* 85 H2
Saluggia *(I)* 100 C4
Saluzzo *(I)* 104 B2
Salva *(RO)* 147 G2
Salvacañete *(E)* 65 F3
Salvagnac *(F)* 53 F2
Salvan *(CH)* 98 C4
Salvaterra de Magos *(P)* 68 B1
Salvaterra de Miño *(E)* 56 B4
Salvatierra / Agurain *(E)* 59 E2
Salvatierra de los Barros *(E)* 69 F2
Salviac *(F)* 49 F5
Salzburg *(A)* 96 B3
Salzgitter-Bad *(D)* 85 H2
Salzhausen *(D)* 81 H5
Salzkotten *(D)* 85 E3
Salzwedel *(D)* 82 C5
Šamac / Bosanski Šamac *(BIH)* 137 G3
Samarína *(GR)* 160 C4
Samatan *(F)* 53 E3
Sambiase *(I)* 113 C3
Sambir *(UA)* 12 C2
Samboal *(E)* 64 A1
Sambuca di Sicilia *(I)* 114 C3
Samedan *(CH)* 99 G4
Samer *(F)* 39 G2
Sámi *(GR)* 164 C4
Sammatti *(FIN)* 191 G4
Sammichele di Bari *(I)* 111 E3
Samnanger *(N)* 188 B4
Samobor *(HR)* 134 D3
Samodreža *(SRB)* 143 E3
Samoëns *(F)* 51 G2
Samokov *(MK)* 145 E1
Samokov / Самоков *(BG)* 158 B2
Samorín *(SK)* 132 A4
Samos *(E)* 56 D3
Samoš *(SRB)* 140 D3
Sámos / Σάμος *(GR)* 167 G5
Samothráki *(GR)* 162 D4
Samovodene *(BG)* 159 F1
Sampatikí *(GR)* 169 E3
Samper de Calanda *(E)* 65 H1
Sampeyre *(I)* 104 B2
Samtens *(D)* 83 F2
Samugheo *(I)* 112 C3
San Adrián *(E)* 59 E3
San Agustín del Guadalix *(E)* 64 C2
San Amaro *(E)* 56 C4
San Andrés del Rabanedo *(E)* 57 G3
San Antolín de Ibias *(E)* 57 E2
San Antonio Abad / Sant Antoni de Portmany *(E)* 66 C4
San Bartolomé de la Torre *(E)* 69 E5
San Bartolomé de las Abiertas *(E)* 64 A4
San Bartolomeo in Galdo *(I)* 110 B2
San Benedetto del Tronto *(I)* 107 H5
San Benedetto in Alpe *(I)* 106 D2
San Benedetto Po *(I)* 101 H5
San Bernardino *(CH)* 99 F4
San Biagio Platani *(I)* 114 D4
San Bonifacio *(I)* 101 H4
San Candido / Innichen *(I)* 103 F1
San Carlos del Valle *(E)* 71 E2
San Casciano in Val di Pesa *(I)* 105 H4
San Cataldo *(I)* 111 H4
San Cataldo *(I)* 115 E4
San Cipirello *(I)* 114 C3
San Clemente *(E)* 65 E5
San Colombano al Lambro *(I)* 101 F5
San Cosme *(E)* 57 E1
San Cristóbal de Entreviñas *(E)* 57 G5
San Cristóbal de la Vega *(E)* 64 A1
San Damiano d'Asti *(I)* 100 C5
San Daniele del Friuli *(I)* 103 G3
San Daniele Po *(I)* 101 G5
San Demetrio Corone *(I)* 113 C2
San Donà di Piave *(I)* 103 F4
San Donaci *(I)* 111 G4
San Emiliano *(E)* 57 G2
San Esteban *(E)* 57 G1
San Esteban de Gormaz *(E)* 58 C5
San Esteban del Molar *(E)* 57 G5
San Esteban del Valle *(E)* 63 H3
San Fele *(I)* 110 C4
San Felice a Cancello *(I)* 109 H5
San Felice Circeo *(I)* 109 E4
San Felice sul Panaro *(I)* 105 H2
San Felices de los Gallegos *(E)* 63 E2
San Ferdinando di Puglia *(I)* 110 D2
San Fernando *(E)* 74 A4
San Fratello *(I)* 115 F2
San Gavino Monreale *(I)* 112 B4
San Gemini *(I)* 107 F5
San Giacomo / Sankt Jakob *(I)* 103 E1
San Gimignano *(I)* 105 H5
San Ginesio *(I)* 107 G4
San Giorgio Canavese *(I)* 100 C4
San Giorgio del Sannio *(I)* 109 H4
San Giorgio di Nogaro *(I)* 103 G3
San Giorgio Ionico *(I)* 111 F4
San Giorgio Piacentino *(I)* 101 F5
San Giovanni a Piro *(I)* 110 C5
San Giovanni di Sinis *(I)* 112 B3
San Giovanni in Fiore *(I)* 113 C2
San Giovanni in Persiceto *(I)* 105 H2
San Giovanni Lupatoto *(I)* 101 H4
San Giovanni Rotondo *(I)* 110 C2
San Giovanni Suergiu *(I)* 112 B5
San Giovanni Valdarno *(I)* 106 D3
San Giuliano Terme *(I)* 105 G4
San Giustino *(I)* 107 E3
San Ildefonso o La Granja *(E)* 64 B1
San Isidro *(E)* 72 C5
San Javier *(E)* 73 E3
San José *(E)* 72 C5
San Jose / Sant Josep de sa Talaia *(E)* 66 C4
San Juan de Alicante / Sant Joan d'Alacant *(E)* 73 F2
San Juan de los Terreros *(E)* 71 H5
San Juan del Olmo *(E)* 63 H3
San Juan del Puerto *(E)* 69 E5
San Lazzaro di Savena *(I)* 106 D1
San Leo *(I)* 107 F3
San Leonardo de Yagüe *(E)* 58 D4
San Leonardo in Passiria *(I)* 101 H1
San Lorenzo de Calatrava *(E)* 70 D3
San Lorenzo de la Parrilla *(E)* 65 E4
San Lorenzo Nuovo *(I)* 107 E5
San Lucido *(I)* 113 B2
San Luis de Sabinillas *(E)* 74 C4
San Marcello *(I)* 107 G3
San Marcello Pistoiese *(I)* 105 H4
San Marco Argentano *(I)* 113 B2
San Marco dei Cavoti *(I)* 109 H4
San Marco in Lamis *(I)* 110 C2
San Marino *(RSM)* 107 F3
San Martín de Castañeda *(E)* 57 E4
San Martín de la Vega *(E)* 64 C3
San Martín de Montalbán *(E)* 64 A4
San Martín de Valdeiglesias *(E)* 64 A3
San Martino di Castrozza *(I)* 103 E2
San Mateo de Gállego *(E)* 59 G4
San Mauro Forte *(I)* 110 D4
San Michele all'Adige *(I)* 101 H3
San Miguel de Salinas *(E)* 73 E3
San Miguel del Arroyo *(E)* 58 A5
San Millán de la Cogolla *(E)* 58 D3
San Millán de Lara *(E)* 58 C4
San Miniato *(I)* 105 H4
San Nicolás del Puerto *(E)* 69 H4
San Nicolo *(I)* 107 E1
San Nicolò Gerrei *(I)* 112 C4
San Pancrazio Salentino *(I)* 111 G4
San Pedro *(E)* 71 G2
San Pedro de Alcántara *(E)* 74 D4
San Pedro de Latarce *(E)* 57 H5
San Pedro de Mérida *(E)* 69 G1
San Pedro del Arroyo *(E)* 63 H2
San Pedro del Pinatar *(E)* 73 E3
San Pedro Manrique *(E)* 59 E4
San Pellegrino Terme *(I)* 101 F3
San Piero a Sieve *(I)* 105 H4
San Pietro in Casale *(I)* 106 D1
San Pietro Vernotico *(I)* 111 G4
San Polo d'Enza *(I)* 105 G2
San Quirico d'Orcia *(I)* 106 D4
San Rafael *(E)* 64 B2
San Remo *(I)* 104 C4
San Roque *(E)* 74 C4
San Roque *(E)* 56 B2
San Rufo *(I)* 110 C4
San Sadurniño *(E)* 56 C1
San Salvador de Cantamuda *(E)* 58 A2
San Salvo *(I)* 109 H2
San Sebastián (Donostia) *(E)* 59 E1
San Sebastián de la Gomera *(E)* 67 F5
San Sebastiano Curone *(I)* 105 E2
San Severino Marche *(I)* 107 G4
San Severo *(I)* 110 C2
San Silvestre de Guzmán *(E)* 68 D5
San Sperate *(I)* 112 C5
San Stefano *(BG)* 159 H2
San Telmo *(E)* 69 E4
San Teodoro *(I)* 112 D2
San Valentino alla Muta / Sankt Valentin auf der Haide *(I)* 101 G1
San Vicente de Alcántara *(E)* 62 D5
San Vicente de la Barquera *(E)* 58 A1
San Vicente de la Cabeza *(E)* 57 F5
San Vicente del Raspeig *(E)* 73 F2
San Vigilio di Marebbe / Sankt Vigil Enneberg *(I)* 103 E1
San Vincenzo *(I)* 106 C4
San Vitero *(E)* 57 F5
San Vito *(I)* 112 D4
San Vito al Tagliamento *(I)* 103 G3
San Vito Chietino *(I)* 109 H2
San Vito dei Normanni *(I)* 111 G4
San Vito di Cadore *(I)* 103 F2
San Vito lo Capo *(I)* 114 B2
San Vito sullo Ionio *(I)* 113 C3
San Vittore del Lazio *(I)* 109 G4
Sânandrei *(RO)* 146 B5
Sanary-sur-Mer *(F)* 55 E3
Sancergues *(F)* 45 F5
Sancerre *(F)* 45 F4
Sanchidrián *(E)* 64 A1
Sancoins *(F)* 45 F5
Sâncraiu de Mureș *(RO)* 147 G4
Sancti Petri *(E)* 74 A4
Sancti-Spíritus *(E)* 63 F2
Sand *(N)* 188 B5
Sand *(N)* 189 F4
Sand in Taufers / Campo Tures *(I)* 103 E1
Sandane *(N)* 188 C2
Sandanski / Сандански *(BG)* 161 G1
Sandarne *(S)* 190 B3
Sandau *(D)* 82 D5
Sandbach *(GB)* 32 D3
Sande *(D)* 81 F4
Sande *(N)* 188 B1
Sande *(N)* 189 E5
Sande *(P)* 62 C1
Sandefjord *(N)* 195 E1
Sandeid *(N)* 188 B5
Sandgerði *(IS)* 178 A3
Sandnes *(N)* 194 A1
Sandness *(GB)* 27 D3
Sandnessjøen *(N)* 183 F1
Sando *(E)* 63 F2
Sandomierz *(PL)* 123 E4
Sândominic *(RO)* 148 B4
Sándorfalva *(H)* 129 G4
Sandown *(GB)* 38 C1
Sandrigo *(I)* 103 E4
Šandrovac *(HR)* 135 F3
Sandstad *(N)* 182 C5
Sânduleni *(RO)* 148 C4
Sandur (Færøerne) *(DK)* 194 A5
Sandviken *(S)* 190 B4
Sandvikvåg *(N)* 188 B4
Sandwich *(GB)* 37 E4
Sandy *(GB)* 33 G5
Sangarcía *(E)* 64 A1
Sangaste *(EST)* 201 F4
Sângeorgiu de Pădure *(RO)* 147 H4
Sângeorz-Băi *(RO)* 147 G2
Sangerhausen *(D)* 86 A3
Sangis *(S)* 185 F1
Sangüesa *(E)* 59 F3
Sanguinet *(F)* 48 B5
Saní *(GR)* 161 G5
Sanica *(BIH)* 136 D4
Sanitz *(D)* 83 E3
Sankt Aegyd am Neuwalde *(A)* 97 F2
Sankt Andrä *(A)* 97 E5
Sankt Andreasberg *(D)* 85 H3
Sankt Anton am Arlberg *(A)* 95 E4
Sankt Blasien *(D)* 94 B3
Sankt Christophen *(A)* 97 G2
Sankt Gallen *(A)* 97 E3
Sankt Gallen *(CH)* 99 F2
Sankt Gallenkirch *(A)* 94 D4
Sankt Georgen am Längsee *(A)* 97 E5
Sankt Georgen im Attergau *(A)* 96 C2
Sankt Georgen im Schwarzwald *(D)* 94 B2
Sankt Gilgen *(A)* 96 C3
Sankt Goar *(D)* 88 D1
Sankt Goarshausen *(D)* 88 D1
Sankt Ingbert *(D)* 88 C3
Sankt Jakob / San Giacomo *(I)* 103 E1
Sankt Jakob im Rosental *(A)* 96 D5
Sankt Johann im Pongau *(A)* 96 C4
Sankt Johann in Tirol *(A)* 95 H3
Sankt Lambrecht *(A)* 96 D4
Sankt Leonhard am Forst *(A)* 97 F2
Sankt Leonhard im Pitztal *(A)* 95 F4
Sankt Lorenzen im Lesachtal *(A)* 96 B5
Sankt Margarethen *(D)* 81 G3
Sankt Märgen *(D)* 94 B2
Sankt Michael im Lungau *(A)* 96 C4
Sankt Michael in Obersteiermark *(A)* 97 E3
Sankt Michaelisdonn *(D)* 81 G3
Sankt Moritz *(CH)* 99 G4
Sankt Niklaus *(CH)* 98 D4
Sankt Olof *(S)* 199 F3
Sankt Oswald *(A)* 96 D5
Sankt Paul im Lavanttal *(A)* 97 E5
Sankt Peter in der Au Markt *(A)* 97 E2
Sankt Peter-Ording *(D)* 81 F2
Sankt-Peterburg *(RUS)* 6 D1
Sankt Pölten *(A)* 97 F1
Sankt Ulrich / Ortisei *(I)* 103 E2
Sankt Valentin *(A)* 97 E2
Sankt Valentin auf der Haide / San Valentino alla Muta 101 G1
Sankt Veit an der Glan *(A)* 96 D5
Sankt Vigil Enneberg / San Vigilio di Marebbe 103 E1
Sankt Vith *(B)* 79 F4
Sankt Wendel *(D)* 88 C3
Sankt Wolfgang im Salzkammergut *(A)* 96 C3
Sanlúcar de Barrameda *(E)* 74 A3
Sanlúcar de Guadiana *(E)* 68 D5
Sanlúcar la Mayor *(E)* 69 F5
Sanluri *(I)* 112 B4
Sânmartin *(RO)* 148 B5
Sânmihaiu Almașului *(RO)* 147 E3

Sânmihaiu de Câmpie (RO) 147 G 3
Sânmihaiu Român (RO) 150 B 1
Sannainen (FIN) 193 E 4
Sannazzaro de' Burgondi (I) 101 E 5
Sannicandro di Bari (I) 111 E 3
Sannicandro Garganico (I) 110 C 1
Sânnicolau Mare (RO) 146 A 5
Sanniki (PL) 122 B 1
Sanok (PL) 127 F 2
Sanquhar (GB) 30 D 3
Sansepolcro (I) 107 E 3
Sanski Most (BIH) 135 F 5
Sant' Agata de' Goti (I) 109 H 4
Sant' Agata di Militello (I) 115 F 2
Sant' Agata di Puglia (I) 110 C 3
Sant Agustí de Lluçanès (E) 60 D 2
Sant' Andrea Frius (I) 112 C 4
Sant Andreu de Llavaneres (E) 61 E 3
Sant' Angelo dei Lombardi (I) 110 B 3
Sant' Angelo in Vado (I) 107 F 3
Sant' Angelo Lodigiano (I) 101 E 5
Sant' Antioco (I) 112 B 5
Sant Antoni de Calonge (E) 61 F 3
Sant Antoni de Portmany / San Antonio Abad (E) 66 C 4
Sant' Antonio di Gallura (I) 112 C 1
Sant Boi de Lluçanès (E) 60 D 2
Sant Carles de la Ràpita (E) 66 B 1
Sant Celoni (E) 61 E 3
Sant Cugat del Vallès (E) 60 D 4
Sant Esteve d'En Bas (E) 61 E 2
Sant Feliu de Guíxols (E) 61 F 3
Sant Francesc de Formentera (E) 66 D 5
Sant Hilari Sacalm (E) 61 E 3
Sant Hipòlit de Voltregà (E) 60 D 2
Sant Joan d'Alacant / San Juan de Alicante (E) 73 F 2
Sant Joan de Labritja (E) 66 D 4
Sant Joan de les Abadesses (E) 60 D 2
Sant Josep de sa Talaia / San Jose (E) 66 C 4
Sant Julià de Lòria (AND) 60 C 1
Sant Llorenç de Morunys (E) 60 C 2
Sant Lluís (E) 67 H 2
Sant Mateu (E) 66 A 1
Sant Miquel (E) 66 D 4
Sant' Onofrio (I) 115 H 1
Sant Pau de Segúries (E) 61 E 2
Sant Pol de Mar (E) 61 E 3
Sant Quirze de Besora (E) 60 D 2
Sant Quirze Safaja (E) 60 D 3
Sant Ramon (E) 60 C 3
Sant Sadurní d'Anoia (E) 60 D 4
Sant Salvador de Toló (E) 60 B 2
Santa Amalia (E) 69 G 1
Santa Ana (E) 71 G 2
Santa Bàrbara (E) 60 B 5
Santa Bárbara de Casa (E) 69 E 4
Santa Catarina da Fonte do Bispo (P) 68 D 5
Santa Caterina di Pittinuri (I) 112 B 3
Santa Caterina Valfurva (I) 101 G 2
Santa Caterina Villarmosa (I) 115 E 3
Santa Cesarea Terme (I) 111 H 5
Santa Coloma de Farners (E) 61 E 3
Santa Coloma de Queralt (E) 60 C 4
Santa Colomba de Somoza (E) 57 F 4
Santa Comba (E) 56 B 2
Santa Comba Dão (P) 62 C 3
Santa Comba de Rossas (P) 57 E 5
Santa Croce di Magliano (I) 110 B 2
Santa Cruz de la Palma (E) 67 E 5
Santa Cruz de la Sierra (E) 69 G 1
Santa Cruz de la Zarza (E) 64 C 3
Santa Cruz de Moya (E) 65 G 3
Santa Cruz de Mudela (E) 71 E 2
Santa Cruz de Tenerife (E) 67 F 5
Santa Cruz del Retamar (E) 64 B 3
Santa Elena (E) 71 E 3
Santa Eufemia (E) 70 B 2
Santa Eufemia Lamezia (I) 113 C 3
Santa Eulalia (E) 65 G 2
Santa Eulália (P) 69 E 1
Santa Eulalia de Oscos (E) 57 E 2
Santa Eulalia del Río (E) 66 D 4
Santa Fe (E) 70 D 5
Santa Fiora (I) 106 D 5
Santa Gertrude (I) 101 H 2
Santa Giusta (I) 112 B 3
Santa Kurutze Kanpezu (E) 59 E 2
Santa Lucia del Mela (I) 115 G 2
Santa Luzia (P) 68 C 4
Santa Magdalena de Pulpis (E) 66 A 1
Santa Margalida (E) 67 F 2
Santa Margarida do Sádão (P) 68 C 3
Santa Margherita (I) 112 B 5
Santa Margherita di Belice (I) 114 C 3
Santa Margherita Ligure (I) 105 E 3
Santa Maria Capua Vetere (I) 109 G 4
Santa Maria da Feira (P) 62 B 2
Santa María de Huerta (E) 65 E 1
Santa María de Nieva (E) 71 G 5
Santa María de Valverde (E) 57 G 5
Santa Maria degli Angeli (I) 107 F 4
Santa María del Campo (E) 58 B 4
Santa María del Campo Rus (E) 65 E 4
Santa María del Páramo (E) 57 G 4
Santa Maria della Versa (I) 101 E 5
Santa María la Real de Nieva (E) 64 A 1
Santa Maria Maggiore (I) 100 D 3
Santa-Maria-Siché (F) 55 H 5
Santa Marina de Valdeón (E) 57 H 2
Santa Marina del Rey (E) 57 G 3
Santa Marinella (I) 108 C 2
Santa Marta (E) 69 F 2
Santa Marta de Penaguião (P) 62 D 1
Santa Marta de Tormes (E) 63 G 2
Santa Ninfa (I) 114 C 3
Santa Olalla (E) 64 A 3
Santa Olalla del Cala (E) 69 F 4
Santa Pau (E) 61 E 2
Santa Pola (E) 73 F 2
Santa Ponça (E) 67 E 3
Santa Severa (I) 108 C 2
Santa Sofia (I) 107 E 2
Santa Sofia d'Epiro (I) 113 C 2
Santa Susanna (E) 61 E 3
Santa Teresa di Riva (I) 115 G 2
Santa Teresa Gallura (I) 112 C 1
Santa Uxía de Ribeira (E) 56 B 3
Santa Venera (M) 114 C 5
Santaella (E) 70 B 5
Santaliestra y San Quílez (E) 60 A 2
Sântămăria-Orlea (RO) 151 E 1
Santana (P) 68 A 2
Santana (P) 68 A 4
Sântana (RO) 146 B 4
Santana da Serra (P) 68 C 4
Santander (E) 58 B 1
Santanyí (E) 67 F 3
Santarcangelo di Romagna (I) 107 F 2
Santarém (P) 68 B 1
Santas Martas (E) 57 H 4
Sant'Elia a Pianisi (I) 109 H 3
Sant'Elpidio a Mare (I) 107 H 4
Santeramo in Colle (I) 111 E 4
Santesteban / Doneztebe (E) 59 F 1
Santhià (I) 100 D 4
Santiago de Alcántara (E) 62 D 5
Santiago de Compostela (E) 56 B 2
Santiago de la Espada (E) 71 F 3
Santiago de la Ribera (E) 73 E 3
Santiago del Campo (E) 63 F 5
Santiago do Cacém (P) 68 B 3
Santiago do Escoural (P) 68 C 2
Santibáñez de Béjar (E) 63 G 3
Santibáñez de la Peña (E) 58 A 2
Santibáñez de la Sierra (E) 63 G 3
Santibáñez de Vidriales (E) 57 G 4
Santillana del Mar (E) 58 B 1
Santiponce (E) 69 G 5
Santisteban del Puerto (E) 71 E 3
Santo Domingo de la Calzada (E) 58 D 3
Santo Domingo de Silos (E) 58 C 4
Santo Estêvão (P) 68 B 1
Santo Estêvão (P) 62 D 3
Santo-Pietro-di-Tenda (F) 55 H 3
Santo Stefano d'Aveto (I) 105 E 2
Santo Stefano di Cadore (I) 103 F 2
Santo Stefano di Camastra (I) 115 E 2
Santo Stefano Quisquina (I) 114 D 3
Santo Stino di Livenza (I) 103 F 4
Santo Tirso (P) 62 B 1
Santo Tomé (E) 71 E 4
Santoméri (GR) 164 D 4
Santoña (E) 58 C 1
Santu Lussurgiu (I) 112 B 3
Santurtzi (E) 58 D 1
Sanxenxo (E) 56 B 3
Sanza (I) 110 C 5
São Bartolomeu de Messines (P) 68 C 5
São Brás de Alportel (P) 68 C 5
São Cristóvão (P) 68 C 2
São Domingos (P) 68 B 3
São Gregório (P) 56 C 4
São Jacinto (P) 62 B 2
São João da Madeira (P) 62 B 2
São João da Pesqueira (P) 62 D 1
São João de Tarouca (P) 62 D 2
São João dos Caldeireiros (P) 68 D 4
São José da Lamarosa (P) 68 B 1
São Leonardo (P) 69 E 3
São Manços (P) 68 D 2
São Marcos da Serra (P) 68 C 5
São Marcos do Campo (P) 68 D 3
São Martinho das Amoreiras (P) 68 C 4
São Martinho do Porto (P) 62 A 5
São Matias (P) 68 D 3
São Miguel de Machede (P) 68 D 2
São Pedro da Torre (P) 56 B 4
São Pedro de Moel (P) 62 A 4
São Pedro do Sul (P) 62 C 2
São Romão (P) 62 D 3
São Teotónio (P) 68 B 4
São Vicente da Beira (P) 62 D 4
Saorge (F) 55 H 1
Sapanca (TR) 19 H 1
Săpânța (RO) 147 F 1
Sapareva Banja (BG) 158 B 2
Sapataria (P) 68 A 1
Sápes (GR) 163 E 3
Sappada (I) 103 F 2
Sappee (FIN) 191 H 3
Sapri (I) 110 C 5
Säräisniemi (FIN) 187 E 3
Saraiu (RO) 153 E 3
Saraja (BG) 158 D 2
Sarajärvi (FIN) 187 E 1
Sarajevo (BIH) 137 G 5
Sarakíniko (GR) 165 H 3
Saramon (F) 53 E 3
Saranci (BG) 158 C 1
Sarandë (AL) 144 C 5
Sarantáporo (GR) 161 E 5
Sărata-Monteoru (RO) 152 C 2
Saray (TR) 19 G 1
Sarayköy (TR) 19 H 3
Šarbanovac (SRB) 143 F 1
Sarbinowo (Debno) (PL) 116 B 5
Sarbinowo (Koszalin) (PL) 116 D 2
Sárbogárd (H) 129 E 3
Sarcelles (F) 39 H 5
Sardara (I) 112 B 4
Sardínia (GR) 164 D 2
Sardoal (P) 62 C 5
S'Arenal (E) 67 F 3
Šarengrad (HR) 137 H 2
Sarentino / Sarntal (I) 102 D 2
Sargans (CH) 99 F 3
Sari-d'Orcino (F) 55 G 4
Sariá (GR) 171 F 4
Sarichioi (RO) 153 F 3
Sariñena (E) 59 H 4
Šarišské Michaľany (SK) 133 G 2
Sarkad (H) 131 E 3
Sarkadkeresztúr (H) 131 E 3
Sárkeresztes (H) 129 E 2
Sárkeresztúr (H) 129 E 3
Särkisalmi (FIN) 193 G 2
Särkisalo / Finby (FIN) 191 G 5
Šarkovo (BG) 159 H 3
Sarlat-la-Canéda (F) 49 F 5
Sarmașu (RO) 147 G 4
Sármellék (H) 128 C 3
Sarmizegetusa (RO) 150 D 1
Särna (S) 189 G 3
Sarnaki (PL) 123 G 1
Sarnano (I) 107 G 5
Sarnen (CH) 99 E 3
Sarnevo (BG) 159 F 2
Sărnica (BG) 162 B 1
Sarnico (I) 101 F 4
Sarno (I) 109 H 5
Sarnówka (PL) 121 E 3
Sarntal / Sarentino 102 D 2
Sarny (UA) 12 D 1
Särö (S) 195 F 4
Sarón (E) 58 B 1
Sarone (I) 103 F 3
Saronída (GR) 165 H 5
Saronno (I) 101 E 4
Sárosd (H) 129 E 3
Sárospatak (H) 127 E 5
Sarpsborg (N) 195 F 1
Sarracín (E) 58 B 3
Sarral (E) 60 C 4
Sarralbe (F) 41 G 5
Sarre-Union (F) 41 G 5
Sarrebourg (F) 47 G 1
Sarreguemines (F) 41 G 5
Sárrétudvari (H) 131 E 2
Sarria (E) 56 D 3
Sarrión (E) 65 G 3
Sarroch (I) 112 C 5
Sars-Poteries (F) 40 B 3
Sarsina (I) 107 E 3
Sarstedt (D) 85 G 2
Sárszentmiklós (H) 129 E 3
Sarteano (I) 107 E 5
Sartène (F) 55 H 5
Sárti (GR) 162 B 5
Sartilly-Baie-Bocage (F) 43 F 1
Sarule (I) 112 C 3
Sărulești (Buzău) (RO) 152 C 1
Sărulești (Râmnicu Vâlcea) (RO) 151 F 3
Sárvár (H) 128 B 2
Sarvsjö (S) 189 H 1
Sarzana (I) 105 F 3
Sarzeau (F) 42 D 4
Sarzedas (P) 62 D 4
Sasa (MK) 143 G 5
Sasca Montană (RO) 150 C 3
Sascut (RO) 148 D 5
Sásd (H) 128 D 4
Sasnava (LT) 205 E 4
Sassari (I) 112 B 2
Sassello (I) 104 D 2
Sassenage (F) 51 E 4
Sassenberg (D) 85 E 2
Sassenheim (NL) 76 D 4
Sassetta (I) 106 C 4
Saßnitz (D) 83 F 2
Sasso (I) 108 D 2
Sasso Marconi (I) 105 H 3
Sassoferrato (I) 107 F 4
Sassoleone (I) 106 D 2
Sassuolo (I) 105 H 2
Sástago (E) 59 H 5
Sátão (P) 62 D 2
Satchinez (RO) 146 B 5
Säter (S) 190 A 5
Satillieu (F) 50 C 4
Sątoczno (PL) 119 E 2
Satolas (F) 50 D 3
Sátoraljaújhely (H) 127 E 5
Šatov (CZ) 92 D 5
Satovca (BG) 162 B 1
Satow (D) 82 D 3
Sátres (GR) 162 C 2
Satrup (D) 81 H 1
Sattel (CH) 99 E 2
Sattledt (A) 96 D 2
Satu Mare (RO) 147 E 1
Satulung (RO) 147 E 2
Saúca (E) 64 D 1
Sauda (N) 188 B 5
Sauðárkrókur (IS) 178 B 1
Saue (EST) 200 D 2
Sauerlach (D) 95 G 2
Sauga (EST) 200 D 3
Saugues (F) 50 B 4
Saujon (F) 48 C 3
Šaukėnai (LT) 204 D 2
Sauland (N) 188 D 5
Saulieu (F) 45 H 4
Saulkrasti (LV) 202 D 2
Sault (F) 54 D 1
Saulx (F) 47 F 3
Saulxures-sur-Moselotte (F) 47 F 3
Saumur (F) 43 H 4
Saundersfoot (GB) 34 C 1
Sauris di Sopra (I) 103 F 2
Sauve (F) 54 B 2
Sauveterre-de-Béarn (F) 52 B 3
Sauveterre-de-Guyenne (F) 48 D 5
Sauveterre-de-Rouergue (F) 53 G 1
Sauvo (FIN) 191 F 5
Sauxillanges (F) 50 A 3
Sauze d'Oulx (I) 100 A 5
Sauzé-Vaussais (F) 48 D 2
Sauzon (F) 42 D 4
Sava (I) 111 G 4
Savália (GR) 164 D 5
Sävar (S) 185 E 4
Săvârșin (RO) 146 D 5
Savelli (I) 113 C 2
Savenay (F) 43 E 4
Săveni (RO) 148 C 1
Saverdun (F) 53 F 3
Saverne (F) 41 G 5
Savigliano (I) 104 C 2
Savignac-les-Églises (F) 49 F 4
Savignano Irpino (I) 110 B 3
Savignano sul Rubicone (I) 107 F 2
Savigny-sur-Braye (F) 44 C 3
Saviñán (E) 59 F 5
Savines-le-Lac (F) 51 F 5
Savino Selo (SRB) 140 B 2
Savitaipale (FIN) 193 F 3
Šavnik (MNE) 139 F 3
Savognin (CH) 99 G 4
Savona (I) 104 D 3
Savonlinna (FIN) 193 G 2
Savonranta (FIN) 193 G 1
Sävsjö (S) 195 H 4
Savudrija (HR) 134 A 3
Savukoski (FIN) 181 F 4
Sawbridgeworth (GB) 36 C 3
Sax (E) 73 E 2
Saxmundham (GB) 37 E 2
Saxnäs (S) 183 G 3
Sayatón (E) 64 D 3
Säynätsalo (FIN) 191 H 2
Säyneinen (FIN) 187 F 5
Scaër (F) 42 C 2
Scăești (RO) 151 F 4
Scafa (I) 109 G 2
Scafati (I) 109 H 5
Scalasaig (GB) 30 A 1
Scalby (GB) 31 H 5
Scalea (I) 113 B 1
Scalloway (GB) 26 D 1
Scandiano (I) 105 G 2
Scanno (I) 109 G 3
Scansano (I) 106 D 5
Scânteia (Iași) (RO) 148 D 3
Scânteia (Slobozia) (RO) 152 D 3
Scanzano Jonico (I) 111 E 5
Scarborough (GB) 33 F 1
Scardovari (I) 103 F 5
Scarinish (GB) 28 B 5
Scarriff (IRL) 24 D 2
Ščekino (RUS) 7 G 3
Šćepan Polje (MNE) 139 F 2
Scey-sur-Saône (F) 47 E 3
Schachendorf (A) 97 H 3
Schaffhausen (CH) 99 E 1
Schafstädt (D) 86 B 4
Schagen (NL) 76 D 3
Schaprode (D) 83 F 2
Scharbeutz (D) 82 C 3
Schärding (A) 96 C 1
Scharnitz (A) 95 F 4
Scheeßel (D) 81 H 5
Scheggia (I) 107 F 4
Scheibbs (A) 97 F 2
Scheifling (A) 97 E 4
Scheinfeld (D) 89 H 2
Schenefeld (Pinneberg) (D) 81 H 4
Schenefeld (Steinburg) (D) 81 H 3
Scherfede (D) 85 F 3
Schermbeck (D) 84 C 3
Scheßlitz (D) 91 E 3
Scheveningen (NL) 76 C 4
Schiedam (NL) 76 C 5
Schieder (D) 85 F 2
Schierling (D) 91 F 5
Schiermonnikoog (NL) 77 F 2
Schiers (CH) 99 G 3
Schifferstadt (D) 89 E 3
Schilpario (I) 101 G 3

Schiltach (D) 89 E5
Schiniás (GR) 166 B4
Schio (I) 102 D4
Schirmeck (F) 47 G1
Schirnding (D) 91 F3
Schitu (RO) 152 B4
Schitu Duca (RO) 149 E3
Schitu Golești (RO) 151 H2
Schkeuditz (D) 86 B4
Schkölen (D) 86 B4
Schladming (A) 96 C3
Schlagbrügge (D) 82 C3
Schlanders / Silandro (I) . 101 H2
Schlangenbad (D) 88 D1
Schleching (D) 95 H3
Schleiden (D) 84 B5
Schleiz (D) 86 B5
Schleswig (D) 81 H2
Schleusingen (D) 89 H1
Schlieben (D) 86 D3
Schliersee (D) 95 G3
Schlitz (D) 85 G5
Schlotheim (D) 85 H4
Schluchsee (D) 94 B3
Schlüchtern (D) 89 G1
Schluderbach / Carbonin (I) 103 F2
Schluderns / Sluderno (I) . 101 G1
Schlüsselfeld (D) 89 H2
Schlutup (D) 82 C3
Schmalkalden (D) 85 H5
Schmallenberg (D) 85 E4
Schmidmühlen (D) 91 F4
Schmilka (D) 87 E5
Schmölln (Altenburger Land) (D) . 86 B5
Schmölln (Uckermark) (D) . 83 G4
Schnackenburg (D) 82 D5
Schnaittenbach (D) 91 F4
Schneeberg (D) 86 C5
Schneverdingen (D) 81 H5
Schönau im Schwarzwald (D) ... 94 A3
Schönberg (Freyung-Grafenau) (D) 91 H5
Schönberg (Nordwestmecklenburg) (D) 86 B5
Schönberg (Plön) (D) 82 B2
Schönberg im Stubaital (A) ... 95 G4
Schönebeck (D) 86 B2
Schöneck (D) 91 F2
Schönecken (D) 88 B1
Schönewalde (D) 86 D3
Schongau (D) 95 F3
Schöningen (D) 86 A2
Schönmünzach (D) 89 E5
Schönsee (D) 91 G4
Schönthal (D) 91 G4
Schönwald im Schwarzwald (D) ... 94 B2
Schönwalde am Bungsberg (D) .. 82 C2
Schoonhoven (NL) ... 76 D5
Schopfheim (D) 94 A3
Schöppenstedt (D) 85 H2
Schoppernau (A) 94 D4
Schorndorf (D) 89 F4
Schortens (D) 81 E4
Schotten (D) 89 F1
Schramberg (D) 89 E5
Schrems (A) 92 B5
Schrobenhausen (D) .. 95 F1
Schröcken (A) 95 E4
Schrozberg (D) 89 G3
Schruns (A) 94 D4
Schuls / Scuol 99 H3
Schüttorf (D) 84 C1
Schwaan (D) 82 D3
Schwabach (D) 91 E4
Schwäbisch Gmünd (D) 89 G4
Schwäbisch Hall (D) .. 89 G4
Schwabmünchen (D) ... 95 F2
Schwaigern (D) 89 F3
Schwalenberg (D) 85 F3

Schwalmstadt-Treysa (D) 85 F5
Schwalmstadt-Ziegenhain (D) 85 F5
Schwandorf (D) 91 F4
Schwanebeck (D) 86 A2
Schwanenstadt (A) 96 C2
Schwanewede (D) 81 F5
Schwarmstedt (D) 85 G1
Schwarza (D) 86 A5
Schwarzach im Pongau (A) 96 C4
Schwarzenbach an der Saale (D) 91 F2
Schwarzenbek (D) 82 B4
Schwarzenberg (D) 86 C5
Schwarzenburg (CH) ... 98 C3
Schwarzenfeld (D) 91 F4
Schwarzheide (D) 87 E3
Schwarzsee (CH) 98 C3
Schwaz (A) 95 G4
Schwechat (A) 97 G2
Schwedt (D) 83 G5
Schweich (D) 88 C2
Schweinfurt (D) 89 H2
Schweinitz (D) 86 C3
Schwelm (D) 84 C4
Schwendi (D) 94 D2
Schwenningen (D) 94 B2
Schwerin (D) 82 D4
Schwerte (D) 84 D3
Schwetzingen (D) 89 E3
Schwyz (CH) 99 E3
Sciacca (I) 114 C4
Scicli (I) 115 F5
Ščigry (RUS) 7 H4
Scilla (I) 115 H2
Ścinawa (PL) 121 E3
Scoarța (RO) 151 E2
Scole (GB) 37 E2
Sconser (GB) 28 C3
Scopello (I) 100 D3
Scordia (I) 115 F4
Scornicești (RO) 151 G3
Ščors (UA) 7 F5
Scorzè (I) 103 E4
Scourie (GB) 28 D1
Scrabster (GB) 26 B4
Scrioaștea (RO) 151 H4
Ščučyn (BY) 6 C5
Scunthorpe (GB) 33 F2
Scuol / Schuls (CH) ... 99 H3
Seaca de Pădure (RO) .. 151 E4
Seaford (GB) 36 D5
Seaham (GB) 31 G4
Seaton (GB) 35 E4
Seaton Delaval (GB) 31 G3
Sebecevo (SRB) 142 D3
Sebeș (RO) 147 F5
Sebež (RUS) 6 D3
Sebiș (RO) 146 C4
Sebnitz (D) 87 E4
Sečanj (SRB) 140 D3
Secemin (PL) 122 C4
Seckau (A) 97 E4
Seclin (F) 40 A2
Secondigny (F) 48 D1
Sečovce (SK) 133 G3
Šecovská Polianka (SK) 133 G3
Secuieni (RO) 148 D4
Secusigiu (RO) 146 B5
Seda (LT) 204 C1
Sedan (F) 40 D4
Sedano (E) 58 B2
Sedbergh (GB) 31 F5
Séderon (F) 55 E1
Sedgefield (GB) 31 G4
Sedico (I) 103 E3
Sedini (I) 112 B3
Sedlare (SRB) 143 E4
Sedlčany (CZ) 92 A3
Sedlec-Prčice (CZ) 92 B4
Šeduva (LT) 205 E2
Sędziszów (PL) 122 C5

Sędziszów Małopolski (PL) 127 E1
Seebach (F) 41 H5
Seebenau (D) 82 C5
Seeboden (A) 96 C5
Seebruck (D) 95 H2
Seefeld in Tirol (A) ... 95 F4
Seehaus (A) 96 D3
Seehausen (Aland) (D) .. 82 D5
Seehausen (Magdeburg) (D) ... 86 A2
Seeheim (D) 89 E2
Seelisberg (CH) 99 E3
Seelow (D) 87 E1
Seelze (D) 85 G2
Sées (F) 44 B1
Seesen (D) 85 G2
Seevetal-Maschen (D) 81 H4
Seewalchen am Attersee (A) 96 C2
Seewiesen (A) 97 F3
Sefkerin (SRB) 140 D3
Segarcea (RO) 151 F4
Segesd (H) 128 C4
Seget Donji (HR) 138 B2
Segl Maria / Sils (I) 99 G4
Segni (I) 109 E3
Segonzac (F) 48 D3
Segorbe (E) 65 H4
Segovia (E) 64 B1
Segré (F) 43 G3
Segura (P) 63 E4
Segura de la Sierra (E) . 71 F3
Segura de León (E) 69 F3
Segura de los Baños (E) . 65 G1
Sehnde (D) 85 G2
Seia (P) 62 D3
Seiches-sur-le-Loir (F) .. 43 H4
Seierstad (N) 183 E3
Seifhennersdorf (D) ... 87 F4
Seignelay (F) 45 G3
Seilhac (F) 49 G4
Seinäjoki (FIN) 191 F1
Seini (RO) 147 E1
Seirijai (LT) 205 E5
Seissan (F) 53 E3
Seitenstetten Markt (A) . 97 E2
Seixal (F) 68 A2
Seixo (O Tomiño) (E) ... 56 B4
Sejny (PL) 119 G2
Sékoulas (GR) 165 E5
Šekovići (BIH) 137 H4
Selanovci (BG) 151 F5
Selargius (I) 112 C5
Selb (D) 91 F2
Selbekken (N) 182 C5
Selbu (N) 182 D5
Selby (GB) 33 E2
Selce (HR) 134 C4
Selçuk (TR) 19 G3
Selenice (AL) 144 C4
Sélestat (F) 47 G2
Seleuș (RO) 146 C4
Selevac (SRB) 140 D5
Selfoss (IS) 178 B3
Selianitika (GR) 165 E4
Seligenstadt (D) 89 F2
Seligno (I) 101 E4
Selínia (GR) 165 H4
Selishtë (AL) 144 D1
Selje (N) 188 B1
Seljord (N) 188 D5
Selkirk (GB) 31 E2
Sella Nevea (I) 103 H2
Sellasía (GR) 168 D3
Selles-sur-Cher (F) ... 44 D4
Sellía (GR) 172 C3
Sellières (F) 47 E5
Sellin (D) 83 F2
Sellye (H) 128 D5
Selm (D) 84 D3
Selmsdorf (D) 82 C5
Selna (HR) 135 H4
Selommes (F) 44 D3
Selongey (F) 46 D4
Seløy (N) 183 E1
Selsey (GB) 38 C1
Selters (D) 89 F1

Seltz (F) 41 H5
Selva / Wölkenstein (I) . 103 E2
Selvino (I) 101 F3
Semeliškės (LT) 205 F4
Semeljci (HR) 137 G2
Semenic (RO) 150 C2
Semerdžievo (BG) ... 152 B5
Semič (SLO) 134 C3
Semily (CZ) 87 G5
Seminara (I) 115 H2
Semizovac (BIH) 137 G5
Semmering-Kurort (A) . 97 G3
Semproniano (I) 106 D5
Semur-en-Auxois (F) .. 45 H4
Semur-en-Brionnais (F) . 50 C2
Sena (E) 60 A3
Sénas (F) 54 D2
Sencelles (E) 67 F2
Senden (D) 89 G5
Sendim (P) 63 F1
Senec (SK) 132 A4
Senez (F) 55 F2
Senftenberg (D) 87 E3
Senica (SK) 132 A3
Senigallia (I) 107 G3
Senise (I) 110 D5
Senj (HR) 134 C5
Senje (SRB) 143 E1
Senlis (F) 39 H5
Sennecey-le-Grand (F) .. 50 D1
Sennen (GB) 34 B5
Sennestadt (D) 85 E2
Sennik (BG) 159 E1
Sennori (I) 112 B4
Sennybridge (GB) 34 D1
Senohrad (SK) 132 D4
Senokos (BG) 157 F2
Senonches (F) 44 C2
Senones (F) 47 G2
Senorbì (I) 112 C4
Senovo (BG) 156 D2
Senožeče (SLO) 134 B3
Sens (F) 45 G2
Senta / Сента (SRB) 140 C1
Šentilj v Slovenskih goricah (SLO) 134 D1
Šentjernej (SLO) 134 D3
Šentjur (SLO) 134 D2
Sépeaux-Saint-Romain (F) .. 45 G3
Sepino (I) 109 H4
Sępólno Krajeńskie (PL) . 117 F4
Şepreuş (RO) 146 C4
Septemvri (BG) 158 C2
Septemvrijci (BG) ... 151 E5
Sepúlveda (E) 64 B1
Sequeros (E) 63 F3
Seraing (B) 79 E3
Seravezza (I) 105 G4
Şerbănești (RO) 151 G4
Şercaia (RO) 151 H1
Sered' (SK) 132 B4
Seredžius (LT) 205 E3
Seregélyes (H) 129 E3
Seregno (I) 101 E4
Serfaus (A) 95 E4
Sergijev Posad (RUS) 7 G2
Seriate (I) 101 E4
Šerići (BIH) 137 F4
Sermaize-les-Bains (F) . 46 D1
Sermide (I) 101 H5
Sermoneta (I) 109 E3
Sernancelhe (P) 62 D2
Serock (PL) 119 E5
Serón (E) 71 F5
Serón de Nágima (E) .. 59 E5
Seròs (E) 60 A4
Serpa (P) 68 D4
Serpuchov (RUS) 7 G2
Serra (E) 65 H4
Serra de Outes (E) 56 B3
Serra San Bruno (I) 113 C4
Serracapriola (I) 110 B1
Serrada (E) 63 H1
Serradifalco (I) 114 D4

Serradilla (E) 63 F4
Serramanna (I) 112 B4
Serravalle Scrivia (I) .. 105 E2
Serres (F) 51 E5
Sérres / Σέρρες (GR) 161 H2
Serrières (F) 50 D4
Sersale (I) 113 C2
Sertã (P) 62 C4
Sérvia (GR) 161 E4
Servian (F) 54 A3
Servigliano (I) 107 G4
Sesa (E) 59 H4
Seseña (E) 64 B3
Sesimbra (P) 68 A2
Sesma (E) 59 E3
Sessa Aurunca (I) 109 G4
Sesta Godano (I) 105 F3
Šestanovac (HR) 138 C2
Sestino (I) 107 E3
Sesto / Sexten (I) 103 F1
Sesto Calende (I) 100 D3
Sesto Fiorentino (I) ... 105 H4
Sestola (I) 105 H3
Sestri Levante (I) 105 E3
Sestriere (I) 100 A5
Sestrimo (BG) 158 C3
Sestrunj (HR) 136 B5
Sestu (I) 112 C5
Sesvete (HR) 135 E3
Séta (GR) 165 H3
Šeta (LT) 205 F3
Setcases (E) 60 D2
Setenil de las Bodegas (E) 74 C3
Setermoen (N) 176 A5
Settebagni (I) 108 D2
Settimo Torinese (I) ... 100 C5
Settle (GB) 32 D1
Setúbal (P) 68 B2
Seui (I) 112 C4
Seulo (I) 112 C4
Seurre (F) 46 D5
Sevenoaks (GB) 36 D4
Sever do Vouga (P) ... 62 B2
Sévérac-d'Aveyron (F) .. 54 A1
Seveso (I) 101 E4
Sevettijärvi (FIN) 177 G3
Sevilla (E) 69 G5
Sevilleja de la Jara (E) .. 63 H5
Sevlievo / Севлиево (BG) .. 159 E1
Sevnica (SLO) 134 D2
Sevojno (SRB) 139 H1
Sevrier (F) 51 F2
Sevsk (RUS) 7 G4
Sexten / Sesto (I) 103 F1
Seyches (F) 49 E5
Seyda (D) 86 C2
Seyðisfjörður (IS) 178 D2
Seyne (F) 55 F1
Seyssel (F) 51 E2
Sežana (SLO) 134 A3
Sézanne (F) 45 G1
Sezimovo Ústí (CZ) ... 92 B4
Sezze (I) 109 E4
Sfáka (GR) 173 F3
Sfântu Gheorghe (RO) . 152 B1
Sfântul Andrei (RO) ... 153 E3
Sferracavallo (I) 114 C2
Sforzacosta (I) 107 G4
Shaftesbury (GB) 38 A1
Shanklin (GB) 38 C1
Shap (GB) 31 F5
Sheerness (GB) 36 D4
Sheffield (GB) 33 E3
Shefford (GB) 36 C3
Shepshed (GB) 33 E4
Shepton Mallet (GB) .. 35 F3
Sherborne (GB) 38 A1
Shercock (IRL) 23 E4
Sheringham (GB) 37 F1
Shieldaig (GB) 28 C3
Shijak (AL) 144 C2
Shipston-on-Stour (GB) . 35 G1
Shkodër (AL) 142 B5
Shoreham (GB) 38 D1
Shrewsbury (GB) 32 C4
Shrewton (GB) 35 G3
Shupenzë (AL) 144 D1
Sianów (PL) 117 E2
Siátista (GR) 160 D4
Šiaulėnai (LT) 205 E2
Šiauliai (LT) 205 E2
Sibari (I) 113 C1
Sibbhult (S) 199 G2
Sibbo / Sipoo (FIN) ... 191 H4
Šibenik (HR) 136 C5
Sibinj (HR) 135 H4
Sibiu (RO) 151 G1
Síćevo (SRB) 143 G2
Sicienko (PL) 117 G4
Sicignano degli Alburni (I) 110 C4
Sick (D) 81 G5
Šicula (RO) 146 C4
Sićuraj (HR) 138 C3
Šid (SRB) 137 H2
Sidári / Σιδάρι (GR) 160 A5
Sideby (FIN) 191 E2
Sidensjö (S) 184 C5
Siderno (I) 113 C4
Sidiró (GR) 163 E2
Sidirókastro (GR) 161 H2
Sidmouth (GB) 35 E4
Siebenlehn (D) 86 D4
Siedlce (PL) 123 F1
Siedlec (PL) 120 D1
Siegburg (D) 84 C5
Siegen (D) 84 D5
Siegsdorf (D) 95 H3
Siemiany (PL) 118 C3
Siemiatycze (PL) 123 G1
Siena (I) 105 H5
Sieniawa (PL) 123 F5
Sieniawka (PL) 120 B4
Siennica (PL) 123 E1
Sieppijärvi (FIN) 180 D4
Sieradz (PL) 121 H3
Sieraków (PL) 116 D5
Sierakowice (PL) 117 G2
Sierck-les-Bains (F) 41 F4
Sierentz (F) 47 G3
Sierninghofen (A) 96 D2
Sierpc (PL) 118 C5
Sierra de Fuentes (E) .. 63 F5
Sierra de Yeguas (E) 74 D2
Sierra Nevada (Pradollano) (E) .. 72 A5
Sierre (CH) 98 C4
Sievi (FIN) 185 E4
Sievin as (FIN) 185 G4
Siewierz (PL) 121 H5
Sigean (F) 54 A4
Sigerfjord (N) 179 G2
Siggjarvåg (N) 188 A5
Sighetu Marmației (RO) . 147 F1
Sighișoara (RO) 147 H5
Siglufjörður (IS) 178 B1
Sigmaringen (D) 94 C2
Signy-l'Abbaye (F) ... 40 C4
Sígri (GR) 167 E2
Sigtuna (S) 197 F1
Sigüenza (E) 64 D1
Sigulda (LV) 203 E2
Siikainen (FIN) 191 F2
Siikajoki (FIN) 185 G4
Siilinjärvi (FIN) 187 F5
Sijarinska Banja (SRB) . 143 F3
Sikås (S) 183 G5
Síkinos (GR) 170 G4
Siklós (H) 128 D5
Sikovuono (FIN) 177 F4
Sikyóna (GR) 165 F4
Šilai (LT) 205 F2
Šilalė (LT) 204 C2
Silandro / Schlanders (I) . 101 H2
Silba (HR) 136 A5

Silbaš (SRB) 140 B3
Şile (TR) 19 G1
Silen (BG) 163 E1
Siles (E) 71 F3
Siliqua (I) 112 B5
Silistra / Силистра (BG) 152 D4
Silivaşu de Câmpie (RO) 147 G4
Silivri (TR) 19 G1
Siljan (N) 195 E1
Siljansnäs (S) 190 A4
Silkeborg (DK) 194 D5
Silla (E) 65 H5
Sillamäe (EST) 201 G1
Sillé-le-Guillaume (F) 43 H2
Silleda (E) 56 C3
Sillian (A) 95 H5
Silloth (GB) 31 E4
Silnowo (PL) 117 E3
Šilo (HR) 134 C4
Sils (E) 61 E3
Sils / Segl Maria (CH) 99 G4
Siltakylä (FIN) 193 F4
Šilutė (LT) 204 C3
Silvalen (N) 183 E1
Silvaplana (CH) 99 G4
Silvares (P) 62 D4
Silves (P) 68 B5
Silvi Marina (I) 109 G1
Silz (A) 95 F4
Simancas (E) 58 A5
Şimand (RO) 146 B4
Šimanovci (SRB) 140 C4
Símantra (GR) 161 G4
Simaság (H) 128 B2
Simav (TR) 19 H2
Simaxis (I) 112 B3
Simbach (D) 95 H1
Simbach am Inn (D) 96 B2
Simeonovgrad (BG) 159 F3
Simeria (RO) 151 E1
Şimian (RO) 150 D3
Šimići (BIH) 135 F5
Simitli (BG) 161 G1
Simlångsdalen (S) 195 G5
Şimleu Silvaniei (RO) 147 E3
Simmerath (D) 84 B5
Simmern (D) 88 D2
Simnas (LT) 205 E5
Simo (FIN) 185 G2
Simola (FIN) 193 G3
Simonfa (H) 128 D4
Simonsbath (GB) 34 D3
Simonswald (D) 94 B2
Simontornya (H) 129 E3
Simópoulo (GR) 164 D5
Simrishamn (S) 199 G3
Sinaia (RO) 152 A2
Sinalunga (I) 107 E4
Sinarcas (E) 65 G4
Şinca Veche (RO) 151 H1
Sindel (BG) 157 F3
Sindelfingen (D) 89 F4
Sindi (EST) 200 D3
Sındırgı (TR) 19 G3
Sines (P) 68 B3
Sineşti
(Râmnicu Vâlcea) (RO) 151 F3
Sineşti (Slobozia) (RO) 152 C4
Sinettä (FIN) 181 E5
Sineu (E) 67 F2
Singen (D) 94 C3
Sini Vir (BG) 157 E2
Siniscola (I) 112 D2
Sinj (HR) 138 B2
Sinopoli (I) 115 H2
Sinsheim (D) 89 F3
Sint-Niklaas (B) 78 C1
Sint-Oedenrode (NL) 79 E1
Sint-Truiden
(Saint-Trond) (B) 78 D2
Sintautai (LT) 204 D4
Sintra (P) 68 A1
Sinzig (D) 84 C5
Siófok (H) 128 D3
Sion (CH) 98 C4
Šipanska Luka (HR) 138 D4
Šipka (BG) 159 E1
Šipkovo (BG) 158 D1
Sipoo / Sibbo (FIN) 191 H4
Şipote (RO) 148 D2
Šipovo (BIH) 137 E4
Sippola (FIN) 193 F4
Šiprage (BIH) 137 F4
Sira (N) 194 B2
Siracusa (I) 115 G4
Siret (RO) 148 B1
Sirevåg (N) 194 A2
Şiria (RO) 146 C5
Sirig (SRB) 140 C3
Širitovci (HR) 136 C5
Sirkka (FIN) 180 D3
Sirma (N) 177 F3
Sirmione (I) 101 G4
Široka Lăka (BG) 162 C1
Široki Brijeg (BIH) 138 D2
Široko Polje (HR) 137 G2
Sirolo (I) 107 H3
Siruela (E) 70 B1
Širvintos (LT) 205 F3
Sisak (HR) 135 E4
Šišan (HR) 134 A5
Sisante (E) 65 E5
Šišenci (BG) 150 D5
Síses (GR) 170 B5
Şişeşti (RO) 150 D3
Šišljavić (HR) 134 D4
Šišmanci (BG) 159 E3
Sissa (I) 101 G5
Sissach (CH) 98 D2
Sissonne (F) 40 B4
Şiştarovăţ (RO) 146 C5
Sisteron (F) 55 E1
Sistiana (I) 103 H3
Sistranda (N) 182 C4
Siteía (GR) 173 F3
Sitges (E) 60 D4
Sitovo (BG) 152 D5
Sittard (NL) 79 E2
Sittensen (D) 81 H4
Sittingbourne (GB) 36 D4
Siuntio / Sjundeå (FIN) 191 G5
Siuro (FIN) 191 G3
Siurua (FIN) 185 H2
Siusi (I) 103 E2
Sivac (SRB) 140 B2
Sivačevo (BG) 159 F2
Sıvaslı (TR) 19 H3
Six-Fours-les-Plages (F) 55 E3
Siziano (I) 101 E4
Sizun (F) 42 B2
Sjenica (SRB) 139 H2
Sjenićak Lasinjski (HR) 134 D4
Sjøåsen (N) 183 E4
Sjöbo (S) 199 F3
Sjøholt (N) 188 C1
Sjötorp (S) 195 H2
Sjoutnäset (S) 183 G3
Sjøvegan (N) 176 A5
Sjulsmark (S) 185 E4
Sjundeå / Siuntio (FIN) 191 G5
Sjusjøen (N) 189 F3
Skåbu (N) 189 E3
Skadovs'k (UA) 13 H3
Skælskør (DK) 198 D4
Skærbæk (DK) 198 B4
Skafidiá (GR) 164 D5
Skaftafell (IS) 178 C3
Skagaströnd (IS) 178 B1
Skage (N) 183 E3
Skagen (DK) 195 E3
Skaidi (N) 177 E2
Skaill (GB) 26 C3
Skaistgirys (LT) 205 E1
Skała (PL) 122 C5
Skála (Iónia Nisiá) (GR) 164 C4
Skála
(Nótio Aigaío) (GR) 171 E1
Skála
(Pelopónnisos) (GR) 168 D3
Skála (Stereá Elláda) (GR) 165 G3
Skála
(Vóreio Aigaío) (GR) 167 E2
Skála Eresoú (GR) 167 E2
Skála Kalliráchis (GR) 162 C3
Skála Oropoú (GR) 165 H4
Skála Rachoníou (GR) 162 C3
Skaland (N) 176 A4
Skalavik
(Færøerne) (DK) 194 A5
Skalbmierz (PL) 122 C5
Skålevik (N) 194 C2
Skalica (BG) 159 G2
Skalica (SK) 132 A3
Skalité (SK) 132 C1
Skalochóri (Dytikí
Makedonía) (GR) 160 D4
Skalochóri
(Vóreio Aigaío) (GR) 167 E2
Skamnélli (GR) 160 C5
Skandáli (GR) 162 D5
Skanderborg (DK) 198 C2
Skånevik (N) 188 B5
Skänninge (S) 196 D2
Skapiškis (LT) 205 G2
Skara (S) 195 G2
Skaramagkás (GR) 165 H4
Skåre (S) 195 G1
Skárfeia (GR) 165 F2
Skärhamn (S) 195 F3
Skarnes (N) 189 F5
Skarplinge (S) 190 C4
Skarsvåg (N) 177 E1
Skarszewy (PL) 117 G2
Skärvången (S) 183 F4
Skaryszew (PL) 122 D3
Skarżysko-
Kamienna (PL) 122 D4
Skattungbyn (S) 190 A3
Skatval (N) 182 D5
Skaudvilė (LT) 204 D3
Skaulo (S) 180 B4
Skaun (N) 182 D5
Škaune (LV) 203 H4
Skawina (PL) 125 G1
Skee (S) 195 F1
Skegness (GB) 33 G3
Skei (N) 188 C2
Skei (N) 182 C5
Skela (SRB) 140 C4
Skellefteå (S) 185 E3
Skelleftehamn (S) 185 E3
Skelmersdale (GB) 32 C2
Skender Vakuf /
Kneževo (BIH) 137 E4
Skepastó (GR) 161 H3
Skerries (IRL) 23 G5
Ski (N) 189 F5
Skíathos (GR) 165 H2
Skibbereen (IRL) 24 B5
Skibby (DK) 199 E3
Skibotn (N) 176 C4
Skiemonys (LT) 205 G3
Skien (N) 194 D1
Skierniewice (PL) 122 C2
Skillingaryd (S) 195 H4
Skiniás (GR) 173 E4
Skinnarbu (N) 188 D5
Skinnskatteberg (S) 190 A5
Skipagurra (N) 177 G2
Skipton (GB) 32 D2
Skive (DK) 194 D5
Skivjane (SRB) 142 D4
Skjeberg (N) 195 F1
Skjelvik (N) 179 F5
Skjern (DK) 198 B2
Skjerstad (N) 179 F4
Skjervøy (N) 176 C3
Skjolden (N) 188 C2
Skjønhaug (N) 189 F5
Sklavopoúla (GR) 172 A3
Sklíthro (GR) 165 G1
Škloŭ (BY) 7 E4
Skobelevo (BG) 159 E3
Skočivir (MK) 145 F2
Skoczów (PL) 125 E2
Skodje (N) 188 C1
Škofja Loka (SLO) 134 B2
Škofljica (SLO) 134 C2
Skog (S) 190 C1
Skog (S) 190 B3
Skogar (IS) 178 B3
Skoghall (S) 195 G1
Skogstorp (S) 197 E1
Skoki (PL) 117 F5
Skollenborg (N) 189 E5
Skópelos (GR) 165 H2
Skopí (GR) 173 F3
Skopiá (GR) 165 F2
Skopje (MK) 143 F5
Skopós (GR) 161 E3
Skopun
(Færøerne) (DK) 194 A5
Skórcz (PL) 117 G3
Skorenovac (SRB) 140 D4
Skorovatn (N) 183 F3
Skorped (S) 184 C5
Škorpilovci (BG) 157 F3
Skotína (GR) 161 F5
Skotterud (N) 189 F5
Skoúra (GR) 168 D3
Skoúrta (GR) 165 H4
Skoútari (GR) 161 H3
Skoutári (GR) 168 D4
Skoutáros (GR) 167 E1
Skövde (S) 195 H2
Skrá (GR) 161 F2
Skrad (HR) 134 C4
Skradin (HR) 136 C5
Skreia (N) 189 F4
Skriaudžiai (LT) 205 E4
Skrolsvik (N) 176 A4
Skrunda (LV) 202 B3
Skudeneshavn (N) 194 A1
Skujene (LV) 203 E3
Skull (IRL) 24 B5
Skultuna (S) 197 E1
Skuodas (LT) 204 C1
Skurup (S) 199 F4
Skuteč (CZ) 92 D3
Skutskär (S) 190 B4
Skvyra (UA) 13 F1
Skwierzyna (PL) 116 C5
Skýdra (GR) 161 F3
Skylloura (CY) 174 D3
Skýros (GR) 166 C2
Sládečkovce (SK) 132 B4
Sládkovičovo (SK) 132 A4
Sladun (BG) 163 F1
Slagelse (DK) 198 D3
Slagnäs (S) 184 C2
Slakovac (SRB) 141 E4
Slancy (RUS) 6 C1
Slane (IRL) 23 F4
Slangerup (DK) 199 E3
Slănic (RO) 152 B2
Slănic-Moldova (RO) 148 C5
Slano (HR) 138 D4
Slaný (CZ) 92 A2
Šlapanice (CZ) 93 E4
Slapy (CZ) 92 A3
Slatina (BIH) 135 G5
Slatina (HR) 135 G3
Slatina (RO) 151 G4
Slatina (SRB) 188 D5
Slatina (Bor) (SRB) 141 G5
Slatina (Čačak) (SRB) 142 D1
Slatina-Timiş (RO) 150 D2
Slatine (HR) 138 B2
Slatino (MK) 143 E5
Slatinski Drenovac (HR) 135 G4
Slaŭharad (BY) 7 E4
Slavejno (BG) 162 C1
Slavičín (CZ) 93 G4
Slavinja (SRB) 143 H2
Slavjanovo (BG) 156 A2
Slavkov u Brna (CZ) 93 E4
Slavkovica (SRB) 140 C5
Slavonice (CZ) 92 C5
Slavonski Brod (HR) 135 H4
Slavonski Kobaš (HR) 135 G5
Slavonski Šamac (HR) 137 G3
Slavotin (BG) 154 C2
Slavovica (BG) 156 A2
Slavuta (UA) 12 D1
Sława (PL) 120 D2
Sławatycze (PL) 123 H2
Sławno (PL) 117 E2
Sławoborze (PL) 116 D3
Sleaford (GB) 33 F4
Ślesin (PL) 121 G1
Sliedrecht (NL) 76 D5
Sliema (M) 114 C5
Sligachan (GB) 28 C3
Sligeach / Sligo (IRL) 22 D3
Sligo / Sligeach (IRL) 22 D3
Slišane (SRB) 143 F3
Slite (S) 197 G4
Sliven / Сливен (BG) 159 G2
Slivnica (BG) 158 B1
Slivo Pole (BG) 152 B5
Šljivovica (SRB) 139 G1
Slobozia (RO) 152 D3
Słomniki (PL) 122 C5
Slonim (BY) 6 C5
Sloten (NL) 77 E3
Slough (GB) 36 B4
Sloup (CZ) 93 E4
Slovac (SRB) 140 C5
Slovenj Gradec (SLO) 134 C1
Slovenska Bistrica (SLO) 134 D2
Slovenská Kajňa (SK) 133 G2
Slovenské
Ďarmoty (SK) 132 D4
Slovenske
Konjice (SLO) 134 D2
Slovenské
Nové Mesto (SK) 133 G3
Slovinci (HR) 135 F4
Słubice (PL) 120 B1
Sluck (BY) 6 D5
Sluderno / Schluderns (I) 101 G1
Sluis (NL) 78 B1
Šluknov (CZ) 87 E4
Slunj (HR) 134 D4
Słupca (PL) 121 G1
Słupsk (PL) 117 F1
Smålandsstenar (S) 195 G4
Smaljavičy (BY) 6 D4
Smârdioasa (RO) 152 A5
Smarhon (BY) 6 D4
Šmarje (SLO) 134 A3
Šmarje pri Jelšah (SLO) 134 D2
Šmarješke Toplice (SLO) 134 D3
Šmartno (SLO) 134 C2
Smedby (S) 197 E5
Smědeč (CZ) 92 A5
Smederevo /
Смедерево (SRB) 141 E4
Smederevska Palanka
Смедеревска
Паланка (SRB) 141 E5
Smedjebacken (S) 190 A5
Smigáda (GR) 163 E2
Śmigiel (PL) 121 E2
Smila (UA) 13 G1
Smilčić (HR) 136 B5
Smilde (NL) 77 F3
Smilec (BG) 158 D2
Smilgiai (LT) 205 E2
Smiljan (BG) 162 C2
Smiltene (LV) 203 F2
Smjadovo (BG) 159 H1
Smojmirovo (MK) 145 H1
Smokovljani (HR) 138 D3
Smolenice (SK) 132 A3
Smolensk (RUS) 7 E3
Smoljan / Смолян (BG) 162 C1
Smørhamn (N) 188 B2
Smygehamn (S) 199 F4
Snagov (RO) 152 B3
Snaith (GB) 33 E2
Snåsa (N) 183 E4
Sneek / Snits (NL) 77 E3
Sneem (IRL) 24 B4
Śniadowo (PL) 119 F4
Snihurivka (UA) 13 G2
Snillfjord (N) 182 C5
Snina (SK) 133 H2
Snits / Sneek 77 E3
Šnjegotina Velika (BIH) 135 G5
Soave (I) 101 H4
Soběslav (CZ) 92 B4
Sobieszewo (PL) 117 H2
Sobieszów (PL) 120 C4
Sobotka (CZ) 87 F5
Sobótka (PL) 121 E4
Sobra (HR) 138 D4
Sobrado dos Monxes (E) 56 C2
Sobral da Adiça (P) 69 E3
Sobral
de Monte Agraço (P) 68 A1
Sobrance (SK) 133 H3
Sobreira Formosa (P) 62 C4
Søby (DK) 198 C4
Sočanica (SRB) 142 D3
Soccia (F) 55 H4
Sochaczew (PL) 122 C1
Sochaux (F) 47 G4
Sochós (GR) 161 H3
Socka (SLO) 134 A2
Socodor (RO) 146 B4
Socol (RO) 150 B3
Socovos (E) 71 G3
Socuéllamos (E) 64 D5
Sodankylä (FIN) 181 E4
Söderåkra (S) 197 E5
Söderbärke (S) 190 A5
Söderfors (S) 190 B5
Söderhamn (S) 190 B3
Söderköping (S) 197 E2
Södertälje (S) 197 F1
Sodražica (SLO) 134 C3
Sodupe (E) 58 C1
Soest (D) 85 E3
Soest (NL) 77 E4
Sofádes (GR) 165 E1
Sofia / София (BG) 158 B1
Sofikó (GR) 165 G5
Sögel (D) 81 E5
Sogliano al Rubicone (I) 107 E2
Soglio (CH) 99 G4
Sogndal (N) 188 C3
Søgne (N) 194 C2
Soham (GB) 33 G5
Soignies (B) 78 C3
Şoimi (RO) 146 C4
Soini (FIN) 191 G1
Soinlahti (FIN) 187 E4
Soissons (F) 40 A4
Sójtör (H) 128 B3
Söke (TR) 19 G3
Sokna (N) 189 E4
Sokobanja (SRB) 143 F1
Sokol (BG) 152 C5
Sokolac (BIH) 137 H5
Sokółka (PL) 119 H3
Sokolov (CZ) 91 G2
Sokołów Małopolski (PL) 123 F5
Sokołów Podlaski (PL) 123 F1
Sokoły (PL) 119 G4
Sola (N) 194 A1
Solana de los Barros (E) 69 F2
Solana del Pino (E) 70 D3
Solares (E) 58 B1
Solberg (S) 184 C5
Solčava (SLO) 134 C1
Sol'cy (RUS) 6 D2
Solda / Sulden (I) 101 G2
Sölden (A) 95 F4
Soldeu (AND) 60 C1
Solec Kujawski (PL) 117 G4
Solec nad Wisłą (PL) 123 E3
Solec-Zdrój (PL) 122 D5
Solenzara (F) 55 H5
Solesmes (F) 43 H3
Solesmes (F) 40 A3
Solevåg (N) 188 C1
Solf (FIN) 191 E1
Solferino (I) 101 G4
Solignac (F) 49 F3
Solignac-sur-Loire (F) 50 B4
Solihull (GB) 33 E5
Solin (HR) 138 B2
Solina (PL) 127 F2
Soline (HR) 136 A5
Solingen (D) 84 C4
Söll (A) 95 H3

Sollana (E) 65 H5
Sollefteå (S) 183 H5
Sollenau (A) 97 G2
Sollentuna (S) 197 G1
Sóller (E) 67 F2
Sollerön (S) 189 H4
Søllested (DK) 198 D4
Solliès-Pont (F) 55 F3
Solnečnogorsk (RUS) 7 G2
Solnik (BG) 157 F3
Solofra (I) 109 H5
Solosancho (E) 63 H3
Solothurn (CH) 98 D2
Solre-le-Château (F) 40 B3
Solrød (DK) 199 E3
Solsona (E) 60 C2
Solt (H) 129 F3
Soltau (D) 81 H5
Soltvadkert (H) 129 F4
Sölvesborg (S) 199 G3
Solvorn (N) 188 C3
Soma (TR) 19 G3
Somberek (H) 129 E5
Sombernon (F) 46 C4
Sombor (SRB) 137 H1
Şomcuta Mare (RO) 147 F2
Someren (NL) 79 E1
Somero (FIN) 191 G4
Sõmeru (EST) 201 F2
Sommarøy (N) 176 A4
Sommatino (I) 115 E4
Sömmerda (D) 86 A4
Sommesous (F) 45 H1
Sommières (F) 54 B2
Somogyszob (H) 128 C4
Somogyviszló (H) 128 D5
Somolinos (E) 64 D1
Sompolno (PL) 121 G1
Son Servera (E) 67 G2
Soncillo (E) 58 B2
Soncino (I) 101 F4
Søndeled (N) 194 D2
Sønder Felding (DK) 198 B2
Sønderborg (DK) 198 C4
Sønderby (DK) 198 C4
Sondershausen (D) 85 H4
Søndersø (DK) 198 C3
Sondrio (I) 101 F3
Songeons (F) 39 G4
Sonkajärvi (FIN) 187 F4
Sonneberg (D) 91 E2
Sonnewalde (D) 86 D3
Sonogno (CH) 99 E4
Sonsbeck (D) 84 B3
Sonseca (E) 64 B4
Sonta (SRB) 137 H1
Sonthofen (D) 95 E3
Sontra (D) 85 G4
Sopeira (E) 60 B2
Sopilja (BIH) 139 E2
Sopište (MK) 143 F5
Šoporňa (SK) 132 B4
Sopot (BG) 158 D2
Sopot (PL) 117 H1
Sopot (SRB) 140 D5
Sopotnica (MK) 145 E2
Şopotu Nou (RO) 150 C3
Sopron (H) 128 B1
Sora (I) 109 F3
Soragna (I) 101 G5
Söråker (S) 190 C1
Sørarnøy (N) 179 F4
Sorbas (E) 72 C5
Sore (F) 52 C1
Söréd (H) 128 D2
Soresina (I) 101 F4
Sörfors (S) 184 D4
Sorga (D) 85 G5
Sorgono (I) 112 C3
Sorgues (F) 54 D1
Soria (E) 59 E4
Soriano
nel Cimino (I) 108 D2
Sørkjosen (N) 176 C3
Sørland (N) 179 E4
Sorø (DK) 198 D3
Soroca (MD) 13 E2
Soroní (GR) 171 H3
Sørreisa (N) 176 A4
Sorrento (I) 109 H5
Sørrollnes (N) 176 A5
Sorsakoski (FIN) 193 F1
Sorsele (S) 184 C2
Sörsjön (S) 189 G3
Sorso (I) 112 B1
Sort (E) 60 B2
Sortino (I) 115 F4
Sortland (N) 179 G2
Sõru (EST) 200 B3
Sorunda (S) 197 G2
Sørvær (N) 176 C2
Sørvågen (N) 179 E3
Sørvagur
(Færøerne) (DK) 194 A4
Sörvattnet (S) 189 G2
Sos del Rey Católico (E) 59 G3
Soses (E) 60 A4
Sosnovyj Bor (RUS) 6 C1
Sosnowica (PL) 123 G2
Sosnowiec (PL) 122 B5
Sospel (F) 55 H2
Šoštanj (SLO) 134 C2
Šostka (UA) 7 G5
Sota seter (N) 188 D2
Sotillo de la Adrada (E) 64 A3
Sotin (HR) 137 H2
Sotira (CY) 175 F3
Sotíra (GR) 161 E3
Sotkamo (FIN) 187 F4
Soto de los Infantes (E) 57 F2
Soto de Luiña (E) 57 F1
Soto de Sajambre (E) 57 H2
Soto del Barco (E) 57 G1
Sotogrande (E) 74 C4
Sótony (H) 128 B2
Sotopalacios (E) 58 B3
Sotrondio (E) 57 G2
Sottomarina (I) 103 F5
Sottrum (D) 81 G5
Sottunga (FIN) 191 E5
Sotuélamos (E) 71 F1
Soúda / Σούδα (GR) 170 A5
Souesmes (F) 45 E4
Soufflenheim (F) 41 H5
Souflí / Σουφλί (GR) 163 F2
Soúgia (GR) 172 B3
Sougné-
Remouchamps (B) 79 E3
Souillac (F) 49 G5
Souilly (F) 40 D5
Soulac-sur-Mer (F) 48 B3
Soulaines-Dhuys (F) 46 C2
Soulinári (GR) 168 C3
Soulópoulo (GR) 160 C5
Soultz-Haut-Rhin (F) 47 G3
Soultz-sous-Forêts (F) 41 H5
Souni-Zanakia (CY) 174 C4
Soúnio (GR) 166 B5
Souppes-sur-Loing (F) 45 F2
Sourdeval (F) 43 G1
Soure (P) 62 B4
Sournia (F) 53 H4
Sourotí (GR) 161 G4
Soúrpi (GR) 165 G2
Sousceyrac (F) 49 G5
Sousel (P) 68 D1
Soustons (F) 52 B2
Soutelo (E) 56 C3
South Molton (GB) 34 D3
South Queensferry (GB) 31 E1
South Shields (GB) 31 G4
Southam (GB) 33 E5
Southampton (GB) 38 C1
Southborough (GB) 36 D5
Southend (GB) 23 H1
Southend-on-Sea (GB) 36 D4
Southport (GB) 32 C2
Southsea (GB) 38 C1
Southwell (GB) 33 F3
Southwold (GB) 37 E2
Souvála (GR) 165 H5
Souvigny (F) 50 A1
Sovata (RO) 147 H4
Soverato (I) 113 C3
Soveria Mannelli (I) 113 C3
Sovetsk = Tilsit (RUS) 6 B4
Søvik (N) 188 C1
Sozopol / Созопол (BG) 157 F4
Sozópoli (GR) 161 G4
Spa (B) 79 E3
Spaichingen (D) 94 C2
Spakenburg (NL) 77 E4
Spalding (GB) 33 G4
Spandau (D) 86 C1
Spangenberg (D) 85 G4
Spāre (LV) 202 B2
Spárta (GR) 165 G4
Spárti / Σπάρτη (GR) 168 D3
Spárto (GR) 164 C2
Spas (AL) 142 D5
Spas-Demensk (RUS) 7 F3
Spas-Klepiki (RUS) 7 H2
Spasovo (Dobrič) (BG) 153 F5
Spasovo
(Stara Zagora) (BG) 159 E2
Spáta (GR) 165 H4
Spean Bridge (GB) 28 E4
Spello (I) 107 F5
Spennymoor (GB) 31 G4
Sperchiáda (GR) 165 E2
Sperlonga (I) 109 F4
Spétses (GR) 169 E2
Speyer (D) 89 E3
Spezzano Albanese (I) 113 C1
Spezzano della Sila (I) 113 C2
Spiddal (IRL) 22 C5
Spiekeroog (D) 81 E3
Spielfeld (A) 97 F5
Spiez (CH) 98 D3
Spijkenisse (NL) 76 C5
Spíli (GR) 172 C3
Spilia (CY) 174 C4
Spilimbergo (I) 103 G3
Spilsby (GB) 33 G3
Spinazzola (I) 110 D3
Spincourt (F) 41 E4
Špindlerův Mlýn (CZ) 87 G5
Spionica Donja (BIH) 137 G3
Špišić Bukovica (HR) 135 G3
Spišská Kapitula (SK) 133 F2
Spišská Nová Ves (SK) 133 F2
Spital am Pyhrn (A) 96 D3
Spittal an der Drau (A) 96 C5
Spitz (A) 97 F1
Spjelkavik (N) 188 C1
Split (HR) 138 B2
Splügen (CH) 99 F4
Spodnji Brnik (SLO) 134 B2
Spodsbjerg (DK) 198 D4
Špoģi (Špogi) (LV) 203 G4
Špola (UA) 13 F2
Spoleto (I) 107 F5
Spornitz (D) 82 D4
Spotorno (I) 104 D3
Spremberg (D) 87 E3
Spresiano (I) 103 F3
Sprikutova (LV) 203 H4
Springe (D) 85 G2
Spuž (MNE) 139 G4
Squinzano (I) 111 G4
Srbac (BIH) 135 G5
Srbica (SRB) 142 D4
Srbobran /
Србобран (SRB) 140 C2
Srđevići (BIH) 137 E5
Srebărna (BG) 152 D5
Srebrenica (BIH) 137 H5
Srebrenik (BIH) 137 G3
Sredec (BG) 159 F2
Sredec / Средец (BG) 159 H2
Središče ob Dravi (SLO) 135 E2
Središte (BG) 152 D5
Srednje (BIH) 137 G5
Srednogorci (BG) 162 C1
Sredska (SRB) 143 E5
Śrem (PL) 121 E2
Sremska Kamenica (SRB) 140 C3
Sremska Mitrovica (SRB) 140 B4
Sremska Rača (SRB) 137 H3
Sremski Karlovci (SRB) 140 C3
Srnetica (BIH) 136 D4
Srnice Donje (BIH) 137 G3
Środa Śląska (PL) 121 E4
Środa
Wielkopolska (PL) 121 F1
Srpska Crnja (SRB) 140 D2
Srpski Brod /
Bosanski Brod (BIH) 135 H4
Srpski Itebej (SRB) 140 D2
Srpski Miletić (SRB) 137 H2
Srpsko Sarajevo (BIH) 137 G5
Stade (D) 81 H4
Stádio (GR) 165 F5
Stadskanaal (NL) 77 G3
Stadt Wehlen (D) 87 E4
Stadthagen (D) 85 F2
Stadtilm (D) 86 A5
Stadtkyll (D) 88 B1
Stadtlohn (D) 84 C2
Stadtoldendorf (D) 85 G3
Stadtroda (D) 86 B5
Stadtsteinach (D) 91 E2
Staffanstorp (S) 199 F3
Staffin (GB) 28 C3
Stafford (GB) 32 D4
Stágira (GR) 161 H4
Stahle (D) 85 F3
Stahovica (SLO) 134 C2
Staicele (LV) 203 E1
Staines (GB) 36 C4
Stainz (A) 97 F4
Stakčín (SK) 133 H2
Stakevci (BG) 154 C2
Stalać (SRB) 143 E1
Stalbe (LV) 203 E2
Štalcerji (SLO) 134 C3
Stalída (GR) 170 C5
Stall (A) 96 B5
Stalowa Wola (PL) 123 F5
Stambolijski (BG) 158 D3
Stamford (GB) 33 F4
Stamná (GR) 164 D3
Stamnes (N) 188 B3
Stams (A) 95 F4
Stamsund (N) 179 F3
Stâna de Vale (RO) 146 D4
Stange (N) 189 F4
Stanišić (SRB) 137 H1
Stanišinci (SRB) 143 E2
Stanisławów (PL) 123 E1
Štanjel (SLO) 134 A3
Staňkov (CZ) 91 H4
Stankovci (HR) 136 C5
Stanley (GB) 31 G4
Stános (GR) 164 D2
Stanós (GR) 161 H4
Stans (CH) 99 E3
Stansstad (CH) 99 E3
Stansted (GB) 36 D3
Stapar (SRB) 137 H1
Stąporków (PL) 122 C3
Stara Biała (PL) 118 C5
Stará Boleslav (CZ) 92 B2
Stara Kamienica (PL) 120 C4
Stará L'ubovňa (SK) 133 F2
Stara Moravica (SRB) 140 B2
Stara Novalja (HR) 136 A4
Stara Pazova (SRB) 140 C3
Stara reka (BG) 159 G1
Stará Turá (SK) 132 B3
Stara Zagora /
Стара Загора (BG) 159 F2
Starachowice (PL) 122 D4
Staraja Russa (RUS) 6 D1
Staravina (MK) 145 F2
Starcevo (BG) 162 C2
Starchiojd (RO) 152 B2
Stare Czarnowo (PL) 116 C4
Stare Jeżewo (PL) 119 G4
Stare Pole (PL) 117 H2
Stare Żukowice (PL) 125 H1
Stargard Szczeciński (PL) 116 C4
Stårheim (N) 188 B2
Stari Bar (MNE) 139 F5
Stari Dojran (MK) 145 H2
Stari Gradac (HR) 135 G3
Stari Jankovci (HR) 137 H2
Stari Log (SLO) 134 C3
Stari Majdan (BIH) 135 F5
Stari Mikanovci (HR) 137 G2
Starica (RUS) 7 F2
Stari Grad (Hvar) (HR) 138 B3
Starigrad (Senj) (HR) 134 C5
Starigrad Paklenica (HR) 136 B4
Starnberg (D) 95 F2
Staro Orjahovo (BG) 157 F3
Staro Petrovo Selo (HR) 135 G4
Staro Selo (BG) 158 D1
Staro Slano (BIH) 139 E4
Starodub (RUS) 7 F4
Starogard Gdański (PL) 117 H3
Starokostjantyniv (UA) 13 E2
Starosel (BG) 158 D2
Starożreby (PL) 118 C5
Stary Dzierzgoń (PL) 118 B3
Stary Gostków (PL) 121 H2
Stary Sącz (PL) 125 H2
Starý Smokovec (SK) 133 E2
Starzyny (PL) 122 B4
Staßfurt (D) 86 A3
Staszów (PL) 122 D5
Statland (N) 183 E3
Statos-Agios
Fotios (CY) 174 B4
Stavanger (N) 194 B1
Staveley (GB) 33 E3
Stavelot (B) 79 E3
Stavenhagen
Reuterstadt (D) 83 F3
Stavenisse (NL) 78 C1
Stavern (N) 195 E1
Stavoren (NL) 77 E3
Stavrochóri (GR) 173 F4
Stavrodrómi (GR) 164 D4
Stavrós (Imathía) (GR) 161 F3
Stavrós (Kríti) (GR) 170 A5
Stavrós (Thessalía) (GR) 165 F1
Stavrós
(Thessaloníki)) (GR) 161 H3
Stavroúpoli (GR) 162 C2
Stavrós (GR) 164 C3
Stavsjo (N) 189 F4
Stawiski (PL) 119 F3
Stawiszyn (PL) 121 G2
Steblevë (AL) 144 D2
Štěchovice (CZ) 92 A3
Steckborn (CH) 99 F1
Steeg (A) 95 E4
Steenbergen (NL) 78 C1
Steenvoorde (F) 39 H1
Steenwijk (NL) 77 F3
Stefan Karadžovo (BG) 159 H3
Ştefăneşti (RO) 148 D1
Stefáni (Ípeiros) (GR) 164 C1
Stefáni
(Stereá Elláda) (GR) 165 H4
Stefaniná (GR) 161 H3
Stefanovíkeio (GR) 165 F1
Stege (DK) 199 E4
Stegersbach (A) 97 G4
Stegna (PL) 117 H2
Ştei (RO) 146 D4
Steibis (D) 94 D3
Steigen (N) 179 F3
Stein (A) 97 F1
Stein (D) 91 E4
Stein (N) 189 F4
Stein am Rhein (CH) 99 F1
Steinach (D) 91 E2
Steinach am Brenner (A) 95 G4
Steinau an der Straße (D) 89 F1
Steinbach-
Hallenberg (D) 85 H5
Steinborg (N) 188 A3
Steine (N) 188 B3
Steinfeld (A) 96 C5
Steinfeld (D) 85 E1
Steingaden (D) 95 F3
Steinhaus / Cadipietra (I) 103 E1
Steinhausen (D) 94 D2
Steinheim (Höxter) (D) 85 F3
Steinheim
(Unterallgaü) (D) 95 E2
Steinheim
am Albuch (D) 89 G4
Steinkjer (N) 183 E4
Steinshamn (N) 182 A5
Steinsland (N) 188 A4
Stekene (B) 78 C1
Stemnítsa (GR) 165 E5
Stenay (F) 40 D4
Stendal (D) 86 B1
Stende (LV) 202 B2
Stení Dírfis (GR) 165 H3
Stenlille (DK) 198 D3
Stenløse (DK) 199 E3
Stenness (GB) 26 B3
Stenó (GR) 165 F5
Stenudden (S) 179 H5
Stenungsund (S) 195 F3
Stepanci (MK) 145 F1
Stepnica (PL) 116 B3
Stepojevac (SRB) 140 D5
Sterkrade (D) 84 C3
Stérna (Anatolikí Makedonía
kai Thráki) (GR) 162 C2
Stérna
(Pelopónnisos) (GR) 165 F5
Sternberg (D) 82 D3
Šternberk (CZ) 93 F3
Stérnes (GR) 170 A5
Sterup (D) 81 H1
Sterzing / Vipiteno (I) 102 D1
Stęszew (PL) 121 E1
Stevenage (GB) 36 C3
Stevrek (BG) 159 G1
Stewarton (GB) 30 C2
Steyr (A) 96 D2
Steyrermühl (A) 96 C2
Stežerovo (BG) 156 B2
Stia (I) 107 E3
Stigliano (I) 110 D4
Stigtomta (S) 197 F2
Stiklestad (N) 183 E4
Stilo (I) 113 C4
Štimlje (SRB) 143 E4
Stintino (I) 112 A1
Štip (MK) 145 G1
Stirling (GB) 30 D1
Štirovača (HR) 134 C5
Štitar (SRB) 140 B4
Štítnik (SK) 133 F3
Štivan (HR) 134 B5
Stjärnhov (S) 197 F1
Stjørdal (N) 182 D5
Stockach (D) 94 C2
Stockbridge (GB) 35 G3
Stockelsdorf (D) 82 C3
Stockerau (A) 97 G1
Stockholm (S) 197 G1
Stockport (GB) 32 D3
Stocksbridge (GB) 33 E3
Stockton-on-Tees (GB) 31 G4
Stoczek Łukowski (PL) 123 E2
Stod (CZ) 91 H4
Stöde (S) 190 B2
Stoeneşti (Piteşti) (RO) 151 H2
Stoeneşti (Slatina) (RO) 151 G4
Stoicăneşti (RO) 151 G4
Stojkite (BG) 162 C1
Stoke-on-Trent (GB) 32 D4
Stokite (BG) 159 E1
Stokke (N) 195 E1
Stokkvågen (N) 183 F1
Stokmarknes (N) 179 F2
Stolac (BIH) 139 E3
Stolberg (Harz) (D) 86 A3
Stolberg (Rheinland) (D) 84 B5
Stolice (SRB) 137 H4
Stolin (BY) 6 D5
Stollberg (D) 86 C5
Stöllet (S) 189 G4
Stolno (PL) 117 G4
Stolpen (D) 87 E4
Stolzenau (D) 85 F1
Stómio (GR) 161 F5

Ston (HR) 138 D3
Stone (GB) 32 D4
Stonehaven (GB) 29 G4
Stonglandet (N) 176 A4
Stopanja (SRB) 143 E2
Stopnica (PL) 122 D5
Storå (S) 196 D1
Stora Blåsjön (S) 183 F3
Stora Skedvi (S) 190 A5
Stora Sundby (S) 197 F2
Storby (FIN) 190 D5
Stordal (N) 188 C1
Store Heddinge (DK) 199 E4
Store Molvik (N) 177 G1
Storebø (N) 188 A4
Storebro (S) 197 E4
Støren (N) 182 D5
Storfors (S) 195 H1
Storforshei (N) 183 G1
Storkow (D) 87 E2
Storlien (S) 183 E5
Stormi (FIN) 191 F3
Stornoway (GB) 28 C1
Storo (I) 101 G3
Storožynec' (UA) 12 D3
Storsjö (S) 189 G1
Storslett (N) 176 C3
Storsteinnes (N) 176 B4
Storuman (S) 183 H3
Storvik (N) 176 D3
Storvik (S) 190 B4
Stotel (D) 81 F4
Stoŭbcy (BY) 6 D5
Stourbridge (GB) 32 D5
Stournaraïika (GR) 164 D1
Stourport (GB) 32 D5
Støvring (DK) 194 D4
Stow-on-the-Wold (GB) 35 G1
Stowmarket (GB) 33 H5
Stožer (BG) 157 F2
Strà (I) 103 E4
Strabane (GB) 23 E2
Strachówka (PL) 123 E1
Stracin (MK) 143 G5
Stradalovo (BG) 158 A3
Stradella (I) 101 E5
Stradsett (GB) 33 H4
Straelen (D) 84 B3
Stragari (SRB) 140 D5
Straja (RO) 148 A1
Štrăklevo (BG) 152 B5
Strakonice (CZ) 92 A4
Straldža (BG) 159 H2
Stralsund (D) 83 F2
Štramberk (CZ) 93 G3
Stranda (N) 188 C2
Strandebarm (N) 188 B4
Strandhill (IRL) 22 D3
Strandža (BG) 159 H3
Strangford (GB) 23 H3
Strängnäs (S) 197 F1
Strání (CZ) 93 F5
Stranice (SLO) 134 D2
Stranorlar (IRL) 23 E2
Stranraer (GB) 23 H2
Strasbourg (F) 47 H1
Strasburg (D) 83 G4
Strasorelci (BG) 155 E2
Straßburg (A) 96 D4
Straßwalchen (A) 96 C2
Stratford-upon-Avon (GB) 33 E5
Strathaven (GB) 30 D2
Stratóni (GR) 161 H4
Strátos (GR) 164 D3
Stratton (GB) 34 C3
Straubing (D) 91 G5
Straumen (N) 179 G4
Straumen (N) 183 E4
Straumen (N) 179 F4
Straumsjøen (N) 179 F2
Straumsnes (N) 179 G4
Straupitz (D) 87 E2
Strausberg (D) 86 D1
Straußfurt (D) 86 A4
Straža (SLO) 134 C3
Straža (SRB) 141 E3
Stražica (BG) 156 C3
Strážnice (CZ) 93 F5
Strážný (CZ) 92 A5
Strážske (SK) 133 H2
Štrbské Pleso (SK) 133 E2
Streatley (GB) 35 H2
Street (GB) 35 F3
Strehaia (RO) 151 E3
Strehla (D) 86 D4
Streitberg (D) 91 E3
Strelča (BG) 158 D2
Strelci (BG) 159 E2
Strelec (BG) 156 C2
Stremci (BG) 162 D1
Strenči (LV) 203 F2
Strengberg (A) 97 E2
Stresa (I) 100 D3
Strezimirovci (SRB) 143 G3
Strezovce (SRB) 143 F4
Stříbro (CZ) 91 G3
Strjama (BG) 159 E2
Strmac (HR) 135 G4
Strmica (HR) 136 D5
Strmilov (CZ) 92 C4
Strmosten (SRB) 141 F5
Strobl (A) 96 C3
Stroeşti (RO) 151 F2
Strofyliá (GR) 165 H2
Strojkovce (SRB) 143 F3
Strokestown (IRL) 22 D4
Stromberg (D) 88 D2
Stromeferry (GB) 28 C3
Strömfors /
Ruotsinpyhtää (FIN) 193 E4
Stromness (GB) 26 B3
Strömsbruk (S) 190 B2
Strömsnasbruk (S) 195 G5
Strömstad (S) 195 F1
Strömsund (S) 183 G4
Strongoli (I) 113 D2
Stronie Śląskie (PL) 124 C1
Strontian (GB) 28 C5
Stropkov (SK) 133 G2
Stroud (GB) 35 F1
Stroumpi (CY) 174 B4
Strovlés (GR) 172 B3
Strovolos (CY) 174 D3
Struer (DK) 194 C5
Struga (MK) 144 D2
Struge (SLO) 134 C3
Strumica (MK) 145 H1
Strumień (PL) 125 E1
Strumjani (BG) 161 G1
Stryj (UA) 12 D2
Stryków (PL) 122 B2
Stryn (N) 188 C2
Strzegom (PL) 120 D4
Strzegowo-Osada (PL) 118 D5
Strzelce Krajeńskie (PL) 116 C5
Strzelce Opolskie (PL) 121 G5
Strzelin (PL) 121 E4
Strzelno (PL) 117 G5
Strzyżów (PL) 127 E1
Strzyżowice (PL) 121 H5
Stubbekøbing (DK) 199 E4
Stubičke Toplice (HR) 135 E3
Štubik (SRB) 141 G5
Stubline (SRB) 140 C4
Studena (SRB) 143 G3
Studena
(Haskovo) (BG) 163 F1
Studena
(Pernik) (BG) 158 B2
Studenci (HR) 138 C2
Studenec (BG) 156 D2
Studenica (SRB) 142 D2
Studénka (CZ) 93 G3
Studina (RO) 151 G5
Studzienice (PL) 117 F2
Stugun (S) 183 G5
Stühlingen (D) 94 B3
Stuhr (D) 81 G5
Stulpicani (RO) 148 B2
Stupari (BIH) 137 G4
Stupava (SK) 132 A4
Stupino (RUS) 7 G2
Sturminster
Newton (GB) 38 A1
Štúrovo (SK) 132 C5
Stuttgart (D) 89 F4
Stykkishólmur (IS) 178 A2
Stylída / Στυλίδα (GR) 165 F2
Stylloi (CY) 175 F3
Stýra (GR) 166 B4
Suances (E) 58 B1
Subačius (LT) 205 F2
Subate (LV) 203 F5
Subbiano (I) 107 E3
Subiaco (I) 109 E3
Subijana-Morillas (E) 58 D2
Subostrel (BG) 161 G1
Subotica /
Суботица (SRB) 140 B1
Subotište (SRB) 140 C4
Suceava (RO) 148 B2
Suceviţa (RO) 148 A1
Sucha Beskidzka (PL) 125 F2
Suchań (PL) 116 C4
Suchedniów (PL) 122 D4
Suchiniči (RUS) 7 G3
Suchorze (PL) 117 F2
Suchowola (PL) 119 G3
Süchteln (D) 84 B4
Sucina (E) 73 E3
Suciu de Sus (RO) 147 F2
Sudbury (Derby) (GB) 33 E4
Sudbury (Suffolk) (GB) 36 D3
Suddesjaur (S) 184 D1
Süderbrarup (D) 81 H1
Sudža (RUS) 7 G5
Sueca (E) 65 H5
Sueros de Cepeda (E) 57 G3
Şugag (RO) 151 F1
Suhareka /
Suva Reka (SRB) 143 E4
Suhindol (BG) 156 B3
Suhl (D) 85 H5
Suho Polje (BIH) 137 H3
Suhopolje (HR) 135 G3
Šuica (BIH) 137 E5
Şuici (RO) 151 G2
Suinula (FIN) 191 G3
Suippes (F) 40 C5
Šuja (RUS) 7 H1
Sukeva (FIN) 187 F4
Sukobin (MNE) 139 G5
Sukošan (HR) 136 B5
Sükösd (H) 129 F4
Sukovo (SRB) 143 G3
Sukth (AL) 144 B2
Šula (MNE) 139 F2
Sulden / Solda (I) 101 G2
Sulechów (PL) 120 D2
Sulęcin (PL) 120 C1
Sulejów (PL) 122 C3
Sulejówek (PL) 122 D1
Sulina (RO) 153 H2
Sulingen (D) 85 F1
Sulitjelma (N) 179 G4
Sulkava (FIN) 193 G2
Sułkowice (PL) 125 G2
Sully-sur-Loire (F) 45 E3
Sulmierzyce (PL) 121 F3
Sulmona (I) 109 G2
Sultanhisar (TR) 19 G3
Sülysáp (H) 129 F2
Sulz am Neckar (D) 89 E5
Sulzbach (D) 88 C3
Sulzbach an der Murr (D) 89 F4
Sulzbach-Rosenberg (D) 91 F4
Sulzemoos (D) 95 F2
Sumartin (HR) 138 C2
Sumba (Færøerne) (DK) 194 A5
Sumburgh (GB) 26 D1
Sümeg (H) 128 C3
Šumen / Шумен (BG) 157 E3
Sumer (BG) 154 D3
Sumiainen (FIN) 191 H1
Sumiswald (CH) 98 D3
Sumony (H) 128 D5
Šumperk (CZ) 93 E2
Sumy (UA) 7 G5
Sund (FIN) 190 D5
Sunde (N) 188 B5
Sunde (N) 182 C5
Sunderland (GB) 31 G4
Sundern (D) 84 D4
Sundom (FIN) 191 E1
Sundsvall (S) 190 B2
Sungurlare (BG) 159 H1
Suni (I) 112 B3
Sunja (HR) 135 F4
Sunnansjö (S) 190 A5
Sunndalsøra (N) 188 D1
Sunne (S) 183 G5
Sunne (S) 189 G5
Sunnemo (S) 189 H5
Suntaži (LV) 203 E3
Suodenniemi (FIN) 191 F3
Suolahti (FIN) 191 H1
Suolijoki (FIN) 185 G1
Suomenniemi (FIN) 193 F3
Suomusjärvi (FIN) 191 G4
Suomussalmi (FIN) 187 F2
Suomutunturi (FIN) 181 F5
Suonenjoki (FIN) 193 F1
Suopelto (FIN) 185 H5
Super-Besse (F) 50 A3
Super Molina (E) 60 D2
Supetar (HR) 138 B2
Supetarska Draga (HR) 134 C5
Supino (I) 109 F3
Suplacu de Barcău (RO) 146 D2
Supraśl (PL) 119 H4
Supuru de Jos (RO) 147 E2
Surahammar (S) 197 E1
Suraia (RO) 152 D1
Šurany (SK) 132 B4
Suraž (RUS) 7 F4
Surbo (I) 111 H4
Surčin / Сурчин (SRB) 140 C4
Surdegis (LT) 205 F2
Surdulica (SRB) 143 G4
Surgères (F) 48 C2
Súria (E) 60 D3
Surnadalsøra (N) 182 C5
Sursee (CH) 98 D2
Survilliers (F) 39 H5
Susa (I) 100 B5
Susak (HR) 136 A4
Sušara (SRB) 141 E3
Susch (CH) 99 G3
Susek (SRB) 140 B3
Suseni
(Miercurea Ciuc) (RO) 148 A4
Suseni (Piteşti) (RO) 151 H3
Sušice (CZ) 91 H4
Süßen (D) 89 G5
Susurluk (TR) 19 G2
Susz (PL) 118 B3
Şuţeşti (RO) 152 D2
Sutinske Toplice (HR) 135 E2
Sutivan (HR) 138 B2
Sutjeska (BIH) 137 G5
Sutjeska (SRB) 140 D3
Sutomore (MNE) 139 F5
Sutri (I) 108 D2
Sutterton (GB) 33 G4
Sutton (GB) 36 C4
Sutton Coldfield (GB) 33 E5
Sutton-in-Ashfield (GB) 33 E3
Sutton-on-Sea (GB) 33 G3
Suure-Jaani (EST) 201 E3
Suva Reka /
Suharekë (SRB) 143 E4
Suvainiškis (LT) 205 G1
Suvereto (I) 106 C4
Suvodanja (SRB) 140 C5
Suvodol (MK) 145 E1
Suvorovo (BG) 157 F2
Suwałki (PL) 119 G2
Suzdal' (RUS) 7 H1
Suzzara (I) 101 H5
Svaljava (UA) 12 C3
Svalöv (S) 199 F3
Svaneke (DK) 199 G4
Svanstein (S) 180 D5
Svanvik (N) 177 H3
Svappavaara (S) 180 B4
Svärdsjö (S) 190 A4
Svarstad (N) 195 E1
Svartå (S) 195 H1
Svartevatn (N) 194 B1
Svätý Jur (SK) 132 A4
Svedala (S) 199 F3
Svėdasai (LT) 205 G2
Sveg (S) 189 H2
Švėkšna (LT) 204 C2
Svelgen (N) 188 B2
Svelvik (N) 189 E5
Švenčionys (LT) 205 H3
Svendborg (DK) 198 C4
Svenljunga (S) 195 G4
Svenstavik (S) 189 H1
Sveti Bogorodica,
manastir (BG) 157 F5
Sveti Filip i Jakov (HR) 136 B5
Sveti Ivan Žabno (HR) 135 F3
Sveti Ivan Zelina (HR) 135 E3
Sveti Juraj (HR) 134 C5
Sveti Nikola (MNE) 144 B1
Sveti Nikole (MK) 143 F5
Sveti Petar na moru (HR) 136 B5
Sveti Rok (HR) 136 C4
Sveti Stefan (MNE) 139 F5
Sveti Vlas (BG) 157 F4
Svetlahorsk (BY) 7 E5
Svetlen (BG) 156 D2
Svetlogorsk (RUS) 5 H3
Svetozar Miletić (SRB) 137 H1
Svežen (BG) 159 E2
Sviby (EST) 200 C2
Svidník (SK) 133 G2
Švihov (CZ) 91 H4
Svilajnac (SRB) 141 E5
Svilengrad /
Свиленград (BG) 163 E1
Svingvoll (N) 189 E3
Sviniţa (RO) 150 C3
Svinoy (Færøerne) (DK) 194 B4
Svištov / Свищов (BG) 151 H5
Svitavy (CZ) 92 D3
Svitlovods'k (UA) 13 G1
Svođ (SRB) 143 G3
Svode (BG) 158 C1
Svoge (BG) 158 B1
Svolvær (N) 179 F3
Svorkmo (N) 182 C5
Svoronáta (GR) 164 B4
Svrljig (SRB) 143 G2
Swadlincote (GB) 33 E4
Swaffham (GB) 33 H4
Swalmen (NL) 79 F2
Swanage (GB) 38 B1
Swanley (GB) 36 D4
Swanlinbar (IRL) 23 E3
Swansea / Abertawe (GB) 34 D2
Swarzędz (PL) 121 F1
Świdnica
(Wałbrzych) (PL) 121 E4
Świdnica
(Zielona Gora) (PL) 120 C2
Świdwin (PL) 116 D3
Świebodzice (PL) 120 D4
Świebodzin (PL) 120 C1
Świecie (PL) 117 G4
Świecko (PL) 120 B1
Świeradów-Zdrój (PL) 120 C4
Świerzawa (PL) 120 D4
Świerzno (PL) 116 C2
Święta Lipka (PL) 119 E2
Swindon (GB) 35 G2
Swinford (IRL) 22 C4
Świnoujście (PL) 116 B2
Swords (IRL) 23 G5
Syčovka (RUS) 7 F2
Syców (PL) 121 F3
Sykaminiá (GR) 167 F1
Sykäräinen (FIN) 185 G5
Syke (D) 81 G5
Sykiá (GR) 171 F1
Sykkylven (N) 188 C1
Sykoúrio (GR) 161 F5
Sylling (N) 189 E5
Sylt-Ost (D) 81 F1
Syltefjord (N) 177 H2
Sými (GR) 171 H2
Synod Inn (GB) 32 A5
Syötekylä (FIN) 187 E1
Syre (GB) 26 A5
Syrianochori (CY) 174 C3
Sysmä (FIN) 191 H3
Sysslebäck (S) 189 G4
Syväjärvi (FIN) 181 E4
Syvde (N) 188 B1
Sývota (GR) 164 B1
Syyspohja (FIN) 193 G3
Szabadbattyán (H) 129 E3
Szabadszállás (H) 129 F3
Szadek (PL) 121 H3
Szalkszentmárton (H) 129 F3
Szamocin (PL) 117 F5
Szamotuły (PL) 117 E5
Szany (H) 128 C2
Szarvas (H) 129 H3
Százhalombatta (H) 129 E2
Szczawno-Zdrój (PL) 120 D4
Szczebrzeszyn (PL) 123 G4
Szczecin (PL) 116 B4
Szczecinek (PL) 117 E3
Szczekociny (PL) 122 B5
Szczerców (PL) 121 H3
Szczucin (PL) 122 D5
Szczuczyn (PL) 119 F3
Szczurkowo (PL) 118 D1
Szczurowa (PL) 125 H1
Szczyrk (PL) 125 F2
Szczytna (PL) 121 E5
Szczytno (PL) 118 D3
Szécsény (H) 126 B5
Szederkény (H) 129 E5
Szeged (H) 129 G4
Szeghalom (H) 131 E3
Szegvár (H) 129 G4
Székely (H) 127 F5
Székesfehérvár (H) 129 E2
Székkutas (H) 129 H4
Szekszárd (H) 129 E4
Szendrő (H) 126 D5
Szentendre (H) 129 F1
Szentes (H) 129 G4
Szentgotthárd (H) 128 A3
Szentlászló (H) 128 D5
Szentlőrinc (H) 128 D5
Szenyér (H) 128 C4
Szepietowo-Stacja (PL) 119 G5
Szerencs (H) 127 E5
Szigetszentmiklós (H) 129 F2
Szigetújfalu (H) 129 E2
Szigetvár (H) 128 D5
Szikszó (H) 126 D5
Szil (H) 128 C2
Szilvásvárad (H) 126 C5
Szklarska Poręba (PL) 120 C4
Szlichtyngowa (PL) 120 D2
Szolnok (H) 129 G2
Szőlősgyörök (H) 128 D3
Szombathely (H) 128 B2
Szprotawa (PL) 120 C3
Szreńsk (PL) 118 C4
Sztabin (PL) 119 G3
Sztum (PL) 117 H3
Szubin (PL) 117 F5
Szydłów (PL) 122 D5
Szydłowiec (PL) 122 D3
Szymbark (PL) 126 D2
Szypliszki (PL) 119 G2

T

Taastrup (DK) 199 E3
Tab (H) 128 D3
Tabanovce (MK) 143 F5
Tábara (E) 57 G5
Tabasalu (EST) 200 D1
Taberg (S) 195 H3
Tabernas (E) 72 B5
Tabivere (EST) 201 F3
Taboada (E) 56 D3
Tábor (CZ) 92 B4
Tábua (P) 62 C3

Tabuaço (P) 62 D1
Tabuenca (E) 59 F5
Täby (S) 197 G1
Tác (H) 129 E3
Tachov (CZ) 91 G3
Tadcaster (GB) 33 E2
Taebla (EST) 200 C2
Tafalla (E) 59 F3
Tafjord (N) 188 D1
Țaga (RO) 147 F3
Taggia (I) 104 C4
Tagliacozzo (I) 109 F2
Taglio di Po (I) 103 F5
Tahal (E) 71 G5
Tahkvuori (FIN) 187 F5
Tain (GB) 29 E2
Tain-l'Hermitage (F) 50 D4
Taipadas (P) 68 B2
Taipalsaari (FIN) 193 F3
Taivalkoski (FIN) 187 F1
Taivassalo (FIN) 191 F4
Takač (BG) 157 E2
Takácsi (H) 128 C2
Takovo (SRB) 139 H1
Taktikoúpoli (GR) 165 G5
Tala (CY) 174 B4
Talarrubias (E) 69 H1
Talaván (E) 63 F5
Talavera de la Reina (E) 63 H4
Talavera la Real (E) 69 F2
Talayuela (E) 63 G4
Talayuelas (E) 65 G4
Taldom (RUS) 7 G1
Talgarth (GB) 35 E1
Talla (I) 107 E3
Tallard (F) 51 F5
Tällberg (S) 190 A4
Tallinn (EST) 200 D1
Talloires-Montmin (F) 51 F2
Tallow (IRL) 24 D4
Talluskylä (FIN) 187 E5
Tállya (H) 127 E5
Tălmaciu (RO) 151 G1
Talmont-Saint-Hilaire (F) 48 B1
Tal'ne (UA) 13 F2
Talsi (LV) 202 B2
Talvik (N) 176 D3
Tamames (E) 63 F3
Támara de Campos (E) 58 A4
Tamarinda (E) 67 G2
Tamarite de Litera (E) 60 A3
Tamási (H) 128 D4
Tåme (S) 185 E3
Tammela (FIN) 191 G4
Tammisaari /
Ekenäs (FIN) 191 G5
Tampere (FIN) 191 G3
Tamsalu (EST) 201 F2
Tamsweg (A) 96 D4
Tamworth (GB) 33 E4
Tana Bru (N) 177 G2
Tanágra (GR) 165 H4
Tandådalen (S) 189 G3
Țăndărei (RO) 153 E3
Tandragee (GB) 23 F3
Tandsbyn (S) 190 A1
Tandsjöborg (S) 190 A3
Tanganheira (P) 68 B4
Tangerhütte (D) 86 B1
Tangermünde (D) 86 B1
Tanhua (FIN) 181 F4
Taninges (F) 51 F2
Tanlay (F) 45 H3
Tann (D) 85 G5
Tännäs (S) 189 G1
Tänndalen (S) 189 G1
Tannheim (A) 95 E3
Tannila (FIN) 185 H2
Țânțăreni (RO) 151 E3
Tanumshede (S) 195 F2
Tanvald (CZ) 87 G5
Taormina (I) 115 G3
Tapa (EST) 201 F2
Tapia de Casariego (E) 57 E1
Tápiószecső (H) 129 F2
Tápiószele (H) 129 G2
Tápiószentmárton (H) 129 G2
Tapolca (H) 128 C3
Tapolcafő (H) 128 C2
Tar (HR) 134 A4
Taracena (E) 64 C2
Tarancón (E) 64 D3
Taranto (I) 111 F4
Tarare (F) 50 C2
Taraš (SRB) 140 C2
Tarašča (UA) 13 F1
Tarascon (F) 54 C2
Tarascon-sur-Ariège (F) 53 F4
Tarazona (E) 59 F4
Tarazona
de la Mancha (E) 65 F5
Tarbert (IRL) 24 B3
Tarbert
(Argyll and Bute) (GB) 28 B2
Tarbert
(Western Isles) (GB) 30 B2
Tarbes (F) 52 D3
Tarbet (GB) 30 C1
Tarcento (I) 103 G3
Tarčin (BIH) 137 G5
Tardets-Sorholus (F) 52 B3
Tardienta (E) 59 H4
Tärendö (S) 180 C4
Targon (F) 48 D5
Târgoviște (RO) 152 A3
Tărgovište /
Търговище (BG) 156 D3
Târgu Bujor (RO) 153 E1
Târgu Cărbunești (RO) 151 F3
Târgu Frumos (RO) 148 C3
Târgu Jiu (RO) 151 E2
Târgu Lăpuș (RO) 147 F2
Târgu Logrești (RO) 151 F3
Târgu Mureș (RO) 147 G4
Târgu Neamț (RO) 148 B3
Târgu Ocna (RO) 148 C5
Târgu Secuiesc (RO) 148 B5
Târgușor (RO) 153 F4
Tarhos (H) 131 E3
Tarifa (E) 74 C5
Tarján (H) 129 E1
Târlișua (RO) 147 G2
Tărlungeni (RO) 152 B1
Tarm (DK) 198 B2
Tarmstedt (D) 81 G5
Tarna Mare (RO) 147 E1
Tärnaby (S) 183 G2
Târnăveni (RO) 147 G5
Tarnobrzeg (PL) 123 E5
Tarnogród (PL) 123 G5
Tarnos (F) 52 A2
Târnova (RO) 146 C4
Tarnów (PL) 125 H1
Tarnowo Podgórne (PL) 121 E1
Tarnowskie Góry (PL) 121 H5
Tarouca (P) 62 D2
Tarp (D) 81 G1
Tarporley (GB) 32 C3
Tarquinia (I) 108 C2
Tarragona (E) 60 C4
Tarrasa / Terrassa (E) 60 D3
Tàrrega (E) 60 C3
Tårs (DK) 198 D4
Tarsia (I) 113 B1
Tartas (F) 52 B2
Tartu (EST) 201 F3
Tarvasjoki (FIN) 191 F4
Tarvisio (I) 103 H2
Täsch (CH) 98 D5
Tåsjö (S) 183 H4
Tășnad (RO) 146 D2
Tassin (F) 50 D3
Tata (H) 129 E1
Tatabánya (H) 129 E1
Tataháza (H) 129 F5
Tătăranu (RO) 152 D1
Tătărăștii de Jos (RO) 151 H4
Tătărăștii de Sus (RO) 151 H4
Tatarbunary (UA) 13 F4
Tatárszentgyörgy (H) 129 F3
Tau (N) 194 B1
Tauberbischofsheim (D) 89 G2
Taucha (D) 86 C4
Taufers im Münstertal /
Tubre 101 G2
Taufkirchen (D) 95 H1
Taujėnai (LT) 205 F3
Taulé (F) 42 C1
Taunton (GB) 35 E3
Taunusstein-Neuhof (D) 89 E1
Tauplitz (A) 96 D3
Tauragė (LT) 204 C3
Tauragnai (LT) 205 G2
Taurene (LV) 203 F2
Taurianova (I) 115 H2
Tauste (E) 59 G4
Tăuții-Măgherăuș (RO) 147 F2
Tauves (F) 49 H3
Tavankut (SRB) 140 B1
Tavannes (CH) 98 C2
Tavarnelle (I) 105 H5
Tavastila (FIN) 193 F4
Tavaux (F) 46 D5
Taverna (I) 113 C3
Tavernelle (I) 107 E5
Tavernes (F) 55 E2
Tavernes
de la Valldigna (E) 66 A4
Tavira (P) 68 D5
Tavistock (GB) 34 D4
Tavronítis (GR) 172 B3
Tavşanlı (TR) 19 H2
Taxenbach (A) 96 B4
Tayinloan (GB) 30 B2
Taynuilt (GB) 28 D5
Tayport (GB) 29 G5
Tăža (BG) 159 E2
Tázlár (H) 129 F4
Tazones (E) 57 H1
Tczew (PL) 117 H2
Teaca (RO) 147 G3
Teano (I) 109 G4
Teba (E) 74 D3
Tebay (GB) 31 F5
Techendorf (A) 96 C5
Techirghiol (RO) 153 F5
Tecklenburg (D) 84 D2
Tecuci (RO) 152 D1
Teeriranta (FIN) 187 F1
Teféli (GR) 172 D4
Tegel (D) 86 D1
Tegelen (NL) 79 F1
Tegernsee (D) 95 G3
Teggiano (I) 110 C5
Téglás (H) 131 E1
Teguise (E) 67 H4
Teignmouth (GB) 35 E4
Teijo (FIN) 191 G5
Teisendorf (D) 96 B2
Teisko (FIN) 191 G2
Teiu (RO) 151 H3
Teiuș (RO) 147 F5
Teixeiro (E) 56 C2
Teixoso (P) 62 D3
Tekeriš (SRB) 140 B4
Tekija (SRB) 141 G4
Tekirdağ (TR) 19 G2
Telavåg (N) 188 A4
Telč (CZ) 92 C4
Telde (E) 67 G5
Telese (I) 109 H4
Telford (GB) 32 D4
Telfs (A) 95 F4
Telgte (D) 84 D2
Teliš (BG) 155 E3
Tellingstedt (D) 81 G2
Telšiai (LT) 204 C1
Telti (I) 112 C1
Teltow (D) 86 D1
Tembleque (E) 64 C4
Temerin /
Темерин (SRB) 140 C3
Temmes (FIN) 185 H3
Tempio Pausania (I) 112 C1
Templemore (IRL) 24 D2
Templewo (PL) 120 C1
Templin (D) 83 F5
Temse (B) 78 C2
Temska (SRB) 143 G2
Temvria (CY) 174 C3
Tenala (FIN) 191 G5
Tenbury Wells (GB) 32 C5
Tenby /
Dinbych-y-pysgod (GB) 34 C2
Tence (F) 50 C4
Tende (F) 55 H1
Tendilla (E) 64 D2
Tenja (HR) 137 H2
Tenterden (GB) 36 D5
Teolo (I) 103 E4
Teovo (MK) 145 F1
Tepasto (FIN) 180 D3
Tepelenë (AL) 144 C4
Teplá (CZ) 91 G3
Teplice (CZ) 87 E5
Tepsa (FIN) 181 E4
Ter Apel (NL) 77 G3
Teramo (I) 107 H5
Terchová (SK) 132 D2
Terebești (RO) 146 D2
Terebovlja (UA) 12 D2
Teremia Mare (RO) 146 A5
Terena (P) 68 D2
Teresin (PL) 122 C1
Terespol (PL) 123 H1
Terezino Polje (HR) 135 G3
Tergnier (F) 40 A4
Terjärv (FIN) 185 G5
Terlizzi (I) 111 E3
Termas
de Monfortinho (P) 63 E4
Terme Luigiane (I) 113 B2
Termini Imerese (I) 114 D2
Terminillo (I) 109 E1
Termoli (I) 110 B1
Terneuzen (NL) 78 C1
Terni (I) 109 E1
Ternitz (A) 97 G2
Ternopil (UA) 12 D2
Terpezița (RO) 151 E4
Terpsithéa (GR) 165 E3
Terracina (I) 109 F4
Terråk (N) 183 E2
Terralba (I) 112 B4
Terranova di Pollino (I) 110 D5
Terranuova Bracciolini (I) 106 D3
Terras de Bouro (P) 56 C5
Terrassa / Tarrasa (E) 60 D3
Terrasson-Lavilledieu (F) 49 F4
Terrenoire (F) 50 C3
Terriente (E) 65 F3
Teruel (E) 65 G3
Tervakoski (FIN) 191 H4
Tervel / Тервел (BG) 152 D5
Tērvete (LV) 202 C4
Tervo (FIN) 187 E5
Tervola (FIN) 185 G1
Tervuren (B) 78 C2
Terzaga (E) 65 F2
Tešanj (BIH) 137 F4
Teșila (RO) 152 B2
Teslić (BIH) 137 F4
Teslui (RO) 151 G4
Tessin (D) 83 E3
Tessy-Bocage (F) 38 C5
Tét (H) 128 C2
Tetbury (GB) 35 F2
Teterow (D) 83 E3
Teteven (BG) 158 D1
Tetiïv (UA) 13 F2
Tetoiu (RO) 151 F3
Tetovo (BG) 152 B5
Tetovo (MK) 143 E5
Tetrákomo (GR) 164 D1
Tettnang (D) 94 D3
Teuchern (D) 86 B4
Teufen (CH) 99 F2
Teulada (I) 112 B5
Teupitz (D) 86 D2
Teuva (FIN) 191 E1
Tevel (H) 129 E4
Tewkesbury (GB) 35 F1
Tezze (I) 103 F3
Thale (D) 86 A3
Thalfang (D) 88 C2
Thalgau (A) 96 C2
Thalheim (D) 86 C5
Thalmässing (D) 91 E5
Thalwil (CH) 99 E2
Thame (GB) 35 H1
Thann (F) 47 G3
Thannhausen (D) 89 H5
Thaon (F) 47 F2
Tharandt (D) 86 D4
Tharsis (E) 69 E4
The Mumbles (GB) 34 D2
Themar (D) 89 H1
Thénezay (F) 48 D1
Thenon (F) 49 F4
Theológos (GR) 162 C3
Théoule-sur-Mer (F) 55 G2
Thérma (Anatolikí Makedonía
kai Thráki) (GR) 162 D4
Thermá (Kentrikí
Makedonía) (GR) 161 H3
Thérma
(Vóreio Aigaío) (GR) 167 F5
Thérmi (Kentrikí
Makedonía) (GR) 161 G4
Thermí
(Vóreio Aigaío) (GR) 167 F2
Thermisía (GR) 169 E2
Thérmo (GR) 164 D3
Thermopýles (GR) 165 F2
Thérouanne (F) 39 H2
Thespiés (GR) 165 G4
Thesprotikó (GR) 164 C1
Thessaloníki /
Θεσσαλονικη (GR) 161 G3
Thetford (GB) 33 H5
Theux (B) 79 E3
Thèze (F) 52 C3
Thiaucourt-Regniéville (F) 41 E5
Thiberville (F) 39 E5
Thiéblemont-
Farémont (F) 46 C1
Thiendorf (D) 86 D4
Thiene (I) 102 D4
Thiers (F) 50 B2
Thiesi (I) 112 B2
Thiessow (D) 83 F2
Thionville (F) 41 E4
Thíra / Θήρα (GR) 170 C3
Thiron-Gardais (F) 44 C2
Thirsk (GB) 31 G5
Thisted (DK) 194 C4
Thíva / Θήβα (GR) 165 G4
Thiviers (F) 49 F3
Thizy-les-Bourgs (F) 50 C2
Thoissey (F) 50 D2
Tholey (D) 88 C3
Thollon (F) 51 G1
Tholó (GR) 168 B2
Tholopotámi (GR) 167 E4
Tholós (GR) 161 H3
Thomastown (IRL) 25 E3
Thônes (F) 51 F2
Thonon (F) 51 F1
Thorens-Glières (F) 51 F2
Thorikó (GR) 166 B5
Þórlákshöfn (IS) 178 B3
Thorne (GB) 33 F2
Thornhill (GB) 30 D3
Þórshöfn (IS) 178 D1
Thouarcé (F) 43 H4
Thouars (F) 43 H5
Thouría (GR) 168 C3
Thrapston (GB) 33 F5
Threshfield (GB) 32 D1
Thueyts (F) 50 C5
Thuin (B) 78 C3
Thuir (F) 53 H5
Thum (D) 86 C5
Thun (CH) 98 D3
Thüringen (A) 94 D4
Thurles / Durlas (IRL) 24 D3
Thursby (GB) 31 E4
Thurso (GB) 26 B4
Thury-Harcourt (F) 38 D5
Thusis (CH) 99 F3
Thyborøn (DK) 194 C4
Țibana (RO) 148 D3
Tibro (S) 195 H2
Țicleni (RO) 151 E3
Tidaholm (S) 195 H3
Tidö (S) 197 F1
Tiefenbronn (D) 89 E4
Tiefencastel (CH) 99 G3
Tiefensee (D) 86 D1
Tiel (NL) 77 E5
Tielt (B) 78 B2
Tienen (B) 78 D2
Tiengen (D) 94 B3
Tiercé (F) 43 H4
Tierga (E) 59 F5
Tierp (S) 190 C5
Tigharry (GB) 28 B3
Tighina (MD) 13 F3
Tighnabruaich (GB) 30 B2
Tigkáki (GR) 171 F2
Tignes (F) 51 G3
Tihany (H) 128 D3
Tiistenjoki (FIN) 191 F1
Tíjola (E) 71 G5
Tikkakoski (FIN) 191 H1
Tikkala (FIN) 193 H1
Tilburg (NL) 78 D1
Tilbury (GB) 36 D4
Tileagd (RO) 146 D3
Tillberga (S) 197 F1
Tillières-sur-Avre (F) 44 C1
Tilly-sur-Seulles (F) 38 D5
Tilsit (RUS) 6 B4
Timi (CY) 174 B4
Timișești (RO) 148 C3
Timișoara (RO) 150 B1
Timmendorfer Strand (D) 82 C3
Timoleague (IRL) 24 C5
Timrå (S) 190 B1
Tinahely (IRL) 25 F2
Tinca (RO) 146 C3
Tinchebray (F) 43 G1
Tineo (E) 57 F2
Tinglev (DK) 198 B4
Tingsryd (S) 195 H5
Tingstäde (S) 197 G3
Tingvoll (N) 182 B5
Tinnoset (N) 188 D5
Tínos (GR) 166 D5
Tiñosillos (E) 64 A1
Tintagel (GB) 34 C4
Tinténiac (F) 43 F2
Tiobraid Árann /
Tipperary (IRL) 24 D3
Tione di Trento (I) 101 H3
Tipasoja (FIN) 187 F4
Tipperary /
Tiobraid Árann (IRL) 24 D3
Tipu (EST) 201 E3
Tiranë (AL) 144 C2
Tirano (I) 101 G2
Tiraspol (MD) 13 F3
Tire (TR) 19 G3
Tirig (E) 66 A1
Tiriolo (I) 113 C3
Tirrenia (I) 105 G4
Tirschenreuth (D) 91 F3
Tirstrup (DK) 195 E5
Tiševica (BG) 155 E3
Tismana (RO) 151 E2
Tisno (HR) 136 C5
Tišnov (CZ) 92 D4
Tisovec (SK) 133 E3
Tisvildeleje (DK) 199 E3
Tiszaalpár (H) 129 G3
Tiszacsege (H) 130 D1
Tiszaföldvár (H) 129 G3
Tiszakécske (H) 129 G3
Tiszalök (H) 127 E5
Tiszalúc (H) 126 D5
Tiszaörvény (H) 129 H1
Tiszaroff (H) 129 H2
Tiszasüly (H) 129 H2
Tiszasziget (H) 129 G5
Tiszaújváros (H) 130 D1
Tiszavasvári (H) 131 E1

Titaguas (E) 65 G4
Titel (SRB) 140 C3
Titisee-Neustadt (D) 94 B2
Tito (I) 110 C4
Titran (N) 182 C4
Tittmoning (D) 96 B2
Titu (RO) 152 A3
Tivat (MNE) 139 F4
Tivenys (E) 60 B5
Tiverton (GB) 35 E3
Tivissa (E) 60 B5
Tivoli (I) 109 E3
Tjæreborg (DK) 198 B3
Tjällmo (S) 197 E2
Tjeldstø (N) 188 A3
Tjentište (BIH) 139 F2
Tjøme (N) 195 E1
Tjong (N) 179 E5
Tjørnuvik (Færøerne) (DK) 194 A4
Tjøtta (N) 183 F1
Tkon (HR) 136 B5
Tlačene (BG) 155 E3
Tlmače (SK) 132 C4
Tłuchowo (PL) 118 B5
Tłuszcz (PL) 123 E1
Tobarra (E) 71 H2
Tobermore (GB) 23 F2
Tobermory (GB) 28 C5
Toberonochy (GB) 30 B1
Toblach / Dobbiaco (I) 103 F1
Tocha (P) 62 B3
Tochni (CY) 174 D4
Tocina (E) 69 G4
Todalsøra (N) 189 E1
Todi (I) 107 F5
Todireni (RO) 148 D2
Todmorden (GB) 32 D2
Todor Ikonomovo (BG) 157 E2
Todorići (BIH) 137 E5
Todtmoos (D) 94 A3
Todtnau (D) 94 A3
Toft (GB) 27 G2
Tofte (N) 195 E1
Toftir (Færøerne) (DK) 194 A4
Toftlund (DK) 198 B4
Tohmajärvi (FIN) 193 H1
Toholampi (FIN) 185 G4
Toichío (GR) 160 D3
Toijala (FIN) 191 G3
Toivakka (FIN) 193 E2
Toivala (FIN) 187 F5
Tojšići (BIH) 137 H4
Tokačka (BG) 162 D2
Tokaj (H) 127 E5
Tokarnia (PL) 122 C4
Toledo (E) 64 B4
Tolentino (I) 107 G4
Tolfa (I) 108 C2
Tolga (N) 189 F1
Tolkmicko (PL) 118 B2
Tollarp (S) 199 F3
Tølløse (DK) 198 D3
Tolmezzo (I) 103 G2
Tolmin (SLO) 134 A2
Tolna (H) 129 E4
Toló (GR) 165 F5
Tolosa (E) 59 E1
Tolosa (P) 62 C5
Tolox (E) 74 D3
Tolva (FIN) 181 G5
Tolve (I) 110 D4
Tomar (P) 62 B5
Tomaševac (SRB) 140 D3
Tomašica (BIH) 135 F5
Tomaszów Lubelski (PL) 123 H5
Tomaszów Mazowiecki (PL) 122 C3
Tombebœuf (F) 49 E5
Tomelilla (S) 199 F3
Tomelloso (E) 64 D5
Tomești (RO) 150 D1
Tomintoul (GB) 29 F4
Tomislavgrad (BIH) 138 C2
Tømmervåg (N) 182 B5
Tompa (H) 129 F5
Tomra (N) 188 C1
Tona (E) 60 D3
Tonara (I) 112 C3
Tonbridge (GB) 36 D5
Tondela (P) 62 C3
Tønder (DK) 198 B4
Tongeren (B) 79 E2
Tongue (GB) 26 A4
Tonnay-Boutonne (F) 48 C2
Tonnay-Charente (F) 48 C2
Tonneins (F) 52 D1
Tonnerre (F) 45 H3
Tönning (D) 81 G2
Tønsberg (N) 195 E1
Tonstad (N) 194 B1
Tootsi (EST) 200 D3
Topana (RO) 151 G3
Topčii (BG) 156 D2
Topczewo (PL) 119 G5
Töpen (D) 91 F2
Topeno (FIN) 191 G4
Topla (SLO) 134 C1
Topleţ (RO) 150 D3
Topli Dol (SRB) 143 G2
Toplița (RO) 147 H3
T'oploje (RUS) 7 G3
Topola (SRB) 140 D5
Topolčani (MK) 145 F2
Topoľčany (SK) 132 B3
Topólia (GR) 172 B3
Topolog (RO) 153 F3
Topolovătu Mare (RO) 150 C1
Topoloveni (RO) 151 H3
Topolovgrad / Тополовград (BG) 159 G3
Topolovnik (SRB) 141 E4
Topolovo (BG) 162 C1
Toponár (H) 128 D4
Toporu (RO) 152 A5
Topraisar (RO) 153 F5
Toprzyny (PL) 118 D1
Topusko (HR) 135 E4
Torà (E) 60 C3
Torano Castello (I) 113 B2
Torbole (I) 101 H3
Torcello (I) 103 F4
Torchiarolo (I) 111 G4
Torcy (F) 45 F1
Tordera (E) 61 E3
Tordesillas (E) 63 H1
Tordesilos (E) 65 F2
Tore (GB) 29 E3
Töre (S) 185 F1
Töreboda (S) 195 H2
Torella del Sannio (I) 109 H3
Torelló (E) 60 D2
Toreno (E) 57 F3
Torgau (D) 86 C3
Torgelow (D) 83 G4
Torhout (B) 78 B2
Torigni-les-Villes (F) 38 C5
Torija (E) 64 D2
Torino (I) 100 C5
Torla (E) 59 H2
Tormac (RO) 150 B1
Törmänen (FIN) 177 G5
Törmänmäki (FIN) 187 F3
Tormos (E) 59 G4
Tornal'a (SK) 133 E4
Tornavacas (E) 63 G4
Tornio (Torneå) (FIN) 185 G1
Tornjoš (SRB) 140 C2
Tornyiszentmiklós (H) 128 B4
Toro (E) 63 H1
Törökkoppány (H) 128 D4
Törökszentmiklós (H) 129 H2
Toróni (GR) 161 H5
Toropec (RUS) 7 E2
Toros (BG) 158 D1
Torpo (N) 188 D4
Torpoint (GB) 34 D4
Torpshammar (S) 190 B1
Torquay Torbay (GB) 35 E4
Torquemada (E) 58 A4
Torralba de Calatrava (E) 70 D1
Torrão (P) 68 C3
Torre Annunziata (I) 109 H5
Torre Beretti (I) 100 D5
Torre Canne (I) 111 F3
Torre de Dona Chama (P) 57 E5
Torre de Juan Abad (E) 71 E2
Torre de la Higuera (E) 74 A2
Torre de Moncorvo (P) 63 E1
Torre de' Passeri (I) 109 G2
Torre del Bierzo (E) 57 F3
Torre del Campo (E) 70 D4
Torre del Greco (I) 109 H5
Torre del Mar (E) 75 E3
Torre dell'Impiso (I) 114 B2
Torre Faro (I) 115 G2
Torre Orsaia (I) 110 C5
Torre-Pacheco (E) 73 E3
Torre Pèllice (I) 100 B5
Torrebaja (E) 65 G3
Torreblanca (E) 66 A2
Torrecaballeros (E) 64 B1
Torrecampo (E) 70 C3
Torrecilla en Cameros (E) 58 D3
Torrecillas de la Tiesa (E) 63 G5
Torredembarra (E) 60 C4
Torredonjimeno (E) 70 D4
Torregrossa (E) 60 B3
Torreira (P) 62 B2
Torrejón de Ardoz (E) 64 C2
Torrejón de la Calzada (E) 64 B3
Torrejón el Rubio (E) 63 F5
Torrejoncillo (E) 63 F4
Torrejoncillo del Rey (E) 64 D3
Torrelacárcel (E) 65 G2
Torrelaguna (E) 64 C2
Torrelapaja (E) 59 E5
Torrelavega (E) 58 B1
Torrellano (E) 73 F2
Torrelobatón (E) 57 H5
Torrelodones (E) 64 B2
Torremaggiore (I) 110 C2
Torremejía (E) 69 F2
Torremocha (E) 69 G1
Torremolinos (E) 75 E3
Torrent (E) 65 H5
Torrente de Cinca (E) 60 A4
Torrenueva (E) 71 E2
Torreperogil (E) 71 E3
Torres del Río (E) 59 E3
Torres Novas (P) 62 B5
Torres Vedras (P) 68 A1
Torrevieja (E) 73 E3
Torri del Benaco (I) 101 H4
Torridon (GB) 28 D3
Torriglia (I) 105 E2
Torrijas (E) 65 G3
Torrijo de la Cañada (E) 59 F5
Torrijos (E) 64 A3
Tørring (DK) 198 C3
Torrita di Siena (I) 107 E4
Torroella de Montgrí (E) 61 F2
Torrox (E) 75 F3
Torsås (S) 197 E5
Torsby (S) 189 G5
Torshälla (S) 197 E1
Tórshavn (Færøerne) (DK) 194 A4
Torsminde (DK) 194 C5
Törtel (H) 129 G3
Tórtoles de Esgueva (E) 58 B4
Tortolì (I) 112 D3
Tortoman (RO) 153 F4
Tortona (I) 101 E5
Tortorici (I) 115 F2
Tortosa (E) 60 B5
Tortosendo (P) 62 D3
Toruń (PL) 117 H5
Torup (S) 195 G4
Tõrva (EST) 201 F4
Torvikbygd (N) 188 B4
Torvinen (FIN) 181 E4
Toržok (RUS) 7 F2
Torzym (PL) 120 C1
Tosbotn (N) 183 F2
Toscolano-Maderno (I) 101 G4
Tosno (RUS) 6 D1
Tossa de Mar (E) 61 F3
Tostedt (D) 81 H4
Tószeg (H) 129 G3
Toszek (PL) 121 G5
Totana (E) 71 H4
Tôtes (F) 39 F4
Tótkomlós (H) 129 H4
Tøtlandsvik (N) 188 B5
Totnes (GB) 34 D4
Tótvázsony (H) 128 D3
Toucy (F) 45 G3
Toul (F) 47 E1
Toulon (F) 55 E3
Toulon-sur-Arroux (F) 50 C1
Toulouse (F) 53 F2
Toumpítsi (GR) 165 E5
Tourcoing (F) 40 A1
Tourlída (GR) 164 D3
Tournai (Doornik) (B) 78 B3
Tournan-en-Brie (F) 45 F1
Tournay (F) 52 D3
Tournon-d'Agenais (F) 53 E1
Tournon-Saint-Martin (F) 49 F1
Tournon-sur-Rhône (F) 50 D4
Tournus (F) 50 D1
Tourouvre-au-Perche (F) 44 C1
Tours (F) 44 C4
Toury (F) 45 E2
Toužim (CZ) 91 G3
Tovariševo (SRB) 137 H2
Tovarnik (HR) 137 H2
Towcester (GB) 33 F5
Töysä (FIN) 191 G1
Trá Lí / Tralee (IRL) 24 B3
Trabanca (E) 63 F1
Trabazos (E) 57 F5
Traben-Trarbach (D) 88 C2
Trabia (I) 114 D2
Trabotivište (MK) 143 H5
Tracheiá (GR) 165 G5
Trachíli (GR) 166 B3
Trachonas (CY) 174 D3
Trachoni (CY) 175 E3
Tracino (I) 114 A5
Trafaria (P) 68 A2
Trafoi (I) 101 G2
Tragacete (E) 65 F3
Traiguera (E) 66 A1
Traisen (A) 97 F2
Traiskirchen (A) 97 G2
Traismauer (A) 97 F1
Trakai (LT) 205 F4
Trakošćan (HR) 135 E2
Tralee / Trá Lí (IRL) 24 B3
Trallwng / Welshpool (GB) 32 C4
Tramagal (P) 62 C5
Tramariglio (I) 112 A2
Tramatza (I) 112 B3
Tramonti di Sopra (I) 103 F2
Tramore (IRL) 25 E4
Tranås (S) 196 D3
Trancoso (P) 62 D2
Tranebjerg (DK) 198 C3
Tranemo (S) 195 G4
Tranent (GB) 31 E2
Trani (I) 111 E2
Trănkovo (BG) 159 F2
Transtrand (S) 189 H3
Trapani (I) 114 B2
Trappstadt (D) 89 H1
Trasacco (I) 109 F3
Trassem (D) 88 B2
Traun (A) 96 D2
Traunkirchen (A) 96 C2
Traunreut (D) 95 H2
Traunstein (D) 95 H2
Traupis (LT) 205 F2
Travemünde (D) 82 C3
Travnik (BIH) 137 F4
Trawniki (PL) 123 G3
Trbovlje (SLO) 134 C2
Trbuk (BIH) 137 G4
Trbušani (SRB) 139 H1
Trebbin (D) 86 D2
Trébeurden (F) 42 C1
Třebíč (CZ) 92 D4
Trebinje (BIH) 139 E4
Trebisacce (I) 113 C1
Trebišov (SK) 133 G3
Treblinka (PL) 119 F5
Trebnje (SLO) 134 C3
Třeboň (CZ) 92 B5
Tréboul (F) 42 B2
Trebsen (D) 86 C4
Trebujena (E) 74 A3
Trecastagni (I) 115 G3
Trecate (I) 100 D4
Tredegar (GB) 35 E1
Tredozio (I) 107 E2
Treffort-Cuisiat (F) 51 E1
Treffurt (D) 85 H4
Treffynnon / Holywell (GB) 32 C3
Trefynwy / Monmouth (GB) 35 F1
Tregaron (GB) 32 B5
Trégastel (F) 42 C1
Tregnago (I) 101 H4
Tregony (GB) 34 C5
Tréguier (F) 42 D1
Trehörningsjö (S) 184 C5
Treia (D) 81 G2
Treia (I) 107 G4
Treignac (F) 49 G3
Treis Vrýsses (GR) 163 E2
Trekljano (BG) 158 A2
Trelleborg (DK) 198 D3
Trélon (F) 40 B3
Tremestieri (I) 115 G2
Tremetousia (CY) 175 E3
Tremezzo (I) 101 E3
Tremp (E) 60 B2
Trenčianske Teplice (SK) 132 B2
Trenčín (SK) 132 B2
Trendelburg (D) 85 F3
Trenta (SLO) 134 A2
Trento (I) 101 H3
Trepča (MNE) 139 H4
Trepča (SRB) 143 E3
Treppeln (D) 87 E2
Trepuzzi (I) 111 G4
Trescore Balneario (I) 101 F4
Tresenda (I) 101 G3
Tresfjord (N) 188 C1
Tresjuncos (E) 64 D4
Trešnjevica (SRB) 143 E1
Trespaderne (E) 58 C2
Třešť (CZ) 92 C4
Trets (F) 55 E3
Tretten (N) 189 E3
Treuchtlingen (D) 89 H4
Treuen (D) 86 B5
Treuenbrietzen (D) 86 C2
Treungen (N) 194 D1
Trevélez (E) 72 A5
Trèves (F) 54 A1
Trevi (I) 107 F5
Trévières (F) 38 C4
Treviglio (I) 101 F4
Trevignano Romano (I) 108 D2
Treviño (E) 58 D2
Treviso (I) 103 F4
Trévoux (F) 50 D2
Trezzo sull'Adda (I) 101 F4
Trgovište (SRB) 143 G4
Trhové Sviny (CZ) 92 B5
Triánta (GR) 171 H3
Triaucourt-en-Argonne (F) 40 D5
Tribanj Krušćica (HR) 136 B4
Triberg im Schwarzwald (D) 94 B2
Tribsees (D) 83 E3
Tricarico (I) 110 D4
Tricase (I) 111 H5
Tricesimo (I) 103 G3
Trichiana (I) 103 E3
Trie-sur-Baïse (F) 52 D3
Trieben (A) 97 E3
Trier (D) 88 B2
Trieste (I) 103 H4
Trifești (RO) 148 D2
Trigrad (BG) 162 B1
Trigueros (E) 69 E5
Triigi (EST) 200 B3
Trijueque (E) 64 D2
Tríkala / Τρίκαλα (Thessalía) (GR) 165 E1
Tríkala (Kentrikí Makedonía) (GR) 161 F3
Tríkala (Pelopónnisos) (GR) 165 F4
Tríkeri (GR) 165 G2
Tríklino (GR) 164 D2
Trikomo (CY) 175 F3
Trilj (HR) 138 C2
Trillevallen (S) 183 F5
Trillo (E) 64 D2
Trílofo (GR) 165 E2
Trim (IRL) 23 F5
Trindade (P) 63 E1
Třinec (CZ) 93 H3
Tring (GB) 35 H1
Trinità d'Agultu (I) 112 C1
Trinitapoli (I) 110 D2
Trino (I) 100 D5
Triora (I) 104 C3
Trípoli / Τρίπολη (GR) 165 F5
Triponzo (I) 107 F5
Triptis (D) 86 B5
Trittau (D) 82 B4
Trittenheim (D) 88 C2
Trivento (I) 109 H3
Trjavna / Трявна (BG) 159 F1
Trnava (SK) 132 A4
Trnova Poljana (BIH) 136 D5
Trnovo (BIH) 139 E2
Trnovo ob Soči (SLO) 134 A2
Troarn (F) 38 D5
Trofa (P) 62 C1
Trofa (P) 62 B1
Trofaiach (A) 97 E3
Trofors (N) 183 F2
Trogir (HR) 138 B2
Troia (I) 110 C2
Troina (I) 115 F3
Trois-Ponts (B) 79 E3
Troisdorf (D) 84 C5
Trojan / Троян (BG) 158 D1
Trojane (SLO) 134 C2
Trojanovo (BG) 159 H2
Trollhättan (S) 195 F2
Tromsø (N) 176 B4
Trondheim (N) 182 D5
Tronö (S) 190 B3
Troo (F) 44 C3
Troon (GB) 30 C2
Trópaia (GR) 165 E5
Tropea (I) 115 H1
Tropojë (AL) 142 C4
Trosa (S) 197 F2
Trostberg (D) 95 H2
Trostjanec' (UA) 7 G5
Troulloi (CY) 175 E3
Trouville-sur-Mer (F) 39 E4
Trowbridge (GB) 35 F2
Troyes (F) 45 H2
Trpanj (HR) 138 C3
Trpezi (MNE) 139 H3
Trpinja (HR) 137 H2
Trsa (MNE) 139 F3
Tršić (SRB) 137 H4
Trstenik (HR) 138 D3
Trstenik (Kraljevo) (SRB) 143 E2
Trstenik (Priština) (SRB) 143 E4
Trsteno (HR) 139 E4
Trstín (SK) 132 A3
Trubčevsk (RUS) 7 F4
Trubia (E) 57 G2
Trubjela (MNE) 139 F4
Truchas (E) 57 F4
Truchtersheim (F) 47 H1
Trujillo (E) 63 G5
Trun (F) 38 D5
Truro (GB) 34 B5

Truşeşti (RO) 148 C1
Truskava (LT) 205 F3
Trutnov (CZ) 87 G5
Truva (TR) 19 F2
Trygóna (GR) 160 D5
Trýpi (GR) 168 D3
Tryškiai (LT) 204 D1
Tržac (BIH) 134 D5
Trzcianka (PL) 117 E5
Trzciel (PL) 120 D1
Trzcińsko-Zdrój (PL) 116 B5
Trzebiatów (PL) 116 C2
Trzebiel (PL) 120 B2
Trzebieszów (PL) 123 F1
Trzebież (PL) 116 B3
Trzebinia (PL) 125 F1
Trzebnica (PL) 121 E3
Trzeciewiec (PL) 117 G4
Trzemeszno (PL) 121 G1
Tržič (SLO) 134 B2
Tsada (CY) 174 B4
Tsagkaráda (GR) 165 G1
Tsamantás (GR) 160 B5
Tsangári (GR) 164 C1
Tsepélovo (GR) 160 C5
Tseri (CY) 174 D3
Tsotíli (GR) 160 D4
Tsoukaládes (GR) 164 C2
Tsoútsouros (GR) 173 E4
Tuaim / Tuam (IRL) 22 C5
Tuam / Tuaim (IRL) 22 C5
Tubbercurry (IRL) 22 C4
Tubilla del Agua (E) 58 B2
Tübingen (D) 89 F5
Tubre / Taufers im Münstertal (I) 101 G2
Tučepi (HR) 138 C2
Tuchan (F) 53 H4
Tuchola (PL) 117 G3
Tuchomie (PL) 117 F2
Tuchów (PL) 125 H1
Tuczno (PL) 116 D4
Tudela (E) 59 F4
Tudela de Duero (E) 58 A5
Tudor Vladimirescu (RO) 153 E1
Tudora (RO) 148 C2
Tudu (EST) 201 F2
Tudulinna (EST) 201 G2
Tufeni (RO) 151 H4
Tufeşti (RO) 153 E3
Tuffé Val de la Chéronne (F) 44 C3
Tuheljske Toplice (HR) 134 D2
Tuhkakylä (FIN) 187 F4
Tui (E) 56 B4
Tuineje (E) 67 H5
Tūja (LV) 202 D2
Tukums (LV) 202 C3
Tula (RUS) 7 G3
Tulach Mhór / Tullamore (IRL) 23 E5
Tulare (SRB) 143 F3
Tulcea (RO) 153 F2
Tul'čyn (UA) 13 F2
Tuliszków (PL) 121 G2
Tulla (IRL) 24 C2
Tullamore / Tulach Mhór (IRL) 23 E5
Tulle (F) 49 G4
Tullins (F) 51 E4
Tulln an der Donau (A) 97 G1
Tullow (IRL) 25 F2
Tulovo (BG) 159 F2
Tulppio (FIN) 181 G3
Tulsk (IRL) 22 D4
Tumba (S) 197 G1
Tuohikotti (FIN) 193 F3
Tuoro sul Trasimeno (I) 107 E4
Tupilaţi (RO) 148 C3
Tura (H) 129 F1
Turalići (BIH) 137 H5
Turba (EST) 200 D2
Turbe (BIH) 137 F4
Turburea (RO) 151 F3
Turceni (RO) 151 E3
Turckheim (F) 47 G2
Turda (RO) 147 F4
Turégano (E) 64 B1
Turek (PL) 121 G2
Turenki (FIN) 191 H4
Turgeliai (LT) 205 G4
Turgutlu (TR) 19 G3
Türi (EST) 201 E3
Turi (I) 111 F3
Turia (RO) 148 B5
Turija (BIH) 137 G4
Turija (SRB) 140 C2
Turinge (S) 197 F1
Turís (E) 65 H5
Turja (SRB) 141 F4
Turjak (SLO) 134 C3
Türje (H) 128 C3
Túrkeve (H) 129 H3
Türkheim (D) 95 E2
Turku / Åbo (FIN) 191 F4
Turmiel (E) 65 E1
Turnberry (GB) 30 C3
Turnhout (B) 78 D1
Türnitz (A) 97 F2
Turnov (CZ) 87 F5
Turnu Măgurele (RO) 151 H5
Turnu Ruieni (RO) 150 D2
Túrony (H) 128 D5
Turośl (PL) 119 E3
Turre (E) 71 H5
Turriers (F) 55 F1
Turriff (GB) 29 H3
Tursi (I) 111 E5
Turţ (RO) 147 E1
Turtola (FIN) 180 D5
Turzovka (SK) 132 C1
Tuscania (I) 108 C2
Tuse (DK) 198 D3
Tušilović (HR) 134 D4
Tušovica (BG) 159 H1
Tuszyn (PL) 122 B2
Tutin (SRB) 139 H3
Tutova (RO) 148 D5
Tutrakan (BG) 152 C5
Tuttlingen (D) 94 C2
Tuturano (I) 111 G4
Tutzing (D) 95 F2
Tuulos (FIN) 191 H3
Tuupovaara (FIN) 193 H1
Tuusniemi (FIN) 187 F5
Tuusula (FIN) 191 H4
Tuxford (GB) 33 F3
Tuzi (MNE) 139 G4
Tuzla (BIH) 137 G4
Tuzsér (H) 127 F5
Tvărdica (BG) 159 F1
Tvedestrand (N) 194 D2
Tver (RUS) 7 F2
Tverečius (LT) 205 H3
Tvøroyri (Færøerne) (DK) 194 A5
Tvrdošín (SK) 132 D2
Tvrdošovce (SK) 132 B4
Twardogóra (PL) 121 F3
Twimberg (A) 97 E4
Twist (D) 84 C1
Twistringen (D) 81 F5
Tychowo (PL) 117 E3
Tychy (PL) 125 F1
Tyczyn (PL) 127 F1
Tydal (N) 183 E5
Tyin (N) 188 D3
Tykocin (PL) 119 G4
Tympáki (GR) 172 D4
Týmpano (GR) 162 C2
Tymvou (CY) 175 E3
Týn nad Vltavou (CZ) 92 A4
Tyndaris (I) 115 F2
Tyndrum (GB) 28 D5
Tynemouth (GB) 31 G3
Tynkä (FIN) 185 G4
Tynset (N) 189 F2
Tyresö (S) 197 G1
Tyringe (S) 199 F3
Tyristrand (N) 189 E5
Tyrnävä (FIN) 185 H3
Týrnavos / Τύρναβος (GR) 161 F5
Tyrós (GR) 169 E3
Tysse (N) 188 B4
Tyssebotn (N) 188 B3
Tyssedal (N) 188 B4
Tyszowce (PL) 123 H4
Tytuvėnai (LT) 204 D2
Tywyn (GB) 32 A5
Tzanáta (GR) 164 C4
Tzermiádo (GR) 173 E3

U

Ub (SRB) 140 C5
Úbeda (E) 71 E4
Überlingen (D) 94 C3
Ubľa (SK) 133 H2
Ubli (HR) 138 C4
Ubli (MNE) 139 F4
Ubrique (E) 74 C3
Uchte (D) 85 F1
Uckange (F) 41 E4
Uckfield (GB) 36 C5
Uclés (E) 64 D3
Uda (RO) 148 C2
Udbina (HR) 136 C4
Udbyhøj (DK) 195 E5
Uddevalla (S) 195 F2
Uddheden (S) 189 G5
Uden (NL) 79 E1
Udine (I) 103 G3
Udovo (MK) 145 G2
Udvar (H) 129 E5
Uebigau (D) 86 D3
Ueckermünde (D) 83 G3
Uelzen (D) 82 B5
Uetersen (D) 81 H4
Uetze (D) 85 G1
Uffenheim (D) 89 H3
Ugāle (LV) 202 B2
Ugao (SRB) 139 H3
Ugărčin (BG) 158 D1
Ugento (I) 111 H5
Ugíjar (E) 72 A5
Ugine (F) 51 F3
Uglič (RUS) 7 G1
Ugljan (HR) 136 B5
Ugljane (HR) 138 C2
Ugljevik (BIH) 137 H3
Ugrinovci (SRB) 140 D5
Uguniemi (FIN) 193 H2
Uherské Hradiště (CZ) 93 F4
Uherský Brod (CZ) 93 F4
Uhingen (D) 89 G4
Uhlířské Janovice (CZ) 92 B3
Uhrsleben (D) 86 A2
Uhrusk (PL) 123 H3
Uig (GB) 28 C3
Uimaharju (FIN) 187 H5
Uithoorn (NL) 76 D4
Uithuizen (NL) 77 G2
Ujazd (Kędzierzyn-Koźle) (PL) 121 G5
Ujazd (Opatów) (PL) 123 E4
Ujazd (Tomaszów Mazowiecki) (PL) 122 C2
Ujejsce (PL) 121 H5
Újfehértó (H) 131 E1
Újhartyán (H) 129 F2
Újiráz (H) 131 E3
Újkígyós (H) 130 D4
Ujście (PL) 117 E4
Ujué (E) 59 F3
Ukkola (FIN) 187 H5
Ukmergė (LT) 205 F3
Ulanów (PL) 123 F5
Ulcinj (MNE) 139 G5
Ulassai (I) 112 C4
Uleåborg / Oulu (FIN) 185 H2
Uleåsalo / Oulunsalo (FIN) 185 H3
Ulefoss (N) 194 D1
Uleila del Campo (E) 71 G5
Ülenurme (EST) 201 F3
Ulëzë (AL) 144 C1
Ulfborg (DK) 194 C5
Ulič (SK) 133 H2
Uljanik (HR) 135 F4
Ul'janovka (UA) 13 F2
Uljma (SRB) 141 E3
Ullånger (S) 190 C1
Ullapool (GB) 28 D2
Ullared (S) 195 G4
Ullava (FIN) 185 G4
Ulldecona (E) 66 B1
Üllés (H) 129 G4
Üllő (H) 129 F2
Ulm (D) 89 G5
Ulmen (D) 88 C1
Ulmeni (Baia Mare) (RO) 147 E2
Ulmeni (Călăraşi) (RO) 152 C4
Ulog (BIH) 139 E2
Ulricehamn (S) 195 G3
Ulrichsberg (A) 96 D1
Ulsberg (N) 189 E1
Ulsta (GB) 27 G2
Ulsteinvik (N) 188 B1
Ulverston (GB) 31 E5
Ulvik (N) 188 C4
Ulvila (FIN) 191 F3
Ulvsjö (S) 189 H3
Umag / Umago (HR) 134 A4
Umago / Umag 134 A4
Uman' (UA) 13 F2
Umbertide (I) 107 F4
Umbukta (N) 183 G1
Umčari (SRB) 140 D4
Umeå (S) 184 D4
Umhausen (A) 95 F4
Umin Dol (MK) 143 F5
Umka (SRB) 140 D4
Umljanović (HR) 136 D5
Unari (FIN) 181 E4
Uncastillo (E) 59 G3
Undersåker (S) 183 F5
Undredal (N) 188 C3
Uneča (RUS) 7 F4
Unešić (HR) 136 C5
Úněšov (CZ) 91 H3
Ungheni (MD) 13 E3
Ungheni (Piteşti) (RO) 151 H4
Ungheni (Târgu Mureş) (RO) 147 G4
Ungilde (E) 57 F5
Unguraş (RO) 147 F3
Unhais da Serra (P) 62 D3
Unhošť (CZ) 92 A2
Unichowo (PL) 117 F2
Uničov (CZ) 93 E3
Uniejów (PL) 121 H2
Unije (HR) 134 B5
Unirea (Alba Iulia) (RO) 147 F4
Unirea (Craiova) (RO) 151 E4
Unisław (PL) 117 G4
Unna (D) 84 D3
Unnaryd (S) 195 G4
Unquera (E) 58 A1
Unterach (A) 96 C3
Unterhaching (D) 95 G2
Unterkulm (CH) 98 D2
Unterschleißheim (D) 95 G2
Unterwasser (CH) 99 F2
Unterweißenbach (A) 97 E1
Upavon (GB) 35 G2
Upesgrīva (LV) 202 C2
Úpice (CZ) 87 H5
Upinniemi (FIN) 191 H5
Uppingham (GB) 33 F4
Upplands-Väsby (S) 197 G1
Uppsala (S) 190 C5
Upton (GB) 35 F1
Upyna (LT) 204 D2
Uraiújfalu (H) 128 C2
Uras (I) 112 B4
Urbania (I) 107 F3
Urbe (I) 104 D2
Urbino (I) 107 F3
Urda (E) 64 B5
Urdos (F) 52 C4
Urecheşti (RO) 148 D5
Urepel (F) 52 A4
Urfahr (A) 96 D1
Urfeld (D) 95 F3
Uri (I) 112 B2
Uriage (F) 51 E4
Uricani (RO) 151 E2
Urjala (FIN) 191 G3
Urk (NL) 77 E3
Urla (TR) 19 G3
Urlaţi (RO) 152 B3
Urlingford (IRL) 25 E3
Urnäsch (CH) 99 F2
Urnes (N) 188 C3
Uroševac / Ferizaj (SRB) 143 E4
Urovica (SRB) 141 G5
Urshult (S) 195 H5
Urszulin (PL) 123 G3
Ururi (I) 110 B1
Ury (F) 45 F2
Urziceni (Buzău) (RO) 152 C3
Urziceni (Satu Mare) (RO) 146 D1
Urzicuţa (RO) 151 F5
Usagre (E) 69 G3
Uşak (TR) 19 H3
Ušće (SRB) 142 D2
Usedom (D) 83 G3
Usingen (D) 89 E1
Usk (GB) 35 E1
Uskoplje (BIH) 139 E4
Üsküdar (TR) 19 G1
Uslar (D) 85 G3
Ussat (F) 53 F4
Usseglio (I) 100 B4
Ussel (F) 49 H3
Usseln (D) 85 E4
Ustaoset (N) 188 D4
Ustaritz (F) 52 A3
Uster (CH) 99 E2
Ústí nad Labem (CZ) 87 E5
Ústí nad Orlicí (CZ) 92 D3
Ustibar (BIH) 139 G2
Ustikolina (BIH) 139 F2
Ustiprača (BIH) 139 F2
Ustka (PL) 117 E1
Ustrem (BG) 159 G3
Ustronie Morskie (PL) 116 D2
Ustrzyki Dolne (PL) 127 G2
Ustrzyki Górne (PL) 127 G3
Ususău (RO) 146 C5
Utajärvi (FIN) 185 H3
Utåker (N) 188 B5
Utbjoa (N) 188 B5
Utebo (E) 59 G4
Utelle (F) 55 G1
Utena (LT) 205 G2
Utiel (E) 65 G4
Utne (N) 188 C4
Utrecht (NL) 77 E5
Utrera (E) 69 G5
Utrillas (E) 65 G1
Utsjoki (FIN) 177 F3
Uttendorf (A) 96 B2
Uttendorf (A) 95 H4
Utting am Ammersee (D) 95 F2
Uttoxeter (GB) 32 D4
Utvik (N) 188 C2
Uurainen (FIN) 191 H1
Uusikaarlepyy / Nykarleby (FIN) 185 F5
Uusikaupunki (FIN) 191 E4
Uvac (SRB) 139 G2
Uvdal (N) 188 D4
Užava (LV) 202 A2
Uzdin (SRB) 140 D3
Uzdowo (PL) 118 C4
Uzel (F) 42 D2
Uzerche (F) 49 G3
Uzès (F) 54 C1
Užhorod (UA) 12 C3
Užice / Ужице (SRB) 139 H1
Uzundžovo (BG) 159 F3
Uzunköprü (TR) 19 F2
Uzyn (UA) 13 F1

V

Vaajakoski (FIN) 191 H2
Vääkiö (FIN) 187 F2
Vaala (FIN) 187 E3
Vaalajärvi (FIN) 181 E4
Vaalimaa (FIN) 193 F4
Vaals (NL) 79 F3
Vaaraslahti (FIN) 187 E5
Vaasa / Vasa (FIN) 185 E5
Vaassen (NL) 77 F4
Vabalninkas (LT) 205 F1
Văbel (BG) 151 H5
Vabre (F) 53 H2
Vác (H) 129 F1
Văcăreşti (RO) 152 A3
Vacha (D) 85 G5
Väddö (S) 190 C5
Vadheim (N) 188 B3
Vado Ligure (I) 104 D3
Vadsø (N) 177 G2
Vadstena (S) 195 H2
Vadu Izei (RO) 147 F1
Vaduz (FL) 99 G2
Væggerløse (DK) 198 D5
Vafaíika (GR) 162 C2
Vafiochóri (GR) 161 F3
Vág (H) 128 C2
Vågaholmen (N) 179 E5
Vågåmo (N) 189 E2
Våge (N) 188 B4
Vägeva (EST) 201 F2
Vaggeryd (S) 195 H4
Vágia (GR) 165 G4
Vagioniá (GR) 172 D4
Vagney (F) 47 F3
Vagnhärad (S) 197 F2
Vagos (P) 62 B3
Vagur (Færøerne) (DK) 194 A5
Vähäkyrö (FIN) 191 F1
Vahto (FIN) 191 F4
Vaiano (I) 105 H4
Vaida (EST) 201 E2
Vaiges (F) 43 H3
Vaihingen an der Enz (D) 89 F4
Väike-Maarja (EST) 201 F2
Väike-Rakke (EST) 201 F3
Vailly-sur-Aisne (F) 40 B4
Vailly-sur-Sauldre (F) 45 F4
Vainikkala (FIN) 193 G3
Vainupea (EST) 201 F1
Vainutas (LT) 204 C3
Vaisaluokta (S) 179 H4
Vaison-la-Romaine (F) 54 D1
Vaiste (EST) 200 D3
Vajszló (H) 128 D5
Vajta (H) 129 E3
Vajzë (AL) 144 C4
Vakarel (BG) 158 C2
Văkosel (BG) 162 B1
Vaksdal (N) 188 B4
Vál (H) 129 E2
Val-de-Reuil (F) 39 F5
Val-d'Isère (F) 51 G3
Val-Thorens (F) 51 G3
Vålådalen (S) 183 F5
Valadares (P) 62 B1
Valalta (HR) 134 A4
Valamen (FIN) 193 G1
Valandovo (MK) 145 H2
Valareña (E) 59 F4
Valaská Belá (SK) 132 C2
Valašské Meziříčí (CZ) 93 G3
Valax (FIN) 193 E4
Valberg (F) 55 G1
Vålberg (S) 195 G1
Valbiska (HR) 134 B5
Valbo (S) 190 B4
Valbondione (I) 101 F3
Valbonë (AL) 142 C4
Valbonnais (F) 51 E4
Vălča Poljana (BG) 159 H3
Vâlcani (RO) 146 A5
Vălčedrăm (BG) 151 E5
Vălčidol (BG) 157 F2
Vălčin (BG) 159 H1
Valdagno (I) 101 H4
Valdahon (F) 47 F4
Valdaj (RUS) 7 E1
Valdecaballeros (E) 69 H1

A B C D E F G H I J K L M N O P Q R S T U V W X Y Z

Valdecabras (E) 65 E3
Valdecarros (E) 63 H2
Valdedíos (E) 57 G1
Valdefuentes (E) 69 G1
Valdeganga (E) 65 F5
Valdelacasa de Tajo (E) 63 H5
Valdelinares (E) 65 H2
Valdemārpils (LV) 202 B2
Valdemarsvik (S) 197 F3
Valdemeca (E) 65 F3
Valdemorillo (E) 64 B2
Valdemoro (E) 64 B3
Valdenoceda (E) 58 C2
Valdepeñas (E) 71 E2
Valdepeñas de Jaén (E) 70 D5
Valderas (E) 57 H4
Valderiès (F) 53 G2
Valderrobres (E) 60 A5
Valdestillas (E) 58 A5
Valdeverdeja (E) 63 H5
Valdevimbre (E) 57 G4
Valdezcaray (E) 58 D3
Valdieri (I) 104 B3
Valdobbiadene (I) 103 E3
Vale de Açor (P) 68 D4
Vale de Cambra (P) 62 B2
Vale de Estrela (P) 62 D3
Vale de Prazeres (P) 62 D4
Valea Argovei (RO) 152 C4
Valea Ierii (RO) 147 E4
Valea Lui Mihai (RO) 146 D2
Valea Mare Pravăț (RO) 151 H2
Valea Mărului (RO) 153 E1
Valea Nucarilor (RO) 153 G2
Valea Sării (RO) 152 C1
Valea Stanciului (RO) 151 F5
Valea Ursului (RO) 148 D4
Valeggio sul Mincio (I) 101 H4
Valença do Minho (P) 56 B4
Valençay (F) 44 D5
Valence (F) 50 D4
Valence-d'Agen (F) 53 E1
Valence-d'Albigeois (F) 53 H2
Valence-sur-Baïse (F) 52 D2
Valencia (E) 65 H4
Valencia de Alcántara (E) 62 D5
Valencia de Don Juan (E) 57 G4
Valencia de las Torres (E) 69 G3
Valencia del Ventoso (E) 69 F3
Valenciennes (F) 40 A2
Văleni (RO) 151 H4
Vălenii de Munte (RO) 152 B2
Valensole (F) 55 E2
Valentano (I) 108 C1
Valentigney (F) 47 G4
Valenza (I) 100 D5
Våler (N) 189 F4
Valeria (E) 65 E4
Valfabbrica (I) 107 F4
Valga (EST) 201 F5
Valgorge (F) 50 C5
Valgrisenche (I) 100 B3
Valguarnera (I) 115 E4
Valhelhas (P) 62 D3
Valimítika (GR) 165 E4
Valjevo / Ваљево (SRB) 140 C5
Valjok (N) 177 F3
Valjunquera (E) 60 A5
Valka (LV) 203 F1
Valkeakoski (FIN) 191 G3
Valkeala (FIN) 193 F3
Valkenburg (NL) 79 E2
Valkenswaard (NL) 79 E1
Valkininkai (LT) 205 F5
Valkla (EST) 201 E1
Valko (FIN) 193 E4
Vall d'Alba (E) 66 A2
Vall de Uxó /
La Vall d'Uixó (E) 65 H4
Valladolid (E) 58 A5
Vallata (I) 110 C3
Vallbo (S) 183 F5
Valldal (N) 188 D1
Valldemossa (E) 67 E2
Valle (N) 194 C1
Valle Castellana (I) 107 G5
Valle de Abdalajís (E) 74 D3
Valle de Cabuérniga (E) 58 A1
Valle de la Serena (E) 69 G2
Valle de Matamoros (E) 69 E3
Valle Mosso (I) 100 D4
Valleberga (S) 199 F4
Vallehermoso (E) 67 E5
Vallejera de Riofrío (E) 63 G3
Vallentuna (S) 197 G1
Valleraugue (F) 54 B1
Vallet (F) 43 F5
Valletta (M) 114 C5
Vallgrund (FIN) 185 E5
Vallo della Lucania (I) 110 C5
Valloire (F) 51 F4
Vallombrosa (I) 106 D3
Vallon-en-Sully (F) 49 H1
Vallon-Pont-d'Arc (F) 54 C1
Vallorbe (CH) 98 B3
Vallorcine (F) 51 G2
Vallouise (F) 51 F4
Valls (E) 60 C4
Vallsta (S) 190 B3
Vallter 2000 (E) 60 D1
Valma (EST) 201 F3
Valmiera (LV) 203 E2
Valmojado (E) 64 B3
Valmont (F) 39 E4
Valmontone (I) 109 E3
Valmorel (F) 51 F3
Valognes (F) 38 B4
Valongo (P) 62 B1
Valoria la Buena (E) 58 A4
Valøya (N) 182 D3
Valožyn (BY) 6 D4
Valpaços (P) 56 D5
Valpalmas (E) 59 G4
Valpovo (HR) 137 G1
Valprato Soana (I) 100 C4
Valras-Plage (F) 54 A3
Valréas (F) 54 D1
Vals-les-Bains (F) 50 C5
Valsamáta (GR) 164 B4
Valsavarenche (I) 100 B4
Valset (N) 182 C4
Valsjöbyn (S) 183 F4
Valtierra (E) 59 F3
Valtimo (FIN) 187 F4
Valtotópi (GR) 161 H3
Valtournenche (I) 100 C3
Valu lui Traian (RO) 153 F4
Valun (HR) 134 B5
Valvasone (I) 103 G3
Valverde (E) 59 F4
Valverde (E) 67 E5
Valverde de Júcar (E) 65 E4
Valverde de Leganés (E) 69 E2
Valverde del Camino (E) 69 F4
Valverde del Fresno (E) 63 E3
Valýra (GR) 168 C3
Vâmb (S) 195 H2
Vamberk (CZ) 92 D2
Våmhus (S) 189 H3
Vammala (FIN) 191 F3
Vámosmikola (H) 129 E1
Vámosoroszi (H) 127 G5
Vámospércs (H) 131 F2
Vámosszabadi (H) 128 D1
Vampula (FIN) 191 F4
Vamvakoú
(Pelopónnisos) (GR) 168 D3
Vamvakoú
(Thessalía) (GR) 165 F1
Vanassaare (EST) 201 F3
Vânători (RO) 147 H5
Vânători-Neamț (RO) 148 B3
Vannavalen (N) 176 B3
Vanda / Vantaa (FIN) 191 H4
Vandellós (E) 60 B5
Vändra (EST) 201 E3
Vandžiogala (LT) 205 E3
Väne (LV) 202 B3
Vänersborg (S) 195 F2
Vangaži (LV) 202 D3
Vangsnes (N) 188 C3
Vangsvik (N) 176 A4
Vânju Mare (RO) 150 D4
Vännäs (S) 184 D4
Vannavålen (N) 176 B3
Vannes (F) 42 D3
Vansbro (S) 189 H4
Vantaa / Vanda (FIN) 191 H4
Vanttauskoski (FIN) 181 E5
Vaour (F) 53 G1
Vara (S) 195 G3
Varades (F) 43 G4
Varakļāni (LV) 203 G3
Varallo (I) 100 D3
Varangerbotn (N) 177 G2
Varano de Melegari (I) 105 F2
Varaždin (HR) 135 E2
Varaždinske Toplice (HR) 135 E2
Varazze (I) 104 D3
Varberg (S) 195 F4
Vărbica (Haskovo) (BG) 159 E3
Vărbica
(Veliko Tărnovo) (BG) 156 C3
Vărbilău (RO) 152 B2
Vărbjane (BG) 157 E2
Vărbovka (BG) 156 B3
Vărbovo (BG) 163 E1
Vârciorog (RO) 146 D3
Várda (GR) 164 D4
Varda (SRB) 139 G1
Varde (DK) 198 B3
Vardim (BG) 156 B2
Vårdö (FIN) 191 E5
Vardø (N) 177 H2
Várdomb (H) 129 E4
Vardun (BG) 159 G1
Varel (D) 81 F4
Varellaíoi (GR) 166 B4
Varėna (LT) 205 F5
Varengeville-sur-Mer (F) 39 F3
Varenna (I) 101 E3
Varennes-
en-Argonne (F) 40 D5
Varennes-sur-Allier (F) 50 A1
Varennes-
sur-Amance (F) 47 E3
Vareš (BIH) 137 G5
Varese (I) 101 E3
Varese Ligure (I) 105 F3
Vârfu Câmpului (RO) 148 B1
Vârfurile (RO) 146 D5
Vårgårda (S) 195 G3
Vargas (E) 58 B1
Varhaug (N) 194 A1
Variaș (RO) 146 B5
Variku (EST) 200 C2
Varilhes (F) 53 F4
Váris (GR) 161 E4
Varkaus (FIN) 193 F1
Várkiza (GR) 165 H5
Vārlezi (RO) 153 E1
Varmahlíð (IS) 178 B2
Varmo (I) 103 G3
Varna (SRB) 140 B4
Varna / Варна (BG) 157 F3
Värnamo (S) 195 H4
Varnhem (S) 195 G2
Varniai (LT) 204 D2
Varnsdorf (CZ) 87 F4
Värö (S) 195 F4
Varoš Selo (SRB) 143 E4
Városlőd (H) 128 D2
Varpaisjärvi (FIN) 187 F5
Várpalota (H) 128 D2
Vars (F) 51 G5
Vârșag (RO) 147 H4
Vârșec (BG) 154 D3
Vârșolț (RO) 147 E3
Vartholomió (GR) 164 D4
Vartius (FIN) 187 G3
Vârtoapele de Sus (RO) 151 H4
Vârtop (RO) 151 E4
Värtsilä (FIN) 193 H1
Varvara (BG) 158 C3
Varvarin (SRB) 143 E1
Várvölgy (H) 128 C3
Varympómpi (GR) 165 H4
Varzi (I) 101 E5
Varzy (F) 45 G4
Vasa (CY) 174 C4
Vasa / Vaasa (FIN) 185 E5
Vasaraperä (FIN) 187 F1
Vasarás (GR) 168 D3
Vásárosnamény (H) 127 F5
Vașcău (RO) 146 D4
Vasil Levski (BG) 159 F3
Vasil Levski (BG) 159 E2
Vasileia (CY) 174 D2
Vasilevo (BG) 157 G2
Vasiliká (Kentrikí
Makedonía) (GR) 161 G4
Vasiliká
(Stereá Elláda) (GR) 165 G2
Vasiliká
(Vóreio Aigaío) (GR) 167 F2
Vasilikí (GR) 164 C3
Vasilikó (GR) 165 H3
Vasilikós (GR) 164 C5
Vasilís (GR) 165 F1
Vasilópoulo (GR) 164 C3
Vaškai (LT) 205 F1
Vaski (LV) 202 C3
Vaskio (FIN) 191 G4
Vaskivesi (FIN) 191 G2
Vasknarva (EST) 201 G2
Vaslui (RO) 149 E4
Vassieux-en-Vercors (F) 51 E4
Vassy (F) 38 C5
Västanfjärd (FIN) 191 F5
Västenbäck (S) 190 B1
Väster Haninge (S) 197 G1
Västerås (S) 197 F1
Västervik (S) 197 F3
Vasto (I) 109 H2
Vasvár (H) 128 B3
Vasyl'kiv (UA) 13 F1
Vát (H) 128 B2
Vața de Jos (RO) 146 D5
Vatan (F) 45 E5
Vaterá (GR) 167 F2
Vátheia (GR) 168 D4
Vathý
(Iónia Nisiá) (GR) 164 C3
Vathý
(Nótio Aigaío) (GR) 171 E2
Vathý
(Stereá Elláda) (GR) 165 H3
Vathýlakkos (GR) 161 E4
Vathýs (GR) 171 F2
Vatili (CY) 175 E3
Vatin (SRB) 141 E3
Vatne (N) 188 C1
Vatra Dornei (RO) 147 H2
Vatra Moldoviței (RO) 148 A2
Vatry (F) 45 H1
Vattholma (S) 190 C5
Vau i Dejës (AL) 142 C5
Vaucouleurs (F) 47 E1
Vaŭkavysk (BY) 6 C5
Vauvert (F) 54 C2
Vauvillers (F) 47 E3
Vávdos (GR) 161 G4
Växjö (S) 195 H5
Våxtorp (S) 195 G5
Vayrac (F) 49 G4
V'az'ma (RUS) 7 F3
Veberöd (S) 199 F3
Vecbebri (LV) 203 E3
Vechta (D) 85 E1
Vecinos (E) 63 G2
Veckelax /
Vehkalahti (FIN) 193 F4
Vecpiebalga (LV) 203 F3
Vecsés (H) 129 F2
Vecumnieki (LV) 202 D4
Vedea (RO) 151 G3
Vedelago (I) 103 E4
Veendam (NL) 77 G3
Veenendaal (NL) 77 E5
Veere (NL) 78 B1
Vega de Espinareda (E) 57 F3
Vega de Valcarce (E) 57 E3
Vegadeo (E) 57 E1
Vegarienza (E) 57 G3
Vegårshei (N) 194 D2
Vegas del Condado (E) 57 H3
Veghel (NL) 79 E1
Veguellina de Órbigo (E) 57 G4
Vehkalahti /
Veckelax (FIN) 193 F4
Vehmaa (FIN) 191 F4
Vehmersalmi (FIN) 193 F1
Veidnesklubben (N) 177 F2
Veikkola (FIN) 191 H5
Veinge (S) 195 G5
Veiros (P) 68 D1
Veivirženai (LT) 204 C2
Vejen (DK) 198 B3
Vejer de la Frontera (E) 74 B4
Vejle (DK) 198 C3
Vekilski (BG) 157 E2
Vela Luka (HR) 138 B3
Velada (E) 63 H4
Velagići (BIH) 136 D4
Velayos (E) 64 A2
Velbert (D) 84 C4
Velburg (D) 91 F4
Velde (N) 183 E4
Velden (Landshut) (D) 95 H1
Velden
(Nürnberger Land) (D) 91 E4
Velden
am Wörther See (A) 96 D5
Veldhoven (NL) 79 E1
Velēna (LV) 203 F2
Velence (H) 129 E2
Velenje (SLO) 134 C2
Veles (MK) 145 F1
Velešta (MK) 144 D2
Velestíno (GR) 165 F1
Vélez Blanco (E) 71 G4
Vélez de Benaudalla (E) 75 F3
Vélez-Málaga (E) 75 E3
Vélez Rubio (E) 71 G4
Veli Iz (HR) 136 B5
Veli Lošinj (HR) 136 A4
Veličani (BIH) 139 E3
Veliés (GR) 169 E4
Velika (HR) 135 G4
Velika Drenova (SRB) 143 E2
Velika Gorica (HR) 135 E3
Velika Jablanica (SRB) 139 H4
Velika Jamnička (HR) 135 E3
Velika Kladuša (BIH) 134 D4
Velika Kopanica (HR) 135 H4
Velika Kruša (SRB) 142 D5
Velika Mučna (HR) 135 F2
Velika Plana
(Kragujevac) (SRB) 141 E5
Velika Plana (Niš) (SRB) 143 E2
Velike Lašče (SLO) 134 C3
Veliki Bastaji (HR) 135 G3
Veliki Gaj (SRB) 141 E3
Veliki Grđevac (HR) 135 F3
Veliki Izvor (SRB) 143 G1
Veliki Novgorod (RUS) 6 D1
Veliki Popović (SRB) 141 E5
Veliki Preslav (BG) 156 D3
Veliki Prolog (HR) 138 D3
Veliki Radinci (SRB) 140 C3
Veliki Raven (HR) 135 F3
Veliki Trnovac (SRB) 143 F4
Veliki Zdenci (HR) 135 F3
Velikije Luki (RUS) 7 E3
Veliko Gradište (SRB) 141 E4
Veliko Orašje (SRB) 141 E5
Veliko Tărnovo / Велико
Търново (BG) 159 F1
Velilla del Río Carrión (E) 58 A2
Velimlje (MNE) 139 F3
Vélines (F) 48 D5
Velingrad /
Велинград (BG) 158 C3
Veliž (RUS) 7 E3
Veljun (HR) 134 D4
Velká Bíteš (CZ) 92 D4
Velká Bystřice (CZ) 93 F3
Velká nad Veličkou (CZ) 93 F5
Veľké Kapušany (SK) 133 H3
Velké Meziříčí (CZ) 92 D4
Veľké Ripňany (SK) 132 B3
Veľké Úľany (SK) 132 A4
Velkua (FIN) 191 F4
Veľký Krtíš (SK) 132 D4
Veľký Meder (SK) 132 B5
Vellahn (D) 82 C4
Velletri (I) 109 E3
Vellinge (S) 199 E3
Vélos (GR) 166 B3
Velpke (D) 85 H1
Velten (D) 86 C1
Velventós (GR) 161 E4
Velyka Lepetycha (UA) 13 H2
Vemdalen (S) 189 H1
Vemdalsskalet (S) 189 H1
Véménd (H) 129 E5
Vemhån (S) 189 H2
Venaco (F) 55 H4
Venafro (I) 109 G4
Venarey-les-Laumes (F) 45 H4
Venaria Reale (I) 100 C5
Venčan (BG) 157 E3
Vence (F) 55 G2
Venda Nova (P) 56 C5
Vendas Novas (P) 68 C2
Vendel (S) 190 C5
Vendeuvre (F) 45 H2
Vendôme (F) 44 C3
Venec (Burgas) (BG) 159 H2
Venec (Šumen) (BG) 157 E2
Veneheitto (FIN) 185 H3
Venezia (I) 103 F4
Vengjaneset (N) 188 B4
Venialbo (E) 63 G1
Venjan (S) 189 H4
Venlo (NL) 79 F1
Vénna (GR) 162 D3
Vennesla (N) 194 C2
Vennesund (N) 183 E2
Venosa (I) 110 D3
Venray (NL) 79 F1
Venta (LT) 204 D1
Venta Nueva (E) 57 F2
Ventas de Huelma (E) 75 F2
Ventimiglia (I) 104 B4
Ventnor (GB) 38 C1
Ventspils (LV) 202 A2
Venturina (I) 106 C4
Vera (E) 71 H5
Vera (N) 183 E4
Verbania-Pallanza (I) 100 D3
Verberie (F) 39 H4
Verbicaro (I) 113 B1
Verbier (CH) 98 C5
Verčane (SRB) 140 D5
Vercel-Villedieu (F) 47 F4
Vercelli (I) 100 D4
Verchnjadzvinsk (BY) 6 D3
Verchn'odniprovs'k (UA) 13 H1
Verdalsøra (N) 183 E4
Verden (D) 81 G5
Verdikoússa (GR) 161 E5
Verdun (F) 40 D5
Verdun-sur-Garonne (F) 53 F2
Verdun-sur-le-Doubs (F) 46 D5
Verenci (BG) 159 G1
Verești (RO) 148 C2
Verfeil (F) 53 F2
Vergato (I) 105 H3
Vergína (GR) 161 F4
Vergt (F) 49 E4
Verín (E) 56 D5
Verl (D) 85 E2
Vermand (F) 40 A3
Vermenton (F) 45 G3
Vermosh (AL) 142 C4
Vernazza (I) 105 F3
Vernești (RO) 152 C2
Vernet-les-Bains (F) 53 H5
Vermosh (AL) 142 C4
Vernon (F) 39 G5
Vernoux-en-Vivarais (F) 50 D5
Verny (F) 41 E5
Véroia / Βέροια (GR) 161 F4
Veroli (I) 109 F3
Verona (I) 101 H4

Verran (N) 182 D4
Verrès (I) 100 C3
Versailles (F) 45 E1
Versmold (D) 85 E2
Verteillac (F) 49 E4
Vértesboglár (H) 129 E2
Vertus (F) 40 B5
Verucchio (I) 107 F2
Verviers (B) 79 E3
Vervins (F) 40 B3
Verzuolo (I) 104 B2
Verzy (F) 40 B5
Vesanto (FIN) 187 E5
Vescovato (F) 55 H3
Vése (H) 128 C4
Veselec (BG) 152 C5
Veselí nad Lužnicí (CZ) 92 B4
Veselí nad Moravou (CZ) 93 F5
Veselie (BG) 157 F5
Veselinovo (BG) 159 G2
Vesilahti (FIN) 191 G3
Vesivehmaa (FIN) 191 H3
Veskoniemi (FIN) 177 G5
Vesoul (F) 47 F3
Véssa (GR) 167 E4
Vestby (N) 189 E5
Vestbygda (N) 194 B2
Vesterø Havn (DK) 195 E4
Vestertana (N) 177 F2
Vestmanna (Færøerne) (DK) 194 A4
Vestnes (N) 188 C1
Vestone (I) 101 G4
Vestre Jakobselv (N) 177 G2
Veszprém (H) 128 D3
Veszprémvarsány (H) 128 D2
Vésztő (H) 131 E3
Veteli (FIN) 185 G5
Vetlanda (S) 196 D4
Vetovo (BG) 152 B5
Vetralla (I) 108 D2
Vetren (Burgas) (BG) 157 E4
Vetren (Pazardžik) (BG) 158 C2
Vetren (Stara Zagora) (BG) 159 F2
Vetrino (BG) 157 E2
Vetriolo Terme (I) 101 H3
Vetschau (D) 87 E3
Veules-les-Roses (F) 39 F3
Veulettes-sur-Mer (F) 39 E3
Veurne (B) 78 A1
Vevey (CH) 98 B4
Vévi (GR) 161 E3
Veynes (F) 51 E5
Veyre (F) 50 A3
Veyrier (F) 51 F2
Vezdemarbán (E) 57 H5
Vézelay (F) 45 G4
Vézelise (F) 47 E2
Vézénobres (F) 54 B1
Vézins-de-Lévézou (F) 53 H1
Vezzani (F) 55 H4
Vezzano (I) 101 H3
Viadana (I) 101 G5
Viana (E) 59 E3
Viana do Alentejo (P) 68 C3
Viana do Bolo (E) 57 E4
Viana do Castelo (P) 56 B5
Vianden (L) 79 F4
Vianen (NL) 76 D5
Viareggio (I) 105 G4
Vias (F) 54 A3
Vibo Valentia (I) 115 H1
Viborg (DK) 194 D5
Vibraye (F) 44 C3
Vic (E) 60 D3
Vič (SLO) 134 C1
Vic-en-Bigorre (F) 52 D3
Vic-Fezensac (F) 52 D2
Vic-le-Comte (F) 50 A3
Vic-sur-Aisne (F) 40 A4
Vic-sur-Cère (F) 49 H4
Vicdessos (F) 53 F4
Vicebsk (BY) 7 E3
Vicenza (I) 103 E4
Vichy (F) 50 B2
Vico (F) 55 G4
Vico del Gargano (I) 110 D1
Vico Equense (I) 109 H5
Vicovu de Jos (RO) 148 A1
Vicovu de Sus (RO) 148 A1
Victoria / Rabat (M) 114 B4
Victoria (RO) 151 G1
Vidago (P) 56 D5
Vidareidi (Færøerne) (DK) 194 B4
Vidauban (F) 55 F3
Viddal (N) 188 C1
Videbæk (DK) 194 C5
Videle (RO) 152 A4
Videm (SLO) 134 C3
Vidiáki (GR) 165 E5
Vidigueira (P) 68 D3
Vidin / Видин (BG) 150 D5
Vidnava (CZ) 93 E2
Vidra (RO) 147 E4
Vidreres (E) 61 E3
Vidrovan (MNE) 139 F3
Vidsel (S) 184 D1
Viduklė (LT) 204 D3
Viechtach (D) 91 G5
Viechtwang (A) 96 D2
Vieira de Leiria (P) 62 A4
Vieira do Minho (P) 56 C5
Viekšniai (LT) 204 D1
Vielha (E) 60 B1
Vielle-Aure (F) 52 D4
Vielmur-sur-Agout (F) 53 G2
Vielsalm (B) 79 E4
Vienenburg (D) 85 H2
Vienne (F) 50 D3
Vieremä (FIN) 187 E4
Viernheim (D) 89 E3
Vierraden (D) 83 G5
Viersen (D) 84 B4
Vierumäki (FIN) 193 E3
Vierzon (F) 45 E4
Viešintos (LT) 205 F2
Viesīte (LV) 203 F4
Vieste (I) 110 D1
Viešvilė (LT) 204 D3
Vietas (S) 179 H4
Vietri di Potenza (I) 110 C4
Vietri sul Mare (I) 109 H5
Vieux-Boucau-les-Bains (F) 52 A2
Vievis (LT) 205 F4
Vif (F) 51 E4
Vig (DK) 198 D3
Vigeland (N) 194 C2
Vigeois (F) 49 G4
Vigevano (I) 101 E4
Viggiano (I) 110 D5
Vignanello (I) 108 D2
Vigneulles (F) 41 E5
Vignola (I) 105 H3
Vignole Borbera (I) 105 E2
Vignory (F) 46 D2
Vigo (E) 56 B4
Vigo di Fassa (I) 103 E2
Vigone (I) 100 B5
Vigonza (I) 103 E4
Vihanti (FIN) 185 G3
Vihiers (F) 43 H5
Vihtavuori (FIN) 191 H1
Vihteljärvi (FIN) 191 F2
Vihti (FIN) 191 H4
Viiala (FIN) 191 G3
Viiksimo (FIN) 187 G3
Viimsi (EST) 200 D1
Viinijärvi (FIN) 193 G1
Viiratsi (EST) 201 E3
Viitasaari (FIN) 185 H5
Vijciems (LV) 203 F2
Vik (IS) 178 B3
Vik (N) 194 D2
Vik (N) 183 E2
Vik (N) 188 C3
Vika (S) 190 A4
Vikajärvi (FIN) 181 E5
Vikedal (N) 188 B5
Vikersund (N) 189 E5
Vikeså (N) 194 B1
Vikevåg (N) 194 B1
Vikingstad (S) 197 E2
Vikoč (BIH) 139 F2
Viksdalen (N) 188 B2
Viksjö (S) 190 B1
Viksta (S) 190 C5
Vila Baleira (P) 68 A4
Vila Boim (P) 69 E2
Vila de Cruces (E) 56 C3
Vila de Rei (P) 62 C5
Vila do Bispo (P) 68 B5
Vila do Conde (P) 62 B1
Vila Fernando (P) 69 E1
Vila Flor (P) 63 E1
Vila Franca das Naves (P) 62 D2
Vila Franca de Xira (P) 68 B1
Vila Fresca de Azeitão (P) 68 B2
Vila Nova da Barquinha (P) 62 B5
Vila Nova de Cerveira (P) 56 B5
Vila Nova de Famalicão (P) 62 B1
Vila Nova de Foz Côa (P) 63 E2
Vila Nova de Gaia (P) 62 B1
Vila Nova de Milfontes (P) 68 B4
Vila Nova de Paiva (P) 62 D2
Vila Nova de Poiares (P) 62 C3
Vila Nova de Santo André (P) 68 B3
Vila Nova de São Bento (P) 68 D4
Vila Pouca de Aguiar (P) 62 D1
Vila Praia de Ancora (P) 56 B5
Vila Real (P) 62 D1
Vila-real / Villarreal (E) 66 A2
Vila Real de Sto António (P) 68 D5
Vila-rodona (E) 60 C4
Vila-seca (E) 60 C4
Vila Velha de Ródão (P) 62 D5
Vila Verde (P) 56 B5
Vila Verde da Raia (P) 56 D5
Vila Verde de Ficalho (P) 69 E4
Vila Viçosa (P) 68 D2
Vilada (E) 60 D2
Viladamat (E) 61 F2
Viladrau (E) 61 E3
Vilafamés (E) 66 A2
Vilafranca (E) 65 H2
Vilafranca del Penedès (E) 60 D4
Vilagarcía de Arousa (E) 56 B3
Viļaka (LV) 203 H2
Vilalba (E) 56 D2
Vilaller (E) 60 B2
Vilamarxant (E) 65 H4
Viļāni (LV) 203 G4
Vilanova (E) 57 E1
Vilanova d'Alcolea (E) 66 A2
Vilanova de Arousa (E) 56 B3
Vilanova de Sau (E) 61 E2
Vilanova i la Geltrú (E) 60 D4
Vilar de Barrio (E) 56 D4
Vilar Formoso (P) 63 E3
Vilches (E) 71 E3
Vilejka (BY) 6 D4
Vilhelmina (S) 183 H3
Vília (GR) 165 G4
Vilina Vlas (BIH) 137 H5
Viljakkala (FIN) 191 G2
Viljandi (EST) 201 E3
Vilkakrūgs (LV) 203 H4
Vilkaviškis (LT) 204 D4
Vilkija (LT) 205 E3
Vilkyškiai (LT) 204 C3
Villa Bartolomea (I) 102 D5
Villa del Prado (E) 64 A3
Villa del Río (E) 70 C4
Villa Literno (I) 109 G5
Villa Minozzo (I) 105 G3
Villa Potenza (I) 107 G4
Villa San Giovanni (I) 115 G2
Villa Santa Maria (I) 109 G3
Villa Santina (I) 103 G2
Villa Vomano (I) 107 H5
Villablanca (E) 68 D5
Villablino (E) 57 F3
Villabona (E) 59 E1
Villabrágima (E) 57 H5
Villabuena del Puente (E) 63 H1
Villacañas (E) 64 C4
Villacarriedo (E) 58 B1
Villacarrillo (E) 71 E3
Villacastín (E) 64 A2
Villach (A) 96 D5
Villacidro (I) 112 B4
Villada (E) 57 H4
Villadiego (E) 58 B3
Villadossola (I) 100 D3
Villaescusa de Haro (E) 64 D4
Villafáfila (E) 57 G5
Villaflores (E) 63 H2
Villafranca (E) 59 F3
Villafranca de los Barros (E) 69 F2
Villafranca de los Caballeros (E) 64 C5
Villafranca del Bierzo (E) 57 E3
Villafranca di Verona (I) 101 H4
Villafranca in Lunigiana (I) 105 F3
Villafranca Montes de Oca (E) 58 C3
Villafranca Piemonte (I) 100 B5
Villafranca Tirrena (I) 115 G2
Villafranco del Guadalquivir (E) 69 G5
Villafrati (I) 114 D3
Villafrechós (E) 57 H5
Villafruela (E) 58 B4
Villafuerte (E) 58 A5
Villagarcía del Llano (E) 65 F5
Villager de Laciana (E) 57 F2
Villaggio Mancuso (I) 113 C3
Villaharta (E) 70 B3
Villahermosa (E) 71 F2
Villahoz (E) 58 B4
Villaines-la-Juhel (F) 43 H2
Villala (FIN) 193 G1
Villalba de Guardo (E) 58 A2
Villalba de la Sierra (E) 65 E3
Villalba de los Barros (E) 69 F2
Villalba del Rey (E) 64 D3
Villalcázar de Sirga (E) 58 A3
Villalengua (E) 59 F5
Villalgordo del Marquesado (E) 65 E4
Villalón de Campos (E) 57 H4
Villalonga (E) 66 A5
Villalpando (E) 57 H5
Villalpardo (E) 65 F5
Villamañán (E) 57 G4
Villamanrique (E) 71 F2
Villamanrique de la Condesa (E) 69 F5
Villamartín (E) 74 B3
Villamartín de Campos (E) 58 A4
Villamartín de Don Sancho (E) 57 H3
Villamassargia (I) 112 B5
Villamayor de Campos (E) 57 H5
Villamayor de Gállego (E) 59 G5
Villamayor de Santiago (E) 64 D4
Villandraut (F) 52 C1
Villandry (F) 44 C4
Villanova Monteleone (I) 112 B2
Villanubla (E) 58 A5
Villanueva de Alcardete (E) 64 D4
Villanueva de Alcorón (E) 65 E2
Villanueva de Algaidas (E) 70 C5
Villanueva de Argaño (E) 58 B3
Villanueva de Bogas (E) 64 C4
Villanueva de Cameros (E) 58 D4
Villanueva de Córdoba (E) 70 C3
Villanueva de Franco (E) 71 E2
Villanueva de Gállego (E) 59 G4
Villanueva de Huerva (E) 59 G5
Villanueva de la Concepción (E) 75 E3
Villanueva de la Fuente (E) 71 F2
Villanueva de la Jara (E) 65 F5
Villanueva de la Reina (E) 70 D4
Villanueva de la Serena (E) 69 G1
Villanueva de la Sierra (E) 63 F4
Villanueva de la Vera (E) 63 G4
Villanueva de las Torres (E) 71 E5
Villanueva de los Castillejos (E) 69 E5
Villanueva de los Infantes (E) 71 E2
Villanueva de San Carlos (E) 70 D2
Villanueva del Arzobispo (E) 71 E3
Villanueva del Campo (E) 57 H5
Villanueva del Duque (E) 70 B3
Villanueva del Fresno (E) 69 E3
Villanueva del Rey (E) 69 H3
Villanueva del Río y Minas (E) 69 G4
Villanueva del Trabuco (E) 75 E3
Villány (H) 129 E5
Villaquejida (E) 57 G4
Villaquilambre (E) 57 G3
Villar de Cañas (E) 64 D4
Villar de Domingo García (E) 65 E3
Villar de Peralonso (E) 63 F2
Villar del Arzobispo (E) 65 G4
Villar del Rey (E) 69 E1
Villarcayo (E) 58 C2
Villard-de-Lans (F) 51 E4
Villardeciervos (E) 57 F5
Villardefrades (E) 57 H5
Villarejo de Fuentes (E) 64 D4
Villarejo de Salvanés (E) 64 C3
Villarente (E) 57 H3
Villares de la Reina (E) 63 G2
Villares del Saz (E) 65 E4
Villargordo del Cabriel (E) 65 F4
Villaricos (E) 71 H5
Villarino de los Aires (E) 63 F1
Villarmayor (E) 63 G2
Villarquemado (E) 65 G2
Villarramiel (E) 57 H5
Villarreal / Vila-real (E) 66 A2
Villarrín de Campos (E) 57 G5
Villarrobledo (E) 64 D5
Villarroya (E) 59 E4
Villarroya de la Sierra (E) 59 F5
Villarroya de los Pinares (E) 65 H2
Villarrubia de los Ojos (E) 64 C5
Villarrubia de Santiago (E) 64 C3
Villarrubio (E) 64 D4
Villars-les-Dombes (F) 50 D2
Villars-sur-Ollon (CH) 98 C4
Villarta de San Juan (E) 64 C5
Villasalto (I) 112 C4
Villasana de Mena (E) 58 C2
Villasandino (E) 58 B3
Villasante (E) 58 C2
Villasarracino (E) 58 A3
Villaseco de los Reyes (E) 63 F1
Villasequilla (E) 64 B4
Villasimius (I) 112 C5
Villasor (I) 112 B5
Villatobas (E) 64 C4
Villatoya (E) 65 G5
Villaverde del Río (E) 69 G4
Villaviciosa (E) 57 H1
Villaviciosa de Córdoba (E) 70 B3
Villaviciosa de Odón (E) 64 B3
Villavieja de Yeltes (E) 63 F2
Villé (F) 47 G2
Ville-en-Tardenois (F) 40 B5
Ville-sur-Tourbe (F) 40 C5
Villebois-Lavalette (F) 49 E3
Villedieu-les-Poêles-Rouffigny (F) 38 C5
Villefagnan (F) 48 D2
Villefort (F) 54 B1
Villefranche-d'Albigeois (F) 53 G2
Villefranche-de-Lauragais (F) 53 F3
Villefranche-de-Lonchat (F) 48 D4
Villefranche-de-Rouergue (F) 53 G1
Villefranche-du-Périgord (F) 49 F5
Villefranche-sur-Cher (F) 44 D4
Villefranche-sur-Mer (F) 55 H2
Villefranche-sur-Saône (F) 50 D2
Villel (E) 65 G3
Villemur-sur-Tarn (F) 53 F2
Villena (E) 73 E1
Villenauxe-la-Grande (F) 45 G1
Villeneuve (F) 53 G1
Villeneuve (F) 54 C2
Villeneuve d'Ascq (F) 40 A2
Villeneuve-de-Berg (F) 50 C5
Villeneuve-de-Marsan (F) 52 C2
Villeneuve-l'Archevêque (F) 45 G2
Villeneuve-sur-Lot (F) 53 E1
Villeneuve-sur-Yonne (F) 45 G3
Villeréal (F) 49 E5
Villers-Bocage (F) 39 H3
Villers-Bocage (F) 38 C5
Villers-Bretonneux (F) 39 H3
Villers-Cotterêts (F) 40 A5
Villers-devant-Orval (B) 78 D5
Villers-Farlay (F) 47 E5
Villers-la-Ville (B) 78 C3
Villers-le-Lac (F) 47 F5
Villers-sur-Mer (F) 38 D4
Villersexel (F) 47 F4
Villerupt (F) 41 E4
Villerville (F) 39 E4
Villetta Barrea (I) 109 G3
Villiers-Saint-Georges (F) 45 G1
Villingen (D) 94 B2
Villnöß / Funes (I) 103 E2
Villoldo (E) 58 A3
Villoria (E) 63 H2
Villotta (I) 103 F3
Vilnius (LT) 205 G4
Vil'nohirs'k (UA) 13 H1
Vilppula (FIN) 191 G2
Vilsbiburg (D) 95 H1
Vilshofen an der Donau (D) 96 C1
Vilusi (MNE) 139 F4
Vilvoorde (B) 78 C2
Vimercate (I) 101 E4
Vimianzo (E) 56 B2
Vimieiro (P) 68 D2
Vimioso (P) 57 F5
Vimmerby (S) 197 E4
Vimoutiers (F) 39 E5
Vimpeli (FIN) 185 G5
Vimperk (CZ) 92 A5
Vinac (BIH) 137 E4
Vinadio (I) 104 B3
Vinaixa (E) 60 B4
Vinaròs (E) 66 B1
Vinay (F) 51 E4
Vinça (F) 53 H5
Vinča (SRB) 140 D4
Vinchiaturo (I) 109 H4
Vinci (I) 105 H4

Vindeln (S) 184 D4
Vinderup (DK) 194 C5
Vindsvik (N) 188 B5
Vinga (RO) 146 B5
Vingåker (S) 197 E2
Vingelen (N) 189 F1
Vingrom (N) 189 E3
Vinhais (P) 57 E5
Vinica (MK) 143 G5
Vinica (SLO) 134 D4
Viničani (MK) 145 F1
Vinište (BG) 154 C2
Vinjesvingen (N) 188 C5
Vinkovci (HR) 137 H2
Vinni (EST) 201 F2
Vinnycja (UA) 13 E2
Vinsternes (N) 182 B5
Vinstra (N) 189 E2
Vintileasca (RO) 152 C1
Viñuelas (E) 64 C2
Vinuesa (E) 58 D4
Vipava (SLO) 134 B3
Vipiteno / Sterzing (I) 102 D1
Vir (BIH) 138 C2
Vir (HR) 136 B4
Vira (HR) 138 B3
Vire (F) 38 C5
Vireši (LV) 203 F2
Vireux-Wallerand (F) 40 C3
Virgen (A) 95 H4
Virginia (IRL) 23 E4
Virieu (F) 51 E3
Virieu-le-Grand (F) 51 E2
Virkkala (FIN) 191 G5
Virkkula (FIN) 181 G5
Virmutjoki (FIN) 193 G3
Virolahti (FIN) 193 F4
Virovitica (HR) 135 G3
Virpazar (MNE) 139 F5
Virrat (FIN) 191 G2
Virsbo (S) 190 A5
Virserum (S) 197 E4
Virtasalmi (FIN) 193 F2
Virton (B) 79 E5
Virtsu (EST) 200 C3
Viru-Nigula (EST) 201 F1
Vis (HR) 138 B3
Visaginas (LT) 205 H2
Visby (S) 197 G4
Viscri (RO) 147 H5
Visé (B) 79 E3
Višegrad (BIH) 137 H5
Visegrád (H) 129 F1
Viserba (I) 107 F2
Viseu (P) 62 C2
Vişeu de Jos (RO) 147 G1
Vişeu de Sus (RO) 147 G1
Vişina (RO) 151 G5
Vişina Nouă (RO) 151 G5
Višnja Gora (SLO) 134 C3
Višnjica (SRB) 140 D4
Viso del Marqués (E) 71 E2
Visoko (BIH) 137 G5
Višovgrad (BG) 156 B3
Visp (CH) 98 D4
Víssani (GR) 160 C5
Visselhövede (D) 81 H5
Vissenbjerg (DK) 198 C3
Vissiniá (GR) 160 D3
Visso (I) 107 G5
Vistabella del Maestrazgo (E) 65 H3
Vistheden (S) 185 E2
Vištytis (LT) 204 D4
Visuvesi (FIN) 191 G2
Visz (H) 128 D3
Vitaby (S) 199 F3
Vitanesti (RO) 152 A5
Vitanovac (SRB) 142 D1
Viterbo (I) 108 D2
Vitez (BIH) 137 F5
Vitigudino (E) 63 F2
Vitina (BIH) 138 D3
Vitina (SRB) 143 E4
Vítkov (CZ) 93 F3
Vítoli (GR) 165 E2
Vitolište (MK) 145 F2
Vitomireşti (RO) 151 G3
Vitomirica (SRB) 139 H4
Vitoria-Gasteiz (E) 58 D2
Vitovlje (BIH) 137 F4
Vitré (F) 43 G2
Vitrey-sur-Mance (F) 47 E3
Vitriola (I) 105 G3
Vitrolles (F) 54 D3
Vitry-en-Artois (F) 40 A2
Vitry-le-François (F) 46 C1
Vitsand (S) 189 G5
Vittangi (S) 180 B4
Vitte (D) 83 F2
Vitteaux (F) 46 C4
Vittel (F) 47 E2
Vittoria (I) 115 F5
Vittorio Veneto (I) 103 F3
Vittoriosa / Birgu (M) 114 C5
Vittsjö (S) 195 G5
Vitznau (CH) 99 E3
Viù (I) 100 B4
Vivaro (I) 103 F3
Viveiro (E) 56 D1
Vivel del Río Martín (E) 65 G1
Viverols (F) 50 B3
Viveros (E) 71 F2
Viviers (F) 50 D5
Vivonne (F) 49 E1
Vizela (P) 62 C1
Vizille (F) 51 E4
Vižinada (HR) 134 A4
Viziru (RO) 153 E3
Vizovice (CZ) 93 F4
Vizsoly (H) 127 E5
Vizzavona (F) 55 H4
Vizzini (I) 115 F4
Vlaardingen (NL) 76 C5
Vlacháva (GR) 161 E5
Vlachiótis (GR) 168 D3
Vlachogiánni (GR) 161 E5
Vlachokerasiá (GR) 168 D2
Vlachomándra (GR) 165 E3
Vlachópoulo (GR) 168 C3
Vladaja (BG) 158 B2
Vlădeni (RO) 148 D2
Vlădeşti (RO) 151 H2
Vladičin Han (SRB) 143 G4
Vladievci (MK) 145 H1
Vlădila (RO) 151 G5
Vladimir (RUS) 7 H1
Vladimirci (SRB) 140 C4
Vladimirescu (RO) 146 B5
Vladimirovac (SRB) 140 D3
Vladimirovo (MK) 145 H1
Vladinja (BG) 156 A3
Vlăduleni (RO) 151 G4
Vlagtwedde (NL) 77 G3
Vlăhiţa (RO) 148 A5
Vlahovo (BG) 162 C1
Vlasenica (BIH) 137 H5
Vlašim (CZ) 92 B3
Vlasina Okruglica (SRB) 143 G4
Vlasotince (SRB) 143 G3
Vlásti (GR) 160 D4
Vlčany (SK) 132 B4
Vlissingen (NL) 78 B1
Vlkolínec (SK) 132 D2
Vlorë (AL) 144 B4
Vlotho (D) 85 F2
Vlychó (GR) 164 C3
Vobbia (I) 105 E2
Voćin (HR) 135 G3
Vöcklabruck (A) 96 C2
Vodeničane (BG) 159 H2
Vodice (Rijeka) (HR) 134 B4
Vodice (Šibenik) (HR) 136 C5
Vodňany (CZ) 92 A5
Vodnjan / Dignano (HR) 134 A5
Voe (GB) 27 G2
Vogatsikó (GR) 160 D4
Vogelsdorf (D) 86 D1
Voghera (I) 101 E5
Vogošća (BIH) 137 G5
Vohenstrauß (D) 91 F4
Võhma (EST) 201 E3
Vöhringen (D) 89 G5
Void-Vacon (F) 47 E1
Voikka (FIN) 193 F3
Voikoski (FIN) 193 F3
Voila (RO) 151 H1
Voineasa (RO) 151 F2
Voineşti (RO) 148 D3
Voiron (F) 51 E3
Voiteur (F) 47 E5
Voitsberg (A) 97 F4
Vojakkala (FIN) 185 G1
Vojens (DK) 198 B4
Vojka (SRB) 140 C4
Vojnić (HR) 134 D4
Vojnik (SLO) 134 D2
Vojnika (BG) 159 H2
Vojnjagovo (BG) 158 D2
Vojska (SRB) 141 E5
Vojtanov (CZ) 91 F2
Voka (EST) 201 G1
Volary (CZ) 92 A5
Volda (N) 188 C1
Volders (A) 95 G4
Volendam (NL) 77 E4
Volissós (GR) 167 E3
Volkach (D) 89 H2
Völkermarkt (A) 97 E5
Völklingen (D) 88 C3
Volkmarsen (D) 85 F4
Volkovija (MK) 144 D1
Volmunster (F) 41 G5
Voločys'k (UA) 12 D2
Volodymyr-Volyns'kyj (UA) 12 C1
Volokolamsk (RUS) 7 F2
Volonne (F) 55 E1
Vólos / Βόλος (GR) 165 G1
Volpiano (I) 100 C5
Volta Mantovana (I) 101 G4
Volterra (I) 105 H5
Voltri (I) 104 D3
Volturara Appula (I) 110 B2
Voluntari (RO) 152 B4
Volvic (F) 50 A2
Volx (F) 55 E2
Volyně (CZ) 92 A4
Vonešta Voda (BG) 159 F1
Vónitsa (GR) 164 C2
Vonnas (F) 50 D2
Vonyarcvashegy (H) 128 C3
Voorschoten (NL) 76 D4
Voorst (NL) 77 F5
Voorthuizen (NL) 77 E4
Vopnafjörður (IS) 178 D1
Vörå / Vöyri (FIN) 185 F5
Vorau (A) 97 G3
Vorchdorf (A) 96 D2
Vorden (NL) 77 F5
Vordernberg (A) 97 E3
Vorderriß (D) 95 G3
Vordingborg (DK) 198 D4
Vorë (AL) 144 C2
Voreppe (F) 51 E4
Vorey (F) 50 B4
Vorna (FIN) 185 H3
Vorniceni (RO) 148 C1
Voroklini (CY) 175 E4
Vorona (RO) 148 C2
Vorsfelde (D) 85 H1
Vorţa (RO) 146 D5
Võru (EST) 201 G4
Voss (N) 188 B4
Võsu (EST) 201 F1
Vothylakas (CY) 175 G2
Votice (CZ) 92 B3
Votonósi (GR) 160 D5
Vouchorína (GR) 160 D4
Voúdia (GR) 169 H4
Vouillé (F) 49 E1
Voukoliés (GR) 172 B3
Voúla (GR) 165 H5
Vouliagméni / Βουλιαγμένη (GR) 165 H5
Vouni (CY) 174 C4
Voutás (GR) 165 G2
Vouvant (F) 48 C1
Vouvray (F) 44 C4
Vouzela (P) 62 C2
Vouziers (F) 40 C4
Voves (F) 44 D2
Vovoúsa (GR) 160 D5
Vöyri / Vörå (FIN) 185 F5
Voz (HR) 134 B4
Vozarci (MK) 145 F1
Voznesens'k (UA) 13 G2
Vrå (DK) 194 D4
Vráble (SK) 132 B4
Vraca / Враца (BG) 154 D3
Vračev Gaj (SRB) 141 E4
Vračevšnica (SRB) 142 D1
Vracháti (GR) 165 F4
Vrådal (N) 194 D1
Vrana (HR) 134 B5
Vranduk (BIH) 137 F4
Vrani (RO) 150 B2
Vrani Kon (BG) 159 G1
Vranilovci (BG) 159 E1
Vranino (BG) 157 G2
Vranja (HR) 134 B4
Vranje (SRB) 143 F4
Vranjska Banja (SRB) 143 G4
Vranov nad Topl'ou (SK) 133 G2
Vransko (SLO) 134 C2
Vranštica (MNE) 139 G3
Vrástama (GR) 161 H4
Vrata (RO) 150 D4
Vratarnica (SRB) 143 G1
Vratnica (MK) 143 E5
Vražorgnac (SRB) 143 G1
Vrbanja (HR) 137 H3
Vrbas / Врбас (SRB) 140 B2
Vrbaška (BIH) 135 G4
Vrbljani (BIH) 136 D4
Vrbnik (HR) 134 C4
Vrbno pod Pradědem (CZ) 93 F2
Vrboska (HR) 138 B3
Vrbové (SK) 132 B3
Vrbovec (HR) 135 E3
Vrbovsko (HR) 134 C4
Vrchlabí (CZ) 87 G5
Vrčin (SRB) 140 D4
Vrdnik (SRB) 140 C3
Vreden (D) 84 C2
Vrela (SRB) 142 D4
Vrelo (HR) 134 D5
Vrelo (SRB) 143 F2
Vreoci (SRB) 140 D5
Vresse-sur-Semois (B) 78 D4
Vrésthena (GR) 168 D3
Vrgorac (HR) 138 D3
Vrhnika (SLO) 134 B2
Vrhpolje (BIH) 135 F5
Vrísa (GR) 167 F2
Vrlika (HR) 136 D5
Vrnjačka Banja (SRB) 143 E2
Vrnograč (BIH) 135 E4
Vrontádos (GR) 167 E3
Vrontamás (GR) 168 D3
Vronteró (GR) 160 D3
Vrontoú (GR) 161 F4
Vrosína (GR) 160 C5
Vrouchás (GR) 170 D5
Vrpolje (Šibenik) (HR) 138 A2
Vrpolje (Slavonski Brod) (HR) 137 G2
Vršac / Вршац (SRB) 141 E3
Vršani (BIH) 137 H3
Vrsar (HR) 134 A4
Vrsi (HR) 136 B4
Vrtoče (BIH) 136 C4
Vrutok (MK) 145 E1
Vrýses (GR) 170 A5
Vrysiá (GR) 165 F1
Vsetín (CZ) 93 G4
Vučitrn (SRB) 143 E3
Vučje (SRB) 143 F3
Vučkovica (SRB) 142 D1
Vukan (BG) 158 A1
Vukosavlje (BIH) 135 H5
Vukovar (HR) 137 H2
Vulcan (RO) 151 E2
Vulcana-Băi (RO) 151 H2
Vulpeşti (RO) 151 H3
Vultureni (RO) 147 F3
Vultureşti (RO) 151 G3
Vuohijärvi (FIN) 193 F3
Vuokatti (FIN) 187 F4
Vuolijoki (FIN) 187 E4
Vuollerim (S) 184 D1
Vuonislahti (FIN) 187 G5
Vuoskojaure (S) 180 A3
Vuostimo (FIN) 181 F4
Vuotso (FIN) 181 E3
Vurpăr (RO) 147 G5
Vylkove (UA) 13 G4
Vyróneia (GR) 161 G2
Vyškov (CZ) 93 E4
Vyšnij Voloček (RUS) 7 F1
Vysoké Mýto (CZ) 92 D3
Vyšší Brod (CZ) 96 D1
Vytína (GR) 165 E5
Vyzítsa (GR) 165 G1
Vyžnycja (UA) 12 D3

W

Waalwijk (NL) 76 D5
Waasmunster (B) 78 C2
Wabern (D) 85 F4
Wąbrzeźno (PL) 117 H4
Wąchock (PL) 122 D4
Wachow (D) 86 C1
Wächtersbach (D) 89 F1
Wadebridge (GB) 34 C4
Wädenswil (CH) 99 E2
Wadlew (PL) 122 B3
Wadowice (PL) 125 F1
Wadowice Górne (PL) 123 E5
Wagenfeld (D) 85 E1
Wageningen (NL) 77 E5
Waging am See (D) 96 B2
Wagrain (A) 96 C4
Wągrowiec (PL) 117 F5
Wahlstedt (D) 81 H3
Waiblingen (D) 89 F4
Waidhaus (D) 91 G4
Waidhofen an der Thaya (A) 92 C5
Waidhofen an der Ybbs (A) 97 E2
Waidring (A) 95 H3
Waischenfeld (D) 91 E3
Waizenkirchen (A) 96 D1
Wakefield (GB) 33 E2
Wałbrzych (PL) 120 D4
Walchensee (D) 95 F3
Walchsee (A) 95 H3
Wałcz (PL) 117 E4
Wald (CH) 99 F2
Wald-Michelbach (D) 89 E3
Waldbröl (D) 84 D5
Waldeck (D) 85 F4
Waldenbuch (D) 89 F5
Waldenburg (D) 86 C5
Waldfischbach-Burgalben (D) 88 D3
Waldheim (D) 86 C4
Waldkappel (D) 85 G4
Waldkirch (D) 94 A2
Waldkirchen (D) 91 H5
Waldkraiburg (D) 95 H2
Waldmünchen (D) 91 G4
Waldsassen (D) 91 F3
Waldshut (D) 94 B3
Walenstadt (CH) 99 F2
Waliły-Stacja (PL) 119 H4
Walim (PL) 121 E5
Wallasey (GB) 32 C3
Walldorf (D) 89 E3
Walldürn (D) 89 F3
Wallenfels (D) 91 E2
Wallersdorf (D) 95 H1
Wallerstein (D) 89 H4
Wallingford (GB) 35 H2
Walls (GB) 27 D4
Walsall (GB) 32 D5
Walsrode (D) 81 H5
Walsum (D) 84 C3
Waltershausen (D) 85 H5
Walton-on-the-Naze (GB) 37 E3
Waltrop (D) 84 D3
Wanderup (D) 81 G1
Wandlitz (D) 86 D1
Wanfried (D) 85 G4
Wangen im Allgäu (D) 94 D3
Wangenbourg (F) 47 G1
Wangerland-Hooksiel (D) 81 F4
Wangerooge (D) 81 E3
Wängi (CH) 99 F2
Wanna (D) 81 G3
Wantage (GB) 35 G2
Wanzleben (D) 86 A2
Wapno (PL) 117 F5
Warburg (D) 85 F3
Wardenburg (D) 81 F5
Ware (GB) 36 C3
Waregem (B) 78 B2
Wareham (GB) 38 B1
Waremme (Borgworm) (B) 78 D3
Waren (D) 83 E4
Warendorf (D) 84 D2
Warin (D) 82 D3
Warka (PL) 122 D2
Warkworth (GB) 31 G3
Warlubie (PL) 117 H3
Warmensteinach (D) 91 F3
Warminster (GB) 35 F3
Warnemünde (D) 82 D2
Warrenpoint (GB) 23 G4
Warrington (GB) 32 C3
Warstein (D) 85 E3
Warszawa (PL) 122 D1
Warszów (PL) 116 B2
Warta (PL) 121 H2
Warth (A) 95 E4
Warwick (GB) 33 E5
Washington (GB) 31 G4
Wasilków (PL) 119 G4
Wąsosz (PL) 121 E3
Wasselonne (F) 47 G1
Wassen (CH) 99 E3
Wassenaar (NL) 76 D4
Wassenberg (D) 84 B4
Wasseralfingen (D) 89 G4
Wasserbillig (L) 79 F5
Wasserburg am Inn (D) 95 H2
Wassertrüdingen (D) 89 H4
Wassigny (F) 40 B3
Wassy (F) 46 D2
Wasungen (D) 85 H5
Watchet (GB) 35 E3
Waterford / Port Láirge (IRL) 25 E4
Waterloo (B) 78 C2
Waterville (IRL) 24 A4
Watford (GB) 36 C4
Wattens (A) 95 G4
Watton (GB) 33 H4
Wattwil (CH) 99 F2
Waulsort (B) 78 D4
Wavre (Waver) (B) 78 D3
Waxweiler (D) 88 B1
Węchadłów (PL) 122 C5
Wedel (D) 81 H4
Weener (D) 81 E5
Weert (NL) 79 E1
Weferlingen (D) 86 A2
Wegberg (D) 84 B4
Wegeleben (D) 86 A2
Weggis (CH) 99 E3
Węgierska Górka (PL) 125 F2
Węgliniec (PL) 120 C3
Węgorzewo (PL) 119 E2
Węgorzyno (PL) 116 D3
Węgrów (PL) 123 E1
Wegscheid (D) 96 C1
Wehr (D) 94 A3
Weibersbrunn (D) 89 F2
Weichshofen (D) 95 H1

Weida (D) 86 B5
Weiden in der Oberpfalz (D) 91 F3
Weikersheim (D) 89 G3
Weil der Stadt (D) 89 F4
Weilburg (D) 89 E1
Weilheim (D) 95 F3
Weilheim an der Teck (D) 89 F5
Weimar (D) 86 A4
Weinfelden (CH) 99 F1
Weingarten (D) 94 D3
Weinheim (D) 89 E3
Weinsberg (D) 89 F3
Weismain (D) 91 E3
Weißbriach (A) 96 C5
Weißenbach am Lech (A) 95 E3
Weißenberg (D) 87 F4
Weißenburg in Bayern (D) 91 E5
Weißenfels (D) 86 B4
Weißenhorn (D) 89 G5
Weißenkirchen in der Wachau (A) 97 F1
Weißensee (D) 86 A4
Weißenstadt (D) 91 F3
Weißkirchen in Steiermark (A) 97 E4
Weißwasser (D) 87 F3
Weitra (A) 92 B5
Weiz (A) 97 F4
Wejherowo (PL) 117 G1
Weldon (GB) 33 F5
Wellin (B) 78 D4
Wellingborough (GB) 33 F5
Wellington (GB) 35 E3
Wellington Bridge (IRL) 25 F4
Wells (GB) 35 F3
Wells-next-the-Sea (GB) 33 H4
Wels (A) 96 D2
Welsberg / Monguelfo (I) 103 E1
Welshpool / Trallwng (GB) 32 C4
Weltenburg (D) 91 F5
Welwyn Garden City (GB) 36 C3
Welzheim (D) 89 G4
Welzow (D) 87 E3
Wem (GB) 32 C4
Wemding (D) 89 H4
Wemyss Bay (GB) 30 C2
Wenden (D) 85 H2
Wengen (CH) 98 D3
Wenns (A) 95 F4
Werben (D) 82 D5
Werdau (D) 86 C5
Werder (D) 86 C1
Werdohl (D) 84 D4
Werfen (A) 96 C3
Werl (D) 84 D3
Werlte (D) 81 E5
Wermelskirchen (D) 84 C4
Wermsdorf (D) 86 C4
Wernberg (D) 91 F4
Werne (D) 84 D3
Werneck (D) 89 G2
Werneuchen (D) 86 D1
Wernigerode (D) 85 H3
Wertach (D) 95 E3
Wertheim (D) 89 F2
Werther (D) 85 E2
Wertingen (D) 89 H5
Wervik (B) 78 A2
Wesel (D) 84 C3
Wesenberg (D) 83 F4
Wesendorf (D) 85 H1
Wesoła (PL) 126 D1
Wesselburen (D) 81 G2
Wessobrunn (D) 95 F2
West Auckland (GB) 31 G4
West Bridgford (GB) 33 E4
West Kilbride (GB) 30 C2
West Linton (GB) 31 E2
West Looe (GB) 34 C4
West Mersea (GB) 37 E3
West-Terschelling (NL) 77 E2
Westbury (GB) 35 F2
Westendorf (A) 95 H3
Westenholz (D) 85 G1
Westerburg (D) 84 D5
Westerholt (D) 81 E4
Westerland (D) 81 F1
Westerlo (B) 78 D2
Westernbödefeld (D) 85 E4
Westerstede (D) 81 E4
Westhofen (D) 89 E2
Weston-super-Mare (GB) 35 E2
Westport / Cathair na Mart (IRL) 22 B4
Wetherby (GB) 33 E2
Wetlina (PL) 127 F3
Wetter (D) 84 D4
Wetteren (B) 78 C2
Wettin (D) 86 B3
Wettringen (D) 84 D2
Wetwang (GB) 33 F1
Wetzikon (CH) 99 E2
Wetzlar (D) 85 E5
Wexford / Loch Garman (IRL) 25 F3
Weyer (A) 97 E2
Weyhausen (D) 85 H1
Weyhill (GB) 35 G2
Weymouth (GB) 38 A1
Weyregg am Attersee (A) 96 C2
Whaley Bridge (GB) 32 D3
Whitburn (GB) 30 D2
Whitby (GB) 31 H5
Whitchurch (GB) 32 C4
Whitebridge (GB) 29 E4
Whitehaven (GB) 30 D5
Whitehead (GB) 23 G2
Whiteness (GB) 26 D1
Whithorn (GB) 30 C4
Whitland (GB) 34 C1
Whitley Bay (GB) 31 G3
Whitstable (GB) 37 E4
Whittlesey (GB) 33 G4
Wiązów (PL) 121 F4
Wiązowna (PL) 122 D1
Wick (GB) 26 B4
Wickford (GB) 36 D4
Wicklow / Cill Mhantáin (IRL) 25 G2
Wicko (PL) 117 F1
Widawa (PL) 121 H3
Widnes (GB) 32 C3
Więcbork (PL) 117 F4
Wiedenbrück (D) 85 E3
Wiefelstede (D) 81 F4
Wiehe (D) 86 A4
Wiejce (PL) 116 D5
Wiek (D) 83 F1
Wielbark (PL) 118 D3
Wieleń (PL) 116 D5
Wielichowo (PL) 121 E2
Wieliczka (PL) 125 G1
Wielopole Skrzyńskie (PL) 127 E1
Wieluń (PL) 121 H4
Wien (A) 97 G1
Wiener Neudorf (A) 97 G2
Wiener Neustadt (A) 97 G2
Wieruszów (PL) 121 G3
Wierzbica (Chełm) (PL) 123 G3
Wierzbica (Radom) (PL) 122 D3
Wies (A) 97 F5
Wiesau (D) 91 F3
Wiesbaden (D) 89 E1
Wieselburg (A) 97 E2
Wiesenburg (D) 86 C2
Wiesensteig (D) 89 G5
Wiesentheid (D) 89 H2
Wiesenttal (D) 91 E3
Wiesing (A) 95 G3
Wiesloch (D) 89 E3
Wiesmath (A) 97 G3
Wiesmoor (D) 81 E4
Wigan (GB) 32 C2
Wigton (GB) 31 E4
Wigtown (GB) 30 C4
Wijewo (PL) 120 D2
Wijhe (NL) 77 F4
Wil (CH) 99 F2
Wildalpen (A) 97 E3
Wildbad im Schwarzwald (D) 89 E4
Wildeshausen (D) 81 F5
Wildon (A) 97 F4
Wilfersdorf (A) 97 H1
Wilga (PL) 123 E2
Wilhelmsburg (A) 97 F2
Wilhelmshaven (D) 81 F4
Wilhering (A) 96 D1
Wilkau-Haßlau (D) 86 C5
Willebroek (B) 78 C2
Willemstad (NL) 76 D5
Willingen (D) 85 E4
Williton (GB) 35 E3
Wilmslow (GB) 32 D3
Wilnsdorf (D) 85 E5
Wilsdruff (D) 86 D4
Wilster (D) 81 G3
Wilton (GB) 35 G3
Wiltz (L) 79 E4
Wimborne Minster (GB) 38 B1
Wimereux (F) 39 G1
Wincanton (GB) 35 F3
Winchcombe (GB) 35 G1
Winchelsea (GB) 36 D5
Winchester (GB) 35 H3
Windeck (D) 84 D5
Windermere (GB) 31 E5
Windischeschenbach (D) 91 F3
Windischgarsten (A) 96 D3
Windsbach (D) 89 H3
Windsor (GB) 36 B4
Winkleigh (GB) 34 D3
Winklern (A) 96 B5
Winnenden (D) 89 G4
Winnigstedt (D) 85 H2
Winnweiler (D) 88 D3
Winschoten (NL) 77 G2
Winsen (Aller) (D) 85 G1
Winsen (Elbe) (D) 81 H4
Winsford (GB) 32 D3
Wińsko (PL) 121 E3
Winsum (NL) 77 G2
Winterberg (D) 85 E4
Winterswijk (NL) 77 G5
Winterthur (CH) 99 E2
Wintzenheim (F) 47 G2
Wipperfürth (D) 84 D4
Wisbech (GB) 33 G4
Wischhafen (D) 81 G3
Wishaw (GB) 30 D2
Wisła (PL) 125 E2
Wislica (PL) 122 D5
Wismar (D) 82 D3
Wiśniowa (PL) 127 E1
Wissant (F) 39 G1
Wissembourg (F) 41 H5
Wissen (D) 84 D5
Wisznice (PL) 123 G2
Witham (GB) 36 D3
Withernsea (GB) 33 G2
Witkowo (PL) 121 F1
Witney (GB) 35 G1
Witnica (PL) 116 C5
Wittdün (D) 81 F1
Witten (D) 84 D3
Wittenberg (D) 86 C2
Wittenberge (D) 82 D5
Wittenburg (D) 82 C4
Wittichenau (D) 87 E3
Wittingen (D) 85 H1
Wittlich (D) 88 C2
Wittmund (D) 81 E4
Wittstock (D) 83 E5
Witzenhausen (D) 85 G4
Wiżajny (PL) 119 G1
Władysławowo (PL) 117 G1
Włocławek (PL) 117 H5
Włodawa (PL) 123 H2
Włodowice (PL) 122 B5
Włoszakowice (PL) 121 E2
Włoszczowa (PL) 122 C4
Wöbbelin (D) 82 D4
Woburn (GB) 36 B3
Wodynie (PL) 123 E1
Wodzisław (PL) 122 C5
Wodzisław Śląski (PL) 125 E1
Woensdrecht (NL) 78 C1
Woerden (NL) 76 D5
Wœrth (F) 41 H5
Wohlen (CH) 99 E2
Woippy (F) 41 E5
Wojcieszków (PL) 123 F2
Wojcieszów (PL) 120 D4
Wojnicz (PL) 125 H1
Woking (GB) 36 C4
Wokingham (GB) 35 H2
Wola Krzysztoporska (PL) 122 B3
Wolanów (PL) 122 D3
Wolbrom (PL) 122 B5
Wołczyn (PL) 121 G4
Woldegk (D) 83 F4
Wolfach (D) 89 E5
Wolfegg (D) 94 D3
Wolfen (D) 86 B3
Wolfenbüttel (D) 85 H2
Wolfhagen (D) 85 F4
Wolfratshausen (D) 95 G2
Wolfsberg (A) 97 E5
Wolfsburg (D) 85 H1
Wolgast (D) 83 G3
Wolin (PL) 116 B3
Wölkenstein / Selva (I) 103 E2
Wolkersdorf im Weinviertel (A) 97 G1
Wöllersdorf (A) 97 G2
Wollersheim (D) 84 B5
Wollin (D) 86 C2
Wolmirstedt (D) 86 A2
Wolnzach (D) 95 G1
Wołomin (PL) 122 D1
Wołów (PL) 121 E3
Wolsingham (GB) 31 G4
Wolsztyn (PL) 120 D2
Wolvega (NL) 77 F3
Wolverhampton (GB) 32 D5
Wolverton (GB) 35 H1
Woodbridge (GB) 37 E2
Woodhall Spa (GB) 33 G3
Woodstock (GB) 35 H1
Wooler (GB) 31 F2
Worb (CH) 98 D3
Worbis (D) 85 H4
Worcester (GB) 32 D5
Wörgl (A) 95 H3
Workington (GB) 30 D4
Worksop (GB) 33 E3
Workum (NL) 77 E3
Wörlitz (D) 86 C3
Wormerveer (NL) 76 D4
Wormhout (F) 39 H1
Worms (D) 89 E2
Wörrstadt (D) 89 E2
Wörth am Main (D) 89 F2
Wörth am Rhein (D) 89 E4
Wörth an der Donau (D) 91 G5
Worthing (GB) 38 D1
Woźniki (PL) 121 H5
Wragby (GB) 33 F3
Wrecsam / Wrexham (GB) 32 C4
Wręczyca Wielka (PL) 121 H4
Wrexham / Wrecsam (GB) 32 C4
Wriezen (D) 87 E1
Wrocław (PL) 121 E4
Wronki (PL) 117 E5
Wroughton (GB) 35 G2
Września (PL) 121 F1
Wschowa (PL) 120 D2
Wulfen (D) 84 C3
Wullowitz (A) 96 D1
Wünsdorf (D) 86 D2
Wunsiedel (D) 91 F3
Wunstorf (D) 85 F1
Wuppertal (D) 84 C4
Würzburg (D) 89 G2
Wurzen (D) 86 C4
Wusterhausen (D) 83 E5
Wusterwitz (D) 86 B1
Wustrow (Bad Doberan) (D) 82 D3
Wustrow (Nordvorpommern) (D) 83 E2
Wuustwezel (B) 78 D1
Wydminy (PL) 119 F2
Wyk auf Föhr (D) 81 F1
Wymondham (GB) 33 H4
Wyrzysk (PL) 117 F4
Wysoka (PL) 117 F4
Wysokie (PL) 123 F4
Wysokie Mazowieckie (PL) 119 F4
Wyszków (PL) 119 E5
Wyszogród (PL) 122 C1

X

Xàbia / Jávea (E) 66 A5
Xanten (D) 84 B3
Xánthi / Ξάνθη (GR) 162 C2
Xàtiva (E) 73 F1
Xeresa (E) 66 A4
Xert (E) 66 A1
Xerta (E) 60 B5
Xertigny (F) 47 F2
Xerókampos (GR) 173 F4
Xinó Neró (GR) 161 E3
Xinzo de Limia (E) 56 D4
Xirokámpi (GR) 168 D3
Xirókampos (Ípeiros) (GR) 164 D1
Xirókampos (Nótio Aigaío) (GR) 171 F1
Xirolímni (GR) 161 E4
Xixona (E) 73 F2
Xubia (E) 56 C1
Xunqueira de Ambía (E) 56 D4
Xylaganí (GR) 162 D3
Xylofagou (CY) 175 F4
Xylókastro / Ξυλόκαστρο (GR) 165 F4
Xylópoli (GR) 161 G3
Xylóskalo (GR) 172 B3
Xylotymvou (CY) 175 E5
Xyniáda (GR) 165 F2

Y

Y Drenewydd / Newtown (Powis) (GB) 32 C5
Yablanitsa (BG) 158 B1
Yalova (TR) 19 G2
Yanguas (E) 59 E4
Yarmouth (GB) 38 B1
Ybbs an der Donau (A) 97 E2
Ýdra / Ύδρα (GR) 169 F2
Yebra (E) 64 D3
Yecla (E) 73 E1
Yenne (F) 51 E3
Yeovil (GB) 38 A1
Yepes (E) 64 C4
Yerville (F) 39 F4
Yesa (E) 59 G3
Yeste (E) 71 G3
Ylakiai (LT) 204 C1
Ylämaa (FIN) 193 G3
Ylämylly (FIN) 193 G1
Yläne (FIN) 191 F4
Yli-Ii / Överijo (FIN) 185 H2
Yli-Kärppä (FIN) 185 H1
Yli-Muonio (FIN) 180 C3
Yli Nampa (FIN) 181 E5
Yli-Olhava (FIN) 185 H2
Ylihärmä (FIN) 185 F5
Ylikiiminki / Överkiminge (FIN) 185 H2
Ylistaro (FIN) 191 F1
Ylitornio (Övertorneå) (FIN) 185 F1
Ylivieska (FIN) 185 G4
Ylläsjärvi (FIN) 180 D4
Ylöjärvi (FIN) 191 G3
York (GB) 33 E1
Youghal (IRL) 24 D4
Yoxford (GB) 37 E2
Ypäjä (FIN) 191 G4
Ypáti (GR) 165 E2
Ypéreia (GR) 165 F1
Yport (F) 39 E4
Yppäri (FIN) 185 G3
Ypsonas (CY) 174 C5
Ýpsos (GR) 160 A5
YrWyddgrug / Mold (GB) 32 C3
Yssingeaux (F) 50 C4
Ystad (S) 199 F4
Ytterhogdal (S) 190 A2
Yttermalung (S) 189 H4
Yuncos (E) 64 B3
Yunquera (E) 74 D3
Yunquera de Henares (E) 64 C2
Yverdon-les-Bains (CH) 98 B3
Yvetot (F) 39 F4
Yvoir (B) 78 D3
Yvoire (F) 51 F1
Yzeure (F) 50 A1

Z

Zaanstad (NL) 76 D4
Žabalj (SRB) 140 C3
Zabar (H) 126 C5
Zabărdo (BG) 162 C1
Žabari (SRB) 141 E5
Ząbki (PL) 122 D1
Ząbkowice Śląskie (PL) 121 E5
Zablaće (HR) 138 A1
Žabljak (Pljevja) (MNE) 139 F3
Žabljak (Podgorica) (MNE) 139 G5
Zabłudów (PL) 119 H4
Żabno (PL) 125 H1
Zabok (HR) 135 E2
Zabór (PL) 120 D2
Zăbrani (RO) 146 C5
Zabrđe (BIH) 137 H3
Zábřeh (CZ) 93 E3
Zabrze (PL) 122 A5
Zabrzeż (PL) 125 H2
Zacháro (GR) 164 D5
Zadar (HR) 136 B5
Zadvarje (HR) 138 C2
Zafarraya (E) 75 E3
Zafra (E) 69 F3
Žaga (SLO) 134 A2
Żagań (PL) 120 C3
Žagarė (LT) 204 D1
Zagkliveri (GR) 161 G4
Zaglavak (SRB) 139 G1
Zagnańsk (PL) 122 D4
Zagon (RO) 152 B1
Zagorá (GR) 165 G1
Zagorci (BG) 159 H2
Zagorje ob Savi (SLO) 134 C2
Zagórów (PL) 121 G1
Zagórz (PL) 127 F2
Zagražden (Pleven) (BG) 151 G5
Zagražden (Smoljan) (BG) 162 C1
Zagreb (HR) 135 E3
Žagubica (SRB) 141 F5
Zagvozd (HR) 138 C2
Zahara de los Atunes (E) 74 B4
Zahínos (E) 69 E3
Zahna (D) 86 C2
Záhony (H) 127 F5
Zaiceva (LV) 203 G2
Zaidín (E) 60 A3
Zajas (MK) 145 E1
Zaječar / Зајечар (SRB) 143 G1
Zakliczyn (PL) 125 H2
Zaklików (PL) 123 F4
Zakopane (PL) 125 G3

Zakroczym (PL) 122 D1
Zákros (GR) 173 F3
Zakrzew (PL) 122 D3
Zakrzewo (PL) 117 H5
Zákynthos / Ζάκυνθος (GR) 164 C5
Zalaapáti (H) 128 C3
Zalabaksa (H) 128 B3
Zalabér (H) 128 C3
Zalacsány (H) 128 C3
Zalaegerszeg (H) 128 B3
Zalahaláp (H) 128 C3
Zalakaros (H) 128 C4
Zalakomár (H) 128 C4
Zalalövő (H) 128 B3
Zalamea de la Serena (E) 69 H2
Zalamea la Real (E) 69 F4
Zalas (PL) 119 E3
Zalaszabar (H) 128 C4
Zalaszántó (H) 128 C3
Zalaszentbalázs (H) 128 B4
Zalaszentgrót (H) 128 C3
Zalaszentiván (H) 128 B3
Zalaszentmihály (H) 128 B3
Zalău (RO) 147 E3
Žalec (SLO) 134 D2
Zalewo (PL) 118 C3
Zališčyky (UA) 12 D2
Zall Reç (AL) 144 D1
Zalla (E) 58 C1
Zaltbommel (NL) 77 E5
Zalužnica (HR) 134 D5
Zamárdi (H) 128 D3
Zambrana (E) 58 D2
Zambrów (PL) 119 F4
Zamora (E) 63 G1
Zamość (PL) 123 G4
Zandvoort (NL) 76 D4
Zánka (H) 128 D3
Zaorejas (E) 65 E2
Zaostrog (HR) 138 C3
Zaovine Vežanja (SRB) 139 G1
Zapadnaja Dvina (RUS) 7 E2
Záppeio (GR) 165 F1
Zapponeta (I) 110 D2
Zaprešić (HR) 134 D3
Zapyškis (LT) 205 E3
Zaragoza (E) 59 G5
Zárakes (GR) 166 B4
Zărand (RO) 146 C4
Zarasai (LT) 205 H2
Zaratán (E) 58 A5
Zarautz (E) 59 E1
Zarcilla de Ramos (E) 71 H4
Žarėnai (LT) 204 C2
Żarki (PL) 122 B5
Zărnești (RO) 151 H1
Zărnevo (BG) 157 E2
Žarnovica (SK) 132 C3
Żarnów (PL) 122 C3
Żarnowiec (PL) 122 C5
Zarós (GR) 172 D3
Żarów (PL) 121 E4
Zarrentin (D) 82 C4
Żary (PL) 120 C2
Zarza la Mayor (E) 63 E4
Zasieki (PL) 120 B2
Zaškiv (UA) 13 F2
Žasliai (LT) 205 F4
Žatec (CZ) 91 H2
Zaton (HR) 139 E4
Zator (PL) 125 F1
Zătreni (RO) 151 F3
Zau de Câmpie (RO) 147 G4
Zavala (BIH) 139 E3
Zavattarello (I) 101 E5
Zavet (BG) 152 C5
Zavidovići (BIH) 137 G4
Zavlaka (SRB) 140 B5
Zăvoaia (RO) 152 D3
Zavodnje (SLO) 134 C2
Zawadzkie (PL) 121 G5
Zawichost (PL) 123 E4
Zawidów (PL) 120 C4
Zawiercie (PL) 122 B5
Zawoja (PL) 125 F2
Žažina (HR) 135 E4
Zbaraž (UA) 12 D2
Zbąszyń (PL) 120 D1
Zbąszynek (PL) 120 D1
Zbiczno (PL) 118 B4
Zblewo (PL) 117 G3
Zbójno (PL) 117 H5
Zbraslav (CZ) 92 A3
Zbraslavice (CZ) 92 C3
Žďár nad Sázavou (CZ) 92 D3
Zdenac (HR) 134 D4
Ždiar (SK) 133 E2
Zdice (CZ) 92 A3
Ždírec nad Doubravou (CZ) 92 C3
Ždrelac (HR) 136 B5
Ždrelo (SRB) 141 E5
Zdunje (MK) 145 E1
Zduńska Wola (PL) 121 H3
Zduny (PL) 121 F3
Zdzieszowice (PL) 121 G5
Zebreira (P) 63 E4
Zebbug (M) 114 B4
Žednik (SRB) 140 B1
Zeebrugge (B) 78 B1
Żegiestów (PL) 125 H3
Žegra (SRB) 143 F4
Žegulja (BIH) 139 E3
Zehdenick (D) 83 F5
Žeimelis (LT) 205 E1
Zeist (NL) 77 E5
Zeitz (D) 86 B4
Zejtun (M) 114 C5
Żelazna (PL) 117 G1
Zele (B) 78 C2
Żelechów (PL) 123 E2
Zelengora (BIH) 139 E2
Zelenika (MNE) 139 F4
Železná Ruda (CZ) 91 H5
Železnica (BG) 158 B2
Železniki (SLO) 134 B2
Železnjik (SRB) 140 D4
Železnogorsk (RUS) 7 G4
Želiezovce (SK) 132 C4
Żelizna (PL) 123 G2
Željezno Polje (BIH) 137 F4
Zell (D) 88 C1
Zell am See (A) 96 B4
Zell am Ziller (A) 95 G4
Zell an der Pram (A) 96 C1
Zella-Mehlis (D) 85 H5
Zelów (PL) 121 H3
Zeltiņi (LV) 203 G2
Zeltweg (A) 97 E4
Želva (LT) 205 F3
Zelzate (B) 78 C1
Zemen / Земен (BG) 158 A2
Zemīte (LV) 202 C3
Zemplínska Teplica (SK) 133 G3
Zemun / Земун (SRB) 140 D4
Zemunik Donji (HR) 136 B5
Zendek (PL) 121 H5
Zenica (BIH) 137 F5
Žepče (BIH) 137 F4
Žeravna (BG) 159 G1
Zerbst (D) 86 B2
Zerf (D) 88 B2
Zeri (I) 105 F3
Żerków (PL) 121 F2
Zermatt (CH) 98 D5
Zernez (CH) 99 G3
Zerqan (AL) 144 D1
Zestoa (E) 59 E1
Zetea (RO) 147 H4
Zetel (D) 81 F4
Zeulenroda (D) 86 B5
Zeven (D) 81 G4
Zevenaar (NL) 77 F5
Zevgaráki (GR) 164 D3
Zevio (I) 101 H4
Zgierz (PL) 122 B2
Zgniłocha (PL) 118 D3
Zgornje Jezersko (SLO) 134 C2
Zgorzelec (PL) 120 C4
Žiča (SRB) 142 D1
Zicavo (F) 55 H5
Židikai (LT) 204 C1
Židlochovice (CZ) 93 E5
Ziębice (PL) 121 E5
Ziegenrück (D) 86 B5
Zielona Góra (PL) 120 C2
Zierikzee (NL) 76 C5
Ziersdorf (A) 97 G1
Zierzow (D) 82 D4
Ziesar (D) 86 B2
Žiežmariai (LT) 205 F4
Zijemlje (BIH) 139 E2
Žilina (SK) 132 C2
Zilupe (LV) 203 H4
Zimandu Nou (RO) 146 B4
Zimbor (RO) 147 E3
Zimnica (BG) 159 G2
Zimnicea (RO) 151 H5
Zinal (CH) 98 D4
Zingst (D) 83 E2
Zin'kiv (UA) 7 G5
Zinnowitz (D) 83 G3
Zinnwald-Georgenfeld (D) 86 D5
Ziorraga (E) 58 D2
Zirc (H) 128 D2
Zirchow (D) 83 G3
Žiri (SLO) 134 B2
Zirl (A) 95 F4
Zirndorf (D) 90 D4
Zíros (GR) 173 F4
Zistersdorf (A) 97 H1
Žitište (SRB) 140 D2
Žitkovac (SRB) 143 F2
Zitomislići (BIH) 138 D3
Žitorađa (SRB) 143 F2
Žitosvjat (BG) 159 H2
Zittau (D) 87 F4
Živinice (BIH) 137 G4
Živkovo (BG) 158 C2
Živogošće (HR) 138 C3
Žizdra (RUS) 7 F3
Zjum (SRB) 142 D5
Zlarin (HR) 138 A1
Zlata (SRB) 143 F3
Zlatar (BG) 159 H1
Zlatar Bistrica (HR) 135 E2
Zlatarevo (BG) 161 G2
Zlatari (SRB) 143 E2
Zlatarica (BG) 159 F1
Zlaté Hory (CZ) 93 F2
Zlaté Klasy (SK) 132 A4
Zlaté Moravce (SK) 132 C4
Zlatica (BG) 158 C1
Zlatna (RO) 147 E5
Zlatná na Ostrove (SK) 132 B5
Zlatna Panega (BG) 158 C1
Zlatni Pjasăci (BG) 157 F2
Zlatograd (BG) 162 D2
Zlatokop (SRB) 143 F4
Zlatopole (BG) 159 F3
Zławieś Wielka (PL) 117 G4
Žlebovi (BIH) 137 H5
Zletovo (MK) 143 G5
Zlín (CZ) 93 F4
Žlobin (BY) 7 E5
Złocieniec (PL) 116 D3
Złoczew (PL) 121 H3
Zlot (SRB) 143 F1
Złotniki Kujawskie (PL) 117 G5
Złotoryja (PL) 120 D4
Złotów (PL) 117 F4
Złoty Stok (PL) 121 E5
Žlutice (CZ) 91 H3
Zmajevo (SRB) 140 C2
Žman (HR) 136 B5
Žmerynka (UA) 13 E2
Żmigród (PL) 121 E3
Žminj (HR) 134 A4
Znam'janka (UA) 13 G1
Żnin (PL) 117 F5
Znojmo (CZ) 92 D5
Zöblitz (D) 86 D5
Zoetermeer (NL) 76 D5
Zogaj (AL) 142 D5
Żółkiewka-Osada (PL) 123 G4
Zollikofen (CH) 98 C3
Zoločiv (UA) 12 D2
Zolotonoša (UA) 13 G1
Zomba (H) 129 E4
Zonza (F) 55 H5
Zörbig (D) 86 B3
Zorita (E) 69 H1
Zorlențu Mare (RO) 150 C1
Żory (PL) 125 E1
Zosin (PL) 123 H4
Zossen (D) 86 D2
Zoutkamp (NL) 77 F2
Zoutleeuw (B) 78 D2
Žovkva (UA) 12 C2
Žovti Vody (UA) 13 G2
Zrenjanin / Зрењанин (SRB) 140 D3
Zrin (HR) 135 E4
Zrmanja (HR) 136 C5
Zrnovnica (HR) 138 B2
Zrze (SRB) 142 D4
Zsadány (H) 131 E3
Zsámbék (H) 129 E2
Zsámbok (H) 129 F2
Zschopau (D) 86 C5
Zubcov (RUS) 7 F2
Zubin Potok (SRB) 142 D3
Zubrzyca Górna (PL) 125 F2
Žuč (SRB) 143 E3
Zucaina (E) 65 H3
Zudar (D) 83 F2
Zuera (E) 59 G4
Zufre (E) 69 F4
Zug (CH) 99 E2
Zuidlaren (NL) 77 G3
Zújar (E) 71 F5
Žukovka (RUS) 7 F4
Żukowo (PL) 117 G2
Žuljana (HR) 138 D3
Zülpich (D) 84 B5
Zumaia (E) 59 E1
Zumarraga (E) 59 E2
Zundert (NL) 78 D1
Zuoz (CH) 99 G4
Županja (HR) 137 G3
Žur (SRB) 142 D5
Zürich (CH) 99 E2
Żuromin (PL) 118 C4
Zurrieq (M) 114 C5
Zürs (A) 95 E4
Zusmarshausen (D) 89 H5
Žuta Lokva (HR) 134 C5
Zutphen (NL) 77 F5
Žužemberk (SLO) 134 C3
Zvăničevo (BG) 158 D3
Zvečan (SRB) 143 E3
Zvenyhorodka (UA) 13 F2
Zverino (BG) 158 B1
Zvezdec (BG) 157 F5
Žvingiai (LT) 204 C3
Zvolen (SK) 132 D3
Zvonce (SRB) 143 G3
Zvornik (BIH) 137 H4
Zwardoń (PL) 125 F2
Zweibrücken (D) 88 C3
Zweisimmen (CH) 98 C4
Zwenkau (D) 86 B4
Zwettl (A) 97 E1
Zwettl an der Rodl (A) 96 D1
Zwickau (D) 86 C5
Zwiefalten (D) 89 F5
Zwierzyniec (PL) 123 G4
Zwiesel (D) 91 H5
Zwijndrecht (NL) 76 D5
Zwoleń (PL) 123 E3
Zwolle (NL) 77 F4
Zwönitz (D) 86 C5
Żychlin (PL) 122 B1
Žygaičiai (LT) 204 C3
Zygi (CY) 174 D4
Żyrardów (PL) 122 C1
Žytkavičy (BY) 6 D5
Żytkiejmy (PL) 119 G1
Žytomyr (UA) 13 E1
Żywiec (PL) 125 F2

Plans de ville

Town plans / Stadtpläne / Stadsplattegronden / Piante di città / Planos de ciudades / Plantas de Cidade

Amsterdam 266
Antwerpen........ 268
Athína 269
Barcelona......... 270
Basel 271
Belfast............ 272
Berlin 273
Bern............. 274
Bordeaux 275
Bratislava 276
Bremen........... 277
Brugge 278
Bruxelles/
Brussel......... 279
Bucureşti 280
Budapest 281
Den Haag 282
Dijon 283
Dresden 284
Dublin............ 285
Dubrovnik 286
Düsseldorf........ 287
Edinburgh 288
Essen 289
Firenze 290
Frankfurt-
am-Main 291
Genève 292
Genova 293
Göteborg 294
Hamburg 295
Hannover......... 296
Helsinki........... 297
Istanbul........... 297
København 298
Lausanne 299
Leipzig............ 299
Liège 300
Lille............... 301
Lisboa 302
Liverpool 303
London........... 304
Luxembourg....... 306
Lyon.............. 307
Madrid 308
Manchester 309
Marseille.......... 310
Milano............ 311
Monaco
Monte-Carlo ... 312
München 313
Nantes............ 314
Napoli 315
Nice 316
Nürnberg 317
Oslo 318
Palermo 319
Paris 320
Porto 324
Praha............. 325
Reykjavík 326
Rīga 327
Roma 328
Rotterdam 329
Salzburg.......... 330
Sevilla 331
Sofia.............. 332
Stockholm 333
Strasbourg........ 334
Stuttgart.......... 335
Tallinn 336
Torino 337
Toulouse.......... 338
Vilnius............ 339
Venezia 340
Warszawa........ 341
Wien.............. 342
Zagreb............ 344
Zürich 345

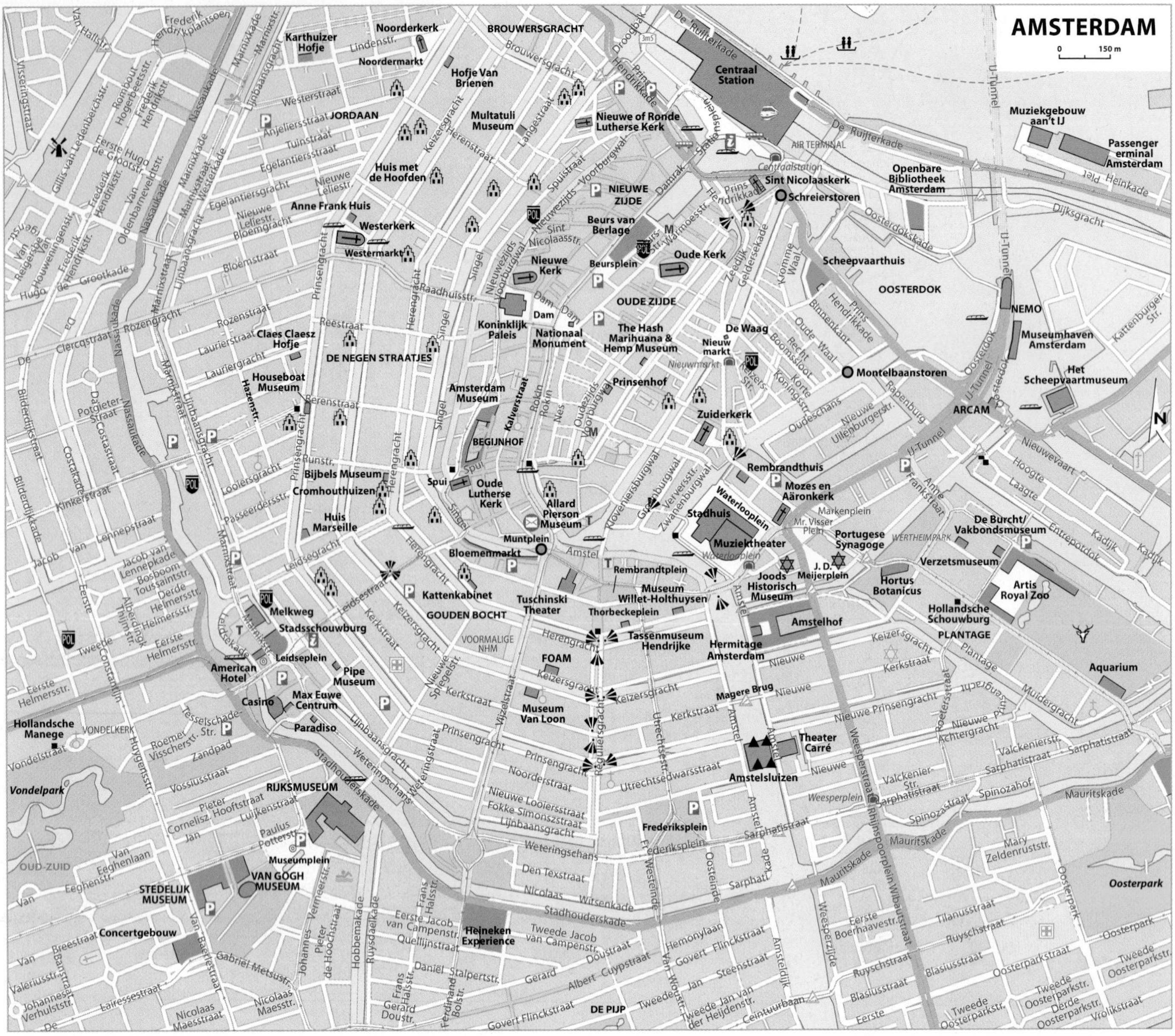
AMSTERDAM
0
150 m
Centraal Station
De Ruijterkade
Muziekgebouw aan't IJ
Passenger Terminal Amsterdam
Openbare Bibliotheek Amsterdam
Sint Nicolaaskerk
Schreierstoren
Scheepvaarthuis
OOSTERDOK
NEMO
Museumhaven Amsterdam
Het Scheepvaartmuseum
Montelbaanstoren
ARCAM
Karthuizer Hofje
Noorderkerk
Noordermarkt
BROUWERSGRACHT
Hofje Van Brienen
Multatuli Museum
Nieuwe of Ronde Lutherse Kerk
JORDAAN
Huis met de Hoofden
Anne Frank Huis
Westerkerk
Westermarkt
NIEUWE ZIJDE
Beurs van Berlage
Beursplein
Oude Kerk
Nieuwe Kerk
Dam
Koninklijk Paleis
Nationaal Monument
OUDE ZIJDE
The Hash Marihuana & Hemp Museum
De Waag
Nieuwmarkt
Claes Claesz Hofje
DE NEGEN STRAATJES
Houseboat Museum
Amsterdam Museum
Prinsenhof
Zuiderkerk
BEGIJNHOF
Kalverstraat
Rembrandthuis
Mozes en Aäronkerk
Bijbels Museum
Cromhouthuizen
Spui
Oude Lutherse Kerk
Allard Pierson Museum
Waterlooplein
Stadhuis
Muziektheater
Portugese Synagoge
Huis Marseille
Muntplein
Bloemenmarkt
Rembrandtplein
Joods Historisch Museum
J. D. Meijerplein
Hortus Botanicus
De Burcht/ Vakbondsmuseum
Verzetsmuseum
Artis Royal Zoo
Hollandsche Schouwburg
PLANTAGE
Aquarium
Kattenkabinet
GOUDEN BOCHT
Tuschinski Theater
Thorbeckeplein
Museum Willet-Holthuysen
Tassenmuseum Hendrikje
Amstelhof
Hermitage Amsterdam
Melkweg
Stadsschouwburg
Leidseplein
American Hotel
Pipe Museum
FOAM
VOORMALIGE NHM
Museum Van Loon
Magere Brug
Max Euwe Centrum
Casino
Paradiso
Hollandsche Manege
VONDELKERK
Vondelpark
Theater Carré
Amstelsluizen
RIJKSMUSEUM
Frederiksplein
Museumplein
STEDELIJK MUSEUM
VAN GOGH MUSEUM
OUD-ZUID
Concertgebouw
Heineken Experience
DE PIJP
Oosterpark
Prinsengracht
Keizersgracht
Herengracht
Singel
Amstel
Stadhouderskade
Weteringschans
Nassaukade
Mauritskade
Sarphatistraat
Wibautstraat

Noordwijk aa
Katwijk aan Ze
Katwijk
Wassena
SCHEVENINGEN
De Kieviet
DEN HAAG
('S-GRAVENHAGE)
Kijkduin
Loosduinen
Rijswijk
Monster
Poeldijk
Wateringen
's-Gravenzande
Honselersdijk
Hoek van Holland
Naaldwijk
De Lier
Westerlee
Schipluiden
Harwich
Kingston-upon-Hull
Nieuwe Waterweg
Maasdijk
Maasvlakte
Maasvlakte 2
Europoort
Maasland
Vlaardin

IJSSELMEER
MARKERMEER
Den Helder
Julianadorp
Wieringermeer
Wieringerwerf
Schagen
Medemblik
Andijk
Enkhuizen
Bovenkarspel
Urk
Bergen
Bergen aan Zee
Egmond aan Zee
Heerhugowaard
Hoorn
Alkmaar
NOORD-HOLLAND
Castricum
Markerwaarddijk
Marker Wadden
Edam
Volendam
Lelystad
Heemskerk
Beverwijk
Wijk aan Zee
Purmerend
Marken
Zaanstad
IJmuiden
Nationaal Park Zuid-Kennemerland
Oostvaardersdijk
Almere
ZUIDELIJK-FLEVOLAND
HAARLEM
AMSTERDAM
Zandvoort
Almere-Stad
Almere-Haven
Almere-Hout
Harderwijk
Zeewolde
Hoofddorp
Amstelveen
Muiden
Weesp
Naarden
Bussum
Huizen
Blaricum
Laren
Spakenburg
Bunschoten
Nijkerk
Lisse
Aalsmeer
HILVERSUM
Baarn
Soest
Amersfoort
Leusden
LEIDEN
Oegstgeest
Rijnsburg
Alphen a/d Rijn
Mijdrecht
Breukelen
Maarssen
De Bilt
Zeist
Woerden
Bodegraven
Zoetermeer
Gouda
UTRECHT
Nieuwegein
Houten
Doorn
Nationaal Park Utrechtse Heuvelrug
Veenendaal
Wijk bij Duurstede
Culemborg
Vianen
IJsselstein
Schoonhoven
DELFT
ROTTERDAM

's-Gravenzande
Hoek van Holland
Naaldwijk
De Lier
DELFT
Berkel en Rodenrijs
Bergschenhoek
Hillegersberg
Zevenhuizen
Moordrecht
Gouderak
Haastrecht
Vlist
Stolwijk
Polsbroek
Cabauw
Lopik
Jaarsveld

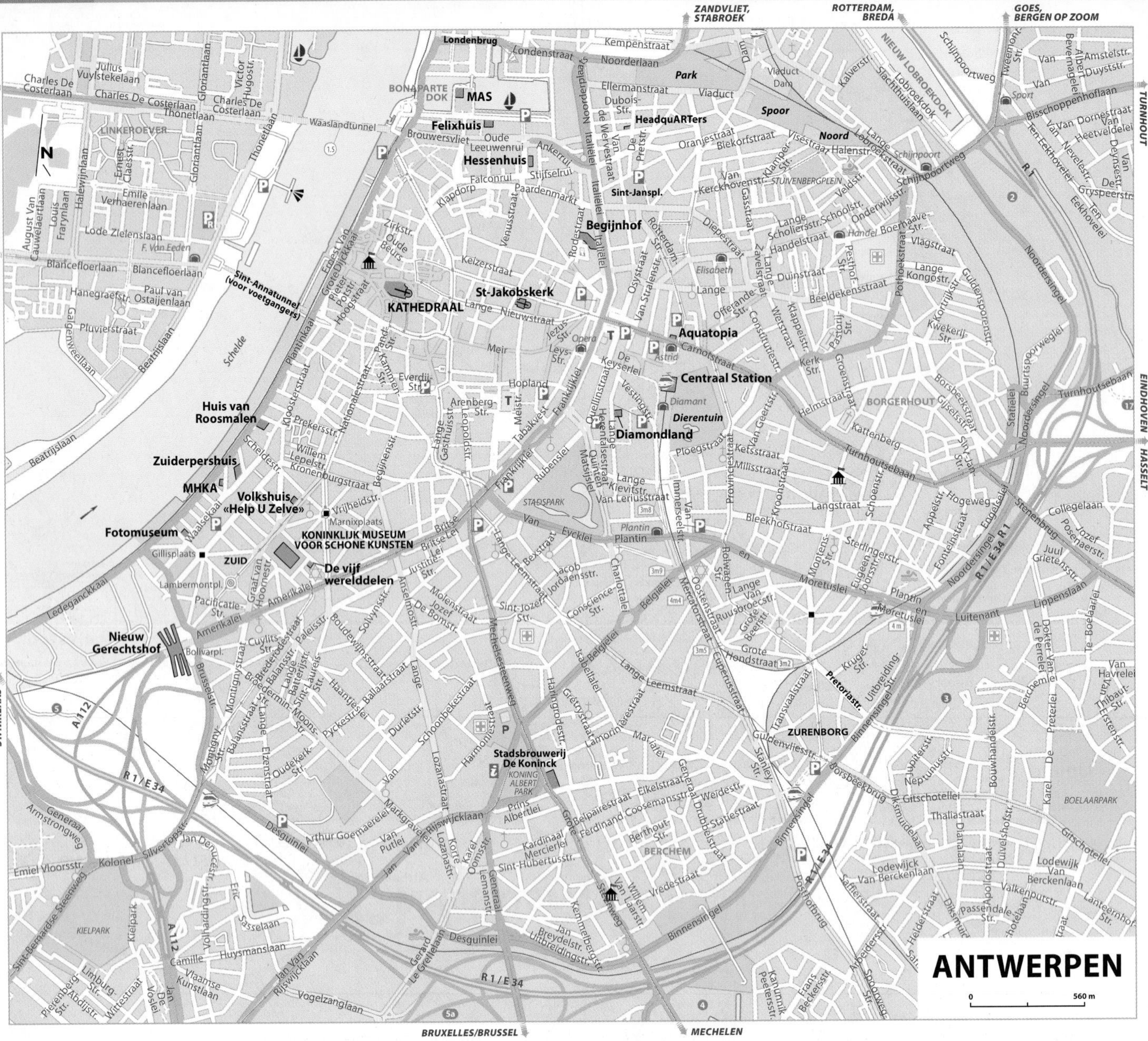
ZANDVLIET, STABROEK
ROTTERDAM, BREDA
GOES, BERGEN OP ZOOM
HULST
GENT, ST. NIKLAAS
TURNHOUT
EINDHOVEN
LIÈGE, HASSELT
BRUXELLES/BRUSSEL
MECHELEN
MAS
Felixhuis
Hessenhuis
HeadquARTers
Begijnhof
St-Jakobskerk
KATHEDRAAL
Aquatopia
Centraal Station
Dierentuin
Diamondland
Huis van Roosmalen
Zuiderpershuis
MHKA
Volkshuis «Help U Zelve»
Fotomuseum
KONINKLIJK MUSEUM VOOR SCHONE KUNSTEN
De vijf werelddelen
Nieuw Gerechtshof
Stadsbrouwerij De Koninck
LINKEROEVER
ZUID
BORGERHOUT
ZURENBORG
BERCHEM
STADSPARK
KIELPARK
BOELAARPARK
Schelde
ANTWERPEN
0
560 m

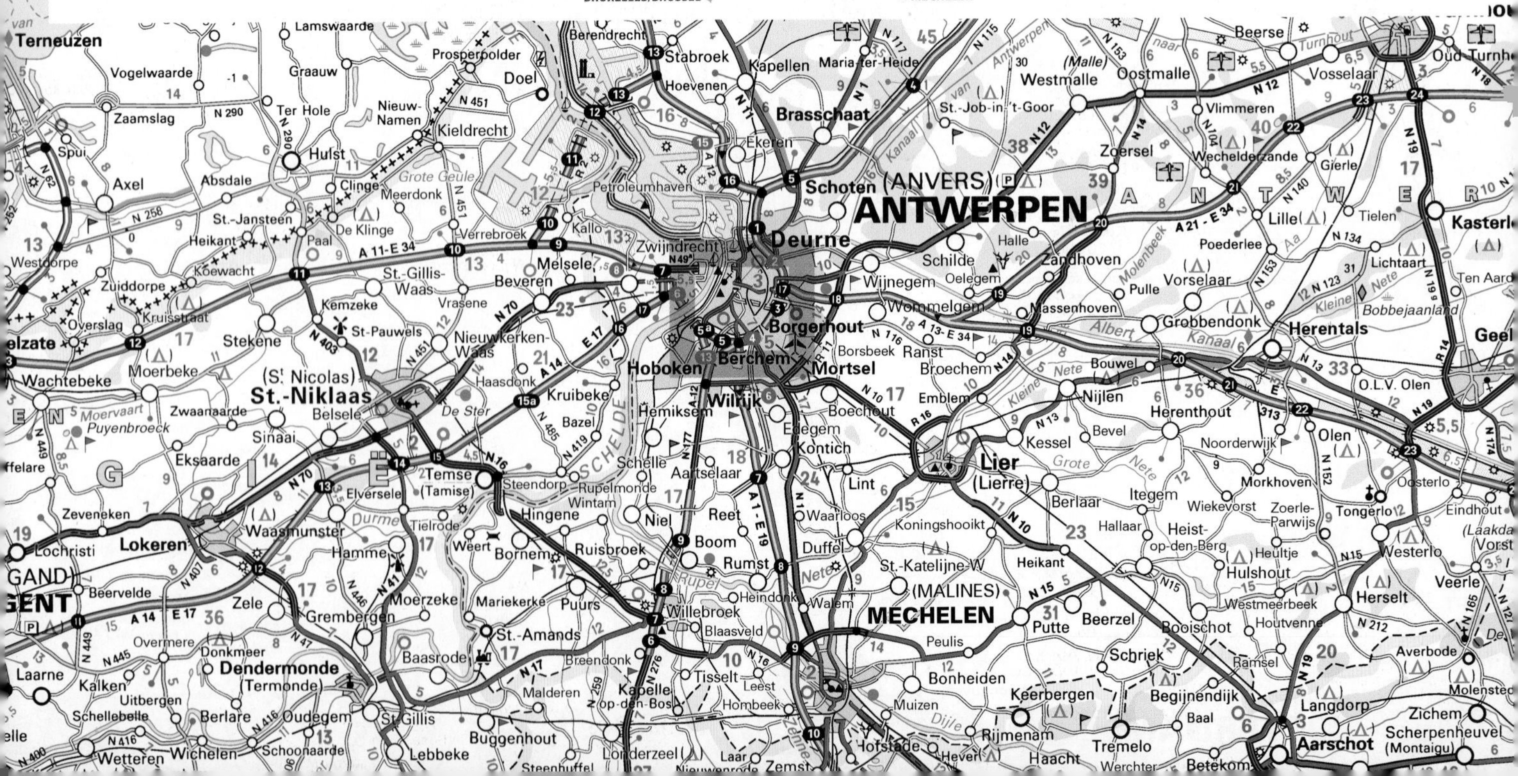
Terneuzen
Hulst
Stabroek
Kapellen
Brasschaat
Westmalle
Oostmalle
Schoten
(ANVERS)
ANTWERPEN
Deurne
Zwijndrecht
Beveren
Borgerhout
Berchem
Hoboken
Mortsel
Wilrijk
St.-Niklaas
Temse
Lokeren
GENT
Dendermonde
Boom
Mechelen
MECHELEN
Lier
Herentals
Geel
Kasterlee
Aarschot

Akr. Gérakas
Ακρ. Γέρακας
N. Πράσσο
Neochóri
Νεοχώρι
Sykí

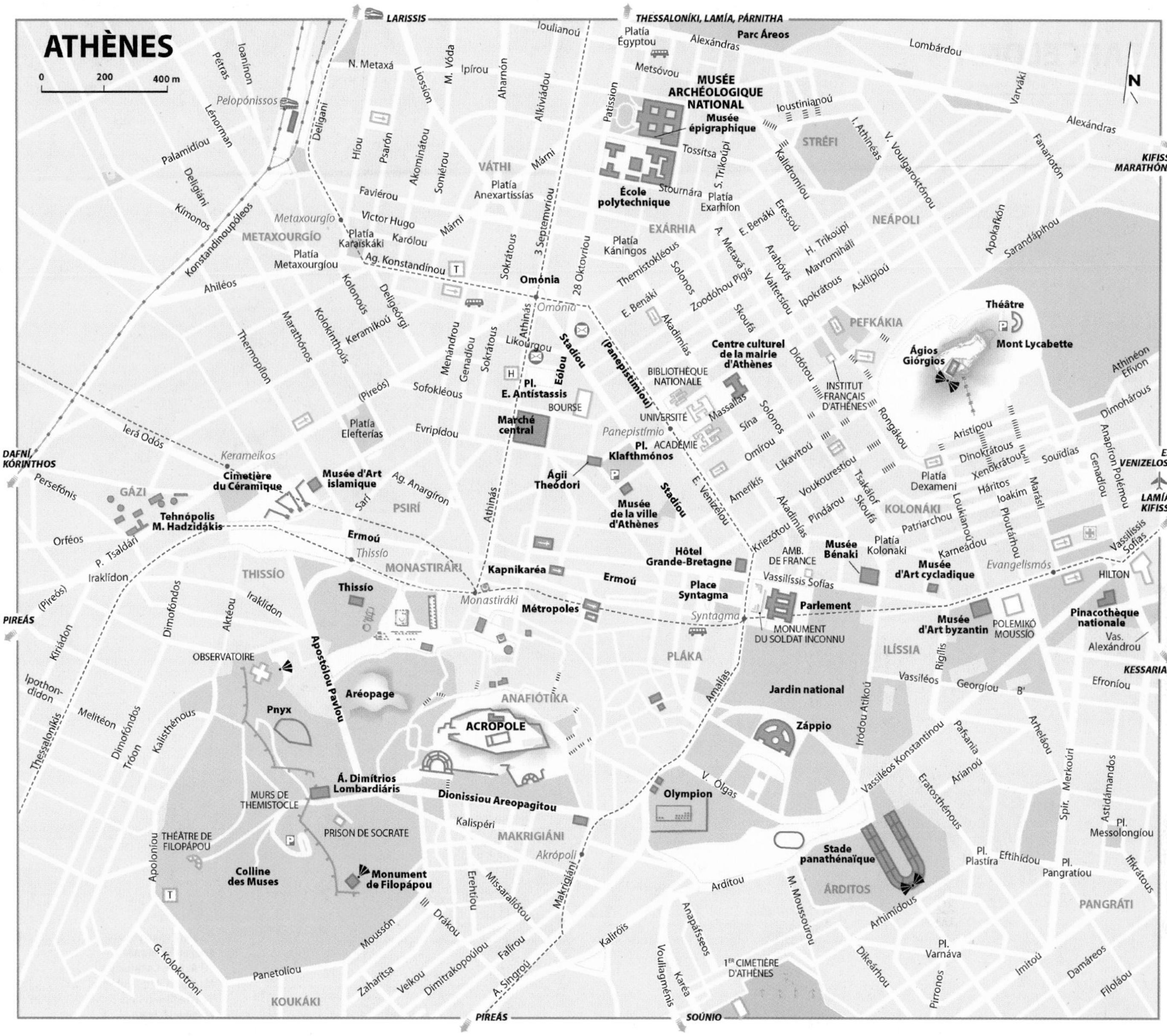

ATHÈNES
0
200
400 m
N
LARISSIS
THESSALONÍKI, LAMÍA, PÁRNITHA
KIFISSIÁ, MARATHÓNAS
DAFNÍ, KÓRINTHOS
PIREÁS
E. VENIZELOS
LAMÍA, KIFISSIÁ
KESSARIANÍ
SOÚNIO
MUSÉE ARCHÉOLOGIQUE NATIONAL
Musée épigraphique
École polytechnique
Parc Áreos
STRÉFI
VÁTHI
NEÁPOLI
EXÁRHIA
METAXOURGÍO
PEFKÁKIA
Théâtre
Mont Lycabette
Ágios Giórgios
Omónia
Centre culturel de la mairie d'Athènes
BIBLIOTHÈQUE NATIONALE
UNIVERSITÉ
ACADÉMIE
INSTITUT FRANÇAIS D'ATHÈNES
Pl. E. Antistassis
BOURSE
Marché central
Pl. Klafthmónos
Ágii Theódori
Musée de la ville d'Athènes
Cimetière du Céramique
Musée d'Art islamique
GÁZI
Tehnópolis M. Hadzidákis
PSIRÍ
KOLONÁKI
Musée Bénaki
Musée d'Art cycladique
Hôtel Grande-Bretagne
AMB. DE FRANCE
Place Syntagma
Parlement
MONUMENT DU SOLDAT INCONNU
Musée d'Art byzantin
POLEMIKÓ MOUSSÍO
Pinacothèque nationale
HILTON
THISSÍO
MONASTIRÁKI
Kapnikaréa
Thissío
Métropoles
PLÁKA
ILÍSSIA
OBSERVATOIRE
Aréopage
Pnyx
ANAFIÓTIKA
ACROPOLE
Jardin national
Záppio
Á. Dimítrios Lombardiáris
Dionissiou Areopagitou
MURS DE THEMISTOCLE
PRISON DE SOCRATE
THÉÂTRE DE FILOPÁPOU
Colline des Muses
Monument de Filopápou
MAKRIGIÁNI
Olympion
Stade panathénaïque
ÁRDITOS
PANGRÁTI
1ER CIMETIÈRE D'ATHÈNES
KOUKÁKI
Platía Omónia
Panepistímio
Syntagma
Evangelismós
Akrópoli
Metaxourgío
Kerameikos
Monastiráki

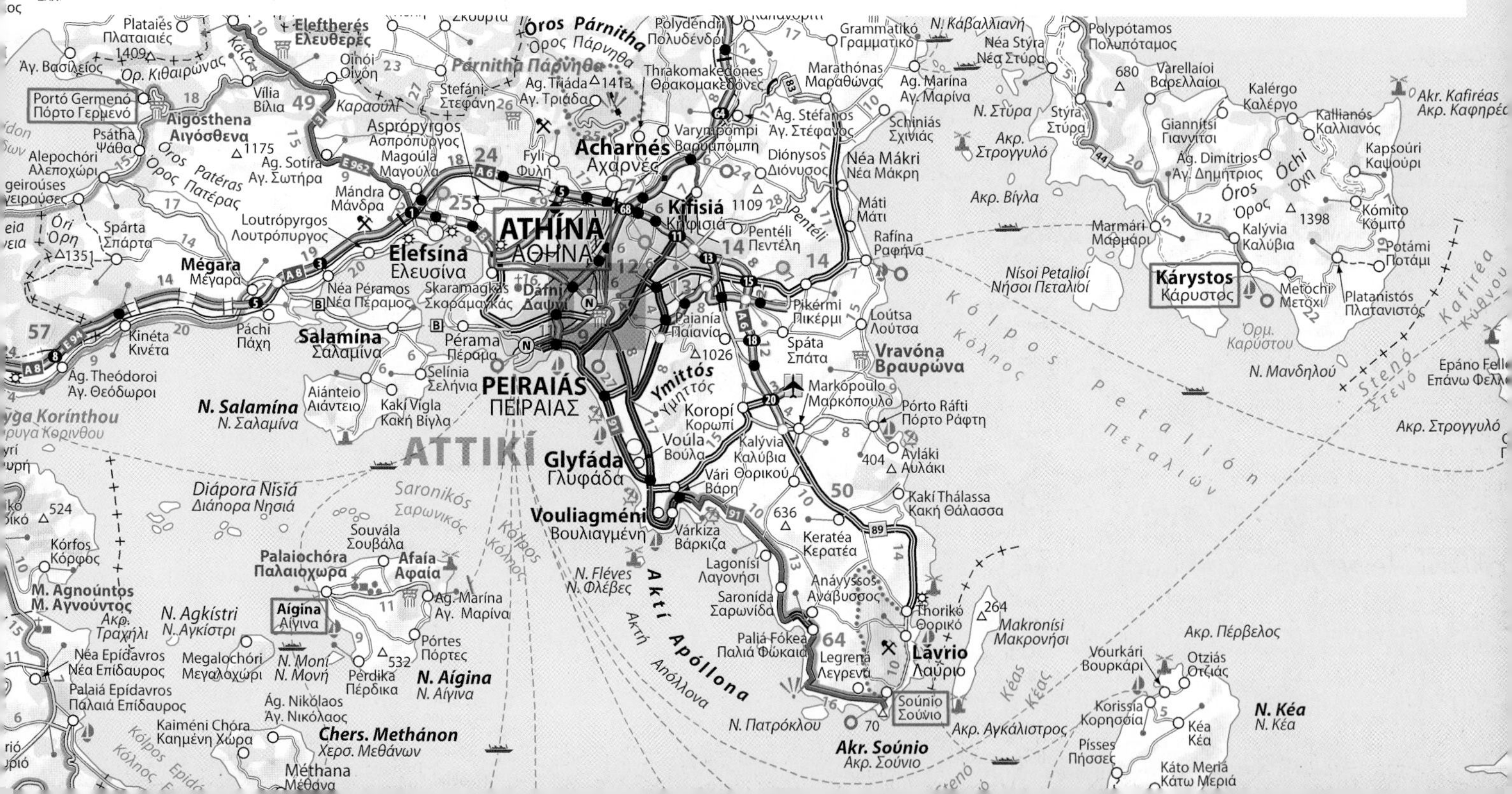

ATHÍNA
ΑΘΗΝΑ
ATTIKÍ
PEIRAIÁS
ΠΕΙΡΑΙΑΣ
Elefsína
Ελευσίνα
Mégara
Μέγαρα
Salamína
Σαλαμίνα
Acharnés
Αχαρνές
Kifisiá
Κηφισιά
Glyfáda
Γλυφάδα
Vouliagméni
Βουλιαγμένη
Lávrio
Λαύριο
Vravróna
Βραυρώνα
Kárystos
Κάρυστος
Aígina
Αίγινα
N. Aígina
N. Αίγινα
N. Salamína
N. Σαλαμίνα
Akr. Soúnio
Ακρ. Σούνιο
Óros Párnitha
Όρος Πάρνηθα
Ymittós
Υμηττός
N. Kéa
N. Κέα
Chers. Methánon
Χερσ. Μεθάνων
Saronikós Kólpos
Aktí Apóllona
Nísoi Petalioí
Νήσοι Πεταλιοί

BARCELONA
0 1750 m
TERRASSA, TARRASA
GIRONA
PUIGCERDÀ, VIC
MATARÓ
LLEIDA, TARAGONA
CASTELLDEFELS
CASTELLDEFELS, SITGES
MAR MEDITERRÀNIA
Temple del Sagrat Cor
Parc Creueta del Coll
Park Güell
Hospital de Sant Pau
SAGRADA FAMILIA
CASA MILÀ
Monestir Santa Maria de Pedralbes
Ciutat Universitària
Universitat
Catedral Santa Eulalia
Parc de la Ciutadella
Parc Zoologic
VILA OLÍMPICA
LA BARCELONETA
Castell de Montjuïc
Palau Sant Jordi
Estadi Olímpic Lluis Companys
TIBIDABO
VALLVIDRERA
COLLSEROLA
SARRIÀ
PEDRALBES
SANT GERVASI
SANTS
HORTA
NOU BARRIS
SANT ANDREU
SANTA COLOMA DE GRAMENET
BADALONA
SANTA ADRIÀ DE BESÒS
Avinguda Diagonal
Gran Via de les Corts Catalanes
Avenida del Paralelo
Ronda Litoral
Poble Espanyol .... E
Museu Nacional d'Art de Catalunya M4
Museu d'Arqueològia M5
Teatre Grec T1
Fundació Joan Miró .... W
Pavelló Mies van der Rohe .... Z
Sabadell
Mataró
Badalona
Sant Adrià de Besòs
BARCELONA
L'Hospitalet
Sant Cugat del Vallès
Cerdanyola
Martorell
Rubí
Terrassa
Mollet
Montcada
El Masnou
Premià de Mar
Vilassar de Mar
Molins de Rei
Sant Feliu
Sant Boi
Sant Vicenç dels Horts
Viladecans
Gavà
Castelldefels
El Prat de Llobregat
BARCELONA-EL PRAT
Vilafranca del Penedès
Sant Sadurní d'Anoia
Esparreguera
Olesa de Montserrat
Sant Pere de Ribes
Platja de Cova Fumada
Garraf
Costa de
D O R

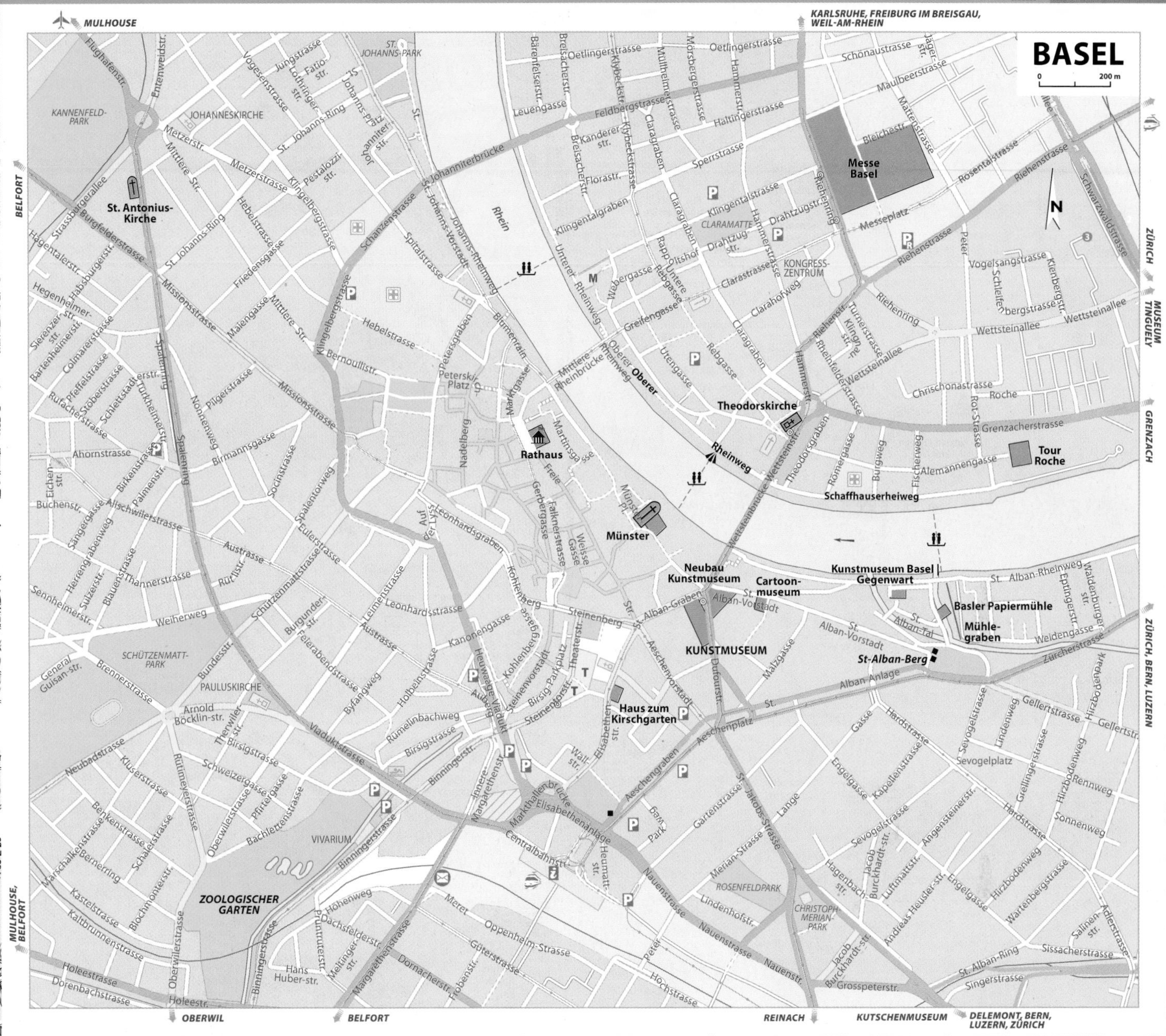
BASEL
0
200 m
MULHOUSE
KARLSRUHE, FREIBURG IM BREISGAU, WEIL-AM-RHEIN
BELFORT
ZÜRICH
MUSEUM TINGUELY
GRENZACH
ZÜRICH, BERN, LUZERN
MULHOUSE, BELFORT
OBERWIL
BELFORT
REINACH
KUTSCHENMUSEUM
DELEMONT, BERN, LUZERN, ZÜRICH
Messe Basel
St. Antonius-Kirche
Rathaus
Münster
Theodorskirche
Tour Roche
Schaffhauserheiweg
Neubau Kunstmuseum
Cartoon-museum
Kunstmuseum Basel Gegenwart
Basler Papiermühle
Mühle-graben
St-Alban-Berg
KUNSTMUSEUM
Haus zum Kirschgarten
ZOOLOGISCHER GARTEN
Rhein
Rheinweg
KANNENFELD-PARK
SCHÜTZENMATT-PARK
ROSENFELDPARK
CHRISTOPH-MERIAN-PARK
CLARAMATTE
KONGRESS-ZENTRUM
JOHANNESKIRCHE
PAULUSKIRCHE
VIVARIUM

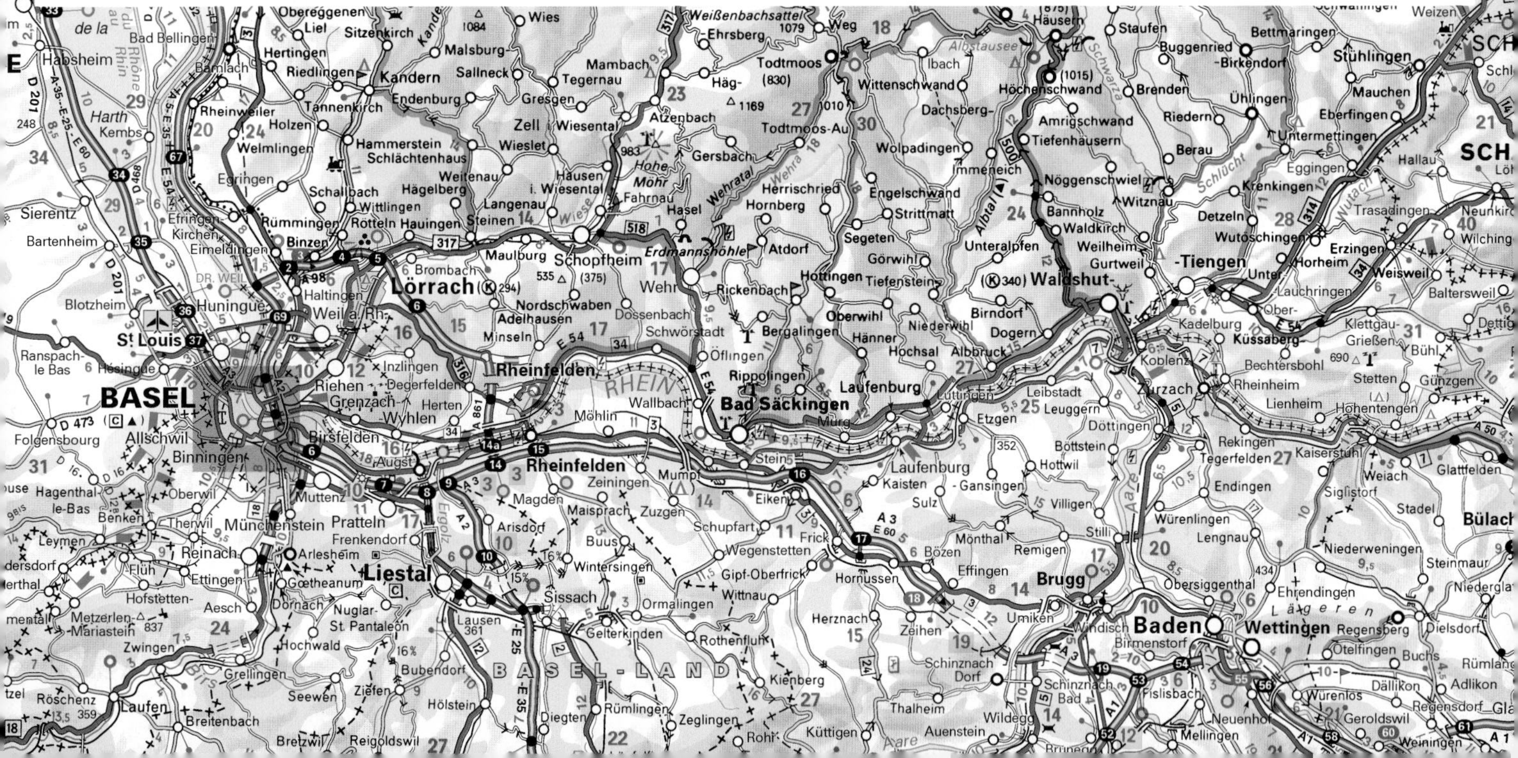
Barr
Erstein
Gengenbach
Bad Peterstal-
BASEL
Lörrach
Rheinfelden
Bad Säckingen
Laufenburg
Waldshut-
-Tiengen
Liestal
Baden
Wettingen
Brugg
Schopfheim
St Louis
Huningue
Weil a. Rh.
Riehen
Allschwil
Binningen
Muttenz
Pratteln
Reinach
Sissach
Kandern
Todtmoos
Stühlingen
BASEL-LAND

BELFAST
0 200 m
0 200 yards
FERNILL HOUSE, PEOPLE'S MUSEUM
ZOOLOGICAL GARDENS, CASTLE
ULSTER FOLK AND TRANSPORT MUSEUM
CARRICKFERGUS, LONDONDERRY/DERRY
MUSÉE TITANIC, BANGOR
TITANIC QUARTER, ODYSSEY
NEWTOWNARDS, STORMONT
NEWCASTLE
DUBLIN
LISBURN
Shankill Rd
Sinclair Seamen's Church
St Anne's Cathedral
Oh Yeah Music Centre
War Memorial
Albert Memorial Clock Tower
Custom House
Black Box Theater
Lagan Lookout Center
CASTLECOURT SHOPPING CENTRE
OVAL CHURCH
Tesco
St Peter's Cathedral
ST GEORGE'S PARISH
Waterfront Hall
LINEN WAREHOUSE
Linen Hall Library
City Hall
ROYAL COURTS OF JUSTICE
ROYAL BELFAST ACADEMICAL INSTITUTE
Church House
Donegall Sq.
ALBERT SQUARE
St-George's Market
Grand Opera House
YORKSHIRE HOUSE
GREAT VICTORIA
Crown Liquor Saloon
ULSTER HALL
St Malachy's Church
BBC
Golden Mile
Sandy Row
NORTH OF IRELAND SPORTS GROUND
Queen's University
ELMWOOD HALL
Palm House
Ulster Museum
Tropical Ravine Botanic
FRIAR'S BUSH GRAVEYARD
Botanic Gardens
LAGAN
N
ANTRIM COAST
Rathlin Island
Bull Point
Church Quarter
Mull of Kintyre
Rue Point
Benmore or Fair Head
Murlough Bay
Torr Head
Runabay Head
Ballypatrick Forest
Crockaneel
Cushendun
Knocknacarry
Cushendall
Red Bay
Glenariff or Waterfoot
Garron Point
Glens of Antrim
Glenariff Forest Park
Big Trosk
Carnlough
Carnlough Bay
Collin Top
Glenarm
The Sheddings
Carnalbanagh Sheddings
Feystown
Slemish Mountain
Carncastle
Ballygalley Head
Ballygalley
Drains Bay
MID AND EAST ANTRIM
Agnew's Hill
Larne
Isle of Muck
Portmuck
Mullaghboy
Millbay
Islandmagee
The Gobbins
Moorfields
Shoptown
Kilwaughter
Millbrook
Glynn
Larne Lough
Magheramorne
Ballyboley Forest
Ballyeaston
Glenoe
Five Corners
Ballynure
Ballycarry
Gransha
Black Head
Ballyclare
Doagh
Straid
Lough Mourne
Whitehead
Parkgate
Templepatrick
Milebush
Eden
Woodburn
Carrickfergus
Patterson's Spade Mill
Mossley
Monkstown
Greenisland
Belfast Lough
Lyle Hyde Park
Glengormley
Whiteabbey
Helen's Bay
Grey Point
Bangor
Groomsport
Newtownabbey
Whitehouse
Craigavad
Holywood
Cultra
Crawfordsburn
Loanends
Nutt's Corner
Squires Hill
Aldergrove
BELFAST AIRPORT
Ardmore Point
The Diamond
Crumlin
Clady
Legoniel
Divis
Six Road Ends
Conlig
BELFAST
Stormont Parliament Buildings
Craigantlet
Dundonald
Newtownards
Scrabo Hill
Hannahstown
Stonyford
Glenavy
Gartree Point
NEAGH
Rams Island
Dundrod
Cookstown
Coagh
Newport Trench
Kingsmill
Ardboe
Tullyhogue
Killycolpy
Sandholes
Donaghey
Stewartstown
Newmills
Killeen
Mountjoy
Coalisland
Washing Bay
The Bush
Aughamullan
Dungannon
Maghery
Milltown
Charlestown
Derrytrasna
Moygashel
Laghey Corner
Tamnamore
Peatlands
Ardmore Point
Ballymacrevan
Lough Beg
Lower Ballinderry
Upper
Aghalee
Aghagallon
Maghaberry
Magheragall
Soldierstown
Lisburn
Lambeg
Dunmurry
Drumbeg
Lagan Valley
Ballylesson
Moneyreagh
Newtownbreda
Comber
Cunningburn
Mount Stewart Gardens
Wildfowl and Wetlands Trust
Temple of the Winds
Grey Abbey
ARDS AND NORTH DOWN
Eglish
The Argory
Derrykeevan
Derryadd
Moira
Mazetown
Drumbo
Carryduff
Ballygowan
Lisbane
Nendrum Monastery
Mahee Island
Ardmillan
Moy
Charlemont
Tullyroan
Derryanvil
Drummannon
Magheralin
Dollingstown
Taughblane
Hillsborough
Boardmills
Baileysmill
The Temple
Balloo Cross Roads
Castle
Kircubbin
Killinchy
Strangford Lough
Benburb
Aghinlig
Ardress House
Portadown
Craigavon
Lurgan
Waringstown
Kilntown
LISBURN AND CASTLEREAGH
Annahilt
Rowallane Gardens
Saintfield
Raffrey
Islandmore
Blackwatertown
Loughgall
Kilmore
Wells Cross
Donaghcloney
Clare
Derryboye
Allistragh
Moyallan
Blackskull
Dromore
Listooder
Crossgar
Killyleagh
ARMAGH, BANBRIDGE AND CRAIGAVON
Lawrencetown
Ballykeel
Delamont
Armagh
Richhill
Laurelvale
Gilford
Seapatrick
Waringsford
Ballynahinch
Kilmore
Audley's Castle
Hamiltonsbawn
Tandragee
Banbridge
Dromara
The Spa
Drumaness
Milford
Killeen
Corbet Milltown
Massford
Annacloy
Castle Ward
Scarva
Kilkinamurry
Leganny Dolmen
Slieve Croob
Loughinisland
Quoile
Countryside Centre
Inch Abbey
Saul
Churchtown
Milltown
Gosford Forest Park
Loughbrickland
Church
Annadorn
Ballyalton
Leslie Hill
Markethill
Eleven Lane Ends
Poyntz Pass
Annaclone
Katesbridge
Lowtown
Downpatrick
Struell Wells
Moneyslane
Seaforde
Ballydugan
Bishops Court

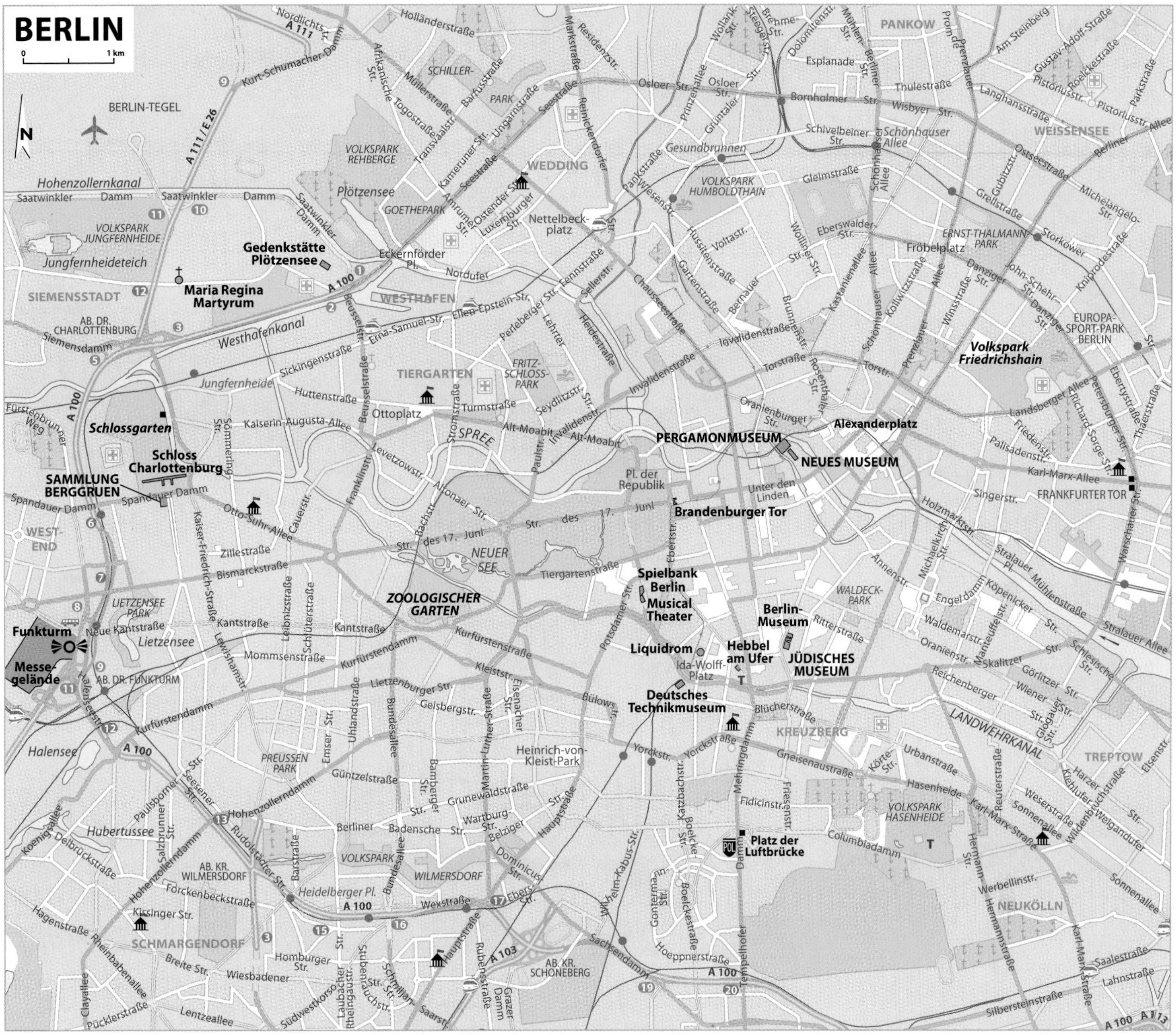
BERLIN
0 1 km
N
BERLIN-TEGEL
PANKOW
WEDDING
WEISSENSEE
SIEMENSSTADT
WESTHAFEN
TIERGARTEN
Gedenkstätte Plötzensee
Maria Regina Martyrum
Schlossgarten
Schloss Charlottenburg
SAMMLUNG BERGGRUEN
PERGAMONMUSEUM
NEUES MUSEUM
Alexanderplatz
Brandenburger Tor
Volkspark Friedrichshain
ZOOLOGISCHER GARTEN
Spielbank Berlin
Musical Theater
Liquidrom
Hebbel am Ufer
Berlin-Museum
JÜDISCHES MUSEUM
Deutsches Technikmuseum
Funkturm
Messegelände
KREUZBERG
Platz der Luftbrücke
TREPTOW
NEUKÖLLN
SCHMARGENDORF
WEST-END
FRANKFURTER TOR
Hohenzollernkanal
Westhafenkanal
LANDWEHRKANAL
NEUER SEE
SPREE
Lietzensee
Halensee
Hubertussee
Jungfernheideteich
VOLKSPARK JUNGFERNHEIDE
VOLKSPARK REHBERGE
VOLKSPARK HUMBOLDTHAIN
VOLKSPARK HASENHEIDE
VOLKSPARK WILMERSDORF
PREUSSEN PARK
Kurfürstendamm
Str. des 17. Juni
Unter den Linden
Karl-Marx-Allee
A 100
A 103
A 111 / E 26

BERLIN
POTSDAM
Spandau
Reinickendorf
Pankow
Lichtenberg
Köpenick
Steglitz
Teltow
Kleinmachnow
Nauen
Falkensee
Oranienburg
Strausberg
Erkner
Werder
Wannsee
Sanssouci
Babelsberg
Marzahn
Hellersdorf
Neuenhagen
Schöneiche
Woltersdorf
Großer Müggelsee
Havelkanal
Oder-Spree-Kanal
BERLIN-BRANDENBURG
BERLIN-TEGEL
SCHÖNEFELDER KREUZ
Wildau
Zeuthen
Mahlow
Großbeeren

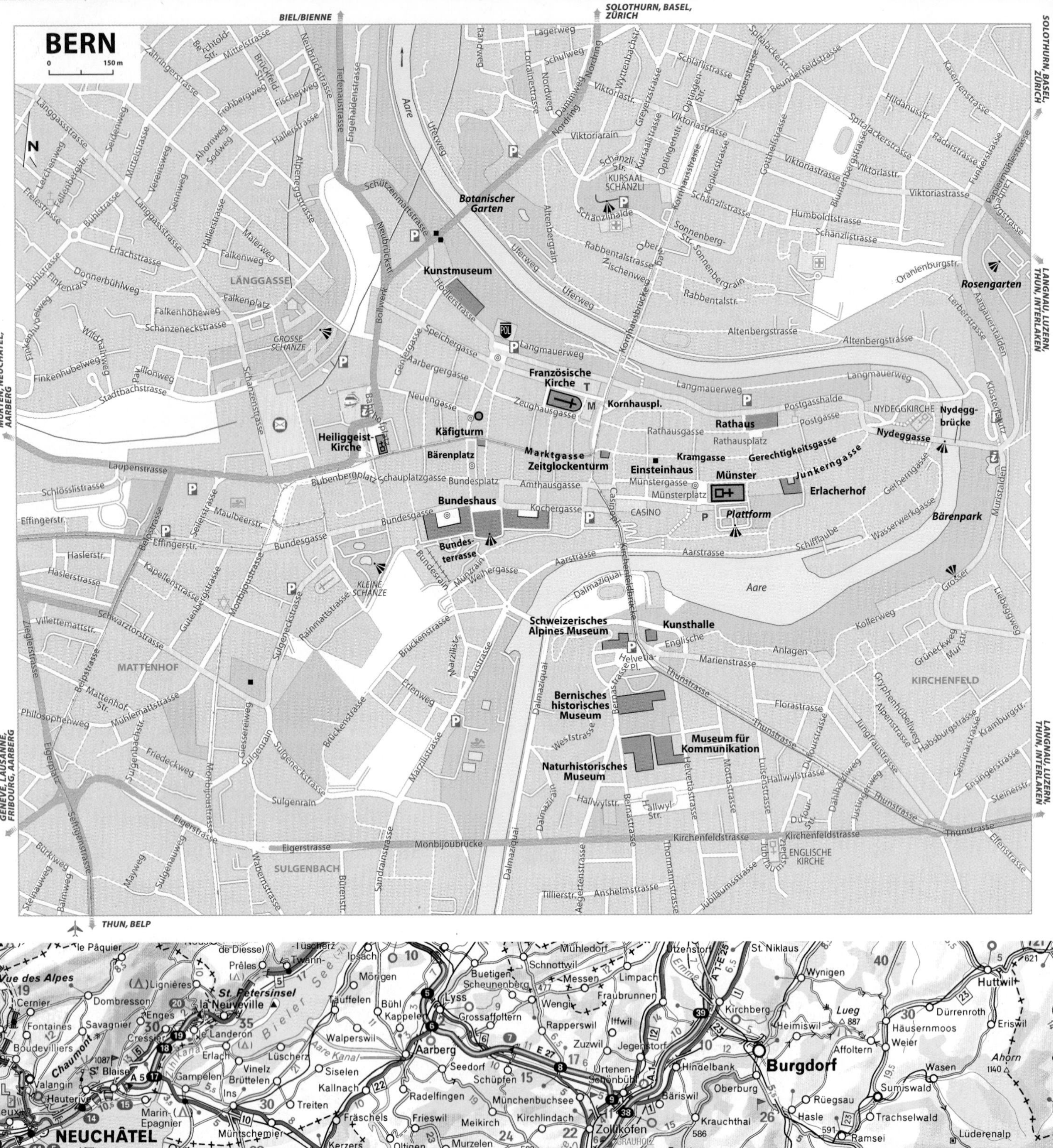
BERN
0 150 m
N
BIEL/BIENNE
SOLOTHURN, BASEL, ZÜRICH
LANGNAU, LUZERN, THUN, INTERLAKEN
MURTEN, NEUCHÂTEL, AARBERG
GENÈVE, LAUSANNE, FRIBOURG, AARBERG
THUN, BELP
LÄNGGASSE
MATTENHOF
SULGENBACH
KIRCHENFELD
Aare
Botanischer Garten
Kunstmuseum
Französische Kirche
Kornhauspl.
Käfigturm
Heiliggeist-Kirche
Bärenplatz
Marktgasse
Zeitglockenturm
Einsteinhaus
Rathaus
Nydegg-brücke
Münster
Erlacherhof
Plattform
Bundeshaus
Bundes-terrasse
Bärenpark
Rosengarten
Schweizerisches Alpines Museum
Kunsthalle
Bernisches historisches Museum
Museum für Kommunikation
Naturhistorisches Museum
KURSAAL SCHÄNZLI
GROSSE SCHANZE
KLEINE SCHANZE
CASINO
NYDEGGKIRCHE
ENGLISCHE KIRCHE
Helvetia-Pl.
Monbijoubrücke
Kirchenfeldbrücke
Kornhausbrücke

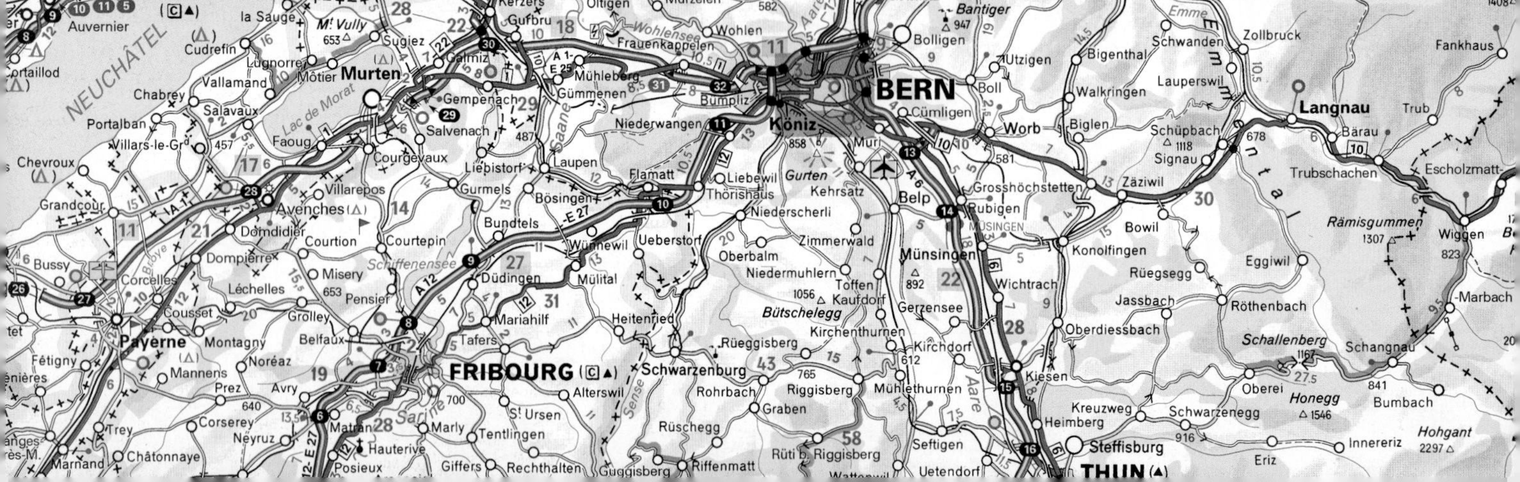
NEUCHÂTEL
Murten
FRIBOURG
BERN
Burgdorf
Langnau
Köniz
Belp
Münsingen
Steffisburg
THUN
Bieler See
Aarberg
Payerne
Avenches

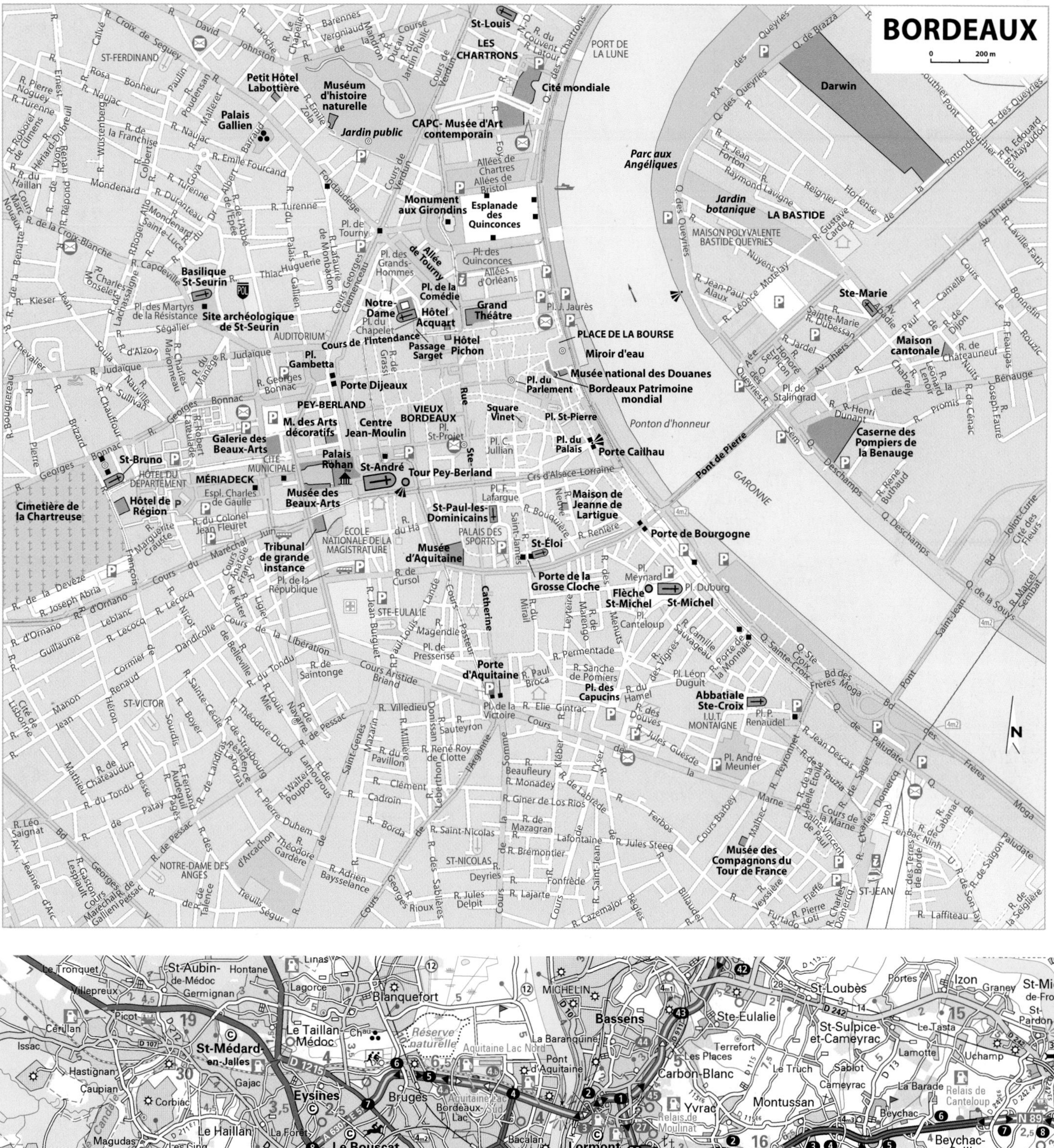
BORDEAUX
0
200 m
Darwin
St-Louis
LES CHARTRONS
PORT DE LA LUNE
Cité mondiale
Petit Hôtel Labottière
Muséum d'histoire naturelle
Palais Gallien
Jardin public
CAPC-Musée d'Art contemporain
Parc aux Angéliques
Jardin botanique
LA BASTIDE
MAISON POLYVALENTE BASTIDE QUEYRIES
Monument aux Girondins
Esplanade des Quinconces
Allée de Tourny
Basilique St-Seurin
Site archéologique de St-Seurin
AUDITORIUM
Notre-Dame
Hôtel Acquart
Grand Théâtre
Pl. de la Comédie
Cours de l'Intendance
Passage Sarget
Hôtel Pichon
PLACE DE LA BOURSE
Miroir d'eau
Musée national des Douanes
Bordeaux Patrimoine mondial
Ste-Marie
Maison cantonale
Pl. Gambetta
Porte Dijeaux
PEY-BERLAND
VIEUX BORDEAUX
Pl. du Parlement
Square Vinet
Pl. St-Pierre
Ponton d'honneur
Pont de Pierre
Caserne des Pompiers de la Benauge
Galerie des Beaux-Arts
M. des Arts décoratifs
Centre Jean-Moulin
Pl. du Palais
Porte Cailhau
St-Bruno
MÉRIADECK
Palais Rohan
St-André
Tour Pey-Berland
GARONNE
Cimetière de la Chartreuse
Hôtel de Région
Musée des Beaux-Arts
St-Paul-les-Dominicains
Maison de Jeanne de Lartigue
Porte de Bourgogne
Tribunal de grande instance
ÉCOLE NATIONALE DE LA MAGISTRATURE
Musée d'Aquitaine
PALAIS DES SPORTS
St-Éloi
Porte de la Grosse Cloche
Flèche St-Michel
St-Michel
Pl. de la République
STE-EULALIE
Porte d'Aquitaine
Pl. de la Victoire
Pl. des Capucins
Abbatiale Ste-Croix
I.U.T. MONTAIGNE
ST-VICTOR
Pl. André Meunier
ST-NICOLAS
NOTRE-DAME DES ANGES
Musée des Compagnons du Tour de France
ST-JEAN
N

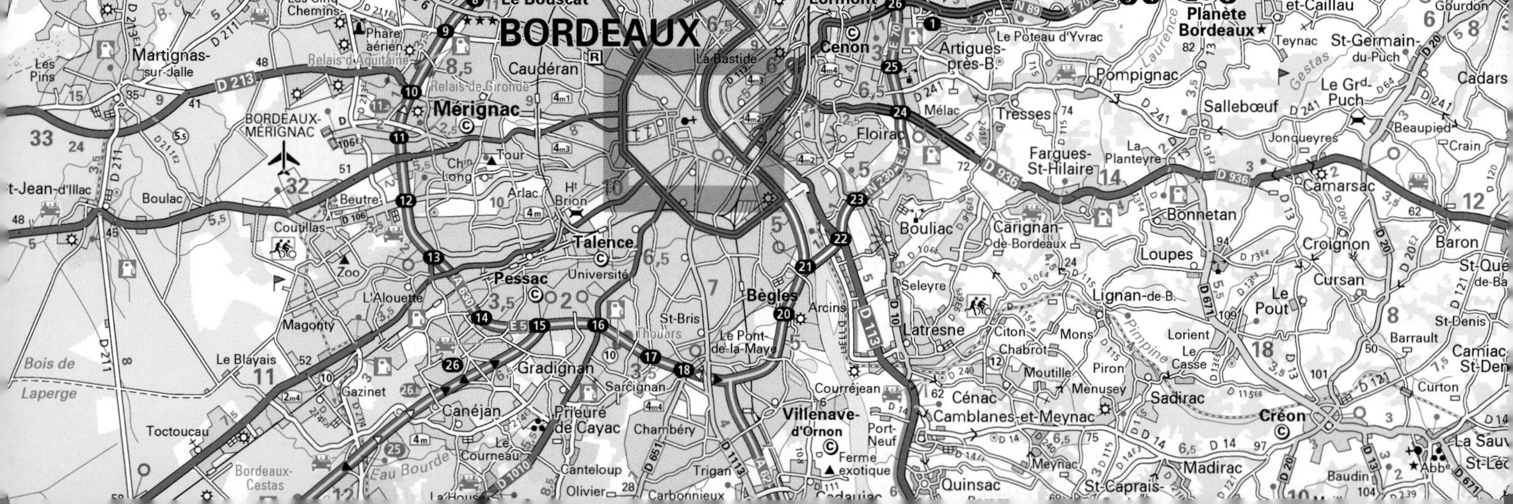
BORDEAUX
St-Aubin-de-Médoc
Blanquefort
St-Médard-en-Jalles
Le Taillan-Médoc
Réserve naturelle
Eysines
Bruges
Bassens
St-Loubès
Ste-Eulalie
Carbon-Blanc
Yvrac
Montussan
St-Sulpice-et-Cameyrac
Beychac-et-Caillau
Planète Bordeaux
Le Haillan
Le Bouscat
Lormont
Cenon
Artigues-près-B.
Martignas-sur-Jalle
Caudéran
Mérignac
BORDEAUX-MÉRIGNAC
La Bastide
Floirac
Tresses
Pompignac
Sallebœuf
Fargues-St-Hilaire
Camarsac
Talence
Pessac
Bègles
Bouliac
Carignan-de-Bordeaux
Loupes
Croignon
Cursan
Gradignan
Villenave-d'Ornon
Latresne
Lignan-de-B.
Sadirac
Créon
Canéjan
Prieuré de Cayac
Cénac
Camblanes-et-Meynac
Quinsac
Madirac

BRNO
PEZINOK
BRNO, PRAHA
TRNAVA, TRENČÍN
NITRA
KOMÁRNO
WIEN
EISENSTADT
GYŐR, BUDAPEST
BRATISLAVA
0
2 km
N
RAČA
VAJNORY
VÝCHODNÉ NÁDRAŽIE
LAMAČ
KRASŇANY
Račianska
E75-E571
61
DÚBRAVKA
Kamzík 440
Zlaté piesky
Vajnorská
JURAJOV DVOR
TRNÁVKA
KOLIBA
NOVÉ MESTO
Rožňavská
KRAMÁRE
cesta
Trnavská
KÚTIKY
VINOHRADY
Brnianska
Pražská
ŠTRKOVEC
OSTREDKY
SLÁVIČIE ÚDOLIE
Karlovešká
HORSKÝ PARK
Šancová
Karadžičova
POŠEŇ
RUŽINOV
KARLOVA VES
STARÉ MESTO
NIVY
Gagarinova
Prievozská
PRIEVOZ
E 575
VRAKUŇA
Nábr. gen. L. Svobodu
Most SNP
E 65
Malý Dunaj
Ulica
Einsteinova
Slovnaftská
PODUNAJSKÉ BISKUPICE
svornosti
COLNICA
E 58
DVORY
Bratská
Panónska
PETRŽALKA
E 65 - E 75
Kutlikova
Pajštúnska
DUNAJ
ÖSTERREICH
LÚKY
Dolnozemská
BERG
KITTSEE
E 575
63
WIEN
BRATISLAVA
Trnava
Nitra
Pezinok
Senec
Dunajská Streda
Nové Zámky
Komárno
Levice
Eisenstadt
Wiener Neustadt
Győr
NITRIANSKY KRAJ
BRATISLAVSKÝ KRAJ
TRNAVSKÝ KRAJ
BURGENLAND

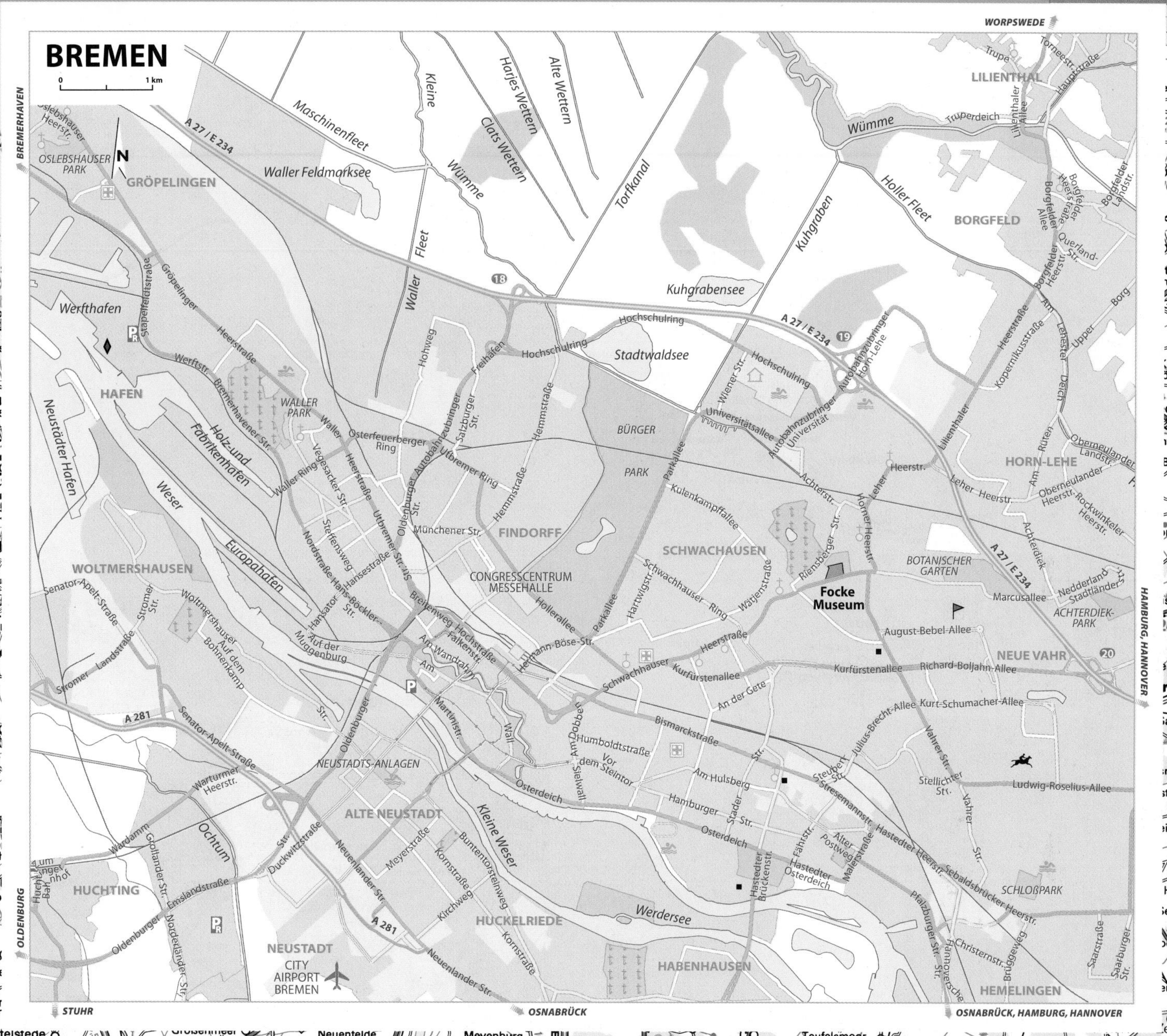
BREMEN
0
1 km
N
WORPSWEDE
BREMERHAVEN
HAMBURG, HANNOVER
OLDENBURG
STUHR
OSNABRÜCK
OSNABRÜCK, HAMBURG, HANNOVER
A 27 / E 234
A 281
Maschinenfleet
Waller Feldmarksee
Kleine Wümme
Harjes Wettern
Alte Wettern
Clats Wettern
Torfkanal
Kuhgraben
Wümme
Holler Fleet
LILIENTHAL
BORGFELD
GRÖPELINGEN
OSLEBSHAUSER PARK
Werfthafen
HAFEN
Waller Fleet
Kuhgrabensee
Stadtwaldsee
Hochschulring
WALLER PARK
BÜRGER PARK
FINDORFF
SCHWACHHAUSEN
HORN-LEHE
Universitätsallee
Autobahnzubringer Universität
Autobahnzubringer Horn-Lehe
Neustädter Hafen
Holz- und Fabrikenhafen
Weser
Europahafen
WOLTMERSHAUSEN
CONGRESSCENTRUM MESSEHALLE
Focke Museum
BOTANISCHER GARTEN
ACHTERDIEK-PARK
NEUE VAHR
August-Bebel-Allee
Kurfürstenallee
Richard-Boljahn-Allee
Kurt-Schumacher-Allee
Bismarckstraße
Humboldtstraße
Vor dem Steintor
Osterdeich
Hamburger Str.
NEUSTADTS-ANLAGEN
ALTE NEUSTADT
Kleine Weser
Ochtum
HUCHTING
HUCKELRIEDE
Werdersee
NEUSTADT
CITY AIRPORT BREMEN
HABENHAUSEN
SCHLOẞPARK
HEMELINGEN
Ludwig-Roselius-Allee
Stresemannstr.
Hastedter Heerstr.
Sebaldsbrücker Heerstr.
Pfalzburger Str.
Christernstr.
Marcusallee
Lilienthaler Heerstr.
Leher Heerstr.
Oberneulander Heerstr.
Achterdiek
Parkallee
Hollerallee
Schwachhauser Heerstr.
Kulenkampffallee
Riensberger Str.
Heerstraße
Gröpelinger Heerstraße
Bremerhavener Str.
Waller Ring
Utbremer Str.
Utbremer Ring
Hemmstraße
Münchener Str.
Breitenweg
Hochstraße
Martinistr.
Neuenlander Str.
Kornstraße
Buntentorsteinweg
Duckwitzstraße
Senator-Apelt-Straße
Stromer Landstraße
Oldenburger Str.
Emslandstraße
Warturmer Heerstr.

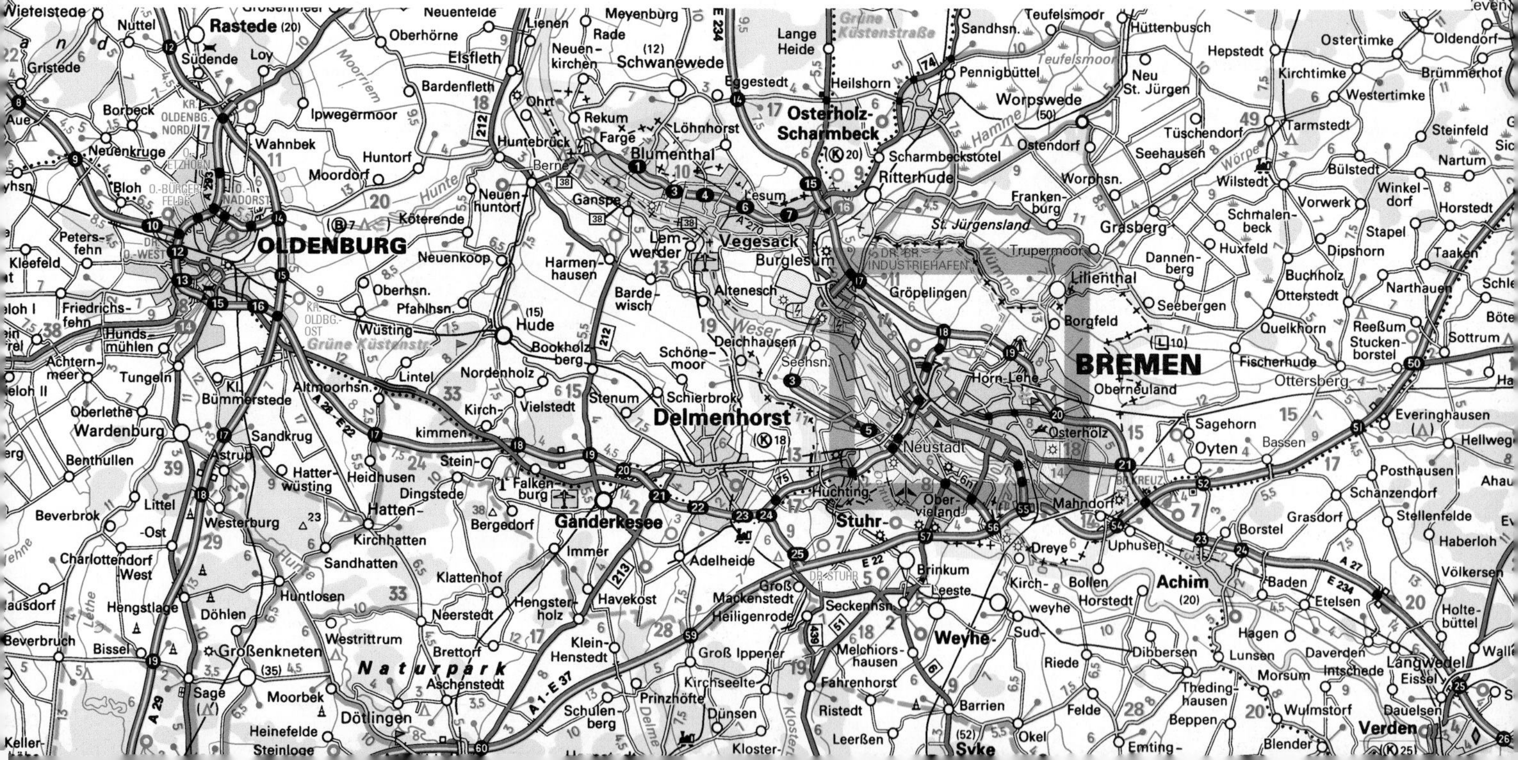
Rastede
Oldenburg
OLDENBURG
Elsfleth
Schwanewede
Osterholz-Scharmbeck
Worpswede
Ritterhude
Lilienthal
Grasberg
Blumenthal
Vegesack
Burglesum
Lemwerder
Hude
Delmenhorst
Ganderkesee
Stuhr
Weyhe
BREMEN
Achim
Oyten
Ottersberg
Fischerhude
Oberneuland
Borgfeld
Horn-Lehe
Gröpelingen
Neustadt
Osterholz
Hatten
Wardenburg
Großenkneten
Naturpark
Dötlingen
Langwedel
Verden
Syke
A 1 - E 37
A 27
A 28 - E 22
A 29
E 234

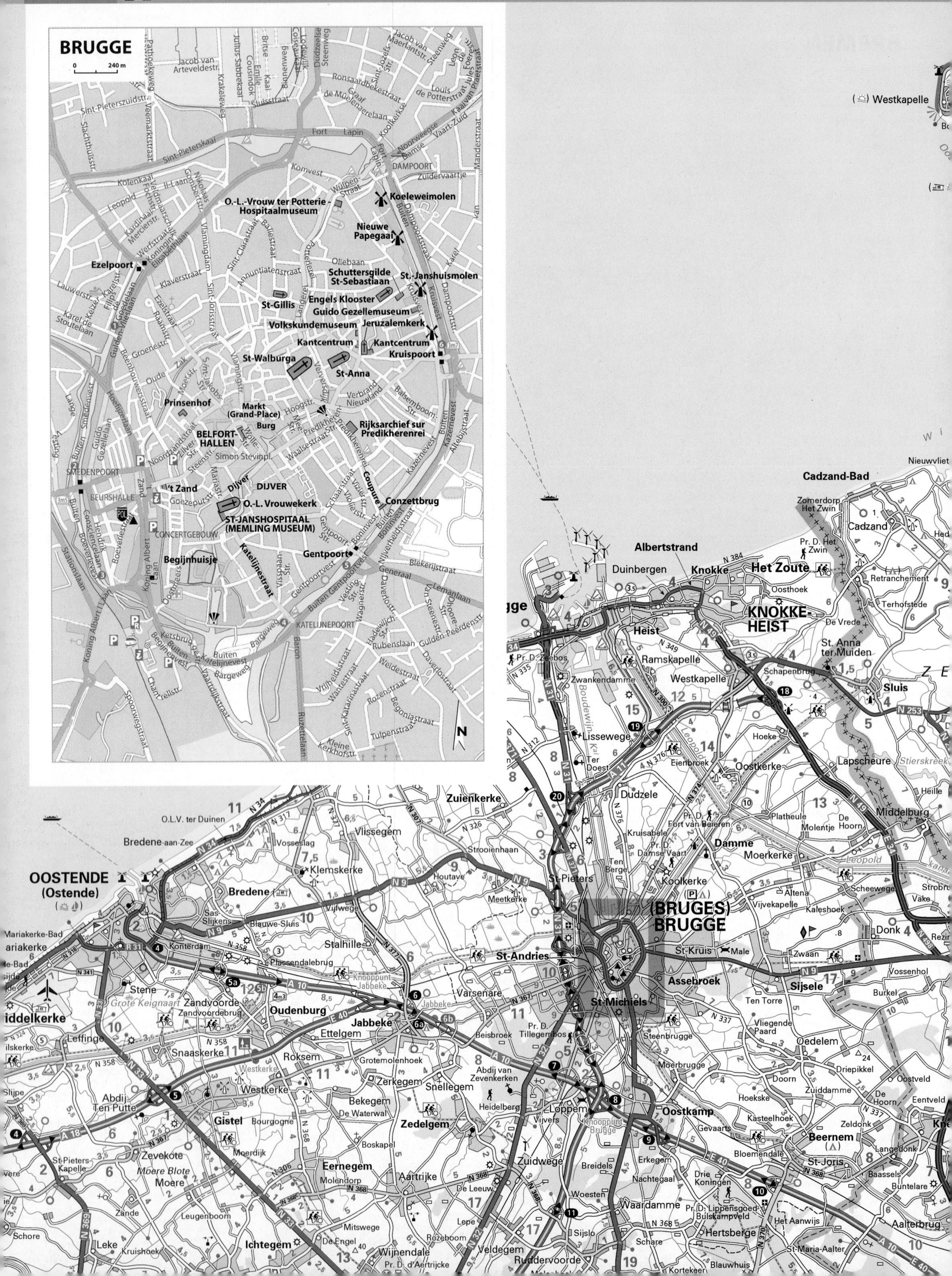
BRUGGE
0 240 m
Ezelpoort
Koeleweimolen
O.-L.-Vrouw ter Potterie - Hospitaalmuseum
Nieuwe Papegaai
Schuttersgilde St-Sebastiaan
St.-Janshuismolen
Engels Klooster
St-Gillis
Guido Gezellemuseum
Volkskundemuseum
Jeruzalemkerk
Kantcentrum
Kruispoort
St-Walburga
St-Anna
Prinsenhof
Markt (Grand-Place)
Burg
BELFORT-HALLEN
Rijksarchief sur Predikherenrei
SMEDENPOORT
BEURSHALLE
't Zand
DIJVER
O.-L. Vrouwekerk
Conzettbrug
ST-JANSHOSPITAAL (MEMLING MUSEUM)
CONCERTGEBOUW
Begijnhuisje
Gentpoort
KATELIJNEPOORT
DAMPOORT
N
Westkapelle
Cadzand-Bad
Cadzand
Albertstrand
Duinbergen
Knokke
Het Zoute
KNOKKE-HEIST
Heist
Ramskapelle
Westkapelle
Sluis
Zwankendamme
Lissewege
Dudzele
Oostkerke
Lapscheure
Middelburg
Damme
Moerkerke
Zuienkerke
Vlissegem
Klemskerke
OOSTENDE (Ostende)
Bredene
Bredene-aan-Zee
O.L.V. ter Duinen
(BRUGES) BRUGGE
St-Kruis
Assebroek
St-Michiels
St-Andries
Varsenare
Jabbeke
Stalhille
Oudenburg
Zandvoorde
Ettelgem
Snaaskerke
Roksem
Zerkegem
Snellegem
Gistel
Westkerke
Bekegem
Zedelgem
Loppem
Oostkamp
Sijsele
Oedelem
Beernem
Ernegem
Aartrijke
Zuidwege
Waardamme
Hertsberge
Ichtegem
Veldegem
Ruddervoorde
Aalterbrug
Moere
Leke
Zevekote
Abdij Ten Putte
Middelkerke
E 40
A 10
A 11
N 31
N 9

Kronenhoek
Bloempot
Waaslandhaven
Beverentunnel
Kn. Antwerpen-Noord
Ekeren
Schoten
CASABLANCA
's-Gravenwezel
St-Antonius

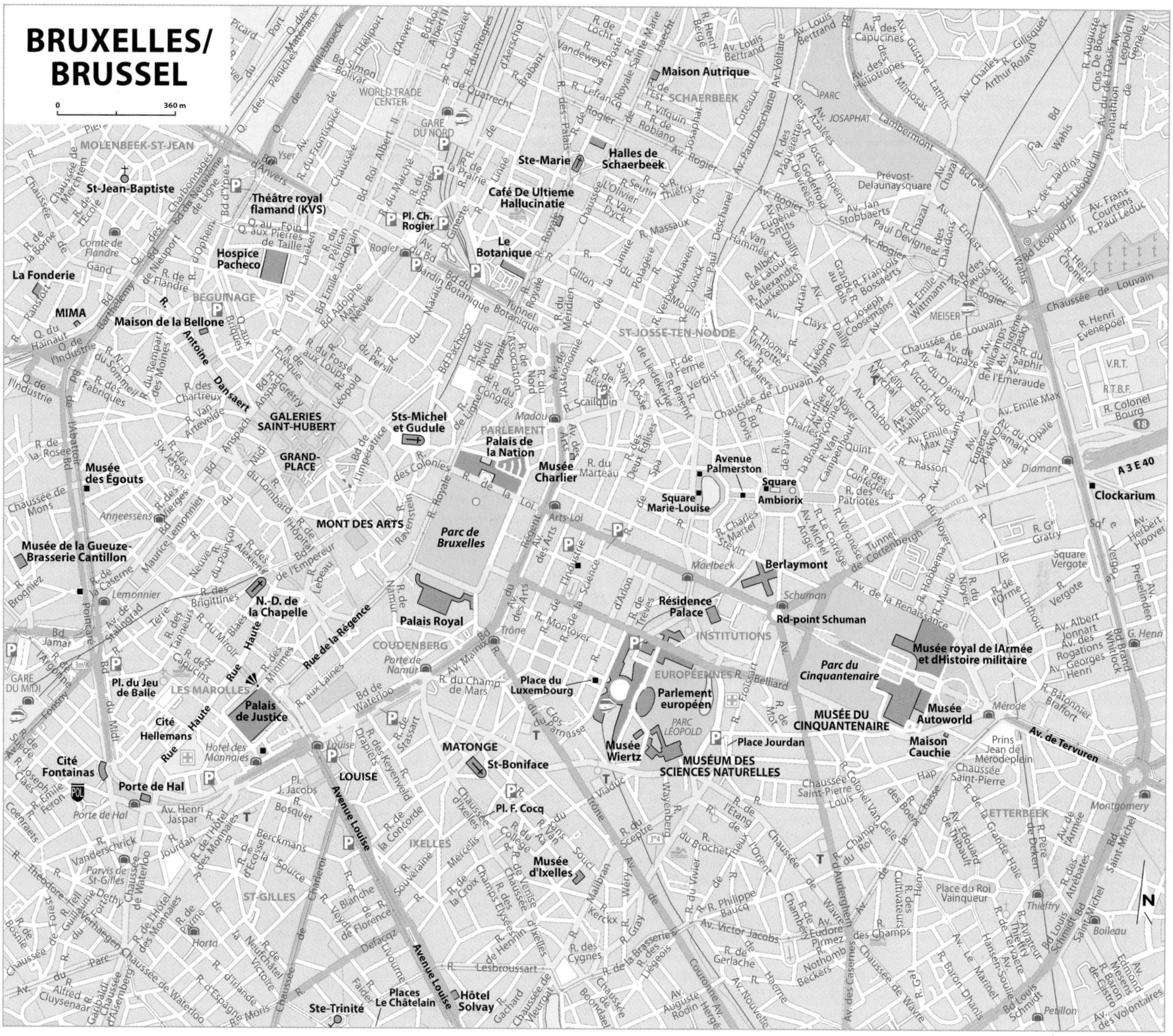
BRUXELLES/
BRUSSEL
0
360 m
MOLENBEEK-ST-JEAN
St-Jean-Baptiste
Théâtre royal flamand (KVS)
Hospice Pacheco
La Fonderie
MIMA
Maison de la Bellone
BEGUINAGE
GARE DU NORD
WORLD TRADE CENTER
Ste-Marie
Halles de Schaerbeek
Maison Autrique
Café De Ultieme Hallucinatie
Pl. Ch. Rogier
Le Botanique
ST-JOSSE-TEN-NOODE
GALERIES SAINT-HUBERT
GRAND-PLACE
Sts-Michel et Gudule
PARLEMENT
Palais de la Nation
Musée Charlier
Musée des Égouts
MONT DES ARTS
Parc de Bruxelles
Musée de la Gueuze-Brasserie Cantillon
N.-D. de la Chapelle
Palais Royal
COUDENBERG
Avenue Palmerston
Square Marie-Louise
Square Ambiorix
Berlaymont
Résidence Palace
Rd-point Schuman
INSTITUTIONS EUROPÉENNES
Parc du Cinquantenaire
Musée royal de lArmée et dHistoire militaire
Clockarium
Pl. du Jeu de Balle
LES MAROLLES
Palais de Justice
Place du Luxembourg
Parlement européen
MUSÉE DU CINQUANTENAIRE
Musée Autoworld
Cité Hellemans
Cité Fontainas
Porte de Hal
MATONGE
St-Boniface
LOUISE
Musée Wiertz
MUSÉUM DES SCIENCES NATURELLES
Place Jourdan
Maison Cauchie
Pl. F. Cocq
IXELLES
Musée d'Ixelles
ST-GILLES
ETTERBEEK
Avenue Louise
Ste-Trinité
Places Le Châtelain
Hôtel Solvay
GARE DU MIDI
A 3 E 40

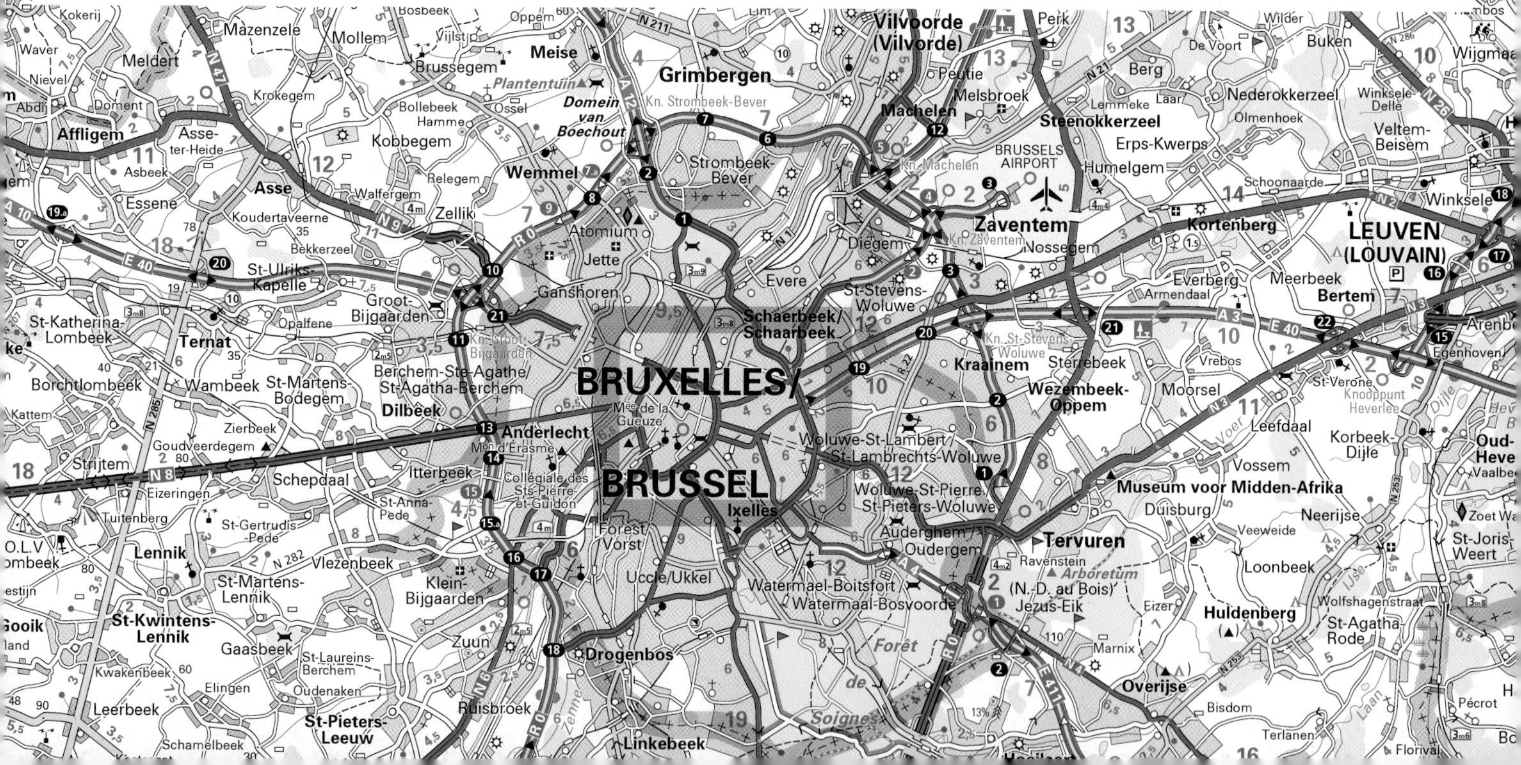
Vilvoorde (Vilvorde)
Meise
Grimbergen
Domein van Bouchout
Affligem
Asse
Wemmel
Strombeek-Bever
Machelen
Melsbroek
Steenokkerzeel
BRUSSELS AIRPORT
Zaventem
Kortenberg
LEUVEN (LOUVAIN)
Atomium
Jette
Ganshoren
Evere
Schaerbeek/ Schaarbeek
Diegem
Nossegem
Ternat
St-Ulriks-Kapelle
Groot-Bijgaarden
Kraainem
Wezembeek-Oppem
Dilbeek
BRUXELLES/
BRUSSEL
Anderlecht
Woluwe-St-Lambert/ St-Lambrechts-Woluwe
Woluwe-St-Pierre/ St-Pieters-Woluwe
Museum voor Midden-Afrika
Tervuren
Ixelles
Forest Vorst
Auderghem/ Oudergem
Uccle/Ukkel
Watermael-Boitsfort/ Watermaal-Bosvoorde
Lennik
St-Kwintens-Lennik
Drogenbos
Huldenberg
Overijse
St-Pieters-Leeuw
Linkebeek

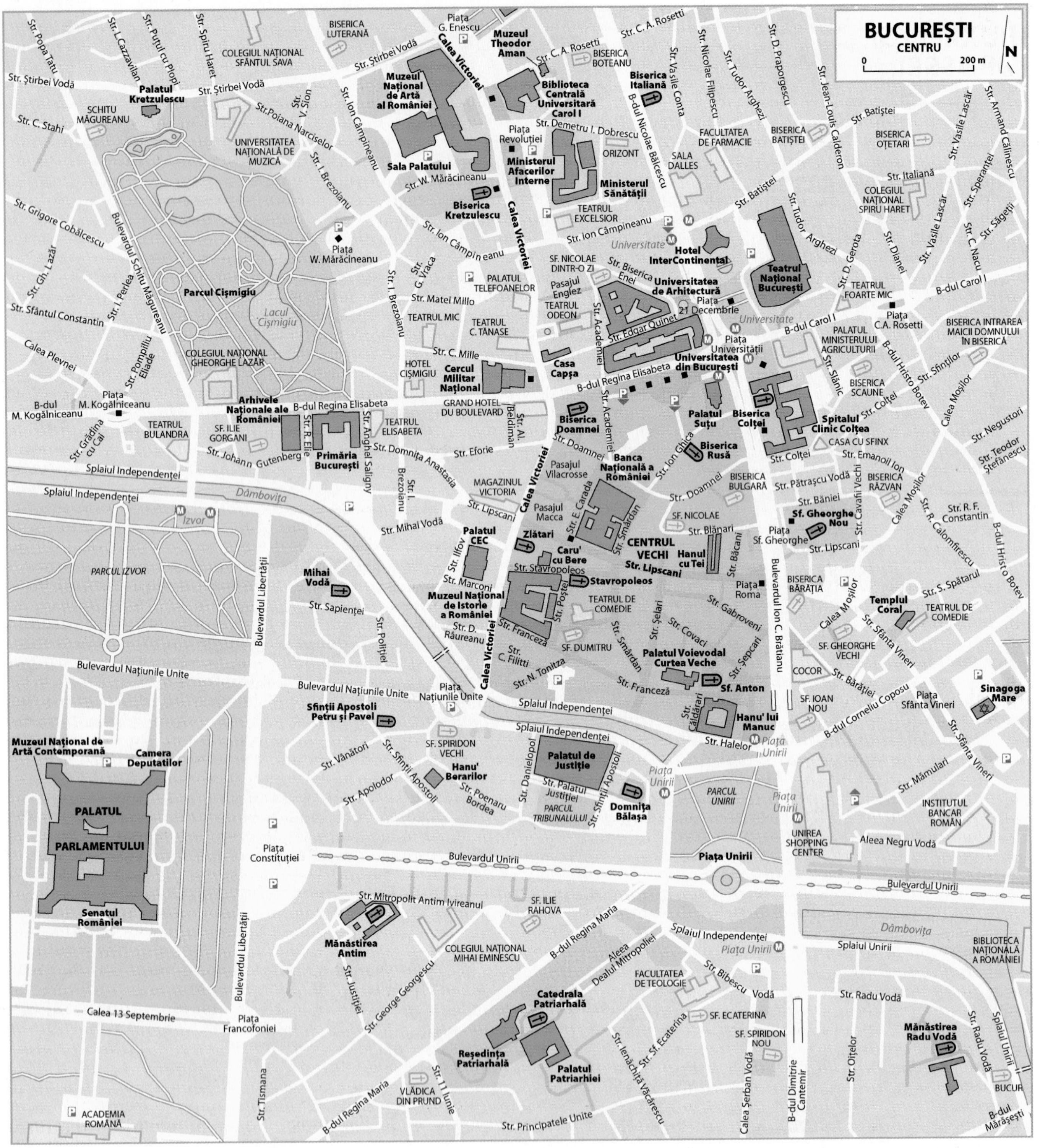
BUCUREȘTI
CENTRU
0
200 m
N
Calea Victoriei
Piața G. Enescu
Muzeul Theodor Aman
Muzeul Național de Artă al României
Biblioteca Centrală Universitară Carol I
Biserica Italiană
Palatul Kretzulescu
Schitu Măgureanu
Colegiul Național Sfântul Sava
Universitatea Națională de Muzică
Sala Palatului
Piața Revoluției
Ministerul Afacerilor Interne
Ministerul Sănătății
Biserica Kretzulescu
Parcul Cișmigiu
Lacul Cișmigiu
Colegiul Național Gheorghe Lazăr
Piața W. Mărăcineanu
Hotel InterContinental
Teatrul Național București
Universitatea de Arhitectură
Piața 21 Decembrie
Piața Universității
Universitatea din București
Casa Capșa
Cercul Militar Național
Hotel Cișmigiu
Grand Hotel du Boulevard
B-dul Regina Elisabeta
Arhivele Naționale ale României
Primăria București
Teatrul Bulandra
Piața M. Kogălniceanu
Biserica Doamnei
Palatul Suțu
Biserica Colțea
Spitalul Clinic Colțea
Casa cu Sfinx
Biserica Rusă
Banca Națională a României
Splaiul Independenței
Dâmbovița
Izvor
Parcul Izvor
Palatul CEC
Zlătari
Caru' cu Bere
Stavropoleos
Centrul Vechi
Hanul cu Tei
Muzeul Național de Istorie a României
Mihai Vodă
Palatul Voievodal Curtea Veche
Sf. Anton
Hanu' lui Manuc
Templul Coral
Sinagoga Mare
Bulevardul Națiunile Unite
Piața Națiunile Unite
Sfinții Apostoli Petru și Pavel
Hanu' Berarilor
Palatul de Justiție
Domnița Bălașa
Parcul Unirii
Piața Unirii
Unirea Shopping Center
Institutul Bancar Român
Muzeul Național de Artă Contemporană
Camera Deputaților
Palatul Parlamentului
Senatul României
Piața Constituției
Bulevardul Unirii
Bulevardul Libertății
Mănăstirea Antim
Colegiul Național Mihai Eminescu
Catedrala Patriarhală
Reședința Patriarhală
Palatul Patriarhiei
Facultatea de Teologie
Biblioteca Națională a României
Mănăstirea Radu Vodă
Calea 13 Septembrie
Piața Francofoniei
Academia Română
B-dul Regina Maria
Str. Principatele Unite
Bulevardul Ion C. Brătianu
B-dul Carol I
B-dul Hristo Botev
Calea Moșilor

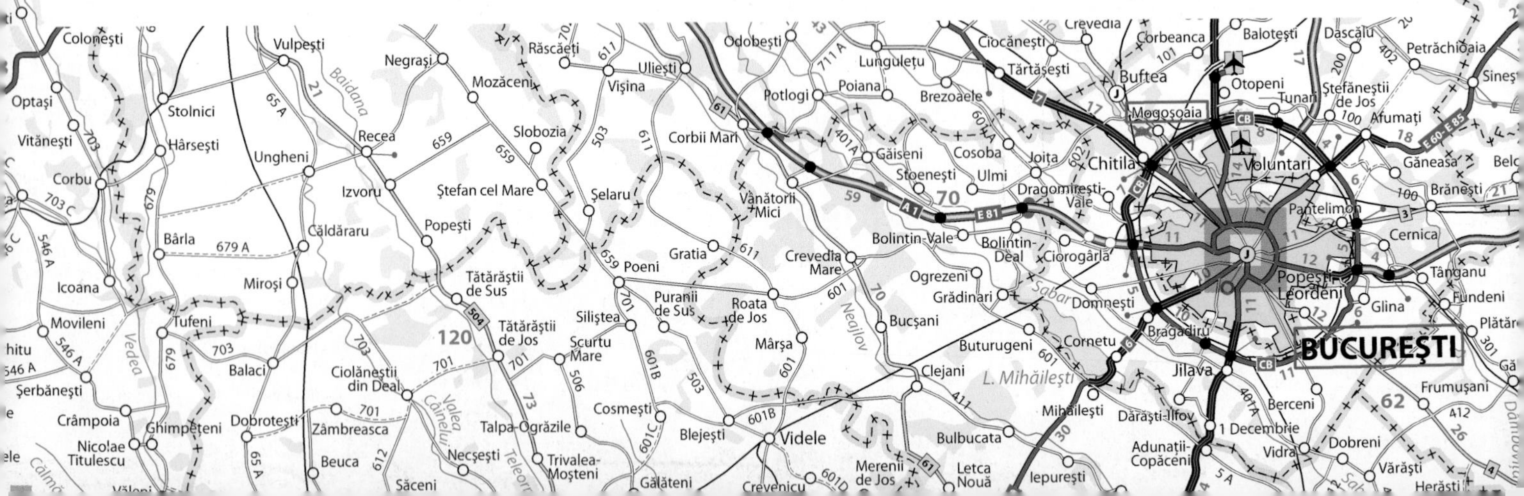
Colonești
Vulpești
Negrași
Răscăeți
Uliești
Odobești
Ciocănești
Buftea
Corbeanca
Balotești
Otopeni
Mogoșoaia
Chitila
Voluntari
Pantelimon
Bolintin-Vale
Bolintin-Deal
Ciorogârla
Domnești
Bragadiru
Popești Leordeni
Jilava
Glina
Cernica
Videle
Mihăilești
1 Decembrie
BUCUREȘTI
Stolnici
Vităneşti
Corbu
Hârsești
Ungheni
Recea
Izvoru
Ștefan cel Mare
Șelaru
Popești
Căldăraru
Bârla
Miroși
Icoana
Movileni
Tufeni
Balaci
Ciolănești din Deal
Dobrotești
Zâmbreasca
Crâmpoia
Ghimpețeni
Nicolae Titulescu
Beuca
Necșești
Talpa-Ogrăzile
Trivalea-Moșteni
Cosmești
Blejești
Săceni
Gălățeni
Letca Nouă
Merenii de Jos
Bulbucata
Adunații-Copăceni
Dărăști-Ilfov
Vidra
Berceni
Dobreni
Vărăști
Iepurești
Frumușani
Fundeni
Tânganu
Găneasa
Brănești
Afumați
Ștefăneștii de Jos
Tunari
Dascălu
Petrăchioaia
Gratia
Crevedia Mare
Ogrezeni
Grădinari
Bucșani
Buturugeni
Clejani
Cornetu
Mârșa
Roata de Jos
Puranii de Sus
Siliștea
Scurtu Mare
Tătărăștii de Sus
Tătărăștii de Jos
Poeni
Slobozia
Corbii Mari
Vânătorii Mici
Potlogi
Poiana
Lunguletu
Brezoaele
Găiseni
Cosoba
Stoenești
Ulmi
Joița
Dragomirești-Vale
Vișina
Mozăceni
L. Mihăilești

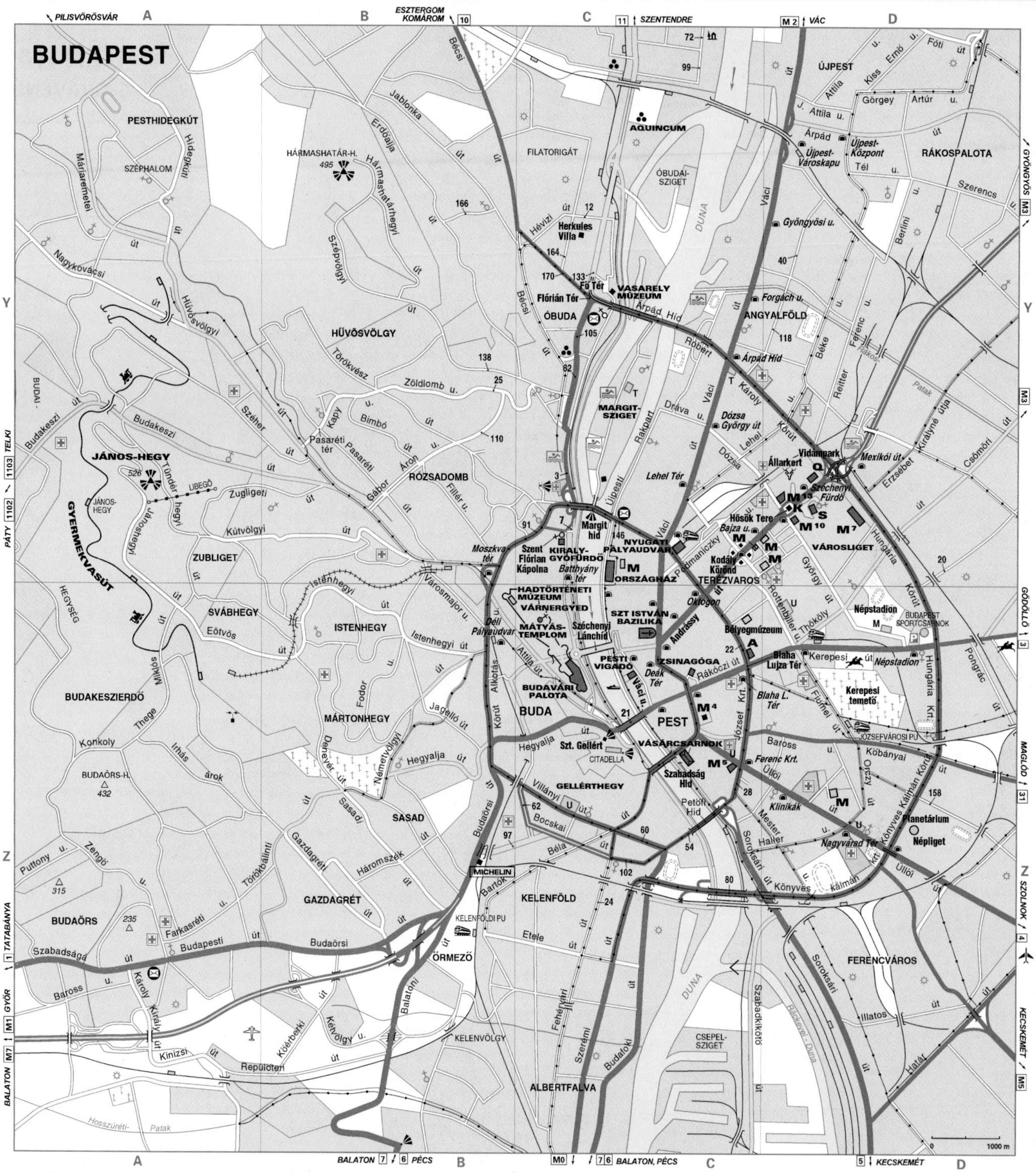

Árpád Fejedelem útja	CY	3
Bem József tér	CY	7
Bogdáni út.	CY	12
Egressy út.	DY	20
Erzébet krt	CZ	22
Fehérvári út.	CZ	24
Felső Zöldmáli út.	BCY	25
Ferenc krt.	CZ	28
Göncöl u.	DY	40
Irinyi József u.	CZ	54
Karinthy Frigyes út	CZ	60
Karolina út	BCZ	62
Királyok útja	CY	72
Lágymányosi híd	CZ	80
Lajos u.	CY	82
Margit krt.	CY	91
Nagyszölös u.	BCZ	97
Nánási út.	CY	99
Pacsirtamezö u.	CY	105
Pusztaszeri út.	BCY	110
Röppentyü	DY	118
Schönherz Zoltán u.	CY	124
Szentendrei út	CY	133
Szépvölgyi út.	BCY	138
Szt. István krt	CY	146
Vajda Péter u.	DZ	158
Viharhegyi út	BY	166
Vihar u.	CY	164
Vörösvári út.	CY	170

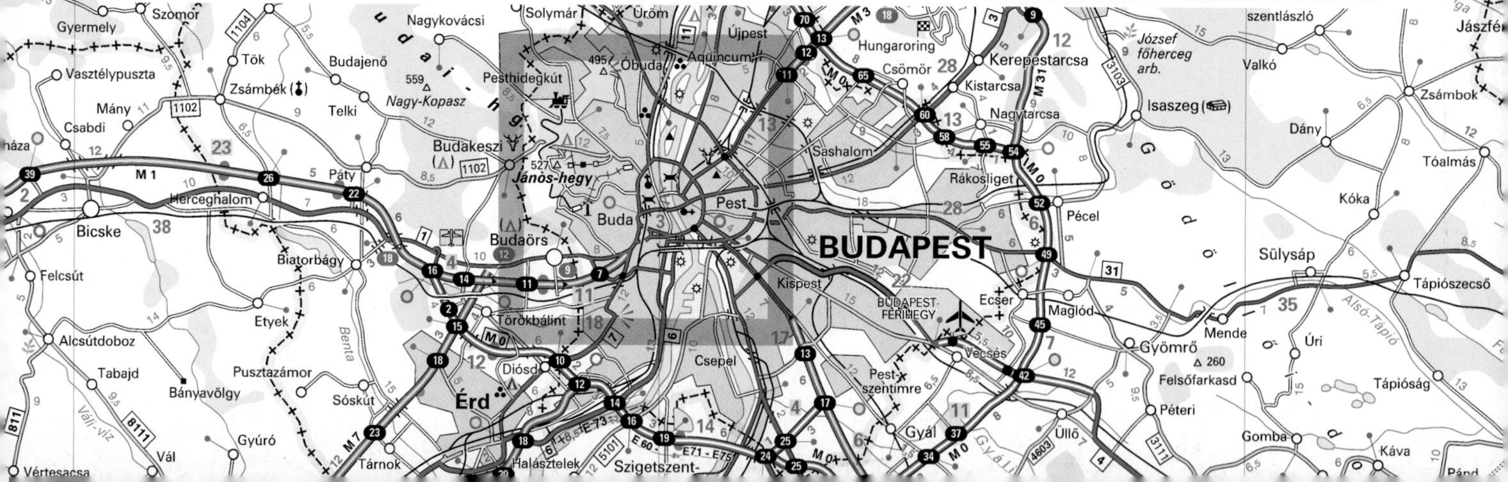

Groote Keeten
Gelderse Buurt
Anna Paulowna
Amstelmeer
Wieringer

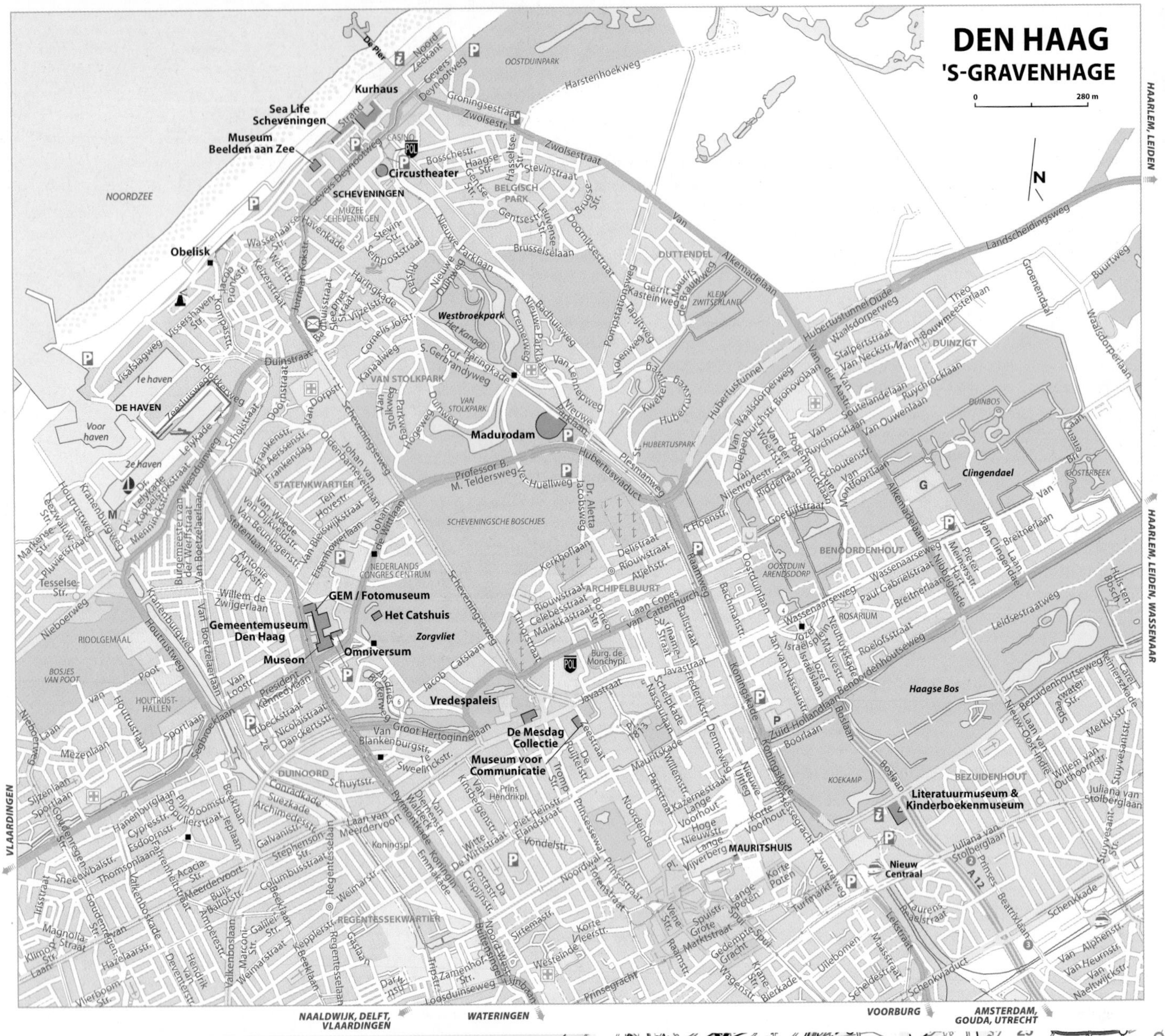

DEN HAAG
'S-GRAVENHAGE
0
280 m
N
HARLEM, LEIDEN
HARLEM, LEIDEN, WASSENAAR
VLAARDINGEN
NAALDWIJK, DELFT, VLAARDINGEN
WATERINGEN
VOORBURG
AMSTERDAM, GOUDA, UTRECHT
NOORDZEE
OOSTDUINPARK
Kurhaus
Sea Life Scheveningen
Museum Beelden aan Zee
Circustheater
SCHEVENINGEN
MUZEE SCHEVENINGEN
BELGISCH PARK
Obelisk
Westbroekpark
DUTTENDEL
KLEIN ZWITSERLAND
DUINZIGT
VAN STOLKPARK
DE HAVEN
Voorhaven
1e haven
2e haven
Madurodam
HUBERTUSPARK
DUINBOS
Clingendael
OOSTERBEEK
STATENKWARTIER
SCHEVENINGSCHE BOSCHJES
NEDERLANDS CONGRES CENTRUM
GEM / Fotomuseum
Het Catshuis
Zorgvliet
Gemeentemuseum Den Haag
Museon
Omniversum
RIOOLGEMAAL
BOSJES VAN POOT
HOUTRUST-HALLEN
ARCHIPELBUURT
BENOORDENHOUT
OOSTDUIN ARENDSDORP
ROSARIUM
Haagse Bos
Vredespaleis
De Mesdag Collectie
Museum voor Communicatie
DUINOORD
KOEKAMP
BEZUIDENHOUT
Literatuurmuseum & Kinderboekenmuseum
MAURITSHUIS
Nieuw Centraal
REGENTESSEKWARTIER
Landscheidingsweg
Zwolsestraat
Badhuisweg
Scheveningseweg
Koningskade

Katwijk aan Zee
Katwijk a/d Rijn
Rijnsburg
LEIDEN
Oegstgeest
Valkenburg
Wassenaar
Leiderdorp
Koudekerk
Alphen a/d Rijn
SCHEVENINGEN
DEN HAAG
('S-GRAVENHAGE)
Kijkduin
Loosduinen
Rijswijk
Voorburg
Voorschoten
Leidschendam
Nootdorp
Pijnacker
Wateringen
Monster
Poeldijk
's-Gravenzande
Hoek van Holland
Naaldwijk
Honselersdijk
DELFT
Zoetermeer
Waddinxveen
Boskoop
Gouda
Woerden
Bodegraven
Harwich
Kingston-upon-Hull
Maasvlakte
Europoort
Maassluis
Vlaardingen
Schiedam
ROTTERDAM
Capelle
Krimpen a/d IJ.
Ridderkerk
Alblasserdam
Kinderdijk
Oostvoorne
Brielle
Rozenburg
Zwartewaal
Rockanje
Schoonhoven
Oudewater
Gouderak
Nieuwerkerk
Hillegersberg
Bergschenhoek
Berkel en Rodenrijs
Maasland
Maasdijk
Schipluiden
Overschie
Nieuwkoop
Mijdrecht
Wilnis
Harmelen
Montfoort
Lopik
Nieuwpoort
Ameide
Groot Ammers
Streefkerk
Lekkerkerk
Bergambacht
Ammerstol
Gorinchem
Giessenburg
Molenaarsgraaf
Noordeloos
Hoornaar
Linschoten
Haastrecht
Polsbroek
Benschop
Stolwijk
Vlist
Moordrecht
Zevenhuizen
Bleiswijk
Reeuwijk
Moerkapelle
Benthuizen
Stompwijk
Hazerswoude-Dorp
Rijndijk
Zoeterwoude
Hoogmade
Woubrugge
Ter Aar
Roelofarendsveen
Langeraar
Nieuwveen
Noordeinde
Noorden
Kockengen
Kamerik
Zegveld
Zwammerdam
Nieuwerbrug
Driebruggen
Waarder
Oude-Wetering
Warmond
De Kieviet
Westerlee
De Lier

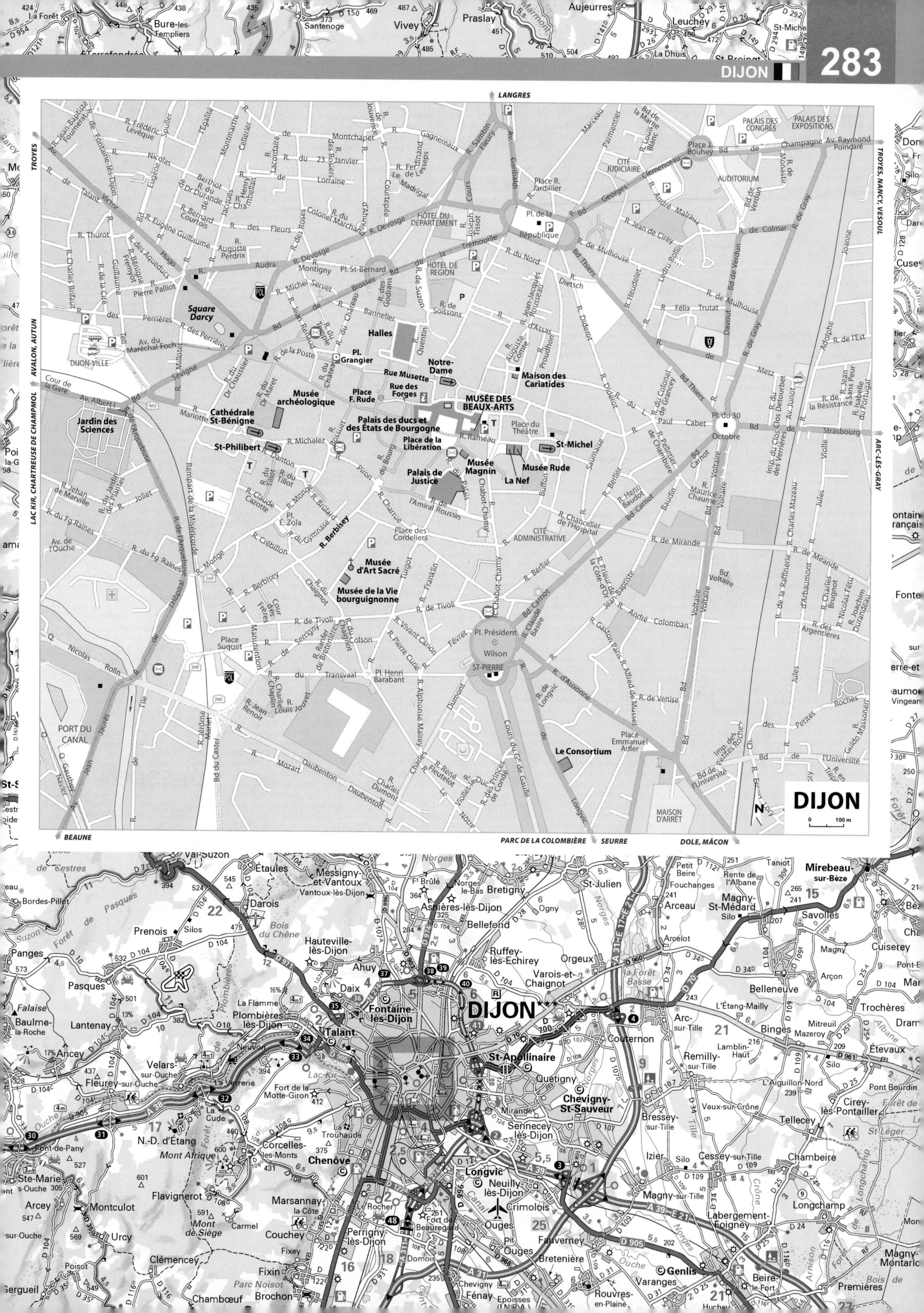
DIJON
LANGRES
TROYES
TROYES, NANCY, VESOUL
AVALON, AUTUN
LAC KIR, CHARTREUSE DE CHAMPMOL
ARC-LÈS-GRAY
BEAUNE
PARC DE LA COLOMBIÈRE
SEURRE
DOLE, MÂCON
PALAIS DES CONGRÈS
PALAIS DES EXPOSITIONS
AUDITORIUM
CITÉ JUDICIAIRE
Place J. Bouhey
Pl. de la République
HÔTEL DU DÉPARTEMENT
HÔTEL DE RÉGION
Pl. St-Bernard
Square Darcy
DIJON-VILLE
Jardin des Sciences
Cathédrale St-Bénigne
St-Philibert
Musée archéologique
Halles
Pl. Grangier
Notre-Dame
Rue Musette
Place F. Rude
Rue des Forges
MUSÉE DES BEAUX-ARTS
Palais des ducs et des États de Bourgogne
Place de la Libération
Place du Théâtre
Maison des Cariatides
St-Michel
Musée Magnin
Musée Rude
La Nef
Palais de Justice
Place des Cordeliers
CITÉ ADMINISTRATIVE
Musée d'Art Sacré
Musée de la Vie bourguignonne
Pl. du 30 Octobre
Pl. Président Wilson
ST-PIERRE
Place Suquet
Pl. Henri Barabant
PORT DU CANAL
Le Consortium
Place Emmanuel Adler
MAISON D'ARRÊT
0 100 m
Val-Suzon
Étaules
Messigny-et-Vantoux
Bretigny
St-Julien
Mirebeau-sur-Bèze
Darois
Prenois
Hauteville-lès-Dijon
Asnières-lès-Dijon
Bellefond
Ruffey-lès-Echirey
Orgeux
Varois-et-Chaignot
Arceau
Magny-St-Médard
Savolles
Pasques
Daix
Ahuy
Fontaine-lès-Dijon
Talant
Plombières-lès-Dijon
Lantenay
Baulme-la-Roche
Ancey
Velars-sur-Ouche
Fleurey-sur-Ouche
St-Apollinaire
Quetigny
Couternon
Arc-sur-Tille
Remilly-sur-Tille
Binges
Chevigny-St-Sauveur
Bressey-sur-Tille
Sennecey-lès-Dijon
Corcelles-les-Monts
Chenôve
N.-D. d'Étang
Mont Afrique
Longvic
Neuilly-lès-Dijon
Crimolois
Marsannay-la-Côte
Perrigny-lès-Dijon
Ouges
Fauverney
Bretenière
Couchey
Fixin
Brochon
Fénay
Rouvres-en-Plaine
Varanges
Genlis
Izier
Cessey-sur-Tille
Magny-sur-Tille
Labergement-Foigney
Longchamp
Chambeire
Tellecey
Cirey-lès-Pontailler
Étevaux
Trochères
Belleneuve
Flavignerot
Montculot
Urcy
Clémencey
Sergueil
Chambœuf
Ste-Marie-sur-Ouche
Pont-de-Pany
Arcey
A 38
A 39
A 31
D 905
D 971
D 70

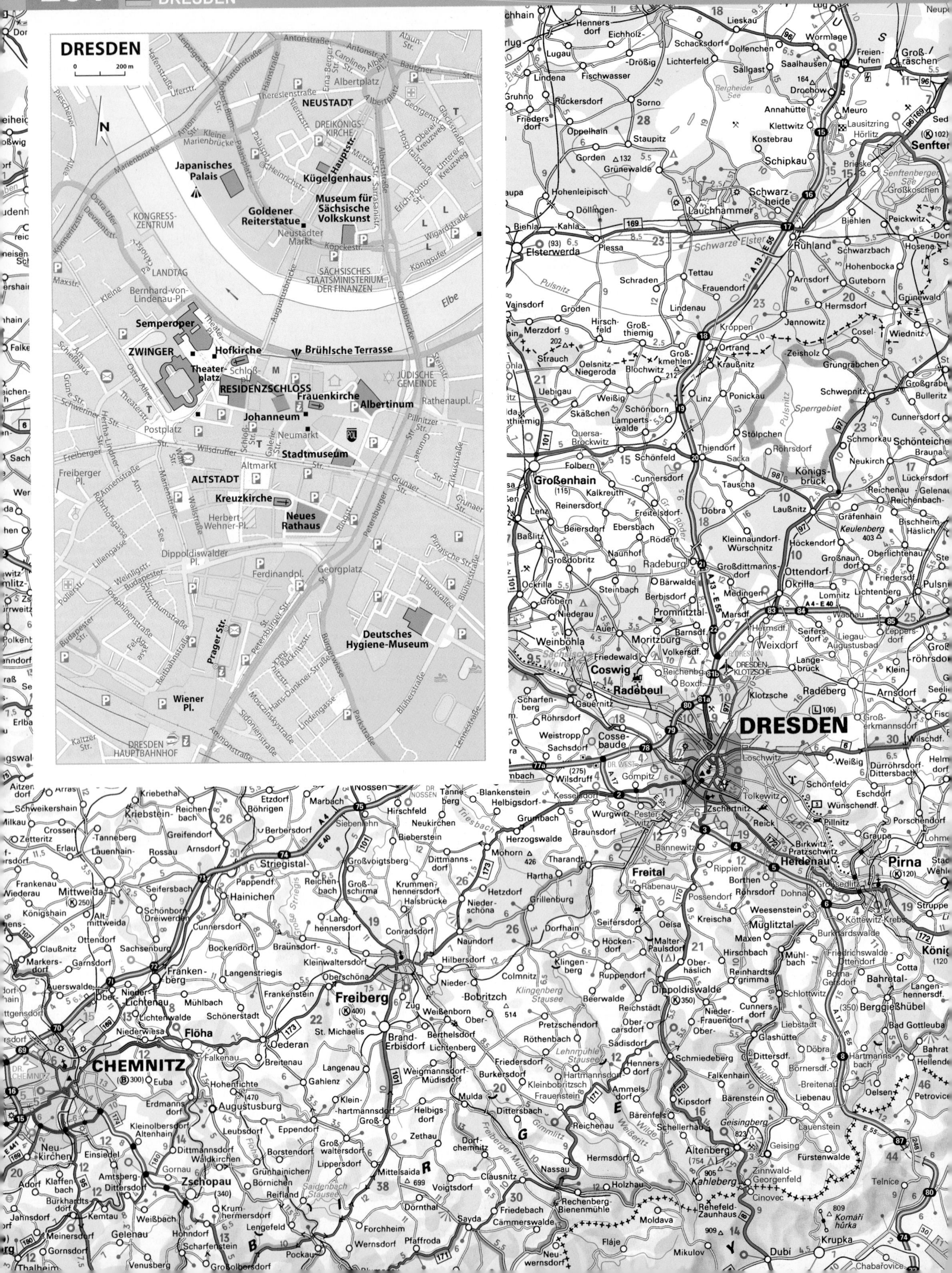
DRESDEN
0 200 m
N
NEUSTADT
Albertplatz
DREIKÖNIGS-KIRCHE
Japanisches Palais
Kügelgenhaus
Museum für Sächsische Volkskunst
Goldener Reiterstatue
Neustädter Markt
KONGRESS-ZENTRUM
SÄCHSISCHES STAATSMINISTERIUM DER FINANZEN
LANDTAG
Bernhard-von-Lindenau-Pl.
Elbe
Semperoper
ZWINGER
Hofkirche
Brühlsche Terrasse
Theaterplatz
Schloßpl.
JÜDISCHE GEMEINDE
RESIDENZSCHLOSS
Frauenkirche
Albertinum
Rathenaupl.
Johanneum
Postplatz
Neumarkt
Stadtmuseum
Altmarkt
ALTSTADT
Freiberger Pl.
Kreuzkirche
Neues Rathaus
Herbert-Wehner-Pl.
Dippoldiswalder Pl.
Ferdinandpl.
Georgplatz
Deutsches Hygiene-Museum
Prager Str.
Wiener Pl.
DRESDEN HAUPTBAHNHOF
DRESDEN
Großenhain
Radebeul
Coswig
Radeburg
Moritzburg
Freital
Heidenau
Pirna
Dippoldiswalde
Freiberg
CHEMNITZ
Flöha
Zschopau
Augustusburg
Mittweida
Altenberg
Lauchhammer
Ruhland
Elsterwerda
Senftenberg
Königsbrück
Radeberg
Wilsdruff
Glashütte
Geising
Teplice
Dubí
Krupka

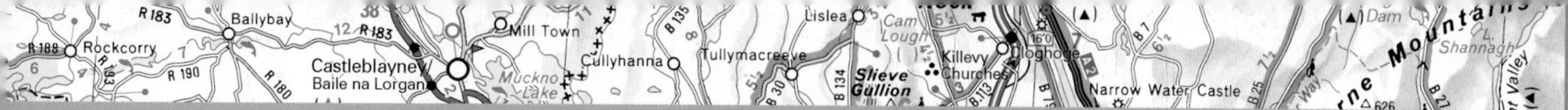
Ballybay
Rockcorry
Castleblayney
Baile na Lorgan
Mill Town
Cullyhanna
Tullymacreeve
Lislea
Slieve Gullion
Killevy Churches
Narrow Water Castle
Mountains
Shannagh

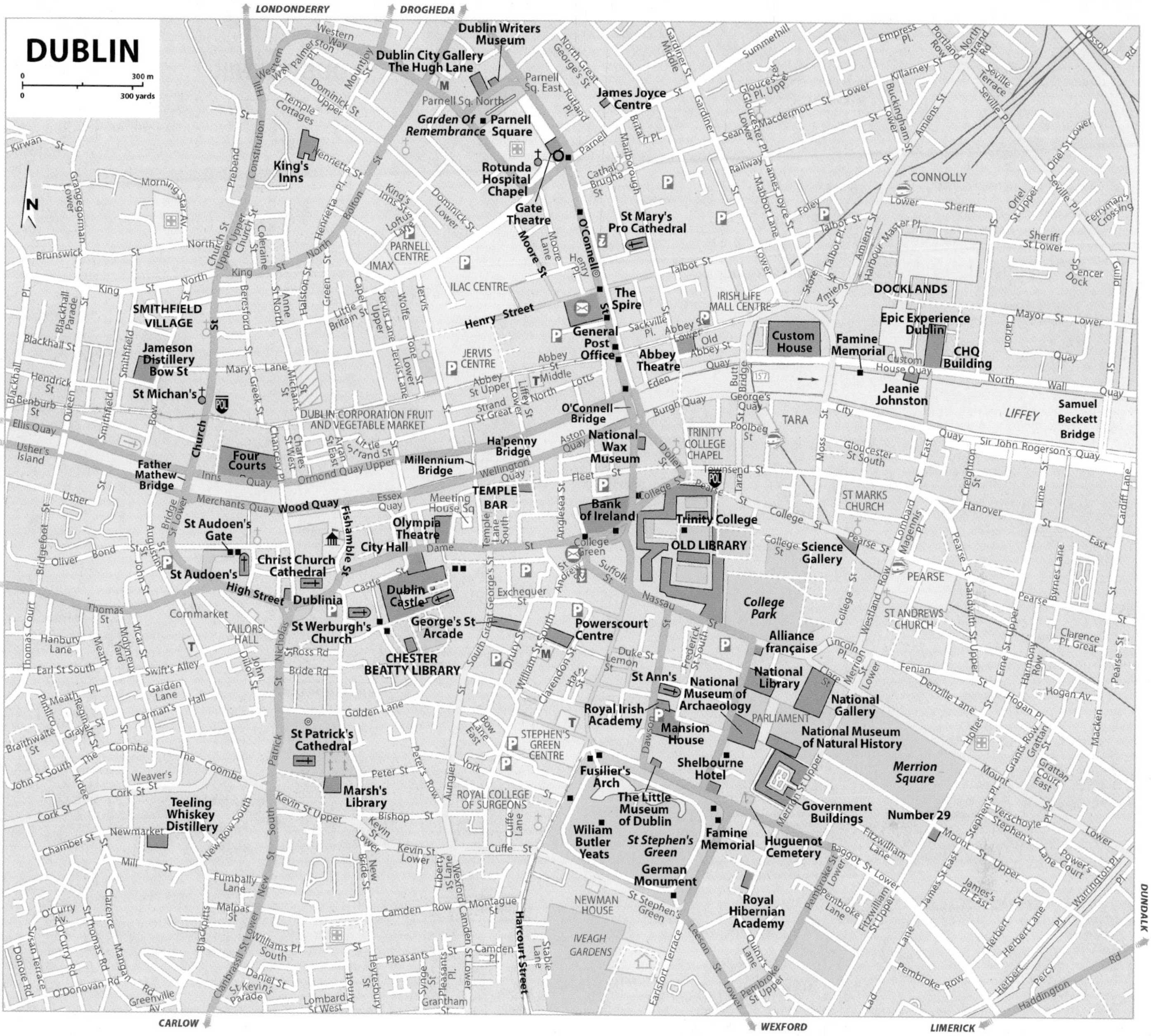
DUBLIN
LONDONDERRY
DROGHEDA
LIMERICK
SLIGO
NAAS
CARLOW
WEXFORD
LIMERICK
DUNDALK
Dublin Writers Museum
Dublin City Gallery The Hugh Lane
James Joyce Centre
Garden Of Remembrance
Parnell Square
Rotunda Hospital Chapel
Gate Theatre
King's Inns
St Mary's Pro Cathedral
The Spire
General Post Office
Abbey Theatre
SMITHFIELD VILLAGE
Jameson Distillery Bow St
St Michan's
Four Courts
Father Mathew Bridge
Millennium Bridge
Ha'penny Bridge
O'Connell Bridge
National Wax Museum
TEMPLE BAR
Bank of Ireland
Trinity College
OLD LIBRARY
Science Gallery
College Park
Olympia Theatre
City Hall
Dublin Castle
Christ Church Cathedral
St Audoen's Gate
St Audoen's
Dublinia
St Werburgh's Church
George's St Arcade
CHESTER BEATTY LIBRARY
Powerscourt Centre
St Ann's
National Museum of Archaeology
National Library
National Gallery
Royal Irish Academy
Mansion House
National Museum of Natural History
Merrion Square
St Patrick's Cathedral
Marsh's Library
Teeling Whiskey Distillery
Fusilier's Arch
The Little Museum of Dublin
Shelbourne Hotel
Government Buildings
Number 29
William Butler Yeats
St Stephen's Green
Famine Memorial
Huguenot Cemetery
German Monument
Royal Hibernian Academy
IVEAGH GARDENS
NEWMAN HOUSE
Harcourt Street
DOCKLANDS
Custom House
Famine Memorial
Epic Experience Dublin
CHQ Building
Jeanie Johnston
Samuel Beckett Bridge
LIFFEY
CONNOLLY
PEARSE
TARA
Alliance française
ROYAL COLLEGE OF SURGEONS
STEPHEN'S GREEN CENTRE
JERVIS CENTRE
ILAC CENTRE
PARNELL CENTRE
IMAX
Henry Street
O'Connell St
Moore St
High Street
Wood Quay
Fishamble St
Church St
Smithfield
Thomas St
Patrick St
Bride Rd
Golden Lane
Dame St
Nassau St
Pearse St
Kevin St Upper
Camden Row
Leeson St

Portrane
Donabate
Lambay Island
Malahide/Mullach Íde
Portmarnock
Ireland's Eye
Baldoyle
Howth / Binn Éadair
Nose of Howth
Douglas (I. of Man)
Holyhead
Liverpool
Dublin Bay
DUBLIN / BAILE ÁTHA CLIATH
Dún Laoghaire
Dalkey
Killiney
Killiney Bay
Blackrock
Rathmines
Dundrum
Stillorgan
Sandyford
Stepaside
Ballybrack
Loughlinstown
Shankill
Little Bray
Bray/Bré
Bray Head
Enniskerry
Powerscourt Demesne
Glencree
Kippure
Glencullen
Kilternan
Three Rock Mt.
Killakee
Tallaght
Saggart
Brittas
Kilteel
Kilbride
Blessington
Russborough House
Ballymore Eustace
Kilcullen
Brannockstown
Lackan
WICKLOW
Sally Gap
Great Sugar
Kilmacanoge
Killough
Killruddery
Swords Sord
Kinsaley
Santry
Artane
Clontarf
Finglas
Phoenix Park
Blanchardstown
Mulhuddart
Clonsilla
Clonee
Dunboyne
Lucan
Leixlip
Maynooth / Maigh Nuad
Celbridge
Castletown House
Clondalkin
Newcastle
Rathcoole
Milltown
Straffan
Kill
Johnstown
Furness
Naas/An Nás
Sallins
Clane
Mainham
Prosperous
Robertstown
Mondello Park
Carragh
Hill of Allen
Allen
Kilmeage
Newbridge (An Droichead Nua)
Curragh Camp
Athgarvan
Japanese Gardens
Tully National Stud
Curragh
Ballyfair
Corbally
Punchestown
Kilcock
Enfield
Clonard
Johnstown Bridge
Newtown
Kilshanchoe
Mucklon
Donadea
Windmill
Timahoe
Staplestown
Coolearagh
Allenwood
K I L D A R E
Longwood
Rathcore
Moyvally
Blackwater Bridge
Garadice
Mullagh
Batterstown
Fairyhouse
Kilsallaghan
Kilbride
Ballynare
Summerhill
Ward
St. Margaret's
Newbridge
Royal Canal
Grand Canal
Allen

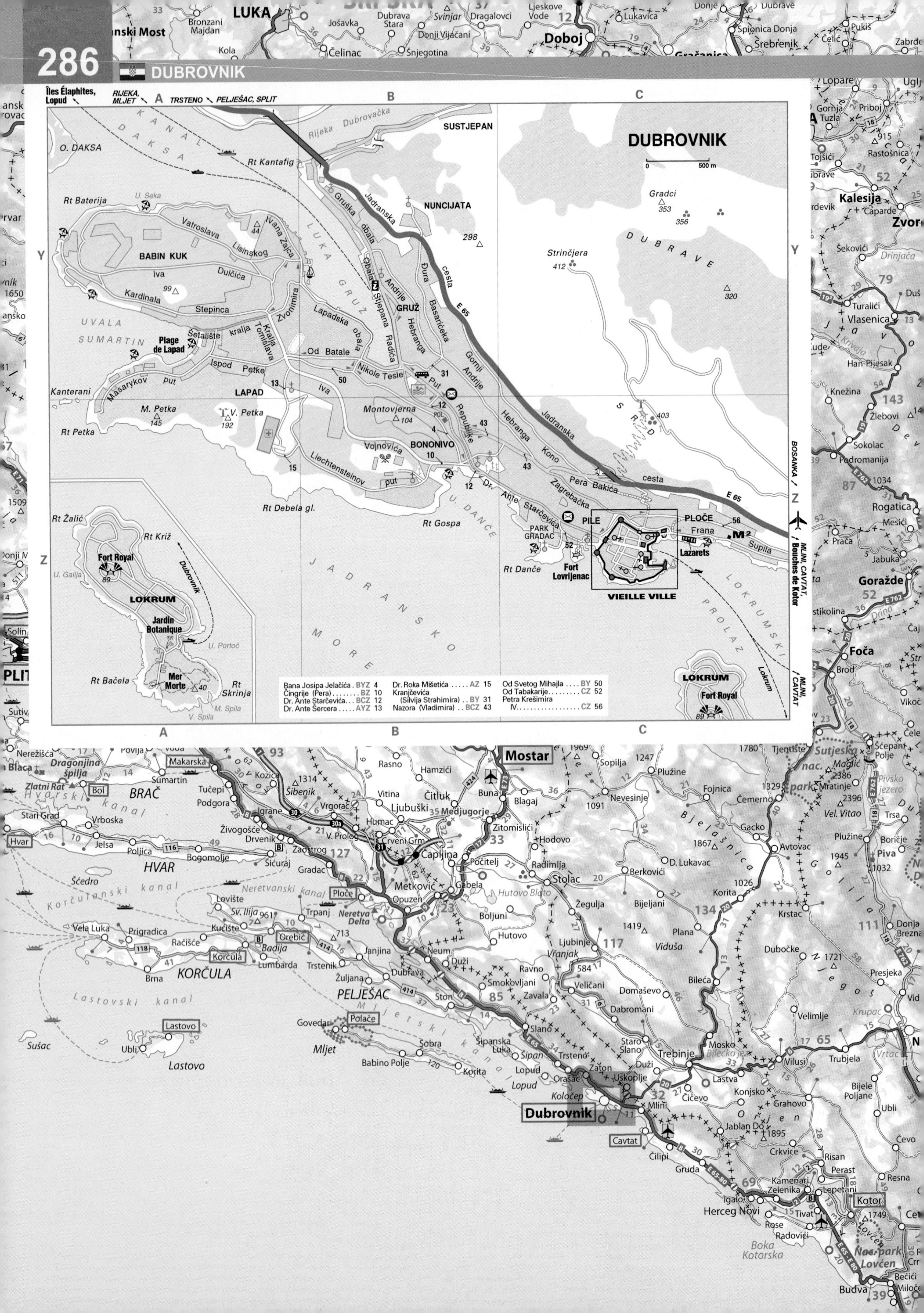
DUBROVNIK
0
500 m
Îles Élaphites, Lopud
RIJEKA, MLJET
TRSTENO
PELJEŠAC, SPLIT
BOSANKA
MLINI, CAVTAT, Bouches de Kotor
MLINI, CAVTAT
SUSTJEPAN
NUNCIJATA
BABIN KUK
GRUŽ
LAPAD
BONONIVO
PILE
PLOČE
VIEILLE VILLE
Fort Lovrijenac
Lazarets
Plage de Lapad
PARK GRADAC
LOKRUM
Fort Royal
Jardin Botanique
Mer Morte
D U B R A V E
J A D R A N S K O M O R E
LOKRUMSKI PROLAZ
UVALA SUMARTIN
KANAL DAKSA
LUKA GRUŽ
O. DAKSA
Bana Josipa Jelačića . BYZ 4
Čingrije (Pera) . . . . BZ 10
Dr. Ante Starčevića . . . BCZ 12
Dr. Ante Šercera . . . . . AYZ 13
Dr. Roka Mišetića . . . . . AZ 15
Kranjčevića (Silvija Strahimira) . . BY 31
Nazora (Vladimira) . . BCZ 43
Od Svetog Mihajla . . . . BY 50
Od Tabakarije . . . . CZ 52
Petra Krešimira IV. . . . . CZ 56
Mostar
Dubrovnik
Cavtat
Kotor
Trebinje
Hvar
Korčula
Lastovo
Mljet
PELJEŠAC
BRAČ
HVAR
KORČULA

DÜSSELDORF
0
500 m
N
Museum Kunst Palast
Hofgarten
Schloss Jägerhof- Goethemuseum
Dreischeibenhaus
ALTSTADT
Königsallee
Hauptbahnhof
Düsseldorf Hbf
RHEIN
VOLKSGARTEN
Rheinkniebrücke
Th.-Heuss-Brücke
Rheinbrücke
Südliche Düssel

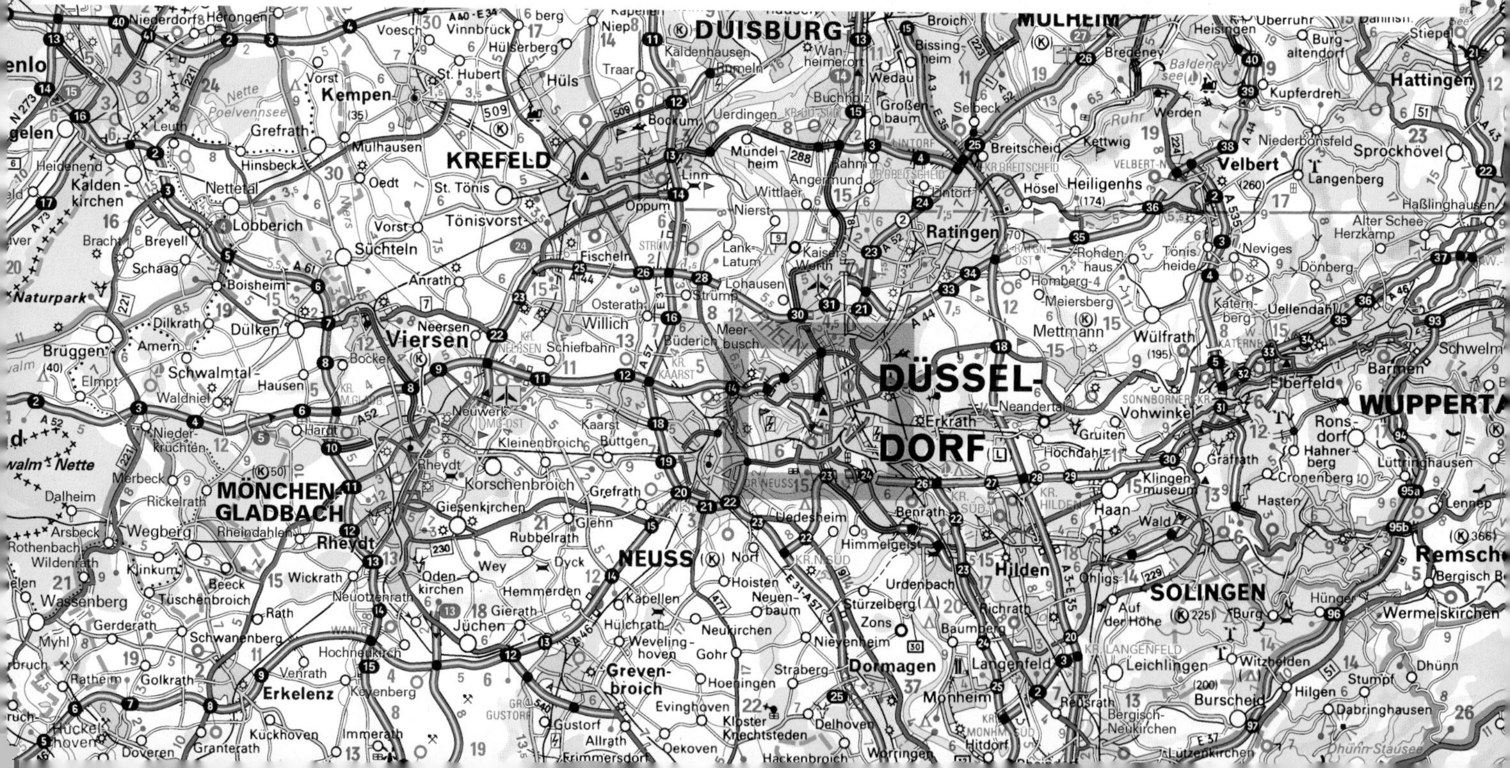
DUISBURG
KREFELD
MÖNCHEN-GLADBACH
NEUSS
DÜSSEL-DORF
WUPPERTAL
SOLINGEN
Ratingen
Velbert
Hilden
Mettmann
Viersen
Kempen
Rheydt
Erkelenz
Dormagen
Leichlingen
Haan
Erkrath
Willich
Meerbusch
Grevenbroich

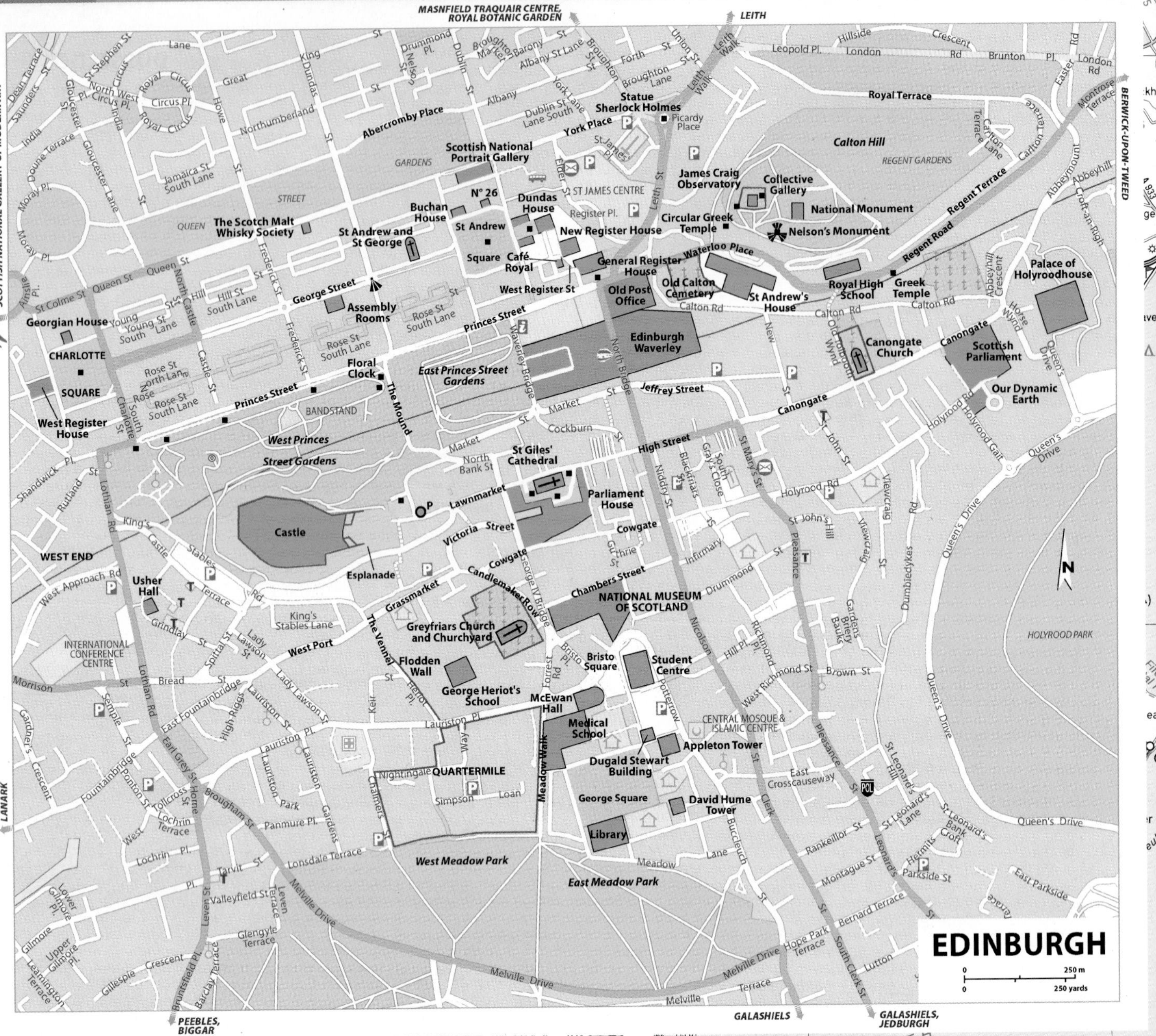
EDINBURGH
MASNFIELD TRAQUAIR CENTRE, ROYAL BOTANIC GARDEN
LEITH
BERWICK-UPON-TWEED
FORTH BRIDGE, SCOTTISH NATIONAL GALLERY OF MODERN ART
LANARK
PEEBLES, BIGGAR
GALASHIELS
GALASHIELS, JEDBURGH
Statue Sherlock Holmes
Scottish National Portrait Gallery
N° 26
Dundas House
Buchan House
St Andrew and St George
St Andrew Square
Café Royal
New Register House
General Register House
West Register St
Old Post Office
James Craig Observatory
Collective Gallery
National Monument
Nelson's Monument
Circular Greek Temple
Calton Hill
Old Calton Cemetery
St Andrew's House
Royal High School
Greek Temple
Palace of Holyroodhouse
Scottish Parliament
Our Dynamic Earth
Canongate Church
The Scotch Malt Whisky Society
Assembly Rooms
Georgian House
CHARLOTTE SQUARE
West Register House
Floral Clock
East Princes Street Gardens
West Princes Street Gardens
Edinburgh Waverley
St Giles' Cathedral
Parliament House
Castle
Esplanade
Usher Hall
WEST END
INTERNATIONAL CONFERENCE CENTRE
Greyfriars Church and Churchyard
Flodden Wall
George Heriot's School
NATIONAL MUSEUM OF SCOTLAND
Bristo Square
Student Centre
McEwan Hall
Medical School
CENTRAL MOSQUE & ISLAMIC CENTRE
Appleton Tower
Dugald Stewart Building
George Square
David Hume Tower
Library
QUARTERMILE
West Meadow Park
East Meadow Park
HOLYROOD PARK
Princes Street
George Street
Queen Street
Royal Mile
Canongate
High Street
Lawnmarket
Cowgate
Grassmarket
Victoria Street
Chambers Street
Lothian Rd
Nicolson St
Pleasance
Melville Drive
Queen's Drive
0 250 m
0 250 yards

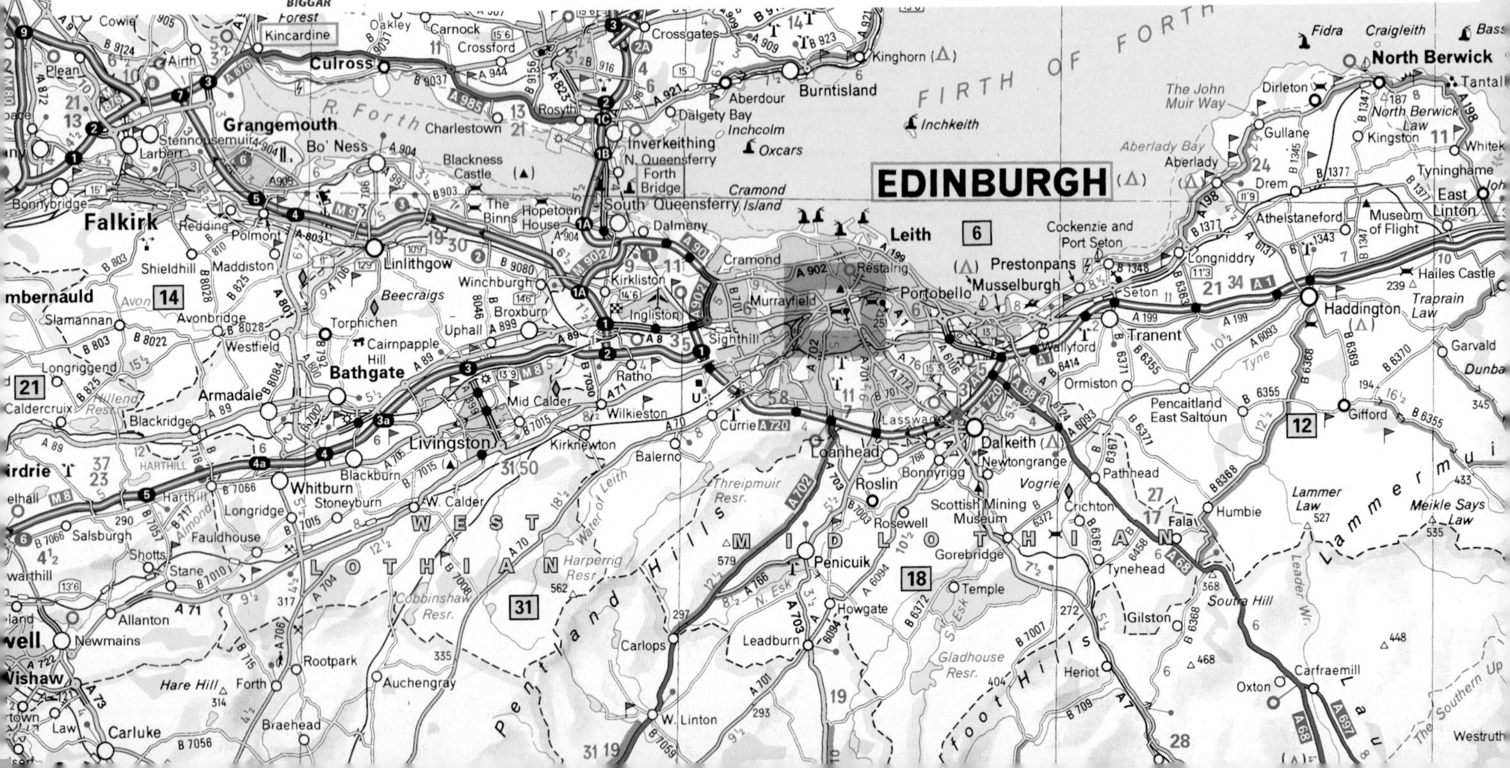
EDINBURGH
FIRTH OF FORTH
Leith
Portobello
Musselburgh
Prestonpans
Cockenzie and Port Seton
Dalkeith
Lasswade
Loanhead
Roslin
Penicuik
Currie
Ratho
Kirkliston
South Queensferry
Forth Bridge
Inverkeithing
Dalgety Bay
Aberdour
Burntisland
Kinghorn
Rosyth
Culross
Grangemouth
Falkirk
Bo' Ness
Linlithgow
Bathgate
Livingston
Broxburn
Whitburn
Armadale
Haddington
Tranent
North Berwick
Gullane
Aberlady
Pentland Hills
Moorfoot Hills
Lammermuir Hills
WEST LOTHIAN
MIDLOTHIAN

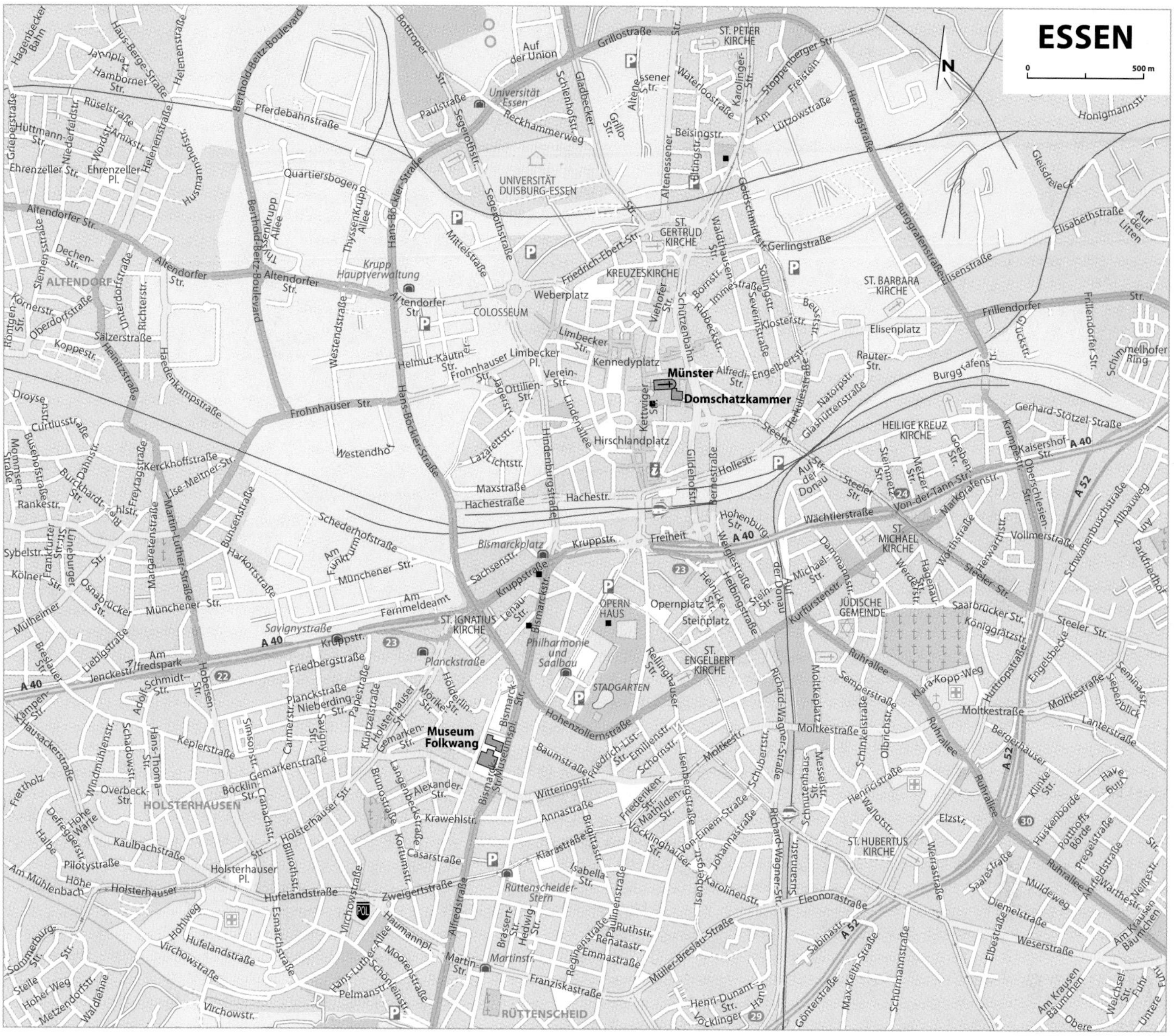
ESSEN
0
500 m
N
UNIVERSITÄT DUISBURG-ESSEN
Universität Essen
ST. PETER KIRCHE
ST. GERTRUD KIRCHE
KREUZESKIRCHE
ST. BARBARA KIRCHE
COLOSSEUM
Krupp Hauptverwaltung
ALTENDORF
Münster
Domschatzkammer
HEILIGE KREUZ KIRCHE
ST. MICHAEL KIRCHE
JÜDISCHE GEMEINDE
OPERN HAUS
Philharmonie und Saalbau
ST. IGNATIUS KIRCHE
ST. ENGELBERT KIRCHE
STADTGARTEN
Museum Folkwang
HOLSTERHAUSEN
ST. HUBERTUS KIRCHE
Rüttenscheider Stern
RÜTTENSCHEID
Kennedyplatz
Hirschlandplatz
Weberplatz
Bismarckplatz
Elisenplatz
Opernplatz
Steinplatz
Freiheit
Frohnhauser Str.
Altendorfer Str.
Hans-Böckler-Straße
Berthold-Beitz-Boulevard
Grillostraße
Segerothstraße
Friedrich-Ebert-Str.
Limbecker Str.
Kruppstr.
Hachestraße
Huyssenallee
Bismarckstr.
Hohenzollernstraße
Rüttenscheider Str.
Alfredstraße
Ruhrallee
Steeler Str.
Kurfürstenstr.
Moltkestraße
Herkulesstraße
A 40
A 52

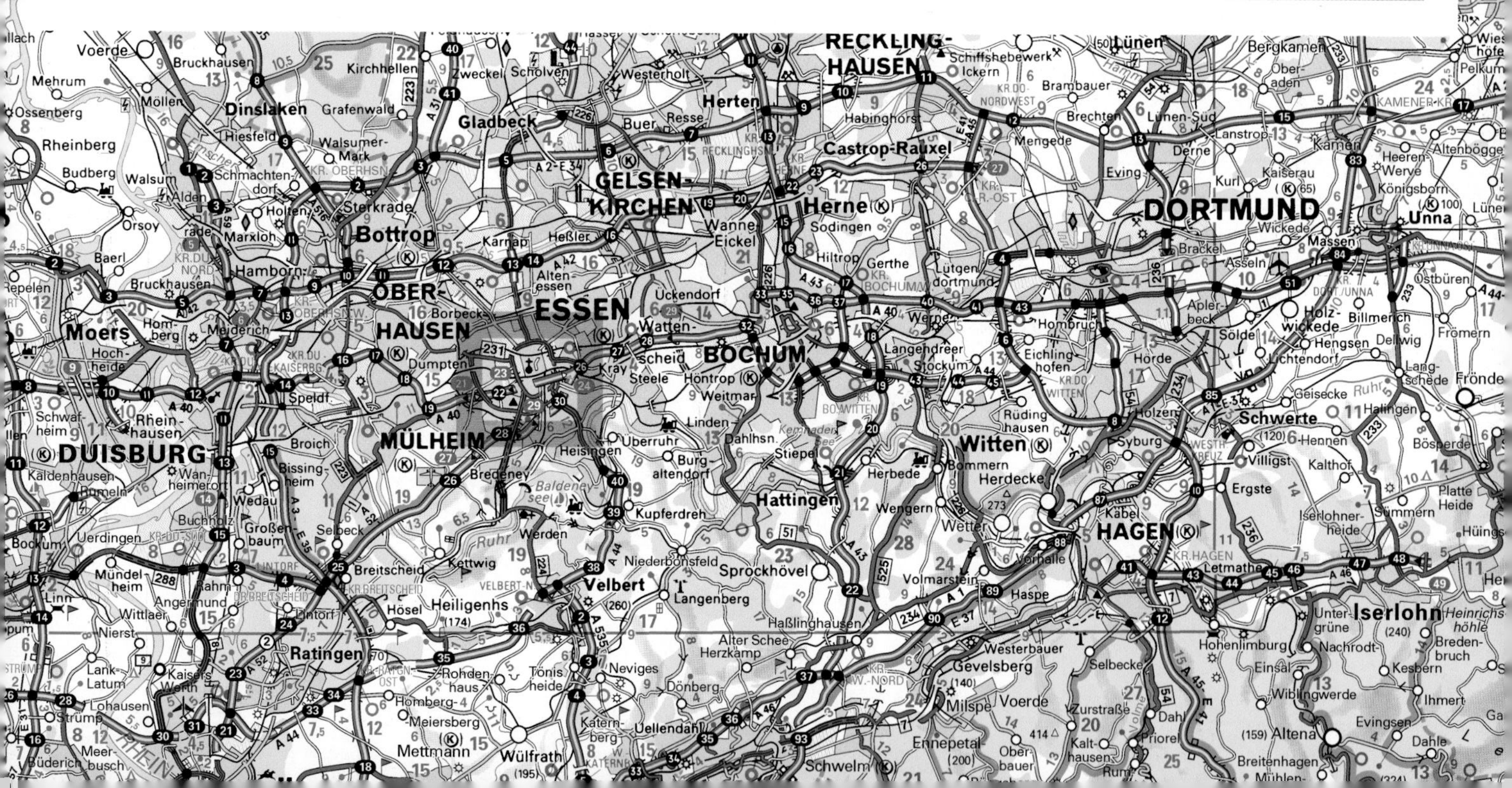
RECKLING-HAUSEN
Dinslaken
Gladbeck
Herten
Castrop-Rauxel
Lünen
Bottrop
GELSEN-KIRCHEN
Herne
DORTMUND
Unna
Moers
OBER-HAUSEN
ESSEN
BOCHUM
DUISBURG
MÜLHEIM
Witten
Schwerte
Hattingen
Herdecke
HAGEN
Velbert
Sprockhövel
Ratingen
Iserlohn
Heiligenhs
Wülfrath
Mettmann
Gevelsberg
Ennepetal
Schwelm
Altena
Hengelo
ENSCHEDE
Rheine

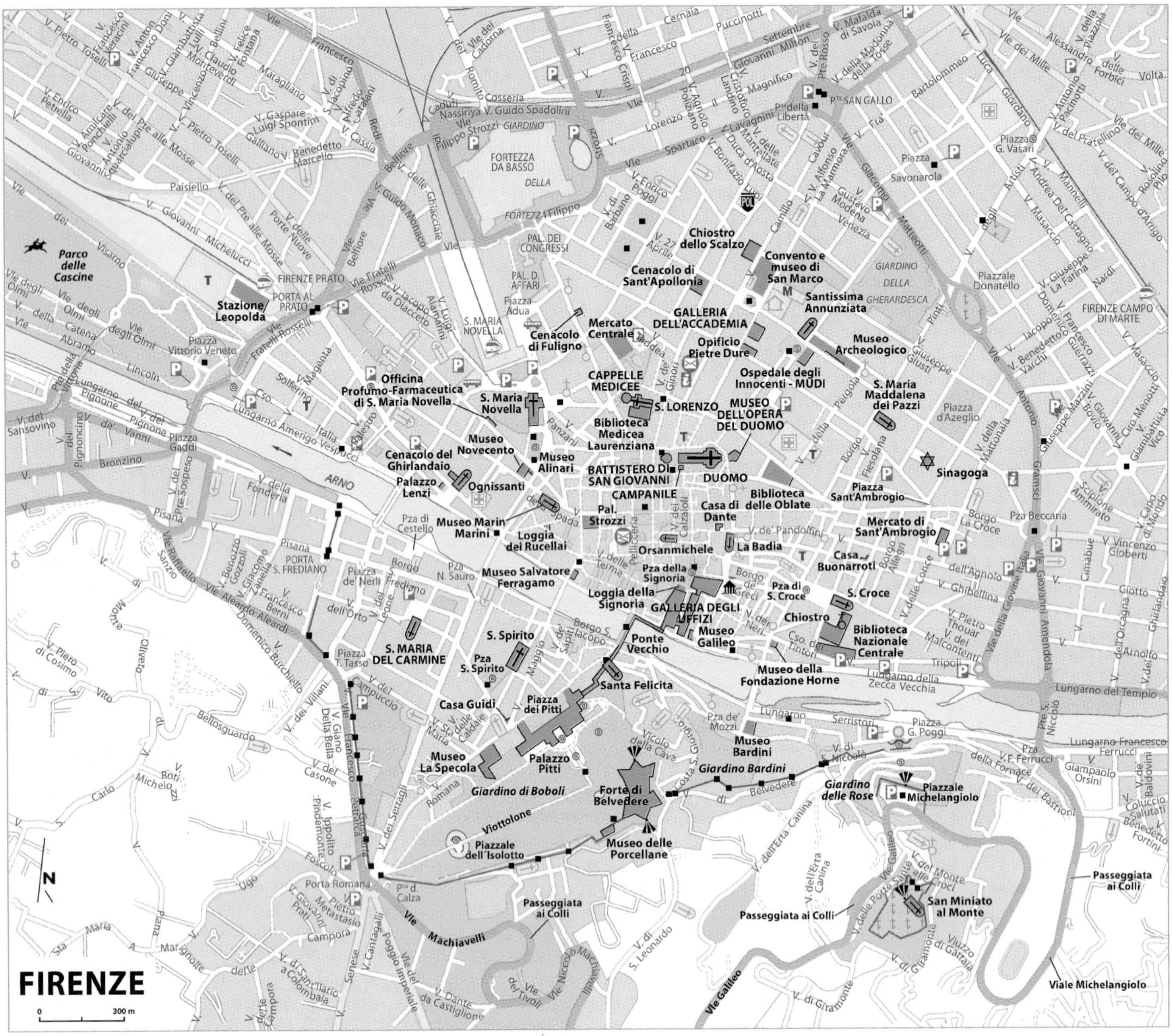
FIRENZE
0
300 m
N
ARNO
Parco delle Cascine
Stazione Leopolda
FORTEZZA DA BASSO
PAL. DEI CONGRESSI
PAL. D. AFFARI
S. MARIA NOVELLA
Cenacolo di Fuligno
Mercato Centrale
Officina Profumo-Farmaceutica di S. Maria Novella
S. Maria Novella
Museo Novecento
Museo Alinari
Cenacolo del Ghirlandaio
Ognissanti
Palazzo Lenzi
CAPPELLE MEDICEE
S. LORENZO
Biblioteca Medicea Laurenziana
Chiostro dello Scalzo
Cenacolo di Sant'Apollonia
Convento e museo di San Marco
GALLERIA DELL'ACCADEMIA
Opificio Pietre Dure
Santissima Annunziata
Museo Archeologico
Ospedale degli Innocenti - MUDI
S. Maria Maddalena dei Pazzi
MUSEO DELL'OPERA DEL DUOMO
BATTISTERO DI SAN GIOVANNI
CAMPANILE
DUOMO
Biblioteca delle Oblate
Sinagoga
Mercato di Sant'Ambrogio
Casa di Dante
Pal. Strozzi
Museo Marino Marini
Loggia dei Rucellai
Orsanmichele
La Badia
Casa Buonarroti
Museo Salvatore Ferragamo
Loggia della Signoria
GALLERIA DEGLI UFFIZI
S. Croce
Chiostro
Biblioteca Nazionale Centrale
Museo Galileo
Ponte Vecchio
S. Spirito
S. MARIA DEL CARMINE
Museo della Fondazione Horne
Santa Felicita
Casa Guidi
Piazza dei Pitti
Palazzo Pitti
Museo La Specola
Giardino di Boboli
Forte di Belvedere
Museo Bardini
Giardino Bardini
Giardino delle Rose
Piazzale Michelangiolo
Viottolone
Piazzale dell'Isolotto
Museo delle Porcellane
Passeggiata ai Colli
San Miniato al Monte
Viale Michelangiolo
Porta Romana
Vle Machiavelli
FIRENZE PRATO
FIRENZE CAMPO DI MARTE

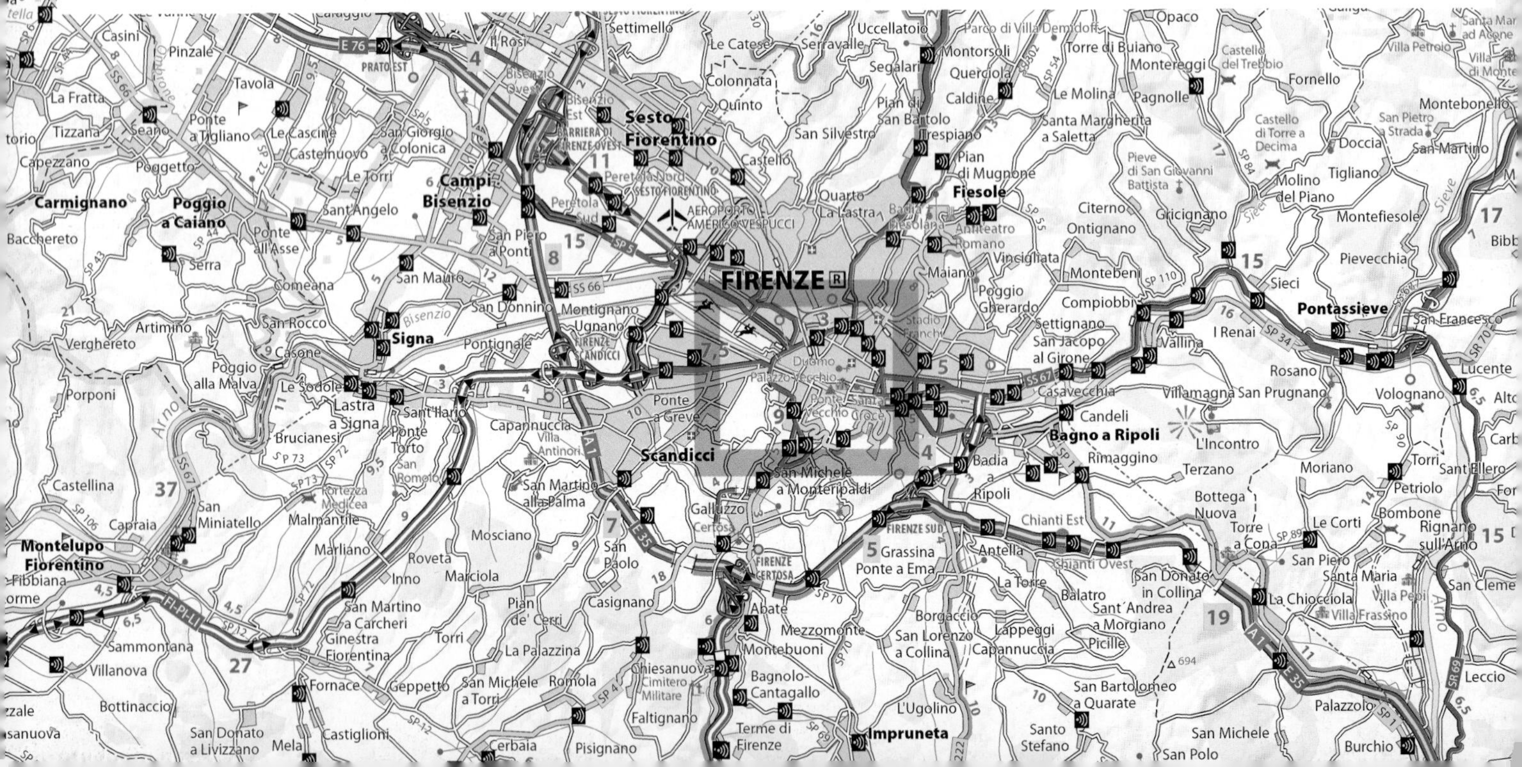
FIRENZE
Sesto Fiorentino
Campi Bisenzio
Fiesole
Signa
Scandicci
Bagno a Ripoli
Pontassieve
Carmignano
Poggio a Caiano
Lastra a Signa
Montelupo Fiorentino
Impruneta
AEROPORTO AMERIGO VESPUCCI
FIRENZE SUD
FIRENZE CERTOSA
Settignano
Galluzzo
Grassina
Rignano sull'Arno

FRANKFURT AM MAIN
0
500 m
Palmengarten
BOTANISCHER GARTEN
GRÜNEBURGPARK
BOCKENHEIM
Naturmuseum Senckenberg
MESSE FRANKFURT
MESSETURM
CONGRESS CENTER
HAUPTBAHNHOF
GALLUSWARTE
WESTHAFEN
Goethe-Haus
Museum für Moderne Kunst
St. Bartholomäus Kirche
Museum für Angewandte Kunst
Städelsches Kunstinstitut
SACHSENHAUSEN
Henninger Turm
Zoo
BORNHEIM
GÜNTHERSBURGPARK
OSTBAHNHOF
Main
Bad Homburg
Oberursel
Kronberg
Bad Soden
Eschborn
Königstein
Idstein
WIESBADEN
MAINZ
Hofheim
Hattersheim
Rüsselsheim
Flörsheim
FRANKFURT A. M.
OFFENBACH
Neu-Isenburg
Langen
Dreieich
Dietzenbach
Rodgau
Mühlheim
Hanau
Seligenstadt
Alzenau
Gelnhausen
Büdingen
Nidderau
Bad Vilbel
Karben
Friedrichsdorf
Aschaffenburg

GENÈVE
0 300 m
Église St-Germain........A
Musée Fondation Zoubov..............F
NYON, LAUSANNE
Parc Mon Repos
LE PRIEURÉ
Palais Wilson
LAC LÉMAN
PARC BEAULIEU
PARC DES CROPETTES
LES PÂQUIS
TEMPLE DES PÂQUIS
PORT DES PÂQUIS
Jetée des Pâquis
BOURG-EN-BRESSE, BELLEGARDE-SUR-VALSERINE
GEX
BASILIQUE NOTRE DAME
Mausolée du duc de Brunswick
SAINT-GERVAIS
Jet d'eau
EVIAN-LES-BAINS, THONON-LES-BAINS
Île J.-J. Rousseau
Horloge fleurie
Jardin anglais
Musée Barbier-Mueller
Maison Tavel
Musée interal de la Réforme
Musée Rath
Pl. Neuve
Grand Rue
R. des Granges
Cathédrale St-Pierre
ÉGLISE ST-JOSEPH
SACRÉ-CŒUR
VIEILLE VILLE
Place du Bourg-de-Four
Immeuble La Clarté
Promenade de la Treille
Mur des Réformateurs
Musée J.-J. Rousseau
Promenade des Bastions
Musée d'Art et d'Histoire
Museum d'Histoire naturelle
Bibliothèque universitaire
Cathédrale orthodoxe Ste-Croix
Cabinet d'arts graphiques
Fondation Baur
LES TRANCHÉES
PARC DES CONTAMINES
MONT-BLANC, CHAMONIX, MEGÈVE
PLAINPALAIS
ST-JULIEN-EN-GENEVOIS, ANNECY, LYON, GRENOBLE
St-Cergue
Nyon
Gland
Rolle
Prangins
Coppet
Versoix
Céligny
Hermance
Douvaine
Ferney-Voltaire
St-Genis-Pouilly
Thoiry
Meyrin
Palais des Nations
GENÈVE
Annemasse
Carouge
Gaillard
Onex
Lancy
St-Julien-en-Genevois
Bellegarde-s-Valserine
Fort l'Écluse
Crêt de Chalam
Les Treize Arbres
Reignier-Ésery
Collonges
Chancy
Avully
Bernex
Confignon
Vernier
Satigny
Chêne-Bougeries
Thônex
Bossey
Arbusigny
Présilly
Mont Sâla
Mont Pelé
Col du Marchairuz
Bois-d'Amont
Bière
Gimel
Nernier
Messery
Yvoire

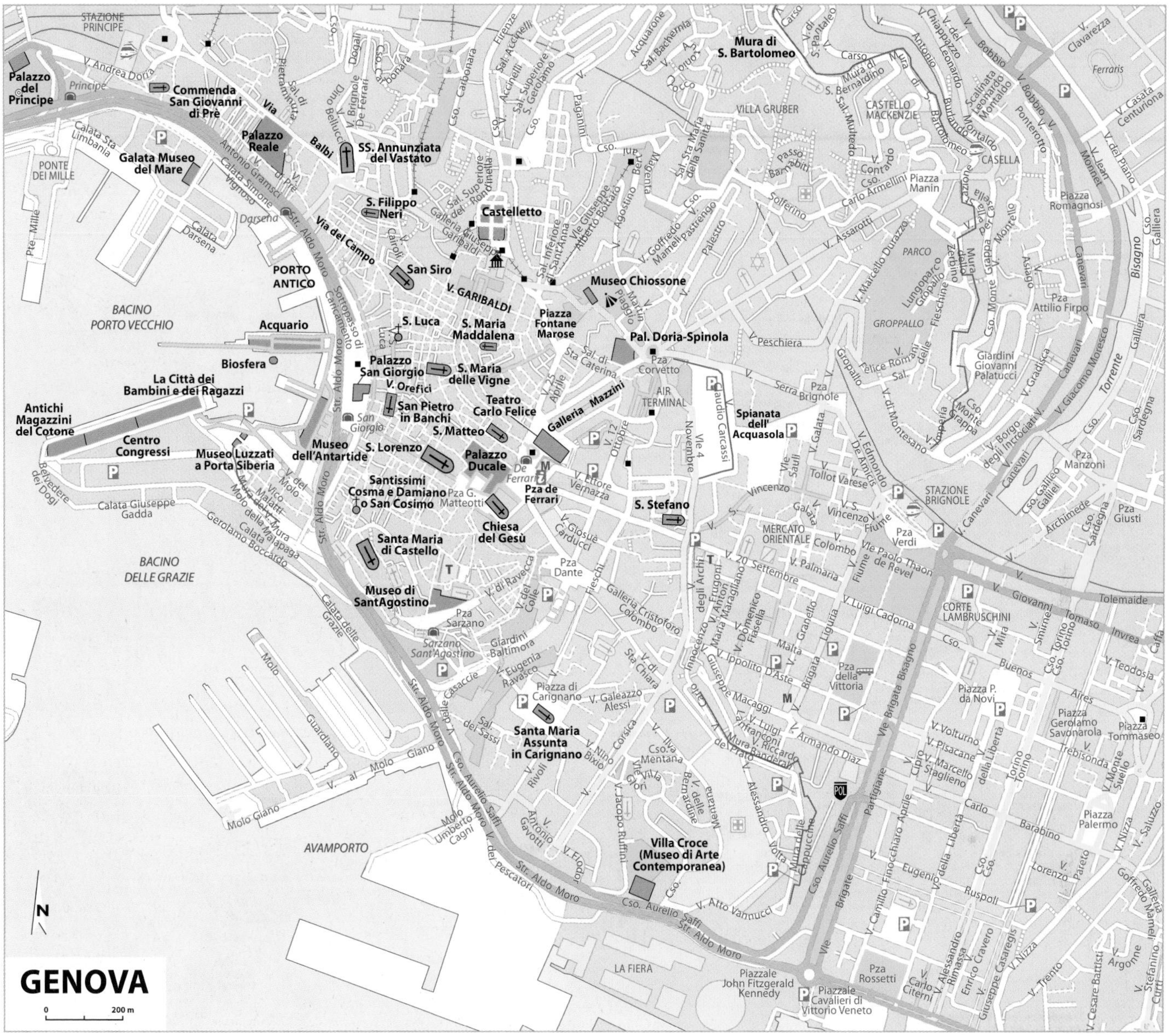
GENOVA
0
200 m
N
STAZIONE PRINCIPE
Palazzo del Principe
Commenda San Giovanni di Prè
Palazzo Reale
Galata Museo del Mare
SS. Annunziata del Vastato
S. Filippo Neri
Castelletto
San Siro
Via del Campo
PORTO ANTICO
BACINO PORTO VECCHIO
Acquario
Biosfera
La Città dei Bambini e dei Ragazzi
Antichi Magazzini del Cotone
Centro Congressi
Museo Luzzati a Porta Siberia
Museo dell'Antartide
S. Luca
S. Maria Maddalena
Palazzo San Giorgio
S. Maria delle Vigne
San Pietro in Banchi
Teatro Carlo Felice
S. Matteo
S. Lorenzo
Palazzo Ducale
Santissimi Cosma e Damiano o San Cosimo
Chiesa del Gesù
Santa Maria di Castello
Museo di SantAgostino
Pza de Ferrari
Galleria Mazzini
Museo Chiossone
Piazza Fontane Marose
Pal. Doria-Spinola
S. Stefano
Spianata dell' Acquasola
Mura di S. Bartolomeo
VILLA GRUBER
CASTELLO MACKENZIE
CASELLA
Piazza Manin
PARCO
GROPPALLO
STAZIONE BRIGNOLE
Pza Verdi
MERCATO ORIENTALE
CORTE LAMBRUSCHINI
Piazza della Vittoria
Santa Maria Assunta in Carignano
Villa Croce (Museo di Arte Contemporanea)
BACINO DELLE GRAZIE
AVAMPORTO
LA FIERA
Piazzale John Fitzgerald Kennedy
Piazzale Cavalieri di Vittorio Veneto
Pza Rossetti
Piazza Palermo
Piazza P. da Novi
Piazza Tommaseo
Piazza Romagnosi
Pza Attilio Firpo
Giardini Baltimora
Piazza di Carignano
Pza Sarzano
Pza Dante
V. GARIBALDI
V. XX Settembre
Str. Aldo Moro
Cso. Aurelio Saffi

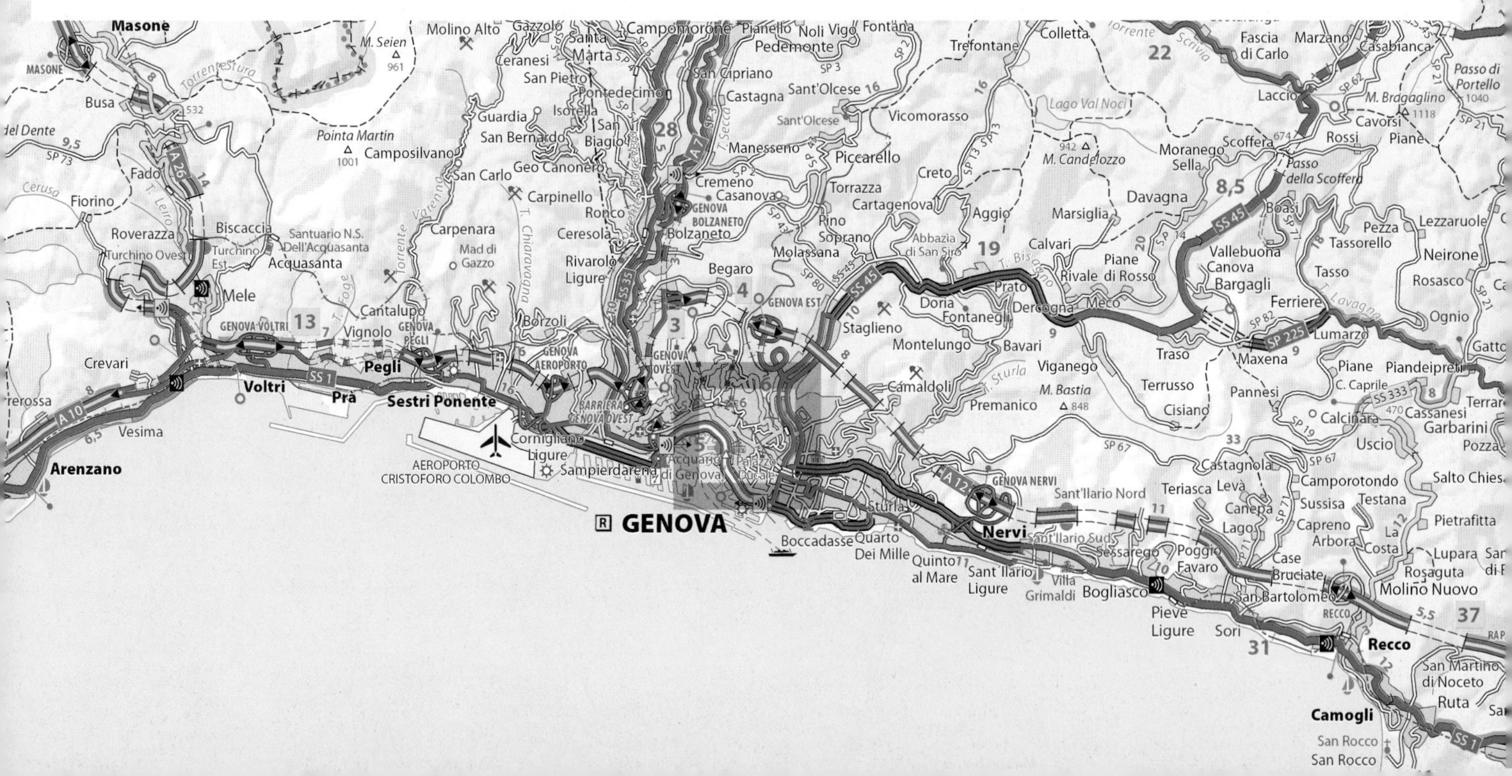
Masone
Campomorone
Pedemonte
Sant'Olcese
Trefontane
Colletta
Fascia di Carlo
Marzano
Casabianca
Busa
Camposilvano
San Cipriano
Pontedecimo
Manesseno
Piccarello
Vicomorasso
Lago Val Noci
Laccio
Scoffera
M. Candelozzo
Fado
Fiorino
Carpinello
Cremeno
Casanova
Torrazza
Cartagenova
Creto
Aggio
Marsiglia
Davagna
Roverazza
Biscaccia
Acquasanta
Ceresola
Rivarolo Ligure
Bolzaneto
Pino Soprano
Molassana
Calvari
Rivale
Piane di Rosso
Vallebuona
Canova
Bargagli
Lezzaruole
Tassorello
Tasso
Neirone
Mele
Cantalupo
Vignolo
Begaro
Prato
Doria
Fontanegli
Staglieno
Montelungo
Bavari
Ferriere
Traso
Maxena
Lumarzo
Crevari
Voltri
Pegli
Prà
Sestri Ponente
Camaldoli
Viganego
Premanico
M. Bastia
Terrusso
Cisiano
Pannesi
Arenzano
Vesima
AEROPORTO CRISTOFORO COLOMBO
Cornigliano Ligure
Sampierdarena
GENOVA
Boccadasse
Quarto Dei Mille
Quinto al Mare
Sturla
Nervi
Sant'Ilario Nord
Sant'Ilario Sud
Sant'Ilario Ligure
Villa Grimaldi
Bogliasco
Sessarego
Pieve Ligure
Sori
Teriasca
Castagnola
Canepa
Lago
Sussisa
Capreno
Arbora
Case Bruciate
Poggio Favaro
San Bartolomeo
Recco
Camogli
San Rocco
Ruta
San Martino di Noceto
Rosaguta
Molino Nuovo
Lupara
Testana
Camporotondo
Uscio
Calcinara
Garbarini
Piane
Piandeipreti
Salto Chiesa
Pietrafitta

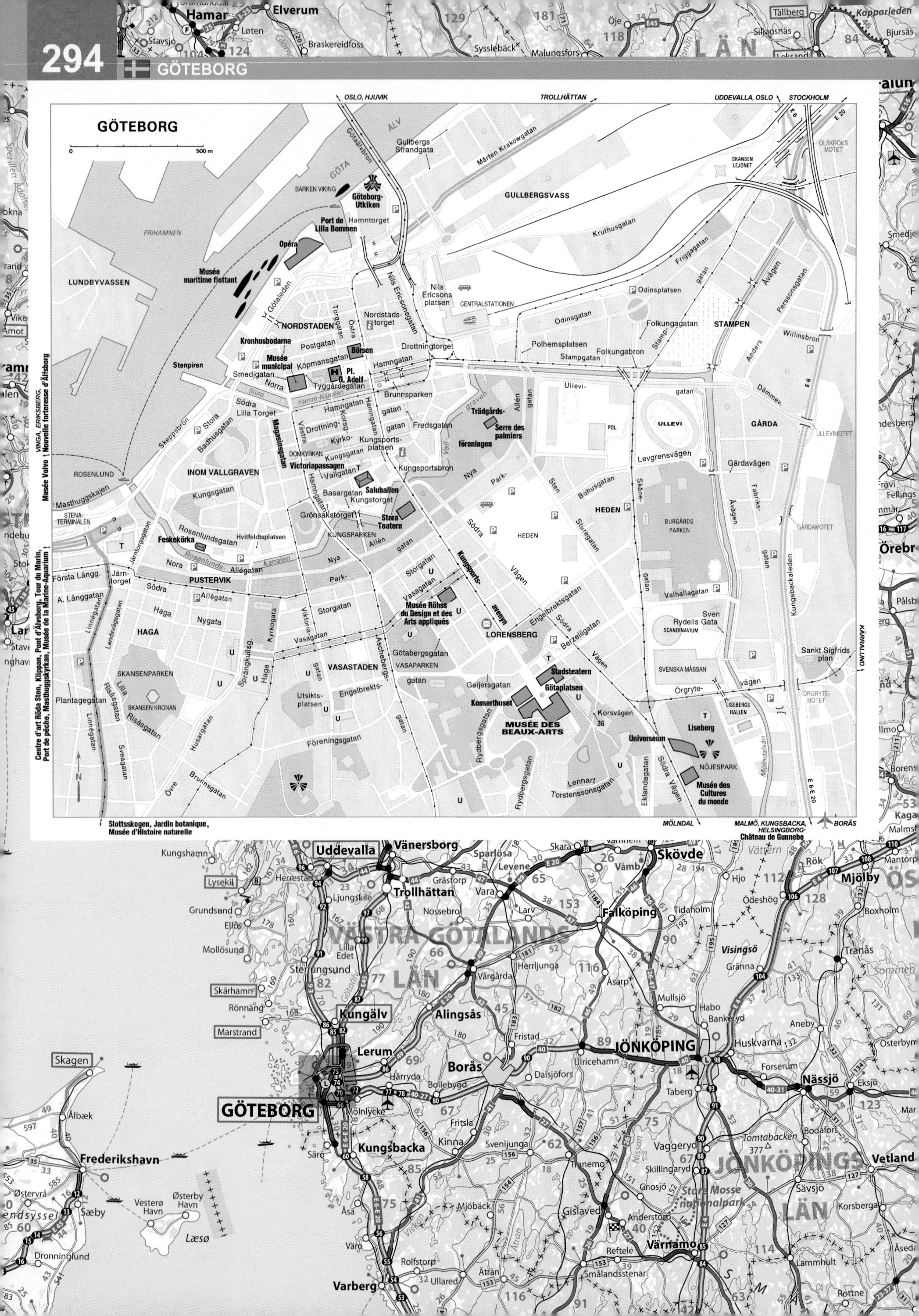
GÖTEBORG
0
500 m
OSLO, HJUVIK
TROLLHÄTTAN
UDDEVALLA, OSLO
STOCKHOLM
GÖTA ÄLV
Götaälvbron
Gullbergs Strandgata
Mårten Krakowgatan
OLSKROKS MOTET
SKANSEN LEJONET
GULLBERGSVASS
BARKEN VIKING
Göteborg-Utkiken
Port de Lilla Bommen
Hamntorget
FRIHAMNEN
Opéra
Musée maritime flottant
LUNDBYVASSEN
Götaleden
Nils Ericsonsgatan
Nils Ericsons platsen
CENTRALSTATIONEN
Kruthusgatan
Friggagatan
Odinsplatsen
Odinsgatan
Folkungagatan
STAMPEN
Polhemsplatsen
Stampgatan
Folkungabron
Willinsbron
Dämmev.
Åvägen
Perssonsgatan
NORDSTADEN
Nordstadstorget
Torggatan
Östra
Kronhusbodarna
Postgatan
Börsen
Drottningtorget
Stenpiren
Musée municipal
Köpmansgatan
Pl. G. Adolf
Hamngatan
Smedjegatan
Norra
Tyggårdsgatan
Stora Hamn-Kanalen
Brunnsparken
Södra
Lilla Torget
Magasinsgatan
Västra
Drottning
Korsg.
Kyrko-
Kungsportsplatsen
Fredsgatan
Vallgraven
Trädgårdsföreningen
Serre des palmiers
Allén
Ullevi-gatan
POL
ULLEVI
GÅRDA
ULLEVIMOTET
Skeppsbron
Stora Badhusgatan
DOMKYRKAN
Kungsgatan
Victoriapassagen
Vallgatan
Kungsportsbron
Nya Park-
Levgrensvägen
Gårdavägen
Fabriks-gatan
ROSENLUND
INOM VALLGRAVEN
Basargatan
Saluhallen
Kungstorget
Sten
Bohusgatan
HEDEN
Masthuggskajen
STENA-TERMINALEN
Grönsakstorget
Stora Teatern
KUNGSPARKEN
Södra
Sturegatan
Skånegatan
BURGÅRDS PARKEN
GÅRDAMOTET
Feskekörka
Rosenlundsgatan
Hvitfeldtsplatsen
Rosenlunds-Kanalen
Nya Allén
Nora Allégatan
Järntorgsgatan
Första Lång.
Järntorget
PUSTERVIK
Park-
Storgatan
Kungsportsavenyn
Vägen
Engelbrektsgatan
Valhallagatan
Kungsbackaleden
A. Långgatan
Allégatan
Vasagatan
Musée Röhss du Design et des Arts appliqués
Linnégatan
Landsvägsgatan
Haga Nygata
HAGA
Viktoriagatan
Kyrkogata
LORENSBERG
Berzeliigatan
Rydbergs Gata
Sven
SCANDINAVIUM
KÅRRALUND
Sprängkullsg.
Aschebergsgatan
Götabergsgatan
VASAPARKEN
VASASTADEN
Stadsteatern
Götaplatsen
SVENSKA MÄSSAN
Sankt Sigfrids plan
SKANSENPARKEN
Lilla Risåsgatan
SKANSEN KRONAN
Plantagegatan
Utsiktsplatsen
Engelbrekts-gatan
Geijersgatan
Konserthuset
MUSÉE DES BEAUX-ARTS
Örgrytevägen
LISEBERGS HALLEN
ÖRGRYTEMOTET
Korsvägen
Liseberg
Universeum
Sveagatan
Husargatan
Föreningsgatan
Rydbergsgatan
Eklandagatan
Södra Vägen
NÖJESPARK
Musée des Cultures du monde
Mölndalsån
Lennart Torstenssonsgatan
Övre Brunnsgatan
E 6 E 20
Centre d'art Röda Sten, Klippan, Pont d'Älvsborg, Tour du Marin, Port de pêche, Masthuggskyrkan, Musée de la Marine-Aquarium
VINGA, ERIKSBERG, Musée Volvo ; Nouvelle forteresse d'Älfsborg
Slottsskogen, Jardin botanique, Musée d'Histoire naturelle
MÖLNDAL
MALMÖ, KUNGSBACKA, HELSINGBORG, Château de Gunnebo
BORÅS
Hamar
Elverum
Løten
Stavsjo
Braskereidfoss
Sysslebäck
Malungsfors
Öje
Tällberg
Kopparleden
Siljansnäs
Bjursås
LÄN
Uddevalla
Vänersborg
Skara
Skövde
Kungshamn
Lysekil
Herrestad
Sparlösa
Levene
Vara
Grästorp
Trollhättan
Ljungskile
Nossebro
Larv
Falköping
Tidaholm
Hjo
Rök
Mjölby
Ödeshög
Boxholm
Grundsund
Ellös
Mollösund
VÄSTRA GÖTALANDS LÄN
Lilla Edet
Vårgårda
Herrljunga
Asarp
Visingsö
Gränna
Tranås
Stenungsund
Skärhamn
Rönnäng
Kungälv
Alingsås
Mullsjö
Habo
Bankeryd
Marstrand
Fristad
Jönköping
Huskvarna
Aneby
Österbymo
Skagen
Lerum
Borås
Ulricehamn
Dalsjöfors
Forserum
Nässjö
Eksjö
Härryda
Bollebygd
Taberg
GÖTEBORG
Ålbæk
Mölnlycke
Fritsla
Bodafors
Kinna
Svenljunga
Tomtabacken
Vaggeryd
Frederikshavn
Kungsbacka
Särö
Tranemo
Skillingaryd
Vetland
Østervrå
Vesterø Havn
Østerby Havn
Sæby
Læsø
Gnosjö
Store Mosse nationalpark
Sävsjö
JÖNKÖPINGS LÄN
Korsberga
Åsa
Mjöbäck
Gislaved
Anderstorp
Värnamo
Dronninglund
Väro
Reftele
Lammhult
Rolfstorp
Ätran
Smålandsstenar
Varberg
Ullared
Rottne
Vättern
Kaga
Malmslätt
Mantorp
Smedje
Fellings
Örebro
Pålsboda

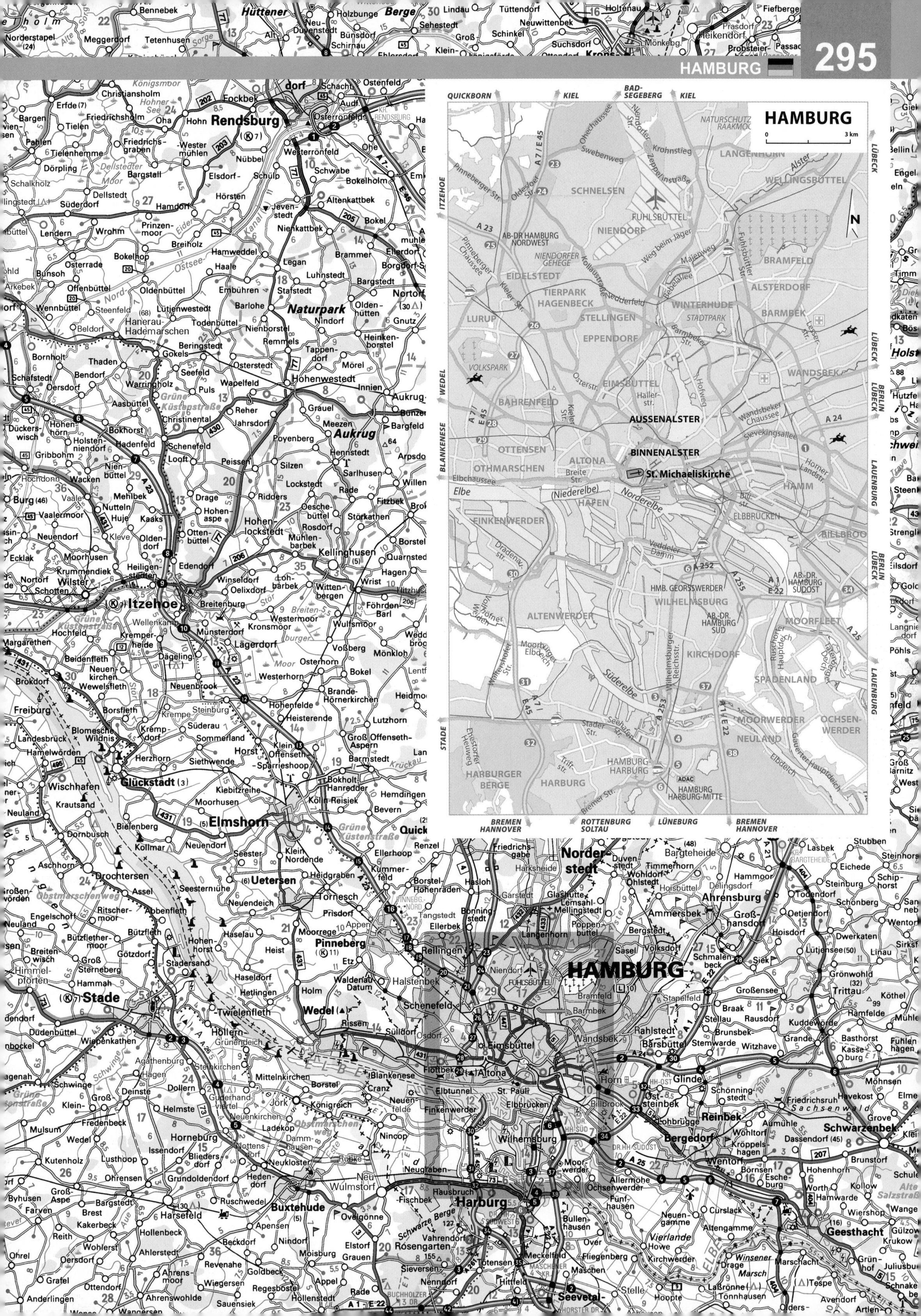
HAMBURG
0 3 km
N
QUICKBORN
KIEL
BAD-SEGEBERG
KIEL
LÜBECK
LÜBECK
BERLIN LÜBECK
LAUENBURG
BERLIN LÜBECK
LAUENBURG
ITZEHOE
WEDEL
BLANKENESE
STADE
BREMEN HANNOVER
ROTTENBURG SOLTAU
LÜNEBURG
BREMEN HANNOVER
SCHNELSEN
NIENDORF
FUHLSBÜTTEL
LANGENHORN
WELLINGSBÜTTEL
BRAMFELD
ALSTERDORF
EIDELSTEDT
TIERPARK HAGENBECK
STELLINGEN
WINTERHUDE
STADTPARK
BARMBEK
LURUP
EPPENDORF
VOLKSPARK
EIMSBÜTTEL
WANDSBEK
BAHRENFELD
AUSSENALSTER
BINNENALSTER
OTTENSEN
OTHMARSCHEN
ALTONA
St. Michaeliskirche
HAMM
Elbe
HAFEN
FINKENWERDER
ELBBRÜCKEN
BILLBROOK
HMB. GEORGSWERDER
WILHELMSBURG
AB-DR. HAMBURG SÜDOST
AB-DR. HAMBURG SÜD
AB-DR HAMBURG NORDWEST
NIENDORFER GEHEGE
NATURSCHUTZ RAAKMOOR
ALTENWERDER
MOORFLEET
KIRCHDORF
SPADENLAND
MOORWERDER
OCHSENWERDER
NEULAND
HARBURGER BERGE
HARBURG
HAMBURG HARBURG
HAMBURG HARBURG-MITTE
ADAC
Süderelbe
Norderelbe
Rendsburg
Itzehoe
Glückstadt
Elmshorn
Uetersen
Pinneberg
Wedel
Stade
Buxtehude
Harburg
Norderstedt
Ahrensburg
Bergedorf
Reinbek
Geesthacht
Schwarzenbek
HAMBURG
Naturpark Aukrug
Kellinghausen
Hohenwestedt
Wilster
Horneburg
Jork
Blankenese
Elbtunnel
Wilhelmsburg
Seevetal
Rosengarten
Harsefeld
Barsbüttel
Trittau
Glinde

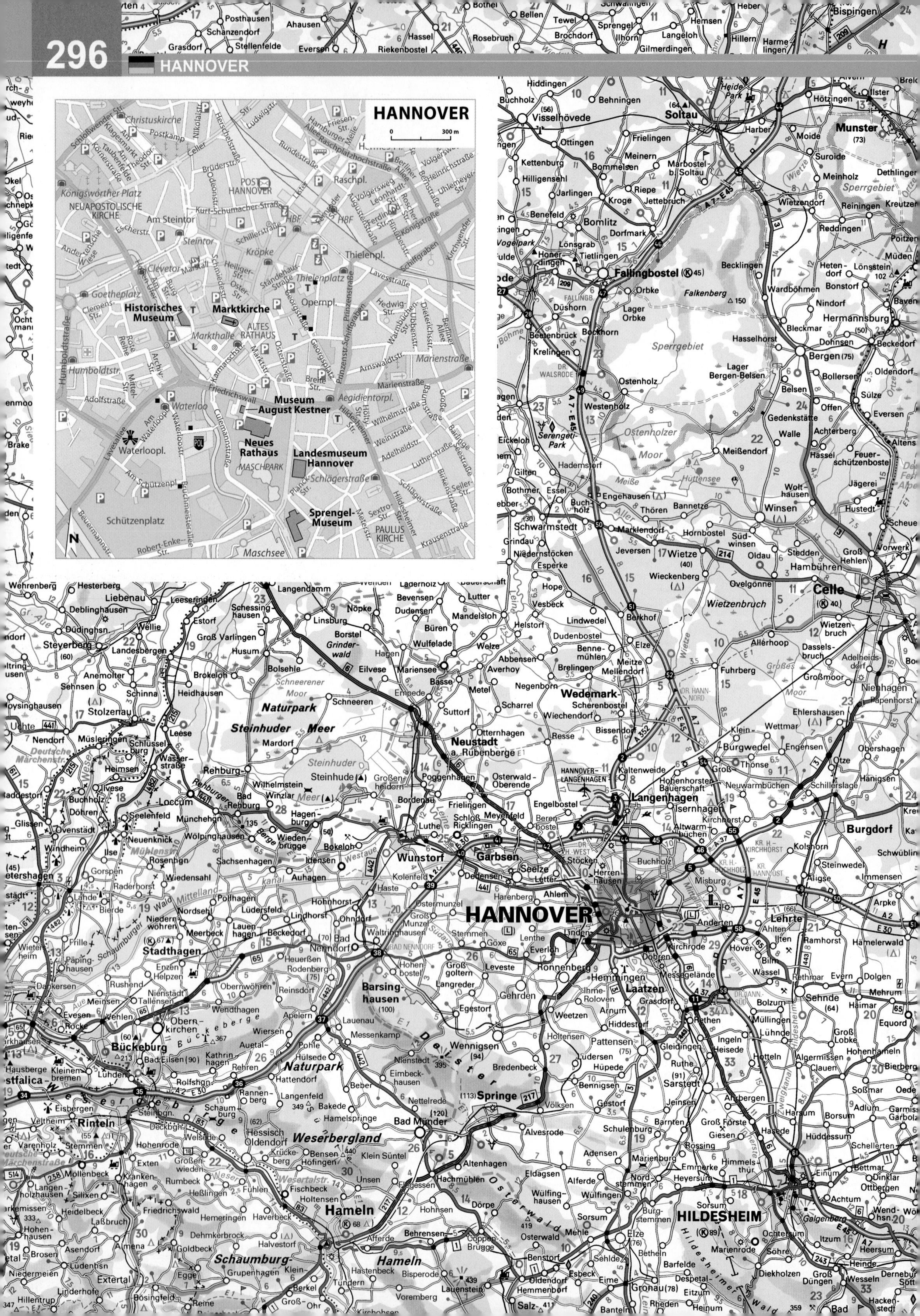
HANNOVER
0 300 m
Christuskirche
Königsworther Platz
NEUAPOSTOLISCHE KIRCHE
Am Steintor
Steintor
Kröpke
POST HANNOVER
HBF
Raschpl.
Thielenpl.
Goetheplatz
Clevertor
Historisches Museum
Marktkirche
ALTES RATHAUS
Markthalle
Thielenplatz
Opernpl.
Marienstraße
Humboldtstr.
Adolfstraße
Friedrichswall
Waterloo
Waterlooplatz
Museum August Kestner
Aegidientorpl.
Neues Rathaus
Landesmuseum Hannover
MASCHPARK
Schlägerstraße
Schützenplatz
Sprengel-Museum
PAULUS KIRCHE
Maschsee
Soltau
Munster
Bomlitz
Fallingbostel
Bergen
Hermannsburg
Walsrode
Serengeti-Park
Schwarmstedt
Celle
Wietze
Neustadt a. Rübenberge
Steinhuder Meer
Naturpark Steinhuder Meer
Wunstorf
Garbsen
Langenhagen
Burgdorf
Lehrte
Wedemark
Burgwedel
HANNOVER
Stadthagen
Bückeburg
Rinteln
Barsinghausen
Springe
Bad Münder
Hameln
Weserbergland
Naturpark Weserbergland
Laatzen
Sarstedt
Sehnde
Pattensen
HILDESHEIM
Elze
Stolzenau
Steyerberg
Petershagen
Minden
Porta Westfalica
Deister
Osterwald
Schaumburg

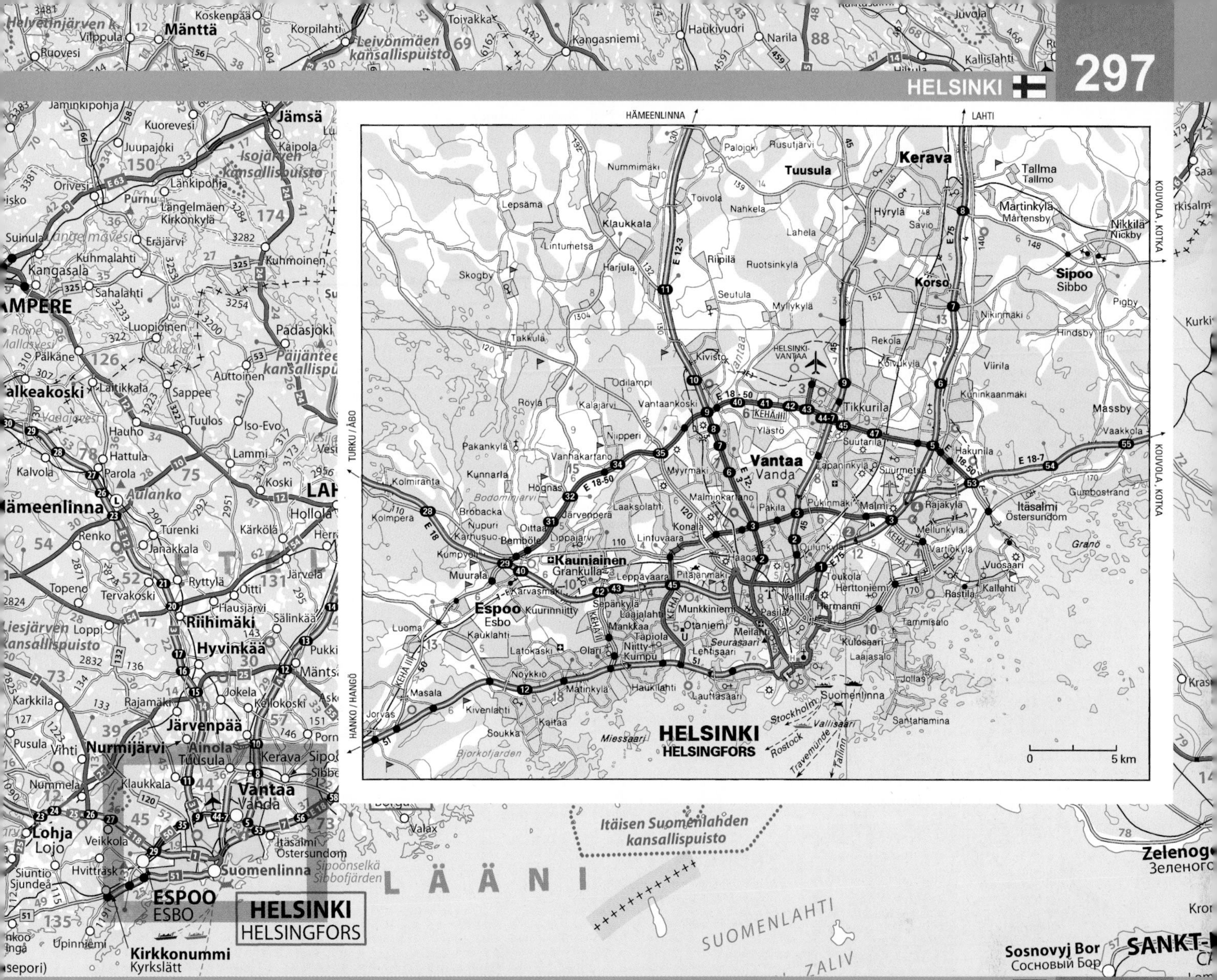
HELSINKI
HELSINGFORS
Espoo
Esbo
Vantaa
Vanda
Kauniainen
Grankulla
Kerava
Tuusula
Sipoo
Sibbo
Korso
Tikkurila
Suomenlinna
HÄMEENLINNA
LAHTI
TURKU / ÅBO
HANKO / HANGÖ
KOUVOLA, KOTKA
Stockholm
Tallinn
Travemünde
Rostock
0
5 km
Hämeenlinna
Riihimäki
Hyvinkää
Järvenpää
Nurmijärvi
Lohja
Lojo
ESPOO
ESBO
Kirkkonummi
Kyrkslätt
Jämsä
Mänttä
Kangasala
Valkeakoski
Itäisen Suomenlahden kansallispuisto
SUOMENLAHTI
Sosnovyj Bor
Сосновый Бор
Zelenog
Зеленог

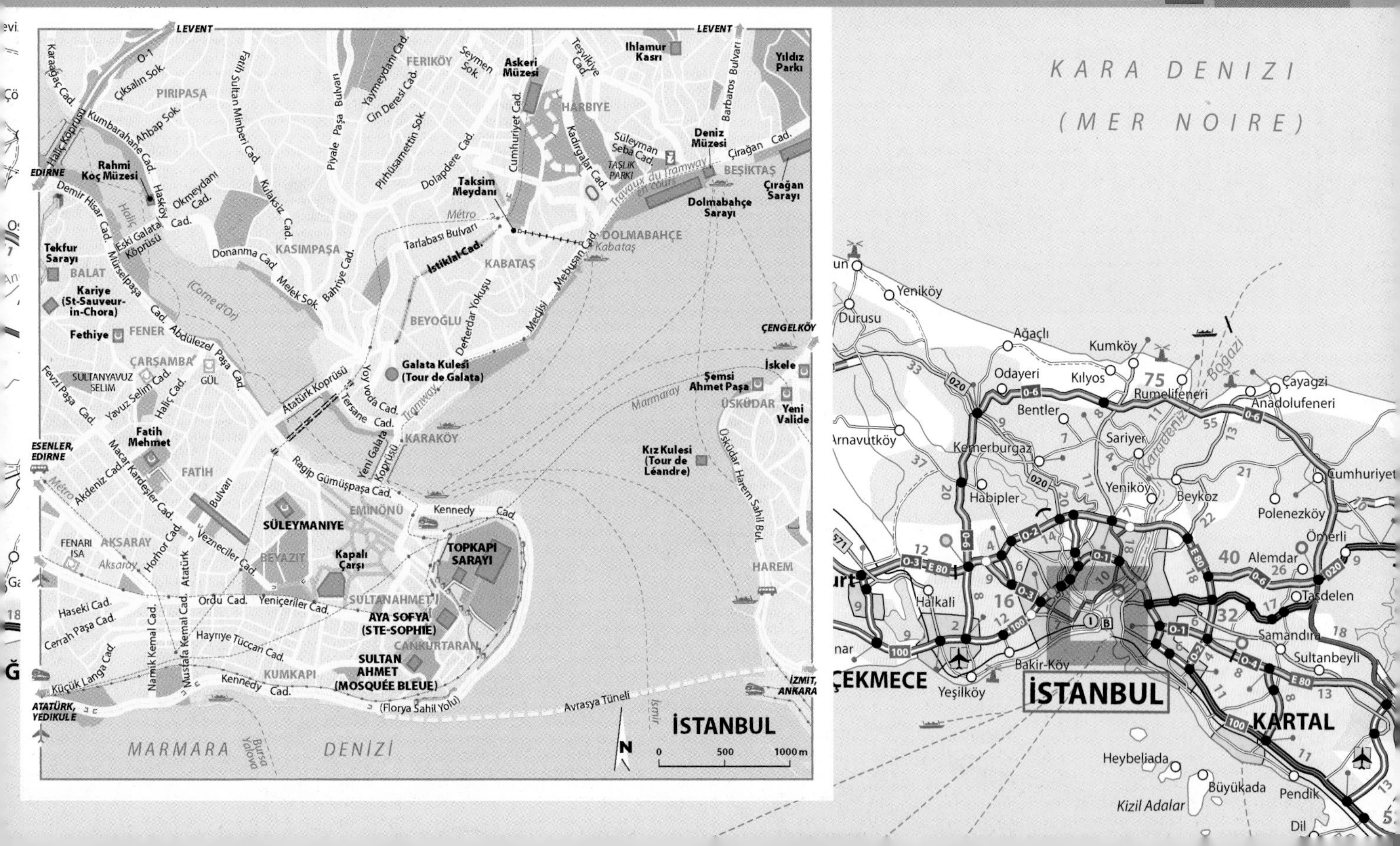
KARA DENIZI
(MER NOIRE)
İSTANBUL
LEVENT
ÇENGELKÖY
İZMIT, ANKARA
ATATÜRK, YEDIKULE
ESENLER, EDIRNE
EDIRNE
MARMARA DENİZİ
BEYOĞLU
KARAKÖY
EMİNÖNÜ
FATİH
AKSARAY
SÜLEYMANIYE
TOPKAPI SARAYI
AYA SOFYA (STE-SOPHIE)
SULTAN AHMET (MOSQUÉE BLEUE)
Galata Kulesi (Tour de Galata)
Kapalı Çarşı
Kız Kulesi (Tour de Léandre)
Dolmabahçe Sarayı
Çırağan Sarayı
Taksim Meydanı
Rahmi Koç Müzesi
Askeri Müzesi
Deniz Müzesi
Ihlamur Kasrı
Yıldız Parkı
Tekfur Sarayı
Kariye (St-Sauveur-in-Chora)
Fethiye
ÜSKÜDAR
HAREM
N
0
500
1000 m
Kartal
Çekmece
Yeşilköy
Bakir-Köy
Sariyer
Beykoz
Heybeliada
Büyükada
Kizil Adalar
Pendik

ÄNGELHOLM OSLO, GÖTEBORG
JÖNKÖPING, STOCKHOLM
Helsingborg
Kronborg
Helsingør
Snekkersten
Espergærde
Humlebæk
Fredensborg
Hillerød
Rydebäck
Påarp
Bårslöv
Gantofta
Fjärestad
Ekeby
Kågeröd
Konga
Vallåkra
Härslöv
Glumslöv
Halmstad
Sireköpinge
Tågarp
Svalöv
Tirup
Torrlösa
S:t Ibb
Ven
Bäckviken
Asmundtorp
Billeberga
Landskrona
Teckomatorp
Marieholm
Trollenäs
Häljarp
Annelöv
Kokkedal
Rungsted
Rungstedlund
Hørsholm
Allerød
Blovstrød
Lillerød
Vedbæk
Birkerød
Skodsborg
Farum
Nærum
Holte
Søllerød
Eremitagen
Tårbæk
Lyngby
Klampenborg
Ordrup
Virum
Værløse
Frederiksdal
Hareskovby
Bagsværd
Charlottenlund
Gentofte
Gladsaxe
Herlev
Ballerup
Skovlunde
Brønshøj
Svanabacken
Lundåkrabukten
Ålstorp
Dösjebro
St Harrie
Hofterup
Kävlinge
Harrie
Barsebäck
Barsebackshamn
Löddeköping
Furulund
Håstad
Borgeby
Fjelie
Vallkärra
Stångby
Lund
Fladie
Bjärred
KØBENHAVN
ØRESUND
Herstedt
Glostrup
Albertslund
Vanløse
Frederiksberg
Rødovre
Valby
Christianshavn
Sundbyerne
Kastrup
Hvidovre
Avedøre
Brøndby
Ishøj Strand
Avedøre Holme
Hundige
Greve Strand
Tårnby
KASTRUP
Amager
Dragør
Søvang
Køge Bugt
Saltholm
Hjarup
Lomma
Lommabukten
Åkarp
Staffanstorp
Burlöv
MALMÖ
Limhamn
Bunkeflostrand
Norra Klagshamn
Södra Klagshamn
Tygelsjö
Kristineberg
Käglinge
Oxie
Skabersjö
Torup
S Sallerup
Bara
Svedala
TRELLEBORG
Travemünde
FREDERIKSVÆRK, ÅRHUS
FREDERIKSVÆRK
ROSKILDE, KALUNDBORG
RODBYHAVN, ODENSE
KRISTIANSTAD
YSTAD
STURUP
0 5 10 km
Sandefjord
Halden
Tresticklans nationalpark
Säffle
Åmål
Bengtsfors
AARHUS
Ebeltoft
Odder
Horsens
Samsø
Kalundborg
Holbæk
Hillerød
Helsingør
Helsingborg
Landskrona
Lund
MALMÖ
KØBENHAVN
Roskilde
Ballerup
Køge
Slagelse
Sorø
Ringsted
ODENSE
Nyborg
Trelleborg
Ystad
Hässleholm
Kristianstad
Klippan
Simrishamn
Hanöbukten
SJÆLLAND
FYN
Fredericia
Middelfart
Kerteminde
Gilleleje
Tisvildeleje
Frederikssund
Eslöv
Hörby
Sjöbo
Svedala
Skurup

Vallorbe
Romainmôtier
Chavornay
Corcelles
Lucens
Rossens
Treyvaux
Vaulion
Bavois
Vuarrens
Thierrens
Prévonloup
Farvagny
Romont
F R I B O U R

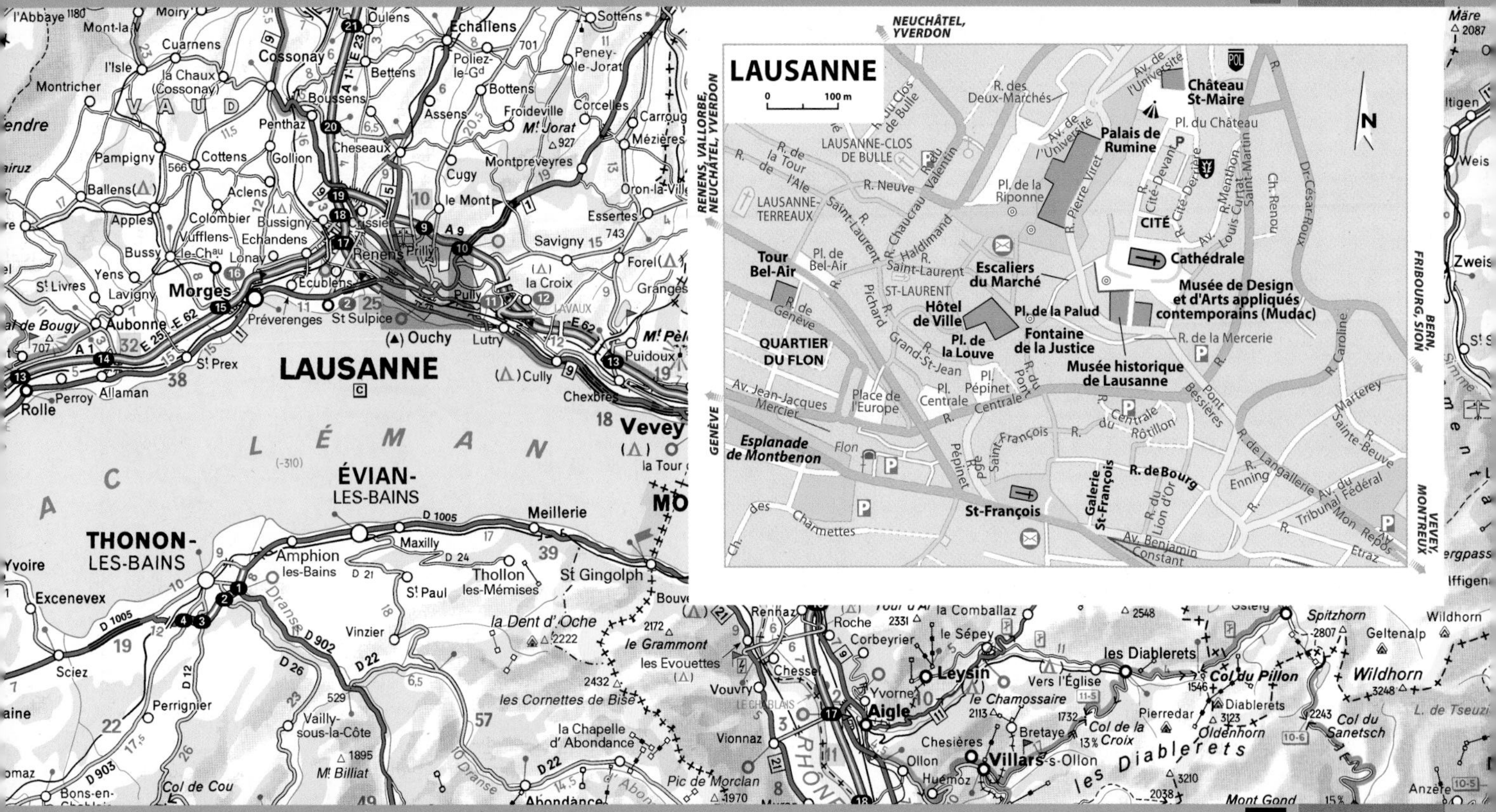

LAUSANNE
0 100 m
NEUCHÂTEL, YVERDON
RENENS, VALLORBE, NEUCHÂTEL, YVERDON
BERN, FRIBOURG, SION
VEVEY, MONTREUX
GENÈVE
Château St-Maire
Palais de Rumine
Pl. du Château
CITÉ
Cathédrale
Musée de Design et d'Arts appliqués contemporains (Mudac)
LAUSANNE-CLOS DE BULLE
LAUSANNE-TERREAUX
Pl. de la Riponne
Tour Bel-Air
Pl. de Bel-Air
Escaliers du Marché
Hôtel de Ville
Pl. de la Palud
ST-LAURENT
Pl. de la Louve
Fontaine de la Justice
Musée historique de Lausanne
QUARTIER DU FLON
Place de l'Europe
Pl. Centrale
Pl. Pépinet
Esplanade de Montbenon
St-François
Galerie St-François
R. de Bourg
R. de la Mercerie
Av. Jean-Jacques Mercier
Av. Benjamin Constant
R. Centrale
R. du Rôtillon
R. Caroline
Av. du Tribunal Fédéral
LAUSANNE
LÉMAN
ÉVIAN-LES-BAINS
THONON-LES-BAINS
Morges
Renens
Pully
Lutry
Vevey
Ouchy
Cully
Chexbres
Rolle
Aubonne
Cossonay
Echallens
St Gingolph
Meillerie
Aigle
Leysin
Villars-s-Ollon
les Diablerets
Col du Pillon
Wildhorn
Col du Sanetsch

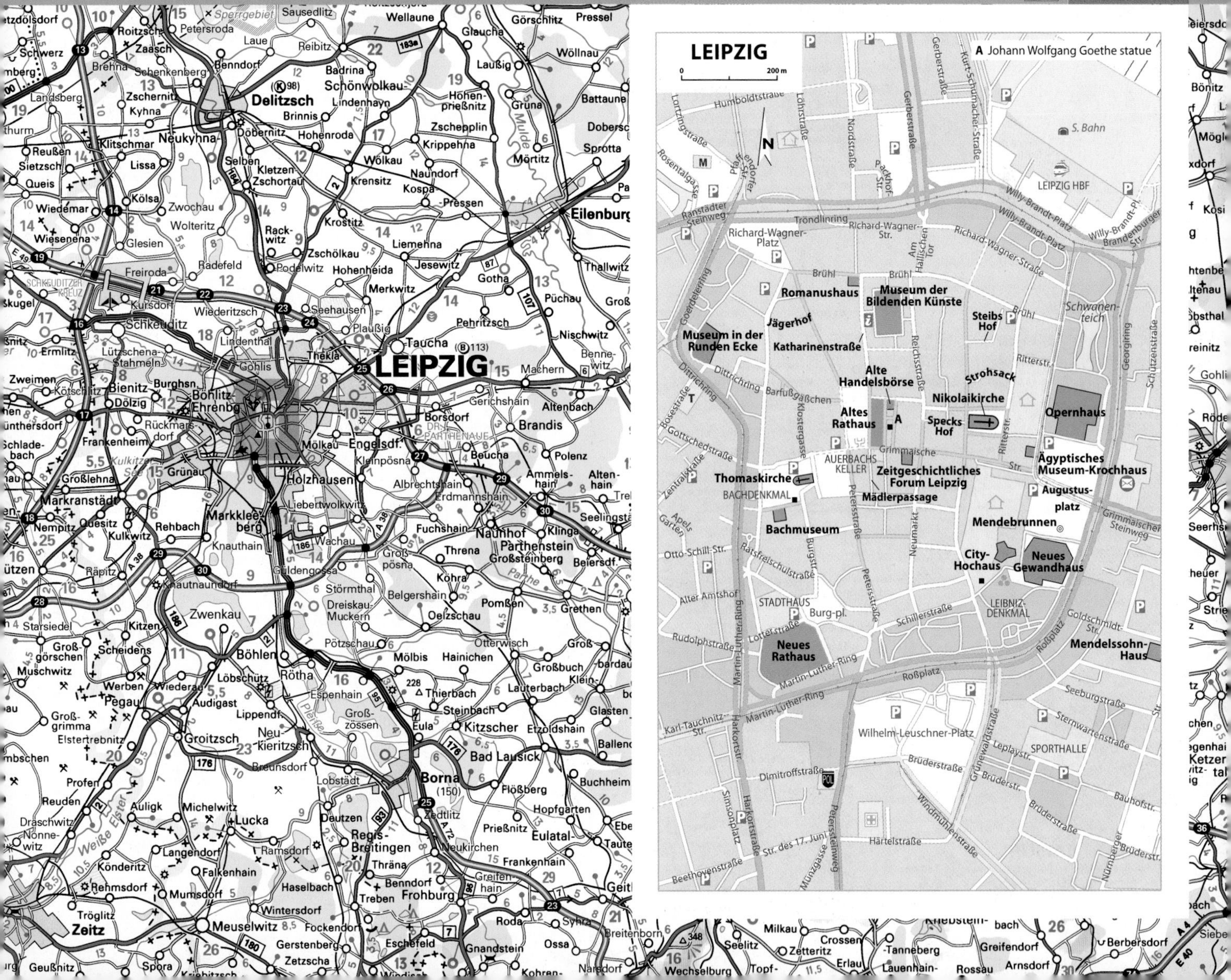

LEIPZIG
0 200 m
A Johann Wolfgang Goethe statue
LEIPZIG HBF
S. Bahn
Willy-Brandt-Platz
Tröndlinring
Richard-Wagner-Platz
Richard-Wagner-Str.
Brühl
Romanushaus
Museum der Bildenden Künste
Steibs Hof
Schwanenteich
Jägerhof
Museum in der Runden Ecke
Katharinenstraße
Alte Handelsbörse
Strohsack
Nikolaikirche
Altes Rathaus
Specks Hof
Opernhaus
AUERBACHS KELLER
Zeitgeschichtliches Forum Leipzig
Mädlerpassage
Ägyptisches Museum-Krochhaus
Thomaskirche
BACHDENKMAL
Augustusplatz
Mendebrunnen
Bachmuseum
City-Hochaus
Neues Gewandhaus
STADTHAUS
Burg-pl.
LEIBNIZ-DENKMAL
Neues Rathaus
Mendelssohn-Haus
Martin-Luther-Ring
Roßplatz
Wilhelm-Leuschner-Platz
SPORTHALLE
Karl-Tauchnitz-Str.
Dittrichring
Goerdelerring
Georgiring
LEIPZIG
Delitzsch
Schkeuditz
Taucha
Markkleeberg
Markranstädt
Zwenkau
Böhlen
Borna
Pegau
Groitzsch
Zeitz
Meuselwitz
Eilenburg
Brandis
Naunhof
Bad Lausick
Frohburg

LIÈGE
0 230 m
TONGEREN ANTWERPEN, HASSELT
COTEAUX DE LA CITADELLE
Citadelle
PARC DE LA CITADELLE
PARC DE LA PAIX
CENTRE SPORTIF PARC NAIMETTE-XHOVÉMONT
Musée de la Vie wallonne
Palais des Princes-Évêques
OUTREMEUSE
St-Paul
St-Jacques
JARDIN BOTANIQUE
PARC D'AVROY
Mediacité
LONGDOZ
Maison de la Métallurgie et de l'Industrie
Palais des Congrès
Tour cybernétique
Parc de la Boverie
Musée de la Boverie
Musée des Transports en commun de Wallonie
Gare des Guillemins
Tour des Finances
GRIVEGNÉE
FÉTINNE
PARC DE COINTE
JONFOSSE
ST-TRUIDEN
BRUXELLES/BRUSSEL LEUVEN
MAASTRICHT
HERVE
SPA, VERVIERS, BASTOGNE
NAMUR
Meuse
LIMBURG
MAASTRICHT
Weert
Maaseik
Sittard
Geleen
Genk
Valkenburg
Tongeren (Tongres)
Waremme
LIÈGE (LUIK)
Herstal
Seraing
Huy (Hoei)
Andenne
NAMUR (NAMEN)
Spa
Verviers
Theux
Esneux
Visé (Wezet)
Bree
Bocholt
Maasmechelen
Bilzen
Hoeselt
Lanaken
Hannut
Jodoigne (Geldenaken)
Eghezée
Wasseiges
Profondeville
Floreffe
Modave
Ouffet
Hamoir
Aywaille
Sprimont
Chaudfontaine
Fléron
Dison
Amay
Flémalle
Saint-Georges
Stoumont
Remouchamps

LILLE
0
250 m
GENT, ARMENTIÈRES
IEPER (YPRES)
OOSTENDE
GENT, ROUBAIX, TOURCOING
LOMME, ARMENTIÈRES
GENT, ROUBAIX, TOURCOING
DUNKERQUE, BÉTHUNE
HAUBOURDIN
VILLENEUVE D'ASCQ
CENTRE HOSPITALIER
SECLIN
SECLIN
PARIS, VALENCIENNES
LE CANON D'OR
LA MADELEINE
LAMBERSART
PARC MONCEAU
NOTRE DAME DE LOURDES
ST-MAURICE PELLEVOISIN
STE-MARIE MADELEINE
Porte de Gand
Cimetière de l'Est
Musée des Canonniers sédentaires
Musée de l'Hospice Comtesse
Porte royale
Citadelle
CHAMP DE MARS
Parc de loisirs de la Citadelle
Ste-Catherine
VIEUX LILLE
Cathédrale Notre-Dame-de-la-Treille
LILLE-EUROPE
Tour de Lille
Centre Euralille
Zoo de Lille
Jardin Vauban
Place du Théâtre
Opéra
Vieille Bourse
St-Maurice
LILLE-FLANDRES
St-Etienne
CANTELEU
LE CHAMP DE COURSES
NOTRE-DAME DE FATIMA
ST-SÉPULCRE
CENTRE
Hôtel de ville
Lille Grand Palais
ZÉNITH
PALAIS DES BEAUX ARTS
Porte de Paris
Chapelle du Réduit
VAUBAN-ESQUERMES
BOIS BLANCS
PORT
Marché de Wazemmes
St-Pierre St-Paul
Maison Folie Wazemmes
Centre d'arts plastiques et visuels
Parc J.-B.-Lebas
Gare St-Sauveur
Cité philanthropique
WAZEMMES
MOULINS
ST-MARTIN
NOTRE-DAME DES VICTOIRES
FAUBOURG DE BÉTHUNE
FAUBOURG DE DOUAI
JARDIN DES PLANTES
A 25 / E 42
A 1 / E 42
Armentières
Wambrechies
Croix
ROUBAIX
Wattrelos
Marcq-en-B.
Wasquehal
Lambersart
La Madeleine
Mons-en-Barœul
Hem
Villeneuve d'Ascq
LILLE (RIJSEL)
Loos
Ronchin
Lezennes
Haubourdin
Lesquin
Faches-Thumesnil
Seclin
TOURNAI (DOORNIK)
Templeuve
Baisieux
Wavrin
Santes
Houplines
Pérenchies
Lomme
Capinghem
Sequedin
Hallennes-lez-H.
Englos
Escobecques
Erquinghem-le-Sec
Beaucamps-Ligny
Fournes-en-W.
Wattignies
Emmerin
Noyelles-lès-S.
Houplin-Ancoisne
Templemars
Vendeville
Gondecourt
Sainghin-en-Weppes
Marquillies
Wicres
Don
Herrin
Ennetières
Fretin
Louvil
Cobrieux
Bachy
Bourghelles
Cysoing
Bouvines
Gruson
Anstaing
Tressin
Chéreng
Camphin-en-Pévèle
Sainghin-en-M.
Péronne-en-M.
Willems
Forest-s-Marque
Sailly-lez-L.
Lannoy
Lys-lez-L.
Leers
Toufflers
Néchin
Estaimpuis
Pecq
Ramegnies-Chin
Blandain
Froyennes
Orcq
Marquain
Esplechin
Froidmont
Wannehain
Rumes
Taintignies
Gits
Pittem
Tielt
Koolskamp
Klerken

LISBOA
0 200 m
Casa-Museu Medeiros e Almeida
Jardim Botânico
Parque Mayer
Palacete Ribeiro da Cunha
Jardim do Príncipe Real
Praça do Príncipe Real
Convento de São Pedro de Alcântara
Convento dos Cardaes
Miradouro de São Pedro de Alcântara
Palácio Foz
Pr. dos Restauradores
Casa do Alentejo
Teatro Nacional Dona Maria II
Eden Teatro
São Roque
Rossio
Praça Dom Pedro IV/Rossio
Pr. da Figueira
Elevador de Santa Justa
Largo do Carmo
BAIRRO ALTO
Palácio Pombal
CHIADO
BAIXA
Pr. Luís de Camões
Museu da Farmácia
Alto de Santa Catarina
Teatro Nacional de São Carlos
Teatro São Luiz
Museu do Chiado
Museu do Design e da Moda
Arco da Rua Augusta
Praça do Comércio
Lisboa Story Centre
Cais das Colunas
Cais do Sodré
ESTAÇÃO FLUVIAL TERREIRO DO PAÇO
CAIS DO SODRÉ
Miradouro da Senhora do Monte
Jardim da Cerca da Graça
Miradouro da Graça
Convento N. S. da Graça
GRAÇA
MOURARIA
Castelo de São Jorge
Paço Real
Museu de Artes Decorativas
Largo das Portas do Sol
Miradouro de Santa Luzia
S. António da Sé
Museu Teatro Romano
Sé
Casa dos Bicos
Igreja da Conceição Velha
Casa do Fado e da Guitarra Portuguesa
ALFAMA
Sto Estêvão
Museu Militar
São Vicente de Fora
Santa Engrácia
Palácio Lavradio
Jardim Boto Machado
SAPADORES
SANTA APOLÓNIA
DOCA DO TERREIRO DO TRIGO
DOCA DA MARINHA
TEJO
N
Igreja do Carmo M4
Museu de Arte Sacra de São Roque........ M11
Núcleo Arqueológico da R. dos Correeiros...... N1

Mafra
Vila Franca de Xira
Alhandra
Alverca do Ribatejo
Sintra
Cabo da Roca
ESTORIL
Cascais
Queluz
Amadora
Odivelas
Loures
Sacavém
LISBOA
Oeiras
Almada
Barreiro
Montijo
Alcochete
Seixal
Moita
Costa da Caparica
Reserva Natural do Estuário do Tejo
RIO TEJO

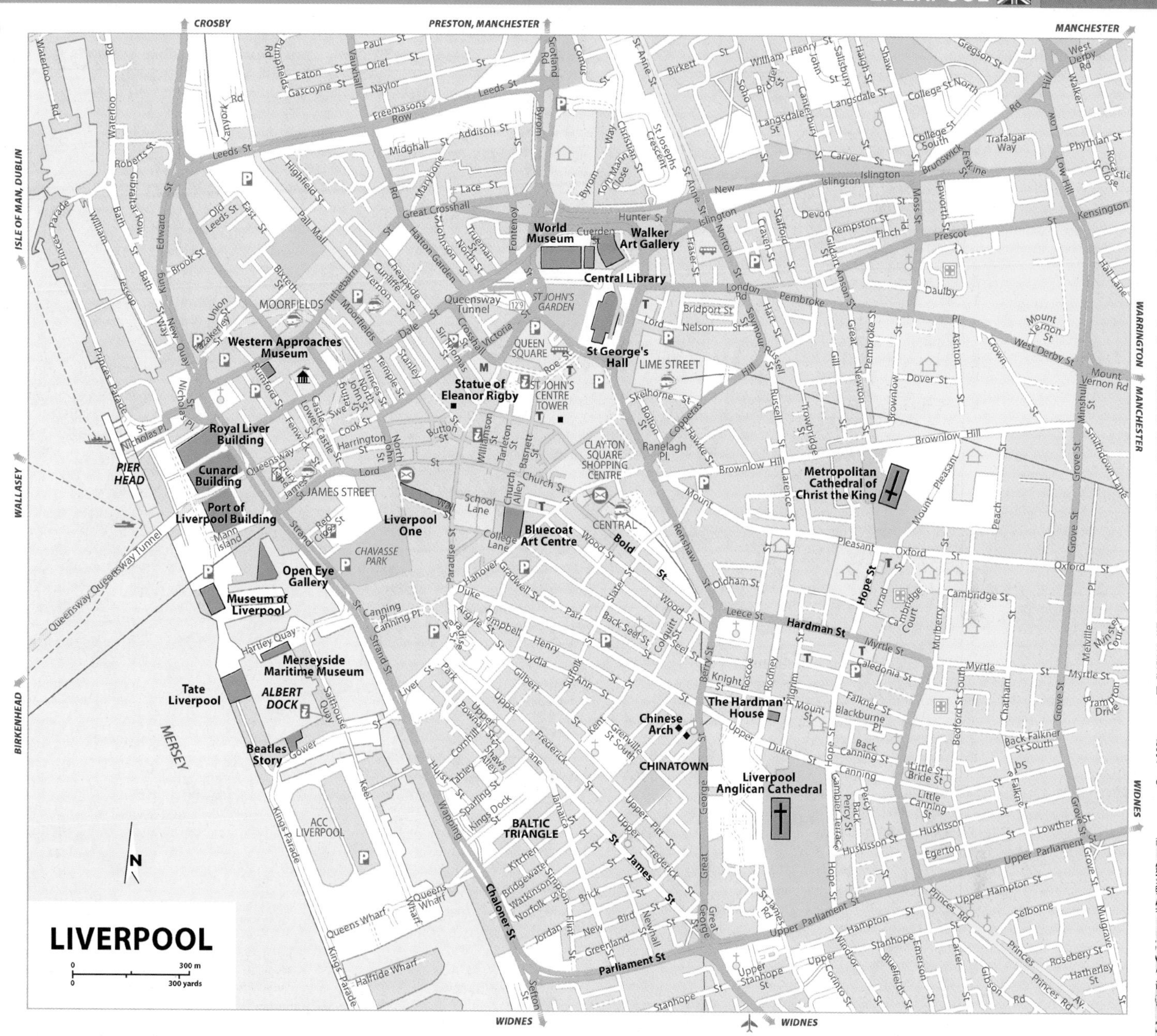
LIVERPOOL
CROSBY
PRESTON, MANCHESTER
MANCHESTER
ISLE OF MAN, DUBLIN
WALLASEY
BIRKENHEAD
WARRINGTON
WARRINGTON MANCHESTER
WIDNES
World Museum
Walker Art Gallery
Central Library
St George's Hall
Western Approaches Museum
Statue of Eleanor Rigby
Royal Liver Building
Cunard Building
Port of Liverpool Building
Liverpool One
Bluecoat Art Centre
Open Eye Gallery
Museum of Liverpool
Merseyside Maritime Museum
Tate Liverpool
Beatles Story
ALBERT DOCK
PIER HEAD
MERSEY
Metropolitan Cathedral of Christ the King
The Hardman House
Chinese Arch
CHINATOWN
Liverpool Anglican Cathedral
BALTIC TRIANGLE
ACC LIVERPOOL
MOORFIELDS
QUEEN SQUARE
LIME STREET
ST JOHN'S CENTRE TOWER
CLAYTON SQUARE SHOPPING CENTRE
CENTRAL
JAMES STREET
CHAVASSE PARK
ST JOHN'S GARDEN
Queensway Tunnel
Leeds St
Scotland Rd
Islington
London Rd
Brownlow Hill
Hope St
Hardman St
Leece St
Bold St
Hanover St
Duke St
Parliament St
Upper Parliament St
Chaloner St
Strand St
Wapping
Kings Parade
Princes Parade
Queens Wharf
Halftide Wharf
N
0 300 m
0 300 yards

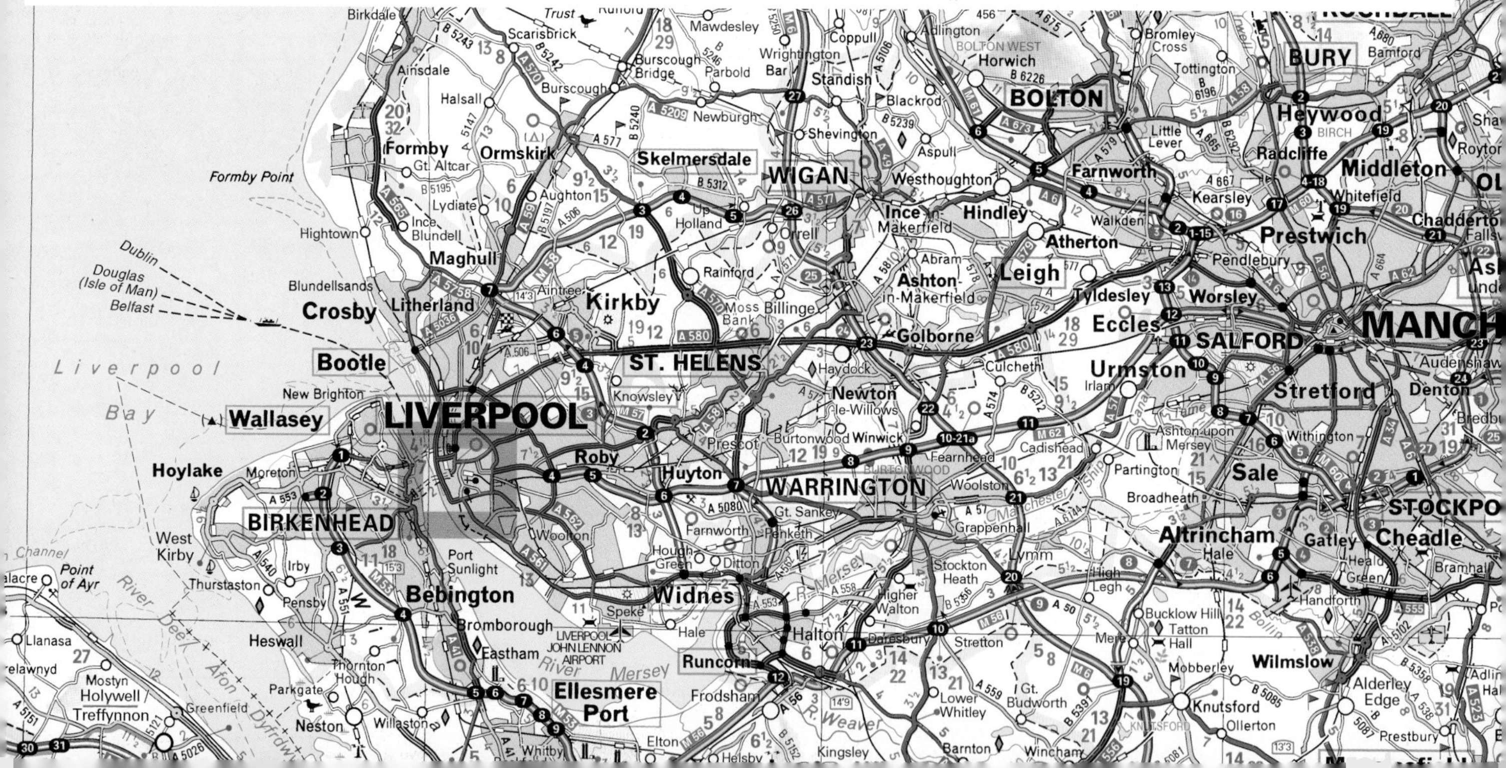
LIVERPOOL
Bootle
Crosby
Wallasey
BIRKENHEAD
Hoylake
West Kirby
Bebington
Ellesmere Port
Widnes
Runcorn
WARRINGTON
ST. HELENS
Kirkby
Huyton
WIGAN
Skelmersdale
Ormskirk
Formby
Maghull
BOLTON
BURY
SALFORD
MANCH
Stretford
Sale
Altrincham
Wilmslow
STOCKPO
Prestwich
Middleton
Heywood
Leigh
Liverpool Bay
LIVERPOOL JOHN LENNON AIRPORT

LEEDS,BIRMINGHAM
ST. ALBANS
AYLESBURY
LUTON,BEDFORD
GRANTHAM
AYLESBURY
HIGH WYCOMBE
OXFORD
MAIDENHEAD,READING
BRISTOL
READING
BASINGSTOKE
SOUTHAMPTON
FARNHAM,SOUTHAMPTON
PORTSMOUTH
WORTHING
GATWICK AIRPORT
CRAWLEY,BRIGHTON
Chesham
Amersham
Chalfont St. Giles
Beaconsfield
Gerrards Cross
Rickmansworth
Watford
Abbots Langley
Bushey
Radlett
Shenley
Potters
Borehamwood
Elstree
Edgware
Barnet
Finchley
Stanmore
Northwood
Pinner
Harrow
Wealdstone
Hendon
Hampstead
Ruislip
Eastcote
Uxbridge
Wembley
Northolt
Slough
Burnham
Hayes
Southall
Ealing
Kensington
Hammersmith
Eton
Windsor
Datchet
Heathrow Airport
Hounslow
Heston
Isleworth
Richmond
Putney
Wandsworth
Chelsea
Fulham
Battersea
Staines
Egham
Ascot
Sunningdale
Virginia Water
Feltham
Ashford
Twickenham
Kingston
Wimbledon
Morden
Merton
Sunbury
Hampton Court
Walton-on-Thames
Chertsey
Addlestone
Weybridge
Esher
Surbiton
Ewell
Sutton
Carshalton
Cheam
Epsom
Cobham
Woking
Leatherhead
Ashtead
Banstead
Tadworth
Guildford
Dorking
Reigate
Windsor Great Park
Richmond Park
Box Hill

GREATER LONDON
1/200 000
0 1 2 3 4 5 6 km
0 1 2 3 4 miles
CAMBRIDGE
0°
NORWICH
STANSTED AIRPORT,CAMBRIDGE
HARLOW
0°20
IPSWICH
51°40
SOUTHEND-ON-SEA
SOUTHEND-ON-SEA
RAMSGATE
CANTERBURY,DOVER
51°20
FOLKESTONE
MAIDSTONE
MAIDSTONE
BRIGHTON
EASTBOURNE
0°
EASTBOURNE
HASTINGS
Cheshunt
Epping
Chipping Ongar
Nine Ashes
Blackmore
Mill Green
Goff's Oak
Upshire
Toot Hill
Stondon Massey
Waltham Cross
Fiddlers Hamlet
Stanford Rivers
Little End
Fryerning
Crews Hill
Theydon Bois
Ingatestone
Waltham Abbey
Stapleford Tawney
Kelvedon Hatch
Heybridge
Hobbs Cross
Doddinghurst
High Beach
Navestock Heath
Navestock Side
Mountnessing
Forty Hill
Sewardstone
ENFIELD
Epping Forest
Abridge
Loughton
Winchmore Hill
Lambourne End
Stapleford Abbotts
Pilgrims Hatch
Weald Park
South Weald
Shenfield
Hutton
Havering's Grove
Southgate
Palmers Green
Chingford
Chigwell Row
Noak Hill
Edmonton
Buckhurst Hill
Havering-atte-Bower
Brook Street
Brentwood
Chigwell
Hainault Forest
Ingrave
Grange Hill
Collier Row
Herongate
Tottenham
Woodford
Hainault
Harold Hill
Great Warley
Dunton Wayletts
Thorndon Park
Wood Green
WALTHAM FOREST
Gidea Park
Harold Wood
Little Warley
HARINGEY
Barkingside
REDBRIDGE
Romford
Walthamstow
Hornsey
Cranham
Seven Kings
Wanstead
HAVERING
West Horndon
Stoke Newington
Leyton
Rush Green
Hornchurch
Upminster
Bulphan
Ilford
HACKNEY
ISLINGTON
Becontree
Elm Park
Forest Gate
BARKING
North Ockendon
Bethnal Green
Olympic Stadium
West Ham
AND DAGENHAM
Shoreditch
East Ham
South Ockendon
Bow
Orsett
Stepney
NEWHAM
Creekmouth
Rainham
Baker Street
CITY OF LONDON
TOWER HAMLETS
Beckton
Wennington
North Stifford
Buckingham Palace
Houses of Parliament
Blackwall Tunnel
Thames Barrier
Aveley
Bermondsey
Poplar
RIVER THAMES
Chadwell St Mary
Lambeth
Ferry
Woolwich
Thamesmead
Abbey Wood
THURROCK
Lakeside
Purfleet
West Thurrock
Cutty Sark
College
Charlton
Little Thurrock
West Tilbury
SOUTHWARK
Museum
East Wickham
Erith
Camberwell
Greenwich
GREENWICH
Dartford Crossing
Grays Thurrock
Welling
Slade Green
Tilbury
Deptford
Kidbrooke
Brixton
Blackheath
Crayford
Greenhithe
Northfleet
Gravesend
LAMBETH
LEWISHAM
Eltham
BEXLEY
Stone
Dulwich
Bluewater
Swanscombe
Catford
Coldblow
Dartford
Forest Hill
New Eltham
College
Sydenham
Mottingham
Sidcup
North Cray
Bean
Grove Park
Wilmington
Darenth
Betsham
Singlewell
Streatham
Southfleet
Crystal Palace
Foots Cray
Hawley
Norwood
Hextable
Sutton at Hone
South Darenth
Istead Rise
Chislehurst
Longfield
New Barn
Penge
Bickley
St. Paul's Cray
Beckenham
Swanley
Sole Street
Mitcham
Bromley
Horton Kirby
Eden Park
Hartley
St. Mary Cray
Meopham Station
Bromley Common
BROMLEY
Farningham
Crockenhill
Fawkham Green
Camer Park
Meopham
Hayes
Roman Villa
West Wickham
Eynsford
Meopham Green
CROYDON
Orpington
Lullingstone
New Ash Green
Addington
Chelsfield
Brands Hatch
Ash
Ridley
Keston
Well Hill
Farnborough
Green Street Green
West Kingsdown
New Kingsdown
Culverstone Green
Wallington
Harvel
New Addington
Leaves Green
Pratt's Bottom
Badgers Mount
Shoreham
Stansted
Vigo Village
Trosley
Selsdon
Purley
Sanderstead
Downe
Halstead
Fairseat
Farleigh
Cudham
Trottiscliffe
Knockholt Pound
Otford
Kenley
Kemsing
Heaverham
Coulsdon
Whyteleafe
Warlingham
Knockholt
Wrotham
Biggin Hill
Borough Green
Wrotham Heath
Tatsfield
Chevening
Dunton Green
Seal
Ightham
Platt
Offham
Woldingham
Chipstead
Riverhead
Basted
Crouch
Chaldon
Claygate Cross
CLACKET LANE
Sevenoaks
Caterham
Sundridge
Ivy Hatch
Westerham
Brasted
Knole
Plaxtol
Mereworth
Brasted Chart
Ightham Mote
Dunk's Green
Merstham
Godstone
Limpsfield
Chartwell
Ide Hill
Shipbourne
Under River
West Peckham
Oxted
The Chart
Redhill
Hurst Green
Crockham Hill
Toy's Hill
Sevenoaks Weald
Nutfield
Bletchingley
Tandridge
Pootings
Godstone Sta
South Nutfield
Four Elms
Bough Beech Rest
Marlpit Hill

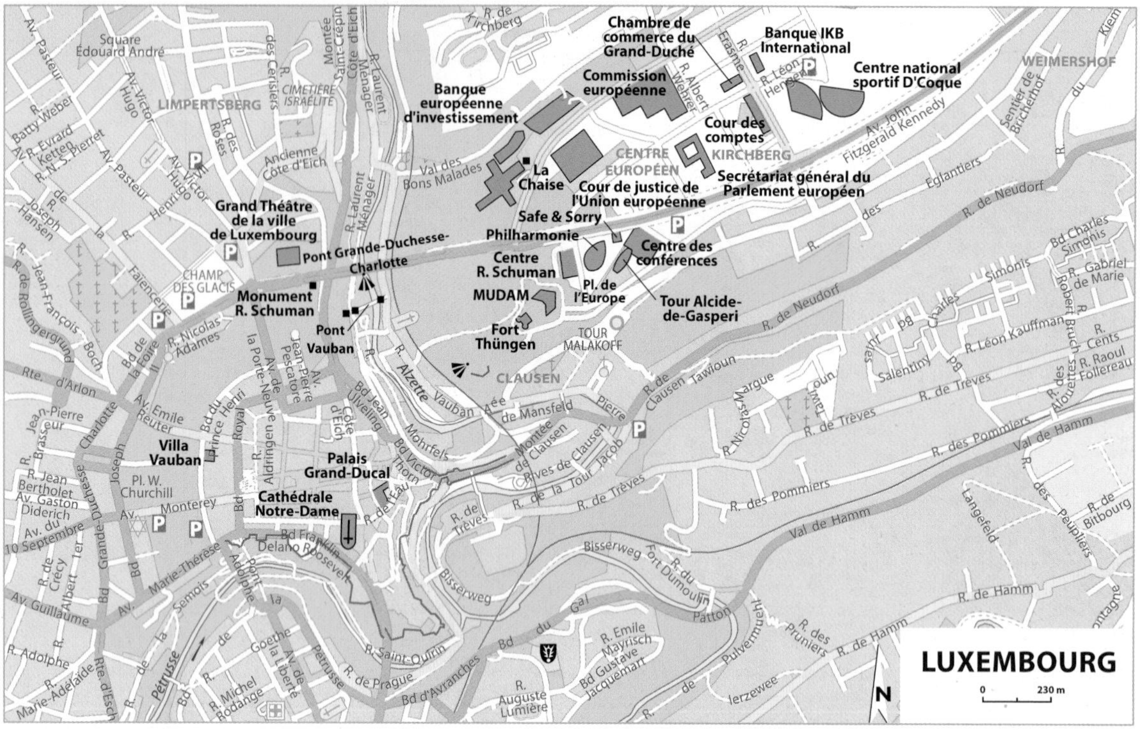
LUXEMBOURG
230 m
N
Chambre de commerce du Grand-Duché
Banque IKB International
Centre national sportif D'Coque
Commission européenne
Banque européenne d'investissement
Cour des comptes
Secrétariat général du Parlement européen
La Chaise
Cour de justice de l'Union européenne
Safe & Sorry
Philharmonie
Grand Théâtre de la ville de Luxembourg
Pont Grande-Duchesse-Charlotte
Centre R. Schuman
Centre des conférences
Pl. de l'Europe
MUDAM
Tour Alcide-de-Gasperi
Monument R. Schuman
Pont Vauban
Fort Thüngen
TOUR MALAKOFF
CLAUSEN
Villa Vauban
Palais Grand-Ducal
Cathédrale Notre-Dame
LIMPERTSBERG
CENTRE EUROPÉEN
KIRCHBERG
WEIMERSHOF
CHAMP DES GLACIS
Square Edouard André
CIMETIÈRE ISRAÉLITE
Pl. W. Churchill
Val de Hamm
R. de Trèves
R. des Pommiers
R. de Neudorf
Bisserweg
Alzette

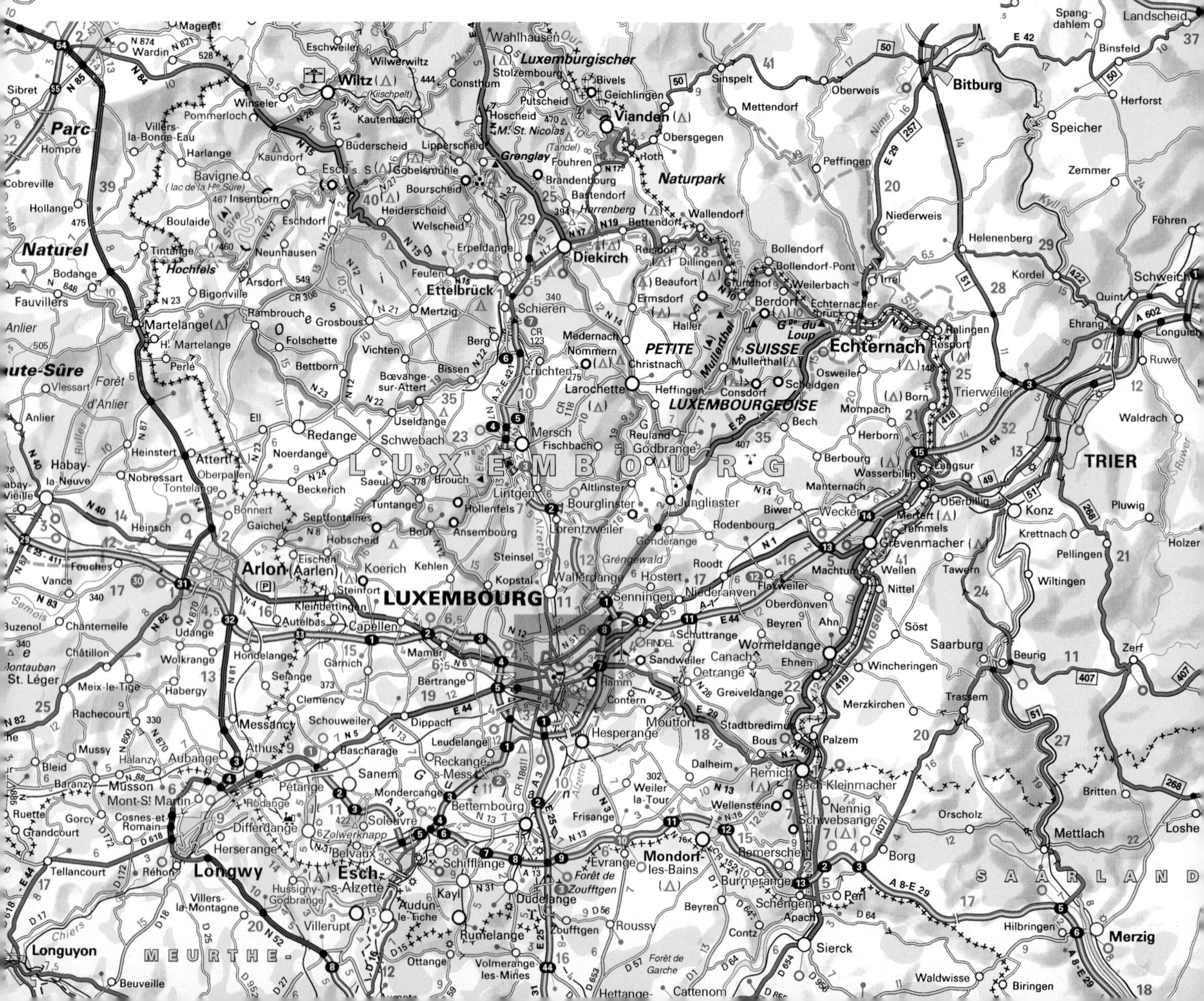
Malmedy
Butgenbach
Bullingen
Naturpark
Blankenheim
Gerolstein
Hillesheim
Bitburg
Wiltz
Vianden
Diekirch
Ettelbrück
Echternach
Mersch
Redange
Arlon (Aarlen)
LUXEMBOURG
Wasserbillig
Grevenmacher
TRIER
Konz
Saarburg
Esch-s-Alzette
Dudelange
Bettembourg
Mondorf-les-Bains
Remich
Schengen
Longwy
Longuyon
Merzig
Mettlach
Sierck
PETITE SUISSE LUXEMBOURGEOISE
L U X E M B O U R G
S A A R L A N D
MEURTHE-

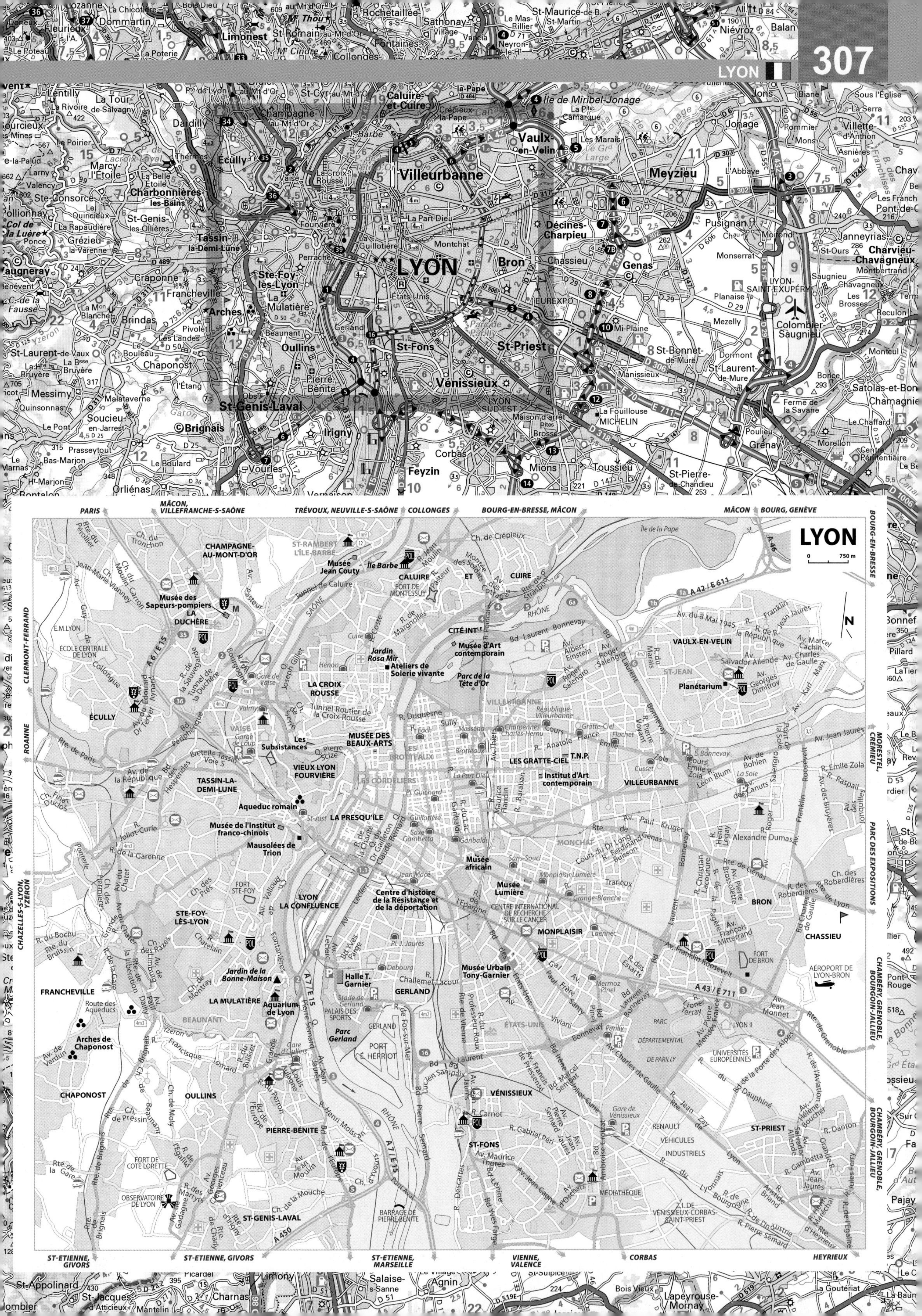
LYON
Villeurbanne
Vaulx-en-Velin
Meyzieu
Caluire-et-Cuire
Écully
Tassin-la-Demi-Lune
Ste-Foy-lès-Lyon
Oullins
St-Fons
Bron
St-Priest
Vénissieux
St-Genis-Laval
Décines-Charpieu
Genas
Chassieu
Irigny
Feyzin
Mions
Corbas
Brignais
Limonest
Dardilly
Charbonnières-les-Bains
Craponne
Francheville
Chaponost
Pierre-Bénite
La Mulatière
LYON-SAINT-EXUPÉRY
Colombier-Saugnieu
PARIS
MÂCON, VILLEFRANCHE-S-SAÔNE
TRÉVOUX, NEUVILLE-S-SAÔNE
COLLONGES
BOURG-EN-BRESSE, MÂCON
MÂCON
BOURG, GENÈVE
BOURG-EN-BRESSE
CLERMONT-FERRAND
ROANNE
MORESTEL, CRÉMIEU
PARC DES EXPOSITIONS
CHAMBÉRY, GRENOBLE, BOURGOIN-JALLIEU
CHAZELLES-S-LYON, YZERON
ST-ETIENNE, GIVORS
ST-ETIENNE, MARSEILLE
VIENNE, VALENCE
CORBAS
HEYRIEUX
0 750 m
Musée Jean Couty
Île Barbe
Musée des Sapeurs-pompiers
Cité Int.
Musée d'Art contemporain
Parc de la Tête d'Or
Jardin Rosa Mir
Ateliers de Soierie vivante
LA CROIX ROUSSE
MUSÉE DES BEAUX-ARTS
Les Subsistances
VIEUX LYON FOURVIÈRE
Aqueduc romain
LA PRESQU'ÎLE
Musée de l'Institut franco-chinois
Mausolées de Trion
LES GRATTE-CIEL
T.N.P.
Institut d'Art contemporain
Planétarium
Musée africain
Musée Lumière
Centre d'histoire de la Résistance et de la déportation
LYON LA CONFLUENCE
MONPLAISIR
Musée Urbain Tony-Garnier
Halle T. Garnier
GERLAND
Jardin de la Bonne-Maison
Aquarium de Lyon
Arches de Chaponost
FORT DE BRON
AÉROPORT DE LYON-BRON
RENAULT VÉHICULES INDUSTRIELS
OBSERVATOIRE DE LYON
BARRAGE DE PIERRE-BÉNITE
Z.I. DE VÉNISSIEUX-CORBAS-SAINT-PRIEST
A 42 / E 611
A 43 / E 711
A 7 / E 15
A 6 / E 15
A 450
A 46

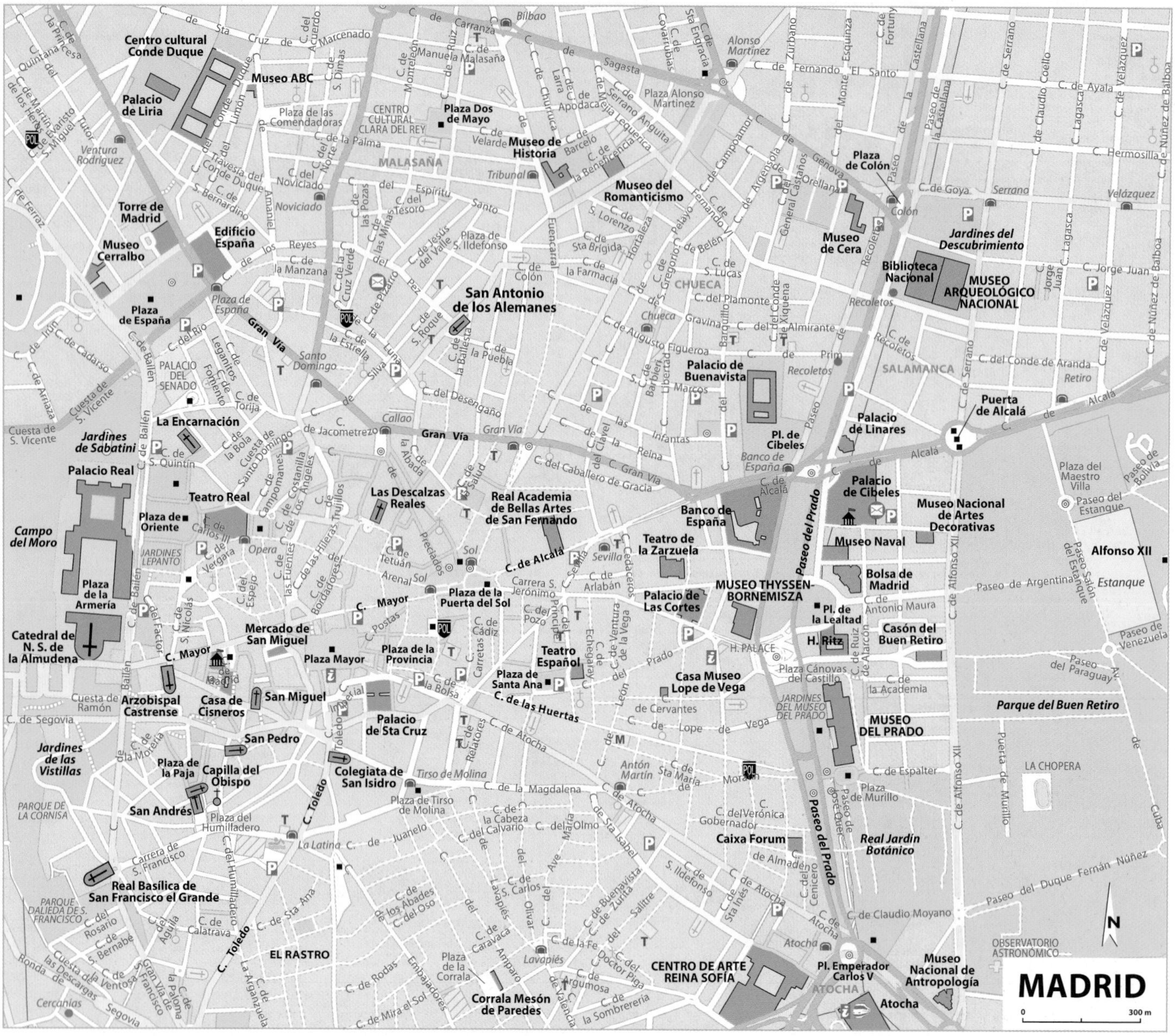
MADRID
Centro cultural Conde Duque
Museo ABC
Palacio de Liria
Plaza Dos de Mayo
Museo de Historia
Museo del Romanticismo
Plaza de Colón
Museo de Cera
Jardines del Descubrimiento
Biblioteca Nacional
MUSEO ARQUEOLÓGICO NACIONAL
Torre de Madrid
Edificio España
Museo Cerralbo
Plaza de España
San Antonio de los Alemanes
Palacio de Buenavista
Puerta de Alcalá
Palacio de Linares
Pl. de Cibeles
Palacio de Cibeles
La Encarnación
Jardines de Sabatini
Palacio Real
Teatro Real
Plaza de Oriente
Campo del Moro
Las Descalzas Reales
Real Academia de Bellas Artes de San Fernando
Banco de España
Museo Nacional de Artes Decorativas
Museo Naval
Teatro de la Zarzuela
Alfonso XII
Estanque
Plaza de la Armería
Catedral de N. S. de la Almudena
Mercado de San Miguel
Plaza Mayor
Plaza de la Puerta del Sol
Plaza de la Provincia
Palacio de las Cortes
MUSEO THYSSEN-BORNEMISZA
Bolsa de Madrid
Pl. de la Lealtad
H. Ritz
Casón del Buen Retiro
Teatro Español
Plaza de Santa Ana
Casa Museo Lope de Vega
Arzobispal Castrense
Casa de Cisneros
San Miguel
Palacio de Sta Cruz
MUSEO DEL PRADO
Parque del Buen Retiro
Jardines de las Vistillas
San Pedro
Plaza de la Paja
Capilla del Obispo
Colegiata de San Isidro
San Andrés
Caixa Forum
Real Jardín Botánico
Real Basílica de San Francisco el Grande
EL RASTRO
Corrala Mesón de Paredes
CENTRO DE ARTE REINA SOFÍA
Pl. Emperador Carlos V
Atocha
Museo Nacional de Antropología
Gran Vía
C. de Alcalá
C. Mayor
C. de las Huertas
Paseo del Prado
MALASAÑA
CHUECA
SALAMANCA
LA CHOPERA
ATOCHA
0
300 m
N

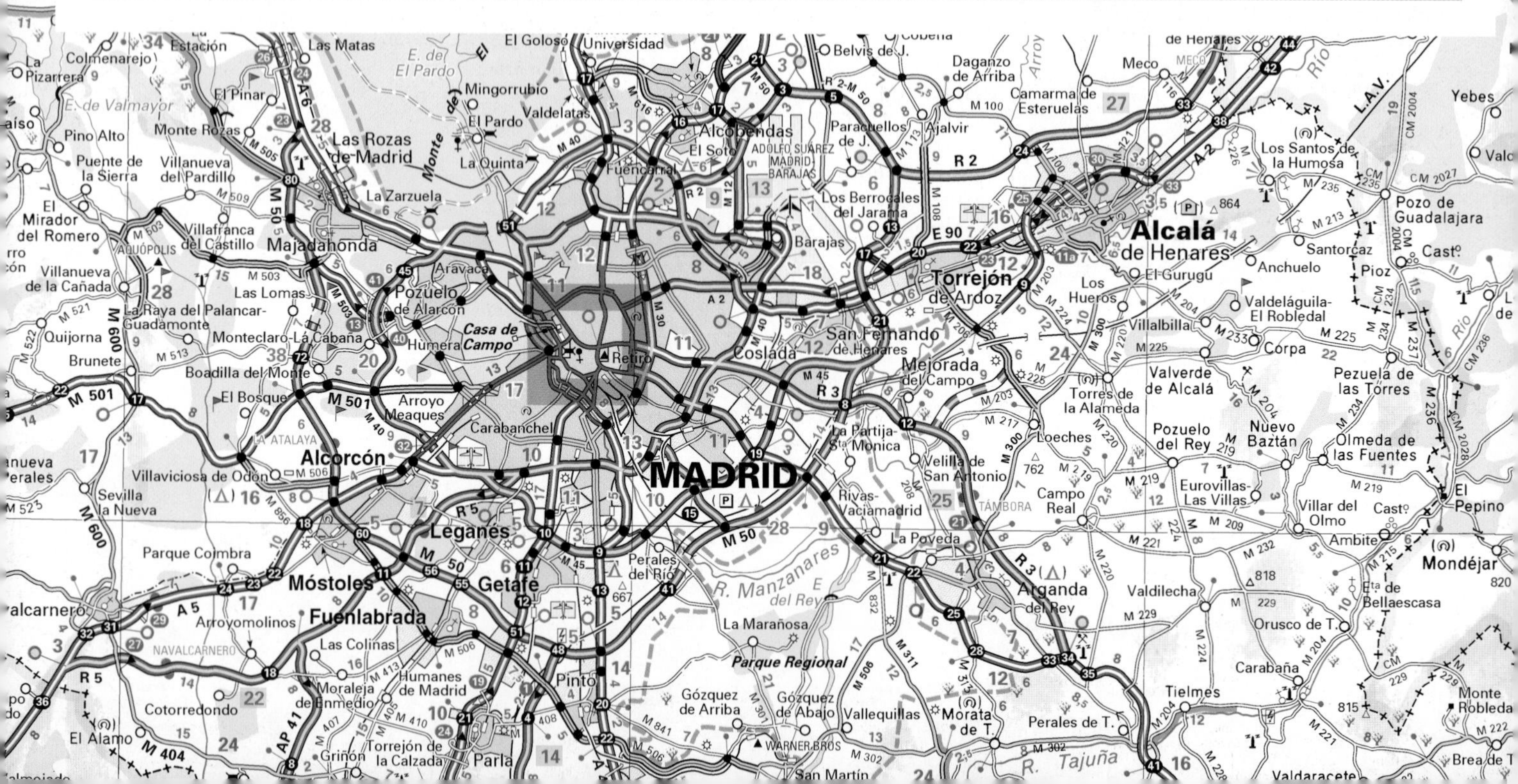
MADRID
Alcalá de Henares
Torrejón de Ardoz
Alcobendas
Las Rozas de Madrid
Majadahonda
Pozuelo de Alarcón
Casa de Campo
Retiro
Coslada
San Fernando de Henares
Mejorada del Campo
Alcorcón
Leganés
Getafe
Móstoles
Fuenlabrada
Parla
Pinto
Arganda del Rey
Rivas-Vaciamadrid
Boadilla del Monte
Villaviciosa de Odón
Barajas
Parque Regional
R. Manzanares

MANCHESTER
0 150 m
0 150 yards
BURY
BURY
OLDHAM
OLDHAM
STOCKPORT
ASHTON-UNDER-LYNE
CHEADLE
WYTHENSHAWE
CHESTER
LIVERPOOL
LIVERPOOL
LIVERPOOL
PRESTON
M.E.N. ARENA
Victoria
Greengate West
Chetham's Library
National Football Museum
PRINTWORKS
Shudehill
Manchester Cathedral
The Triangle
The Shambles
Royal Exchange
ARNDALE CENTRE
NORTHERN QUARTER
SALFORD
IRWELL
Barton Arcade
St Ann's
Market Str.
Piccadilly Gardens
John Rylands University Library
Manchester Art Gallery
Town Hall
Imperial Chinese Archway
Albert Sq.
St Peter's Square
CHINATOWN
GREAT NORTHERN CENTRE
M.I.C.C.
Museum of Science and Industry
G. MEX
G-Mex
Deansgate-Castlefield
OXFORD ROAD
DEANSGATE
Chapel St
Deansgate
Quay St
Peter St
Whitworth St
Piccadilly
Portland St
Oxford St
Princess St
Mosley St
Market St
Corporation St
Cross St
King St
Bridge St
John Dalton St
Ingleborough
Whernside
Pen-y-ghent
Ribblesdale
Settle
Clitheroe
Burnley
Nelson
Colne
Accrington
Rawtenstall
Blackburn
Darwen
Bolton
Bury
Rochdale
Heywood
Middleton
Oldham
Prestwich
Salford
Manchester
Stretford
Urmston
Eccles
Sale
Altrincham
Stockport
Cheadle
Hyde
Denton
Glossop
Ashton-under-Lyne
Stalybridge
Huddersfield
Holmfirth
Barnsley
Penistone
Stocksbridge
Rotherham
Sheffield
Chesterfield
Peak District
National Park
High Peak
Buxton
Macclesfield
Wilmslow
Knutsford
Northwich
Leigh
Wigan
Hindley
Atherton
Farnworth
Horwich
Chapel-en-le-Frith
New Mills
Hathersage
Chatsworth House
Calderdale
Kirklees
Forest of Bowland
Forest of Rossendale
Yorkshire Dales National Park

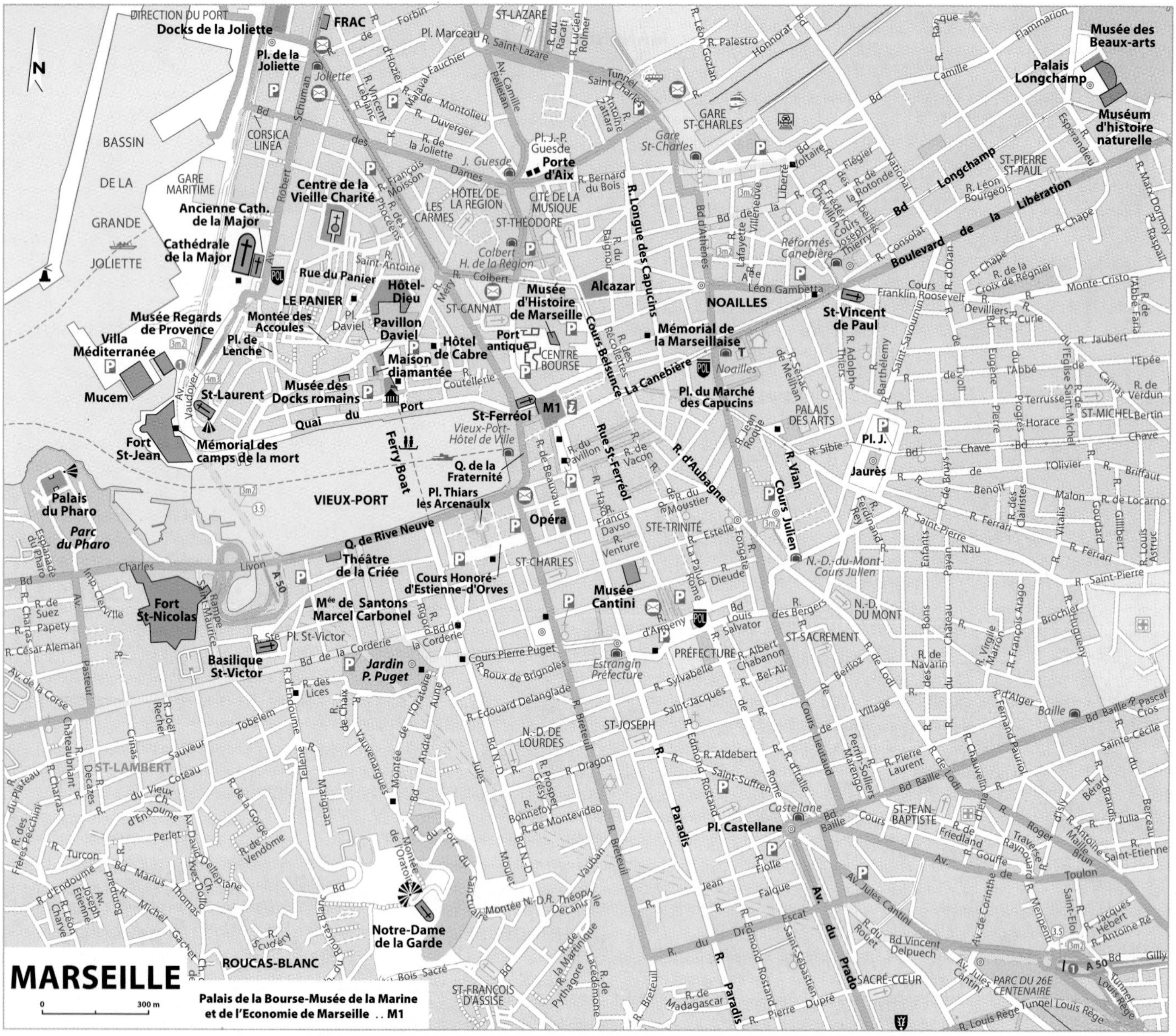
MARSEILLE
Palais de la Bourse-Musée de la Marine et de l'Economie de Marseille .. M1
300 m
Docks de la Joliette
FRAC
Pl. de la Joliette
BASSIN DE LA GRANDE JOLIETTE
GARE MARITIME
Ancienne Cath. de la Major
Cathédrale de la Major
Centre de la Vieille Charité
Porte d'Aix
GARE ST-CHARLES
Palais Longchamp
Musée des Beaux-arts
Muséum d'histoire naturelle
Bd Longchamp
Boulevard de la Libération
Rue du Panier
LE PANIER
Hôtel-Dieu
Musée Regards de Provence
Villa Méditerranée
Mucem
Montée des Accoules
Pl. de Lenche
Pavillon Daviel
Maison diamantée
Hôtel de Cabre
Musée d'Histoire de Marseille
Port antique
CENTRE BOURSE
Alcazar
NOAILLES
Mémorial de la Marseillaise
St-Vincent de Paul
St-Laurent
Musée des Docks romains
Fort St-Jean
Mémorial des camps de la mort
Quai du Port
St-Ferréol
M1
La Canebière
Pl. du Marché des Capucins
PALAIS DES ARTS
Pl. J. Jaurès
Palais du Pharo
Parc du Pharo
VIEUX-PORT
Ferry Boat
Q. de la Fraternité
Pl. Thiars les Arcenaux
Opéra
Q. de Rive Neuve
Théâtre de la Criée
Cours Honoré-d'Estienne-d'Orves
Fort St-Nicolas
Mée de Santons Marcel Carbonel
Musée Cantini
Basilique St-Victor
Jardin P. Puget
PRÉFECTURE
N.-D. DE LOURDES
ST-JOSEPH
ST-LAMBERT
Notre-Dame de la Garde
ROUCAS-BLANC
Pl. Castellane
Av. du Prado
ST-FRANÇOIS D'ASSISE
SACRÉ-CŒUR
PARC DU 26E CENTENAIRE
Cours Julien
R. d'Aubagne
R. Paradis
R. Breteuil
Cours Belsunce
R. Longue des Capucins
R. St-Ferréol
Rue Vian

★★★ MARSEILLE
Rade de Marseille
Île Ratonneau
Île Pomègues
Îles du Frioul
Chau d'If ★★
Cap Caveaux
Rade d'Endoume
Plages du Prado
Bonneveine
La Pointe-Rouge
La Madrague-de-Montredon
Mazargues
Cap Croisette
Île Tiboulen
Île Maire
Les Goudes
Callelongue
Île de Jarre
Île de Planier
Sormiou
Bec Sormiou
Morgiou
Cap Morgiou
Grotte Cosquer
PARC NATIONAL
CALANQUES
Massif de Puget
Forêt de la Gardiole
Chaîne de St-Cyr
Mt St-Cyr
Mt Carpiagne
Camp militaire
Cassis
Port-Miou
★★★ Cap Canaille
Carry-le-Rouet
Niolon ★
Ensues-la-Redonne
Allauch ★
Plan-de-Cuques
Aubagne
La Penne-sur-Huveaune
Carnoux-en-Provence
Roquefort-la-Bédoule
St-Marcel
La Valentine
St-Loup
Le Redon
Luminy

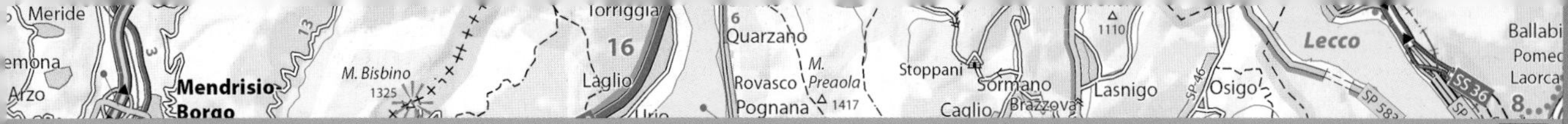
Mendrisio
Borgo
M. Bisbino
1325
Quarzano
Rovasco
M. Preaola
1417
Pognana
Stoppani
Sormano
Lasnigo
Osigo
Lecco
Laglio

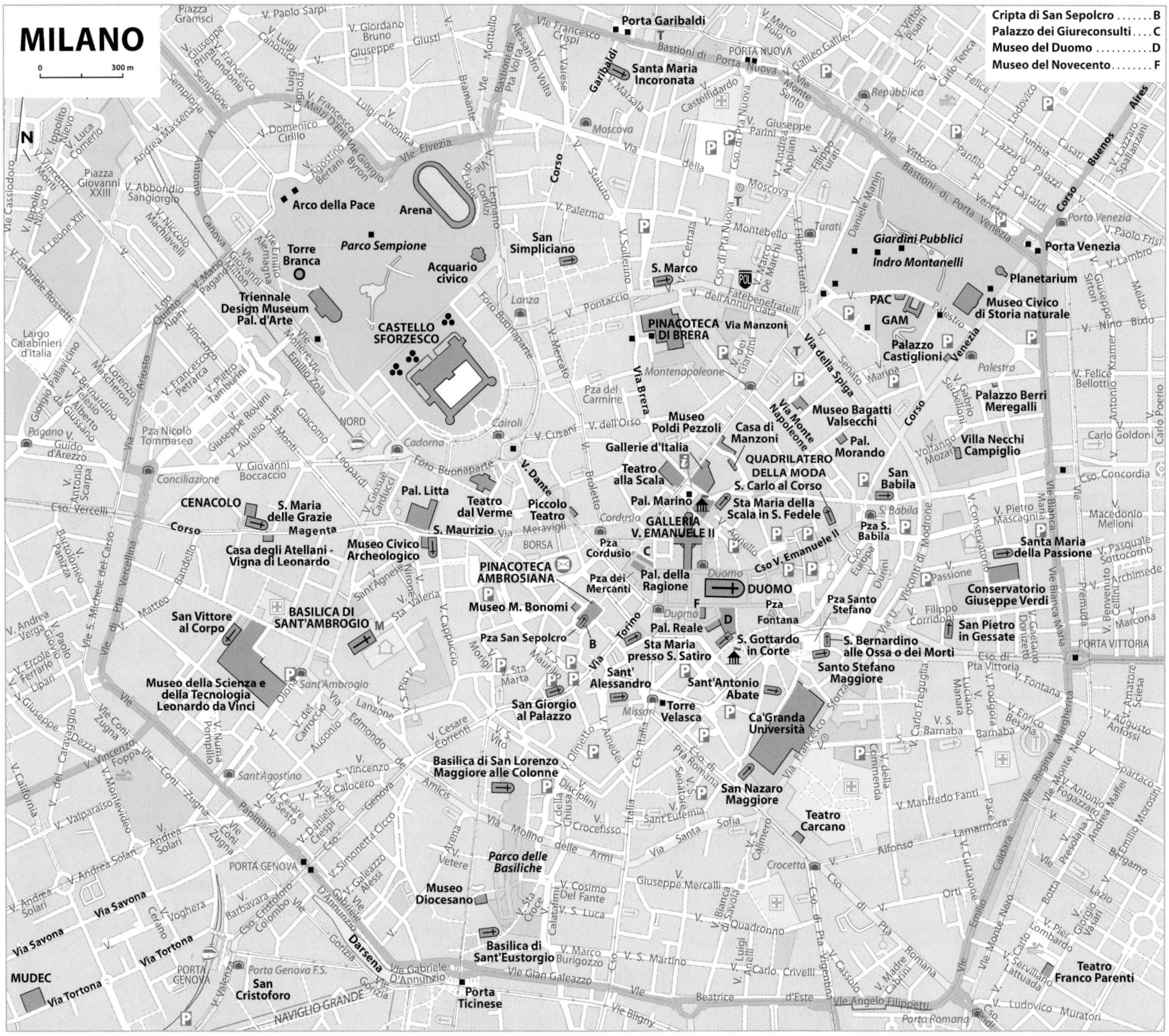
MILANO
0
300 m
N
Cripta di San Sepolcro . . . . B
Palazzo dei Giureconsulti C
Museo del Duomo . . . . D
Museo del Novecento . . . . F
Porta Garibaldi
Santa Maria Incoronata
Arco della Pace
Arena
Torre Branca
Parco Sempione
Acquario civico
Triennale Design Museum Pal. d'Arte
CASTELLO SFORZESCO
San Simpliciano
S. Marco
PINACOTECA DI BRERA
Giardini Pubblici Indro Montanelli
PAC
GAM
Planetarium
Porta Venezia
Museo Civico di Storia naturale
Palazzo Castiglioni
Palazzo Berri Meregalli
Museo Bagatti Valsecchi
Villa Necchi Campiglio
Museo Poldi Pezzoli
Casa di Manzoni
QUADRILATERO DELLA MODA
Gallerie d'Italia
Teatro alla Scala
Pal. Marino
GALLERIA V. EMANUELE II
DUOMO
CENACOLO
S. Maria delle Grazie
Casa degli Atellani - Vigna di Leonardo
Museo Civico Archeologico
Pal. Litta
Teatro dal Verme
Piccolo Teatro
S. Maurizio
PINACOTECA AMBROSIANA
Museo M. Bonomi
BASILICA DI SANT'AMBROGIO
San Vittore al Corpo
Museo della Scienza e della Tecnologia Leonardo da Vinci
San Giorgio al Palazzo
Sant' Alessandro
Torre Velasca
Ca'Granda Università
Santo Stefano Maggiore
S. Bernardino alle Ossa o dei Morti
Conservatorio Giuseppe Verdi
Santa Maria della Passione
San Babila
San Pietro in Gessate
Basilica di San Lorenzo Maggiore alle Colonne
San Nazaro Maggiore
Teatro Carcano
Parco delle Basiliche
Museo Diocesano
Basilica di Sant'Eustorgio
Porta Ticinese
San Cristoforo
MUDEC
Darsena
NAVIGLIO GRANDE
Teatro Franco Parenti

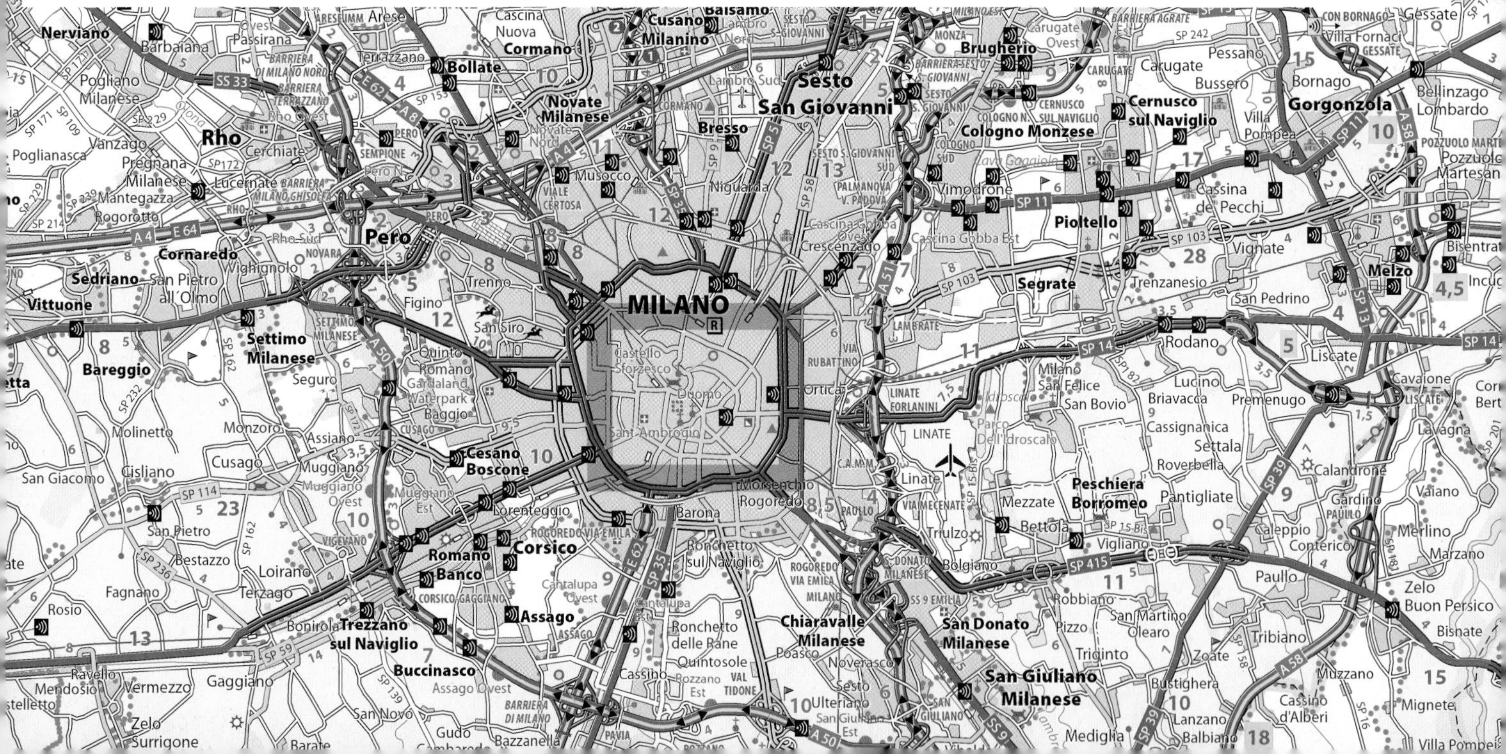
MILANO
Rho
Pero
Bollate
Sesto San Giovanni
Cologno Monzese
Cernusco sul Naviglio
Gorgonzola
Brugherio
Bresso
Novate Milanese
Cormano
Segrate
Pioltello
Melzo
Settimo Milanese
Bareggio
Cesano Boscone
Corsico
Assago
Buccinasco
Trezzano sul Naviglio
Romano Banco
Peschiera Borromeo
San Donato Milanese
San Giuliano Milanese
Chiaravalle Milanese
Linate
A 4
A 50
A 51
A 58
A 1
A 7

MONTE-CARLO
VENTIMIGLIA, MENTON
MENTON
NICE
NICE, LA TURBIE
NICE, ÈZE
CAP-D'AIL
MONTE-CARLO BEACH
VILLEFRANCHE-S-MER
A8/E74
ST-ROMAN
TENAO
LA ROUSSA
MONTE CARLO COUNTRY CLUB
MONTE-CARLO SPORTING-CLUB
FAUSSIGNANA
Mont des Mules
AUREILLA
BORDINA
LARVOTTO
Plage du Larvotto
MONTE-CARLO
Casino Monte-Carlo
LES MONEGHETTI
MER
Port
MÉDITERRANÉE
Jardin Exotique
Palais princier
MONACO
Musée océanographique
FONTVIEILLE
Pointe St Martin
Roseraie Princesse Grace
STADE LOUIS II
Parc paysager
CHAPITEAU
HELIPORT
St-Sauveur-sur-Tinée
St-Martin-Vésubie
Cime du Diable
Col de Turini
L'Authion
Peïra-Cava
Lucéram
Sospel
Breil-s-Roya
Castillon
L'Escarène
Peille
Peillon
Ste-Agnès
Gorbio
Roquebrune-Cap-Martin
Menton
Cap Martin
Beausoleil
La Turbie
MONTE-CARLO
La Condamine
MONACO
Cap-d'Ail
Èze
Beaulieu-sur-Mer
Villefranche-sur-Mer
St-Jean-Cap-Ferrat
Cap Ferrat
NICE
NICE CÔTE-D'AZUR
Carros
Vence
St-Paul-de-Vence
Cagnes-s-M.
St-Laurent-du-Var
Villeneuve-Loubet
Cros-de-Cagnes
Tourrettes-sur-Loup
Valbonne
Biot
Sophia-Antipolis
Marineland
Vallauris
ANTIBES
Baie des Anges
CÔTE D'AZUR

Ober-hochstatt
Burgsalach
Wülzburg
Raitenbuch
Mantlach
Grafenberg
Weißenburger Wald
Reuth a. Wald
Emsing
Altdorf
Haun-stetten
Pfraundorf
Paulus-hofen
Kinding
Irfersdorf
Mühlbach
Meihern
Jachenhausen
Thonlohe
Hohenschambach
Thumhausen
Paintener
Painten

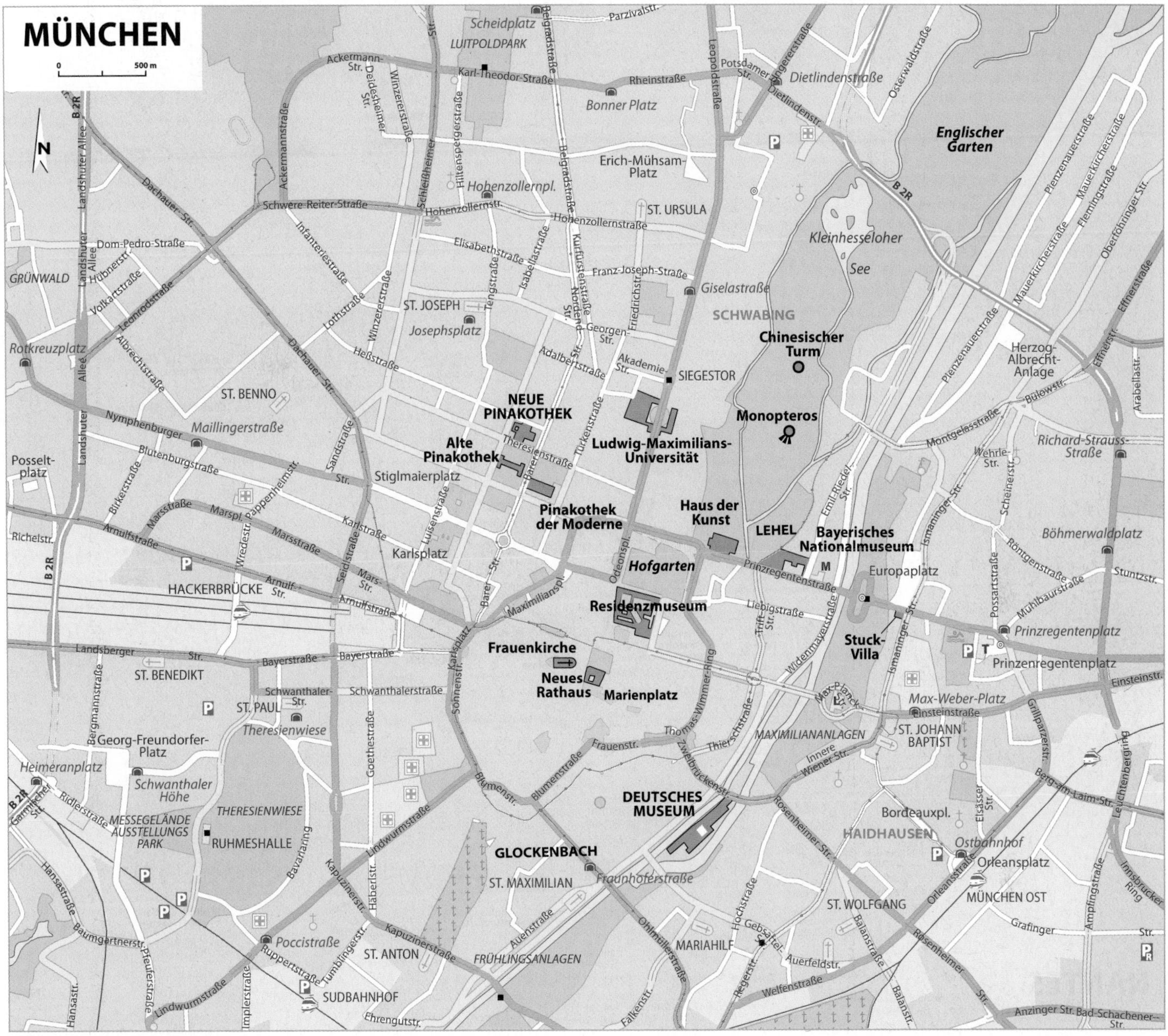
MÜNCHEN
0
500 m
N
Scheidplatz
LUITPOLDPARK
Karl-Theodor-Straße
Rheinstraße
Bonner Platz
Dietlindenstraße
Englischer Garten
Erich-Mühsam-Platz
Hohenzollernpl.
Hohenzollernstr.
Schwere-Reiter-Straße
ST. URSULA
Kleinhesseloher See
Dom-Pedro-Straße
GRÜNWALD
Giselastraße
SCHWABING
ST. JOSEPH
Josephsplatz
Chinesischer Turm
Rotkreuzplatz
Herzog-Albrecht-Anlage
SIEGESTOR
ST. BENNO
NEUE PINAKOTHEK
Monopteros
Maillingerstraße
Alte Pinakothek
Ludwig-Maximilians-Universität
Richard-Strauss-Straße
Posselt-platz
Stiglmaierplatz
Pinakothek der Moderne
Haus der Kunst
LEHEL
Bayerisches Nationalmuseum
Böhmerwaldplatz
Karlsplatz
Hofgarten
Europaplatz
HACKERBRÜCKE
Residenzmuseum
Prinzregentenplatz
Frauenkirche
Stuck-Villa
ST. BENEDIKT
Neues Rathaus
Marienplatz
Prinzenregentenplatz
ST. PAUL
Theresienwiese
Max-Weber-Platz
Georg-Freundorfer-Platz
MAXIMILIANANLAGEN
ST. JOHANN BAPTIST
Heimeranplatz
Schwanthaler Höhe
DEUTSCHES MUSEUM
Bordeauxpl.
MESSEGELÄNDE AUSSTELLUNGS PARK
THERESIENWIESE
RUHMESHALLE
HAIDHAUSEN
GLOCKENBACH
Ostbahnhof
Orleansplatz
ST. MAXIMILIAN
Fraunhoferstraße
MÜNCHEN OST
ST. WOLFGANG
Poccistraße
ST. ANTON
FRÜHLINGSANLAGEN
MARIAHILF
SUDBAHNHOF
Anzinger Str.
Bad-Schachener-Str.

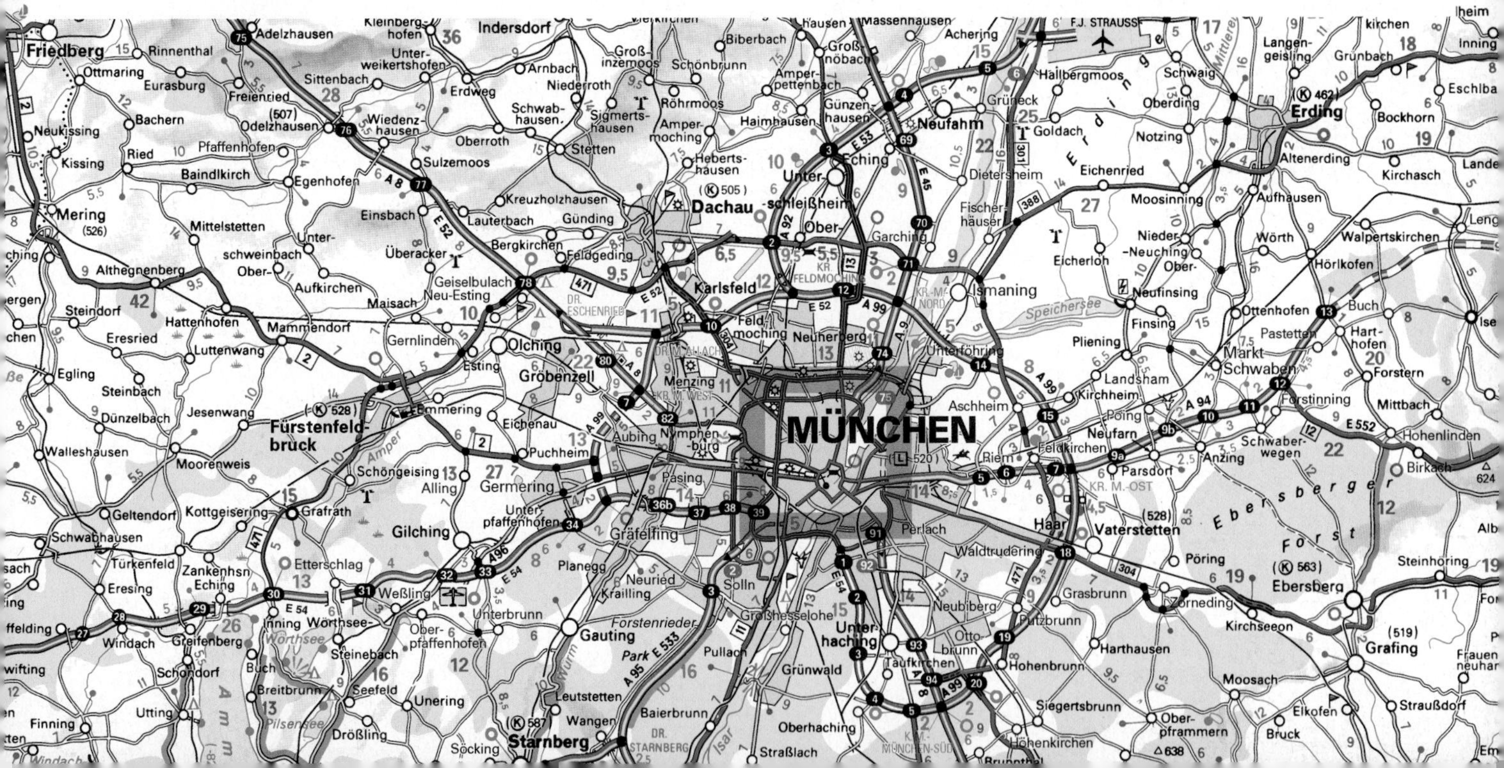
Friedberg
Indersdorf
Dachau
Karlsfeld
Olching
Gröbenzell
Fürstenfeldbruck
Germering
Gilching
Gräfelfing
Gauting
Starnberg
Unterschleißheim
Eching
Neufahrn
Ismaning
Unterföhring
MÜNCHEN
Haar
Vaterstetten
Erding
Ebersberg
Grafing
Unterhaching
Pullach
Grünwald
Ottobrunn
Höhenkirchen
Mering
Kissing
Weßling
Puchheim
Aschheim
Feldkirchen
Poing
Markt Schwaben
Ebersberger Forst
Forstenrieder Park
Ammersee
Wörthsee

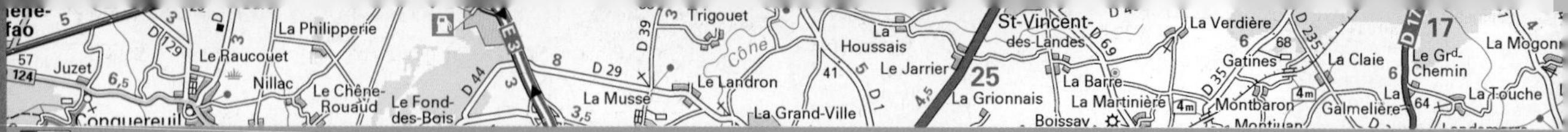
St-Vincent-des-Landes
La Verdière
Gatines
La Claie
Le Grd-Chemin
La Mogon
Trigouet
La Houssais
Le Jarrier
La Grionnais
La Barre
La Martinière
Montbaron
Galmelière
La Touche
Boissay
La Philipperie
Le Raucouet
Juzet
Nillac
Le Chêne-Rouaud
Le Fond-des-Bois
La Musse
Le Landron
La Grand-Ville
Conquereuil

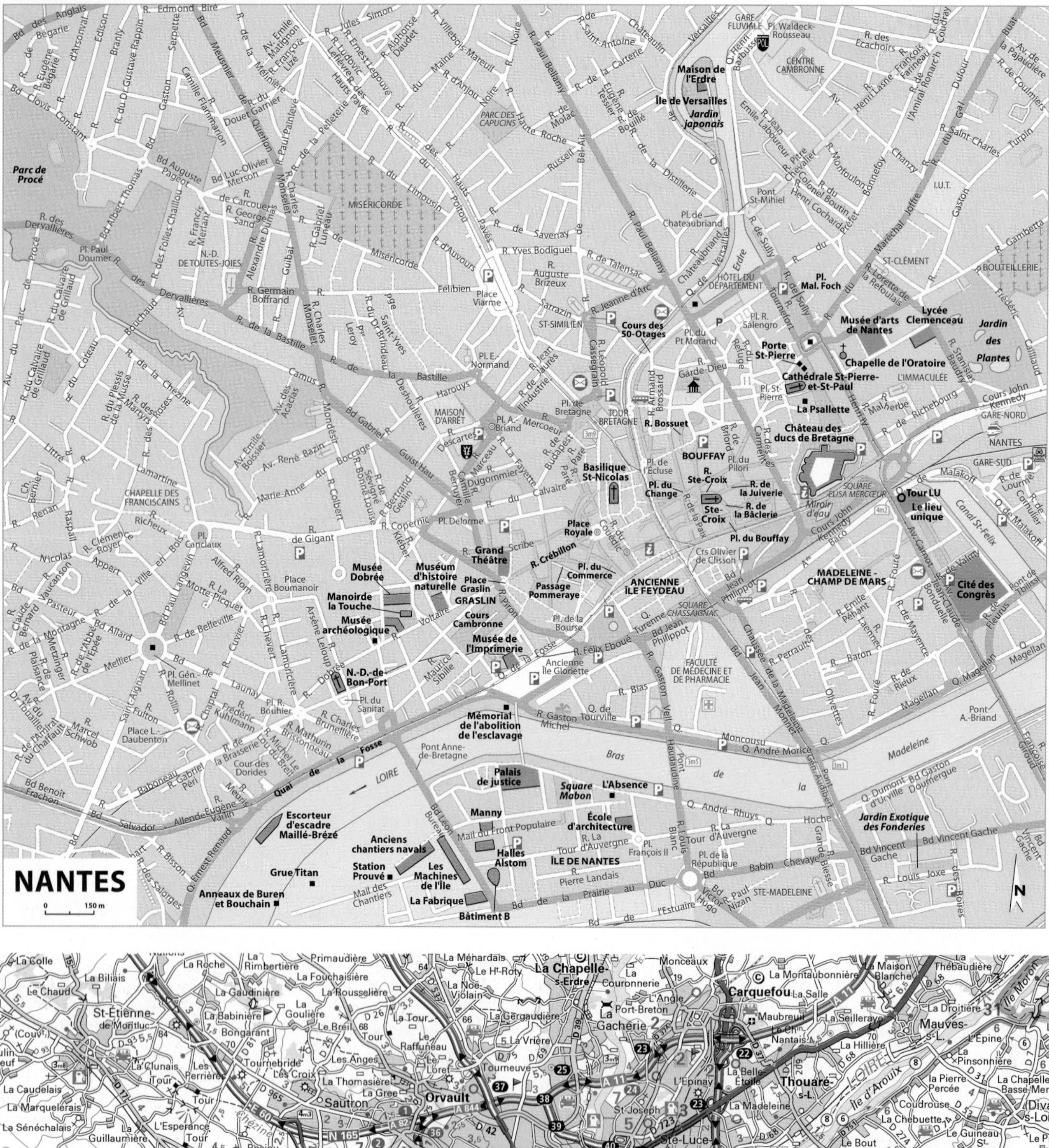
NANTES
Parc de Procé
Maison de l'Erdre
Île de Versailles
Jardin japonais
GARE FLUVIALE
Pl. Waldeck-Rousseau
CENTRE CAMBRONNE
PARC DES CAPUCINS
MISÉRICORDE
ST-CLÉMENT
BOUTEILLERIE
HÔTEL DU DÉPARTEMENT
Pl. Mal. Foch
Musée d'arts de Nantes
Lycée Clemenceau
Jardin des Plantes
Cours des 50-Otages
Porte St-Pierre
Chapelle de l'Oratoire
Cathédrale St-Pierre-et-St-Paul
L'IMMACULÉE
La Psallette
Château des ducs de Bretagne
GARE-NORD
GARE-SUD
Tour LU
Le lieu unique
SQUARE ELISA MERCŒUR
Miroir d'eau
Basilique St-Nicolas
BOUFFAY
Pl. du Change
Ste-Croix
Pl. du Bouffay
TOUR BRETAGNE
R. Bossuet
MAISON D'ARRÊT
CHAPELLE DES FRANCISCAINS
Pl. Canclaux
Place Royale
Grand Théâtre
R. Crébillon
Pl. du Commerce
Passage Pommeraye
ANCIENNE ÎLE FEYDEAU
MADELEINE - CHAMP DE MARS
Cité des Congrès
Musée Dobrée
Manoir de la Touche
Musée archéologique
Muséum d'histoire naturelle
Place Graslin
GRASLIN
Cours Cambronne
Musée de l'Imprimerie
N.-D.-de-Bon-Port
FACULTÉ DE MÉDECINE ET DE PHARMACIE
SQUARE CHASSAIGNAC
Mémorial de l'abolition de l'esclavage
Pont Anne-de-Bretagne
Quai de la Fosse
LOIRE
Palais de justice
Square Mabon
L'Absence
Escorteur d'escadre Maillé-Brézé
Manny
École d'architecture
Anciens chantiers navals
Halles Alstom
ÎLE DE NANTES
Station Prouvé
Les Machines de l'Île
Grue Titan
Anneaux de Buren et Bouchain
La Fabrique
Bâtiment B
Jardin Exotique des Fonderies
STE-MADELEINE
Pl. de la République
Bras de la Madeleine
0 150 m
N

NANTES
La Chapelle-s-Erdre
Carquefou
Orvault
Sautron
St-Étienne-de-Montluc
Couëron
St-Herblain
Indre
Le Pellerin
Saint-Jean-de-Boiseau
La Montagne
Bouguenais
Rezé
St-Sébastien-s-Loire
Basse-Goulaine
Goulaine
Hte-Goulaine
Thouaré-s-L.
Ste-Luce-s-L.
Mauves-s-L.
Le Loroux-Bottereau
Vertou
Les Sorinières
Brains
Bouaye
Port-St-Père
NANTES-ATLANTIQUE
La Haie-Fouassière
St-Julien-de-Concelles
La Chapelle-Heulin
Cheix-en-Retz
Trentemoult
Chantenay
LOIRE

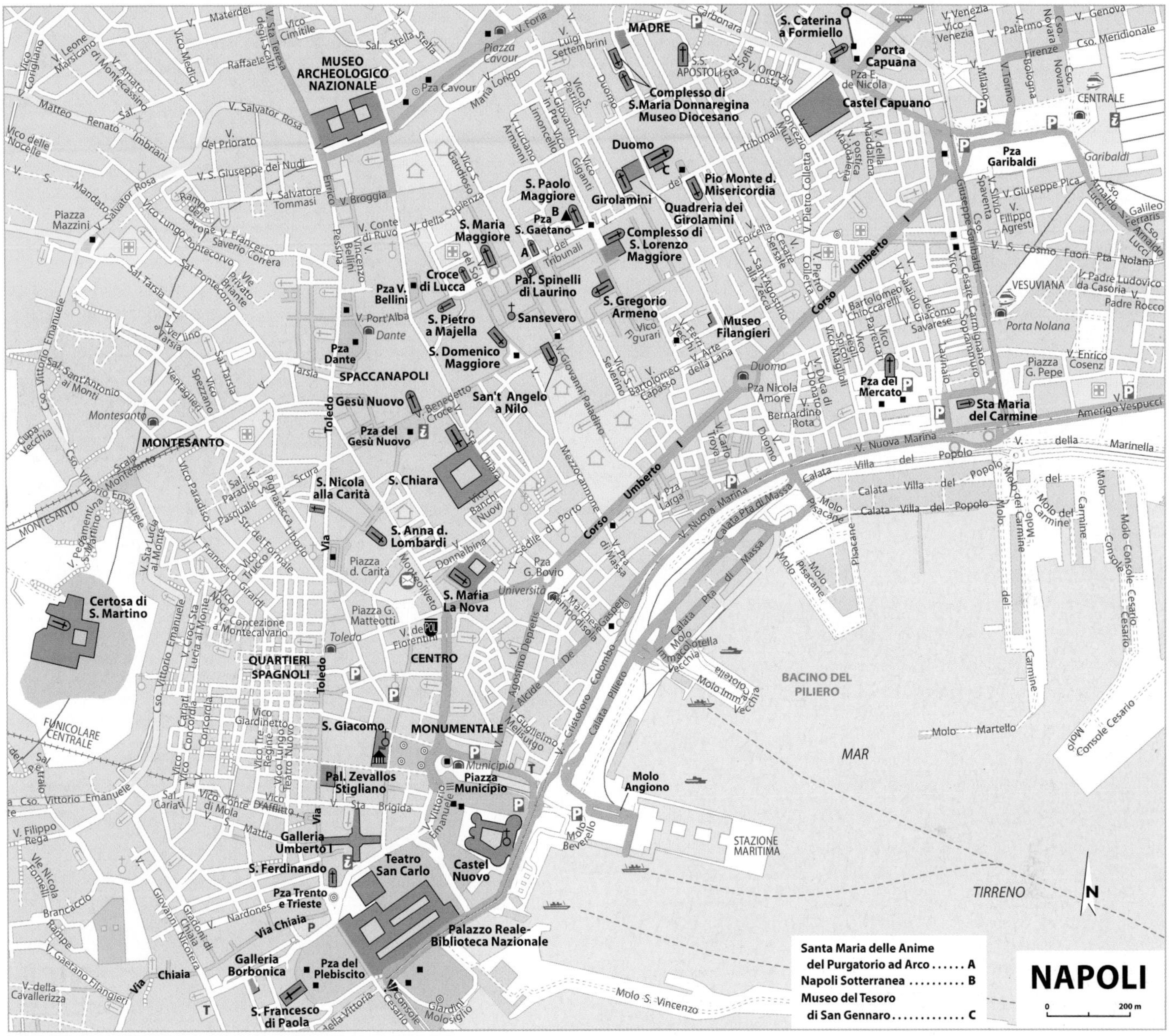
NAPOLI
Santa Maria delle Anime del Purgatorio ad Arco ...... A
Napoli Sotterranea .... B
Museo del Tesoro di San Gennaro............. C
MUSEO ARCHEOLOGICO NAZIONALE
MADRE
S. Caterina a Formiello
Porta Capuana
Castel Capuano
Complesso di S.Maria Donnaregina Museo Diocesano
Duomo
Pio Monte d. Misericordia
Quadreria dei Girolamini
Girolamini
S. Paolo Maggiore
Complesso di S. Lorenzo Maggiore
S. Maria Maggiore
Pal. Spinelli di Laurino
S. Gregorio Armeno
Croce di Lucca
Sansevero
Museo Filangieri
S. Pietro a Majella
S. Domenico Maggiore
Sant' Angelo a Nilo
Gesù Nuovo
SPACCANAPOLI
S. Chiara
S. Nicola alla Carità
S. Anna d. Lombardi
S. Maria La Nova
MONTESANTO
Certosa di S. Martino
QUARTIERI SPAGNOLI
CENTRO
MONUMENTALE
S. Giacomo
Pal. Zevallos Stigliano
Galleria Umberto I
S. Ferdinando
Teatro San Carlo
Castel Nuovo
Palazzo Reale-Biblioteca Nazionale
Galleria Borbonica
Pza del Plebiscito
S. Francesco di Paola
Piazza Municipio
Molo Angioino
STAZIONE MARITTIMA
BACINO DEL PILIERO
MAR
TIRRENO
Pza Garibaldi
CENTRALE
Sta Maria del Carmine
Pza del Mercato
Corso Umberto I
Via Toledo
Via Chiaia
Chiaia
FUNICOLARE CENTRALE
200 m

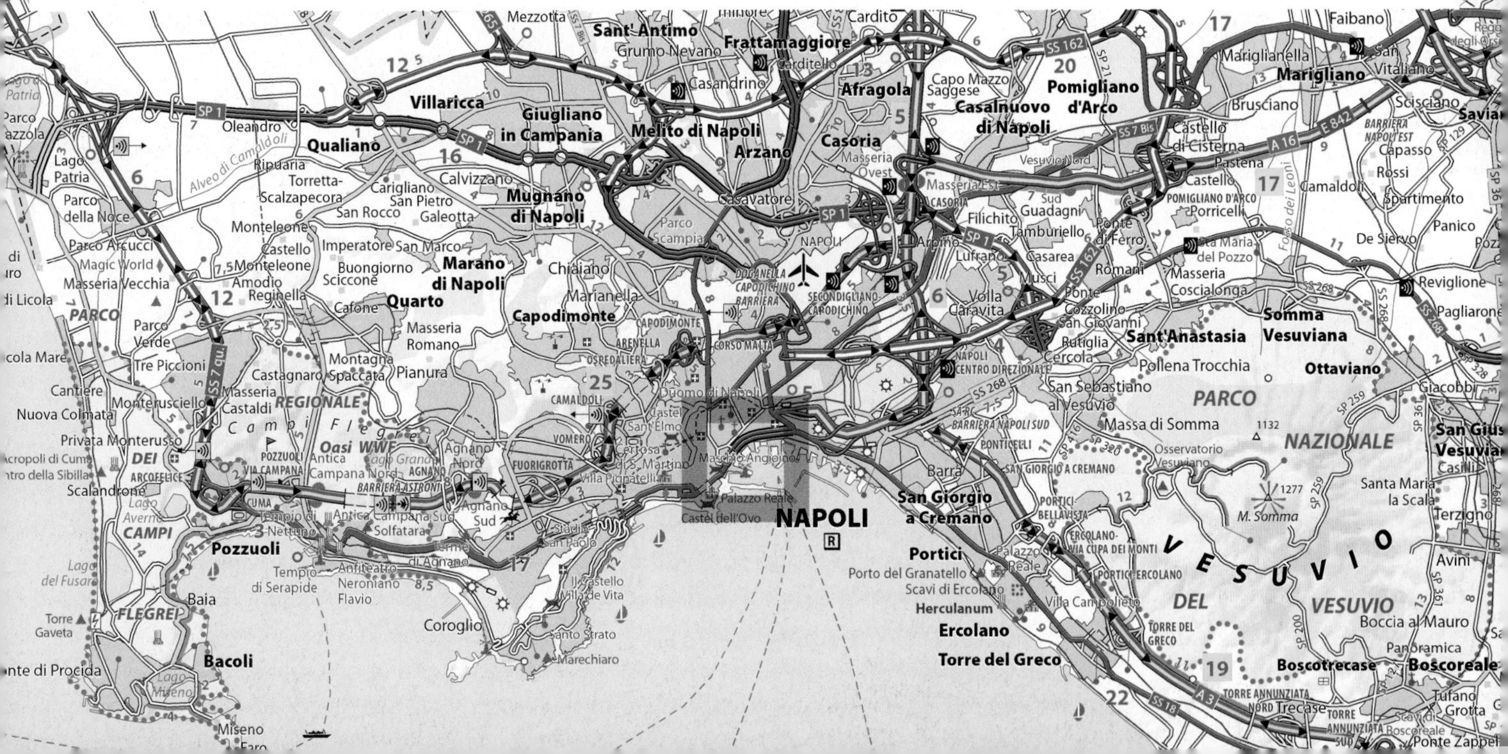
NAPOLI
Pozzuoli
Bacoli
Quarto
Marano di Napoli
Capodimonte
Casoria
Afragola
Frattamaggiore
Giugliano in Campania
Villaricca
Qualiano
Melito di Napoli
Arzano
Mugnano di Napoli
Casalnuovo di Napoli
Pomigliano d'Arco
Marigliano
Sant'Anastasia
Somma Vesuviana
Ottaviano
San Giorgio a Cremano
Portici
Ercolano
Torre del Greco
Boscotrecase
Boscoreale
PARCO NAZIONALE DEL VESUVIO
CAMPI FLEGREI
M. Somma

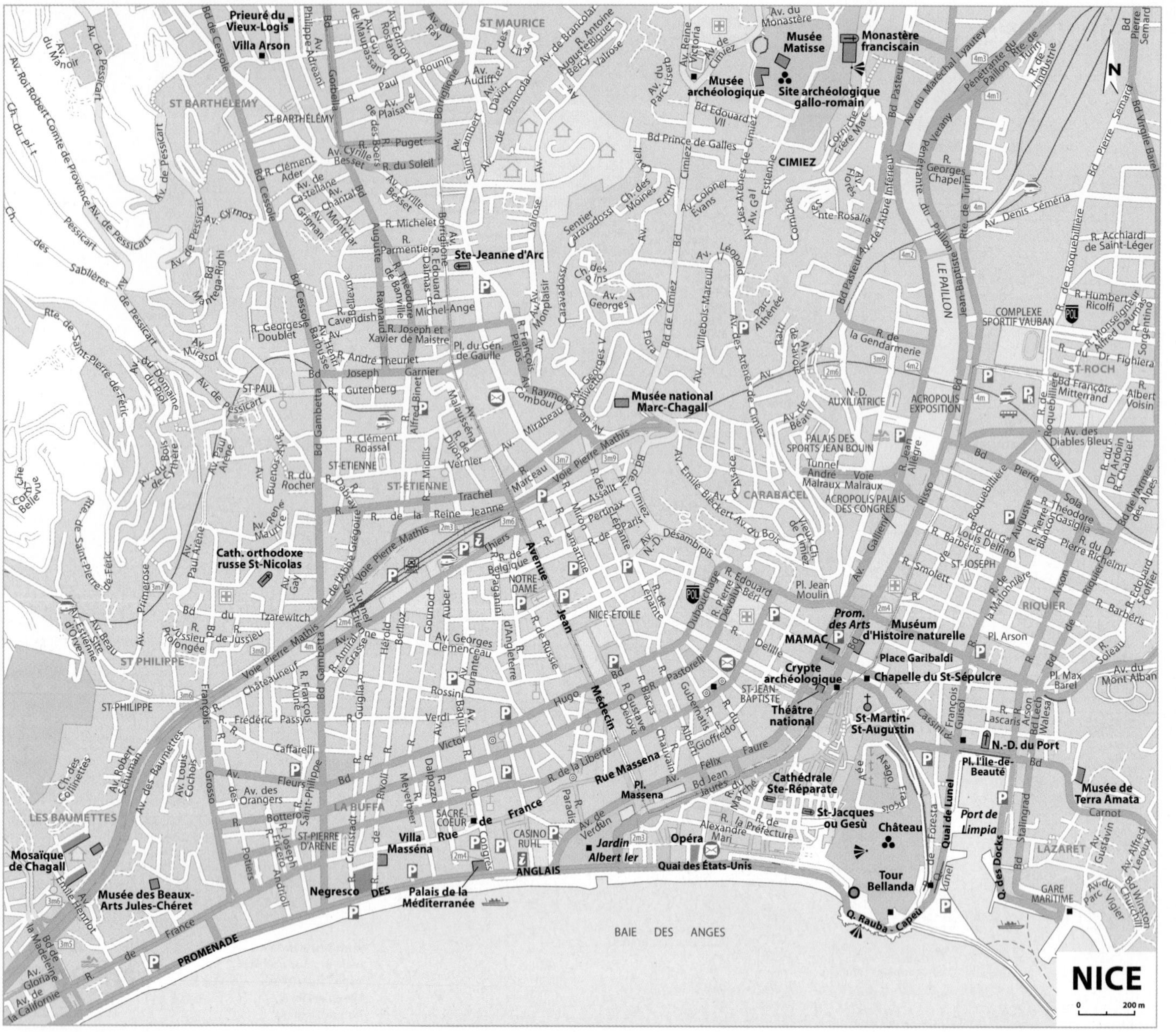
NICE
0
200 m
N
BAIE DES ANGES
PROMENADE DES ANGLAIS
Quai des États-Unis
Prieuré du Vieux-Logis
Villa Arson
Musée Matisse
Monastère franciscain
Musée archéologique
Site archéologique gallo-romain
CIMIEZ
ST BARTHÉLEMY
ST MAURICE
Ste-Jeanne d'Arc
Musée national Marc-Chagall
N.-D. AUXILIATRICE
ACROPOLIS EXPOSITION
PALAIS DES SPORTS JEAN BOUIN
ACROPOLIS PALAIS DES CONGRÈS
CARABACEL
COMPLEXE SPORTIF VAUBAN
ST-ROCH
LE PAILLON
ST-PAUL
ST-ETIENNE
Cath. orthodoxe russe St-Nicolas
NOTRE DAME
NICE-ÉTOILE
Avenue Jean Médecin
Prom. des Arts
MAMAC
Muséum d'Histoire naturelle
Place Garibaldi
Crypte archéologique
Chapelle du St-Sépulcre
ST-JEAN-BAPTISTE
Théâtre national
St-Martin-St-Augustin
N.-D. du Port
Pl. l'Ile-de-Beauté
Musée de Terra Amata
RIQUIER
ST-JOSEPH
LAZARET
GARE MARITIME
Port de Limpia
Quai de Lunel
Château
Tour Bellanda
Q. Rauba-Capeu
Cathédrale Ste-Réparate
St-Jacques ou Gesù
Opéra
Jardin Albert Ier
Pl. Massena
Rue Massena
Rue de France
CASINO RUHL
SACRÉ-COEUR
Villa Masséna
Negresco
Palais de la Méditerranée
ST-PIERRE-D'ARÈNE
LA BUFFA
LES BAUMETTES
Mosaïque de Chagall
Musée des Beaux-Arts Jules-Chéret
ST PHILIPPE
ST-PHILIPPE
Voie Pierre Mathis

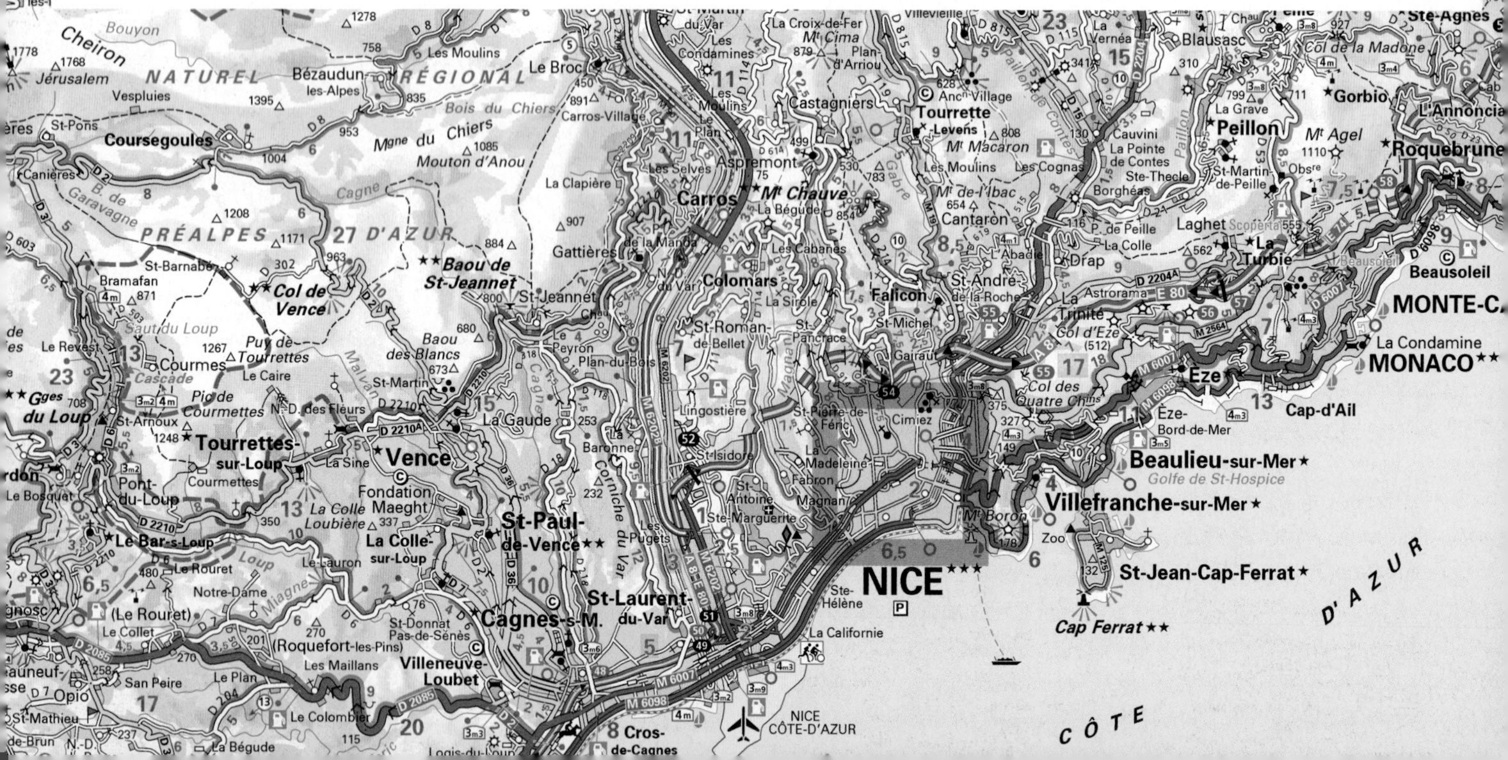
NICE
MONACO
MONTE-CARLO
Beausoleil
La Turbie
Èze
Cap-d'Ail
Beaulieu-sur-Mer
Villefranche-sur-Mer
St-Jean-Cap-Ferrat
Cap Ferrat
CÔTE D'AZUR
Peillon
Gorbio
Roquebrune
Ste-Agnès
Tourrette-Levens
Falicon
St-André-de-la-Roche
Aspremont
Carros
Colomars
Gattières
St-Jeannet
Baou de St-Jeannet
Vence
Col de Vence
St-Paul-de-Vence
La Colle-sur-Loup
Cagnes-s-M.
Villeneuve-Loubet
St-Laurent-du-Var
Cros-de-Cagnes
NICE CÔTE-D'AZUR
Tourrettes-sur-Loup
Le Bar-s-Loup
Coursegoules
PRÉALPES D'AZUR
NATUREL RÉGIONAL
Cimiez
Mt Boron
Golfe de St-Hospice

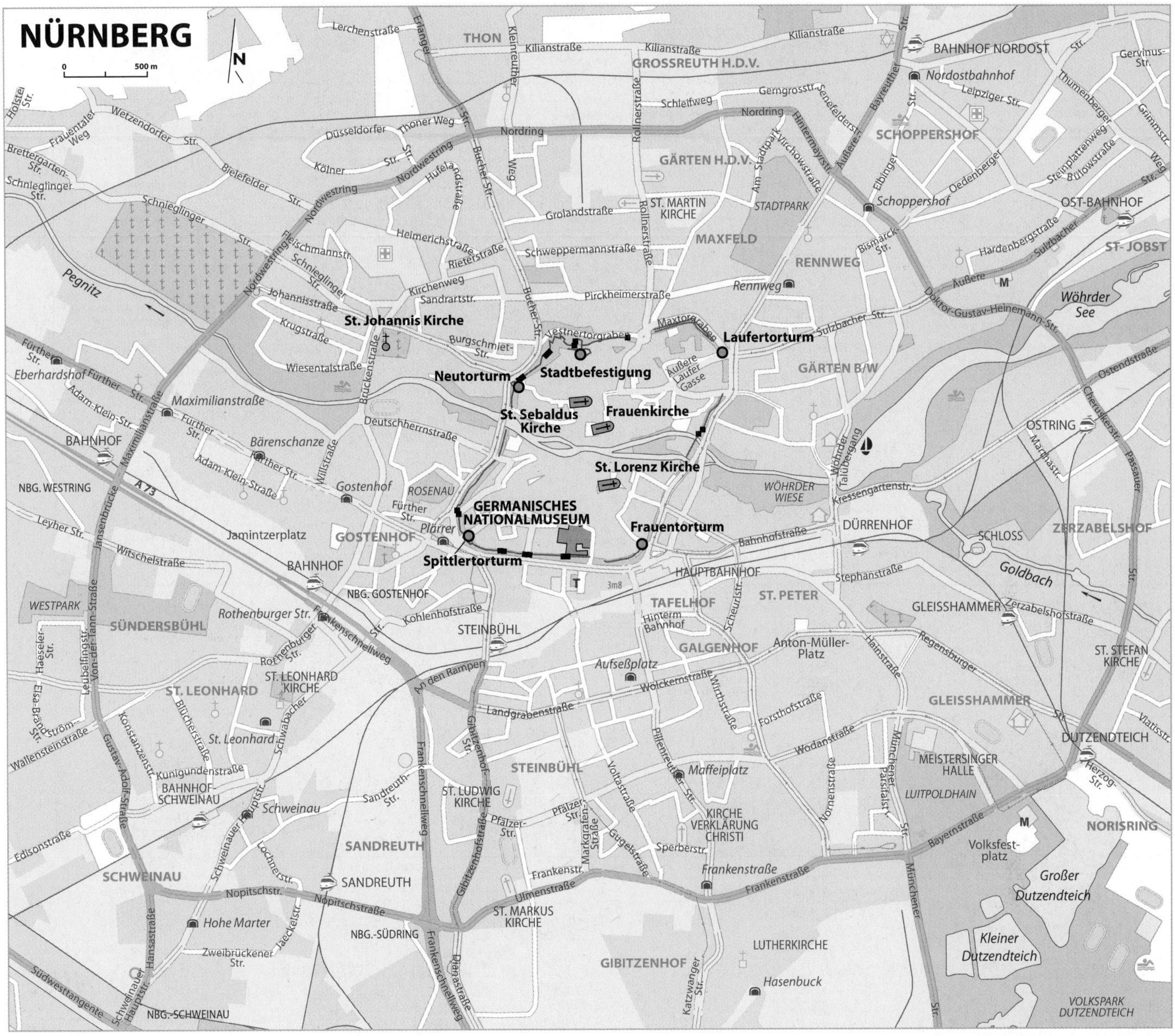
NÜRNBERG
0
500 m
N
THON
GROSSREUTH H.D.V.
BAHNHOF NORDOST
Nordostbahnhof
SCHOPPERSHOF
Schoppershof
GÄRTEN H.D.V.
ST. MARTIN KIRCHE
STADTPARK
MAXFELD
RENNWEG
Rennweg
OST-BAHNHOF
ST- JOBST
Wöhrder See
St. Johannis Kirche
Laufertorturm
Neutorturm
Stadtbefestigung
GÄRTEN B/W
St. Sebaldus Kirche
Frauenkirche
St. Lorenz Kirche
BAHNHOF
NBG. WESTRING
Bärenschanze
Gostenhof
ROSENAU
GERMANISCHES NATIONALMUSEUM
Frauentorturm
WÖHRDER WIESE
OSTRING
DÜRRENHOF
SCHLOSS
ZERZABELSHOF
Jamintzerplatz
GOSTENHOF
Plärrer
Spittlertorturm
HAUPTBAHNHOF
NBG. GOSTENHOF
WESTPARK
SÜNDERSBÜHL
TAFELHOF
ST. PETER
GLEISSHAMMER
STEINBÜHL
Aufseßplatz
GALGENHOF
Anton-Müller-Platz
ST. STEFAN KIRCHE
ST. LEONHARD
ST. LEONHARD KIRCHE
St. Leonhard
DUTZENDTEICH
Maffeiplatz
MEISTERSINGER HALLE
LUITPOLDHAIN
BAHNHOF-SCHWEINAU
Schweinau
ST. LUDWIG KIRCHE
KIRCHE VERKLÄRUNG CHRISTI
NORISRING
SANDREUTH
Volksfest-platz
SCHWEINAU
Großer Dutzendteich
Hohe Marter
ST. MARKUS KIRCHE
NBG.-SÜDRING
LUTHERKIRCHE
Kleiner Dutzendteich
GIBITZENHOF
Hasenbuck
NBG.-SCHWEINAU
VOLKSPARK DUTZENDTEICH

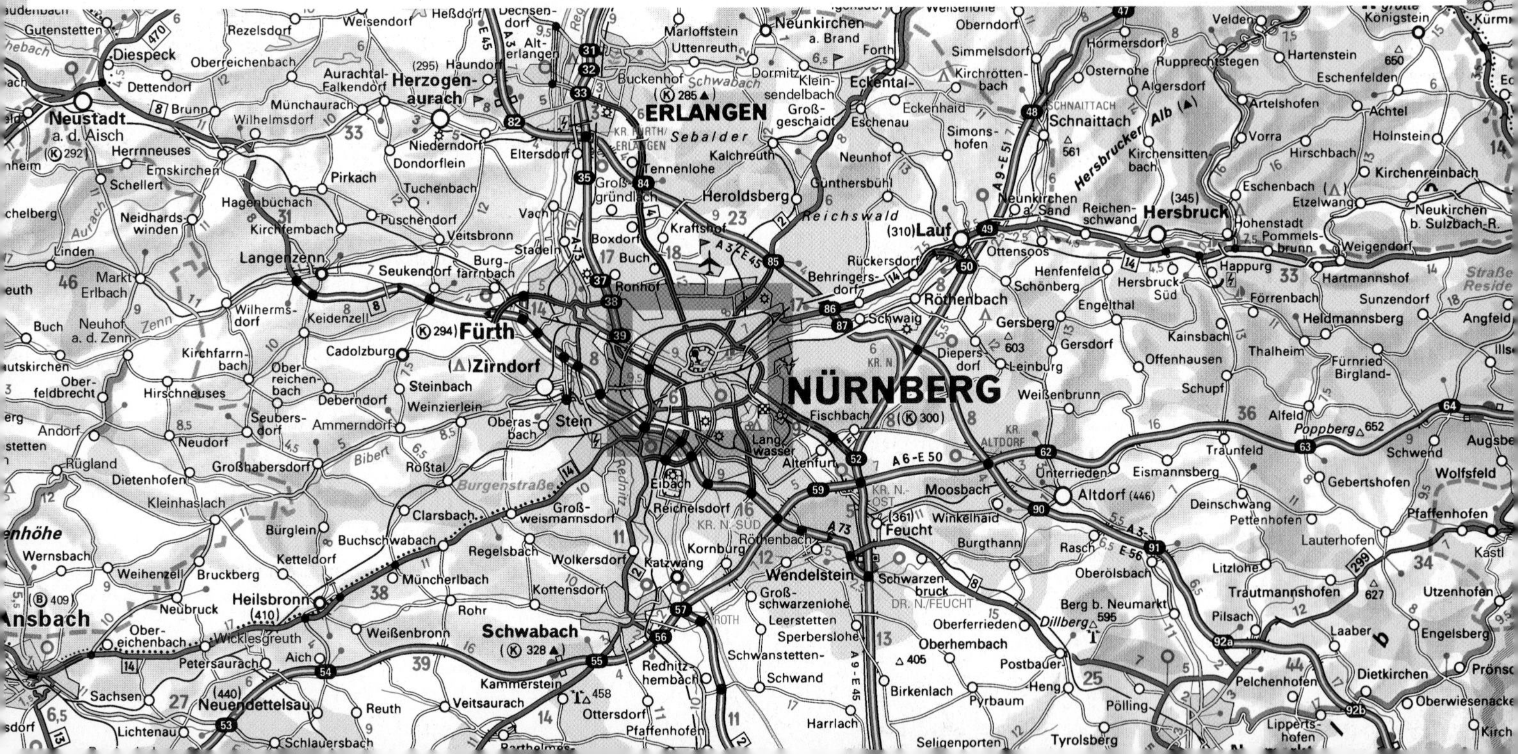
ERLANGEN
Herzogenaurach
Neustadt a. d. Aisch
Fürth
Zirndorf
NÜRNBERG
Stein
Lauf
Hersbruck
Schnaittach
Altdorf
Feucht
Schwabach
Heilsbronn
Ansbach
Neuendettelsau
Wendelstein
Langenzenn
Cadolzburg
Eckental
Heroldsberg
Röthenbach
Happurg
Pommelsbrunn

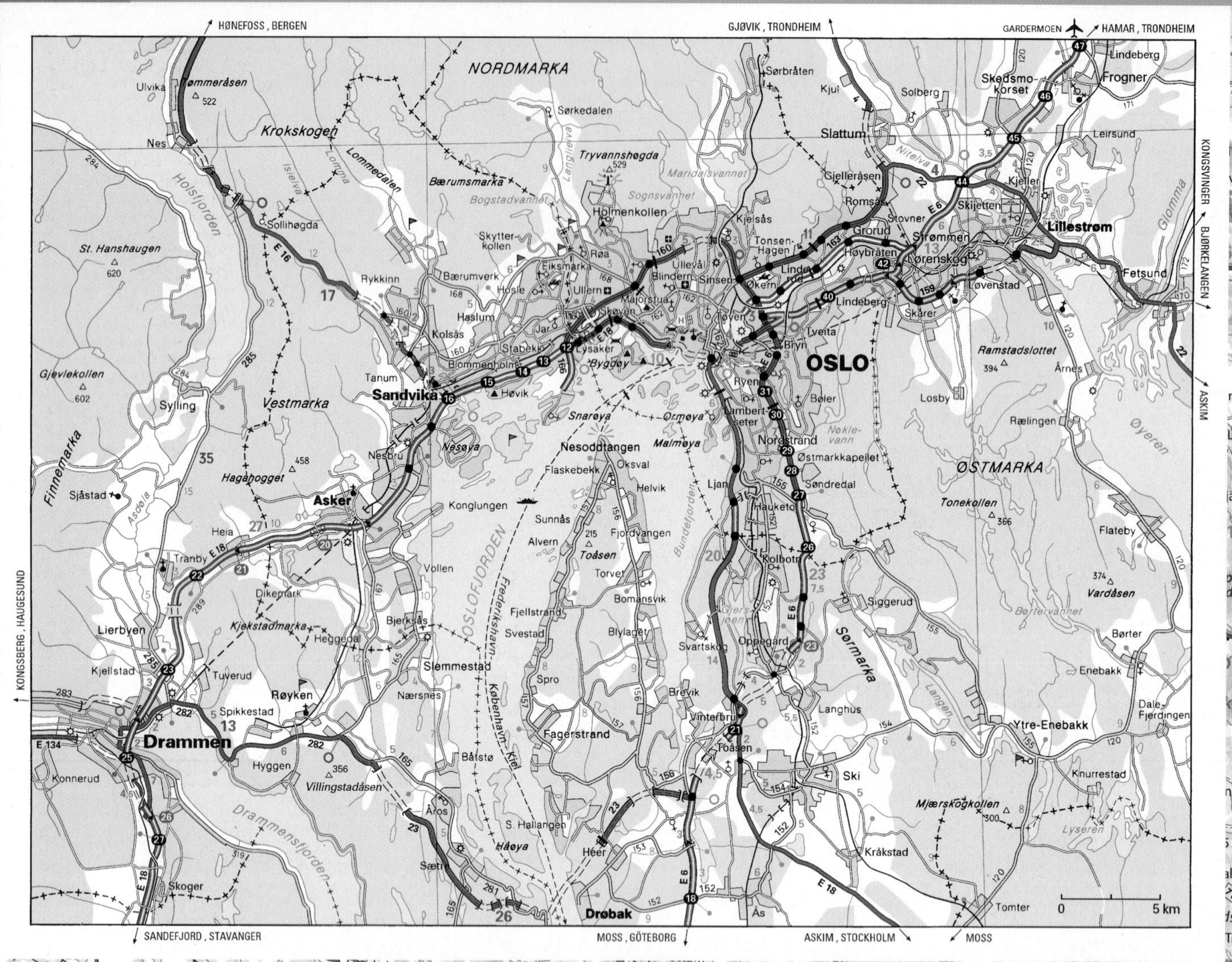
HØNEFOSS, BERGEN
GJØVIK, TRONDHEIM
GARDERMOEN
HAMAR, TRONDHEIM
KONGSVINGER
BJØRKELANGEN
ASKIM
KONGSBERG, HAUGESUND
SANDEFJORD, STAVANGER
MOSS, GÖTEBORG
ASKIM, STOCKHOLM
MOSS
NORDMARKA
Krokskogen
Vestmarka
Finnemarka
ØSTMARKA
Sørmarka
OSLOFJORDEN
OSLO
Sandvika
Asker
Drammen
Lillestrøm
Lørenskog
Drøbak
Ski
Slattum
Skedsmokorset
Frogner
Lindeberg
Fetsund
Holmenkollen
Bygdøy
Nesoddtangen
Slemmestad
Røyken
Lierbyen
Kolbotn
Oppegård
Ytre-Enebakk
Ås
0 5 km

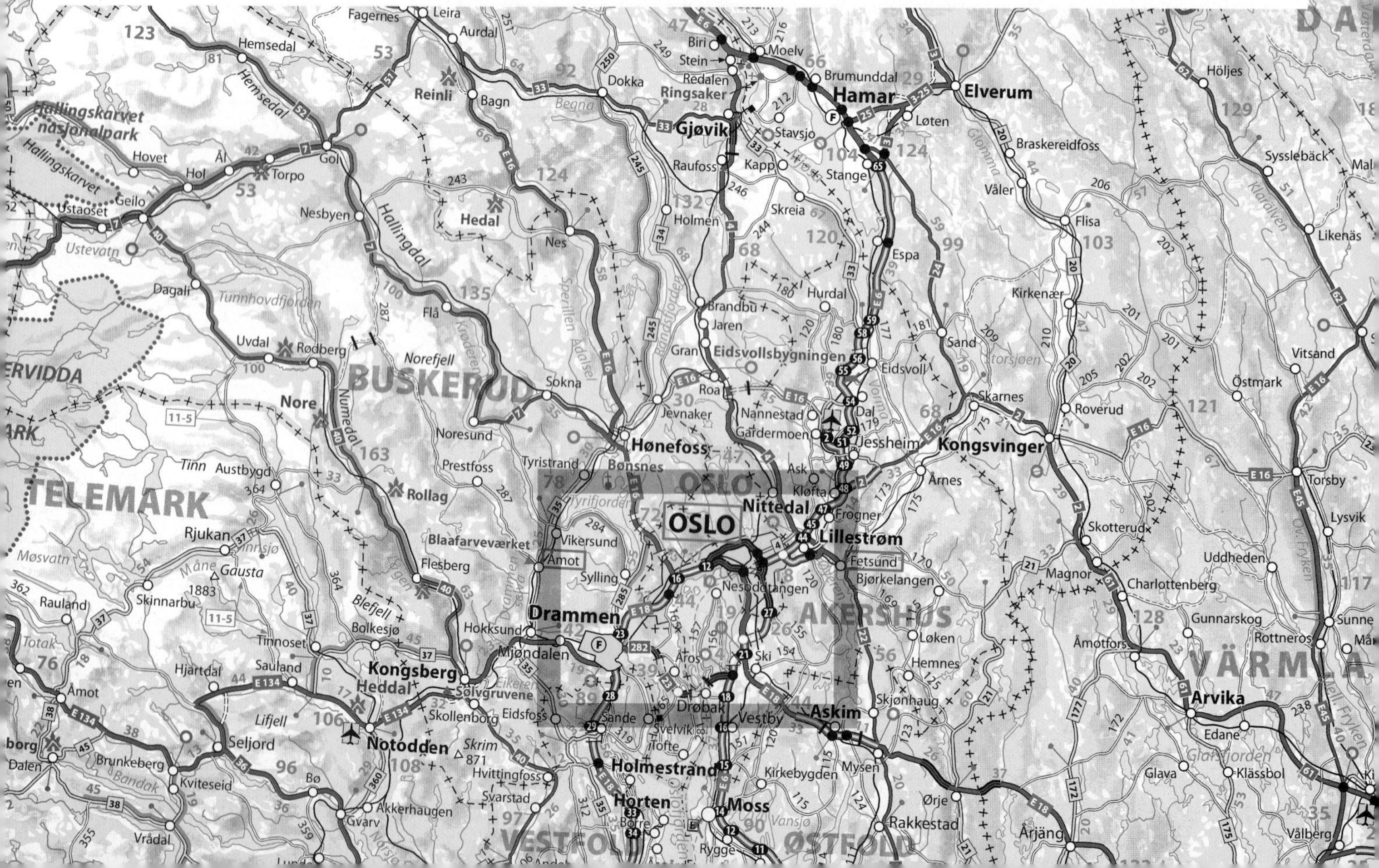
BUSKERUD
TELEMARK
AKERSHUS
VESTFOLD
ØSTFOLD
VÄRMLAND
OSLO
Hamar
Elverum
Gjøvik
Hønefoss
Kongsvinger
Lillestrøm
Drammen
Kongsberg
Notodden
Askim
Moss
Horten
Holmestrand
Arvika
Hallingdal
Hallingskarvet nasjonalpark
Geilo
Gol
Nesbyen
Rjukan
Gausta
Jessheim
Eidsvoll
Nittedal

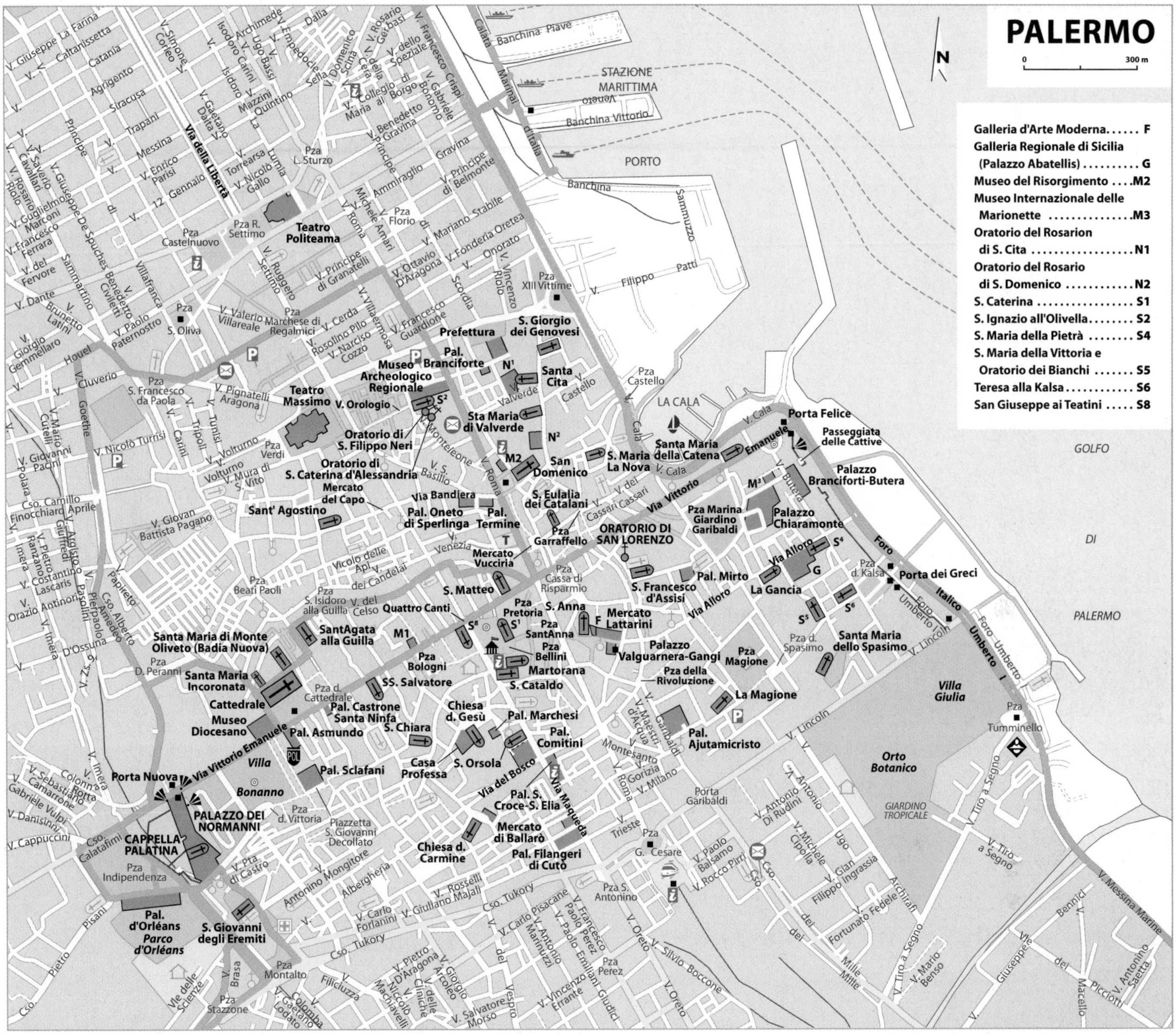
PALERMO
0 300 m
N
Galleria d'Arte Moderna...... F
Galleria Regionale di Sicilia (Palazzo Abatellis).......... G
Museo del Risorgimento M2
Museo Internazionale delle Marionette M3
Oratorio del Rosarion di S. Cita N1
Oratorio del Rosario di S. Domenico N2
S. Caterina S1
S. Ignazio all'Olivella........ S2
S. Maria della Pietrà S4
S. Maria della Vittoria e Oratorio dei Bianchi S5
Teresa alla Kalsa............ S6
San Giuseppe ai Teatini S8
STAZIONE MARITTIMA
PORTO
LA CALA
GOLFO DI PALERMO
Teatro Politeama
Teatro Massimo
Museo Archeologico Regionale
Prefettura
S. Giorgio dei Genovesi
Pal. Branciforte
Santa Cita
Oratorio di S. Filippo Neri
Oratorio di S. Caterina d'Alessandria
Sta Maria di Valverde
San Domenico
Mercato del Capo
Sant' Agostino
Pal. Oneto di Sperlinga
Pal. Termine
S. Eulalia dei Catalani
S. Maria La Nova
Santa Maria della Catena
Porta Felice
Passeggiata delle Cattive
Palazzo Branciforti-Butera
Palazzo Chiaramonte
ORATORIO DI SAN LORENZO
Mercato Vucciria
S. Francesco d'Assisi
Pal. Mirto
La Gancia
Porta dei Greci
Quattro Canti
S. Matteo
S. Anna
Mercato Lattarini
Palazzo Valguarnera-Gangi
Santa Maria dello Spasimo
Villa Giulia
Orto Botanico
Santa Maria di Monte Oliveto (Badia Nuova)
SantAgata alla Guilla
Martorana
S. Cataldo
SS. Salvatore
Santa Maria Incoronata
Cattedrale
Museo Diocesano
Pal. Castrone Santa Ninfa
Pal. Asmundo
S. Chiara
Chiesa d. Gesù
Pal. Marchesi
Pal. Comitini
La Magione
Pal. Ajutamicristo
Porta Nuova
Villa Bonanno
Pal. Sclafani
Casa Professa
S. Orsola
PALAZZO DEI NORMANNI
CAPPELLA PALATINA
Pal. S. Croce-S. Elia
Mercato di Ballarò
Chiesa d. Carmine
Pal. Filangeri di Cutò
Pal. d'Orléans
Parco d'Orléans
S. Giovanni degli Eremiti
Via della Libertà
Via Vittorio Emanuele
Foro Italico
Via Maqueda

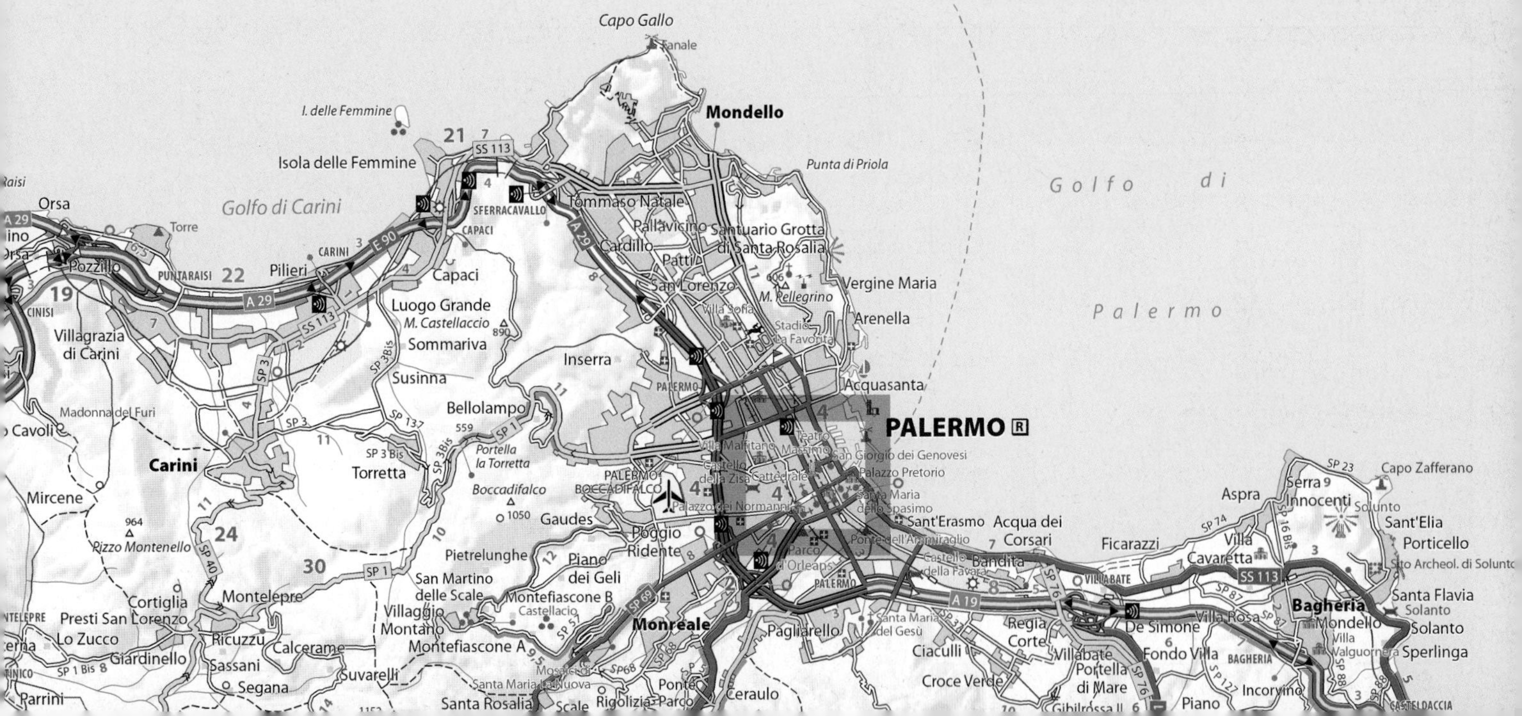
Capo Gallo
Mondello
Isola delle Femmine
Golfo di Carini
Golfo di Palermo
Tommaso Natale
Sferracavallo
Capaci
Carini
Villagrazia di Carini
Sommariva
Inserra
Bellolampo
Torretta
Boccadifalco
Sanctuario Grotta di Santa Rosalia
Vergine Maria
Arenella
Acquasanta
PALERMO
Monreale
Pagliarello
Sant'Erasmo
Acqua dei Corsari
Ficarazzi
Bagheria
Aspra
Capo Zafferano
Sant'Elia
Porticello
Santa Flavia
Solanto
Villabate
Ciaculli
Croce Verde
Montelepre
Giardinello

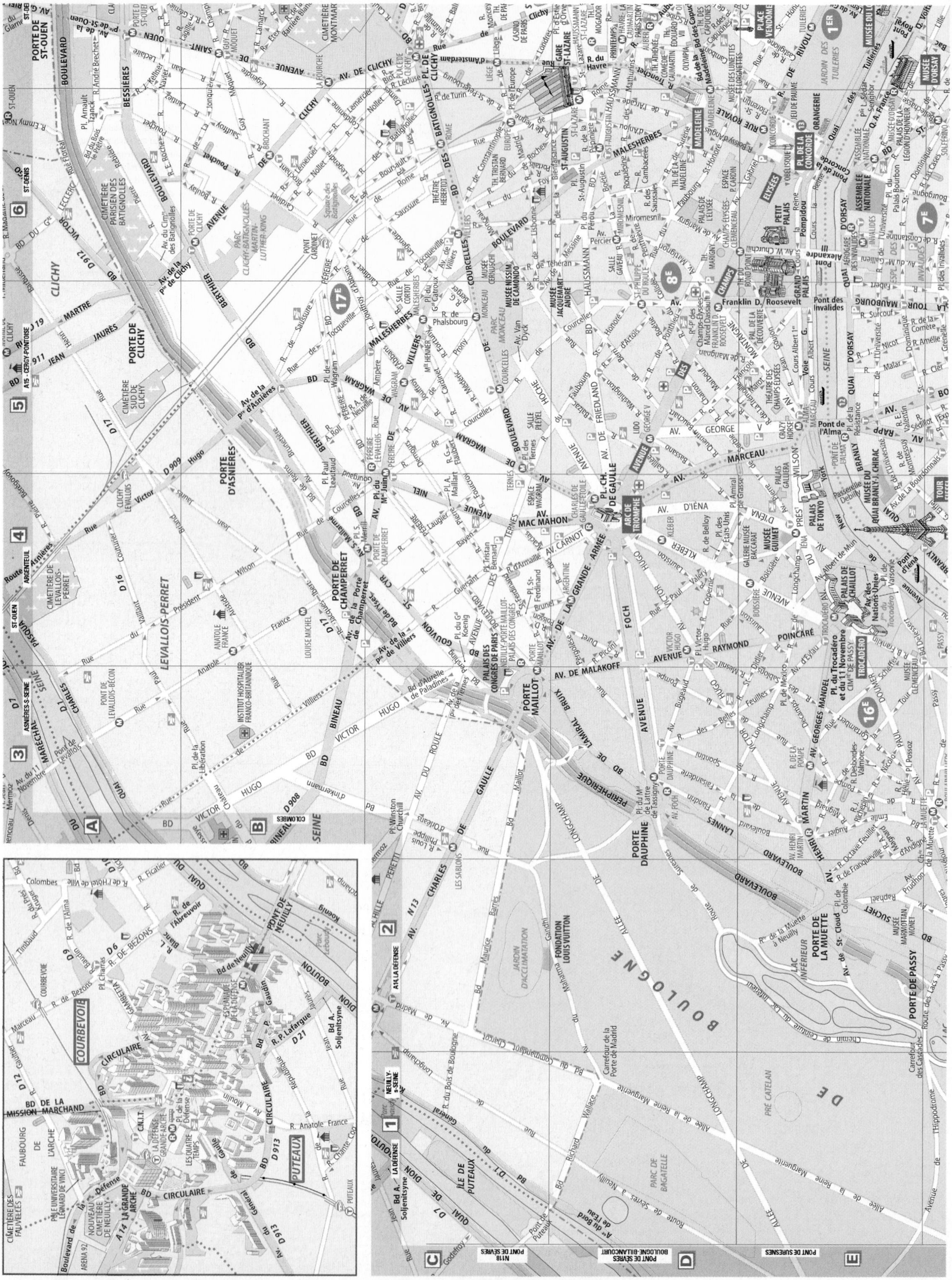
PORTE DE ST-OUEN
CLICHY
PORTE DE CLICHY
PORTE D'ASNIÈRES
LEVALLOIS-PERRET
PORTE DE CHAMPERRET
PORTE MAILLOT
PALAIS DES CONGRÈS DE PARIS
PORTE DAUPHINE
PORTE DE LA MUETTE
PORTE DE PASSY
BOIS DE BOULOGNE
JARDIN D'ACCLIMATATION
FONDATION LOUIS VUITTON
PARC DE BAGATELLE
PRÉ CATELAN
LAC INFÉRIEUR
ÎLE DE PUTEAUX
PL. CH. DE GAULLE
ARC DE TRIOMPHE
GARE ST-LAZARE
MADELEINE
PL. DE LA CONCORDE
PETIT PALAIS
GRAND PALAIS
PALAIS DE CHAILLOT
PALAIS DE TOKYO
TROCADÉRO
MUSÉE D'ORSAY
ASSEMBLÉE NATIONALE
JARDIN DES TUILERIES
PARC MONCEAU
SEINE
17E
8E
16E
7E
1ER
COURBEVOIE
PUTEAUX
LA DÉFENSE GRANDE ARCHE
PONT DE NEUILLY

MUSÉE D'ORSAY
7E
14E
15E
HÔTEL DES INVALIDES
ÉGLISE DU DÔME
MUSÉE RODIN
ÉCOLE MILITAIRE
TOUR EIFFEL
CHAMP DE MARS
TOUR MONTPARNASSE
GARE MONTPARNASSE
CIMETIÈRE DU MONTPARNASSE
MONTPARNASSE BIENVENÜE
BD DES INVALIDES
BD RASPAIL
BD PASTEUR
BD DE GRENELLE
BD GARIBALDI
RUE DE VAUGIRARD
RUE LECOURBE
BOULEVARD LEFEBVRE
BOULEVARD BRUNE
BOULEVARD VICTOR
AV. DU MAINE
AVENUE DU MAINE
QUAI DE GRENELLE
QUAI A. CITROËN
QUAI BRANLY
SEINE
PARC ANDRÉ CITROËN
CIMETIÈRE DE GRENELLE
CIMETIÈRE DE VAUGIRARD
PARC GEORGES BRASSENS
PORTE DE VERSAILLES
PARC DES EXPOSITIONS
PALAIS DES SPORTS
PORTE DE SÈVRES
PORTE DE LA PLAINE
PORTE BRANCION
PORTE DE VANVES
PORTE DE CHÂTILLON
PORTE D'ORLÉANS
PÉRIPHÉRIQUE
HÉLIPORT DE PARIS
CENTRE SPORTIF SUZANNE LENGLEN
MAISON DE LA RADIO
PORTE D'AUTEUIL
PORTE MOLITOR
STADE JEAN BOUIN
PARC DES PRINCES
STADE ROLAND GARROS
HIPPODROME D'AUTEUIL
LAC SUPÉRIEUR
BOIS
PORTE DE ST-CLOUD
BOULOGNE-BILLANCOURT
ISSY-LES-MOULINEAUX
ÎLE ST-GERMAIN
PARC DÉPARTEMENTAL DE L'ÎLE ST-GERMAIN
VANVES
MALAKOFF
MONTROUGE
PARC FRÉDÉRIC PIC
FORT NUMÉRIQUE D'ISSY-LES-MOULINEAUX
QUAI D'ISSY
BOULEVARD EXELMANS
BOULEVARD MURAT
BD DU GÉNÉRAL MARTIAL VALIN
A13-E5
CAEN, ROUEN
PONT DE SAINT-CLOUD
PONT DE SÈVRES N118 VERSAILLES
PONT DE SÈVRES
CLAMART VERSAILLES
ANTONY, ÉTAMPES
HÔPITAL MILITAIRE PERCY
F
G
H
J
K
1
2
3
4
5
6
7
0
200
400
600
800
1000 m

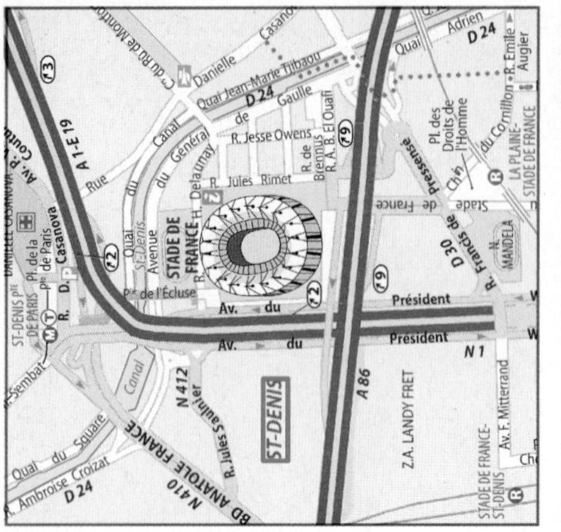
STADE DE FRANCE
ST-DENIS
Président
A 86
A1-E19
N 1
N 412
N 410
D 24
Z.A. LANDY FRET
BD ANATOLE FRANCE
LA PLAINE STADE DE FRANCE
STADE DE FRANCE-ST-DENIS

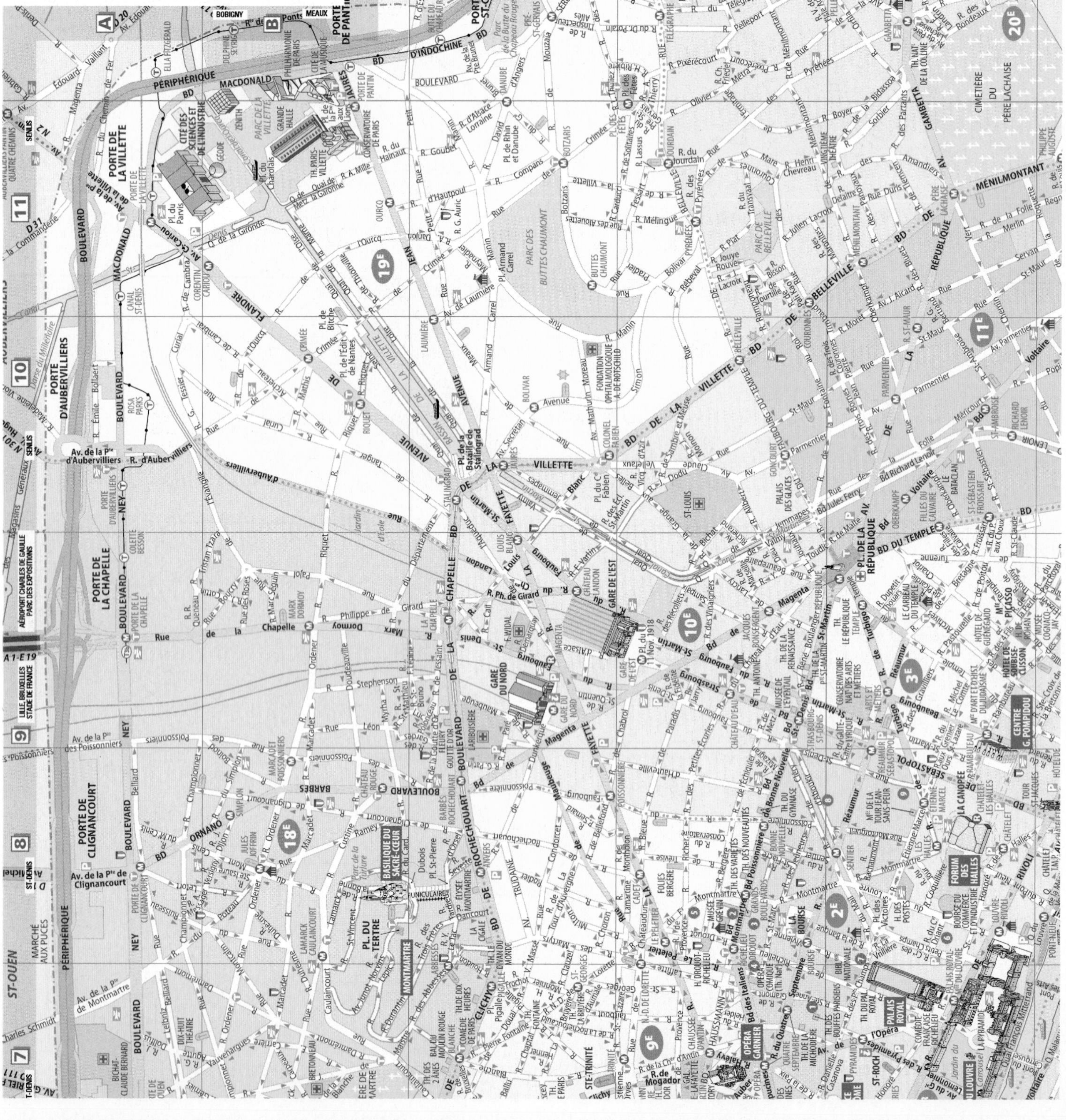
A
B
C
D
E
7
8
9
10
11
12
13
ST-OUEN
MARCHÉ AUX PUCES
PÉRIPHÉRIQUE
PORTE DE CLIGNANCOURT
PORTE DE LA CHAPELLE
PORTE D'AUBERVILLIERS
PORTE DE LA VILLETTE
PORTE DE PANTIN
PORTE DU PRÉ ST-GERVAIS
PORTE DES LILAS
PORTE DE BAGNOLET
LE PRÉ SAINT-GERVAIS
LES LILAS
BAGNOLET
CITÉ DES SCIENCES ET DE L'INDUSTRIE
PARC DE LA VILLETTE
GRANDE HALLE
ZÉNITH
GÉODE
PHILHARMONIE DE PARIS
CONSERVATOIRE DE PARIS
PARC DES BUTTES CHAUMONT
PARC DE BELLEVILLE
CIMETIÈRE DU PÈRE LACHAISE
BASILIQUE DU SACRÉ-CŒUR
PL. DU TERTRE
MONTMARTRE
GARE DU NORD
GARE DE L'EST
PL. DE LA RÉPUBLIQUE
CENTRE G. POMPIDOU
FORUM DES HALLES
LA CANOPÉE
PALAIS ROYAL
LE LOUVRE
OPÉRA GARNIER
LA BOURSE
ST-LOUIS
18E
19E
20E
10E
11E
9E
2E
3E
BOULEVARD
MACDONALD
BD DE LA VILLETTE
BD DE BELLEVILLE
BD DE MÉNILMONTANT
BD DU TEMPLE
BD DE ROCHECHOUART
BD DE LA CHAPELLE
BD MORTIER
BD SÉRURIER
BD D'ALGÉRIE
BD D'INDOCHINE
AVENUE JEAN JAURÈS
AV. GAMBETTA
RUE DE BELLEVILLE
SÉBASTOPOL
RIVOLI
HAUSSMANN
AÉROPORT CHARLES DE GAULLE LILLE, BRUXELLES
PARC DES EXPOSITIONS DE VILLEPINTE

PORTE DE MONTREUIL
PORTE DE VINCENNES
PORTE DE ST-MANDÉ
ST-MANDÉ
PORTE DORÉE
BOIS DE VINCENNES
LAC DAUMESNIL
PORTE DE CHARENTON
CHARENTON-LE-PONT
PORTE DE BERCY
IVRY-SUR-SEINE
QUAI D'IVRY
PORTE D'IVRY
PORTE D'ITALIE
PORTE DE GENTILLY
GENTILLY
STADE CHARLETY
CITÉ INTERNATIONALE UNIVERSITAIRE DE PARIS
MONTSOURIS
PL. DENFERT ROCHEREAU
PALAIS DU LUXEMBOURG
JARDIN DU LUXEMBOURG
ST-GERMAIN DES PRÉS
QUARTIER LATIN
PANTHÉON
NOTRE DAME
CITÉ
HÔTEL DE VILLE
LE MARAIS
MUSÉE CARNAVALET
PL. DES VOSGES
PL. DE LA BASTILLE
OPÉRA DE PARIS BASTILLE
PL. DE LA NATION
GARE DE LYON
GARE D'AUSTERLITZ
ACCORHOTELS ARENA
BIBLIOTHÈQUE NATIONALE DE FRANCE (François Mitterrand)
INSTITUT DU MONDE ARABE
MUSÉUM NATIONAL D'HISTOIRE NATURELLE
JARDIN DES PLANTES
LA PITIÉ SALPÊTRIÈRE
PL. D'ITALIE
PL. FÉLIX ÉBOUÉ
4E
5E
6E
12E
13E
SEINE
BOULEVARD PÉRIPHÉRIQUE
VINCENNES NOGENT-s-MARNE
METZ, NANCY, REIMS
LYON, NANTES BORDEAUX
AÉROPORT D'ORLY
RUNGIS ORLY
VITRY-s-SEINE
F
G
H
J
K
7
8
9
10
11
12
13

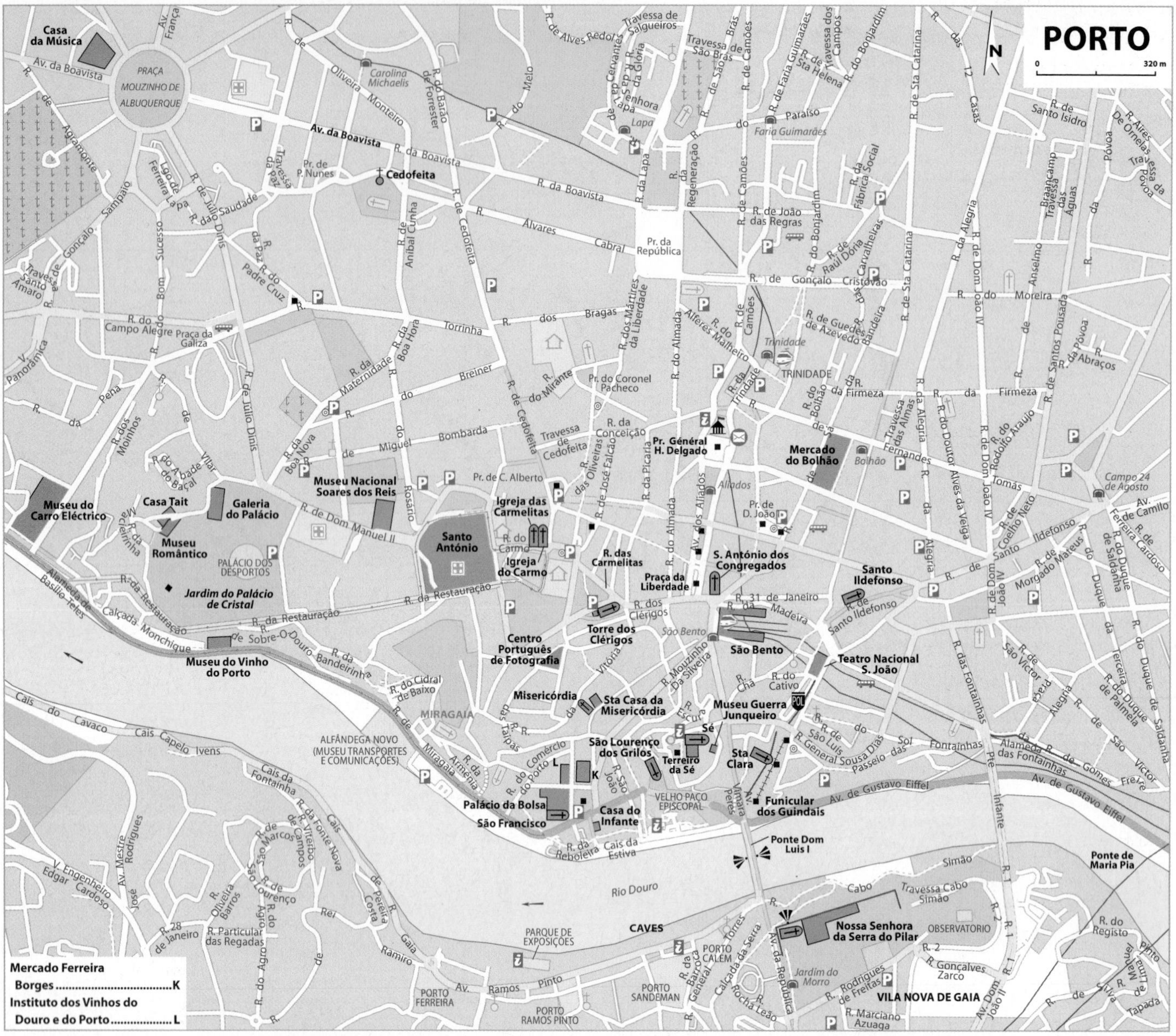
PORTO
0
320 m
N
Casa da Música
Praça Mouzinho de Albuquerque
Av. da Boavista
Cedofeita
Pr. da República
Carolina Michaëlis
Lapa
Faria Guimarães
Trinidade
TRINIDADE
Mercado do Bolhão
Bolhão
Pr. Général H. Delgado
Aliados
Campo 24 de Agosto
Museu do Carro Eléctrico
Casa Tait
Galeria do Palácio
Museu Romântico
Museu Nacional Soares dos Reis
Palácio dos Desportos
Jardim do Palácio de Cristal
Santo António
Igreja das Carmelitas
Igreja do Carmo
R. das Carmelitas
Praça da Liberdade
S. António dos Congregados
Santo Ildefonso
Torre dos Clérigos
São Bento
Teatro Nacional S. João
Centro Português de Fotografia
Museu do Vinho do Porto
Misericórdia
Sta Casa da Misericórdia
Museu Guerra Junqueiro
Sé
MIRAGAIA
ALFÂNDEGA NOVO (MUSEU TRANSPORTES E COMUNICAÇÕES)
São Lourenço dos Grilos
Terreiro da Sé
Sta Clara
Palácio da Bolsa
São Francisco
Casa do Infante
VELHO PAÇO EPISCOPAL
Funicular dos Guindais
Ponte Dom Luís I
Ponte de Maria Pia
Rio Douro
CAVES
Nossa Senhora da Serra do Pilar
OBSERVATORIO
PARQUE DE EXPOSIÇÕES
PORTO CALEM
Jardim do Morro
PORTO SANDEMAN
PORTO FERREIRA
PORTO RAMOS PINTO
VILA NOVA DE GAIA
Mercado Ferreira Borges .... K
Instituto dos Vinhos do Douro e do Porto L

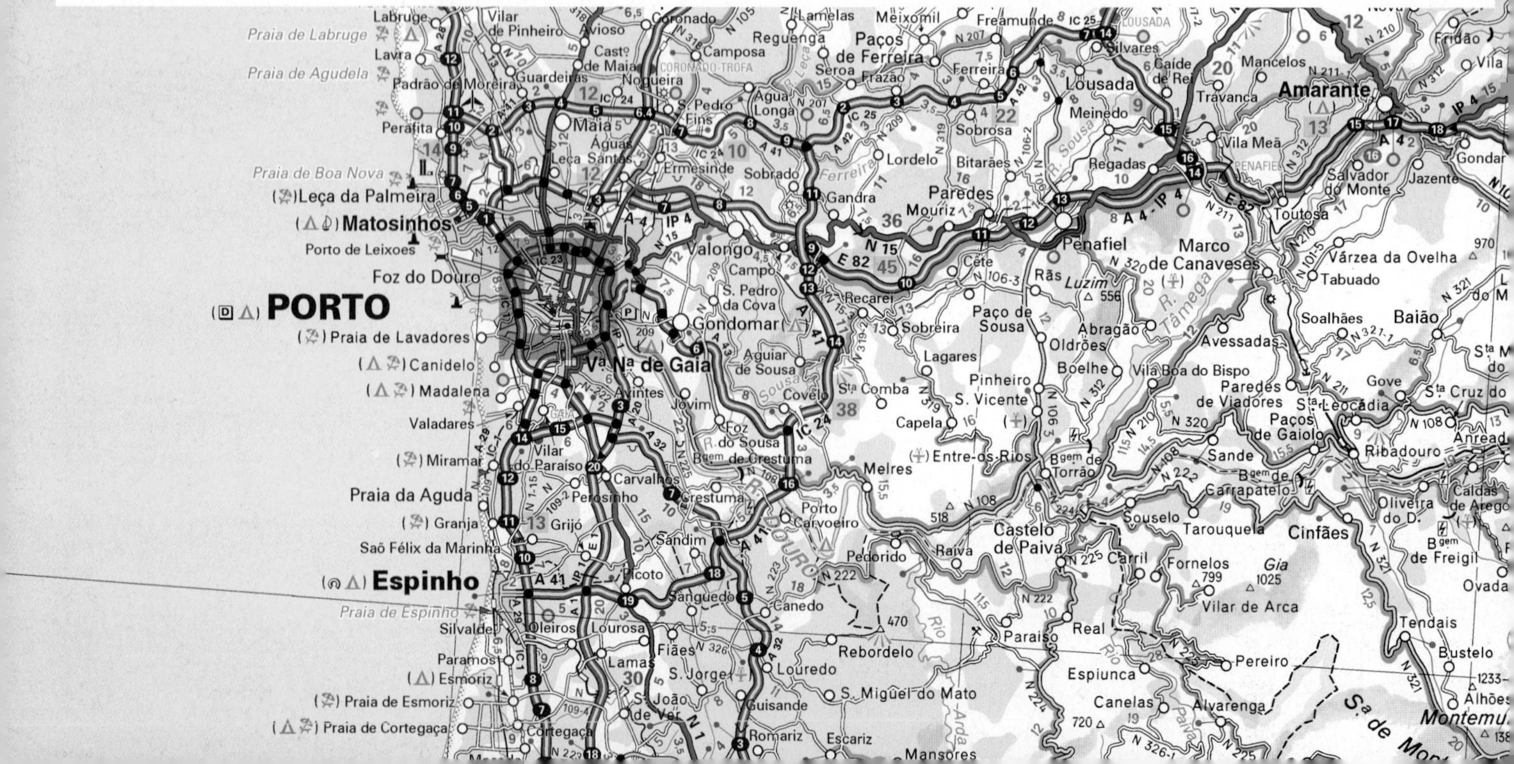
PORTO
Matosinhos
Leça da Palmeira
Porto de Leixoes
Foz do Douro
Maia
Valongo
Gondomar
Vª Nª de Gaia
Espinho
Paredes
Penafiel
Amarante
Marco de Canaveses
Lousada
Paços de Ferreira
Castelo de Paiva
Cinfães
Baião
Praia da Aguda
Praia de Labruge
Praia de Agudela
Praia de Boa Nova
Praia de Lavadores
Canidelo
Madalena
Valadares
Miramar
Granja
São Félix da Marinha
Esmoriz
Praia de Esmoriz
Praia de Cortegaça
Rio Douro

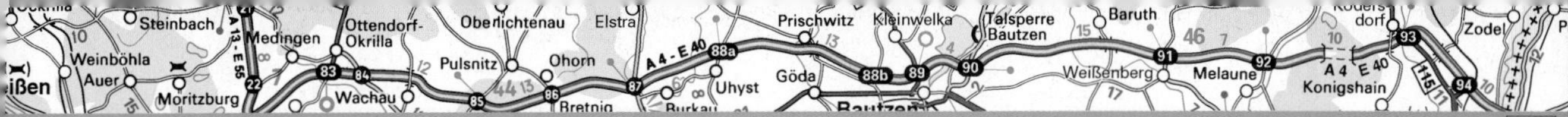

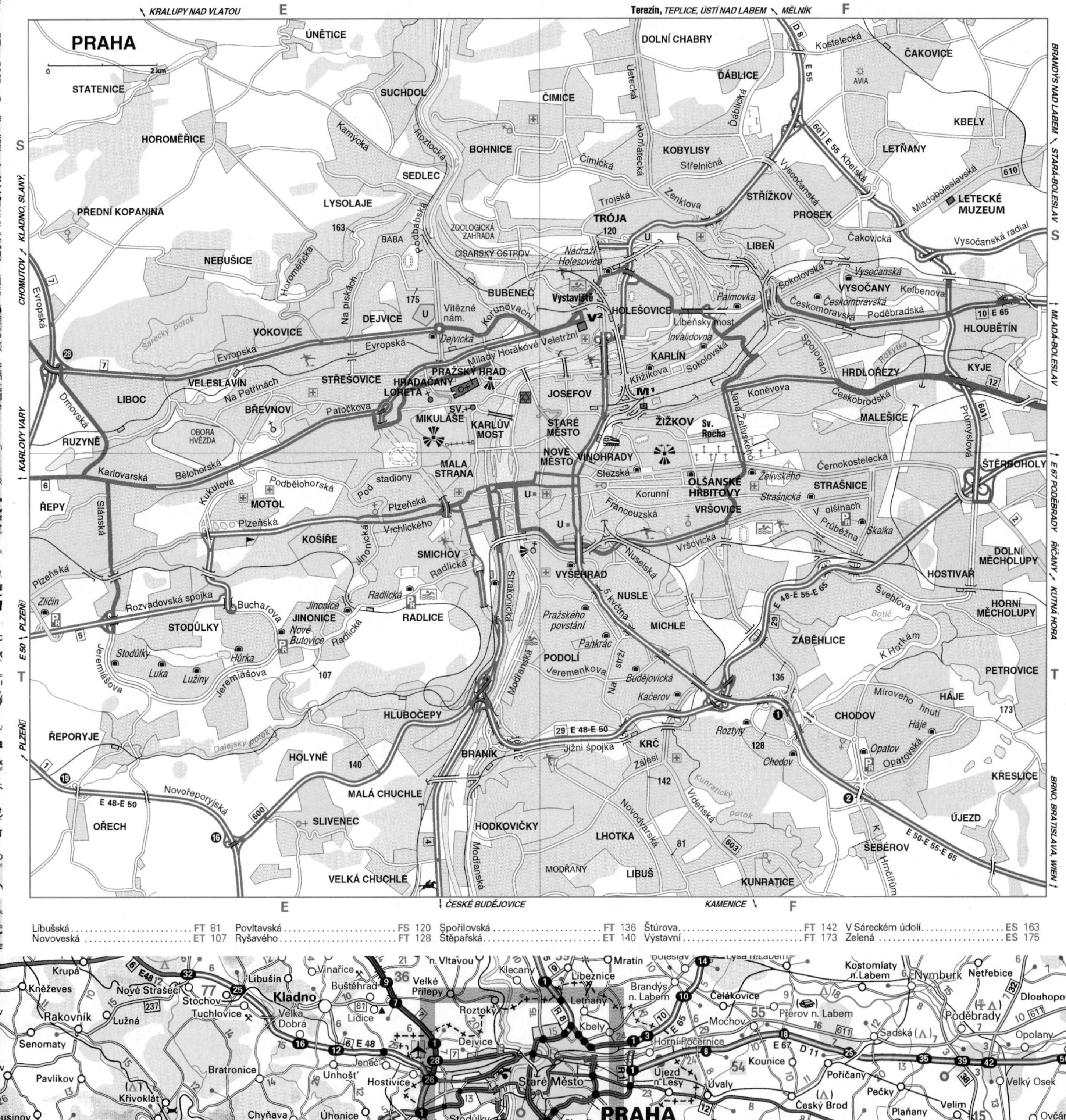

Líbušská	FT	81	Povltavská	FS	120	Spořilovská	FT	136	Štúrova	FT	142	V Šáreckém údolí	ES	163
Novoveská	ET	107	Ryšavého	FT	128	Štěpařská	ET	140	Výstavní	FT	173	Zelená	ES	175

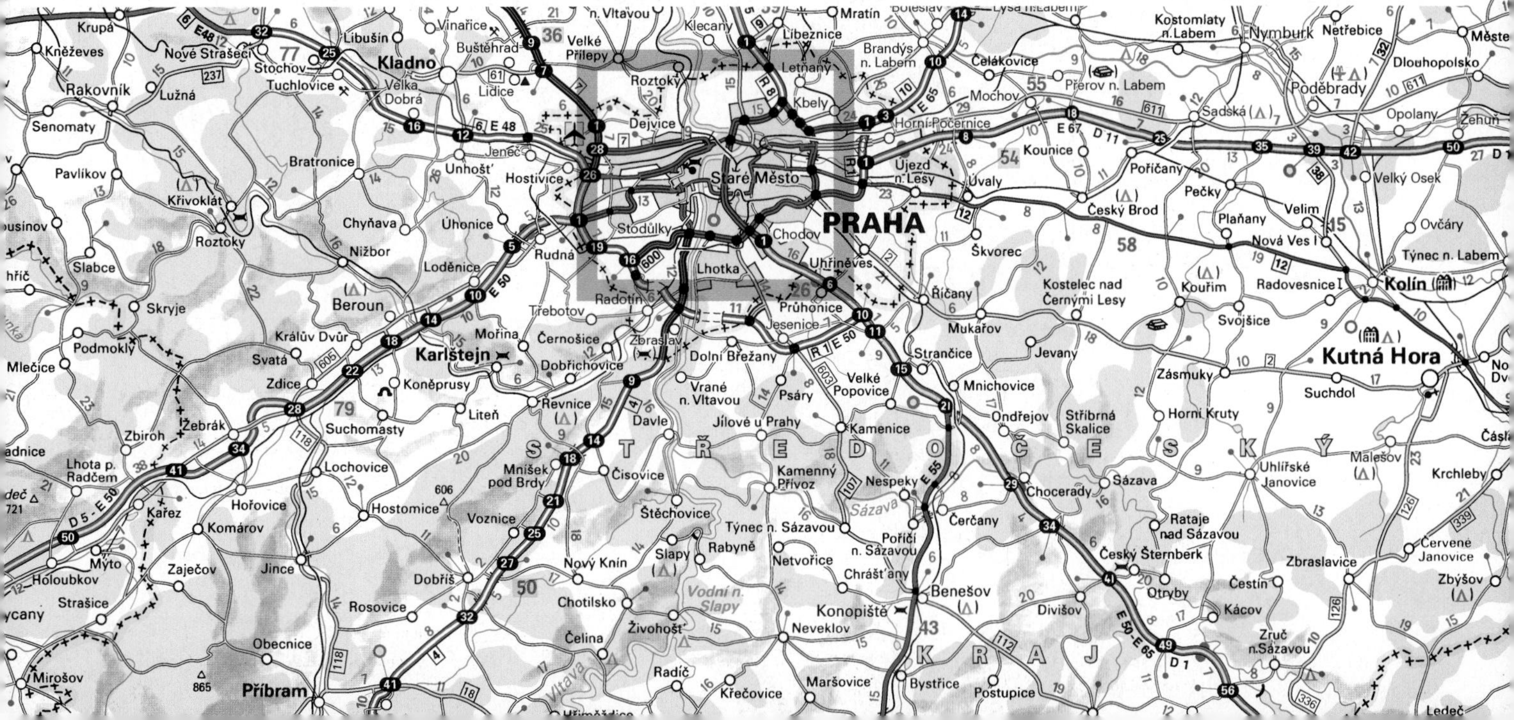

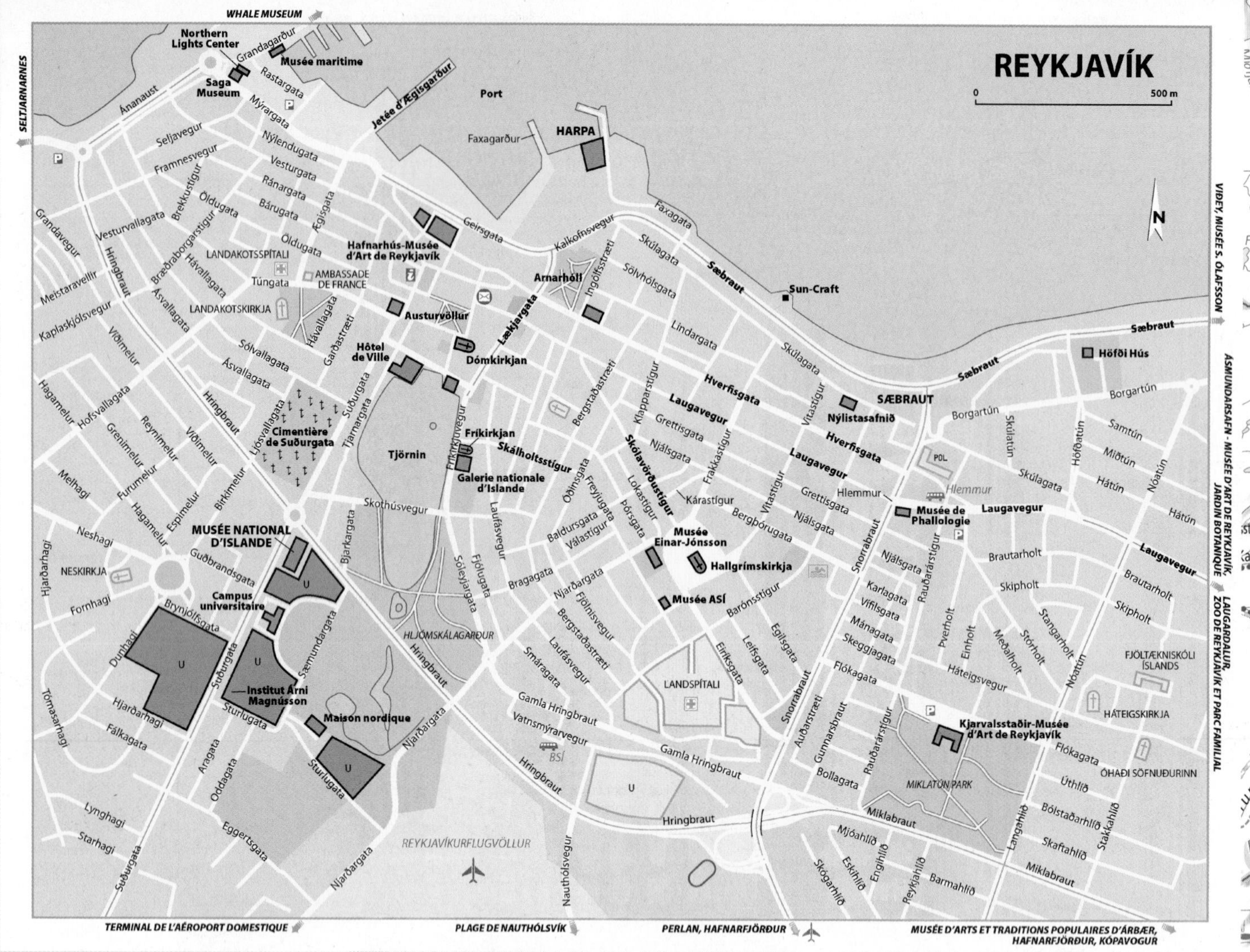

REYKJAVÍK
0 500 m
N
WHALE MUSEUM
SELTJARNARNES
VIÐEY, MUSÉE S. ÓLAFSSON
ÁSMUNDARSAFN - MUSÉE D'ART DE REYKJAVÍK, JARDIN BOTANIQUE
LAUGARDALUR, ZOO DE REYKJAVÍK ET PARC FAMILIAL
TERMINAL DE L'AÉROPORT DOMESTIQUE
PLAGE DE NAUTHÓLSVÍK
PERLAN, HAFNARFJÖRÐUR
MUSÉE D'ARTS ET TRADITIONS POPULAIRES D'ÁRBÆR, HAFNARFJÖRÐUR, KÓPAVOGUR
Northern Lights Center
Musée maritime
Saga Museum
Port
Jetée d'Ægisgarður
Faxagarður
HARPA
Hafnarhús-Musée d'Art de Reykjavík
LANDAKOTSSPÍTALI
AMBASSADE DE FRANCE
LANDAKOTSKIRKJA
Arnarhóll
Sun-Craft
Austurvöllur
Hôtel de Ville
Dómkirkjan
Cimentière de Suðurgata
Tjörnin
Fríkirkjan
Galerie nationale d'Islande
SÆBRAUT
Nýlistasafnið
Höfði Hús
Hlemmur
Musée de Phallologie
MUSÉE NATIONAL D'ISLANDE
NESKIRKJA
Campus universitaire
Musée Einar-Jónsson
Hallgrímskirkja
Musée ASÍ
HLJÓMSKÁLAGARÐUR
LANDSPÍTALI
Institut Árni Magnússon
Maison nordique
BSÍ
FJÖLTÆKNISKÓLI ÍSLANDS
HÁTEIGSKIRKJA
Kjarvalsstaðir-Musée d'Art de Reykjavík
MIKLATÚN PARK
ÓHAÐI SÖFNUÐURINN
REYKJAVÍKURFLUGVÖLLUR
Sæbraut
Hverfisgata
Laugavegur
Skólavörðustígur
Hringbraut
Gamla Hringbraut
Miklabraut
Snorrabraut
Borgartún

Höfuðborgarsvæði
REYKJAVÍK
Akranes
Mosfellsbær
Kópavogur
Garðabær
Hafnarfjörður
Álftanes
Beltjarnarnes
Keflavík
Njarðvík
Vogar
Garður
Sandgerði
Hveragerði
Selfoss
Laugarvatn
Hofsvík
Hvalfjörður
Esja
Þingvellir Þjóðgarður
Þingvallavatn
Hengill
Hellisheiði
Bláfjallafólkvangur
Reykjanesfólkvangur
KEFLAVÍK-URFLUGVÖLLUR (KEFLAVIK INTERNATIONAL AIRPORT)
Viðey
Engey
Árbæjarsafn
Botnsheiði
Skjaldbreiður
Kjölur
Mosfellsheiði
Lyngdalsheiði
Faxaflói

RIGA
0 2 km
N
LÜBECK
VECDAUGAVA
Kīšezers
BOLDERĀJA
Bullupe
BOLDERĀJAS KĀPA
Viestura prosp.
Mežaparks
Jardin zoologique
Meža Prosp.
PĀRNU, SIGULDA
Hapaka
Daugavgrīvas šoseja
VEJZAK-SALA
CIEKURKALNS
Musée de plein air
JUGLA
Juglas ezers
SPILVE
Brīvības g.
Musée de l'Automobile
Kurzemes prospekts
Biķernieku
VEF
Slokas iela
Pērnavas
G. Astras
iela
JŪRMALA
Jūrmalas
gatve
DREILINI
A10
K. Ulmaņa g.
Kalnciema
Lielirbes
A1
Darzciema
A.
Deglava
iela
Lubānas
Maskavas
ULBROKA
K. Ulmaņa g.
K.Ulmaņa
TĒRINI
iela
LIDOSTA "RIGA"
Vienības g.
MĀRUPE
Mūkusalas
DAUGAVA
A8
A7
A6
JELGAVA
BAUSKA
DAUGAVPILS
Pärnu
Liu
Pootsi
Pärnu Lahti
Kõpu
VILJANDI
Võrtsjärv
Väike-Rakke
Kihnu
LIIVI
LAHT
Ainaži
Ruhnu
Salacgrīva
Roja
Tūja
Limb
RĪGAS
JŪRAS
LĪCIS
Upesgrīva
Mērsrags
Engures Ezers
Saulkrasti
Ragana
Turaida
Sigulda
Carnikava
Vangaži
Gauja
Taurene
Jaunpiebalga
Gulbene
Skujene
Nītaure
Vecpiebalga
Cesvaine
Lubāna
Madona
Bērzaune
Tukums
Jūrmala
RĪGA
Ķemeru
nacionālais
parks
Babītes Ezers
Jaunmārupe
Baloži
Salaspils
Ķeipene
Suntaži
Ērgļi
Ogre
Ikšķile
Olaine
Zemite
Vaski
Darzciems
Jaunberze
Baldone
Ķegums
Lielvārde
Krape (Lobe)
Vecbebri
Jelgava
Dobele
Garoza
Iecava
Vecumnieki
Jaunjelgava
Aizkraukle
Pļaviņas
Atašiene
Tērvete
ZEMGALE
Daudzese
Jēkabpils
Auce
Code
Eleja
Pilsrundāle
Bauska
Nemunėlio Radviliškis
Ērberģe
Līvāni
Žagarė
Skaistgirys
Kriukai
Žeimelis
Viesīte
Saukas Ezers
Liepas (Mežamuiža)
Kruopiai
Joniškis
Saločiai
Pabiržė
Biržai
Nereta
Aknīste
Nīcgale (Neicgals)
Pašvitinys
Vaškai
Suvainiškis
Rubeņi
Rudiškiai
Papilys
Gruzdžiai
Meškuičiai
Linkuva
Pasvalys
Panemunis
Juodupė
Collines des Croix
Joniškėlis
Subate
Ilūkste
Kuršėnai
Kužiai
Pakruojis
Vabalninkas
Alizava
Rokiškis
Obeliai
ŠIAULIAI
Pumpėnai
PANEVĖŽIO
Skapiškis
DAU
Kurtuvėnai
Rozalimas
Radviliškis
Kupiškis
Kamajai
Bazilionai
Šaukėnai
Smilgiai
Palėvenė
Čičirys
ŠIAULIŲ
Šeduva
PANEVĖŽYS
Subačius
Jūžintai
Avilys
Zarasai
Šiaulėnai
Miežiškiai
Surdegis
Viešintos
Svėdasai
Kelmė
Baisogala
Antalieptės tv
Luodis
Tytuvėnai
Andrioniškis
Salakas
Daugailiai
Visaginas
Krekenava
Anykščiai
Utena
Rimšė
Ramygala
Traupis
Dūkštas
Gudžiūnai
Šilai
Leliūnai
Aukštaitijos nacionalinis
Viduklė
Krakės
Truskava
Taujėnai
Skiemonys
Tauragnai
UTENOS
Raseiniai

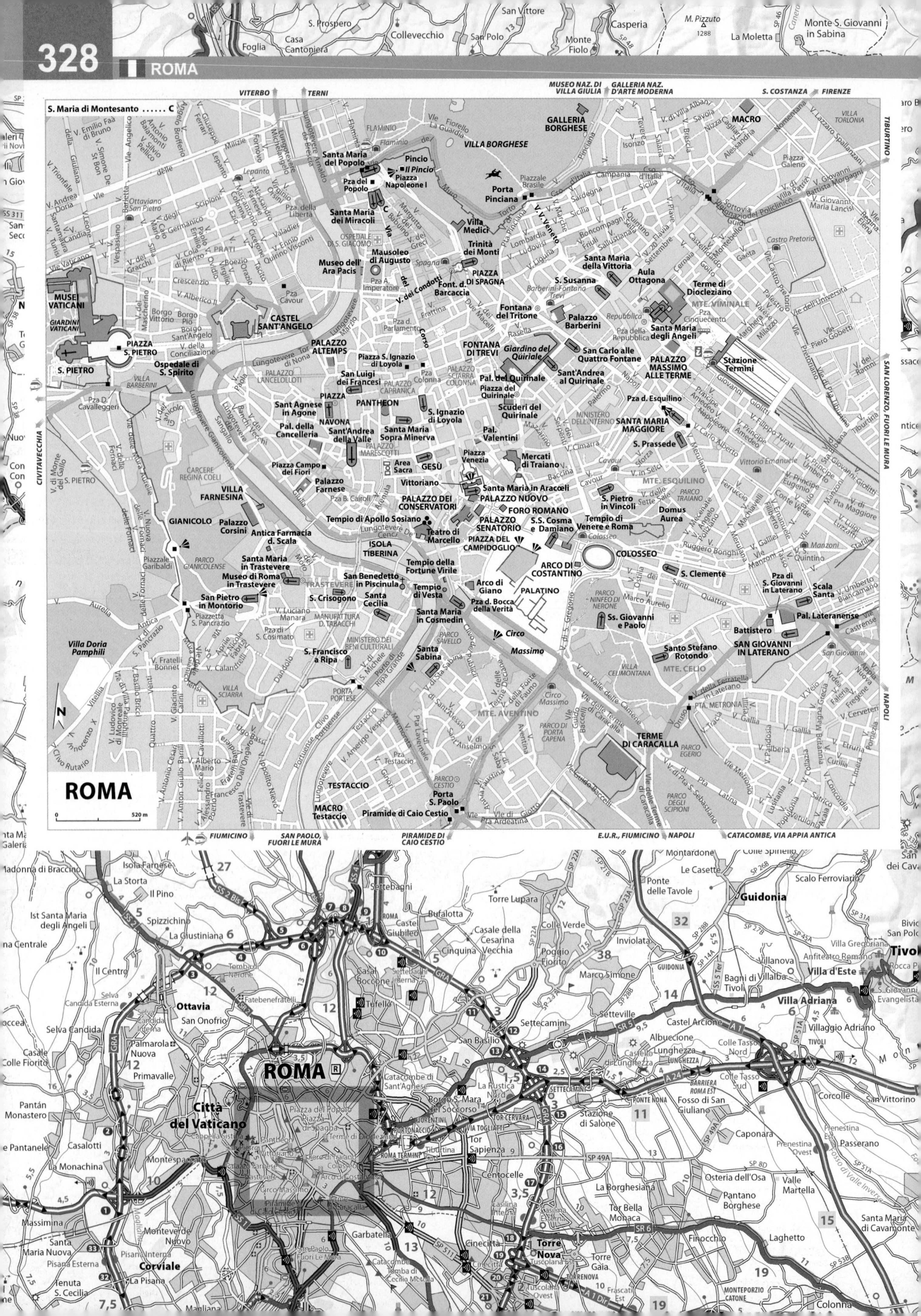
ROMA
S. Maria di Montesanto C
VITERBO
TERNI
MUSEO NAZ. DI VILLA GIULIA
GALLERIA NAZ. D'ARTE MODERNA
S. COSTANZA
FIRENZE
TIBURTINO
SAN LORENZO, FUORI LE MURA
NAPOLI
CIVITAVECCHIA
FIUMICINO
SAN PAOLO, FUORI LE MURA
PIRAMIDE DI CAIO CESTIO
E.U.R., FIUMICINO
CATACOMBE, VIA APPIA ANTICA
GALLERIA BORGHESE
MACRO
VILLA BORGHESE
Santa Maria del Popolo
Pincio
Il Pincio
Pza del Popolo
Piazza Napoleone I
Porta Pinciana
Santa Maria dei Miracoli
Villa Medici
Trinità dei Monti
Mausoleo di Augusto
Museo dell' Ara Pacis
PIAZZA DI SPAGNA
Font. d. Barcaccia
V. dei Condotti
MUSEI VATICANI
GIARDINI VATICANI
CASTEL SANT'ANGELO
PIAZZA S. PIETRO
S. PIETRO
Ospedale di S. Spirito
PALAZZO ALTEMPS
Piazza S. Ignazio di Loyola
San Luigi dei Francesi
PIAZZA NAVONA
Sant Agnese in Agone
PANTHEON
S. Ignazio di Loyola
Pal. della Cancelleria
Sant'Andrea della Valle
Santa Maria Sopra Minerva
Area Sacra
GESÙ
Piazza Campo dei Fiori
Palazzo Farnese
VILLA FARNESINA
GIANICOLO
Palazzo Corsini
Antica Farmacia d. Scala
Fontana del Tritone
Palazzo Barberini
FONTANA DI TREVI
Giardino del Quiriale
San Carlo alle Quattro Fontane
Pal. del Quirinale
Sant'Andrea al Quirinale
Scuderi del Quirinale
Pal. Valentini
Piazza Venezia
Mercati di Traiano
Vittoriano
Santa Maria in Aracoeli
PALAZZO NUOVO
PALAZZO DEI CONSERVATORI
FORO ROMANO
PALAZZO SENATORIO
S.S. Cosma e Damiano
Tempio di Venere e Roma
Tempio di Apollo Sosiano
Teatro di Marcello
PIAZZA DEL CAMPIDOGLIO
ISOLA TIBERINA
Santa Maria della Vittoria
S. Susanna
Aula Ottagona
Terme di Diocleziano
Santa Maria degli Angeli
Stazione Termini
PALAZZO MASSIMO ALLE TERME
Pza d. Esquilino
SANTA MARIA MAGGIORE
S. Prassede
S. Pietro in Vincoli
Domus Aurea
COLOSSEO
ARCO DI COSTANTINO
PALATINO
S. Clemente
Santa Maria in Trastevere
Museo di Roma in Trastevere
San Pietro in Montorio
San Benedetto in Piscinula
Tempio della Fortune Virile
Tempio di Vesta
S. Crisogono
Santa Cecilia
Arco di Giano
Pza d. Bocca della Verità
Santa Maria in Cosmedin
Circo Massimo
Santa Sabina
S. Francisco a Ripa
Villa Doria Pamphili
Ss. Giovanni e Paolo
Santo Stefano Rotondo
Pza di S. Giovanni in Laterano
Scala Santa
Pal. Lateranense
Battistero
SAN GIOVANNI IN LATERANO
TERME DI CARACALLA
MTE. AVENTINO
TESTACCIO
MACRO Testaccio
Porta S. Paolo
Piramide de Caio Cestio
520 m
Città del Vaticano
Settebagni
Guidonia
Tivoli
Villa d'Este
Villa Adriana
Ottavia
Primavalle
Casalotti
Corviale
Torre Nova
Settecamini
Cinecittà
Garbatella
GRA
A 24
A 1
SR 5
SR 6

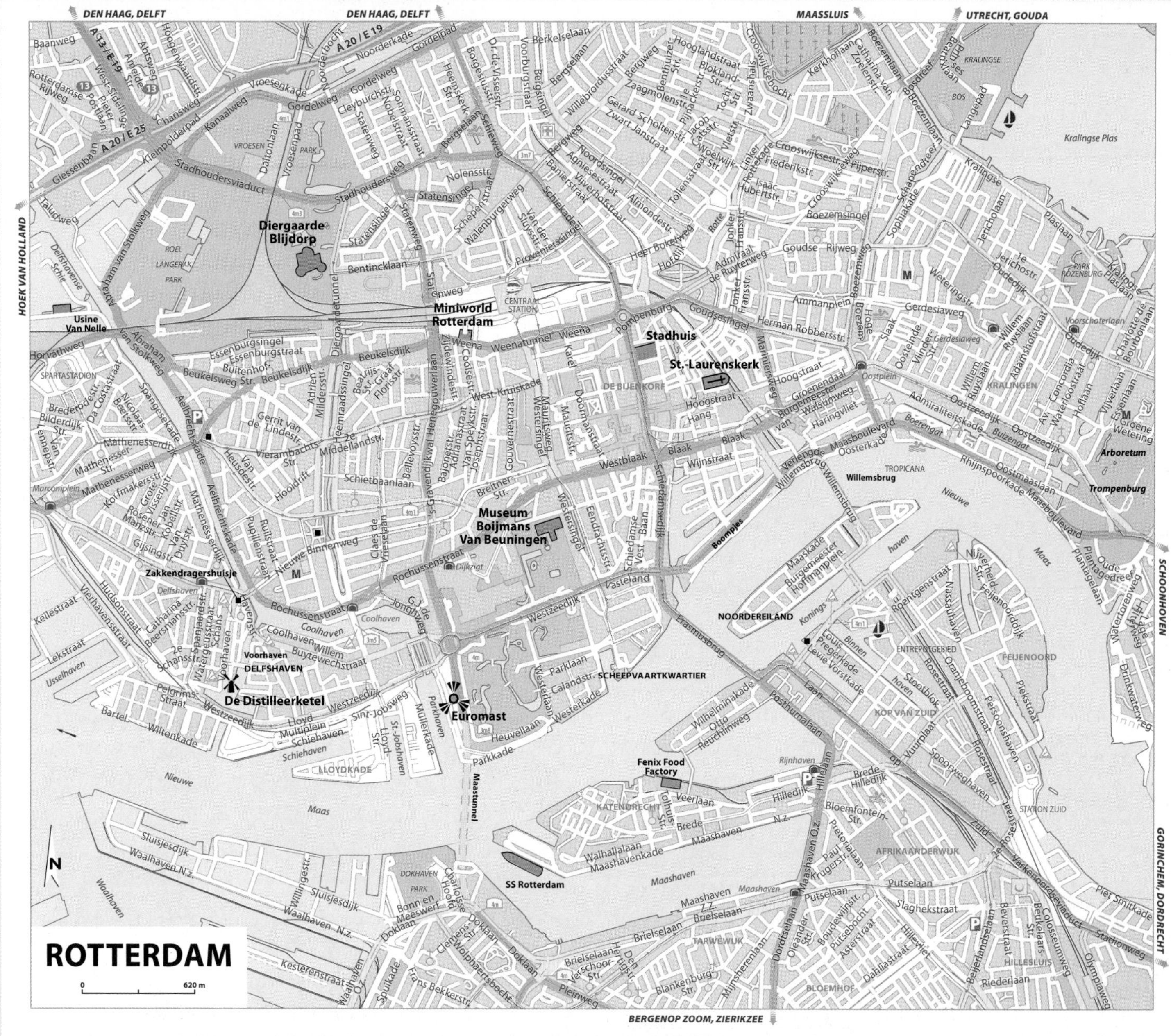
DEN HAAG, DELFT
DEN HAAG, DELFT
MAASSLUIS
UTRECHT, GOUDA
HOEK VAN HOLLAND
SCHOONHOVEN
GORINCHEM, DORDRECHT
BERGENOP ZOOM, ZIERIKZEE
Diergaarde Blijdorp
Usine Van Nelle
Miniworld Rotterdam
Stadhuis
St.-Laurenskerk
Museum Boijmans Van Beuningen
Zakkendragershuisje
Voorhaven
DELFSHAVEN
De Distilleerketel
Euromast
SCHEEPVAARTKWARTIER
NOORDEREILAND
Willemsbrug
Fenix Food Factory
SS Rotterdam
Kralingse Plas
Arboretum
Trompenburg
CENTRAAL STATION
KRALINGEN
FEIJENOORD
KOP VAN ZUID
KATENDRECHT
AFRIKAANDERWIJK
TARWEWIJK
BLOEMHOF
HILLESLUIS
LLOYDKADE
SPARTASTADION
TROPICANA
Nieuwe Maas
Maastunnel
Waalhaven
ROTTERDAM
0 620 m

(▲) SCHEVENINGEN
(P) DEN HAAG
('S-GRAVENHAGE)
ZUID HOLLAND
ROTTERDAM
DELFT
Gouda
Vlaardingen
Schiedam
Maassluis
Europoort
Hoek van Holland
Ridderkerk
Zwijndrecht
Spijkenisse
Hellevoetsluis
Woerden
Bodegraven
Alphen a/d Rijn
Zoetermeer
Oudewater
Schoonhoven
Alblasserdam
Sliedrecht
Werkendam
DORDRECHT
Harwich
Kingston-upon-Hull

SALZBOURG
0 300 m
SALZBOURG MATTSEE
GAISBERG
BAD ISCHL, GRAZ
BERCHTESGADEN, HALLEIN
INNSBRUCK
MUNICH
SALZBOURG, MITTE
HAUPTBAHNHOF
Südtirolerplatz
Lehener Brücke
Château de Mirabell
JARDINS DE MIRABELL
Mirabellpl.
KONGRESS-HAUS
HÔTEL DE VILLE
KURHAUS
Marionetten-theater
Friedhof St. Sebastian
Égl. de la Trinité
Montagne des capucins
Musée d'art moderne
MAM
MÖNCHS-BERG
Staats-brücke
Residenz
Cathédrale
Couvent Nonnberg
HOHENSALZBURG
Karolinen-brücke
Neutorstraße
Sinnhubstr.
Leopoldskronstr.
Nonntaler Hauptstr.
SALZBURG
Braunau
Simbach
Pocking
Bad Füssing
Mattighofen
Straßwalchen
Mattsee
Freilassing
Traunstein
Waging
Ruhpolding
Bad Reichenhall
Hallein
Berchtesgaden
Bischofswiesen
Kehlstein
Nationalpark
Königssee
Golling
Chiemsee
Fraueninsel
Herreninsel
Prien
St. Johann i. Tirol
Lofer
Kuchl
Eisriesenwelt
Tennengebirge
Kobernaußer Wald
INN

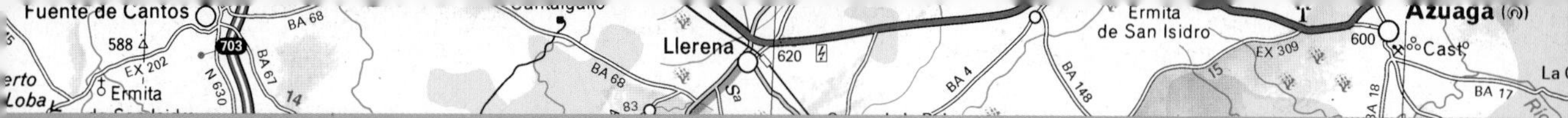
Fuente de Cantos
Llerena
Ermita de San Isidro
Azuaga
Ermita
BA 68
BA 67
N 630
EX 202
BA 4
BA 148
EX 309
BA 17

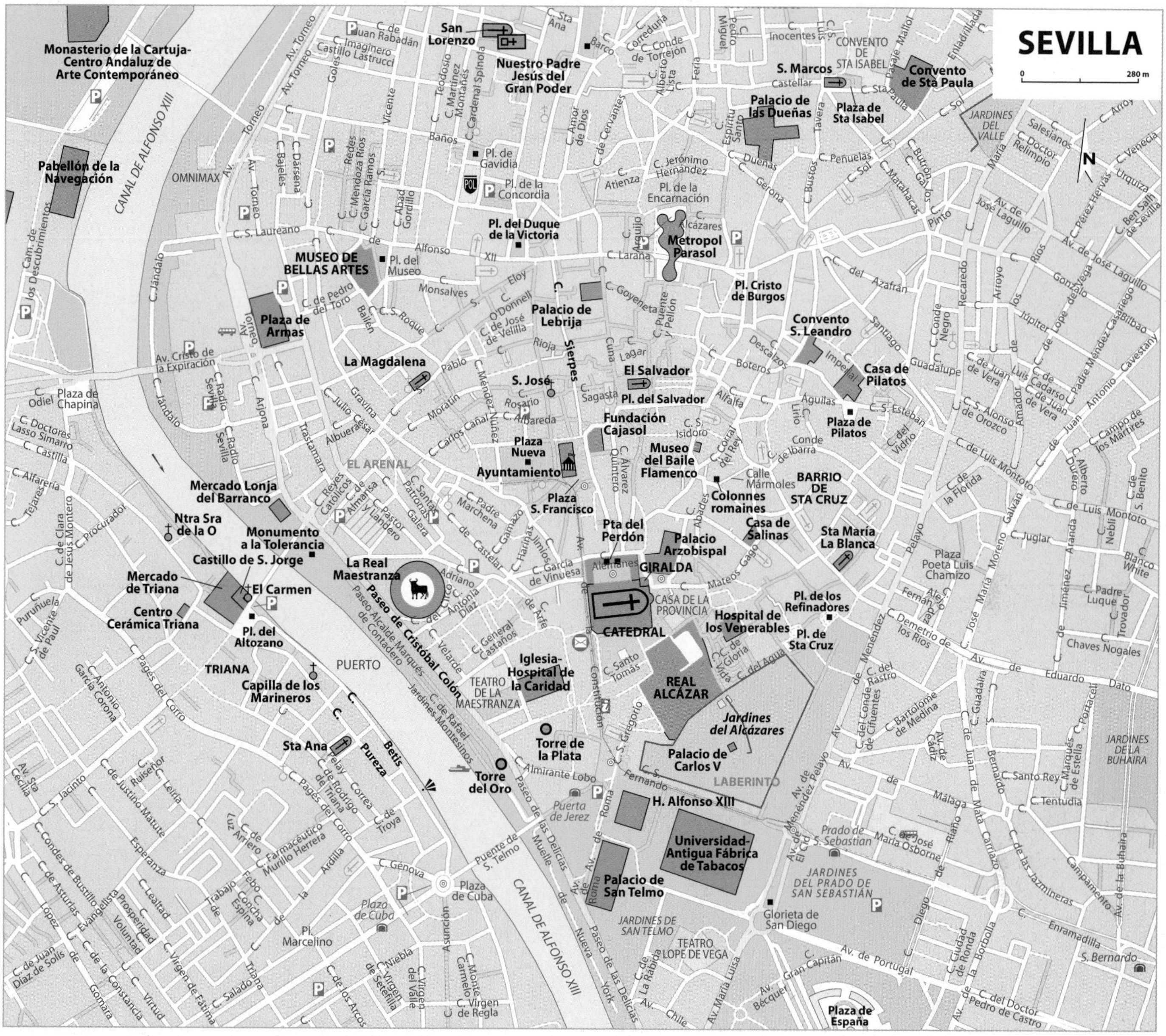
SEVILLA
280 m
N
Monasterio de la Cartuja-Centro Andaluz de Arte Contemporáneo
Pabellón de la Navegación
CANAL DE ALFONSO XIII
OMNIMAX
San Lorenzo
Nuestro Padre Jesús del Gran Poder
Pl. de Gavidia
Pl. de la Concordia
Pl. del Duque de la Victoria
MUSEO DE BELLAS ARTES
Pl. del Museo
Plaza de Armas
La Magdalena
Palacio de Lebrija
S. José
El Salvador
Pl. del Salvador
Fundación Cajasol
Plaza Nueva
Ayuntamiento
Plaza S. Francisco
Museo del Baile Flamenco
Pl. de la Encarnación
Metropol Parasol
S. Marcos
Convento de Sta Paula
Palacio de las Dueñas
Plaza de Sta Isabel
Pl. Cristo de Burgos
Convento S. Leandro
Casa de Pilatos
Plaza de Pilatos
Colonnes romaines
BARRIO DE STA CRUZ
Casa de Salinas
Sta María La Blanca
Plaza Poeta Luis Chamizo
Pl. de los Refinadores
Hospital de los Venerables
Pl. de Sta Cruz
Pta del Perdón
Palacio Arzobispal
GIRALDA
CASA DE LA PROVINCIA
CATEDRAL
REAL ALCÁZAR
Jardines del Alcázares
Palacio de Carlos V
LABERINTO
H. Alfonso XIII
Universidad-Antigua Fábrica de Tabacos
Palacio de San Telmo
JARDINES DE SAN TELMO
TEATRO LOPE DE VEGA
JARDINES DEL PRADO DE SAN SEBASTIÁN
Glorieta de San Diego
Plaza de España
JARDINES DE LA BUHAIRA
Mercado Lonja del Barranco
EL ARENAL
Ntra Sra de la O
Monumento a la Tolerancia
Castillo de S. Jorge
Mercado de Triana
El Carmen
Centro Cerámica Triana
Pl. del Altozano
La Real Maestranza
Paseo de Cristóbal Colón
Iglesia-Hospital de la Caridad
TEATRO DE LA MAESTRANZA
Torre de la Plata
Torre del Oro
TRIANA
PUERTO
Capilla de los Marineros
Sta Ana
Plaza de Cuba
Pl. Marcelino
Puerta de Jerez
CANAL DE ALFONSO XIII
Puente de S. Telmo
Plaza de Chapina

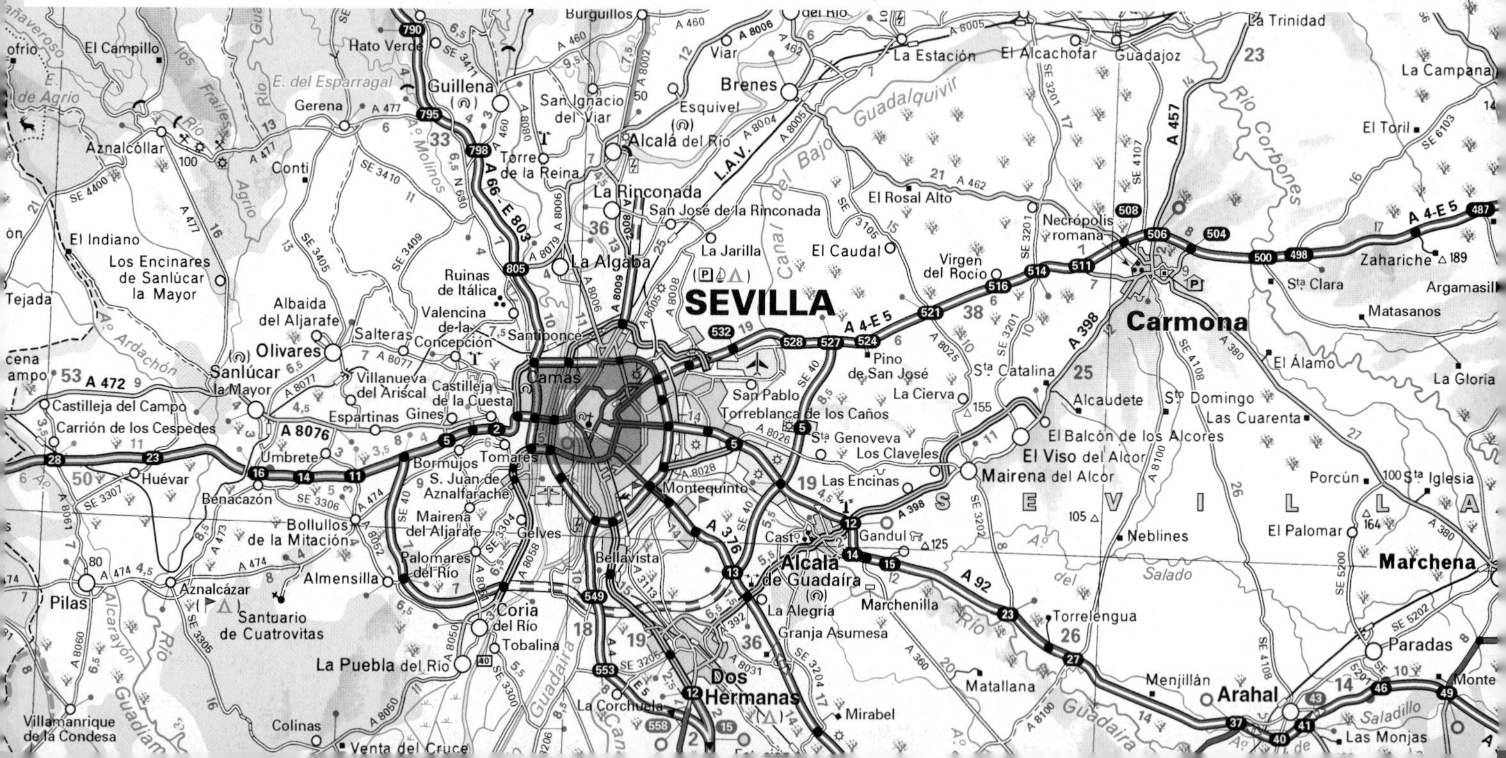
SEVILLA
Carmona
Alcalá de Guadaíra
Dos Hermanas
Marchena
Arahal
Paradas
Guillena
Brenes
Alcalá del Río
La Rinconada
La Algaba
Camas
Olivares
Sanlúcar la Mayor
Pilas
Aznalcázar
Coria del Río
La Puebla del Río
Mairena del Alcor
El Viso del Alcor
Mairena del Aljarafe
Tomares
Bormujos
Gines
Castilleja de la Cuesta
Salteras
Valencina de la Concepción
Santiponce
Gelves
Palomares del Río
Almensilla
Bollullos de la Mitación
Umbrete
Espartinas
Benacazón
Huévar
Carrión de los Céspedes
Castilleja del Campo
Villamanrique de la Condesa
Gerena
Aznalcóllar
El Indiano
Los Encinares de Sanlúcar la Mayor
Albaida del Aljarafe
Ruinas de Itálica
Villanueva del Ariscal
San Juan de Aznalfarache
Bellavista
Montequinto
Santuario de Cuatrovitas
Burguillos
Viar
Esquivel
San Ignacio del Viar
Torre de la Reina
La Estación
El Alcachofar
Guadajoz
La Trinidad
La Campana
El Toril
El Rosal Alto
Necrópolis romana
El Caudal
Virgen del Rocío
La Jarilla
Pino de San José
San Pablo
Torreblanca de los Caños
La Cierva
Sta Catalina
Sta Genoveva
Los Claveles
Las Encinas
Gandul
Alcaudete
El Balcón de los Alcores
Sto Domingo
Las Cuarenta
Porcún
Sta Iglesia
El Palomar
Neblines
Torrelengua
Marchenilla
La Alegría
Granja Asumesa
Matallana
Menjillán
Mirabel
La Corchuela
Tobalina
Colinas
Venta del Cruce
Zahariche
Sta Clara
Argamasilla
Matasanos
El Álamo
La Gloria
Las Monjas
Hato Verde
El Campillo
E. del Esparragal
Conti
Tejada
Guadalquivir
Río Corbones
Canal del Bajo
Salado
Saladillo
Guadaíra
A 4-E 5
A 66-E 803
A 92
A 376
A 398
A 457
A 472
A 8076
L.A.V.
SEVILLA

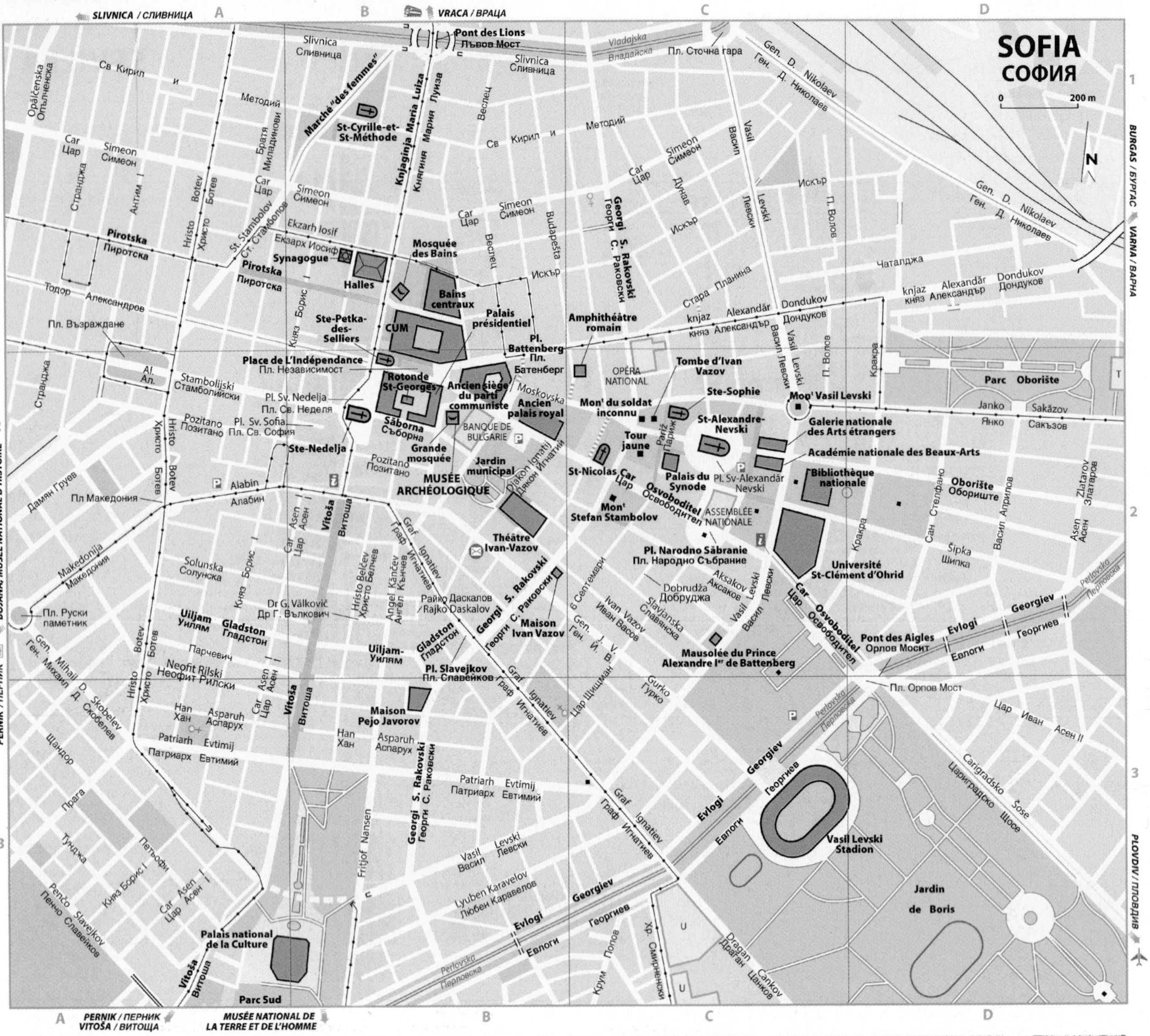
SOFIA
СОФИЯ
0 200 m
N
SLIVNICA / СЛИВНИЦА
VRACA / ВРАЦА
BURGAS / БУРГАС
VARNA / ВАРНА
PLOVDIV / ПЛОВДИВ
PERNIK / ПЕРНИК
BOJANA, MUSÉE NATIONAL D'HISTOIRE
PERNIK / ПЕРНИК VITOŠA / ВИТОША
MUSÉE NATIONAL DE LA TERRE ET DE L'HOMME
Pont des Lions
Лъвов Мост
Marché "des femmes"
St-Cyrille-et-St-Méthode
Synagogue
Halles
Mosquée des Bains
Bains centraux
Palais présidentiel
Ste-Petka-des-Selliers
CUM
Place de L'Indépendance
Пл. Независимост
Rotonde St-Georges
Ancien siège du parti communiste
Ancien palais royal
Pl. Battenberg
Amphithéâtre romain
Sàborna
Съборна
Grande mosquée
Ste-Nedelja
MUSÉE ARCHÉOLOGIQUE
Jardin municipal
Théâtre Ivan-Vazov
Mon' du soldat inconnu
Tour jaune
St-Nicolas
Mon' Stefan Stambolov
Tombe d'Ivan Vazov
Ste-Sophie
St-Alexandre-Nevski
Palais du Synode
Pl. Sv-Alexandăr Nevski
ASSEMBLÉE NATIONALE
Pl. Narodno Săbranie
Пл. Народно Събрание
Mon' Vasil Levski
Galerie nationale des Arts étrangers
Académie nationale des Beaux-Arts
Bibliothèque nationale
Université St-Clément d'Ohrid
Parc Oborište
Oborište
Оборище
Mausolée du Prince Alexandre Ier de Battenberg
Pont des Aigles
Орлов Мосит
Pl. Slavejkov
Пл. Славейков
Maison Ivan Vazov
Maison Pejo Javorov
Vasil Levski Stadion
Jardin de Boris
Palais national de la Culture
Parc Sud
Pl. Ruski pametnik
Пл. Руски паметник
Pl. Makedonija
Пл Македония
Pirotska
Пиротска
Vitoša
Витоша
Georgi S. Rakovski
Георги С. Раковски
Evlogi Georgiev
Евлоги Георгиев
Car Osvoboditel
Цар Освободител
Graf Ignatiev
Граф Игнатиев
Carigradsko Šose
Цариградско Шосе
knjaz Alexandăr Dondukov
княз Александър Дондуков
Gen. D. Nikolaev
Ген. Д. Николаев
Knjaginja Maria Luiza
Княгиня Мария Луиза
OPÉRA NATIONAL
BANQUE DE BULGARIE

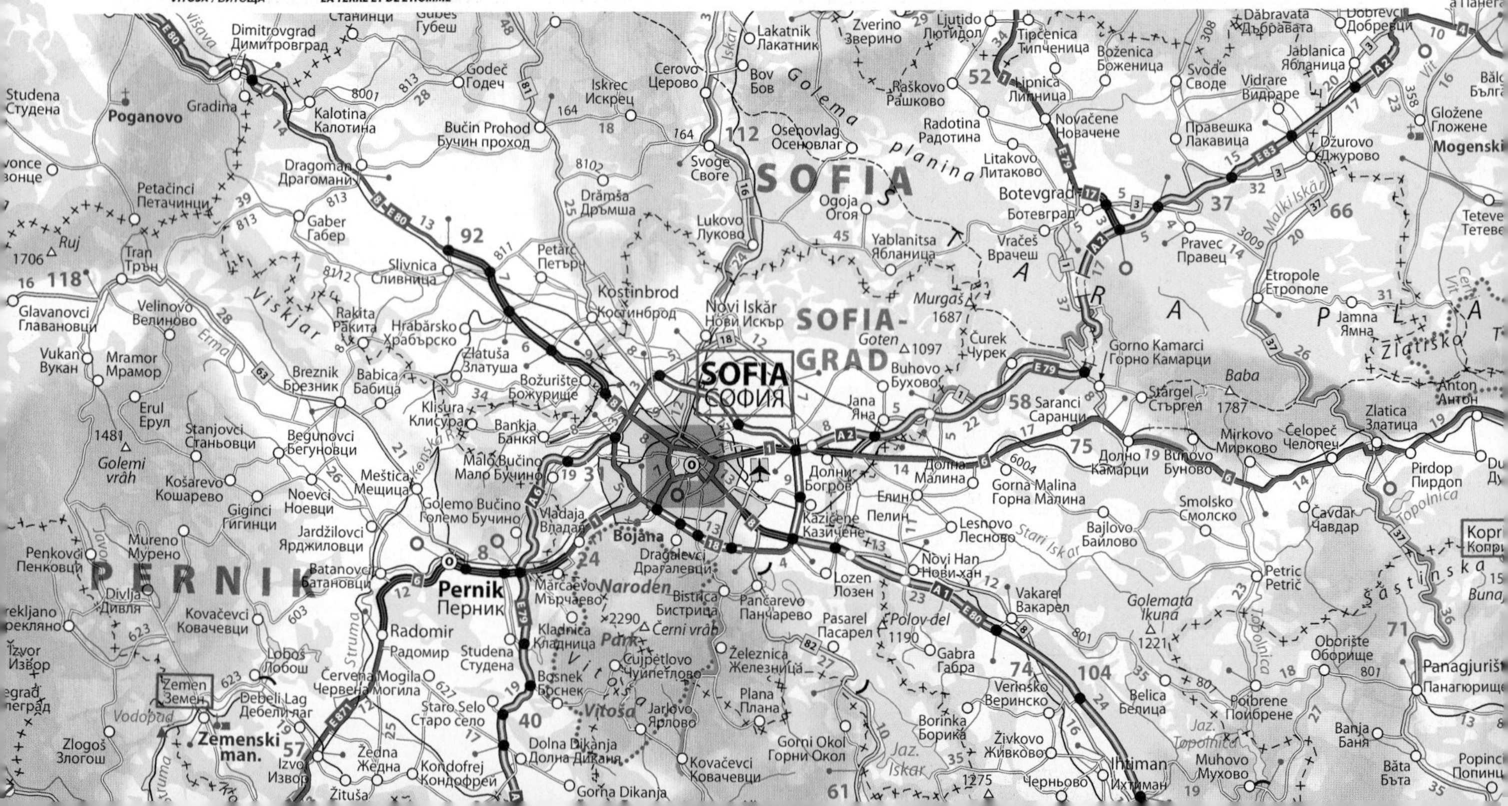
DOLJ
SOFIA
SOFIA-GRAD
PERNIK
SOFIA
СОФИЯ
Sofia planina
Kostinbrod
Костинброд
Novi Iskăr
Нови Искър
Slivnica
Сливница
Dragoman
Драгоман
Botevgrad
Ботевград
Pernik
Перник
Radomir
Радомир
Bojana
Dimitrovgrad
Димитровград
Kalotina
Калотина
Svoge
Своге
Ihtiman
Ихтиман
Vakarel
Вакарел
Jana
Яна
Pirdop
Пирдоп
Zlatica
Златица
Etropole
Етрополе
Pravec
Правец
Vitoša
Černi vrăh
Zemen
Земен

INDEX DES RUES

Biblioteksgatan............... 2
Drottninggatan............... 10
Evert Taubes Terrass.... 13
Gustav Adolfs Torg........ 16
Hötorget....................... 20
Klarabergsviadukten..... 27
Riddarhustorget............ 50
Sergels Torg................. 54
Södermalmstorg........... 64
Östra Järnvägsgatan..... 78

Östermalms Saluhall........... N

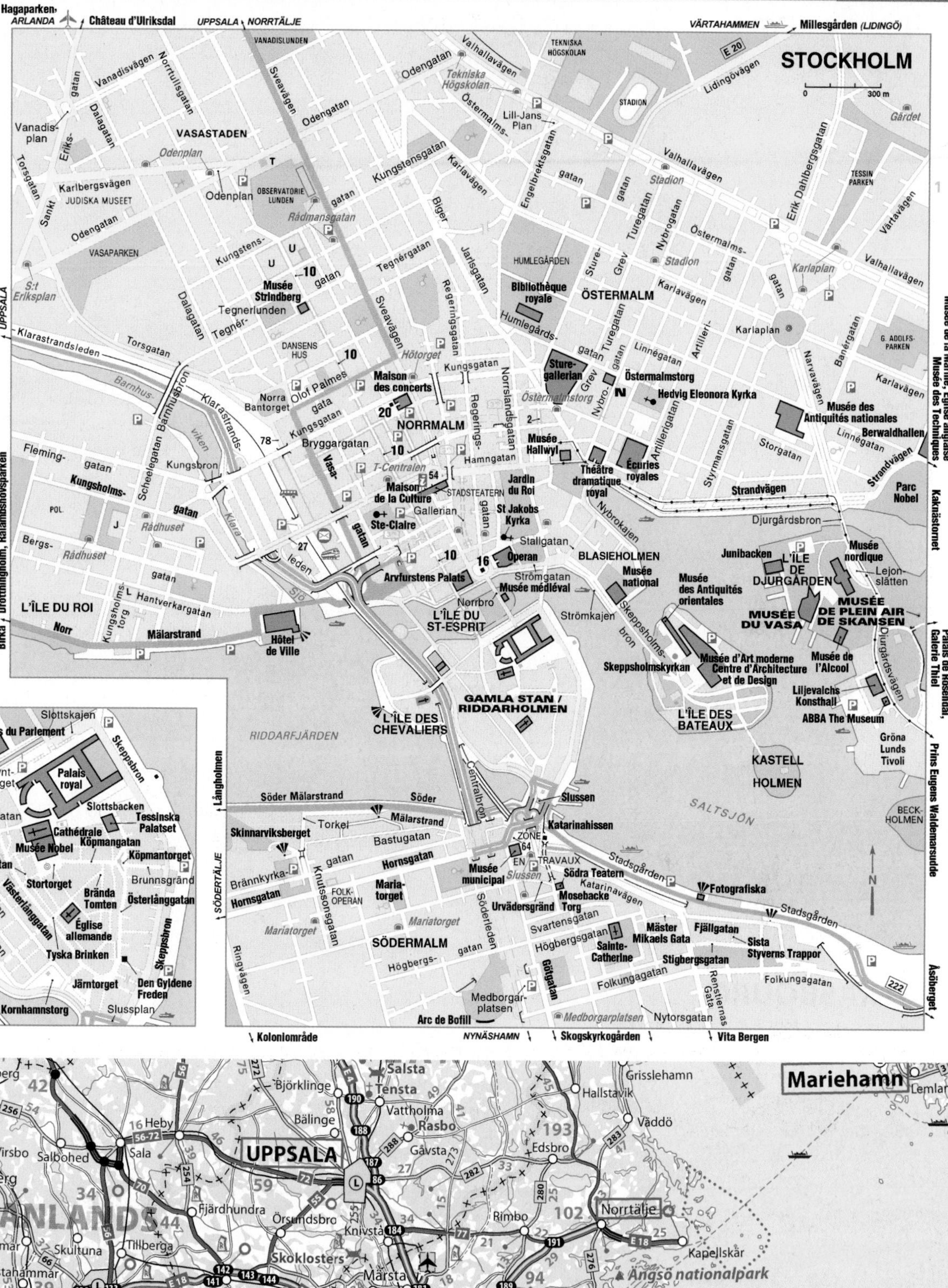

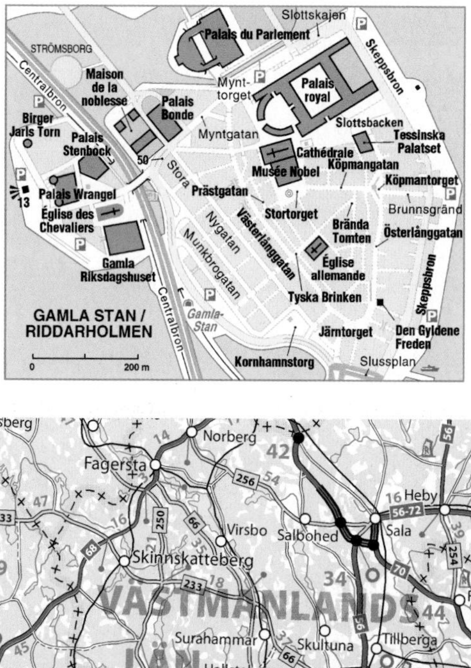

Windstein
Birlenbach
Ingolsheim
Seebach
Niederlauterbach
Ouvrage d'artillerie
Jaegerthal
Nonnenhardt
Soultzerkopf
Marienbronn
Lobsann
Keffenach
Langensoultzbach
Siegen
Gr. Wintersberg

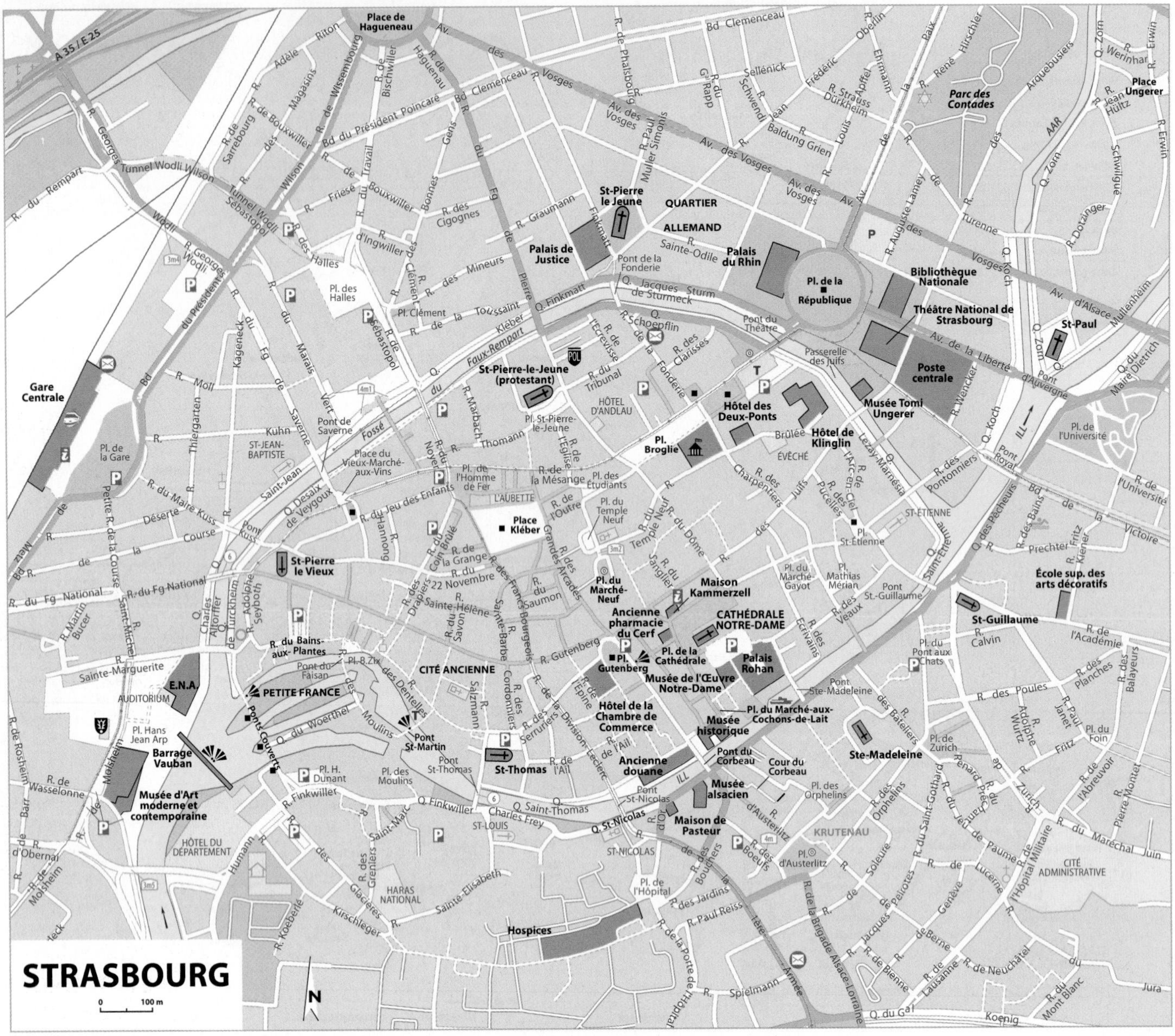
STRASBOURG
0
100 m
N
Place de Haguenau
Gare Centrale
Pl. de la Gare
Place Kléber
Pl. de la République
Palais du Rhin
Palais de Justice
Bibliothèque Nationale
Théâtre National de Strasbourg
Poste centrale
St-Paul
Musée Tomi Ungerer
Hôtel de Klinglin
Hôtel des Deux-Ponts
Pl. Broglie
St-Pierre-le-Jeune (protestant)
St-Pierre le Jeune
QUARTIER ALLEMAND
Parc des Contades
Place Ungerer
St-Pierre le Vieux
Pl. du Marché-Neuf
Maison Kammerzell
CATHÉDRALE NOTRE-DAME
Ancienne pharmacie du Cerf
Pl. de la Cathédrale
Palais Rohan
Pl. Gutenberg
Musée de l'Œuvre Notre-Dame
Hôtel de la Chambre de Commerce
Musée historique
Pl. du Marché-aux-Cochons-de-Lait
Ancienne douane
Pont du Corbeau
Cour du Corbeau
Musée alsacien
Maison de Pasteur
Ste-Madeleine
St-Guillaume
École sup. des arts décoratifs
CITÉ ANCIENNE
PETITE FRANCE
E.N.A.
AUDITORIUM
Barrage Vauban
Ponts Couverts
Pont St-Martin
St-Thomas
Musée d'Art moderne et contemporaine
HÔTEL DU DÉPARTEMENT
HARAS NATIONAL
Hospices
KRUTENAU
CITÉ ADMINISTRATIVE
ST-JEAN-BAPTISTE
ST-ÉTIENNE
ST-LOUIS
ST-NICOLAS
HÔTEL D'ANDLAU
ÉVÊCHÉ
L'AUBETTE
Pl. de l'Université
Bd Clemenceau
Av. des Vosges
Av. de la Liberté
Q. Saint-Nicolas
Q. Finkwiller

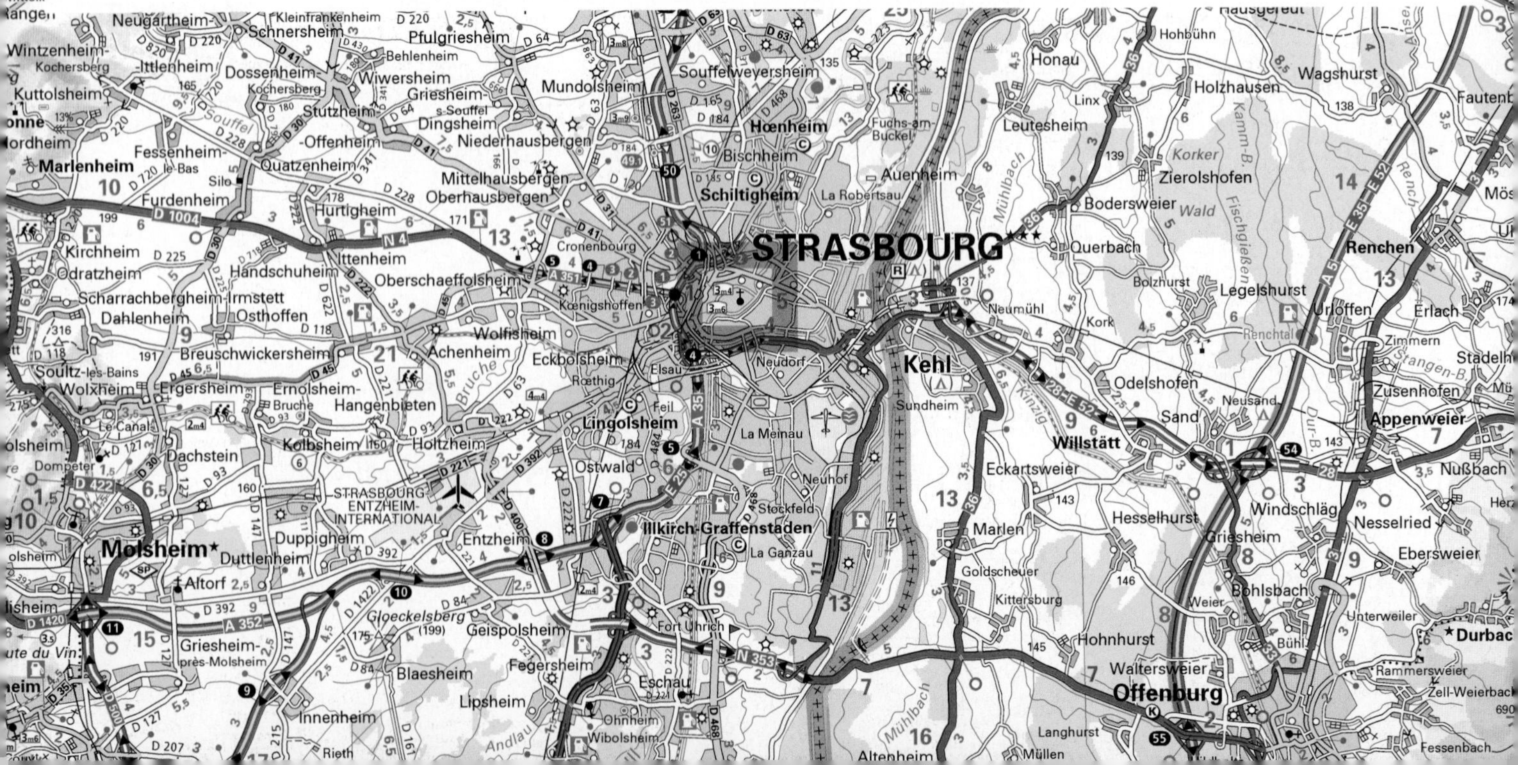
STRASBOURG
Kehl
Schiltigheim
Hœnheim
Bischheim
Lingolsheim
Illkirch-Graffenstaden
Molsheim
Offenburg
Willstätt
Appenweier
Renchen
Marlenheim
Kirchheim
Odratzheim
Wolfisheim
Eckbolsheim
Ostwald
Geispolsheim
Fegersheim
Eschau
Entzheim
STRASBOURG ENTZHEIM INTERNATIONAL
Duttlenheim
Dachstein
Holtzheim
Achenheim
Oberschaeffolsheim
Ittenheim
Pfulgriesheim
Mundolsheim
Souffelweyersheim
Niederhausbergen
Mittelhausbergen
Oberhausbergen
Honau
Leutesheim
Holzhausen
Wagshurst
Bodersweier
Querbach
Legelshurst
Urloffen
Odelshofen
Sand
Windschläg
Griesheim
Eckartsweier
Marlen
Hesselhurst
Goldscheuer
Kittersburg
Hohnhurst
Waltersweier
Neumühl
Sundheim
Neudorf
La Meinau
Neuhof
Blaesheim
Lipsheim
Innenheim
Altorf

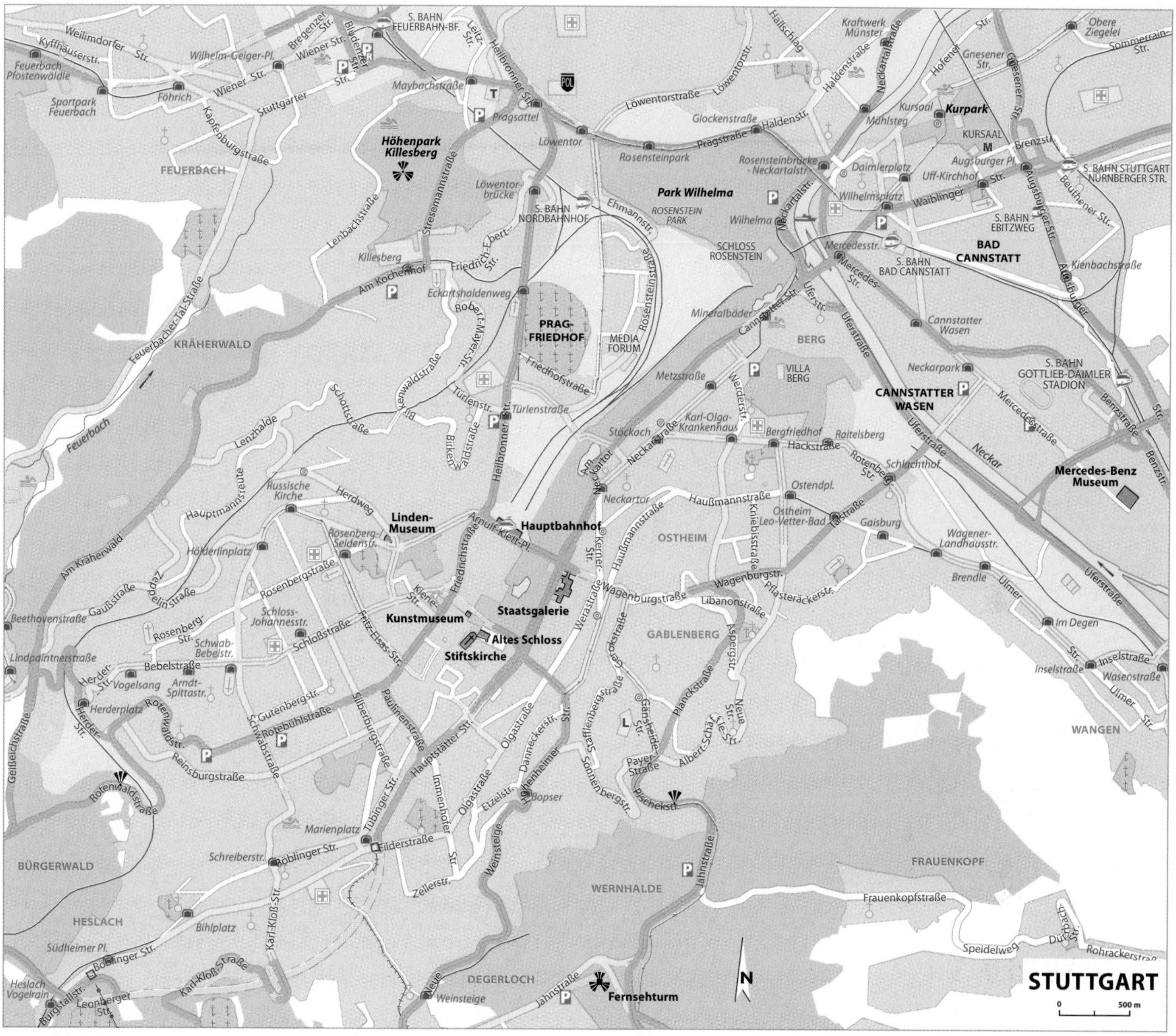
STUTTGART
0
500 m
N
Höhenpark Killesberg
Park Wilhelma
Kurpark
Bad Cannstatt
Cannstatter Wasen
Mercedes-Benz Museum
Hauptbahnhof
Linden-Museum
Staatsgalerie
Kunstmuseum
Altes Schloss
Stiftskirche
Prag-Friedhof
Fernsehturm
Feuerbach
Kräherwald
Berg
Ostheim
Gablenberg
Wangen
Frauenkopf
Wernhalde
Degerloch
Heslach
Bürgerwald
Schloss Rosenstein
Villa Berg
Media Forum
Neckar

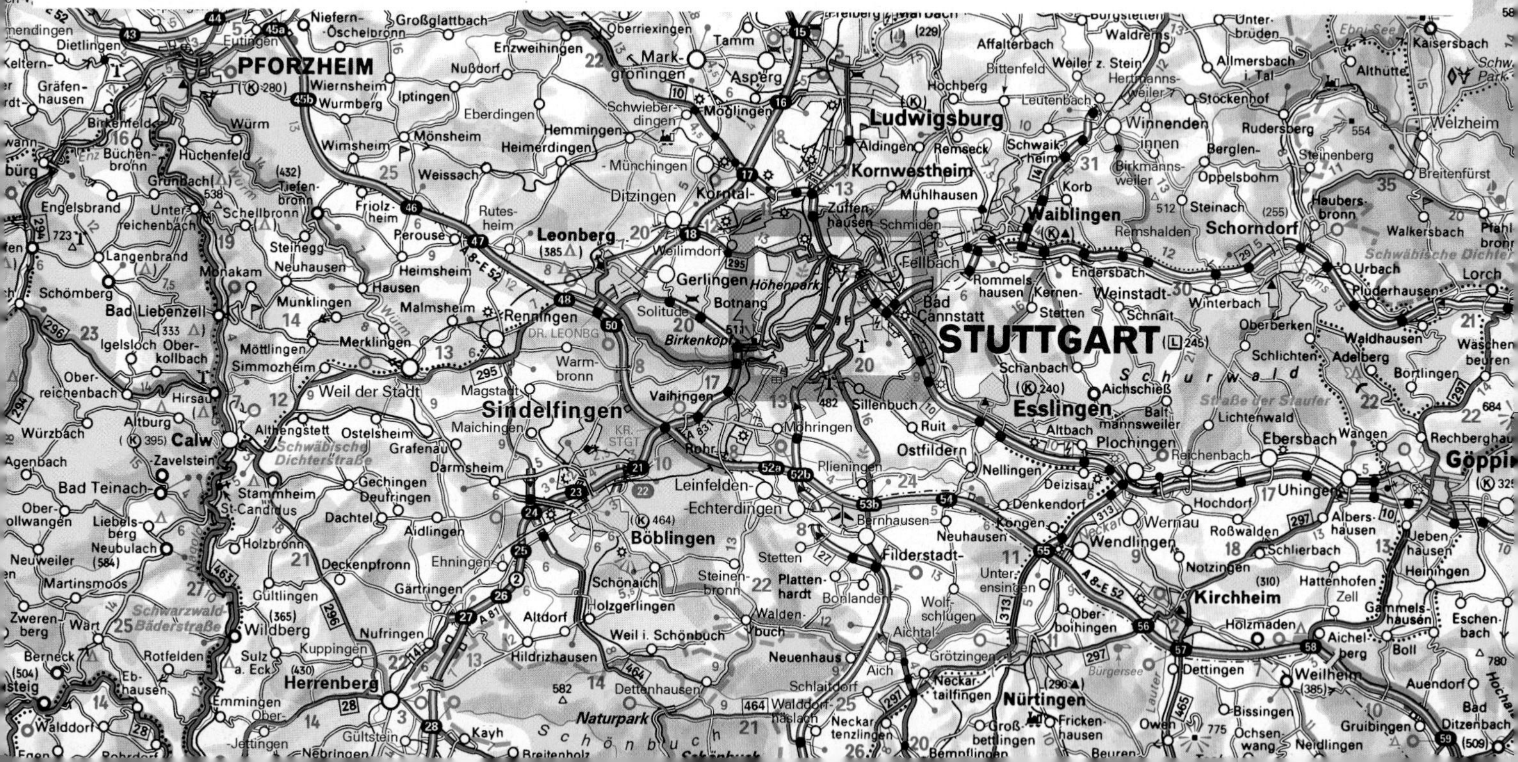
Pforzheim
Ludwigsburg
Kornwestheim
Waiblingen
Schorndorf
Leonberg
Gerlingen
Stuttgart
Bad Cannstatt
Sindelfingen
Böblingen
Esslingen
Leinfelden-Echterdingen
Filderstadt
Nürtingen
Kirchheim
Herrenberg
Calw
Weinheim
Viernheim
Walldürn

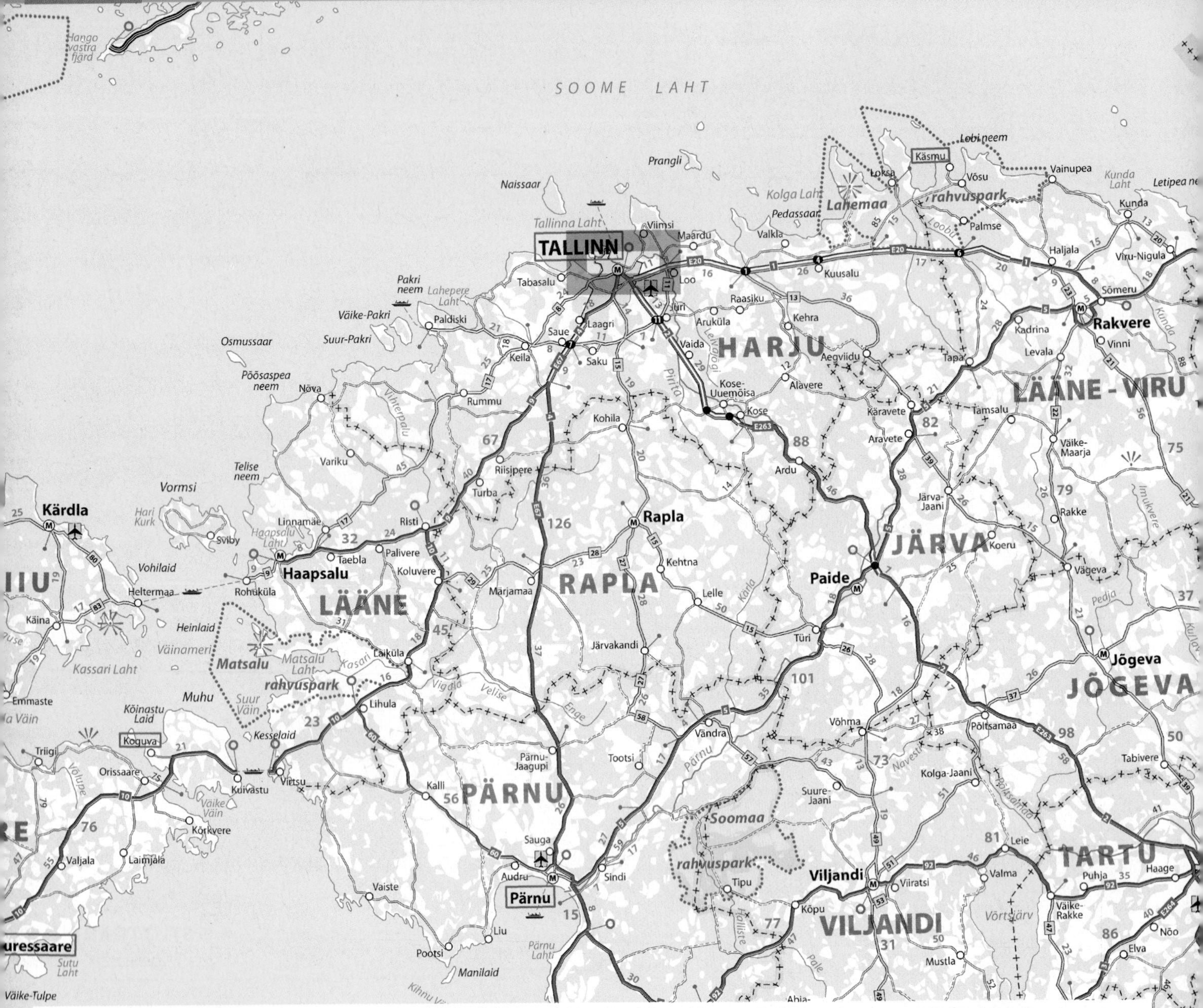
SOOME LAHT
Hango vastra fjärd
Porkkalanselkä
Prangli
Naissaar
Tallinna Laht
TALLINN
Viimsi
Maardu
Loo
Jüri
Tabasalu
Pakri neem
Lahepere Laht
Väike-Pakri
Suur-Pakri
Osmussaar
Paldiski
Laagri
Saue
Keila
Saku
Põõsaspea neem
Nõva
Rummu
Kolga Laht
Pedassaar
Valkla
Lahemaa
rahvuspark
Käsmu
Lobi neem
Loksa
Võsu
Vainupea
Kunda Laht
Letipea
Kunda
Palmse
Haljala
Viru-Nigula
Kuusalu
Raasiku
Kehra
Aruküla
Vaida
HARJU
Aegviidu
Tapa
Kadrina
Rakvere
Vinni
Levala
Sõmeru
LÄÄNE - VIRU
Kose-Uuemõisa
Kose
Alavere
Kärevete
Tamsalu
Aravete
Väike-Maarja
Kohila
Ardu
Järva-Jaani
Rakke
Riisipere
Turba
Variku
Telise neem
Vormsi
Hari Kurk
Kärdla
Linnamäe
Sviby
Haapsalu Laht
Risti
Haapsalu
Taebla
Palivere
Vohilaid
Koluvere
Rapla
Kehtna
RAPLA
Marjamaa
JÄRVA
Koeru
Paide
Väägeva
Heltermaa
Rohuküla
LÄÄNE
Käina
Heinlaid
Väinameri
Matsalu
Matsalu Laht
rahvuspark
Kassari Laht
Laiküla
Lelle
Järvakandi
Türi
Jõgeva
JÕGEVA
Emmaste
Muhu
Kõinastu Laid
Suur Väin
Lihula
Vigala
Velise
Enge
Võhma
Põltsamaa
Koguva
Kesselaid
Triigi
Orissaare
Kuivastu
Virtsu
Väike Väin
Kõrkvere
Vändra
Pärnu-Jaagupi
Tootsi
Kolga-Jaani
Tabivere
Kalli
PÄRNU
Suure-Jaani
Soomaa
rahvuspark
Valjala
Laimjala
Sauga
Sindi
Audru
Vaiste
Pärnu
Tipu
Viljandi
Viiratsi
Valma
Leie
TARTU
Haage
Puhja
Väike-Rakke
Võrtsjärv
Nõo
Elva
Kõpu
VILJANDI
Mustla
Liu
Pootsi
Pärnu Laht
Manilaid
Kuressaare
Sutu Laht
Väike-Tulpe
Antsla
Mõniste
Kolka
Valdem
Ragana
Turaida
Sigulda
Carnikava
Gauja
Jaunpiebalga
Taurene
Gulbene

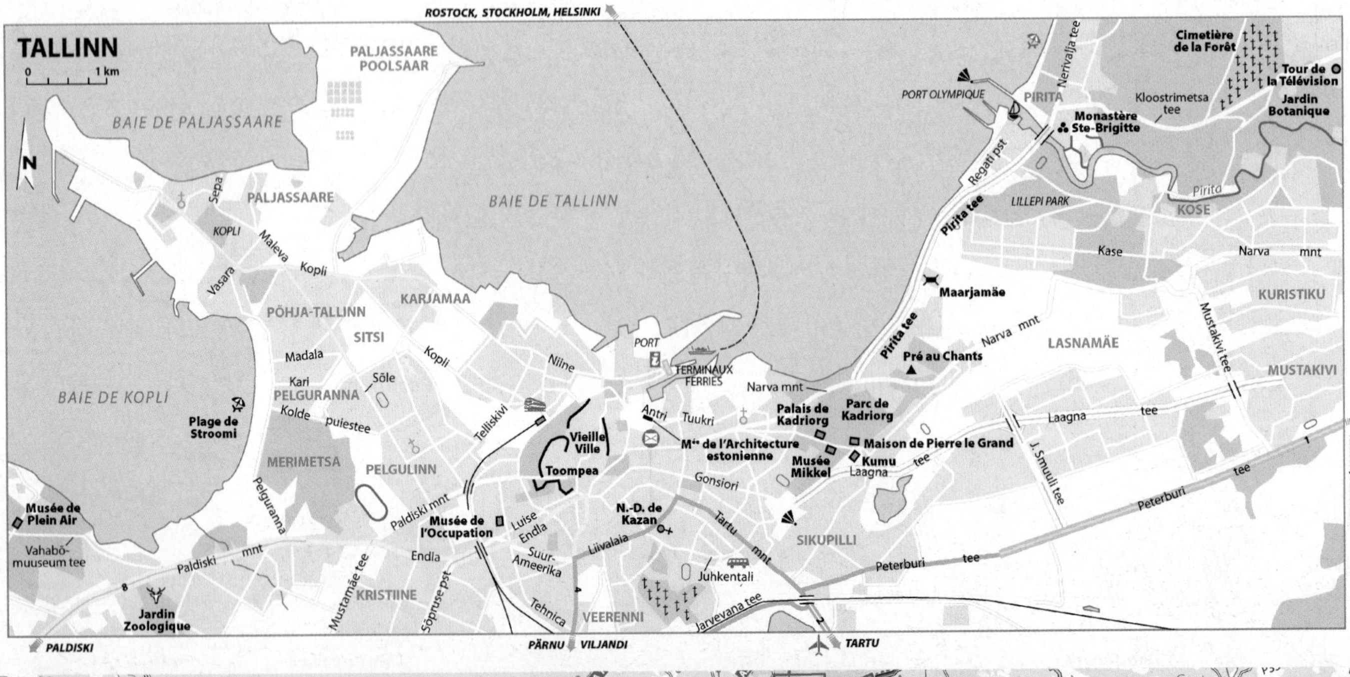
TALLINN
0 1 km
N
ROSTOCK, STOCKHOLM, HELSINKI
PALJASSAARE POOLSAAR
BAIE DE PALJASSAARE
BAIE DE TALLINN
PALJASSAARE
KOPLI
Sepa
Maleva
Kopli
Vasara
PÕHJA-TALLINN
KARJAMAA
SITSI
Madala
Kari
Sõle
PELGURANNA
Kolde puiestee
BAIE DE KOPLI
Plage de Stroomi
MERIMETSA
PELGULINN
Pelguranna
Musée de Plein Air
Vahaböö-muuseum tee
Paldiski mnt
Jardin Zoologique
KRISTIINE
Mustamäe tee
Sõpruse pst
Endla
Musée de l'Occupation
Luise
Suur-Ameerika
Liivalaia
Tehnika
VEERENNI
Telliskivi
Vieille Ville
Toompea
N.-D. de Kazan
PORT
TERMINAUX FERRIES
Niine
Antri
Tuukri
Narva mnt
Mée de l'Architecture estonienne
Palais de Kadriorg
Parc de Kadriorg
Maison de Pierre le Grand
Musée Mikkel
Kumu
Laagna tee
Gonsiori
Tartu mnt
Juhkentali
Järvevana tee
SIKUPILLI
Peterburi tee
J. Smuuli tee
Laagna tee
LASNAMÄE
MUSTAKIVI
Mustakivi tee
KURISTIKU
Narva mnt
Kase
KOSE
LILLEPI PARK
Pirita
Pirita tee
Regati pst
Maarjamäe
Pré au Chants
PORT OLYMPIQUE
PIRITA
Nerivalja tee
Monastère Ste-Brigitte
Kloostrimetsa tee
Cimetière de la Forêt
Tour de la Télévision
Jardin Botanique
NARVA, RAKVERE
PALDISKI
PÄRNU VILJANDI
TARTU

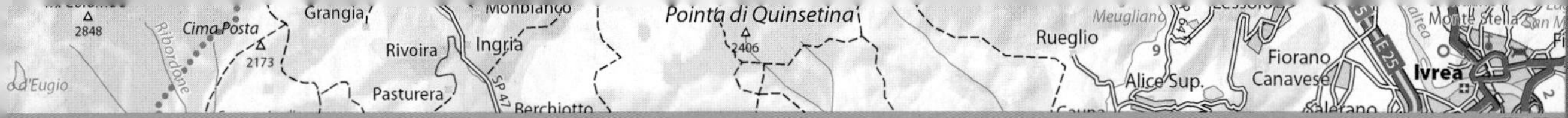
Cima Posta
Grangia
Monbianco
Pointa di Quinsetina
Rueglio
Rivoira
Ingria
Pasturera
Fiorano Canavese
Ivrea
Alice Sup.
Monte Stella

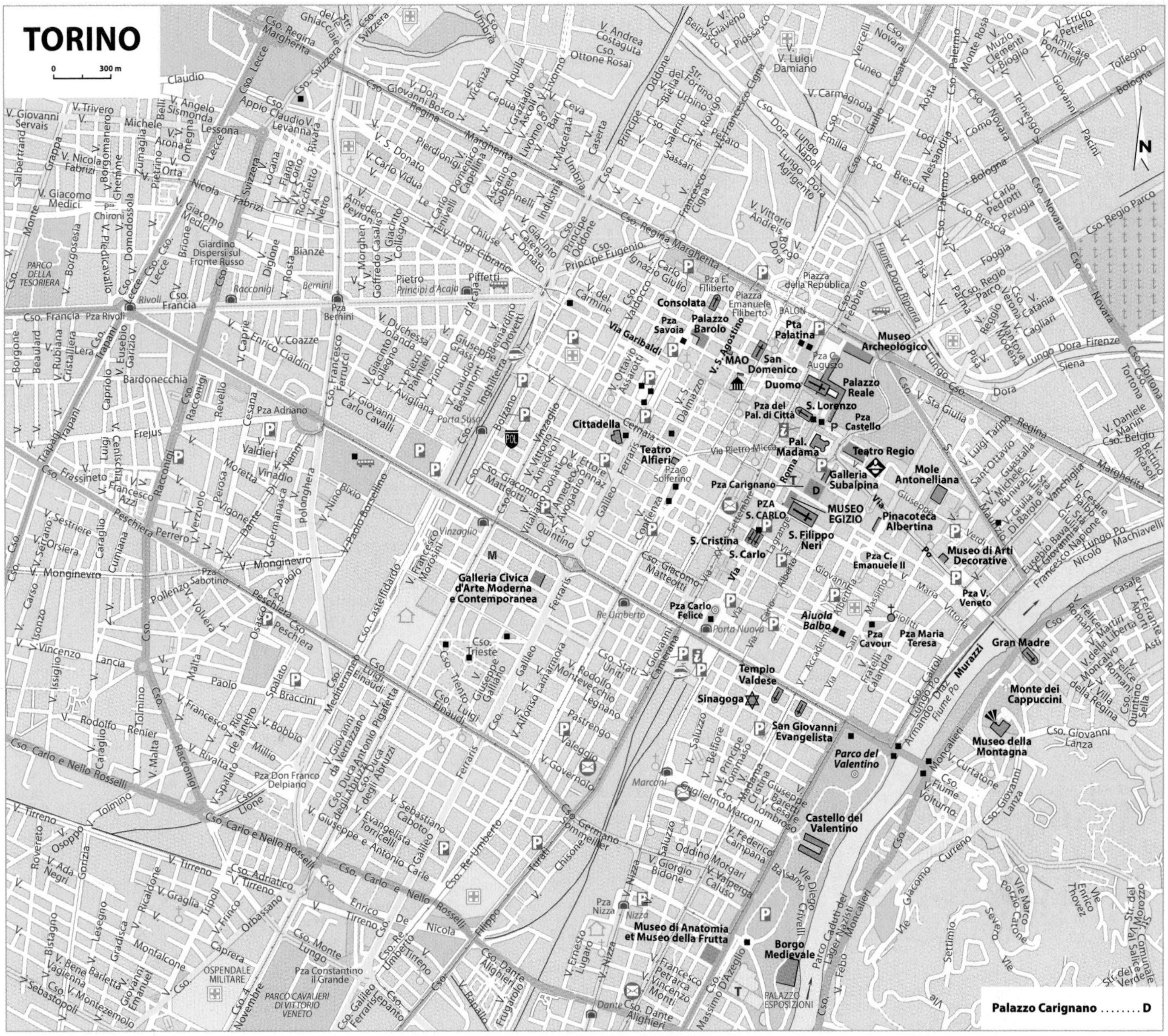
TORINO
0 300 m
N
Consolata
Palazzo Barolo
Via Garibaldi
MAO
San Domenico
Duomo
Palazzo Reale
S. Lorenzo
Pza Castello
Museo Archeologico
Pta Palatina
Cittadella
Teatro Alfieri
Pal. Madama
Teatro Regio
Mole Antonelliana
Galleria Subalpina
Pza Carignano
MUSEO EGIZIO
Pinacoteca Albertina
S. Filippo Neri
S. Cristina
S. Carlo
Museo di Arti Decorative
Pza V. Veneto
Galleria Civica d'Arte Moderna e Contemporanea
Pza Carlo Felice
Porta Nuova
Aiuola Balbo
Pza Cavour
Pza Maria Teresa
Gran Madre
Tempio Valdese
Sinagoga
Monte dei Cappuccini
Museo della Montagna
San Giovanni Evangelista
Parco del Valentino
Castello del Valentino
Museo di Anatomia et Museo della Frutta
Borgo Medievale
Palazzo Carignano .... D

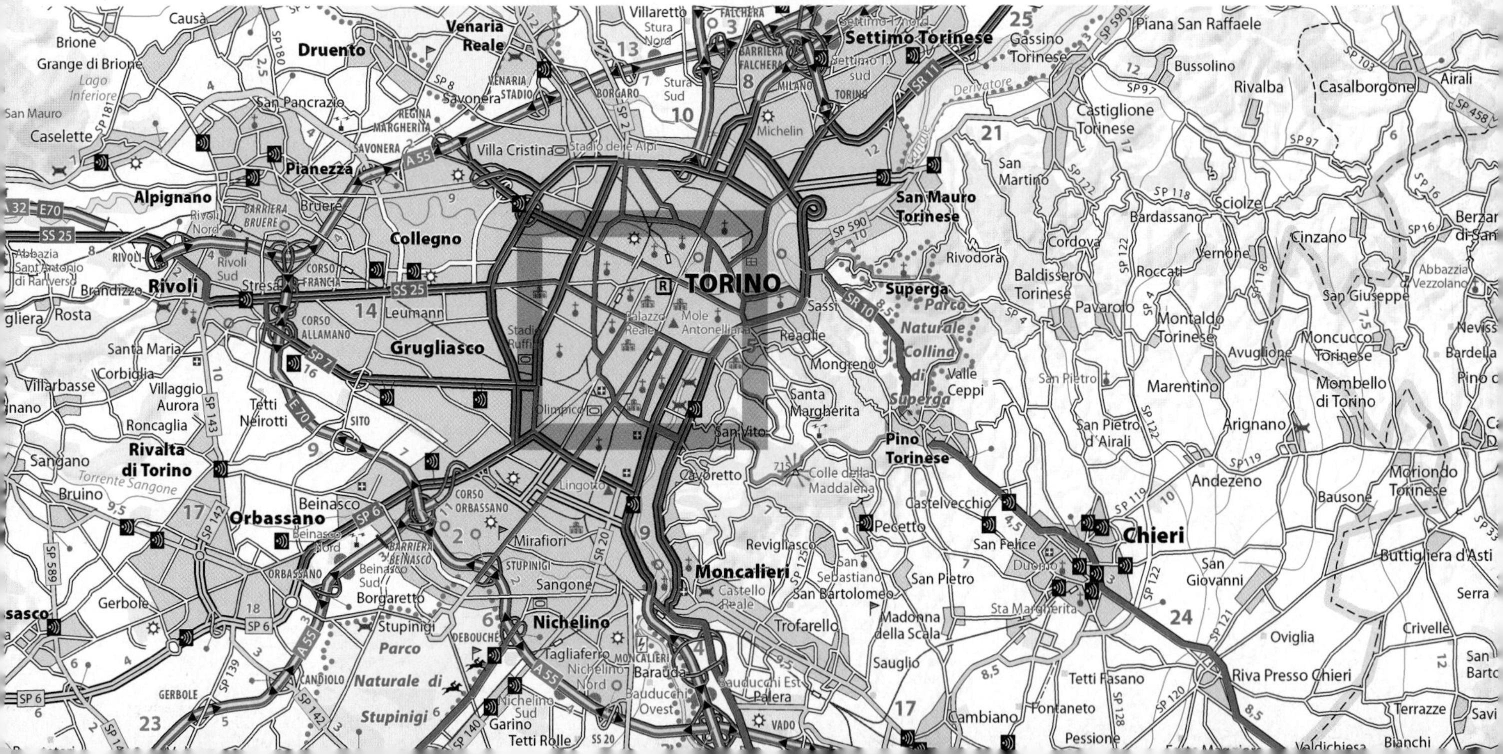
Venaria Reale
Druento
Settimo Torinese
Gassino Torinese
Pianezza
Alpignano
Collegno
Rivoli
Grugliasco
TORINO
San Mauro Torinese
Superga
Parco Naturale Collina di Superga
Pino Torinese
Rivalta di Torino
Orbassano
Beinasco
Nichelino
Moncalieri
Trofarello
Chieri
Stupinigi
Parco Naturale di Stupinigi
Castiglione Torinese
Baldissero Torinese
Pecetto
Cambiano
Andezeno
Riva Presso Chieri

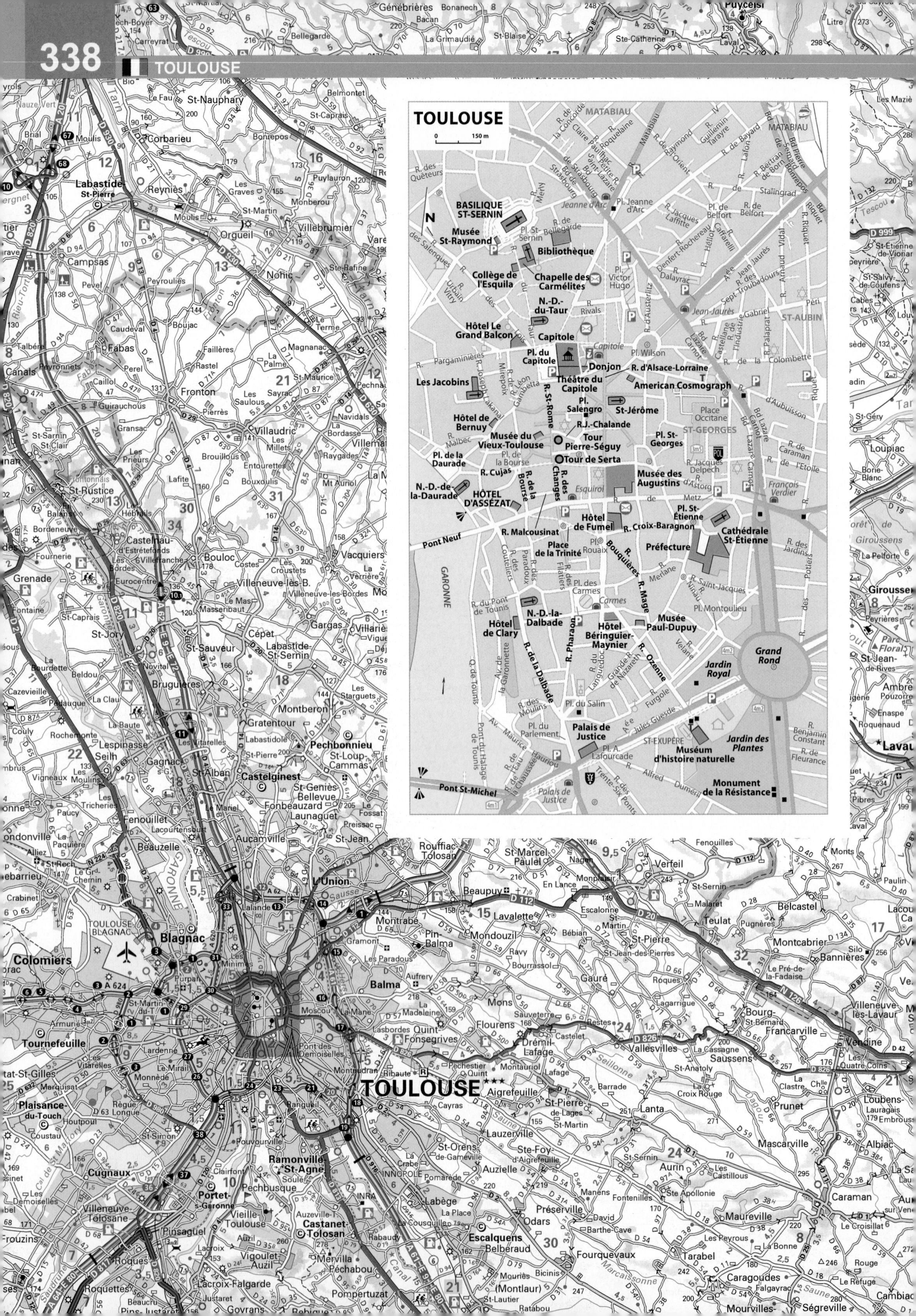
TOULOUSE
0
150 m
N
MATABIAU
BASILIQUE ST-SERNIN
Musée St-Raymond
Bibliothèque
Collège de l'Esquila
Chapelle des Carmélites
N.-D.-du-Taur
Hôtel Le Grand Balcon
Capitole
Pl. du Capitole
Donjon
R. d'Alsace-Lorraine
Théâtre du Capitole
American Cosmograph
Les Jacobins
Pl. Salengro
St-Jérôme
Hôtel de Bernuy
R.J.-Chalande
Musée du Vieux-Toulouse
Tour Pierre-Séguy
Pl. St-Georges
Pl. de la Daurade
Tour de Serta
R. Cujas
Musée des Augustins
N.-D.-de-la-Daurade
HÔTEL D'ASSÉZAT
R. de la Bourse
R. des Changes
Esquirol
Pl. St-Étienne
Cathédrale St-Étienne
Hôtel de Fumel
R. Croix-Baragnon
Pont Neuf
R. Malcousinat
Place de la Trinité
Préfecture
R. Bouquières
GARONNE
Carmes
R. Mage
N.-D.-la-Dalbade
Hôtel de Clary
Hôtel Béringuier-Maynier
Musée Paul-Dupuy
R. Pharaon
R. Ozenne
Grand Rond
Jardin Royal
R. de la Dalbade
Pl. du Salin
Palais de Justice
ST-EXUPÉRY
Muséum d'histoire naturelle
Jardin des Plantes
Monument de la Résistance
Pont St-Michel
ST-GEORGES
ST-AUBIN
Jean-Jaurès
Pl. Wilson
Pl. Jeanne d'Arc
Pl. de Belfort
Pl. Victor Hugo
Pl. Montoulieu
Pl. du Parlement
Pl. A. Lafourcade
Labastide St-Pierre
Reyniès
Orgueil
Campsas
Nohic
Fabas
Fronton
Villaudric
Castelnau-d'Estrétefonds
Bouloc
Grenade
Villeneuve-lès-B.
St-Jory
St-Sauveur
Bruguières
Gratentour
Montberon
Lespinasse
Pechbonnieu
Castelginest
Fenouillet
Aucamville
Beauzelle
L'Union
Blagnac
Colomiers
Tournefeuille
Balma
TOULOUSE
Plaisance-du-Touch
Cugnaux
Ramonville-St-Agne
Portet-s-Garonne
Vieille-Toulouse
Castanet-Tolosan
Escalquens
Verfeil
Teulat
Lavalette
Mons
Flourens
Quint-Fonsegrives
Belcastel
Montcabrier
Bannières
Villeneuve-lès-Lavaur
Francarville
Vendine
Loubens-Lauragais
Albiac
Caraman
Maureville
Lanta
Aurin
Préserville
Odars
Fourquevaux
Labège
Auzielle
St-Orens-de-Gameville
Lavaur
Giroussens

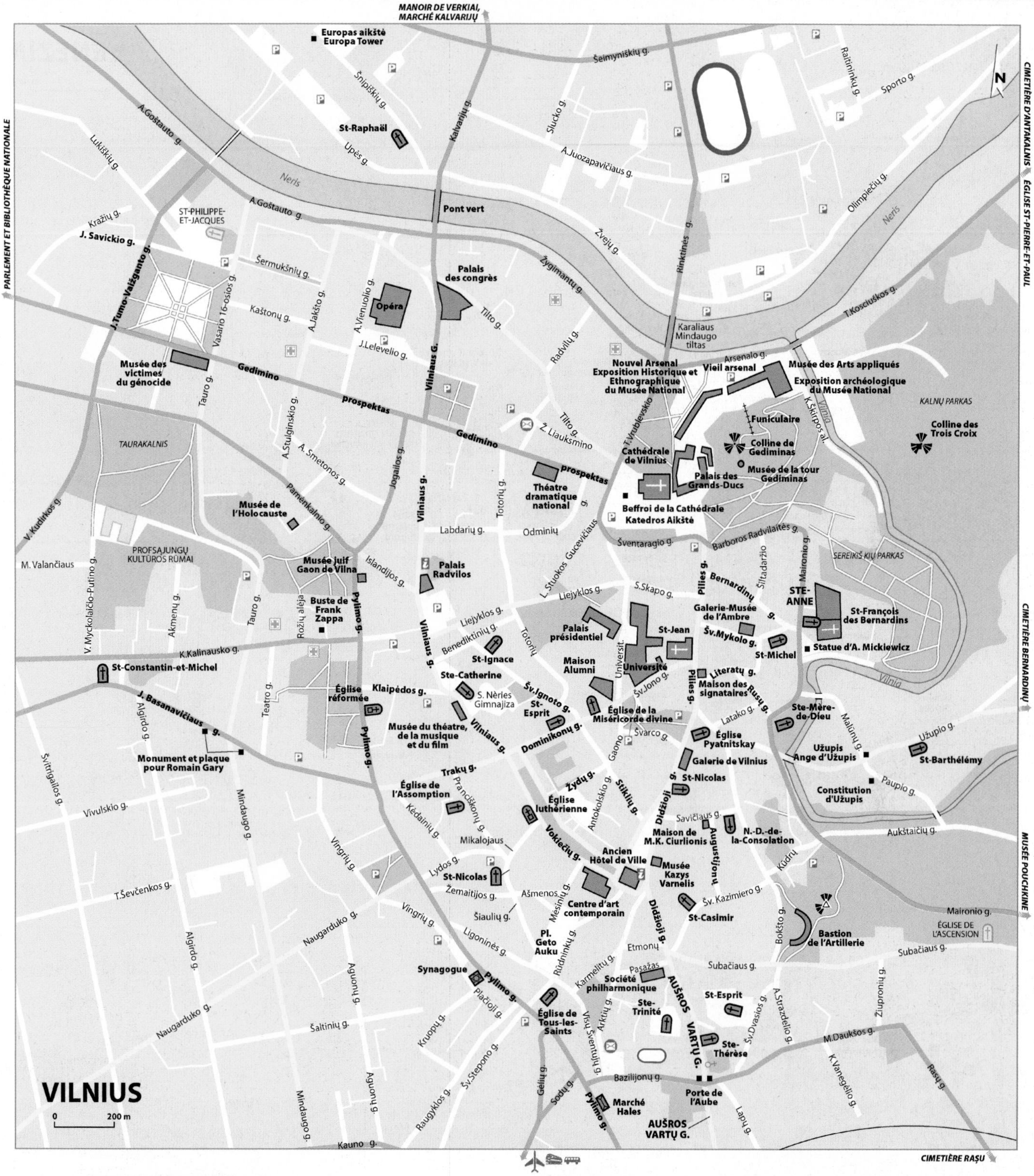
VILNIUS
0 200 m
MANOIR DE VERKIAI, MARCHÉ KALVARIJŲ
PARLEMENT ET BIBLIOTHÈQUE NATIONALE
CIMETIÈRE D'ANTAKALNIS ÉGLISE ST-PIERRE-ET-PAUL
CIMETIÈRE BERNARDINŲ
MUSÉE POUCHKINE
CIMETIÈRE RAŠU
Europas aikštė
Europa Tower
St-Raphaël
Neris
Pont vert
ST-PHILIPPE-ET-JACQUES
Palais des congrès
Opéra
Karaliaus Mindaugo tiltas
Nouvel Arsenal
Exposition Historique et Ethnographique du Musée National
Vieil arsenal
Musée des Arts appliqués
Exposition archéologique du Musée National
Funiculaire
Colline de Gediminas
Musée de la tour Gediminas
Cathédrale de Vilnius
Palais des Grands-Ducs
Beffroi de la Cathédrale
Katedros Aikštė
KALNŲ PARKAS
Colline des Trois Croix
Musée des victimes du génocide
Gedimino prospektas
TAURAKALNIS
Théâtre dramatique national
Musée de l'Holocauste
PROFSAJUNGŲ KULTŪROS RŪMAI
Musée Juif Gaon de Vilna
Palais Radvilos
Buste de Frank Zappa
SEREIKIŠ KIŲ PARKAS
STE-ANNE
St-François des Bernardins
Galerie-Musée de l'Ambre
Palais présidentiel
St-Jean
Université
St-Michel
Statue d'A. Mickiewicz
St-Ignace
Maison Alumni
St-Constantin-et-Michel
Ste-Catherine
Église réformée
S. Nėries Gimnazija
St-Esprit
Église de la Miséricorde divine
Maison des signataires
Ste-Mère-de-Dieu
Musée du théâtre, de la musique et du film
Église Pyatnitskay
Užupis Ange d'Užupis
St-Barthélémy
Monument et plaque pour Romain Gary
Galerie de Vilnius
St-Nicolas
Constitution d'Užupis
Église de l'Assomption
Église luthérienne
Maison de M.K. Čiurlionis
N.-D.-de-la-Consolation
Ancien Hôtel de Ville
Musée Kazys Varnelis
St-Nicolas
Centre d'art contemporain
St-Casimir
Bastion de l'Artillerie
ÉGLISE DE L'ASCENSION
Pl. Geto Aukų
Synagogue
Société philharmonique
Ste-Trinité
St-Esprit
Ste-Thérèse
Église de Tous-les-Saints
Porte de l'Aube
Marché Hales
AUŠROS VARTŲ G.

KAUNAS
Akademija
Rumšiškės
Musée en plein air de Rumšiškės
Garliava
Žasliai
Kruonis
Žiežmariai
Elektrėnų marios
Elektrėnai
Vievis
Maišiagala
Nemenčinė
VILNIUS
Grigiškės
Trakai
Trakų istorinis nacionalinis parkas
Semeliškės
Mickūnai
Skriaudžiai
Prienai
Jieznas
Aukštadvaris
Balbieriškis
Gudogay

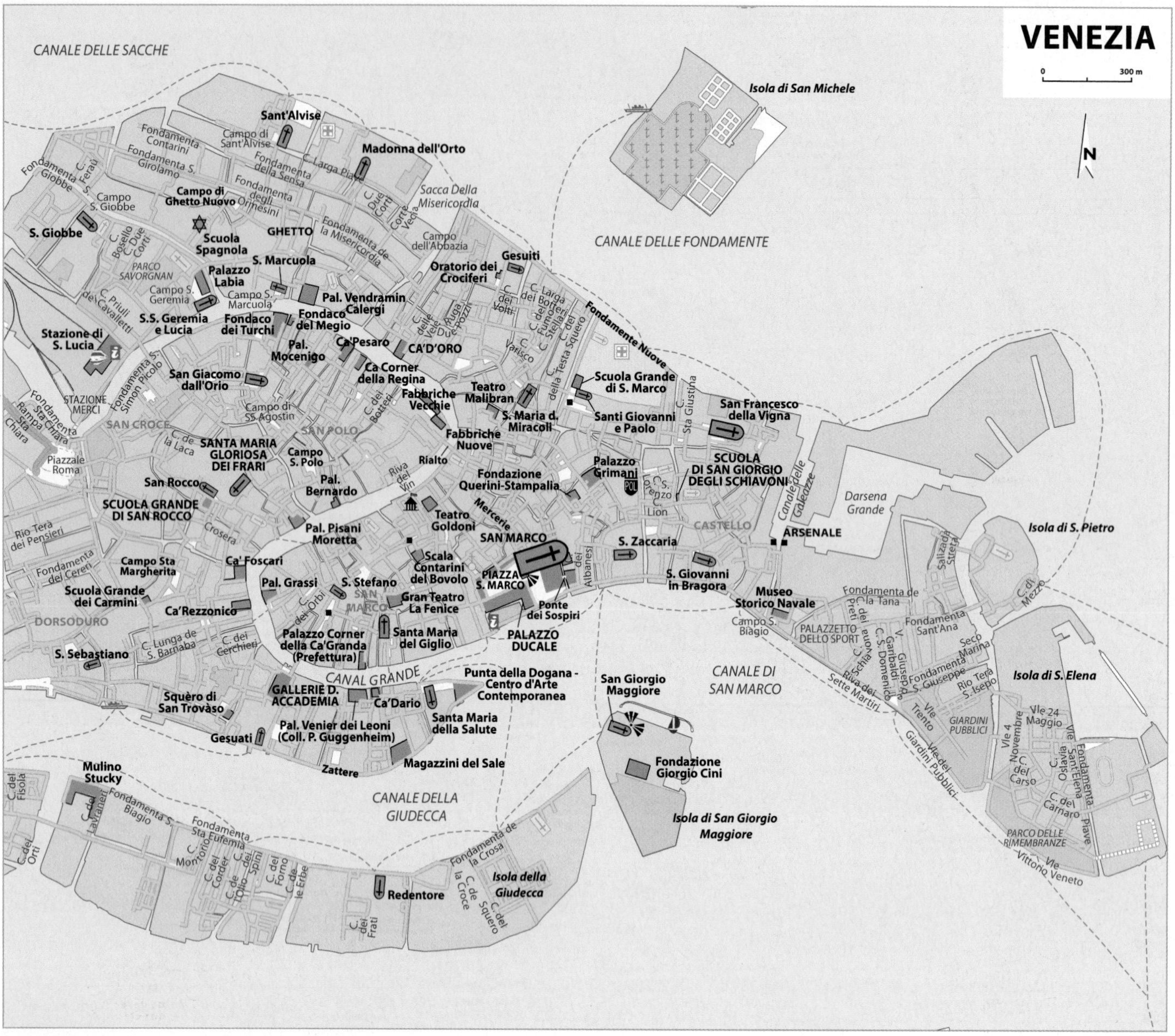
VENEZIA
0 300 m
N
CANALE DELLE SACCHE
Isola di San Michele
Sant'Alvise
Campo di Sant'Alvise
Madonna dell'Orto
Fondamenta Contarini
Fondamenta S. Girolamo
Fondamenta della Sensa
C. Larga Piave
Campo S. Giobbe
Campo di Ghetto Nuovo
Fondamenta degli Ormesini
Sacca Della Misericordia
S. Giobbe
Scuola Spagnola
GHETTO
Fondamenta de la Misericordia
Campo dell'Abbazia
CANALE DELLE FONDAMENTE
PARCO SAVORGNAN
S. Marcuola
Palazzo Labia
Oratorio dei Crociferi
Gesuiti
Campo S. Geremia
Campo S. Marcuola
Pal. Vendramin Calergi
S.S. Geremia e Lucia
Fondaco dei Turchi
Fondaco del Megio
Fondamente Nuove
Stazione di S. Lucia
Ca'Pesaro
CA'D'ORO
Pal. Mocenigo
Ca Corner della Regina
San Giacomo dall'Orio
Scuola Grande di S. Marco
Teatro Malibran
Fabbriche Vecchie
STAZIONE MERCI
Campo di SS. Agostin
S. Maria d. Miracoli
Santi Giovanni e Paolo
San Francesco della Vigna
SAN CROCE
SAN POLO
SANTA MARIA GLORIOSA DEI FRARI
Campo S. Polo
Fabbriche Nuove
Piazzale Roma
Rialto
Riva del Vin
Palazzo Grimani
SCUOLA DI SAN GIORGIO DEGLI SCHIAVONI
San Rocco
Pal. Bernardo
Fondazione Querini-Stampalia
Darsena Grande
SCUOLA GRANDE DI SAN ROCCO
Mercerie
CASTELLO
ARSENALE
Isola di S. Pietro
Teatro Goldoni
Rio Terà dei Pensieri
Pal. Pisani Moretta
SAN MARCO
S. Zaccaria
Campo Sta Margherita
Ca' Foscari
Scala Contarini del Bovolo
PIAZZA S. MARCO
S. Giovanni in Bragora
Scuola Grande dei Carmini
Pal. Grassi
S. Stefano
Gran Teatro La Fenice
Ponte dei Sospiri
Museo Storico Navale
DORSODURO
Ca'Rezzonico
Campo S. Biagio
PALAZZETTO DELLO SPORT
Palazzo Corner della Ca'Granda (Prefettura)
Santa Maria del Giglio
PALAZZO DUCALE
S. Sebastiano
CANALE DI SAN MARCO
CANAL GRANDE
Punta della Dogana - Centro d'Arte Contemporanea
San Giorgio Maggiore
Isola di S. Elena
Squèro di San Trovàso
GALLERIE D. ACCADEMIA
Ca'Dario
Riva dei Sette Martiri
GIARDINI PUBBLICI
Gesuati
Pal. Venier dei Leoni (Coll. P. Guggenheim)
Santa Maria della Salute
Fondazione Giorgio Cini
Mulino Stucky
Zattere
Magazzini del Sale
CANALE DELLA GIUDECCA
Isola di San Giorgio Maggiore
PARCO DELLE RIMEMBRANZE
Viale Vittorio Veneto
Isola della Giudecca
Redentore
Fondamenta de la Crosa
Fondamenta Sta Eufemia
MESTRE

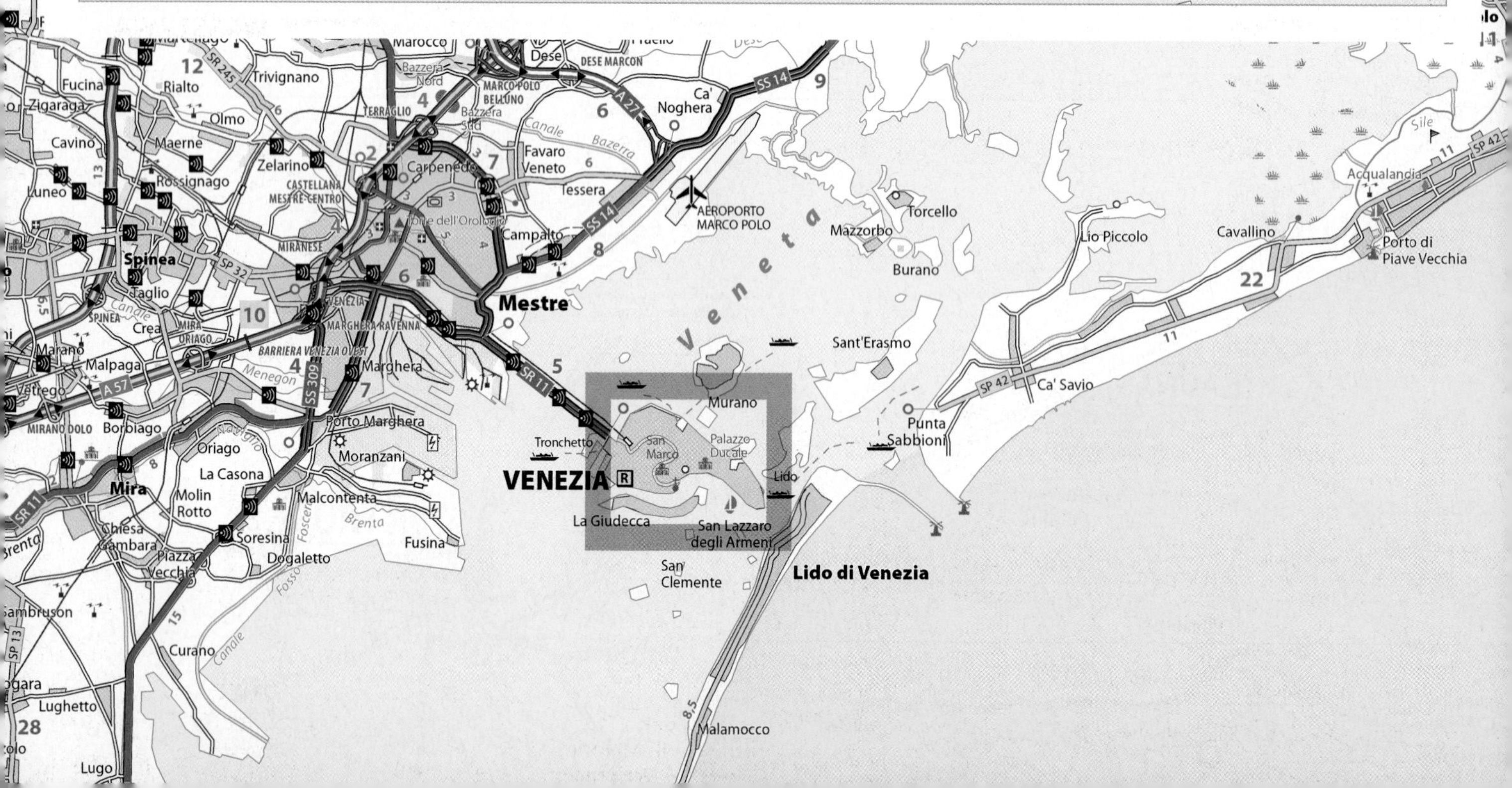
Trivignano
Rialto
Olmo
Maerne
Zelarino
Carpenedo
Favaro Veneto
Dese
Ca' Noghera
Tessera
AEROPORTO MARCO POLO
Torcello
Mazzorbo
Burano
Lio Piccolo
Cavallino
Acqualandia
Porto di Piave Vecchia
Spinea
Mestre
Campalto
Sant'Erasmo
Marghera
Malpaga
Porto Marghera
Murano
Ca' Savio
Punta Sabbioni
Tronchetto
San Marco
Palazzo Ducale
VENEZIA
Lido
Mira
Oriago
La Casona
Moranzani
Malcontenta
Molin Rotto
La Giudecca
San Lazzaro degli Armeni
Soresina
Fusina
Dogaletto
San Clemente
Lido di Venezia
Curano
Lughetto
Malamocco
Lugo

QUARTIER DE ŻOLIBORZ
OLSZTYN
PUŁTUSK
BIAŁYSTOK
A
B
C
ORPHELINAT JANUSZ-KORCZAK
CIMETIÈRE JUIF CIMETIÈRES DE WOLA
MARCHÉ AUX PUCES DE KOŁO
MUSÉE DE L'INSURRECTION DE VARSOVIE
ŁÓDŹ
MUSÉE DES NÉONS
LUBLIN
WILANÓW
Monument aux Victimes et Exécutés de l'Est
Umschlagplatz
Ancien bunker
Monts des Héros du ghetto
Musée d'Histoire des juifs polonais-POLIN
NOUVELLE VILLE
Pl. Krasiński
VIEILLE VILLE
Pl. du marché de la Nouvelle Ville
Pl. du Marché
St-Jean
Pl. Zamkowy
Château royal
Jardin zoologique
Parc Praski
Pl. Wileński
Ste-Marie Madeleine
Distillerie Koneser
Bazar Różyckiego
Musée de Praga
PRAGA
Port Praski
MURANÓW
SKWER J. JURA-GORZECHOWSKIEGO
Pl. de la Banque
Pl. du Théâtre
Palais présidentiel
Bibliothèque universitaire
Centre des sciences Copernic
Stade national
Rondo Jerzego Waszyngtona
Pl. Piłsudskiego
Pl. Mirowski
MIRÓW
Pl. Grzybowski
Pl. J. H. Dąbrowskiego
POWIŚLE
Musée de l'Armée polonaise
Musée national
Fragment du mur du ghetto
Rondo ONZ
PALAIS DE LA CULTURE ET DES SCIENCES
Rd-pt de Gaulle
SKWER BAT MILOSZI
CENTRALNY PARK KULTURY
SKWER IRINGHA
Pl. des Trois-Croix
Gare centrale
PARK IM MARSZAŁKA EDWARDA RYDZA-ŚMIGŁEGO
ŚRÓDMIEŚCIE
Pl. Artura Zawiszy
Pl. Konstytucji
Pl. Zbawiciela
Pl. Na Rozdrożu
Rondo S. Sedlaczka
Château Ujazdowski
Parc Ujazdowski
Jardin botanique
Orangerie
Corps de garde
Grande Officine
Palais Myślewicki
Palais Łazienki
Maison Blanche
Parc Łazienki
Musée de la Chasse et de l'Equitation
Belvédère
Amphithéâtre
Observatoire astronomique du 19e s.
Mausolée de la Résistance et du Martyre
Rondo Jazdy Polskiej
PARK IM. MARSZAŁKA J. PIŁSUDSKIEGO
SKWER OLEANDRÓW
WARSZAWA
500 m
MAKÓW MAZOWIECKI
WOŁOMIN
Ząbki
Zielonka
WARSZAWA
Sulejówek
OŻARÓW MAZOWIECKI
PRUSZKÓW
Błonie
Plastów
Brwinów
Milanówek
Józefów
OTWOCK
Konstancin-Jeziorna
Mazowiecki Park Krajobrazowy

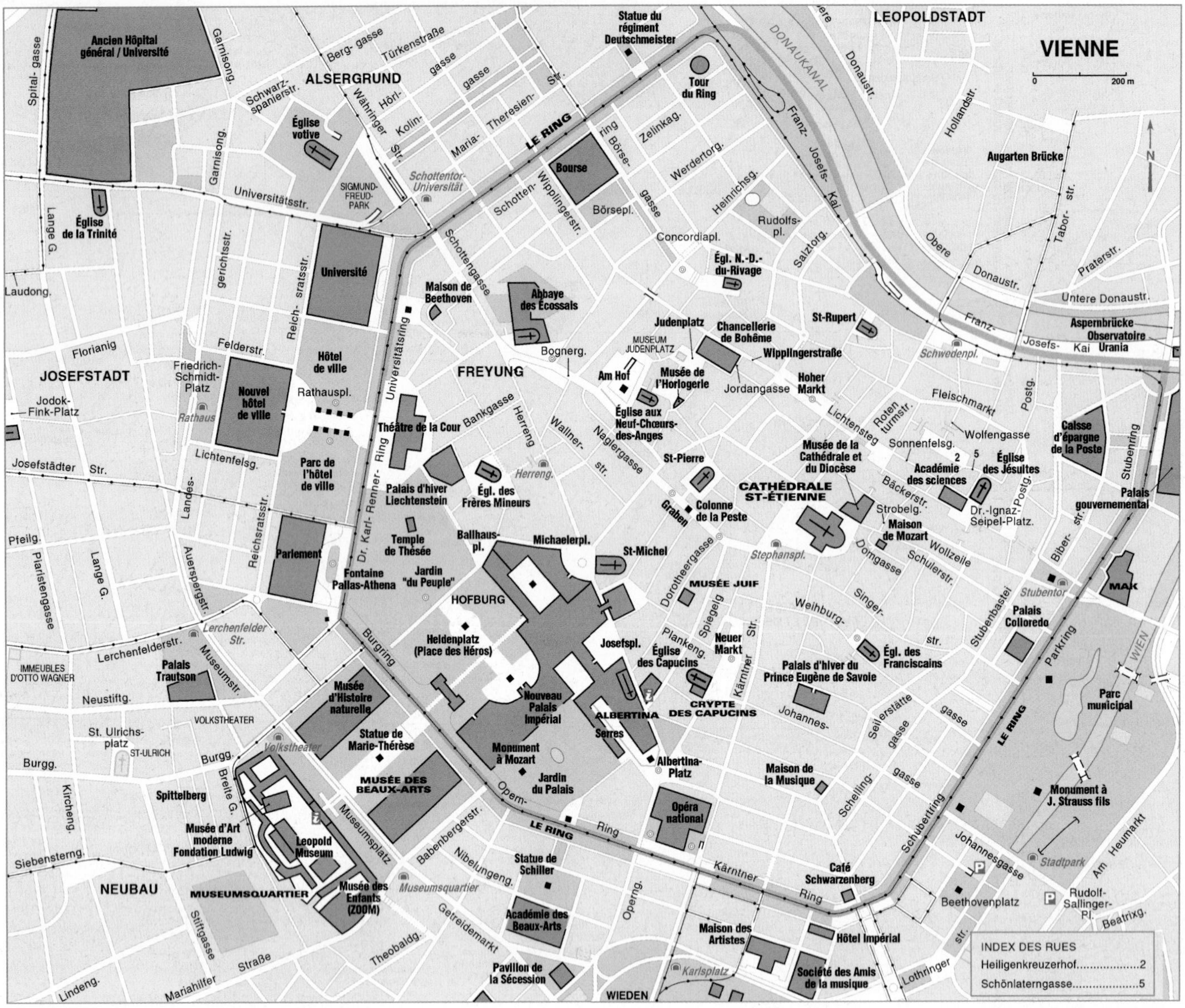

VIENNE
0
200 m
LEOPOLDSTADT
ALSERGRUND
JOSEFSTADT
FREYUNG
NEUBAU
WIEDEN
DONAUKANAL
LE RING
Ancien Hôpital général / Université
Église votive
Église de la Trinité
SIGMUND-FREUD-PARK
Université
Hôtel de ville
Nouvel hôtel de ville
Rathauspl.
Parc de l'hôtel de ville
Parlement
Fontaine Pallas-Athena
Palais Trautson
IMMEUBLES D'OTTO WAGNER
VOLKSTHEATER
ST-ULRICH
Spittelberg
Musée d'Art moderne Fondation Ludwig
Leopold Museum
MUSEUMSQUARTIER
Musée des Enfants (ZOOM)
Musée d'Histoire naturelle
Statue de Marie-Thérèse
MUSÉE DES BEAUX-ARTS
Heldenplatz (Place des Héros)
HOFBURG
Nouveau Palais Impérial
Monument à Mozart
Jardin du Palais
Temple de Thésée
Jardin "du Peuple"
Théâtre de la Cour
Palais d'hiver Liechtenstein
Égl. des Frères Mineurs
Ballhaus-pl.
Michaelerpl.
St-Michel
Josefspl.
ALBERTINA
Serres
Albertina-Platz
Opéra national
Statue de Schiller
Académie des Beaux-Arts
Pavillon de la Sécession
Maison des Artistes
Société des Amis de la musique
Hôtel Impérial
Café Schwarzenberg
Maison de la Musique
Palais d'hiver du Prince Eugène de Savoie
Église des Capucins
CRYPTE DES CAPUCINS
Neuer Markt
MUSÉE JUIF
St-Pierre
Colonne de la Peste
Graben
CATHÉDRALE ST-ÉTIENNE
Musée de la Cathédrale et du Diocèse
Maison de Mozart
Académie des sciences
Église des Jésuites
Égl. des Franciscains
Palais Colloredo
MAK
Palais gouvernemental
Caisse d'épargne de la Poste
Parc municipal
Monument à J. Strauss fils
Maison de Beethoven
Abbaye des Écossais
Am Hof
Musée de l'Horlogerie
Église aux Neuf-Chœurs-des-Anges
MUSEUM JUDENPLATZ
Judenplatz
Chancellerie de Bohême
Wipplingerstraße
Hoher Markt
St-Rupert
Égl. N.-D.-du-Rivage
Bourse
Tour du Ring
Statue du régiment Deutschmeister
Augarten Brücke
Aspernbrücke
Observatoire Urania
Schottentor-Universität
Herreng.
Stephanspl.
Stubentor
Stadtpark
Karlsplatz
Volkstheater
Museumsquartier
Rathaus
Lerchenfelder Str.
Schwedenpl.
Spital-gasse
Garnisong.
Berg-gasse
Türkenstraße
Schwarz-spanierstr.
Währinger Str.
Hörl-gasse
Kolin-gasse
Maria-Theresien-Str.
Universitätsstr.
Lange G.
Laudong.
Florianig.
Felderstr.
Friedrich-Schmidt-Platz
Jodok-Fink-Platz
Josefstädter Str.
Lichtenfelsg.
Pfeilg.
Piaristengasse
Auerspergstr.
Reichsratsstr.
Landes-gerichtsstr.
Lerchenfelderstr.
Museumstr.
Neustiftg.
St. Ulrichs-platz
Burgg.
Breite G.
Kircheng.
Siebensterng.
Stiftgasse
Mariahilfer Straße
Lindeng.
Theobaldg.
Getreidemarkt
Babenbergerstr.
Nibelungeng.
Museumsplatz
Burgring
Dr.-Karl-Renner-Ring
Universitätsring
Opern-Ring
Kärntner Ring
Schubertring
Parkring
Stubenring
Schottenring
Schottengasse
Bankgasse
Herreng
Wallner-str.
Naglergasse
Bognerg.
Wipplingerstr.
Börsegasse
Börsepl.
Zelinkag.
Werdertorg.
Heinrichsg.
Concordiapl.
Rudolfs-pl.
Salztorg.
Franz-Josefs-Kai
Donaustr.
Hollandstr.
Taborstr.
Obere Donaustr.
Untere Donaustr.
Praterstr.
Jordangasse
Fleischmarkt
Rotenturmstr.
Lichtensteg
Sonnenfelsg.
Wolfengasse
Bäckerstr.
Strobelg.
Dr.-Ignaz-Seipel-Platz
Postg.
Wollzeile
Domgasse
Schulerstr.
Singerstr.
Weihburg-gasse
Seilerstätte
Johannes-gasse
Schellinggasse
Dorotheergasse
Spiegelg.
Plankeng.
Kärntner Str.
Biberstr.
Stubenbastei
Johannesgasse
Beethovenplatz
Am Heumarkt
Rudolf-Sallinger-Pl.
Beatrixg.
Lothringer str.
Operng.
WIEN
INDEX DES RUES
Heiligenkreuzerhof....................2
Schönlaterngasse.....................5

Amstetten
Zeillern
Oed
St. Georgen a. Ybbsfelde
Blindenmarkt
Wieselburg
Mank
Hofstetten-Grünau
Wilhelmsburg
Michelbach
Oehling
Aschbach-Markt
Ulmerfeld-Hausmening
Euratsfeld
Ferschnitz
Wolfpassing
Marbach a.d. Kl. E.
Zarnsdorf
Ockert
Oberndorf a.d. M.
Kirnberg a.d. Mank
Kilb
Kettenreith
Rabenstein
Kaiserkogel-H.
Rotheau
Eschenau
Stocker H.
Schwarzenbach a.d.G.
Wiesenfeld
Rainfeld
Rohrbach a.d.G.
Steinakirchen
Neuhofen a.d. Y.
Feichsen
Purgstall
St. Georgen a.d. Leys
Texing
Kirchberg a.d. P.
Tradigist
Traisen
St. Veit a.d.G.
Hainfeld
Kröllendorf
Wang
Kematen
Perwarth
Sölling
Plankenstein
Pichlberg
Lilienfeld
Biberbach
Allhartsberg
Randegg
Scheibbs
Statzberg
Schwerbach
Lilienfelder H.
Ebenwald-Hs
Kleinzell
Frankenfels
Hohenstein
Schindeltal
Muckenkg.
Sonntagberg
St. Leonhard a. Walde
Gresten
Reinsberg
Neustift
St. Anton a.d. Jeßnitz
Baumgart
Eisenstein
Freiland
Lehenrotte
Reisalpe
Brennalm
Windhag
Waidhofen a.d. Ybbs
Zell a.d. Y.
Ybbsitz
Winterbach
Naturpark
Schwarzenbach a.d. P.
Puchenstuben
Türnitz
Türnitzer Höger
Hegerberg
Hohenberg
Rohr i. Gebirge
Prochenberg
Kienberg
Gaming
Ötscher-Tormäuer
Tormäuer
Eibel
Ebnerhof
Spindeleben
Gaflenz
Oberland
Eisenwurzen
Lackenhof
Gr. Ötscher
Gösing
Annaberger-Hs.
Tirolerkogel
Annaberg
Traisenberg
St. Aegyd
Amstettner H.
Opponitz
Lunz
Lunzersee
Langau
Wienerbruck
Josefsberg
Gr. Sulzberg
Ulreichsberg
Hagen
Erlauf Stausee
Terzer-Hs.
Mitterbach a. Erlaufsee
Gscheid
Kernhof
Obersberg
Schwarzau i. Gebirge
St. Georgen a. Reith
Schneekogel
Ybbstaler H.
Gemeindealpe
Erlaufsee
St. Sebastian
Bürgeralpe
Göller
Gippel
Göstling
Dürrenstein
Neuhaus
Zellerrain
Mariazell
Terz
Lahn Sattel
Hollenstein a.d. Y.
Königsberg
Marienwasserfall
Salza
Gr. Sonnleitstein
Promau
Bärenriß Sattel
Gr. Zellerhut
Frein
Steinalpl
Hinternaßwald
Habsburg-Hs.
Rothwald
Gußwerk
Ybbs
Erlauf
Melk
Pielach
Traisen
Schwarza
Ois (Ybbs)

WIEN
Klosterneuburg
Stockerau
Hollabrunn
Korneuburg
Mistelbach
Gänserndorf
Deutsch Wagram
Schwechat
Mödling
Perchtoldsdorf
BADEN
Wiener Neustadt
Eisenstadt
Neunkirchen
Ternitz
Purkersdorf
Tulln
Hainburg a.d.D.
Bruck a.d.L.
Neusiedl a. See
Mattersburg
Rust
Mörbisch
Berndorf
Bad Vöslau
Traiskirchen
Schönbrunn
Favoriten
Simmering
Floridsdorf
Donaustadt
Döbling
Hernals
Penzing
Hietzing
Wolkersdorf
Poysdorf
Zistersdorf
Laa
DONAU
WEINVIERTEL
ÖSTERREICH
Marchfeld
Wienerwald
Leithagebirge
Rosaliengebirge
Neusiedler See
(Fertő)
Nationalpark
Seewinkel
Fertő-Hanság
Leiser Berge
Buschberg 491
Kahlenberg
Leopoldsberg
Anninger 675
Hohe Wand
Dürre Wand
Schöpfl 893
Hoher Lindkogel 834
Helenental
Triestingtal
Piesting
Schwechat
Fischa
Leitha
Zaya
March
Malacky
Záhorská Ves
Gajary
Jakubov
Zohor
Vysoká pri Morave
Láb
Hohenau
Marchegg
Schloßhof
Engelhartstetten
Orth
Fischamend Markt
Petronell-Carnuntum
Parndorf
Gols
Illmitz
Apetlon
Podersdorf a. See
Weiden a. See
Jois
Winden a. See
Breitenbrunn
Purbach a. Neusiedler See
Donnerskirchen
Oggau
Siegendorf
Trausdorf
St. Margarethen i. Bgld.
Klingenbach
Fertőrákos
Forchtenstein
Wiesen
Sauerbrunn
Katzelsdorf
Lanzenkirchen
Bad Fischau
Felixdorf
Ebenfurth
Pottendorf
Leobersdorf
Sollenau
Kottingbrunn
Gumpoldskirchen
Laxenburg
Himberg
Ebergassing
Gramatneusiedl
Mannersdorf a. Leithageb.
Sommerein
Götzendorf a.d. L.
Kaltenleutgeben
Gablitz
Pressbaum
Tullnerbach
Heiligenkreuz
Alland
Mayerling
Pottenstein
Hirtenberg
Enzesfeld
Pernitz
Gutenstein
Puchberg a. Schneeberg
Grünbach a. Schneeberg
Sieding
Gahns

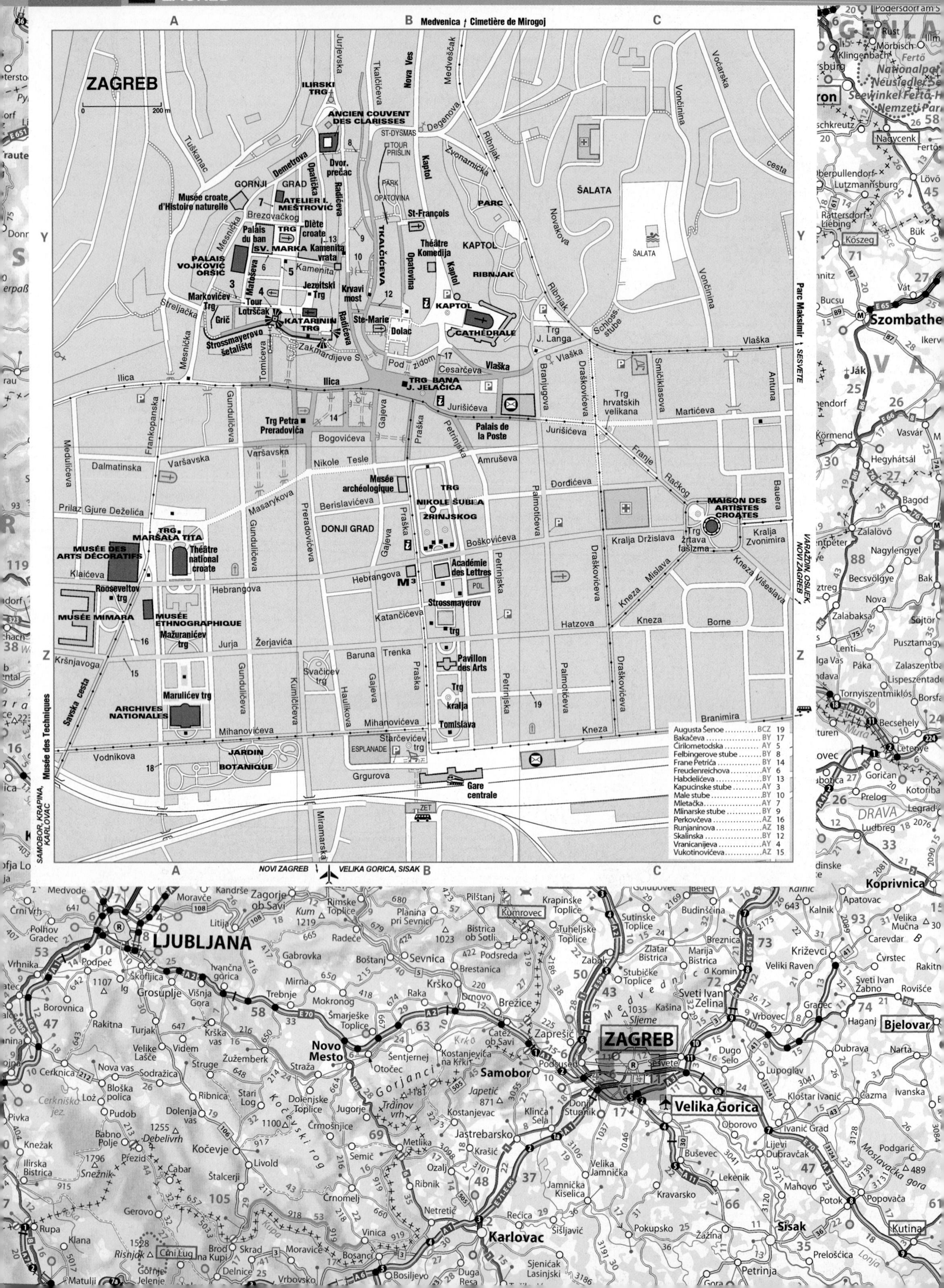
ZAGREB
0 200 m
Medvenica / Cimetière de Mirogoj
Parc Maksimir / SESVETE
VARAŽDIN, OSIJEK, NOVI ZAGREB
SAMOBOR, KRAPINA, KARLOVAC
NOVI ZAGREB / VELIKA GORICA, SISAK
Augusta Šenoe BCZ 19
Bakačeva BY 17
Ćirilometodska AY 5
Felbingerove stube BY 8
Frane Petrića BY 14
Freudenreichova AY 6
Habdelićeva BY 13
Kapucinske stube AY 3
Male stube BY 10
Mletačka AY 7
Mlinarske stube BY 9
Perkovčeva AZ 16
Runjaninova AZ 18
Skalinska BY 12
Vranicanijeva AY 4
Vukotinovićeva AZ 15

ZÜRICH
0
200 m
Museum für Gestaltung
Schweizerisches Landesmuseum
HAUPTBAHNHOF
SIHLPOST
Bahnhofplatz
Bahnhofquai
Bahnhofstrasse
Löwenplatz
Lindenhof
SCHIPFE
AUGUSTINER-KIRCHE
Weinplatz
Sankt Peterskirche
Zunfthaus « Zur Meisen »
Fraumünster
WASSERKIRCHE
Paradeplatz
WOHNMUSEUM
Rathaus
Grossmünster
KUNSTHAUS
OBERDORF
Froschaugasse
Niederdorfstrasse
Neumarkt
Spiegelgasse
EIDG. TECHN. HOCHSCHULE
LIEBFRAUENKIRCHE
PREDIGER-KIRCHE
FRANZÖSISCHE KIRCHE
SCHANZENGRABEN
Bürkliplatz
Bellevue-platz
STADELHOFEN
Sechseläutenplatz
OPERNHAUS
KONGRESSGEB.
General-Guisan-Quai
Quaibrücke
Zürichsee
ARBORETUM
Limmat
Sihl
N
Donaueschingen
Blumberg
SCHAFFHAUSEN
Schaffhausen
Rheinfall
Bülach
Kloten
Baden
Wettingen
Dietikon
ZÜRICH
Uetliberg
Adliswil
Thalwil
Küsnacht
Horgen
Wädenswil
Rapperswil
Wetzikon
Wattwil
Zug
Baar
Cham
Einsiedeln
LUZERN
Küssnacht
Weggis
Schwyz
Brunnen
Glarus
Näfels
Walensee
Stans
Bürgenstock
Rigi
Zugersee
Vierwaldstätter See
Klöntaler See
Glärnisch
Churfirsten
Mürtschenstock
Muotatal
Hölloch Grotte
Pragelpass
Wohlen
Bremgarten
Lachen
Linthkanal
SCHWYZ
GLARUS
ZUG
ZÜRICH
AARGAU
ST. GALLEN

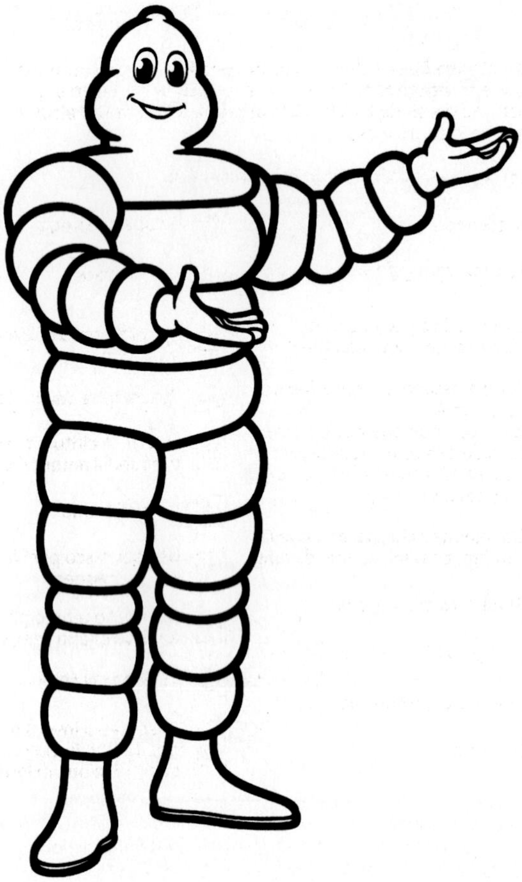

Conduire en Europe

Les tableaux d'information suivants indiquent les principaux règlements routiers communiqués au moment de la rédaction de cet atlas (15.05.18) ; la signification des symboles est indiquée ci-dessous, ainsi que quelques notes supplémentaires.

Limitation de vitesse en kilomètres/heure s'appliquant aux :

- Autoroutes
- Routes à chaussées séparées
- Routes à une seule chaussée
- Agglomérations urbaines

- Autoroute payante avec vignette
- Taux maximum d'alcool toléré dans le sang. On ne doit pas considérer ceci comme acceptable ; il n'est JAMAIS raisonnable de boire et de conduire.
- Âge minimum des enfants admis à l'avant.
- Gilet de sécurité
- Triangle de présignalisation
- Trousse de premiers secours
- Extincteur
- Jeu d'ampoules de rechange
- Âge minimum du conducteur
- Port de la ceinture de sécurité à l'avant et à l'arrière
- Câble de remorquage
- Port du casque pour les motocyclistes et les passagers
- Allumage des codes jour et nuit
- Pneus cloutés
- Pneus hiver obligatoires en condition de circulation hivernal

Documents nécessaires obligatoires à tous les pays :
certificat d'immatriculation du véhicule ou certificat de location, assurance responsabilité civile, plaque d'identification nationale.
Il est vivement conseillé de se renseigner auprès de l'Automobile Club.

Driving in Europe

The information panels which follow give the principal motoring regulations in force when this atlas was prepared for press (15.05.18). An explanation of the symbols is given below, together with some additional notes.

Speed restrictions in kilometres per hour applying to:

- Motorways
- Dual carriageways
- Single carriageways
- Urban areas

- Toll road with compulsory vignette/sticker
- Maximum permitted level of alcohol in the bloodstream. This should not be taken as an acceptable level - it is NEVER sensible to drink and drive.
- Minimum age for children to sit in the front passenger seat.
- Reflective jacket
- Whether a warning triangle must be carried.
- Whether a first aid kit must be carried
- Whether a fire extinguisher must be carried
- Whether a spare bulb set must be carried
- Minimum age for drivers
- Whether seatbelts are compulsory for the driver and all passengers in both front and back seats
- Tow rope
- Whether crash helmets are compulsory for both motorcyclists and their passengers
- Whether headlights must be on at all time
- Studded tyres
- Winter tyres compulsory in wintry driving conditions

Documents required for all countries:
vehicle registration document or vehicle on hire certificate, third party insurance cover, national vehicle indentification plate.
You are strongly advised to contact the national Automobile Club for full details of local regulations.

Autofahren in Europa

Die nachfolgenden Tabellen geben Auskunft über die wichtigsten Verkehrsbestimmungen in den einzelnen Ländern dieses Atlasses (Stand 15.05.1 die Erklärung der Symbole sowie einige ergänzende Anmerkungen finden Sie im Anschluß an diesen Text.

Geschwindigkeitsbegrenzungen in km/h bezogen auf:

- Autobahnen
- Schnellstraßen mit getrennten Fahrbahnen
- Straßen mit einer Fahrbahn
- Geschlossene Ortschaften

- Gebührenpflichtige Autobahn mit Vignette
- Promillegrenze: Es sei darauf hingewiesen, daß auch die kleinste Menge Alkohol am Steuer das Fahrvermögen beeinträchtigt
- Mindestalter, ab welchem Kinder vorne sitzen dürfen.
- Sicherheitsweste
- Mitführen eines Warndreiecks
- Mitführen eines Verbandkastens
- Mitführen eines Feuerlöschers
- Mitführen eines Satzes von Glühbirnen als Reserve
- Mindestalter für Kfz-Führer
- Anschnallpficht vorne und hinten
- Abschleppseil
- Helmpflicht für Motorradfahrer und Beifahrer
- Abblendlicht vorgeschrieben (Tag und Nacht)
- Spikereifen
- Winterreifen bei Winterwetter gesetzespflichtig

Notwendige und vorgeschriebene Dokumente in allen Staaten:
Fahrzeugschein oder Mietwagenbescheinigun, Internationale grüne Versicherungskarte, Nationlitätskennzeichen. Es empfiehlt sich, genauere Informationen bei den jeweiligen Automobilclubs einzuholen.

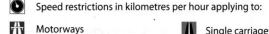

Autorijden in Europa

In de tabellen hierna staan de voornaamste verkeersregels medegedeeld bij het opstellen van deze Atlas (15.05.18); de betekenis van de symbolen is hieronder beschreven met enkele toelichtingen.

Snelheidsbeperkingen in km/uur op:

- Autosnelwegen
- Wegen met gescheiden rijbanen
- Wegen met één rijbaan
- Binnen de bebouwde kom

- Betalende autosnelweg met vignet
- Maximum toegestaan alcoholgehalte in het bloed. Dit dient niet beschouwd te worden als een aanvaardbaar gehalte; het is NOOIT verstandig om te rijden na gebruik van alcohol.
- Minimum leeftijd voor kinderen voorin het voertuig.
- Reflecterend vest
- Gevarendriehoek verplicht
- EHBO-pakket verplicht
- Brandblusapparaat
- Reservelampen verplicht
- Minimum leeftijd bestuurder
- Autogordel, verplicht voor- en achterin
- Sleepkabel
- Valhelm verplicht voor motorrijders en passagiers
- Dimlichten verplicht zowel nachts als overdag
- Spijkerbanden
- Winterbanden verplicht bij winterse verkeersomstandigheden

Vereiste documenten in alle landen:
kentekenbewijs van het voertuig of huurcertificaat, verzekering burgerlijke aansprakelijkheid, plaat land van herkomst.
Het verdient aanbeveling informatie in te winnen bij de automobielclub.

Guidare in Europa

I riquadri informativi che seguono forniscono le principali norme di circolazione, in vigore al momento della redazione di questo atlante (15.05.18); la spiegazione dei simboli viene data di seguito, insieme ad alcune annotazioni supplementari.

Limiti di velocità in chilometri/ora riferiti a:

- Autostrade
- Strade a carreggiata doppia
- Strade a carreggiata unica
- Aree urbane

- Autostrada a pedaggio con contrassegno autostradale
- Tasso massimo di alcol tollerato nel sangue. Tale tasso non dovrebbe essere considerato come accettabile; non è MAI sensato guidare dopo aver bevuto.
- Età minima richiesta, affinché i bambini possano sedere davanti
- Giubbotto di sicurezza
- Triangolo di presegnalazione
- Cassetta di pronto soccorso
- Estintore
- Assortimento di lampadine di ricambio
- Età minima del guidatore
- Uso delle cinture di sicurezza per i sedili anteriori e posteriori
- Cavo di traino
- Uso del casco per i motociclisti ed i passeggeri
- Si devono tenere gli anabba glianti sempre accesi
- Pneumatici chiodati
- Pneumatici invernali obbligatori in condizioni di circolazione invernali

Documenti obbligatori in tutti i paesi:
carta di circolazione del veicolo oppure certificato di autonoleggio, assicurazione e carta verde, targa d'identificazione nazionale.
E' vivamente consigliato rivolgersi all' Automobile Club.

Conducir en Europa

Los siguientes cuadros informativos recogen las principales reglamentaciones automovilísticas que nos han sido comunicadas en el momento de la redacción de este atlas (15.05.18); el significato de los símbolos, junto con algunas notas complementarias, se indica más abajo.

Límites de velocidad en kilómetros/hora que se aplican en:

- Autopistas
- Carreteras con calzadas separadas
- Carreteras con calzada única
- Zona urbanas

- Autopista de pago mediante viñeta
- Máximo permisible de alcohol en sangre. Este máximo no debe considerarse como un nivel aceptable; NUNCA es aconsejable beber si se conduce.
- Edad mínima de los niños para viajar en los asientos delanteros.
- Chaleco reflectante
- Triángulo de señalización de peligro
- Botiquín de primeros auxilios
- Extintor
- Juego de lámparas de recambio
- Edad mínima del conductor
- Cinturón de seguridad delante y detrás
- Cable de remolque
- Casco protector para motociclistas y pasajeros
- Luces encendidas día y noche
- Neumáticos con clavos
- Neumáticos de invierno obligatorios en condiciones de circulación invernales

Documentación obligatoria en todos países:
certificado de matriculación del vehículo o certificado de aquiler, seguro de responsabilidad civil, placa de identificación del pais.
Recomendamos informarse en el Automóvil Club.

Conduzir na Europa

Os quadros de informação seguintes indicam as principais regras rodoviárias em vigor no momento da redacção deste Atlas (15.05.18); o significado dos simbolos está indicado abaixo assim como algumas notas suplementares.

Limites de velocidade em km/h que se aplicam em:

- Auto-estradas
- Estradas com faixas de rodagem separadas
- Estradas com uma única faixa de rodagem
- Aglomerações urbanas

- Auto-estrada com portagem com estampilha fiscal
- Taxa máxima de alcoolémia tolerada no sangue. Não é considerada au tável; nunca é razoável beber e conduzir.
- Idade mínima das crianças admitidas à frente
- Colete reflector
- Triângulo de pré-sinalização
- Estojo de primeiros socorros
- Extintor
- Jogo de lâmpadas sobressalentes
- Idade mínima do condutor
- Uso do cinto de segurança à frente e atrás
- Cabo de reboque
- Uso do capacete para os motociclistas e acompanhantes
- Acender luzes médias dia e noite
- Uso de pneus com pregos
- Pneus de inverno obrigatórios em condições de circulação de inverno

Documentos obrigatórios em todos os países:
certificado de registo de propriedade ou certificado de aluguer - seguro de responsabilidade civil - Placa de identificação nacional.
Aconselha se pedir informações junto do automóvel clube.

A	ÖSTERREICH	130	100	100	50	0,5	●	●		●	●	○			18	●	○	01/10 31/05	✲	●
AL	SHQIPËRIA	110	90	80	40	⊠		●		●	●	○			18	●	○		✲	○
AND	ANDORRA			70	40	0,5		●	10	●	○	○			18	●	●			○
B	BELGIQUE, BELGIË	120	120	90	50	0,5		●		●	○	○			18	●	○	01/11 31/03		●
BG	BALGARIJA, БЪЛГАРИЯ	130		90	50	0,5	●	●	12	●	●	●			18	●	●	⊠		●
BIH	BOSNA I HERCEGOVINA	130	100	80	60	0,3		●	12	●	●	○	●	●	18	●	●		✲	○
BY	BELARUS', БЕЛАРУСЬ	110		90	60	⊠		●	12	●	●	●			18	●	○			○
CH	SCHWEIZ, SUISSE, SVIZZERA	120	100	80	50	0,5	●	●		●	○	○			18	●	●	24/10 30/04		○
CY	KÝPROS, KIBRIS	100		80	50	0,5		●	5	● x2	○	○			18	●	○			○
CZ	ČESKO	130		90	50	⊠	●	●		●	●	○			18	●	●	⊠	✲	●
D	DEUTSCHLAND			100	50	0,5		●		●	●	○			18	●	○	⊠	✲	●
DK	DANMARK	130		80	50	0,5		●		●	○	○			18	●	●	01/11 15/04		○
E	ESPAÑA	120	100	90	50	0,5		●		●	○	○			18	●	○			●
EST	EESTI	110		90	50	0,2		●		● x2	●	●			18	●	●	15/10 15/04	✲	●
F	FRANCE	130	110	80	50	0,5		●	10	●	○	○	○		18	●	○	15/11 31/03		●
FIN	SUOMI, FINLAND	120	100	80	50	0,5		●		●	○	○			18	●	●	01/11 31/03	✲	●
FL	LIECHTENSTEIN			80	50	0,8		●		●	○	○			18	●	●			○
GB	UNITED KINGDOM	112	112	96	48	0,8		●		●	○	○			17	●	○			○
GR	ELLÁDA, ΕΛΛΑΔΑ	130	110	90	50	0,5		●	11	●	●	●			18	●	○	⊠		○
H	MAGYARORSZÁG	130	110	90	50	⊠	●	●	12	●	●	○			17	●	●	⊠		●
HR	HRVATSKA	130	110	90	50	0,5		●	12	●	●	○	●		18	●	01/10 30/04	⊠		●
I	ITALIA	130	110	90	50	0,5		●	12	●	○	○			18	●	●	15/11 15/03	✲	●
IRL	IRELAND, ÉIRE	120	100	80	50	0,5		●		○	○	○			17	●	○			○
IS	ÍSLAND		90	80	50	0,5		●		●	○	○			17	●	●	01/12 15/04		○
L	LUXEMBOURG	130		90	50	0,5		●	12	●	○	○			18	●	○	01/12 31/03	✲	●
LT	LIETUVA	130	110	90	50	0,4		●	12	●	●	●			18	●	●	01/11 01/04	✲	●
LV	LATVIJA		100	90	50	0,5		●		●	●	●			18	●	●	01/11 30/04	✲	●
M	MALTA			80	50	0,8		●		●	○	○			18	●	○			○
MC	MONACO				50	0,5				○	○	○			18	●	○			○
MD	MOLDOVA		110	80	50	⊠		●	12	●	●	●			18	●	01/11 31/03			●
MK	MAKEDONIJA, МАКЕДОНИЈА	130	100	80	50	0,5		●	12	●	●	○	○	●	18	●	●	⊠	✲	●
MNE	CRNA GORA, ЦРНА ГОРА		100	80	60	0,3		●	12	●	●	○	●		18	●	●		✲	●
N	NORGE	100	100	80	50	0,2		●		●	○	○			18	●	●	01/11 28/03	✲	○
NL	NEDERLAND	130	100	80	50	0,5		●	12	○	○	○			18	●	○	⊠		○
P	PORTUGAL	120	100	90	50	0,5		●	12	●	○	○			18	●	○	⊠		○
PL	POLSKA	140	120	90	50	0,2		●		●	○	●			18	●	●	⊠		●
RO	ROMÂNIA	130	100	90	50	⊠	●	●	12	●	●	●			18	●	●	⊠	✲	●
RSM	SAN MARINO			90	50	0,5		●	12	●	○	○			18	●	●			●
RUS	ROSSIJA, РОССИЯ	110	110	90	60	⊠		●	12	●	●	●	●		18	●	●			○
S	SVERIGE	110	90	90	50	0,2		●		●	○	○			18	●	●	01/10 15/04	✲	○
SK	SLOVENSKO	130		90	50	⊠	●	●	10	●	●	○	○	○	18	●	●	⊠	✲	●
SLO	SLOVENIJA	130	110	90	50	0,5	●	●		●	○	○	○		18	●	●	⊠	✲	●
SRB	SRBIJA, СРБИЈА	120	100	80	50	0,3		●	12	●	●	○	○	●	18	●	●			●
TR	TÜRKIYE	120		90	50	0,5		●	12	●	●	●			18	●		⊠		○
UA	UKRAÏNA, УКРАЇНА	130	110	90	60	⊠		●	12	●	●	●			18	●	01/10 30/04			○

● Obligatoire / Compulsory / Vorgeschrieben / Verplicht / Obbligatorio / Obligatorio / Obrigatório

○ Recommandé / Recommended / Empfohlen / Aanbevolen / Raccomandato / Recomendado / Recomendado

⊠ Interdit / Prohibited / Verboten / Verboden / Vietato / Prohibido / Proibido

01/10 15/04 Période d'autorisation / Periode of regulation enforcement / Genehmigungsdauer / Toegelaten perode / Periodo d'autorizzazione / Periodo de autorización / Período de autorização

✲ Pneus hiver obligatoires en condition de circulation hivernale / Winter tyres compulsory in wintry driving conditions / Winterreifen bei Winterwetter gesetzespflichtig / Winterbanden verplicht bij winterse verkeersomstandigheden / Pneumatici invernali obbligatori in condizioni di circolazione invernali / Neumáticos de invierno obligatorios en condiciones de circulación invernales / Pneus de inverno obrigatórios em condições de circulação de inverno

Automobile Club
Automobil Club / Automobielclub / Club del Automóvil / Automóvel clube

(A) Österreich
ÖAMTC
WIEN
✆ : +43 (0)1 711 99 10 300
http:// www.oeamtc.at

ARBÖ
WIEN
℻ : +43 1 891 210
http:// www.arboe.at

(AL) Shqipëria
Automobile Club Albania (ACA)
TIRANË
✆ : +355 42 38 70 11
http:// www.aca.al

(AND) Andorra
Automòbil Club d'Andorra (ACA)
ANDORRA la VELLA
✆ : +376 803 400
http:// www.aca.ad

(B) Belgique, België
R.A.C.B
BRUXELLES / BRUSSEL
✆ : +32 2 287 09 11
http://www.racb.com

Touring Club Belgium (TCB)
BRUXELLES / BRUSSEL
✆ : +32 2 233 23 45
http://www.touring.be

(BG) Balgarija/България
Union des Automobilistes Bulgares (UAB)
SOFIA/СОФИЯ
✆ : +359 2 935 79 35
http://www.uab.org

(BIH) Bosna i Hercegovina
BIHAMK
SARAJEVO
✆ : +387 33 212 772
http:// www.bihamk.ba

(BY) Belarus'/Беларусь
Belorusskij Klub Avtomototurizma (BKA)
MINSK/МIНСК
✆ : +375 17 223 91 11
http://www.bka.by

(CH) Schweiz, Suisse, Svizzera
Touring Club Suisse / Schweiz / Svizzero (TCS)
VERNIER
✆ : +41 58 827 22 20
http://www.tcs.ch

Automobil Club der Schweiz / Automobile Club de Suisse (ACS)
BERN
✆ : +41 31 328 31 11
http://www.acs.ch

(CY) Kýpros, Kıbrıs
Cyprus Automobile Association (CAA)
LEFKOSIA/LEFKOŞA
✆ : +357 22 313 233
http://www.caa.com.cy

(CZ) Česko
Ústrední automotoklub Ceské republiky (UAMK)
PRAHA 4
✆ : +420 2 611 04 279
http://www.uamk.cz

Autoklub Ceské republiky (ACCR)
PRAHA 1
✆ : +420 222 898 247
http://www.autoklub.cz

(D) Deutschland
ADAC
MÜNCHEN
✆ : +49 89 76 76 70
http://www.adac.de

Automobilclub von Deutschland (AVD)
FRANKFURT am MAIN
✆ : +49 69 660 63 00
http://www.avd.de

(DK) Danmark
Forenede Danske Motorejere (FDM)
KGS. LYNGBY
✆ : +45 70 13 30 40
http://www.fdm.dk

(E) España
Real Automóvil Club de España (RACE)
MADRID
✆ : +34 91 594 73 00
http://www.race.es

RACC
BARCELONA
✆ : +34 934 955 151
http://www.racc.es

(EST) Eesti
Eesti Autosporti Liit (EAL)
TALLINN
✆ : +372 6398 666
http://www.autosport.ee

(F) France
Automobile Club de France
PARIS
✆ : +33 1 43 12 43 92
https://automobileclubde-france.fr

Automobile Club Association (ACA)
PARIS
✆ : +33 1 40 55 43 00
www.automobile-club.org

(FIN) Suomi, Finlande
Autoliitto (AL)
HELSINKI
✆ : +358 9 72 58 44 00
http://www.autoliitto.fi

(FL) Liechtenstein
Automobil club Fürstentums Liechtenstein (ACFL)
TRIESEN
✆ : +423 237 67 67
http://www.acfl.li

(GB) United Kingdom
Automobile Association (AA)
BASINGSTOKE
✆ : +44 161 333 0004
http:// www.theaa.com

Green Flag Motoring Assistance
LEEDS
✆ : +44 0345 246 15 58
http://www.greenflag.com

(GR) Elláda/Ελλάς
Automobile and Touring Club of Greece (ELPA)
ATHINA/ΑΘΗΝΑ
✆ : +30 210 606 8800
http://www.elpa.gr

(H) Magyarország
Magyar Autóklub (MAK)
BUDAPEST
✆ : +36 1 345 1 800
http://www.autoklub.hu

(HR) Hrvatska
Hrvatski Autoklub (HAK)
ZAGREB
✆ : +385 1 66 11 999
http://www.hak.hr

(I) Italia
Automobile Club d'Italia (ACI)
ROMA
✆ : +39 6 499 81
http://www.aci.it

Touring Club Italiano (TCI)
MILANO
✆ : +39 2 85 261
http://www.touringclub.it

(IRL) Ireland
Royal Irish Automobile Club (RIAC)
DUBLIN
✆ : +353 1 677 51 41
http://www.riac.ie

AA Ireland Limited
DUBLIN
✆ : +353 1 649 74 60
http://www.theaa.ie

(IS) Ísland
Félag Islenskra Bifreidaeigenda (FIB)
REYKJAVÍK
✆ : +354 414 99 99
www.fib.is

Icelandic Motorsport Association (LIA)
REYKJAVÍK
✆ : +354 514 42 16
www.akis.is

(L) Luxembourg
Automobile Club du Grand Duché de Luxembourg (ACL)
BERTRANGE
✆ : +352 45 00 45
http://www.acl.lu

(LT) Lietuvia
Lietuvos Automobilininku Sajunga (LAS)
VILNIUS
✆ : +370 444 555 55
http://www.las.lt

Lietuvos Automobiliu Sporto Federacija (LASF)
KAUNAS
✆ : +370 37 350 026
http://www.lasf.lt

(LV) Latvija
Latvijas Automoto Biedriba (LAMB)
RĪGA
✆ : +37 1 6756 6222
http://www.lamb.lv

Latvijas Automobilu Federacija (LAF)
RĪGA
✆ : +37 1 6752 02 96
http://www.laf.lv

(M) Malte
Touring Club Malta (TCM)
BIRKIRKARA (B'KARA)
www.touringclubmalta.org

(MC) Monaco
Automobile Club de Monaco (ACM) MONACO
✆ : +377 93 15 26 00
http://www.acm.mc

(MD) Moldova
Automobil Club din Moldova (ACM)
CHIŞINĂU
✆ : +373 22 29 27 03
http://www.acm.md

(MK) Makedonija /Македонија
Avto Moto Sojuz na Makedonija
SKOPJE/СКОПЈЕ
✆ : +389 2 318 11 81
http://www.amsm.com.mk

(MNE) Crna Gora
Auto Moto Savez Crne Gore (AMS)
PODGORICA
✆ : +382 20 234 999
http://www.amscg.org

(N) Norge
Kongelig Norsk Automobilklub (KNA)
OSLO
✆ : +47 21 60 49 00
http://www.kna.no

Norges Automobil-Forbund (NAF)
OSLO
✆ : +47 23 21 31 00
http://www.naf.no

(NL) Nederland
Koninklijke Nederlandse Toeristenbond (ANWB)
DEN HAAG
✆ : +31 70 314 71 47
http://www.anwb.nl

Koninklijke Nederlandse Automobiel Club (KNAC)
DEN HAAG
✆ : +31 70 383 16 12
http://www.knac.nl

(P) Portugal
Automóvel Club de Portugal (ACP)
LISBOA
✆ : +351 21 318 01 00
http://www.acp.pt

(PL) Polska
Polski Zwiazek Motorowy (PZM)
WARSZAWA
✆ : +48 22 542 01 00
http://www.pzm.pl

Polskie Towarzystwo Turystyczno-Krajoznawcze (PTTK)
WARSZAWA
✆ : +48 22 826 22 51
http://www.pttk.pl

(RO) România
Automobil Clubul Român (ACR)
BUCUREŞTI
✆ : +40 21 222 22 22
http://www.acr.ro

(RUS) Rossija/Россия
Russian Automobile Society (RAS-VOA)
MOSKVA/МОСКВА
✆ : +7 495 629 75 40
http://www.voa.ru

Avtoclub Assistance Rus (ACAR)
MOSKVA/MOCKBA
✆ : +7 916 788 52 55

(RSM) San Marino
Automobile Club San Marino (ACS)
DOGANA
✆ : +378 549 90 88 60
http:// www.automobileclub.sm

(SRB) Srbija/Србија
Auto-Moto Savez Srbije (AMSS)
BEOGRAD/БЕОГРАД
✆ : +381 11 333 11 00
http://www.amss.org.rs

(S) Sverige
Kungliga Automobil Klubben
STOCKHOLM
✆ : +46 8 678 00 55
http://www.kak.se

Motormännens Riksförbund
STOCKHOLM
✆ : +46 8 690 38 00
http://www.motormannen.se

(SK) Slovensko
Autoklub Slovenskej Republiky (AKSR)
BRATISLAVA
✆ : +421 268 299 714
http://www.aksr.sk

Slovensky Autoturist Klub (SATC)
BRATISLAVA
✆ : +421 (2) 682 492 11
http://www.satc.sk

(SLO) Slovenija
Avto-Moto Zveza Slovenije (AMZS)
LJUBLJANA
✆ : +386 1 530 53 00
http://www.amzs.si

(TR) Türkiye
Türkiye Otomobil Sporlari Federasyonu (TOSFED)
ISTANBUL
✆ : +90 212 351 50 45
http://www.tosfed.org.tr

Turkiye Turing ve Otomobil Kurumu (TTOK)
ISTANBUL
✆ : +90 212 282 81 40
http://www.turing.org.tr

(UA) Ukraïna/Україна
Fédération Automobile d'Ukraine (FAU)
KYIV/КИЇВ
✆ : +380 44 206 78 76
http://www.fau.ua

	Amsterdam	Athína/Αθήνα	Barcelona	Basel	Beograd/Београд	Bergen	Berlin	Bilbao	Bordeaux	Bratislava	Bruxelles/Brussel	București	Budapest	Calais	Cherbourg	Clermont-Ferrand	Dublin	Dubrovnik	Firenze	Frankfurt-am-Main	Genève	Genova	Göteborg	Hamburg	Helsinki	Istanbul	København	Köln	Kraków	Kyïv/Київ	Lille	Lisboa	Ljubljana	London
Amsterdam																																		
Athína/Αθήνα	2821																																	
Barcelona	1537	2383																																
Basel	729	2427	1024																															
Beograd/Београд	1729	1095	1985	1276																														
Bergen	1456	3822	2811	1808	2731																													
Berlin	668	2345	1872	869	1254	1485																												
Bilbao	1419	3421	612	1206	2325	2793	1967																											
Bordeaux	1085	3127	570	872	2030	2459	1633	333																										
Bratislava	1241	1659	1844	897	568	2173	695	2121	1775																									
Bruxelles/Brussel	206	2771	1338	539	1680	1578	768	1220	886	1192																								
București	2221	1196	2601	1878	614	3181	1703	2937	2644	1017	2173																							
Budapest	1405	1465	1921	1061	374	2364	887	2257	1970	203	1357	824																						
Calais	367	2970	1325	694	1879	1741	930	1202	868	1390	199	2372	1555																					
Cherbourg	788	3248	1224	867	2148	2162	1336	994	660	1685	589	2666	1850	461																				
Clermont-Ferrand	926	2744	620	529	1647	2265	1344	703	368	1412	727	2262	1588	712	717																			
Dublin	613	3534	1885	1254	2443	2304	1493	1458	1124	1954	762	2935	2119	568	509	1273																		
Dubrovnik	1921	1086	2004	1371	473	2861	1653	2340	2047	1007	1873	969	771	2075	2234	1664	2635																	
Firenze	1372	905	1086	646	1013	2390	1238	1423	1228	871	1182	1623	948	1335	1493	889	1964	641																
Frankfurt-am-Main	448	2382	1331	329	1290	1489	549	1483	1149	802	401	1783	967	602	935	799	1163	1482	973															
Genève	978	2429	773	251	1332	2058	1113	1042	708	1089	692	1942	1267	756	891	325	1316	1350	612	577														
Genova	1206	2253	858	479	1156	2248	1180	1194	999	1014	1016	1766	1091	1195	1264	660	1755	1174	246	805	381													
Göteborg	1083	3031	2427	1424	1940	793	692	2416	2082	1382	1206	2390	1574	1370	1786	1894	1931	2313	1890	1106	1673	1857												
Hamburg	473	2635	1778	814	1543	996	290	1807	1473	985	597	1993	1177	761	1177	1245	1321	1858	1395	497	1063	1247	619											
Helsinki	1770	3154	3265	2263	2063	1363	1329	3104	2770	1656	1894	2102	1719	2058	2474	2543	2619	2635	2500	1794	2511	2572	760	1306										
Istanbul	2695	1099	2957	2241	970	3696	2218	3293	3000	1533	2647	649	1339	2849	3105	2617	3409	1273	1978	2256	2298	2113	2905	2512	2758									
København	777	2726	2121	1119	1635	1108	387	2111	1777	1076	901	2085	1269	1065	1481	1550	1626	1997	1584	801	1367	1552	317	313	952	2599								
Köln	269	2566	1357	493	1475	1411	577	1401	1067	987	213	1968	1152	415	771	823	975	1667	1137	193	742	965	1037	427	1726	2440	732							
Kraków	1224	1857	2255	1252	766	2077	599	2411	2065	427	1300	1100	391	1475	1858	1723	2036	1160	1290	978	1501	1425	1286	882	1281	1731	981	1087						
Kyïv/Київ	1989	2101	3045	2041	1477	2837	1364	3200	2854	1320	2095	902	1117	2258	2661	2512	2818	1886	2067	1767	2290	2202	1778	1642	1298	1547	1741	1902	872					
Lille	287	2883	1252	622	1792	1661	850	1135	801	1304	112	2285	1469	114	505	641	674	1893	1266	510	684	1123	1287	677	1976	2757	982	323	1394	2176				
Lisboa	2251	3550	1251	2037	3157	3626	2799	866	1153	2966	2053	3772	3092	2034	1827	1524	771	3175	2253	2314	1874	2025	3252	2641	3941	4127	2947	2234	3258	4047	1967			
Ljubljana	1235	1626	1456	741	535	2181	995	1792	1499	428	1146	1144	462	1378	1604	1117	1938	649	483	803	803	618	1648	1186	2061	1500	1343	987	838	1582	1235	2623		
London	478	3082	1433	802	1990	1852	1041	1307	973	1502	310	2483	1667	116	122	821	443	2182	1446	708	864	1303	1478	868	2167	2955	1173	522	1585	2368	223	2138	1466	
Luxembourg	412	2567	1152	331	1476	1610	766	1282	948	1026	213	2007	1191	415	734	620	976	1590	975	233	510	803	1236	626	1925	2441	931	204	1193	1982	304	2113	943	523
Lyon	925	2551	638	400	1455	2125	1233	889	555	1238	698	2065	1390	762	815	172	1323	1473	701	696	150	469	1752	1141	2441	2425	1447	719	1620	2410	692	1727	925	871
Madrid	1773	2981	623	1559	2588	3146	2320	398	685	2445	1574	3203	2523	1555	1348	1056	1493	2606	1689	1835	1384	1456	2773	2162	3462	3558	2468	1755	2779	3568	1488	627	2058	1661
Málaga	2315	3355	983	2007	2961	3689	2840	929	1217	2819	2116	3577	2896	2097	1890	1593	2042	2979	2062	2303	1757	1830	3315	2705	4004	3931	3010	2297	3227	4021	2030	610	2432	2203
Marseille	1236	2611	507	667	1514	2466	1544	843	648	1372	1010	2124	1450	1074	1127	477	1635	1532	627	1008	417	395	2104	1494	2944	2485	1799	1031	1808	2569	1004	1674	985	1182
Milano	1060	2116	978	340	1024	2108	1040	1314	1016	882	879	1634	959	1029	1203	633	1630	1042	304	665	320	140	1724	1113	2440	1989	1418	829	1292	2079	959	2145	495	1137
Minsk/Мінск	1768	2595	2901	1898	1504	1904	1143	3070	2736	1203	1874	1369	1144	2037	2440	2368	2597	1913	2047	1624	2147	2182	1107	1421	798	2014	1520	1681	802	584	1953	3901	1606	2145
Moskva/Москва	2472	3312	3607	2604	2220	2391	1847	3774	3440	1907	2578	1762	1848	2740	3144	3074	3301	2629	2753	2330	2853	2914	1656	2125	1107	2909	2224	2385	1503	872	2657	4605	2312	2849
München	831	2035	1363	398	944	1771	587	1604	1258	492	741	1474	657	975	1202	915	1535	1058	652	393	591	632	1238	776	1986	1909	933	577	871	1764	832	2448	411	1083
Nantes	884	3170	893	852	2073	2258	1432	663	329	1698	685	2679	1863	598	325	535	477	2091	1353	947	748	1121	1884	1274	2573	3043	1579	867	1915	2705	599	1484	1544	448
Napoli	1842	844	1557	1116	1483	2860	1708	1893	1698	1341	1652	1237	1418	1805	1963	1359	2434	273	474	1441	1080	713	2360	1865	2999	1301	2055	1605	1776	2590	1734	2724	953	1913
Oslo	1376	3325	2720	1717	2233	499	985	2710	2376	1675	1500	2683	1867	1664	2080	2188	2224	2606	2183	1400	1966	2150	295	912	812	3198	611	1330	1579	2069	1581	3541	1943	1772
Palermo	1847	1131	242	1121	1494	2865	1713	1898	1704	1346	1658	2104	1429	1810	1969	1365	2439	673	479	1446	1086	718	2365	1870	3010	2458	2060	1610	1787	2620	1740	2729	959	1915
Paris	511	2878	1036	506	1787	1885	1059	919	585	1324	312	2306	1489	297	357	425	857	1901	1147	574	541	914	1511	901	2200	2752	1206	493	1542	2332	226	1750	1254	405
Porto	2086	3385	1159	1873	2991	3460	2634	711	999	2801	1887	3607	2927	1868	1661	1370	461	3009	2092	2149	1709	1860	3086	2476	3775	3961	2781	2068	3092	3882	1801	313	2462	1974
Praha	894	1987	1721	719	896	1839	361	1875	1532	337	907	1346	529	1109	1398	1189	1669	1285	1039	517	967	1009	1047	655	1638	1860	742	701	488	1325	1017	2722	623	1217
Rīga	1718	2839	2926	1924	1757	1034	998	2975	2641	1319	1779	1758	1382	1942	2345	2362	2547	2298	2163	1535	2172	2233	477	1265	315	2437	833	1586	962	1055	1859	3806	1722	2095
Roma	1642	1011	1359	916	1283	2660	1508	1693	1499	1141	1452	1893	1218	1605	1763	1159	2234	440	274	1241	881	513	2160	1665	2799	1467	1855	1405	1550	2338	1534	2526	755	1713
Rotterdam	76	2830	1482	684	1739	1487	694	1364	1030	1250	154	2231	1415	316	734	870	563	1931	1328	456	863	1156	1113	502	1802	2703	808	263	1255	2021	233	2195	1253	425
Salzburg	975	1903	1500	535	812	1915	730	1741	1395	386	877	1368	551	1111	1338	1052	1672	926	668	536	728	698	1382	920	1989	1777	1077	721	766	1671	969	2585	279	1220
Sarajevo	1747	1161	2003	1294	305	2687	1402	2340	2046	716	1699	915	537	1901	2158	1664	2461	246	1030	1309	1350	1166	2088	1688	2260	1168	1783	1493	927	1654	1809	3170	551	2009
Sevilla	2247	3376	1004	2029	2983	3621	2794	861	1148	2841	2048	3598	2918	2029	1822	1519	1967	3001	2084	2309	1779	1851	3247	2636	3936	3953	2942	2229	3249	4043	1962	393	2453	2135
Skopje/Скопје	2153	702	2416	1760	429	3155	1677	2752	2459	991	2106	625	798	2307	2564	2076	2868	456	1437	1715	1757	1572	2364	1971	2494	818	2059	1899	1184	1527	2216	3583	958	2416
Sofia/София	2112	800	2374	1659	387	3114	1636	2710	2417	950	2064	389	756	2266	2523	2035	2827	691	1396	1674	1715	1531	2322	1929	2452	568	2017	1858	1143	1290	2174	3541	916	2374
St. Peterburg	2304	3348	3525	2523	2257	1521	1589	3606	3272	1850	2410	2132	1913	2573	2976	2993	3133	2829	2694	2210	2771	2832	1143	1896	391	2946	1303	2217	1458	1243	2489	4437	2253	2681
Stockholm	1427	3376	2771	1769	2285	1027	1037	2761	2427	1726	1551	2735	1918	1715	2131	2200	2275	2657	2234	1451	2017	2202	470	963	292	3249	662	1381	651	1062	1632	3592	1994	1823
Strasbourg	602	2413	1129	141	1322	1698	758	1274	940	856	429	1838	1021	622	849	597	1182	1435	785	217	390	613	1313	702	2158	2286	1008	355	1148	1937	520	2105	789	730
Tallinn	2039	3150	3261	2258	2059	1156	1324	3342	3008	1652	2145	2098	1714	2308	2712	2728	2869	2631	2496	1946	2507	2567	607	1631	-	2748	798	1952	1273	1307	2225	4173	2055	2416
Thessaloníki	2350	503	2612	1957	625	3351	1873	2948	2655	1188	2302	697	994	2504	2760	2272	3064	687	1633	1911	1953	1768	2560	2167	2690	599	2255	2096	1380	1598	2412	3779	1154	2612
Toulouse	1180	2986	329	879	1889	2554	1694	445	245	1747	981	2505	1824	966	900	376	1526	1907	990	1158	685	758	2180	1570	2869	2859	1875	1162	2082	2871	895	1267	1360	1074
Tromsø	3017	4966	4361	3358	3874	1866	2626	4351	4017	3316	3141	3463	3508	3305	3721	3829	3865	4247	3824	3041	3607	3791	1944	2553	1360	4113	2251	2971	2637	2730	3222	5182	3584	3413
Valencia	1878	2724	352	1377	2330	3130	2209	612	779	2188	1679	2946	2266	1664	1442	963	1594	2348	1431	1672	1126	1199	2768	2117	3609	3301	2463	1695	2597	3391	1594	887	1801	1773
Venezia	1308	1865	1236	603	774	2288	1135	1572	1279	631	1142	1383	709	1292	1466	897	1921	792	262	856	583	398	1788	1293	2264	1738	1483	1064	1041	1829	1222	2403	244	1400
Vilnius	1653	2580	2792	1790	1489	1722	1028	2955	2621	1094	1759	1399	1157	1922	2325	2260	2482	2073	1939	1541	2038	2099	925	1306	608	2049	804	1566	737	768	1838	3786	1497	2030
Warszawa	1217	2182	2351	1349	1091	1880	592	2520	2185	653	1323	1201	716	1486	1889	1819	2046	1632	1498	1075	1597	1658	976	870	982	2055	969	1130	296	772	1403	3350	1057	1594
Wien	1156	1702	1799	813	610	2130	652	2036	1690	79	1108	1060	244	1310	1600	1330	1870	961	826	718	1006	961	1338	946	1688	1575	1033	902	465	1364	1218	2881	385	1418
Zagreb	1335	1487	1591	881	396	2271	1067	1927	1634	421	1287	1006	345	1489	1745	1251	2049	607	618	897	938	753	1719	1276	2053	1361	1414	1081	738	1465	1397	2758	139	1597
Zürich	813	2348	1051	86	1192	1854	837	1280	946	817	622	1798	982	775	950	603	1335	1312	588	390	279	416	1469	859	2237	2156	1164	554	1225	2015	705	2111	659	883

Distances

Distances

Distances / Entfernungen / Afstandstabel /Distanze / Distancias / Distâncias

Les distances sont comptées à partir du centre-ville et par la route la plus pratique, c'est-à-dire celle qui offre les meilleures conditions de roulage, mais qui n'est pas nécessairement la plus courte.

Distances are calculated from town-centres and using the best roads from a motoring point of view - not necessarily the shortest.

Die Entfernungen gelten ab Stadtmitte unter Berücksichtigung der günstigsten (nicht immer kürzesten) Strecke.

De afstanden zijn in km berekend van centrum tot centrum langs de geschickste, dus niet noodzakelijkerwijze de kortste route.

Le distanze sono calcolate a partire dal centro-città e seguendo la strada che, pur non essendo necessariamente la più breve, offre le migliori condizioni di viaggio.

El kilometraje está calculado desde el centro de la ciudad y por la carretera más práctica para el automovilista, que no tiene porqué ser la más corta.

As distâncias entre as principais cidades são contadas a partir do centro da cidade e pela estrada mais pratica, ou seja, a que oferece melhores condições de acesso, mas que não é necessáriamente a mais curta.

Paris ⟷ Madrid = 1273 km

	Luxembourg	Lyon	Madrid	Málaga	Marseille	Milano	Minsk/Мінск	Moskva/Москва	München	Nantes	Napoli	Oslo	Palermo	Paris	Porto	Praha	Riga	Roma	Rotterdam	Salzburg	Sarajevo	Sevilla	Skopje/Скопје	Sofia/София	St. Peterburg	Stockholm	Strasbourg	Tallinn	Thessaloniki	Toulouse	Tromsø	Valencia	Venezia	Vilnius	Warszawa	Wien	Zagreb
Lyon	518																																				
Madrid	1635	1237																																			
Málaga	2125	1611	536																																		
Marseille	829	316	1105	1479																																	
Milano	668	442	1577	1951	520																																
Minsk/Мінск	1841	2266	3424	3873	2578	2062																															
Moskva/Москва	2546	2972	4128	4579	3284	2768	706																														
München	530	740	1973	2336	996	496	1619	2327																													
Nantes	746	664	1018	1547	971	1059	2536	3242	1205																												
Napoli	1444	1168	2156	2530	1083	774	2542	3249	1121	1822																											
Oslo	1518	2046	3064	3603	2397	2014	1398	1710	1530	2177	2652																										
Palermo	1449	1173	2161	2535	1088	780	2553	3260	1126	1827	5	2661																									
Paris	373	466	1273	1812	778	852	2163	2869	832	386	1616	1807	1617																								
Porto	1948	1556	560	872	1510	1982	3738	4444	2284	1329	2561	3382	2574	1585																							
Praha	741	1087	2246	2694	1399	873	1181	1887	386	1413	1508	1343	1509	1038	2556																						
Riga	1773	2292	3329	3899	2604	2096	476	937	1644	2443	2658	538	2660	2067	3640	1247																					
Roma	1244	968	1956	2330	883	575	2342	3049	921	1622	229	2455	231	1414	2358	1305	2464																				
Rotterdam	357	871	1718	2258	1183	1019	1798	2504	840	832	1797	1408	1799	456	2029	920	1705	1597																			
Salzburg	667	877	2110	2484	1062	577	1531	2239	143	1353	1137	1677	1139	978	2419	339	1653	937	966																		
Sarajevo	1486	1472	2602	2976	1530	1045	1663	2386	962	2092	523	2384	924	1798	3004	1044	1924	722	1756	830																	
Sevilla	2109	1632	532	217	1501	1974	3894	4605	2367	1479	2553	3542	2554	1745	667	2711	3853	2353	2186	2505	3001																
Skopje/Скопје	1892	1884	3014	3388	1942	1451	1913	2649	1369	2504	613	2659	1014	2204	3416	1320	2180	773	2162	1236	460	3410															
Sofia/София	1851	1843	2973	3347	1900	1410	1872	2608	1327	2463	842	2618	1243	2163	3375	1278	2139	1002	2121	1195	586	3368	229														
St. Peterburg	2404	2891	3960	4498	3203	2696	896	712	2243	3074	3189	1196	3191	2698	4271	1823	575	2989	2333	2177	2448	4431	2682	2640													
Stockholm	1570	2097	3115	3655	2449	2065	483	944	1581	2228	2703	532	2705	1853	3425	1392	8	2503	1456	1726	2433	3585	2709	2668	676												
Strasbourg	221	495	1628	2102	807	477	1793	2501	367	864	1254	1608	1256	489	1939	610	1817	1054	568	520	1340	2124	1746	1705	2418	1658											
Tallinn	2140	2626	3696	4234	2938	2431	787	1084	1979	2809	2991	660	2992	2433	4006	1625	311	2791	2068	1979	2249	4166	2483	2442	364	142	2153										
Thessaloniki	2089	2081	3211	3584	2138	1648	2109	2845	1565	2700	705	2855	993	2400	3612	1516	2376	865	2359	1433	691	3606	231	301	2877	2905	1933	2686									
Toulouse	979	539	799	1270	407	880	2727	3435	1273	568	1459	2476	1461	679	1109	1544	2753	1259	1120	1412	1908	1259	2319	2278	3354	2525	957	3090	2513								
Tromsø	3159	3687	4705	5244	4038	3655	2151	2397	3171	3818	4293	1643	4295	3442	5015	2982	1674	4093	3046	3315	4023	5175	4299	4257	1508	1596	3249	1363	4493	4112							
Valencia	1494	980	356	626	849	1322	3242	3949	1715	1109	1900	3064	1902	1377	922	2059	3268	1700	1818	1853	2349	662	2761	2719	3869	3113	1472	3605	2954	634	4703						
Venezia	931	705	1835	2209	778	276	1807	2512	505	1322	732	2083	734	1116	2237	781	1928	532	1302	438	792	2229	1198	1157	2451	2133	742	2260	1392	1136	3723	1578					
Vilnius	1758	2158	3309	3765	2470	1953	190	878	1510	2423	2433	1220	2435	2047	3620	1067	294	2233	1682	1421	1692	3780	1914	1872	724	301	1685	605	2107	2610	1967	3134	1700				
Warszawa	1291	1717	2874	3324	2029	1512	552	1255	1069	1987	1992	1271	1994	1611	3184	626	668	1792	1246	980	1251	3344	1515	1474	1169	409	1244	979	1709	2169	2343	2693	1259	438			
Wien	942	1155	2398	2772	1325	841	1231	1937	407	1615	1295	1634	1297	1240	2715	295	1352	1095	1165	299	759	2793	1035	993	1875	1683	772	1684	1229	1699	3273	2141	587	1122	681		
Zagreb	1073	1060	2190	2564	1117	632	1474	2197	550	1679	1087	2014	1089	1385	2591	667	1718	887	1344	417	415	2585	821	779	2240	2073	918	2050	1015	1491	3656	1933	380	1487	1046	375	
Zürich	414	428	1650	2024	694	280	1870	2578	317	939	1057	1765	1059	591	1945	691	1896	857	761	455	1210	2045	1616	1575	2498	1814	225	2234	1875	951	3404	1393	544	1762	1320	732	799

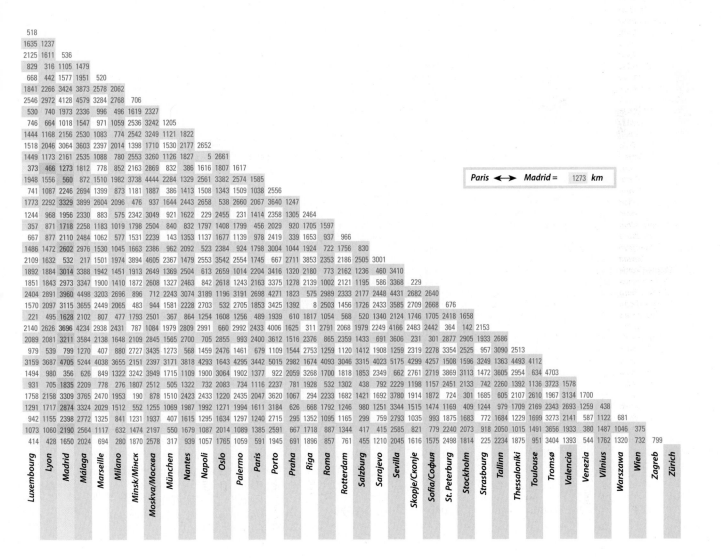

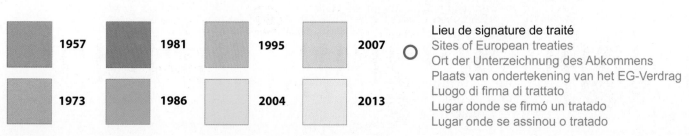

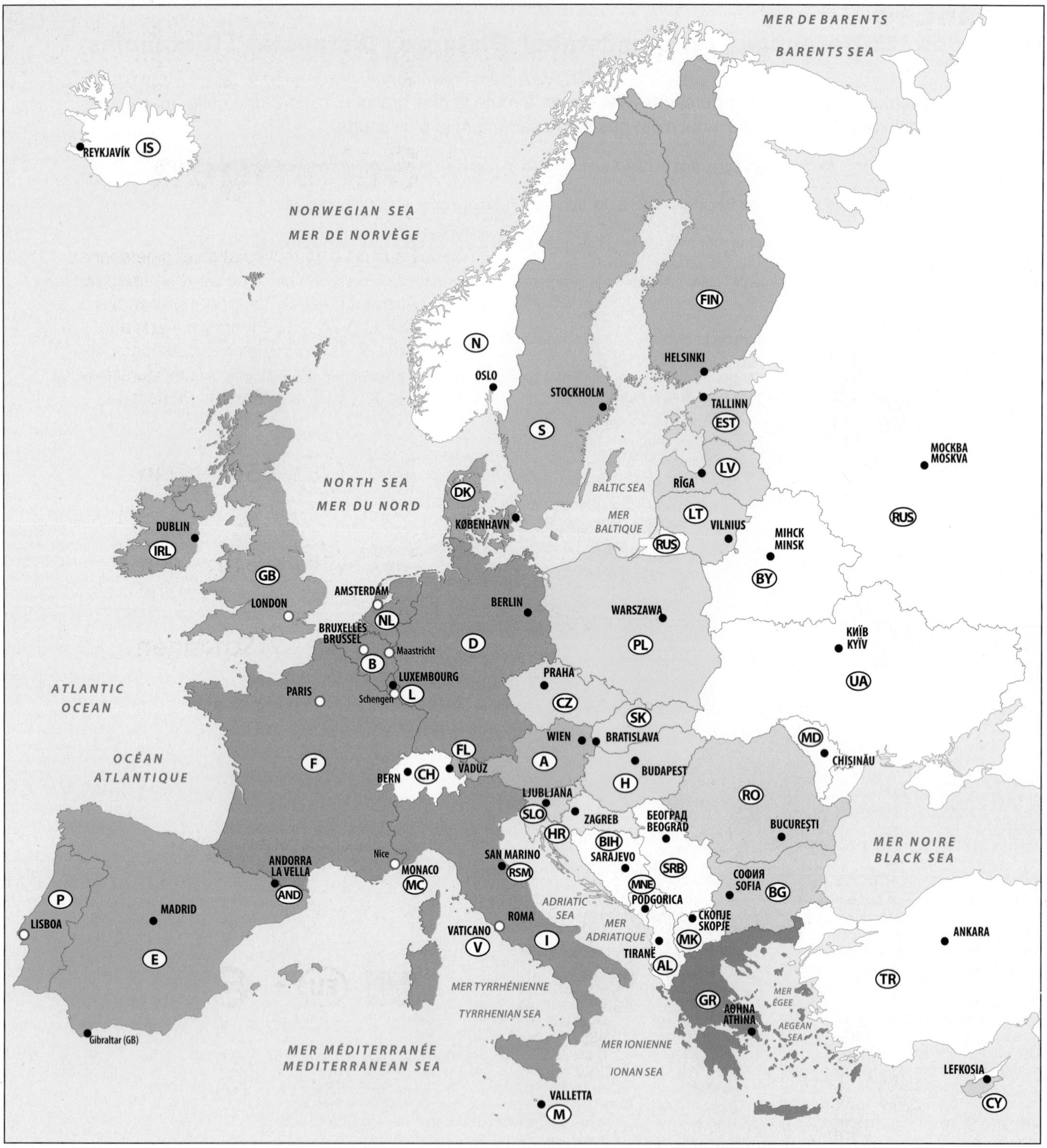

1957	1981	1995	2007
1973	1986	2004	2013

○ Lieu de signature de traité
Sites of European treaties
Ort der Unterzeichnung des Abkommens
Plaats van ondertekening van het EG-Verdrag
Luogo di firma di trattato
Lugar donde se firmó un tratado
Lugar onde se assinou o tratado

Europe des 28

28 EU Member States / Europa der 28 / Het Europa van de 28
Europa dei 28 / Europa de los 28 / Europa dos 28

Schengen

Espace de libre circulation des personnes
Area of free movement between member states
Abschaffung der Binnengrenzkontrollen
Ruimte voor vrij verkeer van personen
Area di libera circolazione delle persone
Espacio de libre circulación de personas
Espaço de livre circulação de pessoas

EU + Schengen

EU + ~~Schengen~~

~~EU~~ + Schengen

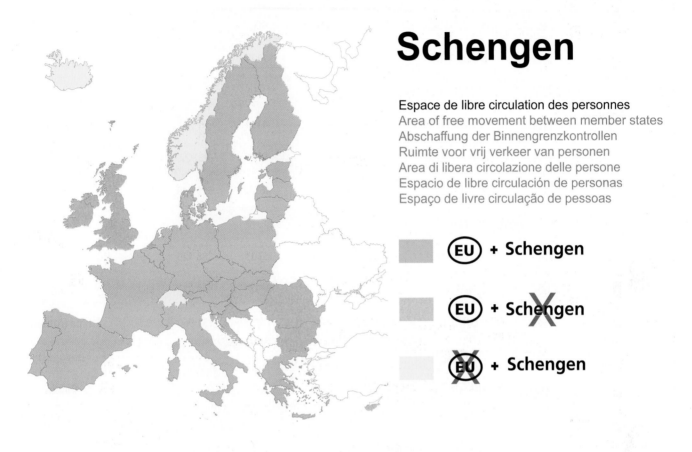

Euro : €

EU + €

EU + ~~€~~

EU

Pays de l'UE
EU states
EU-Staaten
EU-lidstaten
Paesi dell'UE
Países de la UE
Países da UE

	F	NOM FRANÇAIS	NOM LOCAL	x 1000	km²	h/km²	
	D	ALLEMAGNE	Deutschland	82521	357 380	231	Berlin
	A	AUTRICHE	Österreich	8772	83 879	105	Wien (Vienne)
	B	BELGIQUE	België, Belgique	11351	30 530	372	Brussel/Bruxelles
	BG	BULGARIE	България	7127	111 000	64	Sofia (София)
	CY	CHYPRE	Κύπρος / Kýpros, Kibris	854	9 250	92	Lefkosia (Nicosie)
	HR	CROATIE	Hrvatska	4154	56 590	73	Zagreb
	DK	DANEMARK	Danmark	5748	42 922	134	København (Copenhague)
	E	ESPAGNE	España	46528	505 940	92	Madrid
	EST	ESTONIE	Eesti	1315	45 230	29	Tallinn
	FIN	FINLANDE	Suomi, Finland	5503	338 420	16	Helsinki/Helsingfors
	F	FRANCE	France	66989	549 087	122	Paris
	GR	GRÈCE	Ελλάδα ,Ellada	10768	131 960	82	Athína (Athènes)
	H	HONGRIE	Magyarország	9797	93 030	105	Budapest
	IRL	IRLANDE	Ireland, Éire	4784	70 280	68	Dublin
	I	ITALIE	Italia	60589	301 340	201	Roma (Rome)
	LV	LETTONIE	Latvija	1950	64 490	30	Rīga
	LT	LITUANIE	Lietuva	2847	65 286	44	Vilnius
	L	LUXEMBOURG	Luxembourg, Lëtzebuerg	590	2 590	228	Luxembourg
	M	MALTE	Malta	460	320	1 438	Valletta (La Valette)
	NL	PAYS-BAS	Nederland	17081	41 540	411	Amsterdam
	PL	POLOGNE	Polska	37972	312 680	121	Warszawa (Varsovie)
	P	PORTUGAL	Portugal	10309	92 225	112	Lisboa (Lisbonne)
	RO	ROUMANIE	România	19644	238 390	82	București (Bucarest)
	GB	ROYAUME-UNI	United Kingdom of Great Britain & Northern Ireland	65808	243 610	270	London (Londres)
	SK	SLOVAQUIE	Slovensko	5435	49 035	111	Bratislava
	SLO	SLOVÉNIE	Slovenija	2065	20 270	102	Ljubljana
	S	SUÈDE	Sverige	9995	447 420	22	Stockholm
	CZ	TCHÉQUIE	Česko	10578	78 870	134	Praha (Prague)

Sources : Eurostat 2017

		(1 000 000 000 e)	(en e)	(GMT)	RÉGIME POLITIQUE	FÊTE NATIONALE
25/03/1957	€	3 263 350,0	39 546	+ 1 (hiver) + 2 (été)	République fédérale	03/10
01/01/1995	€	369 217,0	42 090	+ 1 (hiver) + 2 (été)	République fédérale	26/10
25/03/1957	€	437 204,0	38 517	+ 1 (hiver) + 2 (été)	Monarchie constitutionnelle et parlementaire	21/07
01/01/2007	Leva (BGN)	50 430,0	7 076	+ 2 (hiver) + 3 (été)	République	03/03
01/05/2004	€	19 213,0	22 498	+ 2 (hiver) + 3 (été)	République	01/10
01/07/2013	Kuna (HRK)	48 676,0	11 718	+ 1 (hiver) + 2 (été)	République	25/06
01/01/1973	Danske Krone (DKK)	288 373,0	50 169	+ 1 (hiver) + 2 (été)	Monarchie parlementaire	16/04
01/01/1986	€	1 163 662,0	25 010	+ 1 (hiver) + 2 (été)	Royaume (Monarchie parlementaire)	12/10
01/05/2004	€	23 002,0	17 492	+ 2 (hiver) + 3 (été)	République	24/02
01/01/1995	€	223 522,0	40 618	+ 2 (hiver) + 3 (été)	République	06/12
25/03/1957	€	2 287 603,0	34 149	+ 1 (hiver) + 2 (été)	République	14/07
01/01/1981	€	177 735,0	16 506	+ 2 (hiver) + 3 (été)	République	25/03
01/05/2004	Forint (HUF)	123 494,0	12 605	+ 1 (hiver) + 2 (été)	République	20/08
01/01/1973	€	296 151,0	61 904	GMT (hiver) + 1 (été)	République	17/03
25/03/1957	€	1 716 934,0	28 337	+ 1 (hiver) + 2 (été)	République	02/06
01/05/2004	€	26 856,0	13 772	+ 2 (hiver) + 3 (été)	République	18/11
01/05/2004	€	41 857,0	14 702	+ 2 (hiver) + 3 (été)	République	16/02
25/03/1957	€	55 377,0	93 859	+ 1 (hiver) + 2 (été)	Monarchie constitutionnelle	23/06
01/05/2004	€	11 108,0	24 148	+ 1 (hiver) + 2 (été)	République	21/09
25/03/1957	€	733 168,0	42 923	+ 1 (hiver) + 2 (été)	Monarchie constitutionnelle et parlementaire	27/04
01/05/2004	Złoty (PLN)	465 604,0	12 262	+ 1 (hiver) + 2 (été)	République	03/05
01/01/1986	€	193 048,0	18 726	GMT (hiver) + 1 (été)	République	10/06
01/01/2007	Leu (RON)	187 868,0	9 564	+ 2 (hiver) + 3 (été)	République	01/12
01/01/1973	Pound Sterling (GBP)	2 324 293,0	35 319	GMT (hiver) + 1 (été)	Monarchie constitutionnelle	13/06
01/05/2004	€	84 985,0	15 637	+ 1 (hiver) + 2 (été)	République	01/09
01/05/2004	€	43 278,0	20 958	+ 1 (hiver) + 2 (été)	République	25/06
01/01/1995	Svensk Krona (SEK)	477 857,0	47 810	+ 1 (hiver) + 2 (été)	Monarchie parlementaire	06/06
01/05/2004	Koruna Česká (CZK)	192 016,0	18 152	+ 1 (hiver) + 2 (été)	République	28/10

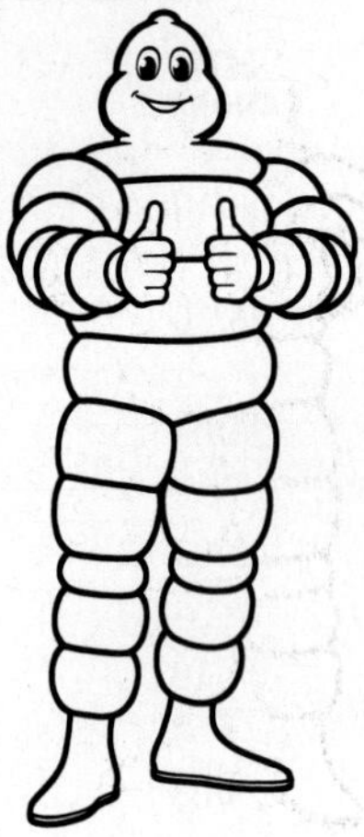

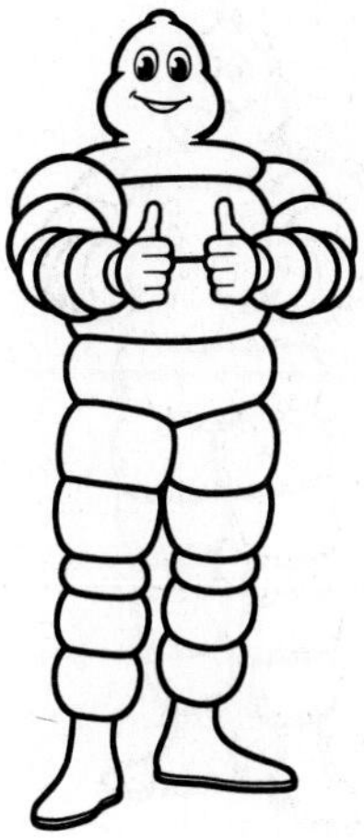

Édition 2019 par Michelin Travel Partner

Société par actions simplifiée au capital de 15 044 940 EUR
27 Cours de l'Île Seguin – 92100 Boulogne-Billancourt (France) - R.C.S. Nanterre 433 677 721

CARTE STRADALI E TURISTICHE PUBBLICAZIONE PERIODICA
Reg. Trib. di Milano N° 80 del 24/02/1997 Dir. Resp. FERRUCCIO ALONZI

Achevé d'imprimer - 11/2018
Printed in Italy - Nuovo Istituto Italiano Arti Grafiche (NIIAG) - 24126 Bergamo (Italie) – DL : 01/2019

Photo de couverture : Marina Ignatova / Fotolia.com
bluejayphoto / iStock

ISLANDE ICELAND
NORVÈGE NORWAY
SUÈDE SWEDEN
FINLANDE FINLAND
ESTONIE ESTONIA
LETTONIE LATVIA
LITUANIE LITHUANIA
RUSSIE RUSSIA
RUSSIE RUSSIA
BIÉLORUSSIE BELARUS
IRLANDE IRELAND
ROYAUME-UNI UNITED KINGDOM
DANEMARK DENMARK
PAYS-BAS NETHERLANDS
BELGIQUE BELGIUM
LUXEMBOURG
ALLEMAGNE GERMANY
POLOGNE POLAND
UKRAINE
TCHÉQUIE ČESKO
SLOVAQUIE SLOVAKIA
MOLDAVIE MOLDOVA
FRANCE
LIECHTENSTEIN
SUISSE SWITZERLAND
AUTRICHE AUSTRIA
HONGRIE HUNGARY
SLOVÉNIE SLOVENIA
CROATIE CROATIA
ROUMANIE ROMANIA
SAN MARINO
BOSNIE-HER. BOSNIA-HER.
SERBIE SERBIA
MONACO
MONTÉNÉGRO MONTENEGRO
BULGARIE BULGARIA
ORTUGAL
ANDORRE ANDORRA
ESPAGNE SPAIN
ITALIE ITALY
RÉP. MACÉDOINE REP. OF MACEDONIA
ALBANIE ALBANIA
TURQUIE TURKEY
GRÈCE GREECE
MAROC MOROCCO
ALGÉRIE ALGERIA
TUNISIE TUNISIA
MALTE MALTA
CHYPRE CYPRUS

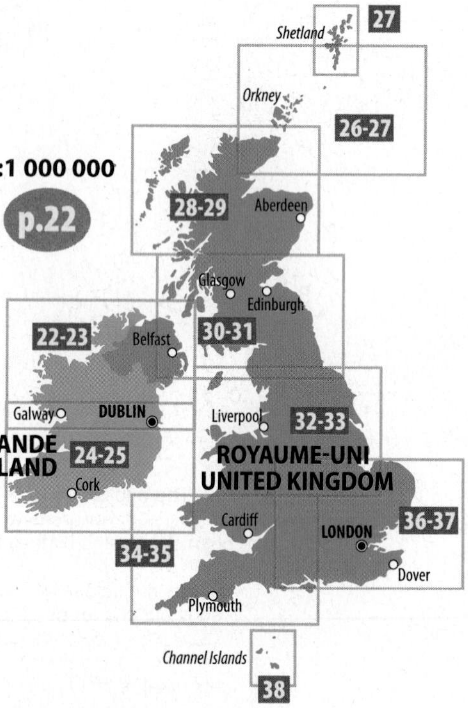
Shetland
27
Orkney
26-27
1:1 000 000
p.22
28-29
Aberdeen
Glasgow
Edinburgh
22-23
Belfast
30-31
Galway
DUBLIN
Liverpool
32-33
IRLANDE IRELAND
24-25
ROYAUME-UNI UNITED KINGDOM
Cork
Cardiff
LONDON
36-37
34-35
Dover
Plymouth
Channel Islands
38

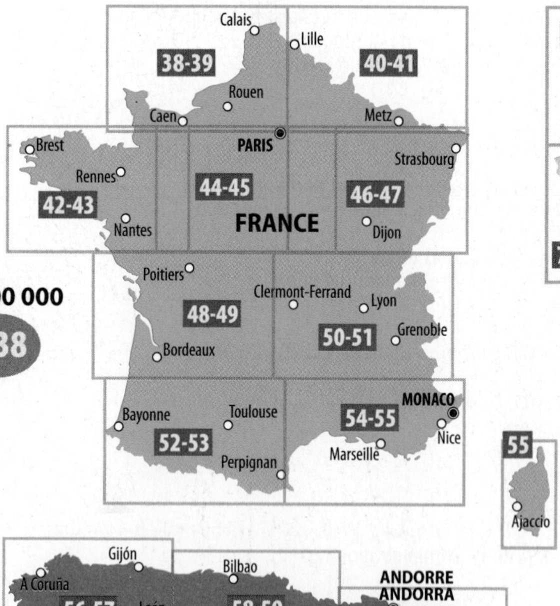
Calais
Lille
38-39
40-41
Rouen
Caen
Metz
Brest
PARIS
Strasbourg
Rennes
44-45
46-47
42-43
Nantes
FRANCE
Dijon
1:1 000 000
p.38
Poitiers
Clermont-Ferrand
Lyon
48-49
50-51
Grenoble
Bordeaux
Bayonne
Toulouse
MONACO
54-55
52-53
Nice
Perpignan
Marseille
55
Ajaccio

76-77
PAYS-BAS NETHERLANDS
AMSTERDAM
Rotterdam
BRUXELLES/BRUSSEL
BELGIQUE BELGIUM
78-79
LUXEMBOURG
1:1 000 000
p.76

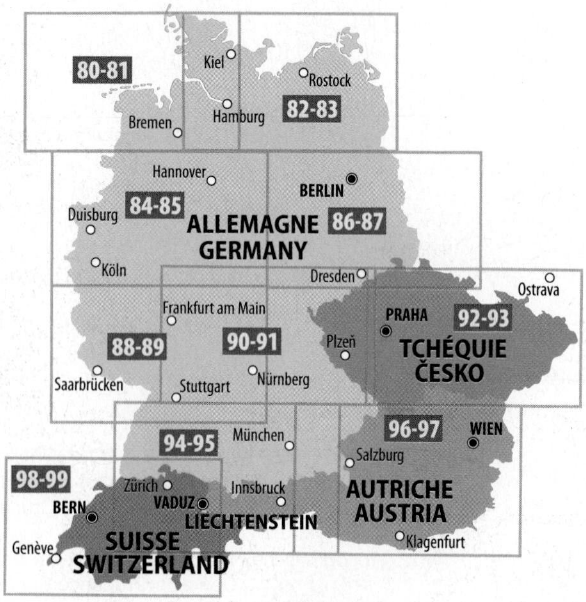
80-81
Kiel
Rostock
Bremen
Hamburg
82-83
Hannover
BERLIN
Duisburg
84-85
ALLEMAGNE GERMANY
86-87
Köln
Dresden
Ostrava
Frankfurt am Main
PRAHA
92-93
88-89
90-91
Plzeň
TCHÉQUIE ČESKO
Saarbrücken
Stuttgart
Nürnberg
94-95
München
96-97
WIEN
Salzburg
98-99
Zürich
VADUZ
Innsbruck
BERN
LIECHTENSTEIN
AUTRICHE AUSTRIA
Genève
SUISSE SWITZERLAND
Klagenfurt
1:1 000 000
p.80

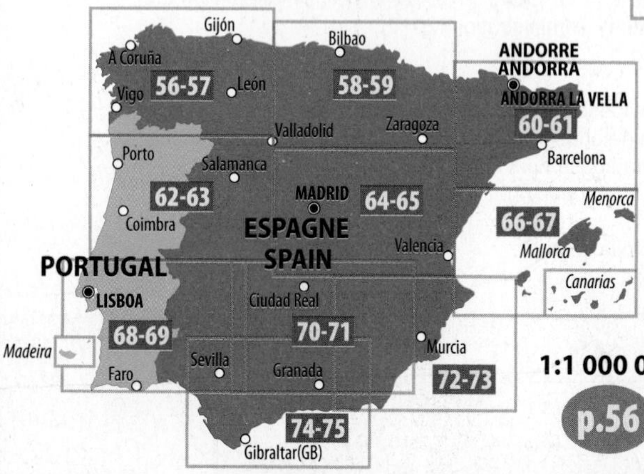
Gijón
Bilbao
ANDORRE ANDORRA
A Coruña
56-57
León
58-59
ANDORRA LA VELLA
Vigo
Valladolid
Zaragoza
60-61
Porto
Salamanca
Barcelona
62-63
MADRID
64-65
Menorca
Coimbra
ESPAGNE SPAIN
66-67
Valencia
Mallorca
PORTUGAL
LISBOA
Ciudad Real
Canarias
68-69
70-71
Madeira
Sevilla
Granada
Murcia
Faro
72-73
74-75
Gibraltar(GB)
1:1 000 000
p.56